개념과 정리가 한번에 끝나는 기본서

개념풀

화학 Ⅱ

쉽게 풀어 이해가 잘되는

개념책

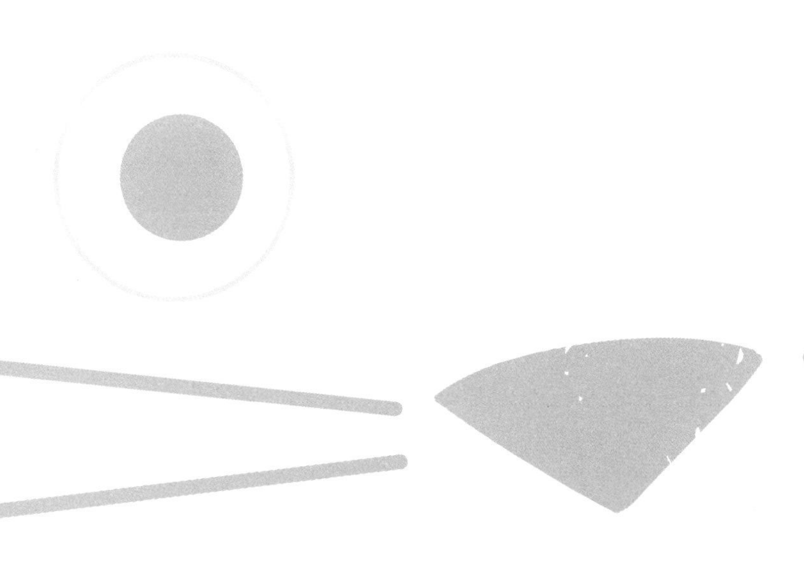

구성과 특징

쉽게 풀어 이해가 잘 되는 **개념책**

이해하기 쉬운 개념 학습

▪단원 도입 학습

'배울 내용 살펴보기'로 이 단원의 흐름을 한눈에 파악할 수 있습니다.

❶ 소단원별 흐름을 한눈에 파악

❷ 스토리로 단원의 흐름을 전개

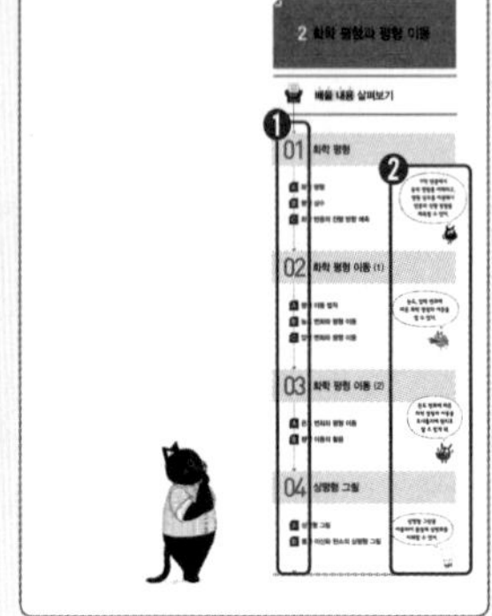

▪본문 학습

6종 교과서를 완벽 분석하여 중요 개념을 쉽게 풀어 정리하였습니다.

❶ '핵심 키워드로 흐름잡기'와 '출제 단서'를 통해 시험에 잘 나오는 중요 개념을 한눈에 파악

❷ '빈출 자료', '빈출 탐구', '빈출 계산연습'으로 관련 내용을 생생하게 설명

❸ '용어 알기'를 통해 내용을 이해하는 데 도움이 되는 단어 정리

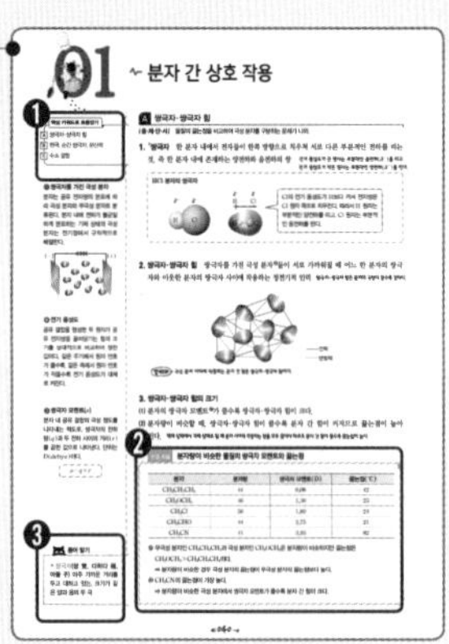

▪특강 학습

개념과 탐구의 완벽한 이해를 위해 생생한 자료로 자세하게 설명하였습니다.

❶ '개념 POOL'을 통해 개념을 한번에 쉽게 이해

❷ '탐구 POOL'을 통해 교과서 중요 탐구를 과정별 사진으로 생생하게 제시

❸ '확인 문제'로 이해도 점검

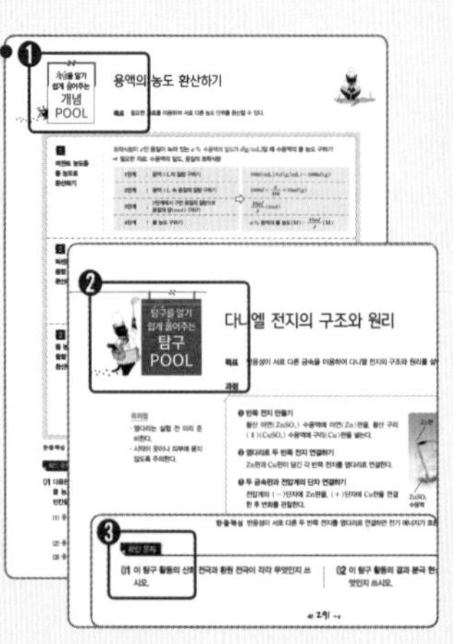

다양한 유형의 단계별 문제

▪콕콕! 개념 확인하기

개념 확인에 적합한 유형을 엄선하여 구성하였습니다.

▪탄탄! 내신 다지기

학교 시험 빈출 유형 중에서 난이도 중 이하의 문제로 구성하였습니다.

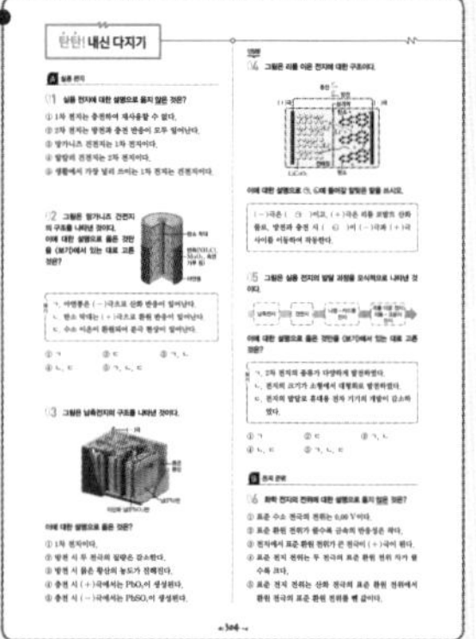

▪도전! 실력 올리기

학교 시험에 꼭 나오는 난이도 중상의 문제와 서답형 문제로 구성하였습니다.

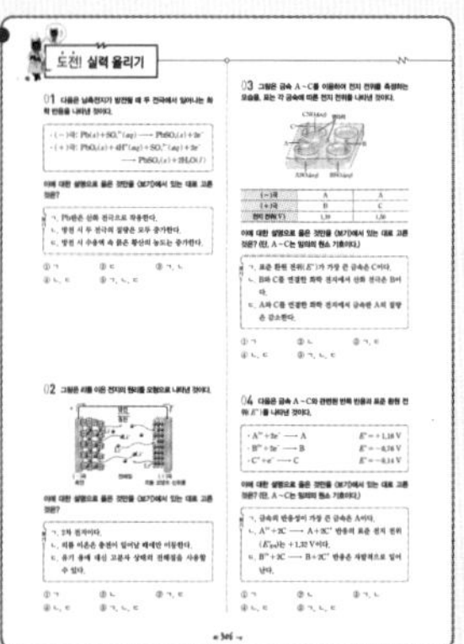

실전에 대비하는 마무리 학습

▪수능을 알기 쉽게 풀어주는 수능 POOL

출제 의도와 문제 분석을 통해 수능 대표 유형을 미리 연습할 수 있도록 구성하였습니다.

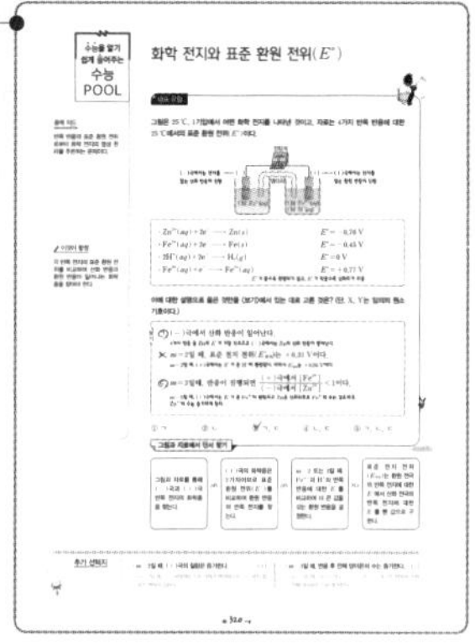

▪실전! 수능 도전하기

수능 기출 분석을 통한 실전 수능형 문제로 구성하여 수능에 대비할 수 있도록 구성하였습니다.

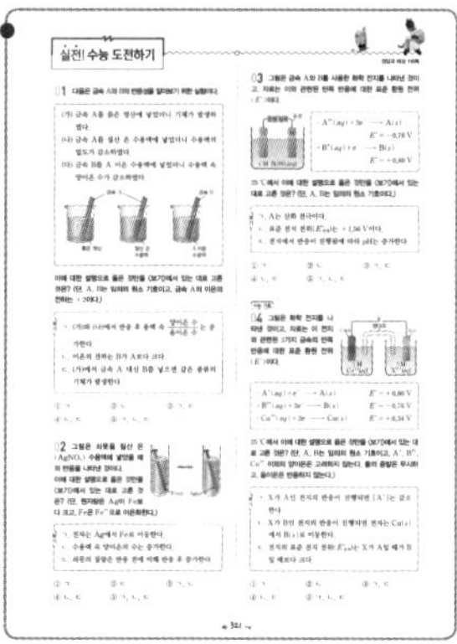

▪대단원 마무리

'한눈에 보는 대단원 정리'를 통해 대단원 핵심 내용을 다시 한 번 정리하고, '한번에 끝내는 대단원 문제'로 학교 시험에 대비할 수 있도록 구성하였습니다.

학습한 개념을 정리해 보는 나만의 정리노트

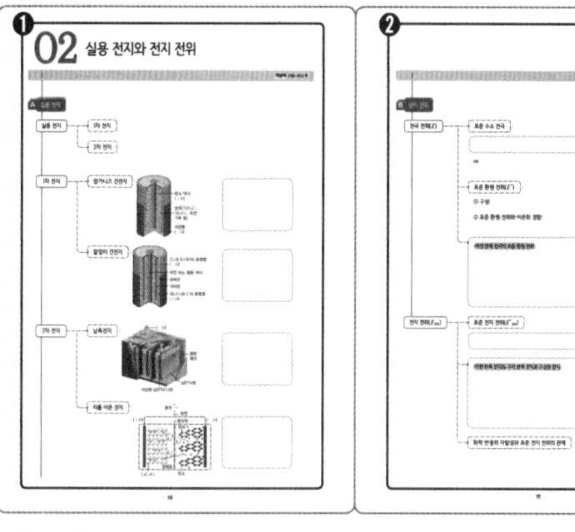

▪소단원별 노트 정리

❶ 개념책의 흐름을 한눈에 살펴보고 스스로 정리해 볼 수 있도록 충분한 여백을 두고 구성하였습니다.

❷ 개념책과 교과서를 보면서 소단원 전체의 중요한 내용을 정리하여 단권화할 수 있도록 최적의 노트 형태로 구성하였습니다.

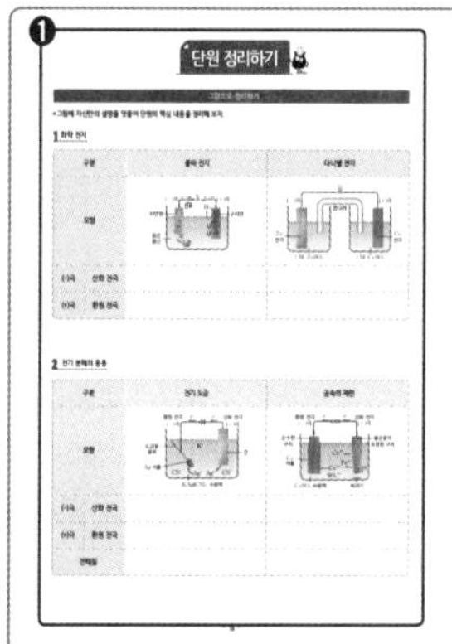

▪단원 정리하기

❶ '그림으로 정리하기'는 단원별로 중요한 그림에 자신만의 설명을 적어 정리할 수 있도록 구성하였습니다.

❷ '마인드맵으로 정리하기'는 자신만의 마인드맵을 만들어 단원의 핵심 내용을 구조화하여 정리할 수 있도록 구성하였습니다.

그래도 어렵다면, 선배들의 노트 정리를 참고해서 필기하면 좋다~옹!
개념책과 1:1 맞춤 노트라 개념책을 보면서 정리해도 된다~옹!

차례

I 물질의 세 가지 상태와 용액

1 물질의 세 가지 상태 (1)

2 물질의 세 가지 상태 (2)

3 용액

II 반응엔탈피와 화학 평형

1 반응엔탈피

2 화학 평형과 평형 이동

3 산 염기 평형

무엇을 공부할지 함께 확인해 볼까~옹?

Ⅲ 반응 속도와 촉매

1 반응 속도

2 촉매와 우리 생활

Ⅳ 전기 화학과 이용

1 전기 화학의 원리와 수소 연료 전지

개념풀과 우리 학교

교과서 비교

대단원	중단원	소단원	개념풀
Ⅰ 물질의 세 가지 상태와 용액	1 물질의 세 가지 상태(1)	01. 기체(1)	10~21
		02. 기체(2)	22~33
	2 물질의 세 가지 상태(2)	01. 분자 간 상호 작용	40~49
		02. 액체	50~59
		03. 고체	60~65
	3 용액	01. 용액의 농도	72~83
		02. 묽은 용액의 성질(1)	84~93
		03. 묽은 용액의 성질(2)	94~101
Ⅱ 반응엔탈피와 화학 평형	1 반응엔탈피	01. 반응엔탈피와 열화학 반응식	114~125
		02. 헤스 법칙	126~137
	2 화학 평형과 평형 이동	01. 화학 평형	144~155
		02. 화학 평형 이동(1)	156~165
		03. 화학 평형 이동(2)	166~175
		04. 상평형 그림	176~183
	3 산 염기 평형	01. 산 염기의 세기	190~199
		02. 염의 가수 분해와 완충 용액	200~209
Ⅲ 반응 속도와 촉매	1 반응 속도	01. 반응 속도	222~231
		02. 활성화 에너지	232~241
		03. 농도, 온도에 따른 반응 속도	242~251
	2 촉매와 우리 생활	01. 촉매와 반응 속도	258~265
		02. 생활 속의 촉매	266~273
Ⅳ 전기 화학과 이용	1 전기 화학의 원리와 수소 연료 전지	01. 화학 전지의 원리	286~297
		02. 실용 전지와 전지 전위	298~307
		03. 전기 분해의 원리	308~319

우리 학교 교과서가
개념풀의 어느 단원에
해당하는지 확인하세요!

교학사	미래엔	비상교육	상상아카데미	지학사	천재교육
13–18	14–19	11–14	15–20	13–16	11–17
19–28	20–29	15–19	21–30	17–25	18–23
31–34	30–35	20–23	33–37	26–30	24–30
35–43	36–43	24–27	41–46	31–37	31–40
44–49	44–49	28–31	49–52	38–42	41–44
53–58	52–57	39–41	55–59	49–52	49–52
59–65	58–63	42–45	63–67	53–57	53–57
66–69	64–67	46–48	68–70	58–60	58–61
81–84	78–81	61–63	83–86	75–79	75–78
85–89	82–89	64–69	89–94	80–84	79–85
93–96	90–97	77–81	97–102	91–97	89–94
97–100	98–101, 104–105	82–87	105–108	98–102	95–99
101–102	102–103, 106	88–90	109–111	103–105	100–102
103–105	108–111	97–98	115–117	106–108	104–107
109–114	112–117	100–102	121–125	115–119	111–117
115–119	118–125	103–106	125–132	120–123	118–124
131–142	136–147	119–126	145–154	139–142, 150–153	137–146
142–143	148–149	127–128	157–159	143–145	148–150
147–155	150–157	135–139	163–171	146–149, 154–156	155–162
159–161	158–161	147–148	175–176	163–165	167–170
162–167	162–165	149–152	179–182	166–169	171–175
179–183	180–183	165–169	195–200	185–188	187–191
183	184–187	170–171	196	189–193	192–194
184–193	188–197	172–176	203–212	194–203	195–201

I

물질의 세 가지 상태와 용액

나의 학습 계획표

중단원	소단원	계획일	실천일	성취도
1 물질의 세 가지 상태 (1)	01. 기체 (1)	/	/	○△×
	02. 기체 (2)	/	/	○△×
	수능 POOL + 실전! 수능 도전하기	/	/	○△×
2 물질의 세 가지 상태 (2)	01. 분자 간 상호 작용	/	/	○△×
	02. 액체	/	/	○△×
	03. 고체	/	/	○△×
	수능 POOL + 실전! 수능 도전하기	/	/	○△×
3 용액	01. 용액의 농도	/	/	○△×
	02. 묽은 용액의 성질 (1)	/	/	○△×
	03. 묽은 용액의 성질 (2)	/	/	○△×
	수능 POOL + 실전! 수능 도전하기	/	/	○△×
	대단원 정리 + 문제	/	/	○△×

한食왕

스스로 계획하고 실천하면
실력이 올라간다~옹!

1 물질의 세 가지 상태 (1)

배울 내용 살펴보기

01 기체 (1)

- A 기체의 압력
- B 보일 법칙
- C 샤를 법칙
- D 아보가드로 법칙

보일 법칙, 샤를 법칙, 아보가드로 법칙으로 기체의 온도, 압력, 부피, 양(mol) 사이의 관계를 설명할 수 있어.

02 기체 (2)

- A 이상 기체 방정식
- B 기체 분자 운동론
- C 부분 압력 법칙

이상 기체 방정식을 이용해서 기체의 분자량을 구할 수 있어.

01 기체(1)

핵심 키워드로 흐름잡기

- A 기체의 압력, 대기압, 기체의 압력 측정
- B 보일 법칙
- C 샤를 법칙, 절대 온도
- D 아보가드로 법칙

A 기체의 압력

|출·제·단·서| 기체의 압력과 부피 관계를 이용하여 부피 또는 압력을 구하는 문제가 나와.

1. 기체의 압력❶ 기체 분자가 단위 면적에 작용하는 힘 ➡ 기체 분자들이 끊임없이 운동하면서 기체가 담긴 용기의 벽면에 충돌하여 힘을 가하기 때문에 나타난다.

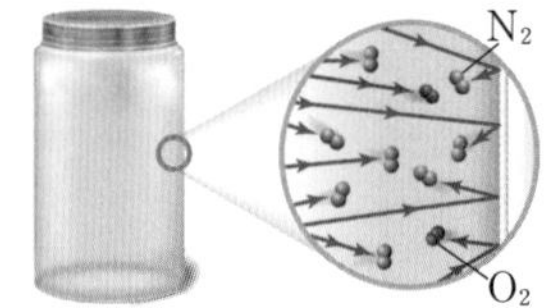

▲ 기체의 압력과 분자 운동

2. 대기압❷ 지구를 둘러싼 공기에 의해 생기는 압력

대기압의 측정

한쪽 끝이 막힌 긴 유리관에 수은을 가득 채워 수은이 담긴 용기에 거꾸로 세우면 수은 기둥의 높이가 76 cm(760 mm)로 일정하게 유지된다. ➡ 수은 기둥의 높이가 760 mm일 때의 압력이 1기압이다.

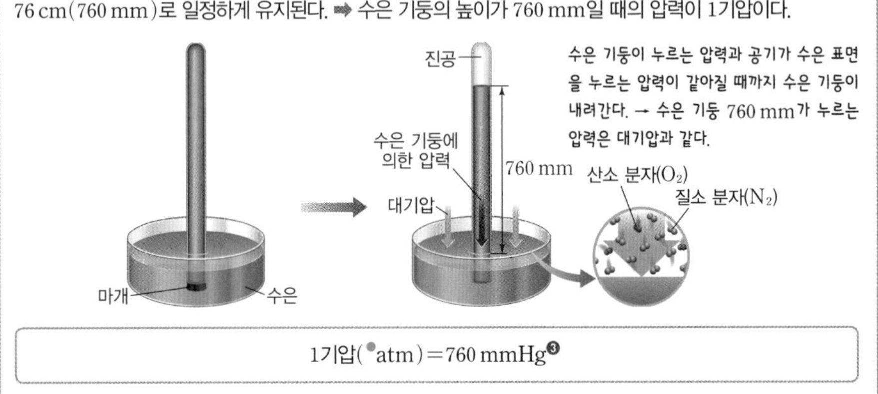

1기압(atm) = 760 mmHg❸

3. 기체의 압력 측정

(1) 기체의 압력의 크기 단위 면적당 충돌하는 분자 수가 많을수록, 기체 분자가 강하게 충돌할수록 기체의 압력이 커진다. 온도, 용기의 부피, 기체 분자의 수에 따라 충돌 수와 충돌 세기가 달라진다.

(2) 기체의 압력 측정❹ 용기 속 기체의 압력은 수은이 들어 있는 U자관 장치를 이용하여 측정할 수 있다.

암기TiP
- 수은 기둥의 높이 차(h) = 0 → 기체의 압력 = 대기압
- 기체 쪽 수은 기둥이 높을 때 → 기체의 압력 < 대기압
- 대기 쪽 수은 기둥이 높을 때 → 기체의 압력 > 대기압

기체의 압력 측정

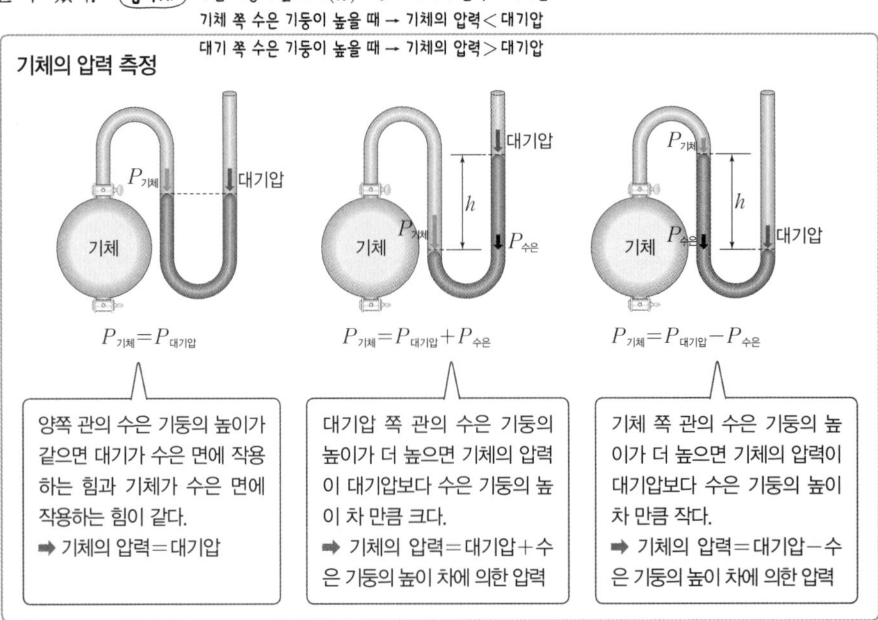

기체
$P_{기체}$
대기압
h
$P_{수은}$
$P_{기체} = P_{대기압}$
$P_{기체} = P_{대기압} + P_{수은}$
$P_{기체} = P_{대기압} - P_{수은}$
양쪽 관의 수은 기둥의 높이가 같으면 대기가 수은 면에 작용하는 힘과 기체가 수은 면에 작용하는 힘이 같다. ➡ 기체의 압력 = 대기압
대기압 쪽 관의 수은 기둥의 높이가 더 높으면 기체의 압력이 대기압보다 수은 기둥의 높이 차 만큼 크다. ➡ 기체의 압력 = 대기압 + 수은 기둥의 높이 차에 의한 압력
기체 쪽 관의 수은 기둥의 높이가 더 높으면 기체의 압력이 대기압보다 수은 기둥의 높이 차 만큼 작다. ➡ 기체의 압력 = 대기압 − 수은 기둥의 높이 차에 의한 압력

---

❶ 압력

단위 면적에 작용하는 힘으로, 단위는 Pa(파스칼)이다.

$$압력(Pa) = \frac{작용하는\ 힘(N)}{힘을\ 받는\ 면의\ 넓이(m^2)}$$

❷ 대기압

대기압은 지구를 둘러싼 대기층의 무게에 의해 생긴다. 즉 대기압은 공기 기둥에 가해지는 압력이다.

❸ 압력의 단위

- 1 atm = 760 mmHg = 1.013×10^5 Pa = 1013 hPa
- 1 Pa = 1 N/m^2
- 1 hPa = 100 Pa

❹ 기체의 압력 측정

수은이 들어 있는 U자관의 한쪽 끝이 열려 있는 경우에는 대기압을 고려해야 하지만, 한쪽 끝이 닫혀 있는 경우에는 대기압을 고려하지 않는다.

용어 알기

- 압력(누르다 壓, 힘 力) 단위 면적에 가해진 힘의 크기
- atm atmosphere(대기)에서 이름을 딴 압력의 단위
- Pa 프랑스의 과학자 파스칼(Pascal)에서 이름을 딴 압력의 단위

B 보일 법칙

|출·제·단·서| 그래프에서 압력과 부피 관계를 유추하는 문제가 나와.

1. 기체의 압력과 부피의 관계

(1) 온도가 일정할 때 일정량의 기체에 가해지는 압력이 커지면 기체의 부피❺는 작아지고, 압력이 작아지면 기체의 부피는 커진다.

(2) 보일의 실험 일정한 온도에서 한쪽 끝이 막힌 •J자관에 수은을 넣어 기체에 가해지는 압력을 증가시키면서 J자관에 들어 있는 기체의 부피 변화를 측정한다. ➡ 수은 기둥의 높이 차 (h, h')가 커질수록 J자관에 들어 있는 기체가 받는 압력이 커지므로 기체의 부피는 줄어든다.

❺ 기체의 부피
부피는 물질들이 차지하는 공간이고, 기체의 부피는 기체 분자들이 운동하는 공간의 크기이다. 기체는 끊임없이 불규칙한 직선 운동을 하여 공간을 모두 채우려는 성질이 있으므로 기체의 부피는 기체가 들어 있는 용기의 부피와 같다.

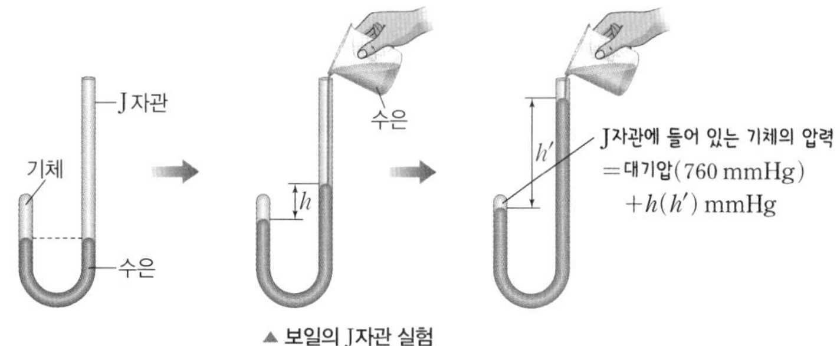

▲ 보일의 J자관 실험

보일은 이 실험을 통해 일정한 온도에서 일정량의 기체의 압력과 부피 사이에 반비례 관계가 성립하는 것을 발견하였다.

2. 보일 법칙 탐구 POOL

암기TiP 일정한 온도에서 일정량의 기체의 부피는 압력에 반비례한다. $PV=k$이다.

(1) 일정량의 기체의 압력 P가 $2P$, $4P$…로 커지면 기체의 부피 V는 $\frac{1}{2}V$, $\frac{1}{4}V$…로 감소한다.

➡ 일정한 온도에서 일정량의 기체의 부피(V)는 압력(P)에 반비례하며, 압력과 부피의 곱$(P\times V)$은 일정하다$(P\times V=k(k$: 상수$))$.

$P_1\times V_1=P_2\times V_2$($P_1$: 처음 압력, V_1: 처음 부피, P_2: 나중 압력, V_2: 나중 부피)

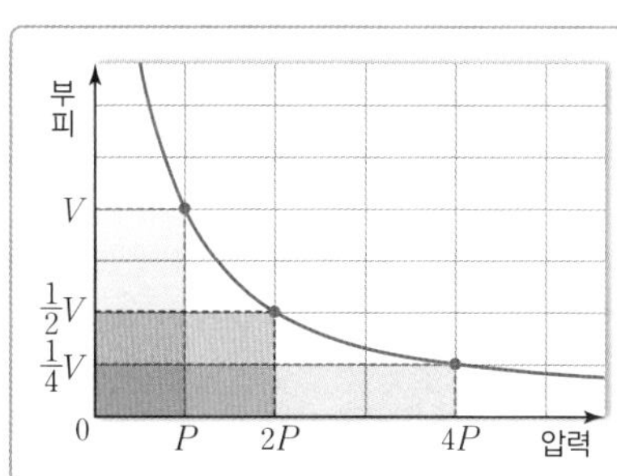

❶ $P\times V=2P\times\frac{1}{2}V=4P\times\frac{1}{4}$로, 압력과 부피의 곱은 $P\times V$로 같다.

❷ 기체의 압력에 따른 부피를 나타낸 그래프 하단의 면적은 $P\times V$로 모두 같다.

➕ 보일 법칙으로 설명할 수 있는 현상
- 자동차가 충돌할 때, 팽창한 에어백은 사람과 부딪히면서 압력을 받게 되고, 부피가 줄어들면서 사람에게 가해지는 충격이 완화된다.
- 헬륨 기체를 채운 풍선이 하늘 높이 올라가면 부피가 커지다가 터진다.
- 물속에서 잠수부의 호흡으로 만들어진 기포는 수면에 가까워질수록 커진다.

(2) 보일 법칙 그래프 기체의 양(n)이 많아지거나, 온도(T)가 높아지면 PV 값이 커진다.

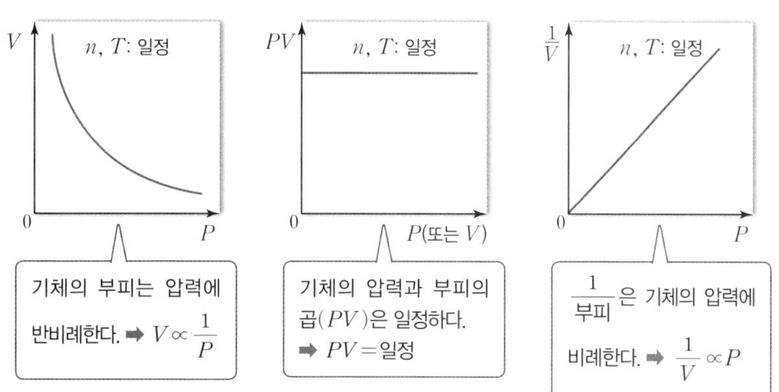

용어 알기
• J자관 한쪽 끝이 막혀 있고, 그 안에 공기가 수은에 의해 갇혀 있는 긴 J자형 유리관

빈출 계산연습 기체의 압력과 부피 관계 계산하기

25 ℃, 1기압에서 주사기에 공기 100 mL가 들어 있다. 주사기 끝을 막고 피스톤을 눌러 주사기 속 공기의 부피가 40 mL가 되었을 때 주사기 속 공기의 압력을 구해 보자.

1단계 일정한 조건과 변하는 조건을 확인한다. ➡ 온도와 기체의 양이 일정하고, 부피와 압력이 변한다.

2단계 필요한 기체 법칙을 적용한다.
➡ '일정한 온도에서 일정량의 기체의 부피는 압력에 반비례한다.'는 보일 법칙을 적용한다.

3단계 1기압일 때 공기의 부피가 100 mL이고, 공기의 부피가 40 mL일 때의 압력을 x기압이라고 하면 $1\times100=x\times40$이므로 $x=2.5$(기압)이다.

C 샤를 법칙

|출·제·단·서| 기체의 온도와 부피 관계를 물어보는 문제가 나와.

1. 기체의 온도와 부피의 관계 일정한 압력에서 일정량의 기체의 온도가 높아지면 부피가 증가하고, 온도가 낮아지면 부피가 감소한다.

2. 샤를의 실험 온도에 따른 기체의 부피 팽창률을 측정한다. ➡ 일정한 압력에서 일정량의 기체의 부피는 기체의 종류에 관계 없이 온도가 1 ℃ 높아질 때마다 0 ℃때 부피의 $\frac{1}{273}$씩 증가한다. 온도가 1 ℃ 높아질 때마다 기체의 부피가 0 ℃때 부피의 $\frac{1}{273}$씩 증가하므로 273 ℃에서 0 ℃때 부피의 2배가 된다.

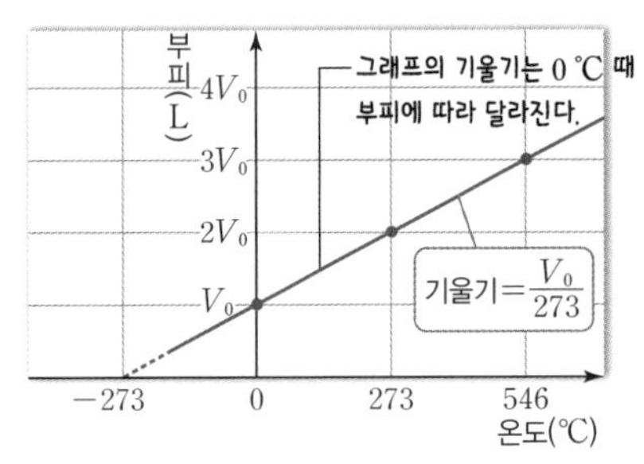

$$V_t=V_0+\frac{V_0}{273}t$$
(V_t: t ℃일 때 기체의 부피, V_0: 0 ℃일 때 기체의 부피)

➕ 샤를 법칙으로 설명할 수 있는 현상
- 찌그러진 탁구공을 뜨거운 물에 넣으면 탁구공이 펴진다.
- 풍선을 액체 질소에 넣으면 쭈그러들고 꺼내면 다시 원래의 모양으로 부풀어 오른다.

3. 샤를 법칙 탐구 POOL

(1) 절대 온도 암기TiP 일정한 압력에서 일정량의 기체의 부피는 절대 온도에 비례한다. $V=kT$이다.

① **절대 영도:** 이론적으로 기체의 부피가 0이 되는 온도로 −273 ℃이며, 이 온도가 절대 영도이다. 절대 영도는 −273 ℃이며, 0 K이다.

② **절대 온도:** 절대 영도를 0으로 하여 섭씨온도와 같은 간격으로 나타낸 온도로, 단위는 K(켈빈)이다. 절대 온도는 섭씨온도에 273을 더하여 구하기 때문에 섭씨온도와 간격이 같다.

$$T(\mathrm{K})=t(℃)+273$$

(2) 샤를 법칙 일정한 압력에서 일정량의 기체의 부피(V)는 절대 온도(T)에 비례한다.

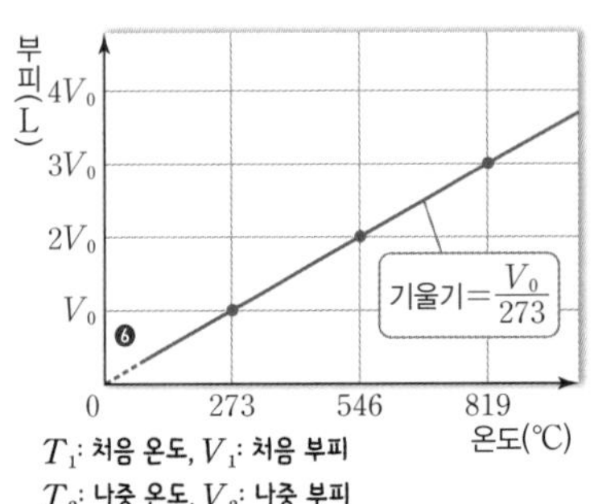

T_1: 처음 온도, V_1: 처음 부피
T_2: 나중 온도, V_2: 나중 부피

$V=V_0\left(1+\frac{t}{273}\right)$를 절대 온도($T$)로 정리하면

$$V=V_0\left(1+\frac{t}{273}\right)=V_0\left(\frac{273+t}{273}\right)$$
$$=\frac{V_0}{273}(273+t)=kT \Rightarrow V\propto T$$

$$\frac{V_1}{T_1}=\frac{V_2}{T_2},\quad V=kT\ (k\text{: 상수})$$

6 온도에 따른 기체의 부피 그래프에서 0 K에 가까워질 때는 점선으로 나타내는 까닭
기체의 온도가 낮아지면 절대 영도에 도달하기 전에 액체 또는 고체로 상태가 변하는데, 이 상태에서는 샤를 법칙을 적용할 수 없으므로 점선으로 나타낸다.

용어 알기
- 섭씨온도(℃) 1기압에서 얼음의 녹는점을 0 ℃, 물의 끓는점을 100 ℃로 정하고, 그 사이를 100등분하여 정한 온도
- 절대 온도(K) 19세기 켈빈이 정한 온도로, 국제 표준으로 사용하는 온도

(3) 샤를 법칙 그래프

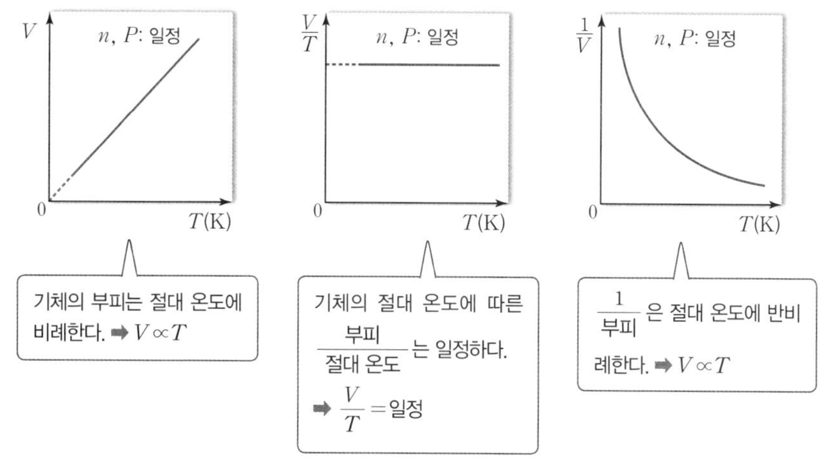

빈출 계산연습 기체의 부피와 온도 관계 계산하기

27 ℃에서 4 L의 Ne(g)을 −3 ℃로 냉각할 때 부피를 구해 보자. (단, 압력은 일정하다.)

1단계 일정한 조건과 변하는 조건을 확인한다.
➡ 압력과 기체의 양이 일정하고, 온도와 부피가 변한다.

2단계 필요한 기체 법칙을 적용한다.
➡ '일정한 압력에서 일정량의 기체의 부피는 절대 온도에 비례한다.'는 샤를 법칙을 적용한다.

3단계 27 ℃(300 K)에서 부피가 4 L일 때 −3 ℃(270 K)에서의 부피를 x L라고 하면
$\frac{4}{300}=\frac{x}{270}$이므로 x=3.6(L)이다.

D 아보가드로 법칙

|출·제·단·서| 일정한 온도와 압력에서 기체의 양에 따른 부피를 묻는 문제가 나와.

1. 기체의 양(mol)과 부피의 관계❼ 아보가드로는 '기체는 온도와 압력이 같을 때 기체의 종류에 관계없이 같은 부피 속에 같은 수의 입자를 갖는다.'는 가설을 발표하였다.
➡ 이때 입자는 •분자이다.

2. 아보가드로 법칙

(1) 일정한 온도와 압력에서 기체의 부피(V)는 기체의 종류에 관계없이 기체의 양(mol, n)에 비례한다.

$$V = k \times n \ (k\text{: 상수})$$

(2) 0 ℃, 1기압에서 기체 1•몰의 부피는 기체의 종류에 관계없이 22.4 L의 부피를 차지하며, 이 부피를 몰 부피라고 한다.

산소 1몰
22.4 L

산소 2몰
44.8 L

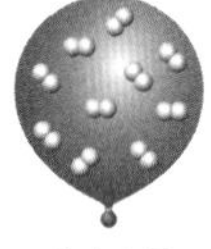
수소 1몰
22.4 L

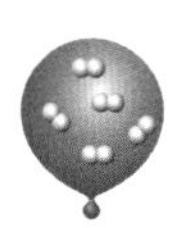
수소 0.5몰
11.2 L

일정한 온도와 압력에서 같은 부피에 들어 있는 기체의 양(mol)은 같으며, 기체의 양(mol)이 많아지면 부피도 이에 비례하여 증가한다.

▲ 0 ℃, 1기압에서 기체의 양에 따른 부피

❼ 기체의 양(mol)과 부피 사이의 관계(0 ℃, 1기압)

기체	산소 1몰	이산화 탄소 1몰
모형		
부피	22.4 L	22.4 L

용어 알기

• 분자(나누다 分, 아들 子) 독립된 입자로 존재하여 물질의 성질을 나타내는 최소 입자

• 몰 원자, 분자, 이온과 같은 물질의 양을 나타내는 단위 (입자 1몰=6.02×10^{23}개)

기체의 압력과 부피의 관계 알아보기

목표 일정한 온도에서 압력에 따른 기체의 부피를 측정하여 기체의 압력과 부피 관계를 설명할 수 있다.

과정

❶ 주사기에 일정량의 공기 넣기
주사기 속의 공기 부피가 10 mL가 되도록 피스톤을 조절한 후, 주사기의 입구를 마개로 막는다.

❷ 감압 용기에 주사기 고정하기
과정 ❶의 주사기를 감압 용기의 중앙에 거꾸로 세운 후 넘어지지 않도록 고무찰흙으로 고정한다.

❸ 기체의 압력 측정 준비하기
감압 용기의 뚜껑을 닫고 뚜껑 중앙의 공기 구멍에 맞춰 펌프를 끼운다.

❹ 압력을 변화시키면서 부피 측정하기
펌프를 상하로 움직여 용기 내부 압력을 0.2기압씩 낮추면서 주사기 속 공기의 부피를 측정한다.

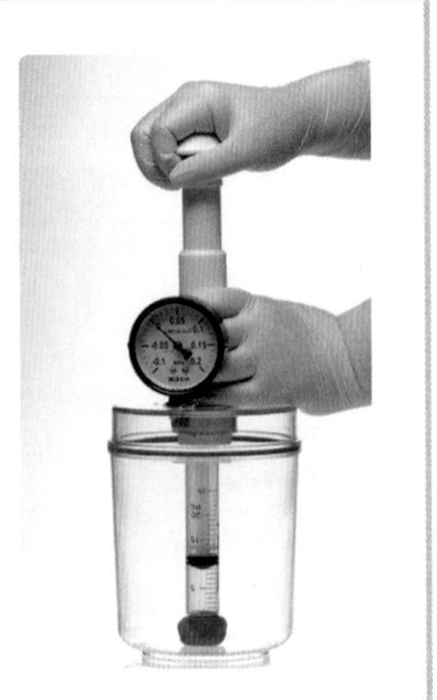

유의점
- 주사기의 용량은 감압 용기의 크기에 따라 조절한다.
- 피스톤의 마찰을 줄이려면 실리콘 오일을 소량 바른다.

이런 실험도 있어요!
보일 법칙 실험 장치

보일 법칙 실험 장치의 밸브를 조절하여 공기를 일정량 넣고 장치에 추를 1개씩 계속 올려놓으면서 밸브 속 공기의 부피를 측정한다. 이때 추 1개의 압력은 1기압과 같다.

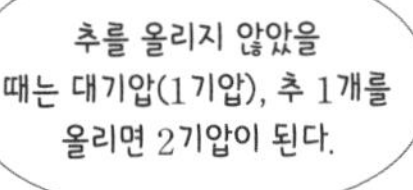

결과

압력(atm)	1.0	0.8	0.6	0.4
부피(mL)	10	12.5	16.6	25
압력×부피	10	10	약 10	10

정리 및 해석

❶ 기체의 압력과 부피 관계 및 압력과 (압력×부피)의 관계를 그래프로 나타내면 다음과 같다.

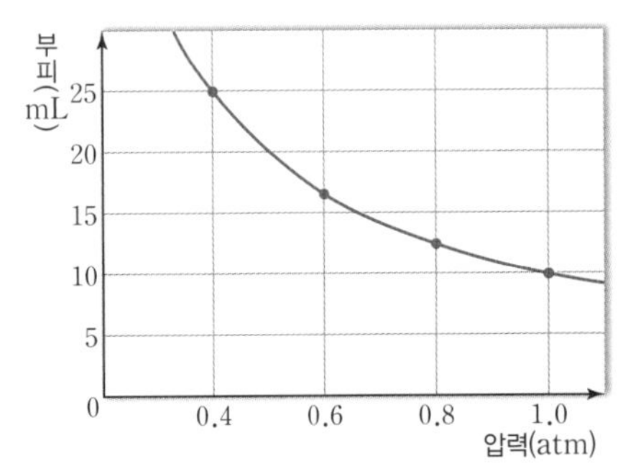

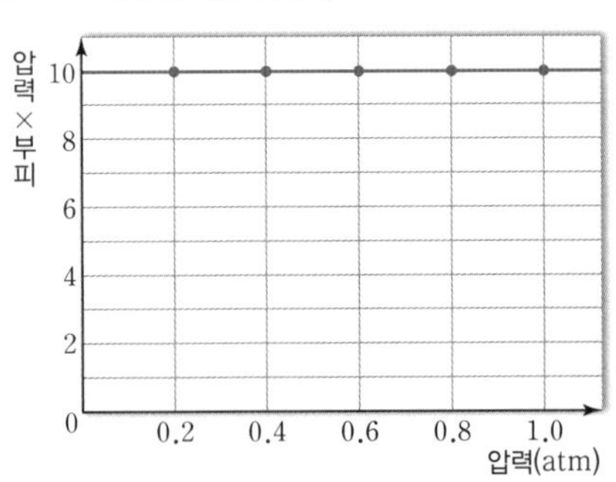

❷ 공기의 압력이 감소하면 부피가 증가하고, 공기의 압력과 부피의 곱은 압력에 관계없이 일정하다.

한·줄·핵심 일정한 온도에서 일정량의 기체의 부피와 압력은 반비례하고, 압력과 부피의 곱은 일정하다.

확인 문제

정답과 해설 002쪽

01 이 탐구 활동에서 용기 내부의 압력을 0.2 atm으로 했을 때, 주사기 속 기체의 부피를 구하시오.

02 이 탐구 활동에 대한 설명으로 옳은 것은 ○, 옳지 않은 것은 ×로 표시하시오.

(1) 주사기에 공기 20 mL를 넣고 실험해도 0.8 atm일 때 주사기 속 기체의 부피는 12.5 mL이다. ( )

(2) 일정한 온도에서 일정량의 기체의 압력과 부피의 합은 일정하다. ( )

기체의 온도와 부피의 관계 알아보기

목표 일정한 압력에서 온도에 따른 기체의 부피를 측정하여 기체의 온도와 부피 관계를 설명할 수 있다.

유의점

- 비커에 주사기를 넣은 후 주사기 속 공기의 온도가 물의 온도와 같아질 때까지 기다린다.
- 피스톤의 마찰을 줄이려면 실리콘 오일을 소량 바른다.

과정

❶ 서로 다른 온도 조건 준비하기

비커 4개에 실온의 물을 각각 반 정도 넣은 후, 얼음과 따뜻한 물을 사용하여 각 비커 속 물의 온도가 0 ℃, 20 ℃, 40 ℃, 60 ℃가 되도록 만든다.

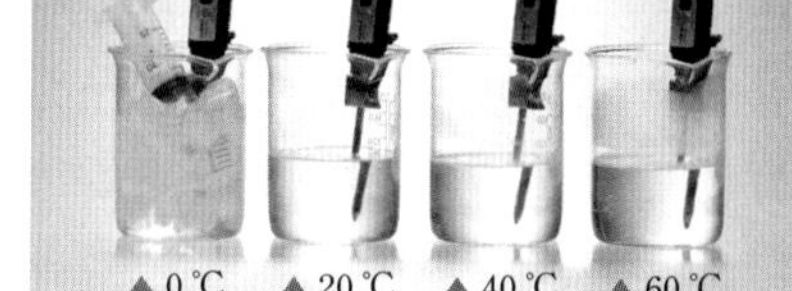

▲ 0 ℃ ▲ 20 ℃ ▲ 40 ℃ ▲ 60 ℃

❷ 주사기에 일정량의 공기 넣기

주사기 속의 공기 부피가 30 mL가 되도록 피스톤을 조절하여 주사기의 입구를 막는다.

❸ 온도에 따른 공기의 부피 측정하기

0 ℃의 물이 든 비커 속에 주사기를 넣고 2～3분 기다린 후 주사기 속 공기의 부피를 측정한다. 주사기를 차례로 나머지 비커 속으로 옮겨가면서 주사기 속 공기의 부피를 측정한다.

결과

섭씨온도(℃)	0	20	40	60
절대 온도(K)	273	293	313	333
부피(mL)	27	29	31	33
$\frac{\text{부피}}{\text{절대 온도}}$	약 0.1	약 0.1	약 0.1	약 0.1

이런 실험도 있어요!

빨대를 이용한 실험

빨대의 한쪽 끝을 실러로 막고 공기가 들어 있는 빨대에 소량의 물을 넣어 물마개를 만든 후 온도가 다른 물에 넣어 빨대 속 물마개까지의 높이를 측정한다.

정리 및 해석

❶ 기체의 온도와 부피의 관계를 그래프로 나타내면 오른쪽 그림과 같다.

❷ 온도가 10 ℃ 높아지면 기체의 부피는 1 mL씩 일정한 비율로 증가한다.

❸ 이 그래프를 연장하여 기체의 부피가 0이 되는 온도를 구하면 −273 ℃이다.

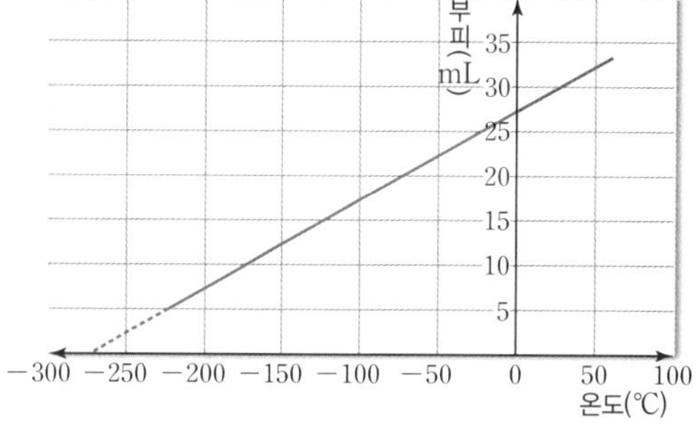

한·줄·핵심 일정한 압력에서 일정량의 기체의 부피는 온도가 높아지면 증가한다. 기체의 부피는 절대 온도에 비례한다.

확인 문제

정답과 해설 002쪽

01 27 ℃에서 부피가 3.0 L인 기체가 있다. 같은 압력에서 기체의 온도를 127 ℃로 높였을 때 기체의 부피를 구하시오.

02 이 탐구 활동에 대한 설명으로 옳은 것은 ○, 옳지 않은 것은 ×로 표시하시오.

(1) 주사기 속 공기의 온도를 0 ℃로 하면 공기의 부피는 0이 된다. ( )

(2) 일정한 압력에서 기체의 부피와 절대 온도의 곱은 일정하다. ( )

콕콕! 개념 확인하기

정답과 해설 002쪽

✔ 잠깐 확인!

1. 기체의 □□
기체 분자가 단위 면적에 작용하는 힘으로, 기체 분자의 충돌 수가 □수록, 충돌 세기가 □할수록 크다.

2. □□□
지구를 둘러싼 대기에 의해 생기는 압력이다.

3. □□ 법칙
일정한 온도에서 일정량의 기체의 부피는 압력에 □□□한다.

4. □□ □□
$-273\,^\circ\mathrm{C}$를 0으로 하여 섭씨온도와 같은 간격으로 나타낸 온도로 단위는 □이다.

5. □□ 법칙
일정한 압력에서 일정량의 기체의 부피는 절대 온도에 □□한다.

6. 아보가드로 법칙
일정한 온도와 압력에서 기체의 부피는 기체의 종류에 관계없이 기체의 양(mol)에 □□한다.

A 기체의 압력 B 보일 법칙

01 기체의 압력에 대한 설명으로 옳은 것은 ○, 옳지 않은 것은 ×로 표시하시오.

(1) 기체의 압력은 기체 분자 운동에 의한 충돌에 의해 나타난다. ( )

(2) 1기압은 수은 기둥 76 cm가 수은 면을 누르는 힘과 같다. ( )

(3) 일정한 온도에서 일정량의 기체의 압력과 부피의 곱은 항상 같다. ( )

02 그림은 $25\,^\circ\mathrm{C}$에서 일정량의 헬륨(He) 기체의 압력에 따른 부피를 나타낸 것이다. 이에 대한 설명으로 옳은 것은 ○, 옳지 않은 것은 ×로 표시하시오.

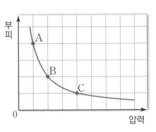

(1) 단위 부피당 분자 수는 A에서가 B에서보다 크다. ( )

(2) 압력과 부피의 곱은 B에서가 C에서보다 크다. ( )

(3) 단위 시간당 단위 면적에 충돌하는 분자 수는 A<B<C이다. ( )

C 샤를 법칙

03 그림은 일정한 압력에서 네온(Ne) 1 g의 온도에 따른 부피를 나타낸 것이다. 이에 대한 설명으로 옳은 것은 ○, 옳지 않은 것은 ×로 표시하시오.

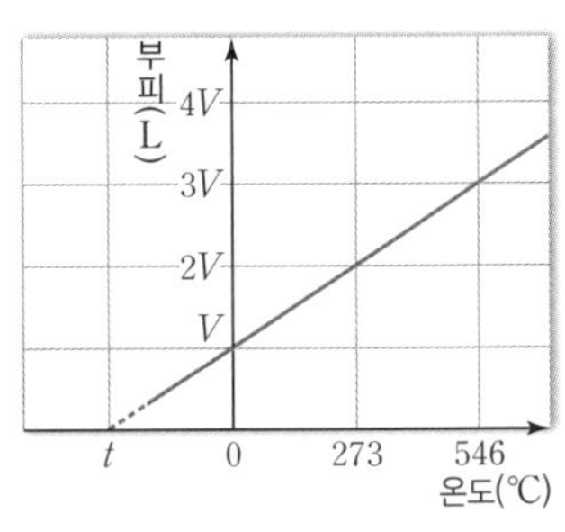

(1) t는 -273이다. ( )

(2) 온도가 $1\,^\circ\mathrm{C}$ 높아질 때마다 기체의 부피는 일정 비율로 증가한다. ( )

(3) 기체의 양은 기체의 부피가 $3V$일 때가 $2V$일 때보다 크다. ( )

D 아보가드로 법칙

04 기체의 성질에 대한 설명으로 옳은 것은 ○, 옳지 않은 것은 ×로 표시하시오.

(1) 일정한 온도와 압력에서 1 L의 용기에 들어 있는 기체의 양(mol)은 헬륨(He)이 네온(Ne)보다 크다. ( )

(2) $25\,^\circ\mathrm{C}$, 1기압에서 질소 w g의 부피가 1 L일 때, 10 L에 들어 있는 질소의 질량은 $10w$ g이다. ( )

탄탄! 내신 다지기

정답과 해설 002쪽

A 기체의 압력 **B** 보일 법칙

01 그림은 일정한 온도에서 일정량의 헬륨이 들어 있는 실린더에 가하는 압력을 변화시켰을 때의 변화를 모형으로 나타낸 것이다.

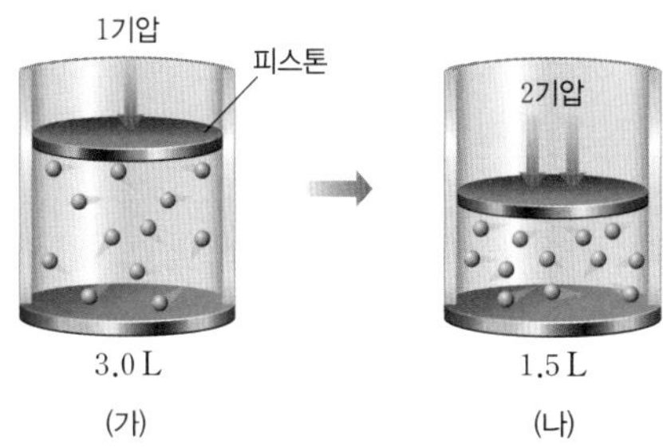

(나)가 (가)보다 큰 값을 갖는 것만을 <보기>에서 있는 대로 고른 것은?

보기
ㄱ. 단위 시간당 피스톤에 충돌하는 횟수
ㄴ. 단위 부피당 분자 수
ㄷ. 단위 부피당 질량

① ㄱ ② ㄴ ③ ㄱ, ㄷ
④ ㄴ, ㄷ ⑤ ㄱ, ㄴ, ㄷ

02 그림은 일정량의 기체의 압력과 부피 관계를 나타낸 것이다.

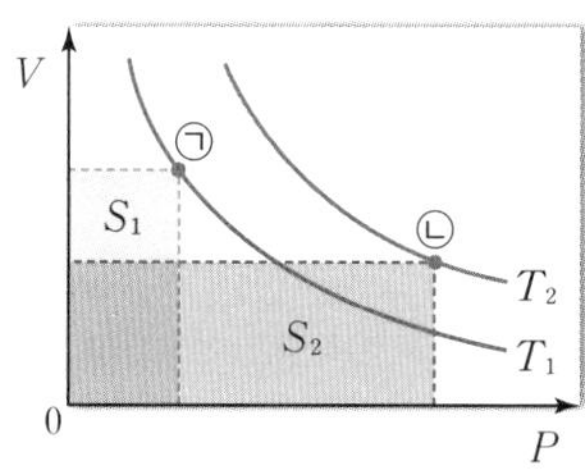

이에 대한 설명으로 옳은 것만을 <보기>에서 있는 대로 고른 것은?

보기
ㄱ. $T_1 < T_2$이다.
ㄴ. $S_1 = S_2$이다.
ㄷ. 분자 사이의 충돌 횟수는 ㉠>㉡이다.

① ㄱ ② ㄷ ③ ㄱ, ㄴ
④ ㄴ, ㄷ ⑤ ㄱ, ㄴ, ㄷ

03 그림 (가)와 (나)는 일정한 온도에서 네온(Ne) 1 g의 압력(P)과 부피(V) 사이의 관계를 각각 나타낸 것이다.

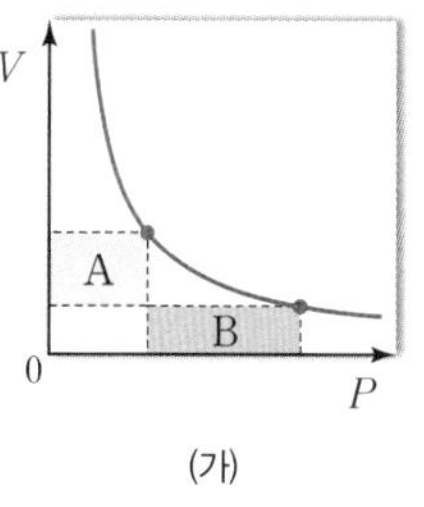

(가)

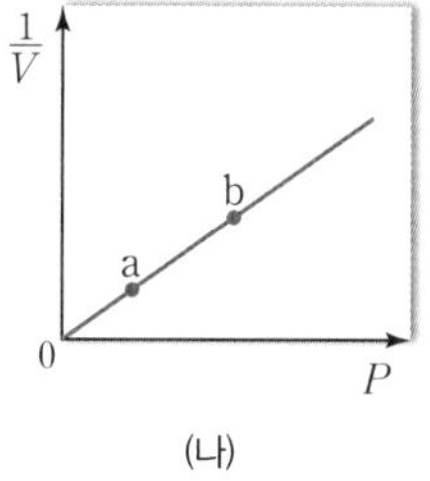

(나)

이에 대한 설명으로 옳은 것만을 <보기>에서 있는 대로 고른 것은?

보기
ㄱ. 기체의 부피는 a<b이다.
ㄴ. (가)에서 A의 면적과 B의 면적이 같다.
ㄷ. Ne(g) 2 g으로 실험하면 (가)에서 A 부분의 면적은 2배가 된다.

① ㄱ ② ㄴ ③ ㄱ, ㄷ
④ ㄴ, ㄷ ⑤ ㄱ, ㄴ, ㄷ

04 그림과 같이 페트병에 물을 채운 뒤 작은 시험관을 거꾸로 넣고 뚜껑을 닫은 후 페트병을 손으로 누르면 시험관이 가라앉고, 손을 떼면 시험관이 다시 떠올랐다.

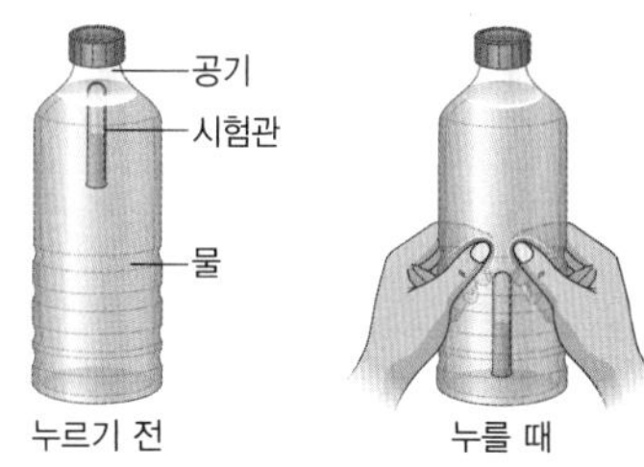

페트병을 누를 때 시험관 속에서 일어나는 변화로 옳은 것만을 <보기>에서 있는 대로 고른 것은?

보기
ㄱ. 공기의 밀도가 증가한다.
ㄴ. 공기 분자 수가 감소한다.
ㄷ. 공기 분자들 사이의 충돌 횟수가 증가한다.

① ㄱ ② ㄴ ③ ㄱ, ㄷ
④ ㄴ, ㄷ ⑤ ㄱ, ㄴ, ㄷ

탄탄! 내신 다지기

단답형

05 그림 (가)는 실린더에 일정량의 $He(g)$이 담긴 모습을, (나)는 (가)에서 온도를 변화시킨 모습을, (다)는 (가)에서 압력을 변화시킨 모습을 나타낸 것이다. 절대 온도 T_1과 T_2의 비 $(T_1 : T_2)$와 x를 각각 구하시오.

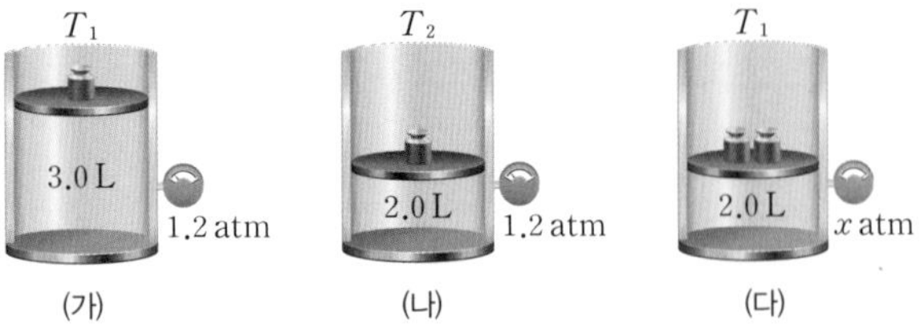

단답형

06 그림은 서로 다른 압력 P_1, P_2, P_3에서 일정량의 물질 X의 온도에 따른 부피를 나타낸 것이다.

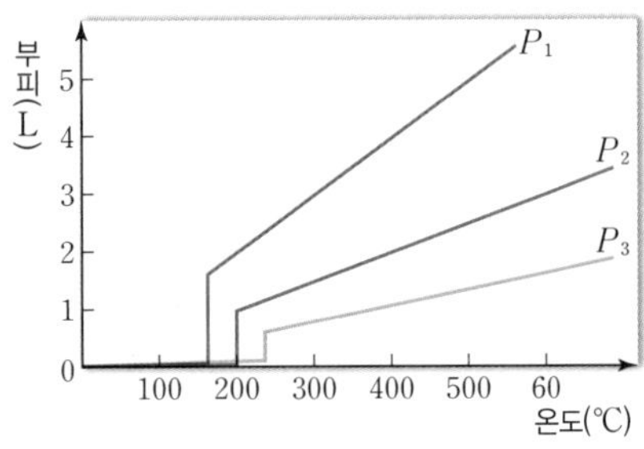

P_1, P_2, P_3을 부등호로 비교하시오.

07 그림과 같이 일정량의 헬륨이 들어 있는 (가)에 수은을 더 넣었더니 (나)와 같이 되었다.

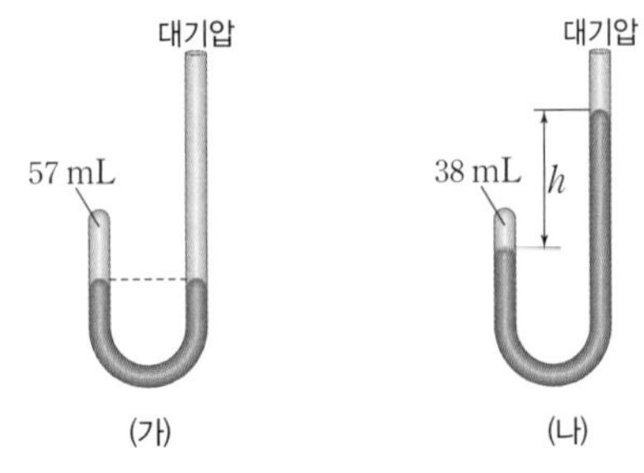

h(cm)는? (단, 대기압은 76 cmHg이다.)

① 19 ② 38 ③ 57
④ 76 ⑤ 95

08 그림은 J자관과 연결된 실린더에 질소(N_2) 기체를 채운 후 추 1개를 올렸을 때의 모습을 나타낸 것이다.

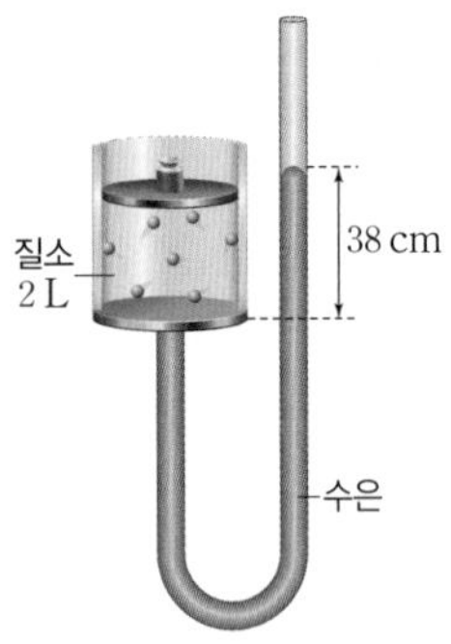

실린더에 같은 질량의 추 1개를 더 올렸을 때에 대한 설명으로 옳은 것만을 〈보기〉에서 있는 대로 고른 것은? (단, 온도는 일정하고, 대기압은 76 cmHg이다.)

보기
ㄱ. 질소 기체의 부피는 1.5 L가 된다.
ㄴ. J자관의 수은 기둥의 높이 차는 19 cm가 된다.
ㄷ. 단위 부피당 분자의 충돌 횟수는 추를 올리기 전의 1.5배가 된다.

① ㄱ ② ㄴ ③ ㄱ, ㄷ
④ ㄴ, ㄷ ⑤ ㄱ, ㄴ, ㄷ

C 샤를 법칙

09 그림은 실린더에 일정량의 기체를 넣고 추를 올려 압력과 온도를 변화시켰을 때의 모습을 나타낸 것이다. 부피는 (다)가 (나)의 2배이다.

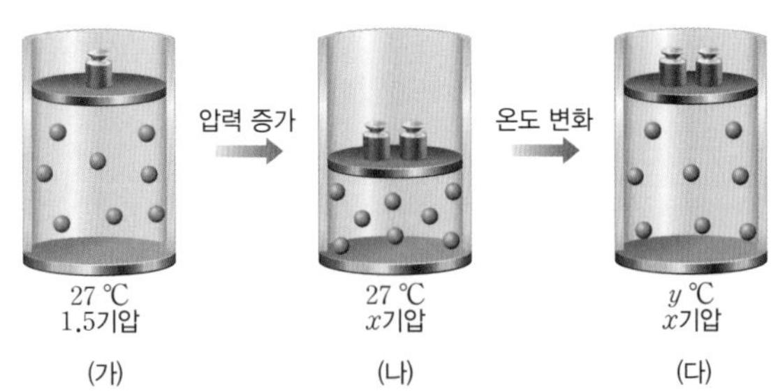

이에 대한 설명으로 옳은 것만을 〈보기〉에서 있는 대로 고른 것은? (단, 대기압은 1기압이고, 추의 질량은 동일하며, 피스톤의 질량과 마찰은 무시한다.)

보기
ㄱ. x는 3이다.
ㄴ. y는 54이다.
ㄷ. (다)에 추 1개를 더 올려놓으면 기체의 부피는 (가)의 $\frac{6}{5}$배가 된다.

① ㄱ ② ㄷ ③ ㄱ, ㄴ
④ ㄴ, ㄷ ⑤ ㄱ, ㄴ, ㄷ

10 그림은 일정한 압력에서 온도에 따른 기체 A와 B의 부피를 나타낸 것이다.

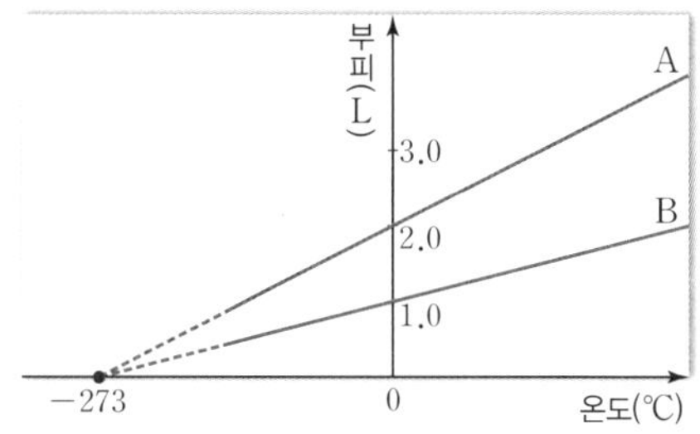

A와 B의 부피 차가 2 L인 온도는?

① 100 ℃ ② 200 ℃ ③ 273 ℃
④ 400 ℃ ⑤ 546 ℃

11 그림 (가)는 일정량의 질소(N_2) 기체의 압력에 따른 부피를, (나)는 온도에 따른 부피를 나타낸 것이다.

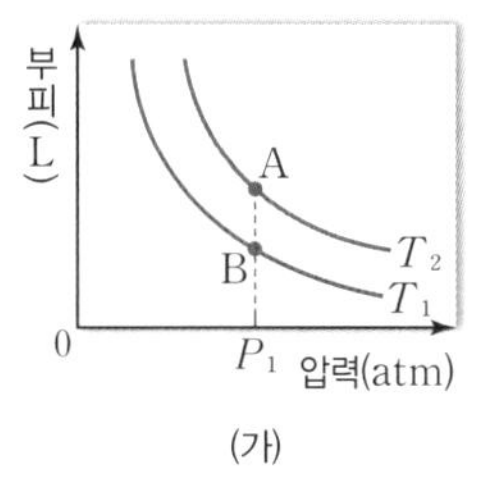

(가)

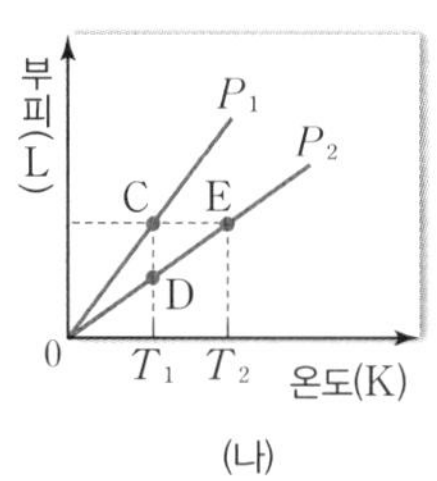

(나)

이에 대한 설명으로 옳은 것만을 〈보기〉에서 있는 대로 고른 것은?

〈보기〉
ㄱ. 압력은 A가 D보다 크다.
ㄴ. $N_2(g)$의 밀도는 C가 B보다 크다.
ㄷ. 기체 분자 사이의 평균 거리는 A가 E보다 크다.

① ㄱ ② ㄷ ③ ㄱ, ㄴ
④ ㄴ, ㄷ ⑤ ㄱ, ㄴ, ㄷ

D 아보가드로 법칙

단답형

12 표는 서로 다른 양(mol)의 Ne(g)의 상태를 나타낸 것이다.

양(mol)	온도(℃)	압력(atm)	부피(L)
1	0	1	V_1
1	273	2	V_2
2	0	1.5	V_3

V_1, V_2, V_3을 등호나 부등호로 비교하시오.

13 그림은 3개의 실린더에 각각 He(g)이 들어 있는 상태를 나타낸 것이다.

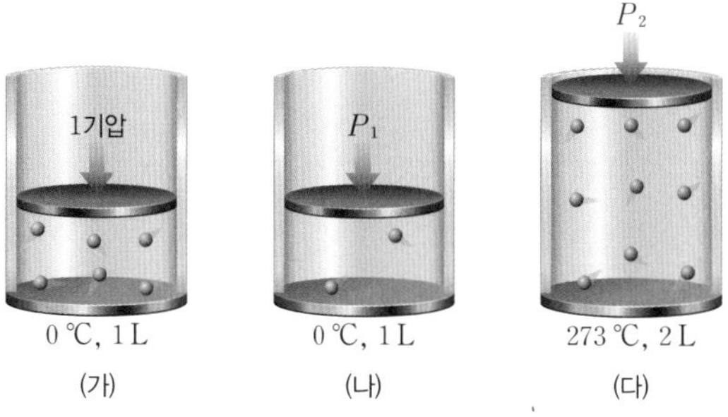

$\frac{P_2}{P_1}$는?

① $\frac{1}{3}$ ② $\frac{3}{2}$ ③ 2
④ $\frac{5}{2}$ ⑤ $\frac{9}{2}$

14 그림은 1기압에서 같은 질량의 물질 A~C의 온도에 따른 부피를 나타낸 것이다.

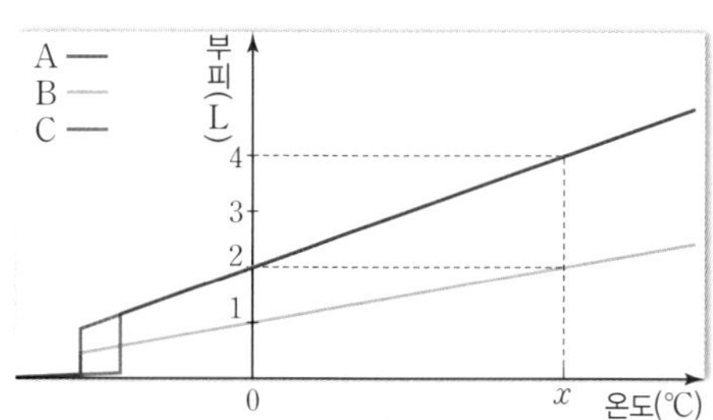

이에 대한 설명으로 옳은 것만을 〈보기〉에서 있는 대로 고른 것은?

〈보기〉
ㄱ. x는 273이다.
ㄴ. 0 ℃에서 기체의 양(mol)은 A가 B의 2배이다.
ㄷ. A와 C는 같은 물질이다.

① ㄷ ② ㄱ, ㄴ ③ ㄱ, ㄷ
④ ㄴ, ㄷ ⑤ ㄱ, ㄴ, ㄷ

도전! 실력 올리기

출제예감

01 다음은 일정한 온도에서 기체의 성질을 알아보기 위한 실험 과정이다.

[실험 과정]

(가) 그림과 같이 피스톤으로 분리된 용기에 He(g)과 Ne(g)을 각각 넣는다.

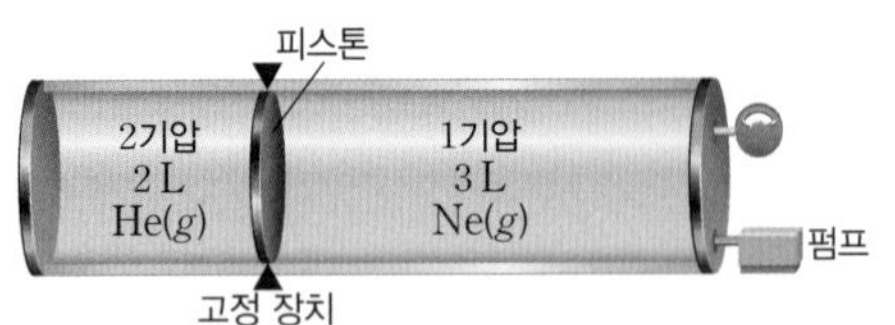

(나) 고정 장치를 풀어 충분한 시간이 지난 후 He(g)의 압력(P)을 측정한다.

(다) 펌프를 이용하여 압력이 1기압이 될 때까지 Ne(g)을 소량 빼낸 후 He(g)의 부피(V)를 측정한다.

이에 대한 설명으로 옳은 것만을 〈보기〉에서 있는 대로 고른 것은? (단, 피스톤의 마찰은 무시한다.)

보기

ㄱ. (나)에서 P는 1.5기압이다.

ㄴ. (다)에서 V는 4 L이다.

ㄷ. Ne(g)의 양(mol)은 (나)에서가 (다)에서의 4배이다.

① ㄱ ② ㄴ ③ ㄱ, ㄷ ④ ㄴ, ㄷ ⑤ ㄱ, ㄴ, ㄷ

출제예감

02 그림은 고정 장치로 고정된 실린더에 Ar(g)이 들어 있는 상태를 나타낸 것이다.

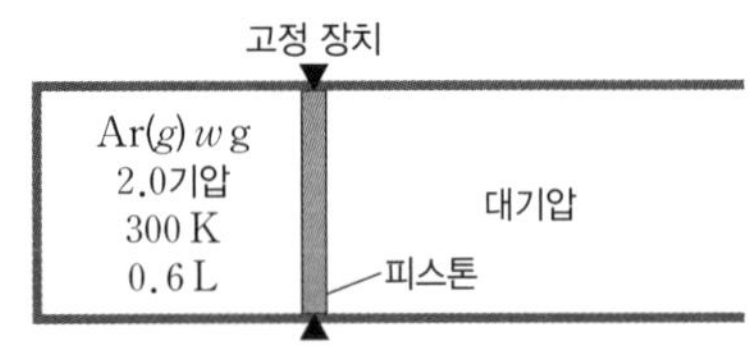

실린더에 Ar(g) w g을 추가하고, 고정 장치를 풀어 온도를 400 K로 유지했을 때 Ar(g)의 부피(L)는? (단, 대기압은 1기압이고, 피스톤의 마찰은 무시한다.)

① 1.2 ② 1.8 ③ 2.4 ④ 3.2 ⑤ 4.0

03 그림은 P_1기압과 2기압에서 온도에 따른 일정량의 He(g)의 부피를 나타낸 것이다.

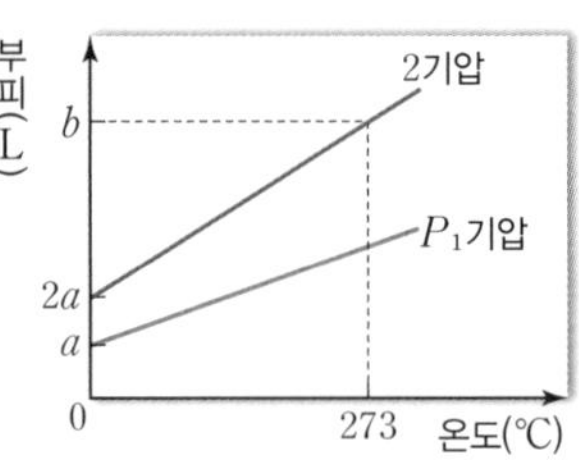

이에 대한 설명으로 옳은 것만을 〈보기〉에서 있는 대로 고른 것은?

보기

ㄱ. b는 $4a$이다.

ㄴ. P_1기압은 1기압이다.

ㄷ. P_1기압, 546 ℃일 때 He(g)의 부피는 b L가 된다.

① ㄱ ② ㄴ ③ ㄱ, ㄷ ④ ㄴ, ㄷ ⑤ ㄱ, ㄴ, ㄷ

04 그림은 X(g) w g의 부피와 압력을 나타낸 것이다. A → B, B → C, C → D 과정은 각각 온도, 압력, 부피의 변화 중 하나이고, B에서의 온도는 300 K이다.

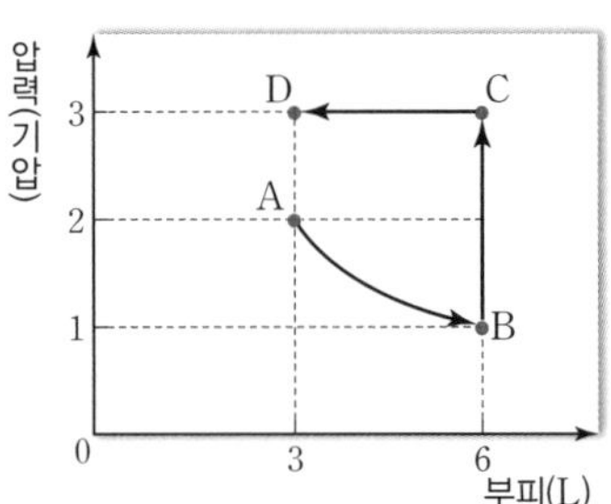

이에 대한 설명으로 옳은 것만을 〈보기〉에서 있는 대로 고른 것은?

보기

ㄱ. A에서 X(g)의 온도는 600 K이다.

ㄴ. B → C 과정은 샤를 법칙으로 설명할 수 있다.

ㄷ. 절대 온도는 C가 D의 2배이다.

① ㄱ ② ㄷ ③ ㄱ, ㄴ ④ ㄴ, ㄷ ⑤ ㄱ, ㄴ, ㄷ

05 그림은 실린더에 같은 양의 He(g), N_2(g)를 넣은 후 조건을 변화시켰을 때 실린더 속 기체의 상태를 나타낸 것이다. 사용한 추는 동일하다.

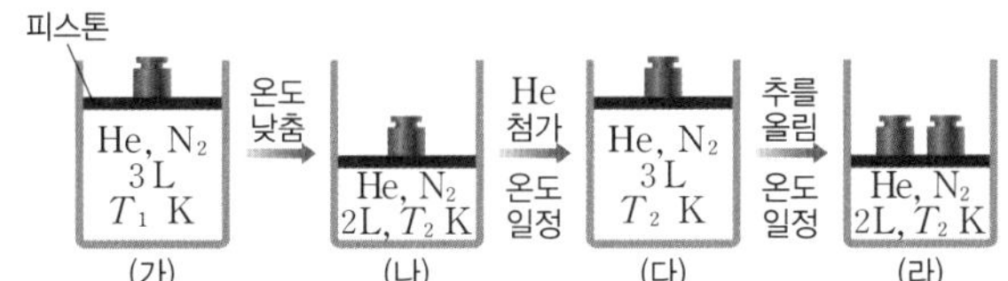

이에 대한 설명으로 옳은 것만을 〈보기〉에서 있는 대로 고른 것은? (단, 대기압은 1기압이고, 피스톤의 질량과 마찰은 무시한다.)

보기
ㄱ. He(g)의 양은 (다)에서가 (나)에서의 2배이다.
ㄴ. (라)에 추를 1개 더 올려놓으면 기체의 부피는 1 L가 된다.
ㄷ. (라)의 온도를 T_1 K로 유지하면 부피는 3 L가 된다.

① ㄱ ② ㄴ ③ ㄱ, ㄷ
④ ㄴ, ㄷ ⑤ ㄱ, ㄴ, ㄷ

출제예감

06 그림 (가)와 (나)는 실린더에 각각 같은 질량의 He(g)이 들어 있는 것을, (다)는 (가)와 (나)의 온도를 변화시켰을 때의 압력을 나타낸 것이다. X와 Y는 각각 (가)와 (나) 중 하나이다.

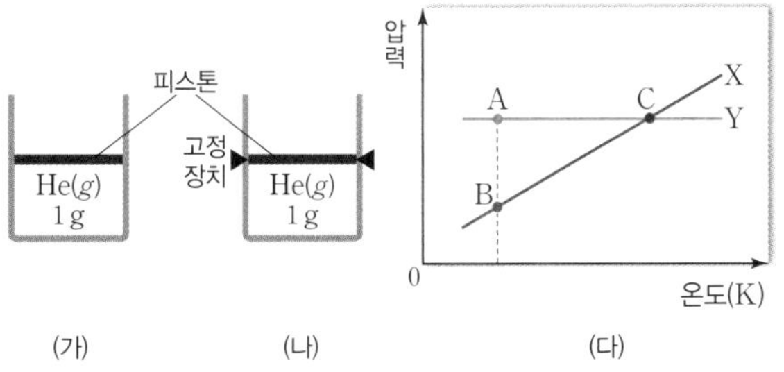

이에 대한 설명으로 옳은 것만을 〈보기〉에서 있는 대로 고른 것은? (단, 대기압은 1기압이고, 피스톤의 질량과 마찰은 무시한다.)

보기
ㄱ. X는 (나)에 해당한다.
ㄴ. 기체의 부피는 A에서가 B에서보다 크다.
ㄷ. C에서 (가)와 (나)에 들어 있는 He(g)의 밀도는 같다.

① ㄱ ② ㄴ ③ ㄱ, ㄷ
④ ㄴ, ㄷ ⑤ ㄱ, ㄴ, ㄷ

07 그림 (가)는 실린더의 중앙에 피스톤을 고정시키고, 같은 질량의 기체 A와 B를 넣은 모습을, (나)는 고정 장치를 제거하고 충분한 시간이 지난 후의 모습을 나타낸 것이다.

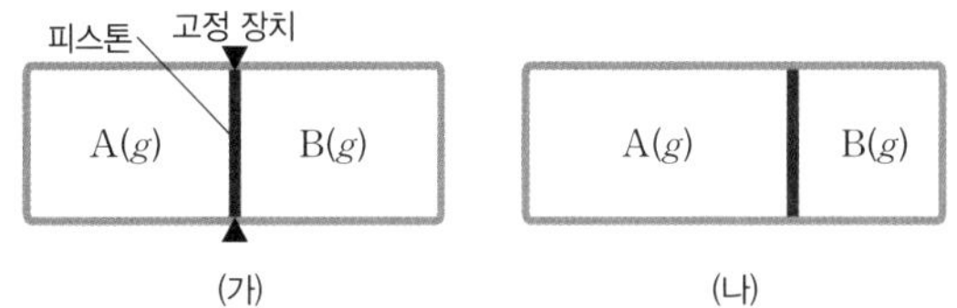

A와 B의 분자량을 부등호로 비교하시오.

서술형

08 그림은 실린더에 들어 있는 같은 질량의 기체 X와 Y의 온도에 따른 부피를 나타낸 것이다.

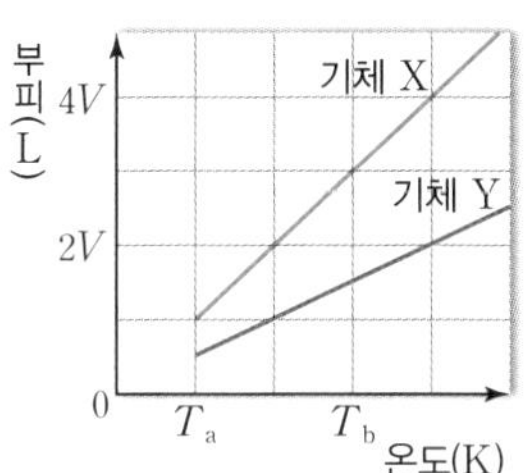

(1) T_a와 T_b의 비($T_a : T_b$)를 구하는 방법을 서술하시오.

(2) X와 Y의 분자량비(X : Y)를 구하는 방법을 서술하시오.

서술형

09 그림 (가)는 300 K에서 한쪽 끝이 막힌 J자관에 He(g) 30 mL가 들어 있는 모습을, (나)는 (가)의 온도를 높이고 수은을 추가한 후의 모습을 나타낸 것이다.

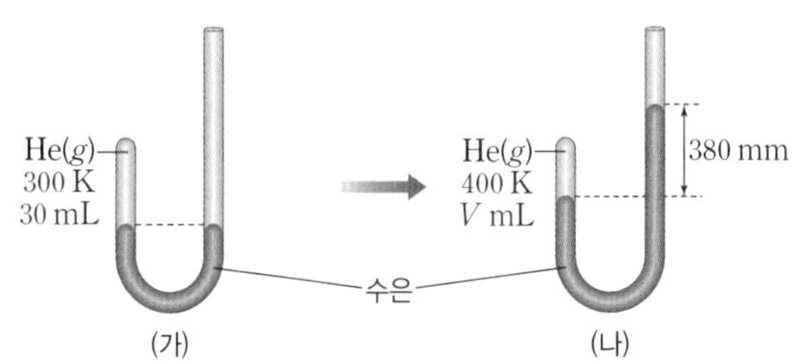

(나)에서 V를 구하는 방법을 서술하시오. (단, 대기압은 760 mmHg이다.)

02 기체(2)

핵심 키워드로 흐름잡기

- A 이상 기체 방정식, 기체 상수
- B 기체 분자 운동론, 기체 분자의 평균 운동 속력
- C 부분 압력, 부분 압력 법칙, 몰 분율

A 이상 기체 방정식

|출·제·단·서| 이상 기체 방정식을 이용하여 기체의 분자량을 구하는 문제가 나와.

1. 이상 기체❶ 방정식

(1) 기체 관련 법칙 정리 보일 법칙, 샤를 법칙, 아보가드로 법칙을 종합하면 기체의 부피(V)는 압력(P)에 반비례하고, 절대 온도(T)와 기체의 양(n)에 비례한다.

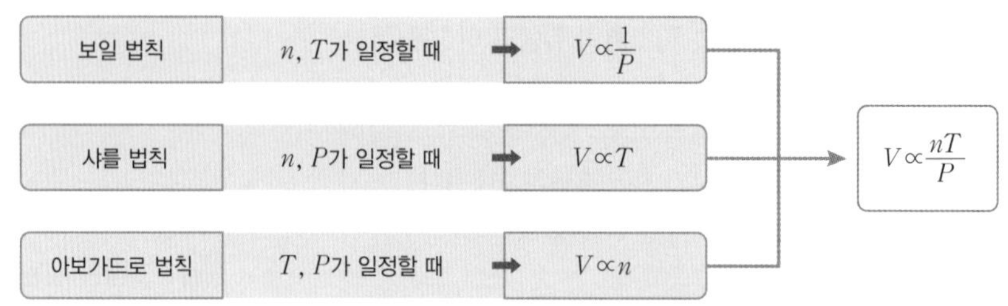

▲ 기체의 부피, 온도, 압력, 양(mol)의 관계

(2) 이상 기체 방정식❷ $V \propto \frac{nT}{P}$ 식을 비례 ●상수인 기체 상수(R)를 사용하여 정리하면 기체의 상태는 다음과 같은 식으로 나타낼 수 있다. 암기TiP 이상 기체 방정식 $PV=nRT$

$$V=\frac{nRT}{P} \Rightarrow PV=nRT$$

(3) 기체 상수(R) 0 ℃, 1기압에서 기체 1몰의 부피 22.4 L를 이상 기체 방정식에 대입하여 구한 비례 상수

$$PV=nRT \Rightarrow R=\frac{PV}{nT}=\frac{1\ \text{atm} \times 22.4\ \text{L}}{1\ \text{mol} \times 273\ \text{K}}=0.082\ \text{atm} \cdot \text{L}/(\text{mol} \cdot \text{K})$$

빈출 계산연습 이상 기체 방정식을 이용하여 기체의 양 계산하기

다음은 자동차의 에어백이 충돌할 때 일어나는 반응의 화학 반응식이다.

$$2NaN_3(s) \longrightarrow 2Na(s)+3N_2(g)$$

에어백 속에서 아자이드화 나트륨(NaN_3) 130 g이 분해될 때, 27 ℃, 1기압에서 발생하는 질소(N_2) 기체의 부피(L)를 구해 보자. (단, NaN_3의 화학식량은 65이다.)

1단계 NaN_3의 양(mol)을 구한다. ➡ NaN_3의 화학식량이 65이므로 130 g은 2몰이다.

2단계 NaN_3 2몰이 분해될 때 생성되는 N_2의 양(mol)을 구한다.
➡ NaN_3과 N_2의 몰비가 2 : 3이므로 생성되는 N_2의 양(mol)은 3몰이다.

3단계 이상 기체 방정식에 주어진 정보를 대입하여 N_2의 부피(V)를 구한다.

$$PV=nRT \rightarrow V=\frac{nRT}{P}=\frac{3\ \text{mol} \times 0.082\ \text{atm} \cdot \text{L}/(\text{mol} \cdot \text{K}) \times 300\ \text{K}}{1\ \text{atm}}=73.8\ \text{L}$$

암기TiP 기체 분자량$(M)=\frac{wRT}{PV}=\frac{dRT}{P}$

2. 이상 기체 방정식을 이용하여 기체의 분자량(M) 구하기 탐구 POOL

(1) 기체의 질량(w)을 측정하여 분자량 구하기 기체의 양(n)은 기체의 질량(w)을 분자량(M)으로 나눈 값이므로 이를 이상 기체 방정식에 대입하여 구한다.

---

❶ 이상 기체
- 이상 기체 방정식을 정확히 따르는 가상의 기체이다.
- 분자 사이에 인력이나 반발력이 작용하지 않고, 분자의 크기를 무시할 수 있으므로 분자 자체의 부피가 없다.
- 압력과 온도에 관계없이 기체 1몰의 $\frac{PV}{RT}$ 값은 항상 1이다.

❷ 이상 기체 방정식
이상 기체 방정식은 기체의 상태를 기술하는 식으로, 기체의 상태를 알려면 압력, 부피, 온도, 양을 측정해야 한다. 그런데 이 중 3가지 값만 측정하면 이상 기체 방정식을 이용하여 나머지 값을 알 수 있다.

⊕ 실제 기체
분자 자체의 부피가 있고, 분자 사이에 인력이나 반발력이 작용하여 이상 기체 방정식이 완벽하게 들어 맞지 않는 기체이다. 온도가 높고, 압력이 낮을수록 분자 사이의 거리가 멀어져 분자 자체의 부피, 분자 사이의 인력이나 반발력을 무시할 수 있으므로 $\frac{PV}{RT}$ 값이 1에 가까워져 이상 기체에 가깝게 행동한다.

용어 알기
- 상수(일정하다 常, 셈 數) 일정한 상태에 있는 물질의 성질에 관하여 일정량을 보이는 수

$$PV=nRT=\frac{w}{M}RT \Rightarrow M=\frac{wRT}{PV}$$

(2) 기체의 밀도(d)를 측정하여 분자량 구하기❸ 기체의 밀도(d)는 기체의 질량(w)을 부피(V)로 나눈 값이므로 이를 이상 기체 방정식에 대입하여 구한다.

$$M=\frac{wRT}{PV}=\frac{dRT}{P}$$

B 기체 분자 운동론

|출·제·단·서| 분자 운동 속력 그래프를 해석하여 절대 온도와 분자량을 비교하는 문제가 나와.

1. 기체 분자 운동론 기체의 성질을 기체 분자 운동으로 설명하는 이론으로 다음과 같은 몇 가지 가정에 근거를 두고 설명한다.

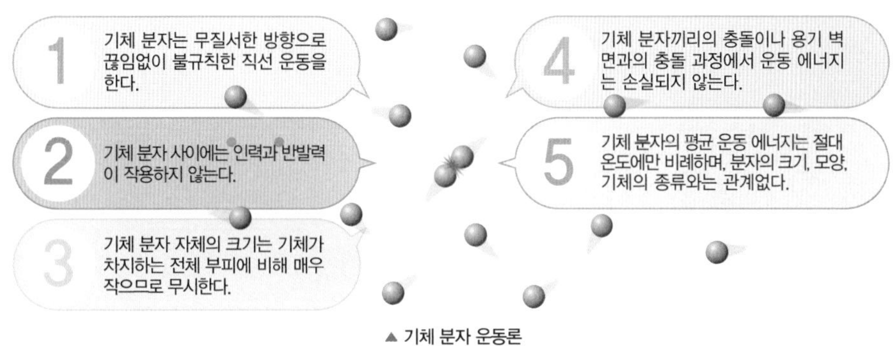

1 기체 분자는 무질서한 방향으로 끊임없이 불규칙한 직선 운동을 한다.
2 기체 분자 사이에는 인력과 반발력이 작용하지 않는다.
3 기체 분자 자체의 크기는 기체가 차지하는 전체 부피에 비해 매우 작으므로 무시한다.
4 기체 분자끼리의 충돌이나 용기 벽면과의 충돌 과정에서 운동 에너지는 손실되지 않는다.
5 기체 분자의 평균 운동 에너지는 절대 온도에만 비례하며, 분자의 크기, 모양, 기체의 종류와는 관계없다.

▲ 기체 분자 운동론

2. 기체 분자의 평균 운동 속력 같은 종류의 기체에서 온도가 높을수록 기체 분자의 평균 운동 에너지가 커지므로 평균 운동 속력이 빠르다.

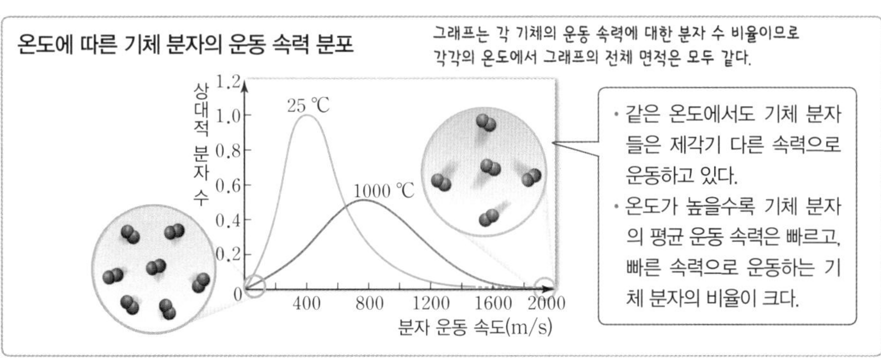

온도에 따른 기체 분자의 운동 속력 분포
그래프는 각 기체의 운동 속력에 대한 분자 수 비율이므로 각각의 온도에서 그래프의 전체 면적은 모두 같다.
상대적 분자 수
1.2
1.0
0.8
0.6
0.4
0.2
0
25 ℃
1000 ℃
400
800
1200
1600
2000
분자 운동 속도(m/s)
• 같은 온도에서도 기체 분자들은 제각기 다른 속력으로 운동하고 있다.
• 온도가 높을수록 기체 분자의 평균 운동 속력은 빠르고, 빠른 속력으로 운동하는 기체 분자의 비율이 크다.

3. 기체 분자 운동론과 기체 법칙

(1) 기체의 양(n)과 부피(V)가 일정할 때 기체의 온도(T)와 압력(P) 관계 고정 장치로 고정된 실린더에 일정량의 기체를 넣고 실린더를 가열하면 기체 분자의 평균 운동 속력이 증가하여 용기 벽면에 충돌하는 횟수와 세기가 증가하므로 압력이 커진다.

➡ $PV=nRT$에서 n, V가 같으므로 P는 T에 비례한다($P \propto T$).

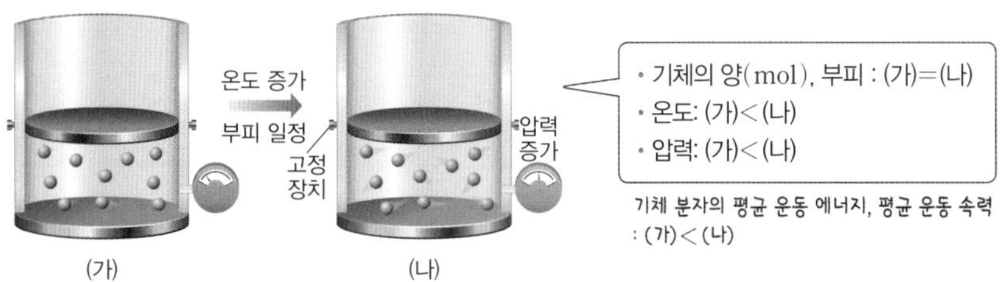

---

❸ 기체의 밀도를 이용한 분자량 측정

• $M=\frac{dRT}{P}$이므로 일정한 온도와 압력에서 기체의 밀도는 분자량에 비례한다. 이로부터 기체의 밀도비는 분자량비와 같다.

• $\frac{d_1}{d_2}=\frac{M_1}{M_2}$이므로 어느 한 기체의 밀도와 분자량을 알 때 밀도를 알고 있는 다른 기체의 분자량을 구할 수 있다.

➕ 기체의 성질

• 고체나 액체보다 압축이 잘 되고, 밀도가 작다.
• 용기의 모양에 관계없이 용기 전체에 고르게 퍼진다.
• 온도나 압력에 따라 부피가 크게 변한다.

➕ 기체 분자의 운동 속력

기체 분자들은 끊임없이 충돌하여 충돌에 의해 속력이 느려지거나 빨라진다. 즉 같은 온도, 같은 종류의 기체라도 제각기 다른 속력을 가지고 있으므로 기체 분자의 운동 속력은 평균 운동 속력으로 나타낸다.

용어 알기

• 밀도(**빽빽하다 密, 법도 度**) 단위 부피당 질량
• 인력(**끌다 引, 힘 力**) 물질이 서로 끌어당기는 힘
• 반발력(**돌이키다 反, 다스리다, 휘다 撥, 힘 力**) 반발하는 힘

(2) **기체의 양(n)과 압력(P)이 일정할 때 기체의 온도(T)와 부피(V)의 관계** 일정한 압력에서 실린더에 일정량의 기체를 넣고 가열하면 기체 분자의 평균 운동 속력이 증가하여 용기 벽면에 충돌하는 횟수와 세기가 증가하므로 압력이 커진다. 따라서 기체의 압력이 외부 압력과 같아질 때까지 기체의 부피가 증가한다.

➡ $PV=nRT$에서 n, P가 같으므로 V는 T에 비례한다($V \propto T$).

실린더의 피스톤은 외부 압력과 기체의 압력이 평형을 이루는 위치에서 멈춘다. 이때 외부 압력과 기체의 압력은 같다.

온도 상승 / 압력 일정

$P_{외부}$, $P_{기체}$, T, $2T$

- 기체의 양(mol), 압력: (가)=(나)
- 온도: (가)<(나)
- 부피: (가)<(나)

기체 분자의 평균 운동 에너지, 평균 운동 속력 : (가)<(나)

(3) **기체의 양(n)과 온도(T)가 일정할 때 기체의 압력(P)과 부피(V)의 관계** 일정한 온도에서 일정량의 기체를 실린더에 넣고 외부 압력을 증가시키면 용기의 부피가 감소하여 기체 분자들이 용기 벽면에 충돌하는 횟수가 증가하므로 압력이 커진다.

➡ $PV=nRT$에서 n, T가 같으므로 V는 P에 반비례한다($P \propto \frac{1}{V}$).

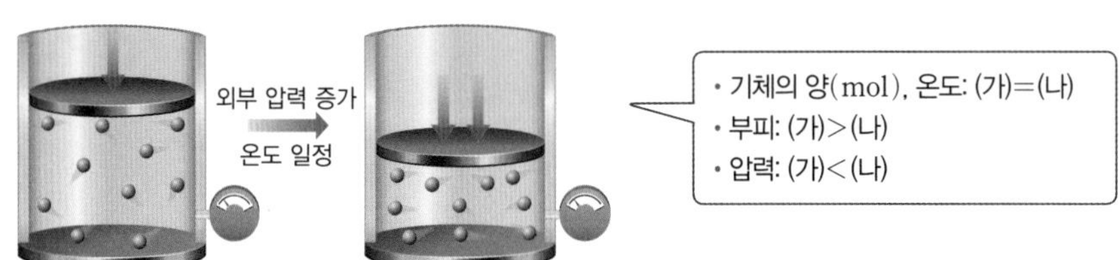

(4) **압력(P)과 온도(T)가 일정할 때 기체의 양(n)과 부피(V)의 관계** 일정한 압력과 온도에서 용기 속 기체의 양이 증가하면 기체 분자의 충돌 횟수가 증가하여 용기 내부의 압력이 증가한다. 따라서 용기 내부의 압력이 외부 압력과 같아질 때까지 기체의 부피가 증가한다.

➡ $PV=nRT$에서 P, T가 같으므로 V는 n에 비례한다($V \propto n$).

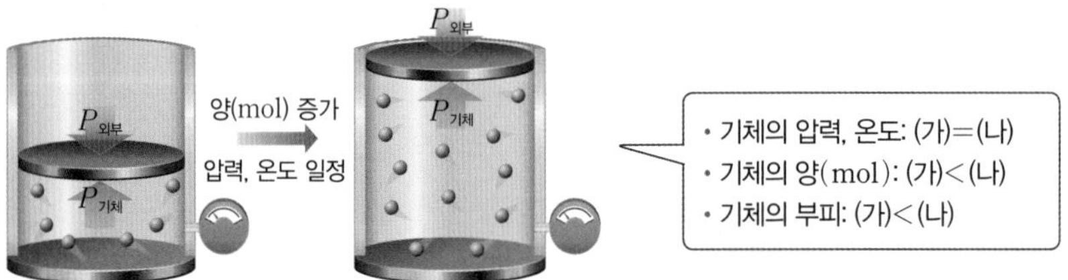

C 부분 압력 법칙

|출·제·단·서| 화학 반응 후 혼합 기체의 전체 압력과 어느 한 기체의 부분 압력을 묻는 문제가 나와.

1. 기체의 전체 압력과 부분 압력

(1) **전체 압력** 서로 반응하지 않는 두 종류 이상의 기체가 일정한 부피의 용기에 들어 있을 때 혼합 기체가 나타내는 압력

(2) **부분 압력(분압)** 서로 반응하지 않는 두 종류 이상의 기체가 일정한 부피의 용기에 혼합되어 들어 있을 때 각 성분 기체가 나타내는 압력

2. 부분 압력 법칙❹ 혼합 기체의 전체 압력은 각 성분 기체의 부분 압력의 합과 같다.

$$P=P_A+P_B+\cdots$$

(P: 혼합 기체의 전체 압력, P_A, P_B, …: 각 성분 기체의 부분 압력)

➕ 기체의 확산과 분출

- 확산: 기체 분자가 스스로 움직여 무질서하게 퍼져 나가는 현상
- 분출: 기체 분자가 압력이 높은 밀폐된 공간에서 진공이나 압력이 낮은 공간으로 뿜어져 나오는 현상
- 그레이엄 법칙: 일정한 온도와 압력에서 기체 분자의 분출 속도는 분자량의 제곱근에 반비례한다.

❹ 부분 압력 법칙

기체에 적용되는 기체 법칙은 순수한 기체 뿐만 아니라 공기와 같은 혼합 기체에도 적용할 수 있다. 이는 혼합 기체에서도 각 성분 기체들이 서로 상호 작용하지 않으므로 일정한 온도와 부피에서 성분 기체의 압력은 독립적으로 존재할 때 그 기체의 압력과 같다.

빈출 계산연습 혼합 기체의 부분 압력과 전체 압력 구하기

꼭지로 분리된 2개의 용기에 산소(O_2)기체와 질소(N_2) 기체가 각각 들어 있다. 꼭지를 열고 충분한 시간이 지났을 때 혼합 기체의 전체 압력(P)을 구해 보자.

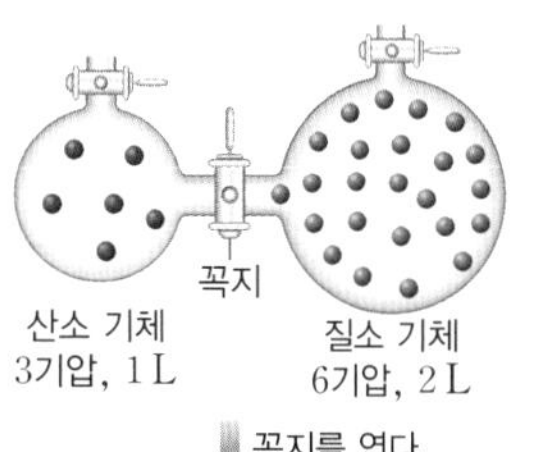

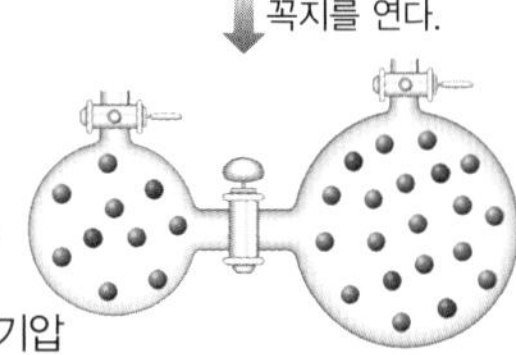

1단계 꼭지를 열기 전후 일정하게 유지되는 값과 변하는 값을 확인한다.
➡ 일정한 값: 온도, 기체의 양, 변하는 값: 부피, 압력

2단계 혼합 기체에서 각 성분 기체의 부분 압력을 구한다.
➡ 보일 법칙을 적용하여 각 성분 기체의 부분 압력을 구한다.
O_2의 부분 압력(P_{O_2}): 3기압×1 L$=P_{O_2}\times$3 L, $P_{O_2}=$1기압
N_2의 부분 압력(P_{N_2}): 6기압×2 L$=P_{N_2}\times$3 L, $P_{N_2}=$4기압

3단계 전체 기체의 압력을 구한다. ➡ $P=P_{O_2}+P_{N_2}=$1기압+4기압=5기압

(1) 이상 기체 방정식과 부분 압력 온도 T에서 V인 용기 속에 들어 있는 n_A몰의 기체 A와 n_B몰의 기체 B를 혼합할 때, 각 성분 기체의 부분 압력과 전체 압력을 이상 기체 방정식으로 나타내면 다음과 같다.

기체 A와 기체 B를 혼합해도 서로 반응하지 않으므로 혼합 전후 각 기체의 양(mol)에는 변화가 없다.

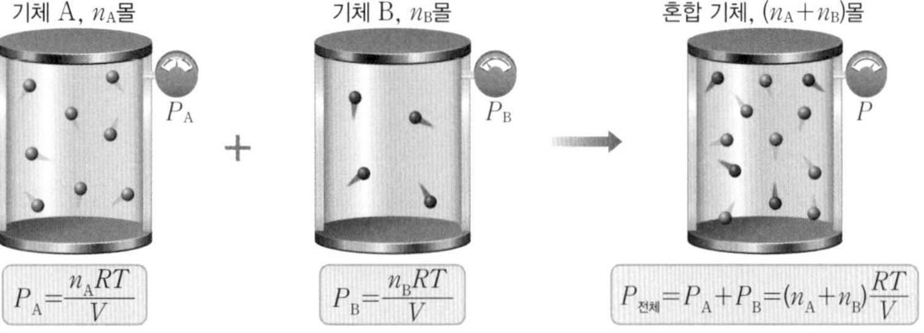

3. 몰 분율과 부분 압력[5]

몰 분율의 크기는 0에서부터 1까지이다.

(1) •몰 분율 혼합물에서 각 성분 물질의 양(mol)을 전체 물질의 양(mol)으로 나눈 값이다.

• A의 몰 분율$(X_A)=\frac{n_A}{n_A+n_B}$ • B의 몰 분율$(X_B)=\frac{n_B}{n_A+n_B}$

(2) 몰 분율과 부분 압력 기체 혼합물에서 성분 기체의 부분 압력은 몰 분율에 비례한다. 따라서 전체 압력에 성분 기체의 몰 분율을 곱하여 부분 압력을 구할 수 있다.

• $P_A=P\times\frac{n_A}{n_A+n_B}=P\times X_A$ • $P_B=P\times\frac{n_B}{n_A+n_B}=P\times X_B$

빈출 계산연습 기체의 몰 분율과 부분 압력 구하기

그림은 어떤 행성의 대기 성분과 몰비를 나타낸 것이다. 이 행성 표면의 대기압이 1220 mmHg일 때 대기를 이루는 성분 기체의 부분 압력을 구해 보자.

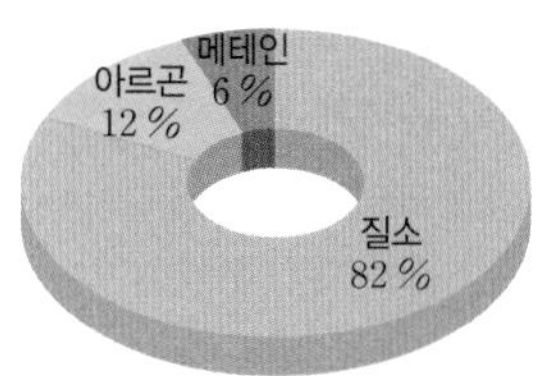

1단계 각 기체의 몰 분율을 구한다.
➡ N_2 : 0.82, Ar : 0.12, CH_4 : 0.06

2단계 전체 압력에 각 성분 기체의 몰 분율을 곱하여 각 성분 기체의 부분 압력을 구한다.
➡ $P_{N_2}=1220\text{ mmHg}\times0.82=1000.4\text{ mmHg}$
$P_{Ar}=1220\text{ mmHg}\times0.12=146.4\text{ mmHg}$
$P_{CH_4}=1220\text{ mmHg}\times0.06=73.2\text{ mmHg}$

---

5 몰 분율과 부분 압력
혼합 기체에서 각 성분 기체의 몰 분율을 알면 각 성분 기체의 부분 압력비를 구할 수 있다.

$n_A : n_B=P_A : P_B$

+ 수상 치환에서의 기체의 압력

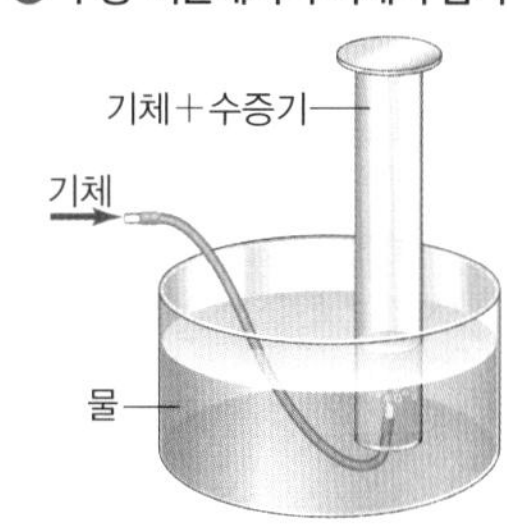

수상 치환으로 산소 기체를 눈금실린더에 모은 후 눈금실린더 안과 밖의 수면을 같게 하면 눈금실린더 속 기체의 압력은 대기압과 같다. 이때 눈금실린더 속에는 물의 증발에 의해 수증기가 함께 존재하므로 산소의 압력은 대기압에서 물의 온도에서의 수증기압을 빼 주어야 한다.
➡ 산소의 부분 압력
=대기압−수증기압

용어 알기
• 몰 분율(나누다 分, 비율 率) 두 성분 이상으로 된 혼합물에서 한 성분의 농도를 나타내는 방법

산소의 분자량 구하기

목표 이상 기체 방정식을 이용하여 산소의 분자량을 구할 수 있다.

유의점

- 유리 기구를 사용할 때는 떨어뜨리지 않게 주의한다.
- 산소를 주사기에 모을 때 산소가 외부로 새지 않도록 고무관을 잘 연결한다.

과정

❶ 실험실의 온도, 압력, 산소통의 질량 측정하기
실험실의 온도(t), 대기압(P)과 산소가 들어 있는 산소통의 질량(w_1)을 측정한다.

❷ 산소를 포집할 주사기 준비하기
유리 주사기의 피스톤을 끝까지 눌러 주사기 내부의 공기를 모두 빼낸다.

❸ 주사기에 산소 모으기
산소통의 노즐에 고무관을 연결하고 고무관의 다른 쪽에는 주사기를 연결한 후, 산소통의 노즐을 눌러 주사기에 산소를 모은 뒤 산소의 부피(V)를 측정한다.

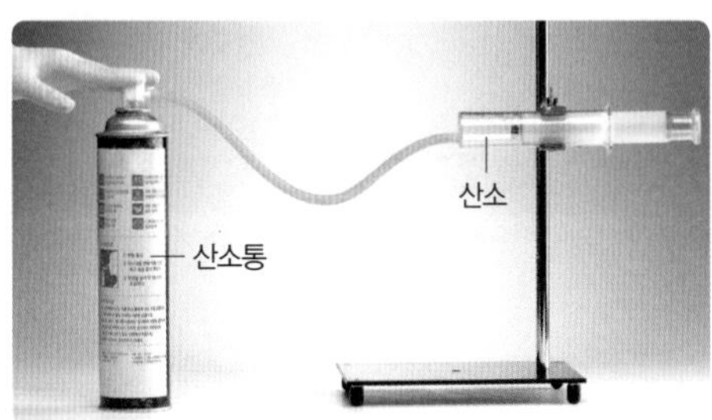

❹ 포집한 산소 기체의 질량 구하기
산소통에서 주사기와 고무관을 분리한 후 산소통의 질량(w_2)을 측정한다.

이런 실험도 있어요!

산소를 수상 치환으로 포집하는 경우

❶ 기체의 온도는 물의 온도(t)와 같다.
❷ 기체를 포집한 눈금실린더 안과 밖의 수면의 높이를 같게하여 기체의 부피(V)를 측정한다. → 눈금실린더 속 혼합 기체의 압력과 대기압이 같도록 하기 위해
❸ 눈금실린더 속 기체는 산소와 수증기의 혼합 기체이므로 물의 온도에서의 수증기압을 조사한다.
➡ $P_{O_2}=P_{전체}-P_{수증기압}$

결과

실험실의 온도	실험실의 압력(P)	산소통의 처음 질량 (w_1)	산소통의 나중 질량 (w_2)	산소의 부피(V)
27 ℃	1기압	121.530 g	121.400 g	100 mL

실험실의 온도보다 산소의 온도가 낮거나, 산소의 질량이 크게 측정된 경우(산소가 주사기로 들어가지 않고, 주변으로 빠져나가는 경우) 산소의 분자량이 실제보다 크게 측정된다.

정리 및 해석

❶ 산소의 질량(w): $w=w_1-w_2=121.530\text{ g}-121.400\text{ g}=0.130\text{ g}$

❷ 산소의 분자량: 이상 기체 방정식을 이용하여 실험에서 측정한 결과로부터 산소의 분자량을 구하면 다음과 같다.

$$➡ M=\frac{wRT}{PV}=\frac{0.130\text{ g}\times 0.082\text{ atm}\cdot\text{L}/(\text{mol}\cdot\text{K})\times(273+27)\text{K}}{1\text{ atm}\times 0.1\text{ L}}=31.98\text{ g/mol}$$

❸ 이상 기체 방정식으로 구한 산소의 분자량은 31.98이고, 이론값은 32이다.

한·줄·핵심 기체의 질량, 온도, 부피, 압력을 측정하면 이상 기체 방정식을 이용하여 기체의 분자량을 구할 수 있다.

확인 문제

정답과 해설 006쪽

01 이 탐구 결과로 구한 산소의 분자량이 실제 값보다 작게 측정된 까닭으로 옳은 것만을 <보기>에서 있는 대로 고르시오.

보기
ㄱ. 산소의 온도가 실험실의 온도보다 높게 측정되었다.
ㄴ. 산소통의 노즐을 눌렀을 때 산소의 일부가 공기 중으로 빠져나갔다.
ㄷ. 주사기 속에 산소 외에 공기가 포함되었다.

에탄올의 분자량 구하기

목표 이상 기체 방정식을 이용하여 에탄올의 분자량을 구할 수 있다.

유의점

- 중탕할 때 둥근바닥 플라스크의 목 부분까지 물에 잠기게 설치한다.
- 에탄올 증기는 흡입하지 않도록 하고 실험실의 환기에 유의한다.
- 핫플레이트에 화상에 입지 않도록 한다.

에탄올의 분자량이 실제보다 크게 측정되는 경우

- w, t가 크게 측정되거나 P, V가 작게 측정되는 경우는 에탄올의 분자량이 실제보다 크게 측정된다.
- 플라스크의 물기를 제대로 닦지 않아 질량이 실제 에탄올의 질량보다 크게 측정되었다.
- 플라스크 속 물을 눈금실린더에 옮길 때 일부를 흘렸다.

과정

❶ 둥근바닥 플라스크의 질량 측정하기

둥근바닥 플라스크에 알루미늄박으로 뚜껑을 만들어 씌운 후, 뚜껑에 바늘로 작은 구멍을 뚫고 질량(w_1)을 측정한다.

❷ 둥근바닥 플라스크에 에탄올 넣고 가열하여 증기를 만들고, 물의 온도 측정하기

과정 ❶의 플라스크에 에탄올을 1 mL 정도 넣고 알루미늄박 뚜껑을 덮은 후, 물중탕하다가 에탄올이 모두 증발하면 가열을 멈추고 물의 온도(t)를 측정한다.

❸ 에탄올의 질량 측정하기

과정 ❷의 플라스크를 실온까지 식히고 겉에 묻은 물기를 잘 닦은 후, 질량(w_2)을 측정한다.

❹ 플라스크의 부피, 실험실 대기압 측정하기

응축된 에탄올을 버리고, 플라스크 안에 물을 가득 채운 후 눈금실린더로 옮겨 물의 부피(V)를 측정하고, 실험실의 대기압(P)을 측정한다. (물의 부피: 플라스크의 부피와 같다.)

결과

플라스크의 처음 질량 (w_1)	물의 온도(t)	플라스크의 나중 질량 (w_2)	플라스크의 부피 (V)	실험실의 대기압 (P)
54.340 g	94 ℃	54.840 g	315 mL	1기압

정리 및 해석

❶ 에탄올의 질량(w): $w=w_2-w_1=54.840\text{ g}-54.340\text{ g}=0.500\text{ g}$

❷ 에탄올의 분자량: 이상 기체 방정식을 이용하여 실험에서 측정한 결과로부터 에탄올의 분자량을 구하면 다음과 같다.

$$\Rightarrow M=\frac{wRT}{PV}=\frac{0.500\text{ g}\times0.082\text{ atm}\cdot\text{L}/(\text{mol}\cdot\text{K})\times(273+94)\text{K}}{1\text{ atm}\times0.315\text{ L}}\fallingdotseq47.8\text{ g/mol}$$

❸ 이상 기체 방정식으로 구한 에탄올의 분자량은 47.8이고, 이론값은 46이다.

한·줄·핵심 기체의 질량, 온도, 부피, 압력을 측정하면 이상 기체 방정식을 이용하여 기체의 분자량을 구할 수 있다.

확인 문제

정답과 해설 006쪽

01 위 탐구에 대한 설명으로 옳은 것은 ○, 옳지 않은 것은 ×로 표시하시오.

(1) w_1은 플라스크와 플라스크 속 공기의 질량의 합이다. ( )

(2) w_2는 플라스크와 플라스크 속 에탄올의 질량의 합이다. ( )

(3) 알루미늄박 뚜껑에 바늘로 구멍을 뚫는 까닭은 플라스크 속 기체의 압력과 대기압이 같아지도록 하기 위해서이다. ( )

(4) 물중탕을 하여 플라스크 속 에탄올이 모두 증발했을 때 물의 온도는 기체 상태인 에탄올의 온도와 같다. ( )

콕콕! 개념 확인하기

정답과 해설 006쪽

✔ 잠깐 확인!

1. □□ □□ □□□
기체의 압력, 부피, 양(mol), 절대 온도의 관계를 나타낸 식이다.

2. □□ □□ □□□
기체의 성질을 기체의 분자 운동으로 설명하는 이론이다.

3. 기체 분자의 평균 운동 에너지
기체 분자의 평균 운동 에너지는 □□ □□에 비례한다.

4. □□ □□
서로 반응하지 않는 기체 혼합물에서 각 성분 기체가 나타내는 압력

5. □□ □□ 법칙
혼합 기체의 전체 압력은 각 성분 기체의 부분 압력의 합과 같다.

6. □ □□
혼합물에서 성분 물질의 양(mol)을 전체 물질의 양(mol)으로 나눈 값이다.

A 이상 기체 방정식

01 이상 기체 방정식에 대한 설명으로 옳은 것은 ○, 옳지 않은 것은 ×로 표시하시오.

(1) 이상 기체 방정식으로 일정한 온도에서 일정량의 기체의 압력이 부피에 반비례한다는 것을 설명할 수 있다. ( )

(2) 일정한 온도에서 일정량의 기체의 압력, 부피를 측정하면 기체의 분자량을 구할 수 있다. ( )

(3) 이상 기체 방정식으로 아보가드로 법칙을 설명할 수 없다. ( )

02 27 ℃에서 부피가 1.24 L인 밀폐된 용기에 기체 X 1.6 g이 들어 있을 때, 기체의 압력이 1 atm이었다. 기체 X의 분자량을 구하시오. (단, 기체 상수 R=0.082 atm·L/(mol·K)이다.)

B 기체 분자 운동론

03 그림은 온도 T_1~T_3에서 일정량의 He(g)의 분자 운동 속력에 따른 분자 수 분포를 나타낸 것이다. 이에 대한 설명으로 옳은 것은 ○, 옳지 않은 것은 ×로 표시하시오.

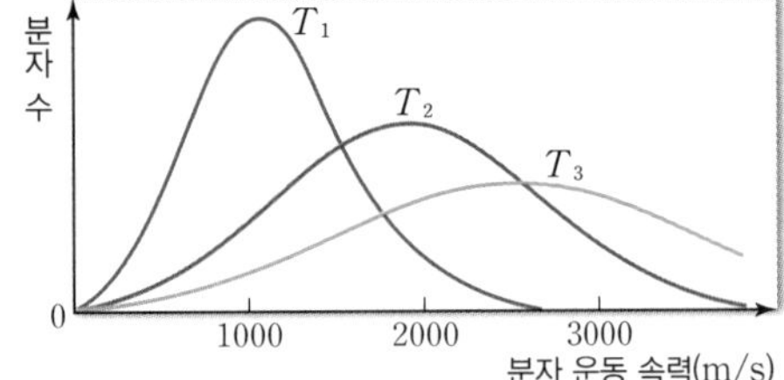

(1) $T_1 > T_2$이다. ( )

(2) He(g)의 평균 운동 에너지는 T_3에서가 T_2에서보다 크다. ( )

(3) 부피가 일정할 때 He(g)의 압력은 T_2에서가 T_3에서보다 크다. ( )

C 부분 압력 법칙

04 그림은 일정한 온도에서 기체 X와 Y, 기체 X와 Y의 혼합 기체가 각각 같은 부피의 용기에 들어 있는 것을 모형으로 나타낸 것이다. 이에 대한 설명으로 옳은 것은 ○, 옳지 않은 것은 ×로 표시하시오. (단, 기체 X와 Y는 서로 반응하지 않는다.)

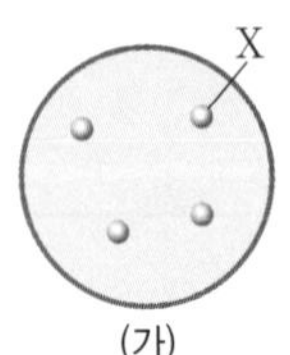

(가)
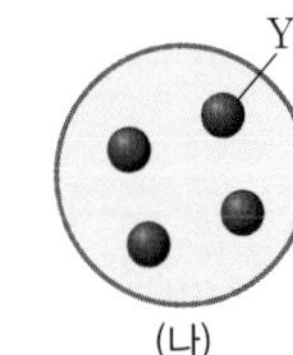

(나)
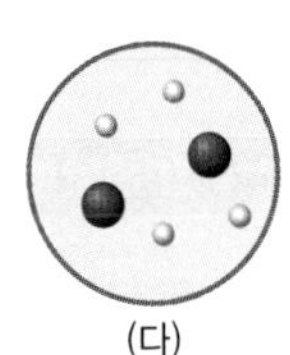
(다)

(1) 기체의 압력은 (가)와 (나)에서 같다. ( )

(2) (다)에서 Y의 몰 분율은 $\frac{2}{3}$이다. ( )

(3) (다)에서 부분 압력은 X가 Y의 2배이다. ( )

탄탄! 내신 다지기

정답과 해설 007쪽

A 이상 기체 방정식

01 그림은 질량이 같은 기체 A~C의 절대 온도에 따른 (압력×부피)를 나타낸 것이다.

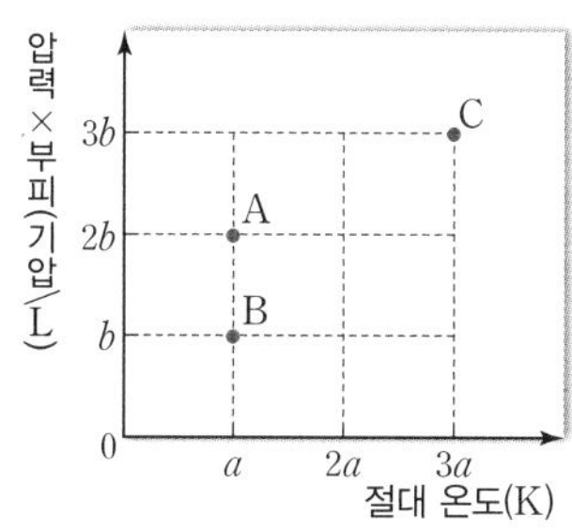

이에 대한 설명으로 옳지 않은 것은?

① A와 B의 평균 운동 에너지는 같다.
② 기체의 양은 C가 B보다 크다.
③ 분자량은 B가 A의 2배이다.
④ 0 ℃, 1기압에서 밀도는 C가 A의 2배이다.
⑤ 같은 온도에서 기체 분자의 평균 운동 속력은 A가 C보다 크다.

단답형

02 그림 (가)는 T_1 K, x기압에서 실린더 속에 일정량의 He(g)이 들어 있는 상태를, (나)와 (다)는 (가)에서 온도와 압력을 변화시켰을 때의 상태를 각각 나타낸 것이다. (나)와 (다)에서 He(g)의 부피는 같다.

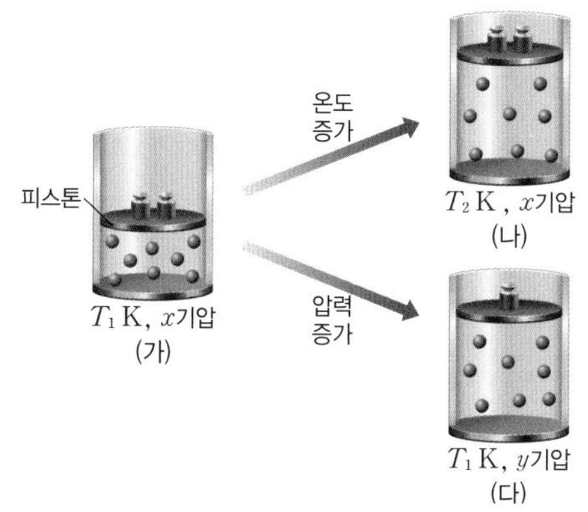

$\frac{T_2}{x}$와 $\frac{T_1}{y}$의 크기를 비교하시오. (단, 피스톤의 질량과 마찰은 무시한다.)

03 그림은 일정한 온도에서 같은 부피의 플라스크에 $A_2(g)$와 $A_2B(g)$가 각각 w g씩 들어 있는 상태를 나타낸 것이다.

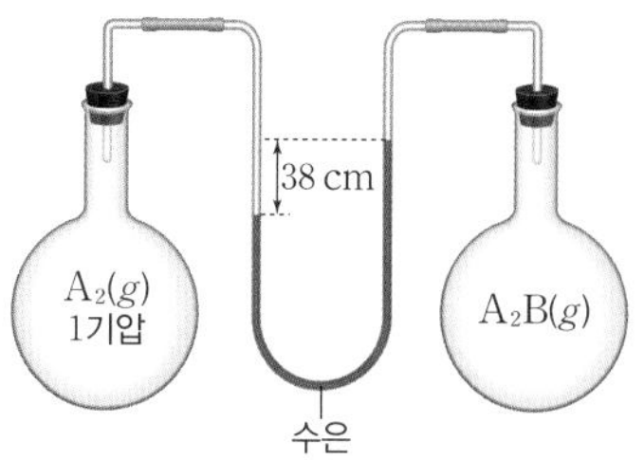

이에 대한 설명으로 옳은 것만을 〈보기〉에서 있는 대로 고른 것은? (단, A와 B는 임의의 원소 기호이고, 1기압은 76 cmHg이며, 연결관의 부피는 무시한다.)

보기
ㄱ. 기체의 양(mol)은 A_2가 A_2B의 1.5배이다.
ㄴ. 기체의 평균 운동 에너지는 A_2가 A_2B보다 크다.
ㄷ. $\frac{\text{B의 원자량}}{\text{A의 원자량}}=2$이다.

① ㄱ ② ㄷ ③ ㄱ, ㄴ
④ ㄴ, ㄷ ⑤ ㄱ, ㄴ, ㄷ

04 그림은 동일한 실린더에 Ne(g)이 각각 다른 조건으로 들어 있는 것을 나타낸 것이다.

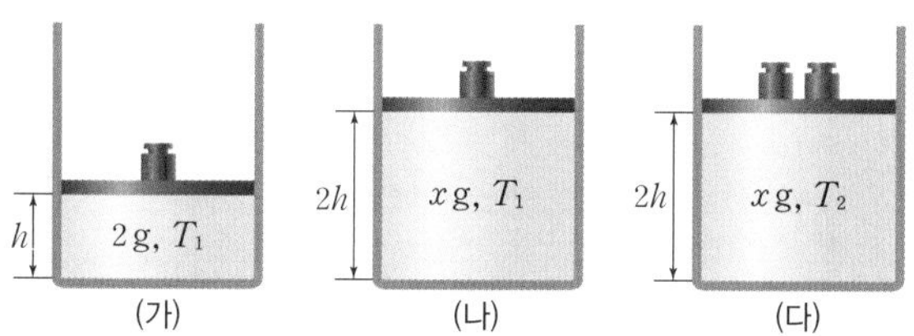

이에 대한 설명으로 옳은 것만을 〈보기〉에서 있는 대로 고른 것은? (단, 대기압은 1기압이고, 추 1개가 피스톤에 작용하는 압력은 1기압이며, 피스톤의 질량과 마찰은 무시한다.)

보기
ㄱ. Ne(g)의 양은 (나)에서가 (가)에서의 2배이다.
ㄴ. Ne(g)의 평균 운동 에너지는 (다)에서가 (가)에서의 2배이다.
ㄷ. Ne(g)의 분자 간 평균 거리는 (가)와 (다)에서 같다.

① ㄱ ② ㄴ ③ ㄱ, ㄷ
④ ㄴ, ㄷ ⑤ ㄱ, ㄴ, ㄷ

05 그림 (가)는 압력 P_1에서 질량이 x g인 기체 A와 B의 온도에 따른 부피를, (나)는 압력 P_1과 P_2에서 질량이 y g인 기체 A의 온도에 따른 부피를 나타낸 것이다.

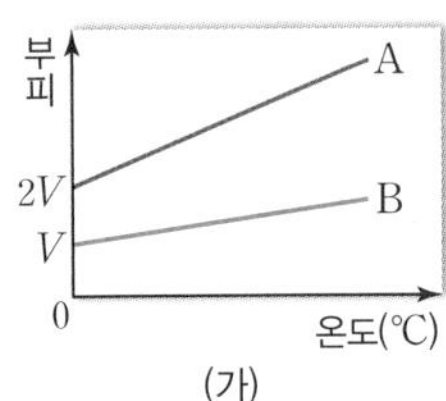

(가)

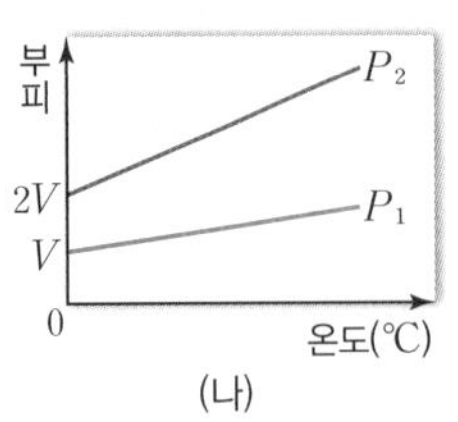

(나)

이에 대한 설명으로 옳은 것만을 〈보기〉에서 있는 대로 고른 것은?

보기
ㄱ. 분자량은 B가 A의 2배이다.
ㄴ. $\frac{y}{x}$는 2이다.
ㄷ. $\frac{P_1}{P_2}$은 2이다.

① ㄱ ② ㄴ ③ ㄱ, ㄷ
④ ㄴ, ㄷ ⑤ ㄱ, ㄴ, ㄷ

06 그림은 3개의 실린더에 He(g)을 각각 넣고, 같은 부피가 되도록 피스톤을 고정시킨 것을 나타낸 것이다.

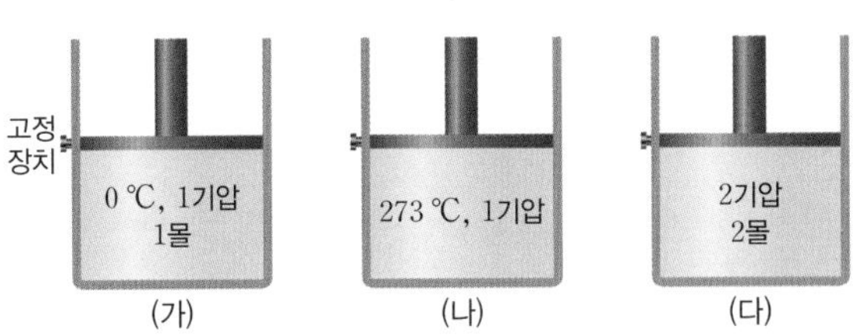

(가) (나) (다)

이에 대한 설명으로 옳은 것만을 〈보기〉에서 있는 대로 고른 것은? (단, 피스톤의 질량과 마찰은 무시한다.)

보기
ㄱ. (나)에서 기체의 양(mol)은 1몰이다.
ㄴ. (다)에서 기체의 온도는 0 ℃이다.
ㄷ. 고정 장치를 풀면 부피는 (다)에서가 (가)에서의 4배가 된다.

① ㄱ ② ㄴ ③ ㄱ, ㄷ
④ ㄴ, ㄷ ⑤ ㄱ, ㄴ, ㄷ

B 기체 분자 운동론

07 그림은 서로 다른 온도 T_1, T_2에서 기체 A, B의 분자 운동 속력에 따른 분자 수 분포를 각각 나타낸 것이다.

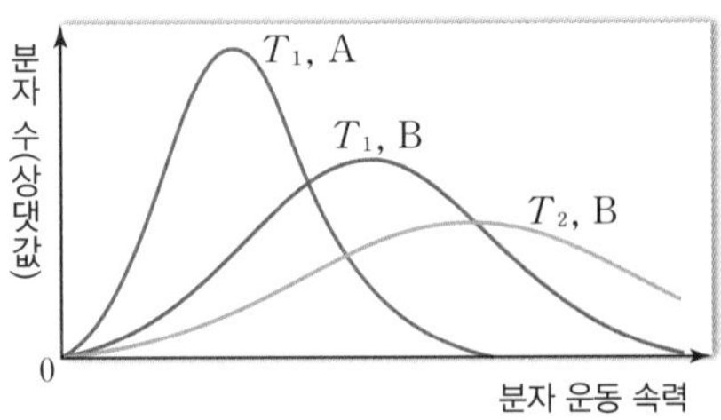

이에 대한 설명으로 옳은 것만을 〈보기〉에서 있는 대로 고른 것은?

보기
ㄱ. $T_1 < T_2$이다.
ㄴ. T_1에서 평균 운동 에너지는 B가 A보다 크다.
ㄷ. 분자량은 A>B이다.

① ㄱ ② ㄴ ③ ㄱ, ㄷ
④ ㄴ, ㄷ ⑤ ㄱ, ㄴ, ㄷ

08 그림과 같이 용기 (가)에는 He(g)과 N_2(g)가, 용기 (나)에는 Ne(g)과 N_2(g)가 칸막이로 분리되어 들어 있다.

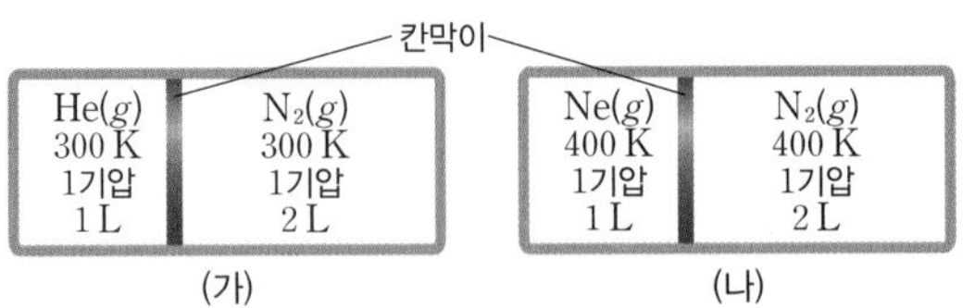

(가) (나)

이에 대한 설명으로 옳은 것만을 〈보기〉에서 있는 대로 고른 것은? (단, He, Ne, N_2의 분자량은 각각 4, 20, 28이다.)

보기
ㄱ. 밀도는 Ne(g)이 He(g)의 5배이다.
ㄴ. 기체의 평균 운동 에너지는 Ne(g)이 He(g)보다 크다.
ㄷ. (가)에서 기체의 평균 운동 속력은 He(g)이 N_2(g)의 3배보다 크다.

① ㄱ ② ㄴ ③ ㄱ, ㄷ
④ ㄴ, ㄷ ⑤ ㄱ, ㄴ, ㄷ

C 부분 압력 법칙

09 그림 (가)와 같이 꼭지로 분리된 용기와 실린더에 He(g)과 Ne(g)을 각각 넣은 후, 꼭지를 열고 고정 장치를 풀었더니 (나)와 같이 되었다.

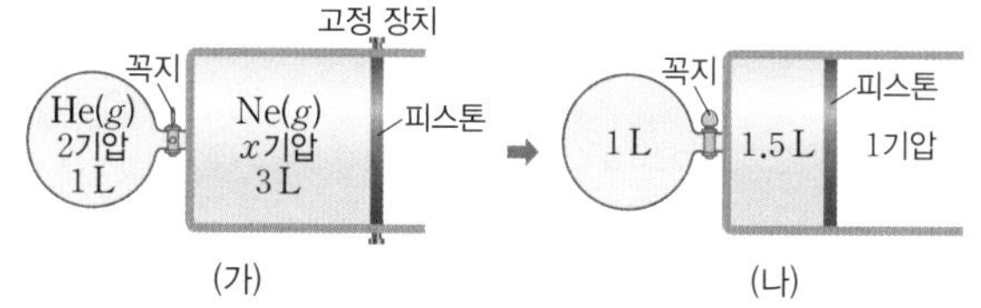

이에 대한 설명으로 옳은 것만을 〈보기〉에서 있는 대로 고른 것은? (단, 피스톤의 마찰은 무시한다.)

보기
ㄱ. x는 3이다.
ㄴ. (가)에서 기체의 양(mol)은 He(g)이 Ne(g)의 4배이다.
ㄷ. (나)에서 He(g)의 부분 압력은 0.6기압이다.

① ㄱ ② ㄴ ③ ㄱ, ㄷ ④ ㄴ, ㄷ ⑤ ㄱ, ㄴ, ㄷ

10 그림은 일정한 온도에서 꼭지로 연결된 두 용기에 He(g)과 Ne(g)이 각각 들어 있는 것을 나타낸 것이다.

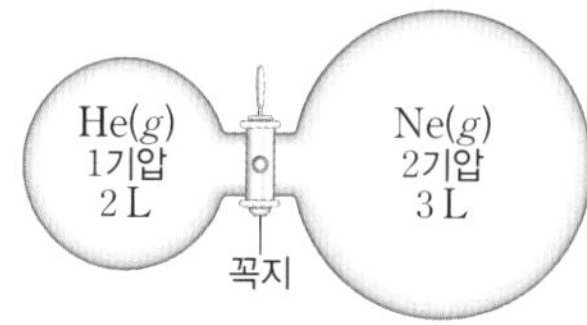

꼭지를 열고 충분한 시간이 지난 후, 이에 대한 설명으로 옳은 것만을 〈보기〉에서 있는 대로 고른 것은? (단, 온도는 일정하고, 연결관의 부피는 무시한다.)

보기
ㄱ. 혼합 기체의 전체 압력은 3기압이다.
ㄴ. Ne(g)의 몰 분율은 $\frac{3}{4}$이다.
ㄷ. He(g)의 부분 압력은 0.4기압이다.

① ㄱ ② ㄷ ③ ㄱ, ㄴ ④ ㄴ, ㄷ ⑤ ㄱ, ㄴ, ㄷ

11 그림은 온도 T에서 $C_3H_8(g)$의 연소 반응식과 실린더에 $C_3H_8(g)$과 $O_2(g)$가 들어 있는 초기 상태를 나타낸 것이다.

$$C_3H_8(g) + 5O_2(g) \longrightarrow 3CO_2(g) + 4H_2O(g)$$

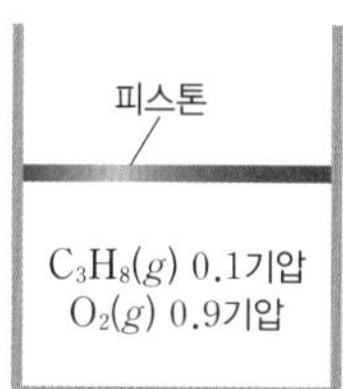

반응이 완결된 후, $CO_2(g)$의 부분 압력(기압)은? (단, 대기압과 온도는 일정하고, 피스톤의 질량과 마찰은 무시한다.)

① $\frac{2}{11}$ ② $\frac{3}{11}$ ③ $\frac{5}{11}$ ④ $\frac{2}{5}$ ⑤ $\frac{1}{3}$

12 그림은 꼭지로 분리된 용기 (가)와 실린더 (나)에 He(g)과 Ne(g)이 각각 들어 있는 상태를 나타낸 것이다.

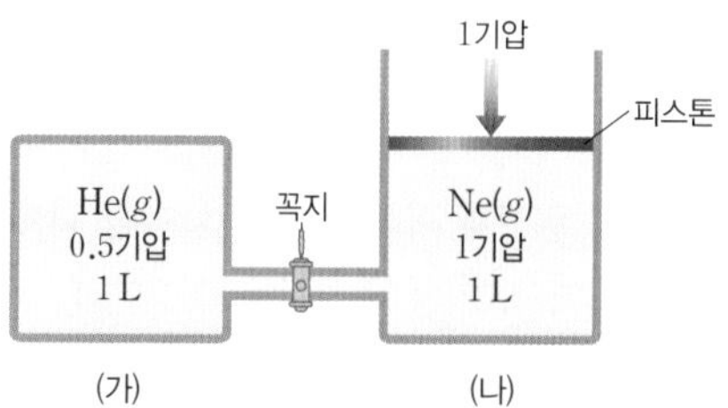

꼭지를 열고 충분한 시간이 지난 후, 이에 대한 설명으로 옳은 것만을 〈보기〉에서 있는 대로 고른 것은? (단, 연결관의 부피와 피스톤의 질량과 마찰은 무시한다.)

보기
ㄱ. He(g)의 몰 분율은 $\frac{1}{3}$이다.
ㄴ. Ne(g)의 부분 압력은 $\frac{2}{3}$기압이다.
ㄷ. 실린더의 부피는 0.5 L이다.

① ㄱ ② ㄷ ③ ㄱ, ㄴ ④ ㄴ, ㄷ ⑤ ㄱ, ㄴ, ㄷ

도전! 실력 올리기

출제예감

01 그림 (가)는 온도 T에서 피스톤으로 분리된 실린더에 $H_2(g)$ 2 g과 $X(g)$ 56 g이 들어 있는 상태를, (나)는 온도 T를 유지하면서 오른쪽의 꼭지를 잠시 열었다가 닫았을 때의 상태를 나타낸 것이다.

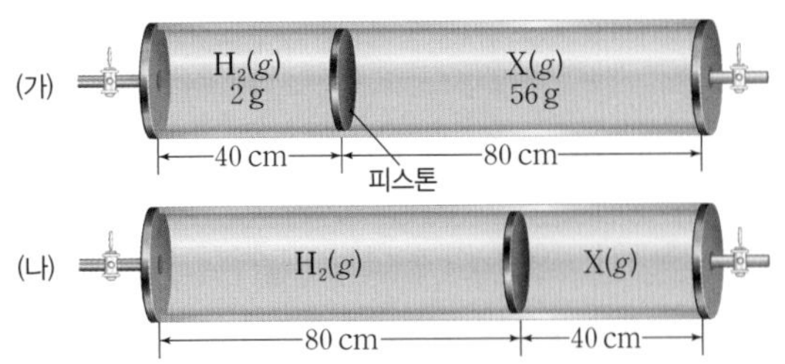

이에 대한 설명으로 옳은 것만을 〈보기〉에서 있는 대로 고른 것은? (단, H_2의 분자량은 2이고, 피스톤의 마찰은 무시한다.)

보기
ㄱ. X의 분자량은 56이다.
ㄴ. 빠져나간 $X(g)$의 양(mol)은 1.5몰이다.
ㄷ. (나)에서 기체 분자의 평균 운동 속력은 $H_2(g)$가 $X(g)$의 2배이다.

① ㄱ ② ㄴ ③ ㄱ, ㄷ
④ ㄴ, ㄷ ⑤ ㄱ, ㄴ, ㄷ

02 다음은 기체 X의 분자량을 측정하기 위한 실험이다.

[실험 과정]
(가) $X(g)$가 들어 있는 통의 질량을 측정한다.
(나) 수상 치환 장치를 이용하여 $X(g)$를 눈금실린더에 포집한 후, 통의 질량을 측정한다.
(다) 눈금실린더 안과 밖의 수면의 높이를 같게 한 후 눈금실린더 속 기체의 부피를 측정한다.
(라) 수조 속 물의 온도와 대기압을 측정하고, 그 온도에서 수증기압을 조사한다.

[실험 결과]

과정	(가)	(나)	(다)	(라)		
				온도	대기압	수증기압
값	w_1 g	w_2 g	V L	T K	P_1기압	P_2기압

이 실험으로 구한 X의 분자량은?

① $\dfrac{w_1RT}{P_1V}$ ② $\dfrac{w_2RT}{P_2V}$ ③ $\dfrac{(w_1-w_2)RT}{P_1V}$
④ $\dfrac{w_1RT}{(P_1-P_2)V}$ ⑤ $\dfrac{(w_1-w_2)RT}{(P_1-P_2)V}$

출제예감

03 다음은 $He(g)$과 $Ar(g)$을 혼합하는 실험이다.

[실험 과정]
(가) 그림과 같이 온도 T에서 꼭지로 분리된 용기에 $He(g)$과 $Ar(g)$을 넣는다.

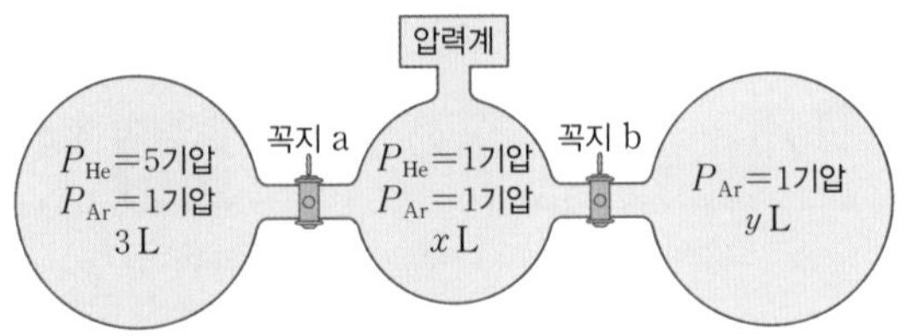

(나) 시간 t_1일 때 꼭지 a를 열어 충분한 시간 동안 놓아 둔다.
(다) 시간 t_2일 때 꼭지 b를 열어 충분한 시간 동안 놓아 둔다.

[실험 결과]
• 시간에 따른 압력

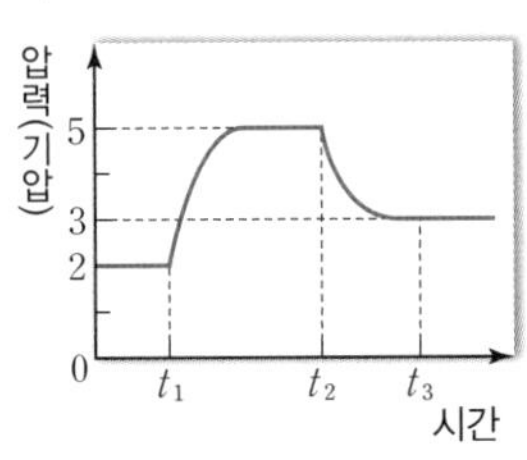

이에 대한 설명으로 옳은 것만을 〈보기〉에서 있는 대로 고른 것은? (단, 온도는 T로 일정하고, 연결관의 부피는 무시한다.)

보기
ㄱ. x는 1이다.
ㄴ. y는 4이다.
ㄷ. (다)에서 P_{Ar}은 1기압이다.

① ㄱ ② ㄷ ③ ㄱ, ㄴ
④ ㄴ, ㄷ ⑤ ㄱ, ㄴ, ㄷ

출제예감

04 그림은 300 K에서 0.82 L의 용기에 들어 있는 O_2와 포도당($C_6H_{12}O_6$)을 나타낸 것이다. 포도당을 완전 연소시킨 후, 용기의 온도를 300 K으로 냉각시켰을 때, 용기 속 혼합 기체 중 이산화 탄소의 부분 압력은? (단, 기체 상수 R=0.082 atm·L/(mol·K)이고, 고체와 액체의 부피는 무시한다.)

① 12 atm ② 14 atm ③ 16 atm
④ 18 atm ⑤ 20 atm

05 그림은 $Ne(g)$, $Ar(g)$이 들어 있는 용기와 수은이 채워진 유리관이 연결된 상태를 나타낸 것이다.

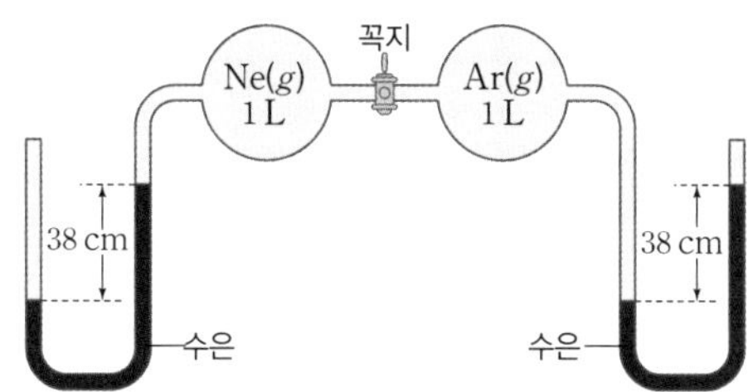

꼭지를 열고 충분한 시간이 지났을 때에 대한 설명으로 옳은 것만을 〈보기〉에서 있는 대로 고른 것은? (단, 대기압은 76 cmHg이고, 연결관의 끝은 열려 있으며, 연결관의 부피는 무시한다.)

> 보기
> ㄱ. $Ne(g)$의 몰 분율은 $\frac{1}{2}$이다.
> ㄴ. 오른쪽 수은 기둥의 높이 차는 19 cm이다.
> ㄷ. $Ar(g)$의 부분 압력은 0.75기압이다.

① ㄱ ② ㄷ ③ ㄱ, ㄴ
④ ㄴ, ㄷ ⑤ ㄱ, ㄴ, ㄷ

06 그림은 150 ℃, 1기압에서 탄화수소(C_2H_n) 기체와 산소(O_2) 기체가 실린더에 들어 있는 모습을, 표는 C_2H_n를 완전 연소시켰을 때 반응 전후 C_2H_n와 수증기(H_2O)의 부분 압력을 나타낸 것이다. 반응 전후 온도는 같다.

피스톤
대기압
$C_2H_n(g)$
$O_2(g)$
10 L

물질	부분 압력(기압)	
	반응 전	반응 후
$C_2H_n(g)$	$\frac{1}{5}$	0
$H_2O(g)$	0	$\frac{2}{5}$

이에 대한 설명으로 옳은 것만을 〈보기〉에서 있는 대로 고른 것은? (단, 피스톤의 질량과 마찰은 무시한다.)

> 보기
> ㄱ. 실린더에는 $O_2(g)$가 남아 있지 않다.
> ㄴ. $CO_2(g)$의 부분 압력은 $\frac{1}{5}$기압이다.
> ㄷ. 전체 기체의 부피는 10 L이다.

① ㄱ ② ㄷ ③ ㄱ, ㄴ
④ ㄴ, ㄷ ⑤ ㄱ, ㄴ, ㄷ

07 그림 (가)는 피스톤으로 분리된 실린더에 수소(H_2) 기체와 헬륨(He) 기체가 들어 있는 상태를, (나)는 같은 온도에서 실린더에 메테인(CH_4) 기체를 더 넣었을 때 피스톤이 이동한 모습을 나타낸 것이다.

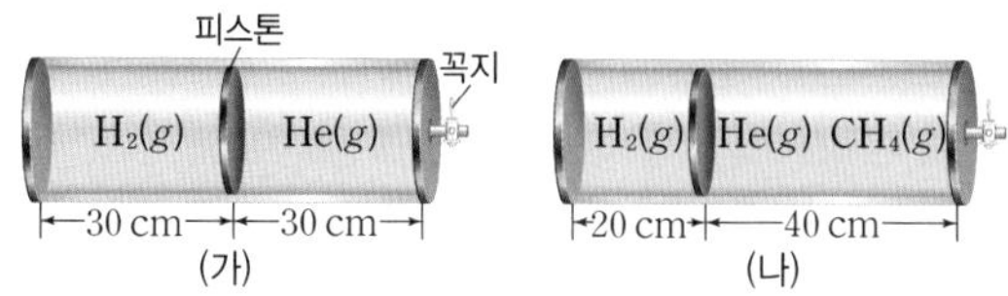

(나)에서 H_2, He, CH_4의 양(mol)을 등호나 부등호로 비교하시오.

서술형

08 그림 (가)와 (나)는 1기압에서 동일한 실린더에 서로 다른 기체 X와 Y가 각각 들어 있는 상태를 나타낸 것이다.

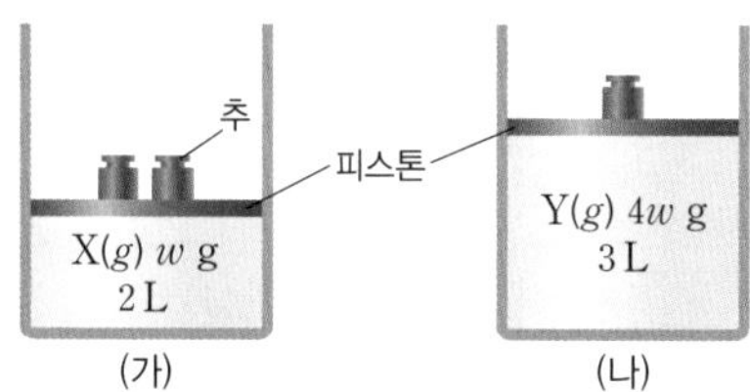

X와 Y의 분자량비를 구하는 방법을 서술하시오. (단, 온도는 일정하고, 추 1개가 피스톤에 작용하는 압력은 1기압이며, 피스톤의 질량과 마찰은 무시한다.)

서술형

09 다음은 기체 X와 Y가 반응하여 Z를 생성하는 화학 반응식과, 꼭지로 분리된 두 용기에 X와 Y가 각각 들어 있는 모습을 나타낸 것이다.

$$X(g) + 2Y(g) \rightarrow 2Z(g)$$

꼭지
X(g) 2기압 1 L
Y(g) 2기압 1 L

꼭지를 열어 반응이 완결되었을 때 Z의 부분 압력을 구하는 방법을 서술하시오. (단, 온도는 일정하고, 연결관의 부피는 무시한다.)

기체 반응에서 기체의 전체 압력과 부분 압력

출제 의도

기체 반응에서 반응 후 혼합 기체의 온도와 압력으로 양을 추론하는 문제이다.

이것이 함정

초기 반응 조건과 (라) 과정 후 조건이 다르므로 (라)에서 제시된 온도와 압력 조건을 반응 초기 조건으로 환산하여 기체의 양(mol)을 구한다.

대표 유형

다음은 기체 A와 B가 반응하여 기체 C와 D를 생성하는 반응에 대한 실험이다.

- 화학 반응식 $2A(g)+xB(g) \longrightarrow 4C(g)+6D(g)$ (x는 반응 계수)
  └ 반응식의 계수비는 반응 몰비이다. → A : C : D = 1 : 2 : 3의 몰비로 반응

[실험 과정]

(가) 300 K에서 그림과 같이 꼭지 a, b로 연결된 강철 용기에 기체 A와 B를 넣는다.
└ 일정한 온도에서 일정량의 기체의 압력과 부피의 곱은 일정하다.

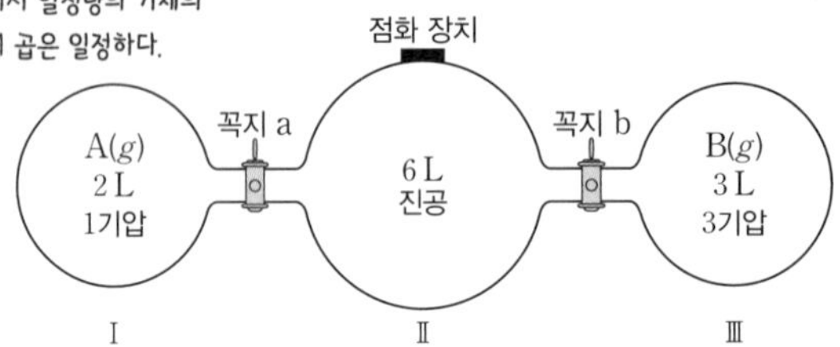

(나) 꼭지 a를 열어 충분한 시간이 흐른 후 꼭지 a를 닫는다.
└ 용기 Ⅰ과 Ⅱ에서 A의 압력(P_A)은 $P_A \times 8 = 1 \times 2$, $P_A = 0.25$기압이다.

(다) 꼭지 b를 열어 충분한 시간이 흐른 후 꼭지 b를 닫는다.
└ 용기 Ⅱ와 Ⅲ에서 B의 압력(P_B)은 $P_B \times 9 = 3 \times 3$, $P_B = 1$기압이다.
용기 Ⅱ에 있던 A가 혼합되므로 A의 압력($P_{A'}$)은 $0.25 \times 6 = P_{A'} \times 9$, $P_{A'} = \frac{1}{6}$기압이다.

(라) 용기 Ⅱ의 점화 장치를 이용하여 A와 B를 반응시킨다.
└ 용기 Ⅱ에 있는 A의 양(n_A)은 $\frac{PV}{RT}$에서 $n_A = \frac{1}{300R}$, B의 양(n_B)은 $n_B = \frac{6}{300R}$이다.

[실험 결과]

- (라) 과정 후 용기 Ⅱ에 들어 있는 기체: B, C, D
  └ A가 존재하지 않으므로 A는 모두 반응했고, 반응한 B의 양은 $\frac{x}{600R}$, 생성된 C, D의 양은 $\frac{2}{300R}$, $\frac{3}{300R}$이고, 반응 후 B의 양은 $\left(\frac{6}{300R} - \frac{x}{600R} = \frac{12-x}{600R}\right)$이므로 전체 기체의 양은 $\frac{22-x}{600R}$이다.
- (라) 과정 후 용기 Ⅱ에 들어 있는 혼합 기체의 온도와 압력: 400 K, $\frac{5}{3}$기압
  └ 온도 400 K에서 $\frac{22-x}{600R}$ 몰 기체의 부피가 6 L일 때 압력이 $\frac{5}{3}$기압이므로 $\frac{5}{3} \times 6 = \frac{22-x}{600R} \times R \times 400$이다.
  따라서 $x=7$이다.

x는? (단, (다) 과정에서 A와 B는 반응하지 않는다.)

① 1　② 3　③ 5　④ 7 (✓)　⑤ 9

자료에서 단서 찾기

화학 반응식의 계수비로부터 반응 몰비를 구한다. >>> 일정한 온도에서 일정량의 기체의 부피가 변할 때 각 기체의 압력을 구한다. >>> 온도, 압력, 부피로부터 용기 Ⅱ에 들어 있는 A와 B의 양(mol)을 구한다. >>> 화학 반응식의 양적 관계를 이용하여 반응 후 전체 기체의 양(mol)을 구하여 B의 계수를 구한다.

추가 선택지

- (라) 과정 후 용기 Ⅱ 속 혼합 기체의 온도가 300 K일 때 전체 기체의 압력은 $\frac{5}{4}$기압이다. (○)
  ⋯→ 기체의 양(mol)과 부피가 일정할 때 기체의 압력은 절대 온도에 비례하므로 온도가 300 K일 때의 압력은 $\frac{5}{3} \times \frac{3}{4} = \frac{5}{4}$(기압)이다.
- (라) 과정 후 용기 속 기체의 몰 분율은 D가 C의 1.5배이다. (○)
  ⋯→ 반응 몰비는 C : D가 2 : 3이고, 전체 기체의 양(mol) 중 C의 양(mol)이 2몰일 때 D의 양(mol)은 3몰이다.

실전! 수능 도전하기

정답과 해설 011쪽

01 그림 (가)는 0 ℃에서 부피가 22.4 L인 강철 용기에 기체 A와 B가 들어 있는 상태를, (나)는 (가)에 기체 C를 첨가했을 때의 상태를 나타낸 것이다. X_B는 B(g)의 몰 분율이다.

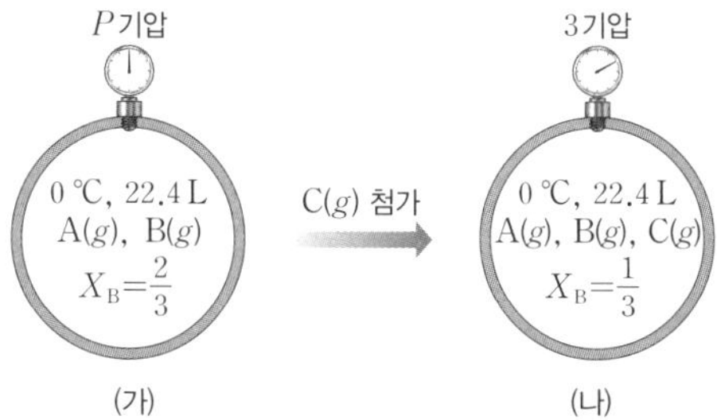

이에 대한 설명으로 옳은 것만을 〈보기〉에서 있는 대로 고른 것은? (단, A~C는 서로 반응하지 않고, 0 ℃, 1기압에서 기체 1몰의 부피는 22.4 L이다.)

> 보기
> ㄱ. (가)에서 전체 기체의 압력 P=1.5기압이다.
> ㄴ. 첨가한 C의 양(mol)은 1.5몰이다.
> ㄷ. A의 몰 분율은 (가)에서가 (나)에서의 2배이다.

① ㄱ ② ㄴ ③ ㄱ, ㄷ
④ ㄴ, ㄷ ⑤ ㄱ, ㄴ, ㄷ

02 다음은 A(g)와 B(g)가 반응하여 C(g)를 생성하는 반응의 화학 반응식이다.

$$A(g)+2B(g) \longrightarrow 2C(g)$$

그림은 꼭지로 분리된 실린더와 두 강철 용기에 A(g)~C(g)가 각각 들어 있는 것을 나타낸 것이다. 꼭지 a를 열어 반응이 완결된 후, 꼭지 b를 열고 충분한 시간이 흘렀을 때 혼합 기체의 부피는 4 L이고, C(g)의 몰 분율은 x이었다.

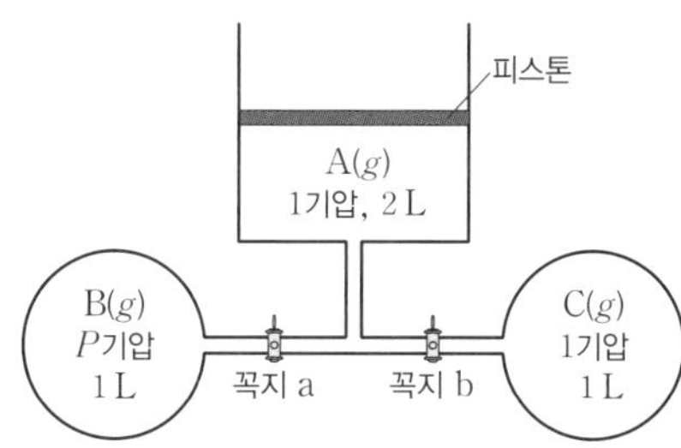

x는? (단, 온도는 일정하고, 대기압은 1기압이며, 연결관의 부피와 피스톤의 질량과 마찰은 무시한다.)

① $\frac{1}{4}$ ② $\frac{1}{3}$ ③ $\frac{1}{2}$ ④ $\frac{2}{3}$ ⑤ $\frac{3}{4}$

수능 기출

03 그림은 일정한 압력에서 질량이 같은 여러 가지 기체의 온도와 부피를 점 ㉠~㉤으로 나타낸 것이다. ㉠~㉤에 해당하는 기체는 모두 순물질이고, ㉠과 ㉤에 해당하는 기체의 분자량은 각각 $2M$, M이며, 0 ℃는 273 K이다.

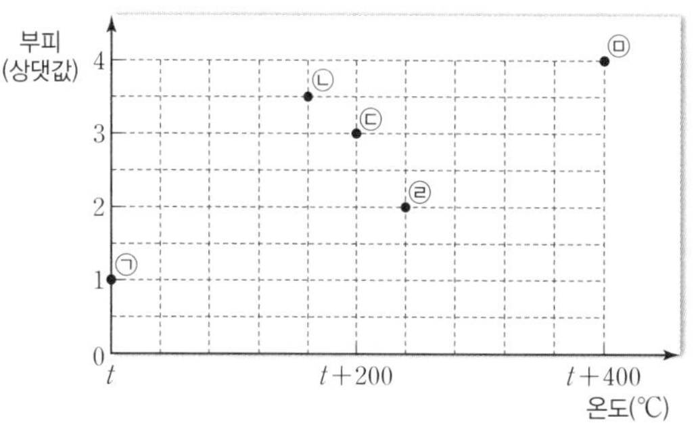

이에 대한 설명으로 옳은 것만을 〈보기〉에서 있는 대로 고른 것은?

> 보기
> ㄱ. t는 127이다.
> ㄴ. 기체의 양(n)이 가장 큰 기체는 ㉤에 해당하는 기체이다.
> ㄷ. 분자량이 M보다 큰 기체는 3가지이다.

① ㄱ ② ㄴ ③ ㄱ, ㄷ
④ ㄴ, ㄷ ⑤ ㄱ, ㄴ, ㄷ

04 표는 4가지 기체 A~D에 대한 자료이다.

기체	온도(K)	압력(기압)	밀도(상댓값)
A	100	1	3
B	200	1	2
C	100	2	2
D	200	2	1

200 K, 2기압에서 A~D의 밀도를 옳게 비교한 것은?

① A<B<C=D ② B<A<C<D
③ C<D<A<B ④ C=D<A<B
⑤ C=D<B<A

05 다음은 기체 A와 기체 B가 반응하여 기체 C를 생성하는 반응에 대한 실험이다.

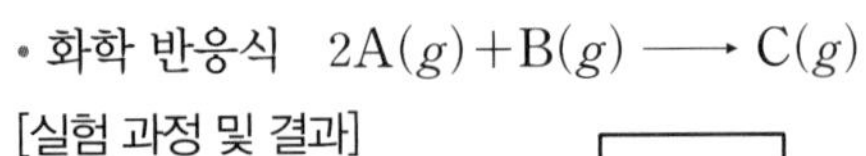

• 화학 반응식 $2A(g)+B(g) \longrightarrow C(g)$

[실험 과정 및 결과]

(가) 부피가 일정한 용기 Ⅰ과 Ⅱ에 기체 A와 B를 넣고 충분한 시간이 지난 후 그림과 같이 되었다.

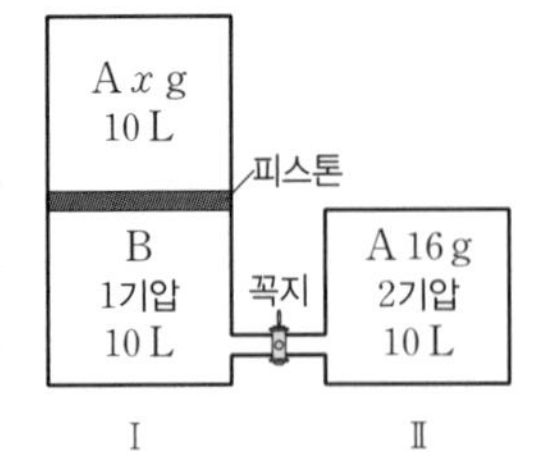

(나) Ⅰ의 피스톤을 제거하여 반응을 완결시키고 충분한 시간이 지난 후, Ⅰ의 전체 기체의 압력을 측정하였더니 P_1기압이었다.

(다) 꼭지를 열어 반응을 완결시키고, 충분한 시간이 지난 후, Ⅰ의 전체 기체의 압력을 측정하였더니 P_2기압이었다.

$\frac{P_1}{P_2} \times x$는? (단, 온도는 일정하고, 피스톤의 질량, 부피 및 마찰은 무시한다.)

① 4 ② 5 ③ 6 ④ 7 ⑤ 8

06 다음은 기체 A와 B가 반응하여 기체 C를 생성하는 반응의 화학 반응식이다.

$A(g)+3B(g) \longrightarrow xC(g)$ (x는 반응 계수)

그림 (가)는 부피가 V L인 실린더에 같은 질량의 기체 A와 B가 들어 있는 것을, (나)는 (가)의 실린더에서 반응이 완결된 후 C의 몰 분율을, (다)는 고정 장치를 제거한 것을 나타낸 것이다. 분자량은 B가 A의 2배이다.

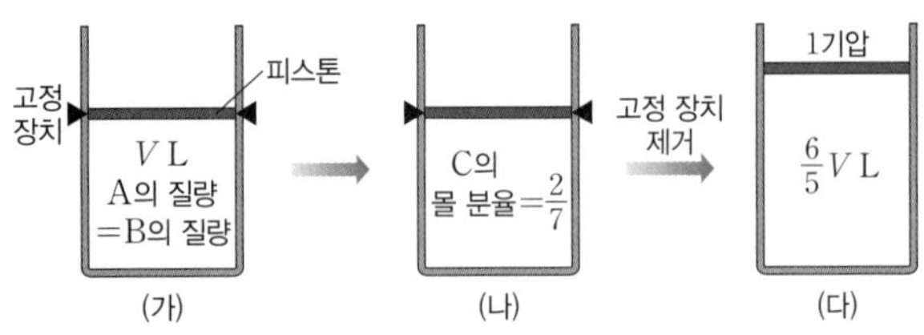

$\frac{\text{C의 분자량}}{\text{B의 분자량}} \times x$는? (단, 온도는 일정하고, 피스톤의 질량과 마찰은 무시한다.)

① 1 ② $\frac{3}{2}$ ③ 2 ④ $\frac{5}{2}$ ⑤ $\frac{7}{2}$

수능 기출

07 다음은 기체 A와 B가 반응하여 기체 C와 D를 생성하는 반응에 대한 실험이다.

• 화학 반응식

$aA(g)+B(g) \longrightarrow 3C(g)+4D(g)$ (a는 반응 계수)

[실험 과정]

(가) 300 K에서 그림과 같이 꼭지로 분리된 강철 용기와 실린더에 A(g)와 He(g)을 각각 넣는다.

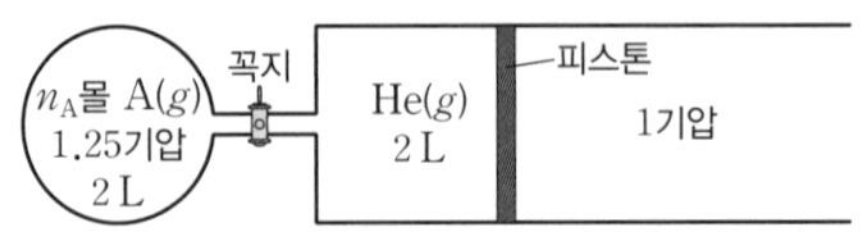

(나) 강철 용기에 n_B몰의 B(g)를 넣어 A(g)와 반응시킨 후 꼭지를 연다.

[실험 결과]

• (나) 과정 후 남아 있는 기체: B, C, D, He

• (나) 과정 후 $\frac{\text{He}(g)\text{의 부분 압력}}{\text{B}(g)\text{의 부분 압력}}=1$

• (나) 과정 후 혼합 기체의 온도와 부피: 400 K, 10 L

$\frac{n_A}{n_B}$는? (단, 외부 압력은 일정하고, 연결관의 부피와 피스톤의 마찰은 무시한다.)

① $\frac{1}{2}$ ② 1 ③ $\frac{3}{2}$ ④ 2 ⑤ $\frac{5}{2}$

08 그림은 용기에 들어 있는 기체 A～C를 나타낸 것이고, 표는 각 기체에 대한 분자량과 상태를 나타낸 것이다.

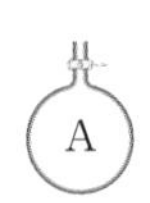

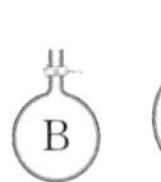

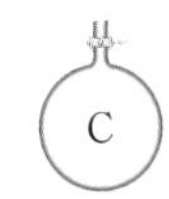

기체	분자량	온도 (K)	부피 (L)	압력 (기압)
A	20	273	2	2
B	44	546	1	2
C	4	273	3	3

이에 대한 설명으로 옳은 것만을 <보기>에서 있는 대로 고른 것은?

보기

ㄱ. 용기 속 기체의 양(mol)은 C가 A의 $\frac{9}{4}$배이다.

ㄴ. 용기 속 기체의 질량은 B가 C의 $\frac{9}{11}$배이다.

ㄷ. $\frac{\text{B의 밀도}}{\text{A의 밀도}}=1.1$이다.

① ㄱ ② ㄴ ③ ㄱ, ㄷ
④ ㄴ, ㄷ ⑤ ㄱ, ㄴ, ㄷ

09 그림 (가)는 T K에서 서로 반응하지 않는 기체 A~C를 꼭지로 분리된 용기와 실린더에 넣은 초기 상태를, (나)는 꼭지를 열고 온도를 $2T$ K로 높여 유지하면서 충분한 시간이 지난 후의 상태를 나타낸 것이다. P_A~P_C는 각각 A~C의 부분 압력(기압)이다.

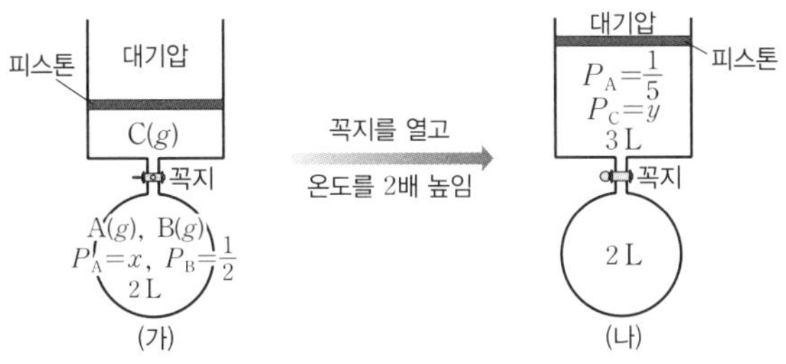

$\frac{x}{y}$는? (단, 대기압은 1기압으로 일정하고, 연결관의 부피와 피스톤의 질량과 마찰은 무시한다.)

① $\frac{5}{6}$ ② $\frac{5}{8}$ ③ $\frac{1}{2}$ ④ $\frac{1}{4}$ ⑤ $\frac{1}{5}$

10 그림 (가)는 기체 A와 B의 혼합 기체 4 g이 실린더에 들어 있는 것을, (나)는 (가)의 실린더에 기체 B를 추가로 넣었을 때, 추가한 B의 질량에 따른 두 기체의 부분 압력의 비 $\left(\frac{P_B}{P_A}\right)$를 나타낸 것이다.

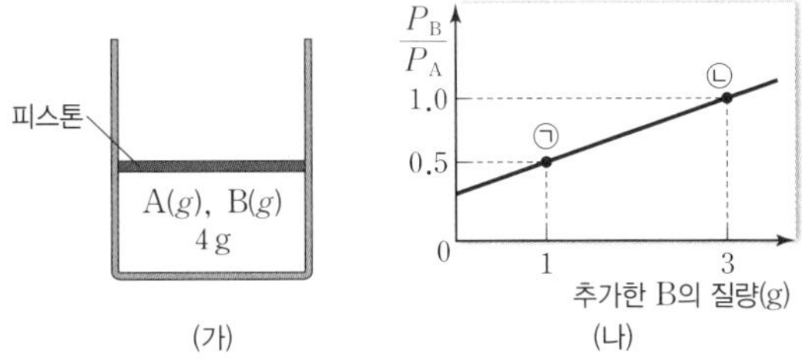

이에 대한 설명으로 옳은 것만을 <보기>에서 있는 대로 고른 것은? (단, A와 B는 서로 반응하지 않는다.)

보기

ㄱ. (가)에서 실린더에 들어 있는 A의 질량은 3 g이다.

ㄴ. A의 몰 분율은 ㉠에서가 ㉡에서의 $\frac{5}{2}$배이다.

ㄷ. $\frac{\text{A의 분자량}}{\text{B의 분자량}}=\frac{3}{2}$이다.

① ㄱ ② ㄷ ③ ㄱ, ㄴ ④ ㄴ, ㄷ ⑤ ㄱ, ㄴ, ㄷ

11 다음은 기체 A와 B가 반응하여 C를 생성하는 반응의 화학 반응식이다.

$$A(g) + bB(g) \longrightarrow cC(g) \ (b, c\text{는 반응 계수})$$

그림 (가)는 꼭지로 분리된 실린더와 용기에 각각 A와 B가 들어 있는 것을, (나)는 피스톤 위에 추 1개를 올리고 꼭지를 열어 반응시킨 후 충분한 시간이 지났을 때, 용기와 실린더에 들어 있는 기체를 모형으로 나타낸 것이다.

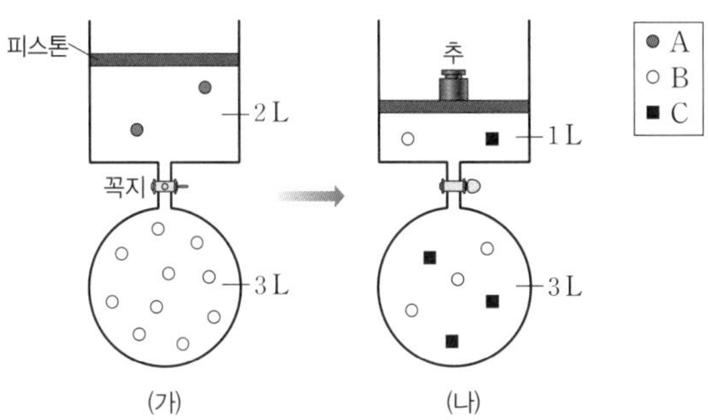

이에 대한 설명으로 옳은 것만을 <보기>에서 있는 대로 고른 것은? (단, 온도는 일정하고, 대기압은 1기압이며, 연결관의 부피 및 피스톤의 질량과 마찰은 무시한다.)

보기

ㄱ. 분자량은 C가 B보다 크다.

ㄴ. (가)에서 용기 속 B의 압력은 5기압이다.

ㄷ. (나)에서 추를 제거하면 실린더의 부피는 2 L가 된다.

① ㄱ ② ㄷ ③ ㄱ, ㄴ ④ ㄱ, ㄷ ⑤ ㄴ, ㄷ

12 그림은 기체 A와 B가 부피가 같은 3개의 용기에 들어 있는 모습을 나타낸 것이다.

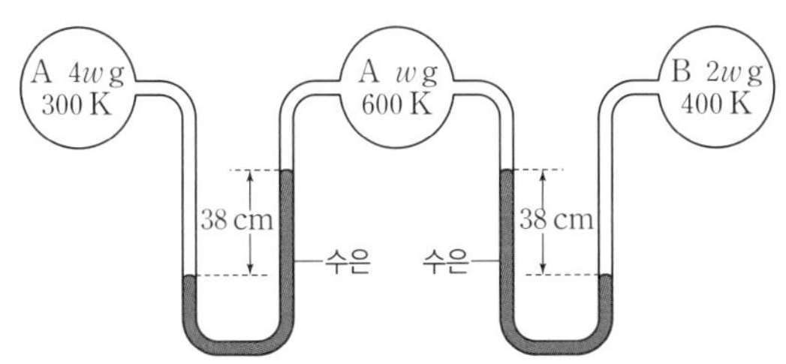

$\frac{\text{A의 분자량}}{\text{B의 분자량}}$은? (단, 1기압은 76 cmHg이고, 유리관의 부피와 수은의 증기 압력은 무시한다.)

① $\frac{1}{2}$ ② $\frac{2}{3}$ ③ $\frac{3}{4}$ ④ $\frac{4}{3}$ ⑤ $\frac{3}{2}$

정답과 해설 011쪽

13 다음은 기체 A와 B가 반응하여 기체 C를 생성하는 반응에 대한 실험이다.

• 화학 반응식 $A(g)+2B(g) \longrightarrow 2C(g)$

[실험 과정]

(가) $A(g)$ w g이 들어 있는 실린더에 $B(g)$ w g을 넣어 반응시킨 후, 혼합 기체의 부피와 $C(g)$의 부분 압력을 측정한다.

(나) (가)의 실린더에 $B(g)$ w g을 추가로 넣어 반응시킨 후, 혼합 기체의 부피와 $C(g)$의 부분 압력을 측정한다.

[실험 결과]

• (가)와 (나)에서 $B(g)$는 모두 반응하였다.

• 각 과정 후 혼합 기체의 부피와 $C(g)$의 부분 압력

과정	혼합 기체의 부피(L)	$C(g)$의 부분 압력(기압)
(가)	V_1	0.4
(나)	V_2	x

$\frac{V_1}{V_2} \times x$는? (단, 온도와 대기압은 1기압으로 일정하고, 피스톤의 질량과 마찰은 무시한다.)

① $\frac{5}{9}$ ② $\frac{2}{3}$ ③ $\frac{5}{6}$ ④ $\frac{6}{5}$ ⑤ $\frac{9}{5}$

수능 기출

14 그림은 400 K에서 꼭지로 연결된 두 강철 용기에 $CH_4(g)$, $O_2(g)$가, 실린더에 $He(g)$이 들어 있는 것을 나타낸 것이다. 꼭지 a를 열고 $CH_4(g)$을 완전 연소시켜 반응이 완결된 후, 꼭지 b를 열고 충분한 시간 동안 놓아두었다.

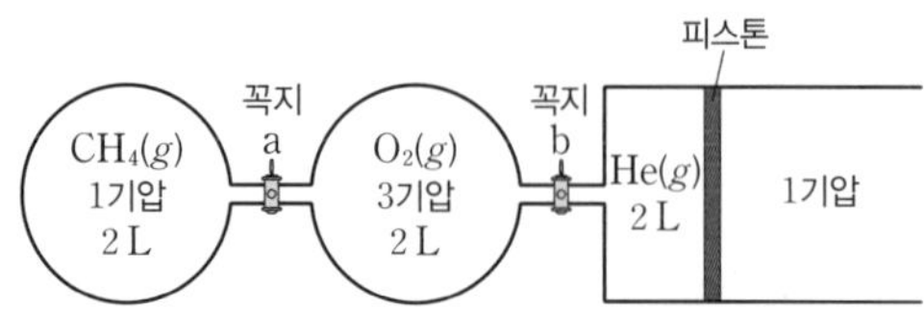

400 K에서 실린더 속 CO_2의 양(mol)은? (단, 연결관의 부피, 피스톤의 마찰은 무시하고, 400 K에서 $RT=33$기압·L/mol이다.)

① $\frac{1}{33}$ ② $\frac{2}{55}$ ③ $\frac{1}{11}$ ④ $\frac{2}{11}$ ⑤ $\frac{6}{5}$

15 그림 (가)는 t ℃에서 실린더에 $He(g)$이 들어 있는 모습을, (나)는 t ℃에서 눈금실린더에 $He(g)$을 수상 치환으로 포집하고 충분한 시간이 지난 후 눈금실린더 안과 밖의 수면 높이가 같아진 모습을 나타낸 것이다.

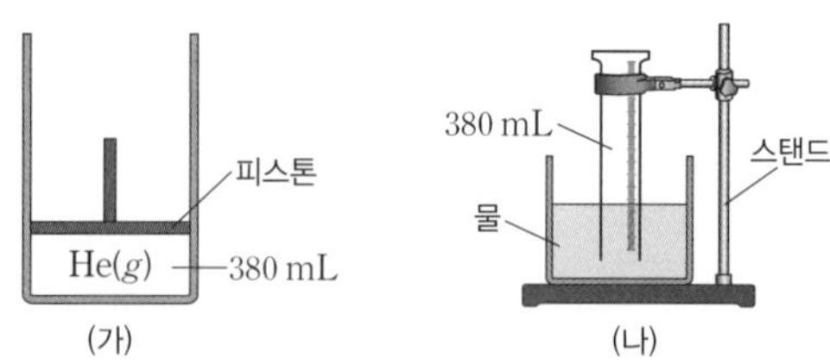

(가)의 실린더와 (나)의 눈금실린더에 들어 있는 기체에 대한 설명으로 옳은 것만을 〈보기〉에서 있는 대로 고른 것은? (단, 대기압은 1기압이고, t ℃에서 물의 증기 압력은 30 mmHg이며, 피스톤의 질량과 마찰은 무시한다.)

보기

ㄱ. 기체의 양(mol)은 (나)에서가 (가)에서보다 크다.

ㄴ. $He(g)$의 부분 압력은 (가)에서가 (나)에서보다 크다.

ㄷ. (나)에서 온도를 높이면 $He(g)$의 부분 압력은 커진다.

① ㄴ ② ㄷ ③ ㄱ, ㄴ ④ ㄱ, ㄷ ⑤ ㄱ, ㄴ, ㄷ

16 다음은 기체 X의 분자량을 구하는 실험이다.

[실험 과정]

(가) 그림 Ⅰ의 장치로 $X(g)$를 일정 부피만큼 포집한 후, X 가스통의 질량 변화량(Δw)을 측정한다.

(나) 그림 Ⅱ와 같이 눈금실린더를 수직으로 세운 후, 그림 Ⅲ과 같이 눈금실린더 안과 밖의 수면 높이가 같아질 때까지 수조에 물을 넣어 기체의 부피(V)를 측정한다.

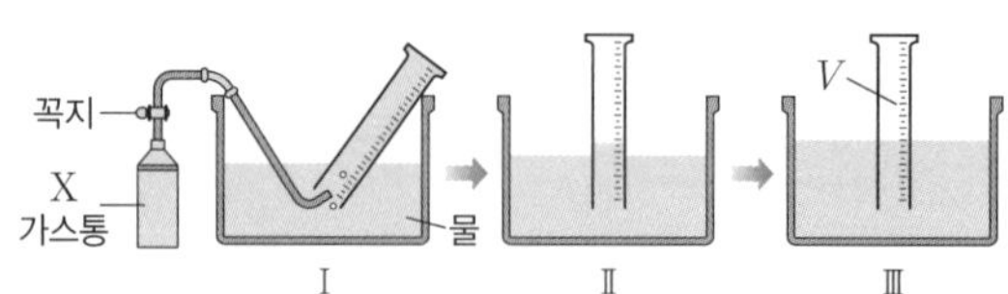

(다) 수조 속 물의 온도(T)와 대기압(P_1)을 측정하고, 그 온도에서의 수증기압(P_2)을 조사한다.

[실험 결과]

Δw	V	T	P_1	P_2
0.09 g	50 mL	300 K	1 atm	0.04 atm

X의 분자량은? (단, $R=0.08$ atm·L/(mol·K)이고, X는 물에 용해되지 않는다.)

① 42 ② 43.2 ③ 45 ④ 48 ⑤ 52

2 물질의 세 가지 상태 (2)

배울 내용 살펴보기

01 분자 간 상호 작용

- A 쌍극자·쌍극자 힘
- B 분산력
- C 수소 결합

쌍극자·쌍극자 힘, 분산력, 수소 결합에 대해 알면 분자 간 상호 작용의 크기와 끓는점의 관계를 설명할 수 있어.

02 액체

- A 물의 특성
- B 액체

물은 수소 결합으로 인해 다양한 특성을 가지고 있고, 액체의 증기 압력 곡선을 통해 분자 간 인력을 비교할 수 있어.

03 고체

- A 고체의 분류
- B 결정성 고체의 분류

고체는 화학 결합에 따라 이온 결정, 분자 결정, 공유(원자) 결정, 금속 결정으로 분류할 수 있어.

01 분자 간 상호 작용

핵심 키워드로 흐름잡기

- A 쌍극자·쌍극자 힘
- B 편극, 순간 쌍극자, 분산력
- C 수소 결합

A 쌍극자·쌍극자 힘

|출·제·단·서| 물질의 끓는점을 비교하여 극성 분자를 구분하는 문제가 나와.

1. °쌍극자 한 분자 내에서 전자들이 한쪽 방향으로 치우쳐 서로 다른 부분적인 전하를 띠는 것, 즉 한 분자 내에 존재하는 양전하와 음전하의 쌍 전기 음성도가 큰 원자는 부분적인 음전하(δ^-)를 띠고 전기 음성도가 작은 원자는 부분적인 양전하(δ^+)를 띤다.

HCl 분자의 쌍극자

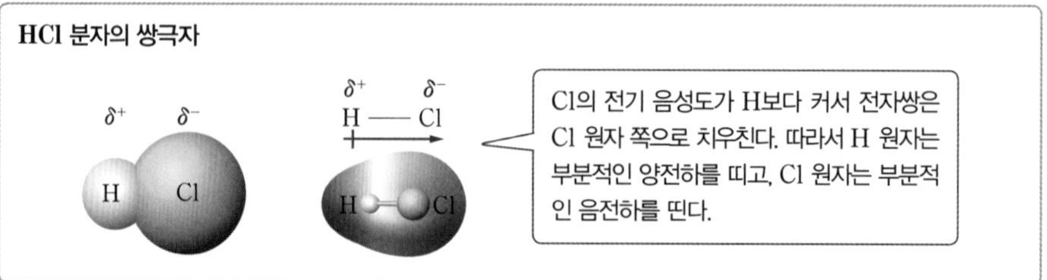

δ+ δ−
H Cl
δ+ δ−
H — Cl
H Cl
Cl의 전기 음성도가 H보다 커서 전자쌍은 Cl 원자 쪽으로 치우친다. 따라서 H 원자는 부분적인 양전하를 띠고, Cl 원자는 부분적인 음전하를 띤다.

2. 쌍극자·쌍극자 힘 쌍극자를 가진 극성 분자❶들이 서로 가까워질 때 어느 한 분자의 쌍극자와 이웃한 분자의 쌍극자 사이에 작용하는 정전기적 인력 쌍극자·쌍극자 힘은 분자의 극성이 클수록 강하다.

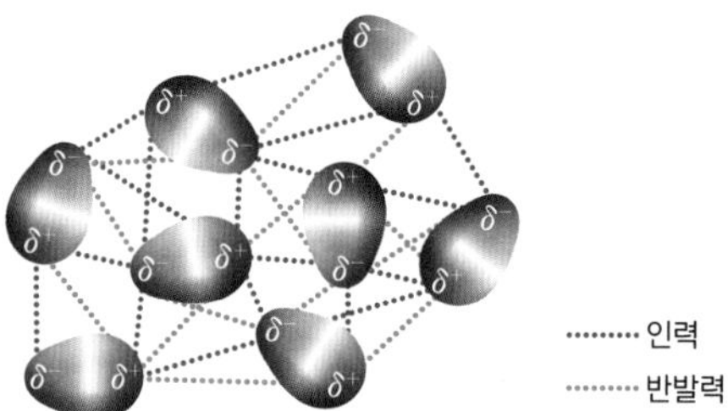

암기TIP 극성 분자 사이에 작용하는 분자 간 힘은 쌍극자·쌍극자 힘이다.

3. 쌍극자·쌍극자 힘의 크기

(1) 분자의 쌍극자 모멘트❷가 클수록 쌍극자·쌍극자 힘이 크다.

(2) 분자량이 비슷할 때, 쌍극자·쌍극자 힘이 클수록 분자 간 힘이 커지므로 끓는점이 높아진다. 액체 상태에서 기체 상태로 될 때 분자 사이에 작용하는 힘을 모두 끊어야 하므로 분자 간 힘이 클수록 끓는점이 높다.

빈출 자료 분자량이 비슷한 물질의 쌍극자 모멘트와 끓는점

분자	분자량	쌍극자 모멘트(D)	끓는점(°C)
$CH_3CH_2CH_3$	44	0.08	−42
CH_3OCH_3	46	1.30	−25
CH_3Cl	50	1.89	−24
CH_3CHO	44	2.75	21
CH_3CN	41	3.93	82

❶ 무극성 분자인 $CH_3CH_2CH_3$과 극성 분자인 CH_3OCH_3은 분자량이 비슷하지만 끓는점은 $CH_3OCH_3 > CH_3CH_2CH_3$이다.

➡ 분자량이 비슷한 경우 극성 분자의 끓는점이 무극성 분자의 끓는점보다 높다.

❷ CH_3CN의 끓는점이 가장 높다.

➡ 분자량이 비슷한 극성 분자에서 쌍극자 모멘트가 클수록 분자 간 힘이 크다.

---

❶ 쌍극자를 가진 극성 분자

분자는 공유 전자쌍의 분포에 따라 극성 분자와 무극성 분자로 분류된다. 분자 내에 전하가 불균일하게 분포하는 기체 상태의 극성 분자는 전기장에서 규칙적으로 배열한다.

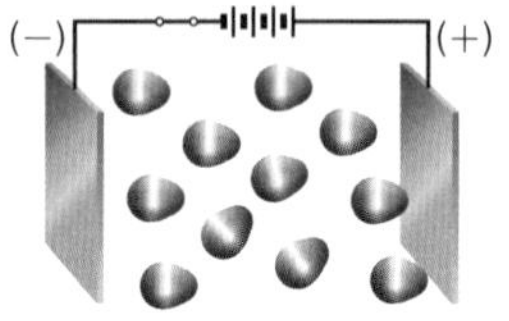

⊕ 전기 음성도

공유 결합을 형성한 두 원자가 공유 전자쌍을 끌어당기는 힘의 크기를 상대적으로 비교하여 정한 값이다. 같은 주기에서 원자 번호가 클수록, 같은 족에서 원자 번호가 작을수록 전기 음성도가 대체로 커진다.

❷ 쌍극자 모멘트(μ)

분자 내 공유 결합의 극성 정도를 나타내는 척도로, 쌍극자의 전하량(q)과 두 전하 사이의 거리(r)를 곱한 값으로 나타낸다. 단위는 D(debye)이다.

$$\mu = q \times r$$

용어 알기

• 쌍극자(쌍 雙, 다하다 極, 아들 子) 아주 가까운 거리를 두고 대하고 있는, 크기가 같은 양과 음의 두 극

B 분산력

|출·제·단·서| 분자량에 따른 분산력의 크기를 비교하는 문제가 나와.

1. 편극과 순간 쌍극자

(1) 편극 분자 내 전자 분포가 한쪽으로 치우치는 현상 분자량이 클수록 편극이 생기기 쉽다.

(2) 순간 쌍극자 무극성 분자에서 편극이 일어나 순간적으로 생성되는 쌍극자
└ 유도 쌍극자, 유발 쌍극자라고도 한다.

2. 분산력

순간 쌍극자와 순간 쌍극자 사이에 작용하는 정전기적 인력으로, 모든 분자 사이에 작용한다.❸

무극성 분자 사이에 분산력이 형성되는 과정

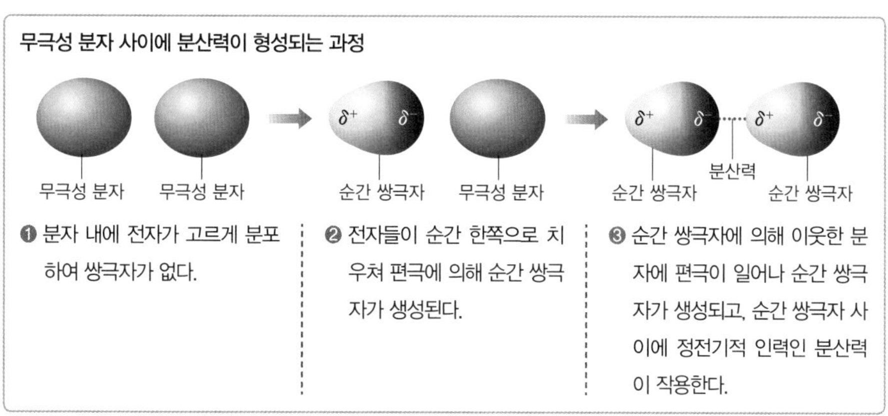

❶ 분자 내에 전자가 고르게 분포하여 쌍극자가 없다.

❷ 전자들이 순간 한쪽으로 치우쳐 편극에 의해 순간 쌍극자가 생성된다.

❸ 순간 쌍극자에 의해 이웃한 분자에 편극이 일어나 순간 쌍극자가 생성되고, 순간 쌍극자 사이에 정전기적 인력인 분산력이 작용한다.

3. 분산력의 크기

(1) 분자량과 분산력 무극성 분자의 분자량이 클수록 편극이 생성되기 쉽다. ➡ 분자량이 큰 분자일수록 분산력이 크고, 끓는점이 높아진다.❹

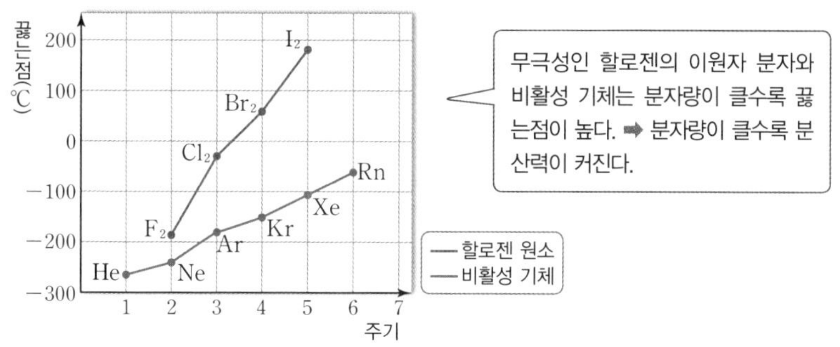

(2) 분자의 모양과 분산력 분자량이 비슷한 경우 분자의 모양이 넓게 퍼진 것일수록 끓는점이 높다. ➡ 분자의 표면적이 넓을수록 편극이 생기기 쉬우므로 분산력이 커진다.

펜테인의 구조에 따른 분산력

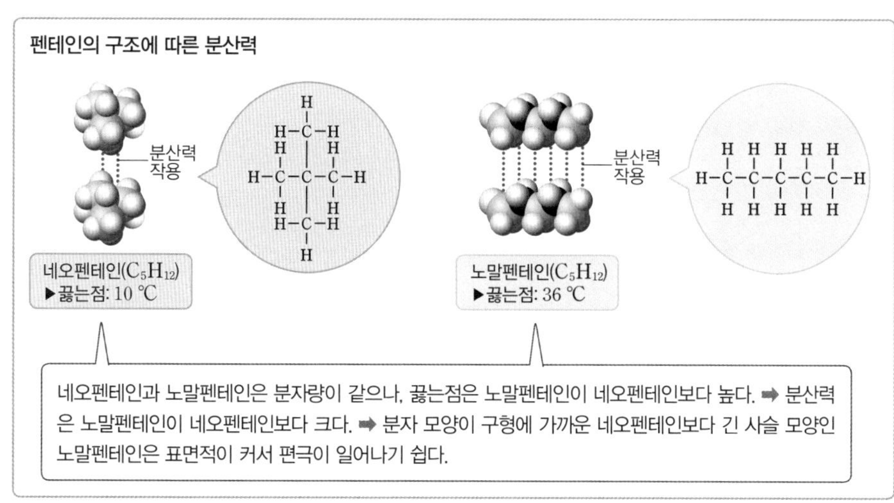

네오펜테인과 노말펜테인은 분자량이 같으나, 끓는점은 노말펜테인이 네오펜테인보다 높다. ➡ 분산력은 노말펜테인이 네오펜테인보다 크다. ➡ 분자 모양이 구형에 가까운 네오펜테인보다 긴 사슬 모양인 노말펜테인은 표면적이 커서 편극이 일어나기 쉽다.

❸ 분산력이 작용하는 분자
분산력은 분자 내 전자 분포의 변화에 의해 생성된 순간 쌍극자 간 인력이므로 무극성 분자뿐만 아니라 극성 분자에도 존재한다. 즉 모든 분자에 존재하는 분자 간 힘이다.

❹ 탄화수소의 끓는점
무극성 분자인 탄화수소의 분자량이 클수록 분산력이 커지므로 끓는점도 높아진다.

분자식	분자량	끓는점(℃)
CH_4	16	−161
C_2H_6	30	−89
C_3H_8	44	−42
C_4H_{10}	58	−0.5
C_5H_{12}	72	36
C_6H_{14}	86	69

극성 분자와 무극성 분자의 끓는점을 비교하려면 분자량과 분자의 극성을 함께 고려해야 해.

용어 알기

• 편극(치우치다 偏, 다하다 極) 분자 내 전자 분포가 한쪽으로 치우치는 현상

• 분산력(나누다 分, 흩어지다 散, 힘 力) 분자 간에 작용하는 약한 인력

C 수소 결합

|출·제·단·서| 수소 결합이 있는 분자를 찾는 문제가 나와.

1. 수소 결합❺ 전기 음성도가 큰 F, O, N 원자에 결합된 H 원자와 이웃한 분자의 F, O, N 원자 사이에 작용하는 강한 정전기적 인력

(1) F, O, N 원자와 H 원자 사이에 강한 분자 간 힘이 작용하는 까닭 F, O, N 원자와 H 원자는 전기 음성도 차가 커서 부분적인 전하량(δ^-, δ^+)이 크고, 수소 원자는 원자 반지름이 작아 비공유 전자쌍에 가깝게 접근할 수 있기 때문이다.

(2) 수소 결합을 하는 물질의 예 HF, H_2O, NH_3, C_2H_5OH 등

> **❺ 수소 결합**
> 수소 결합은 특별히 강한 쌍극자·쌍극자 힘이라고 생각할 수 있지만 F, O, N와 같은 몇 가지 원소만이 수소 결합을 형성하기 때문에 따로 한 형태의 분자 간 힘으로 분류한다.

> **➕ 전기 음성도와 수소 결합**
> 전기 음성도가 큰 F, O, N 원자는 부분적인 음전하(δ^-)를 띠고, 전기 음성도가 작은 H 원자는 부분적인 양전하(δ^+)를 띠기 때문에 가까이에 있는 다른 분자와 강한 정전기적 인력이 작용하여 수소 결합을 한다.

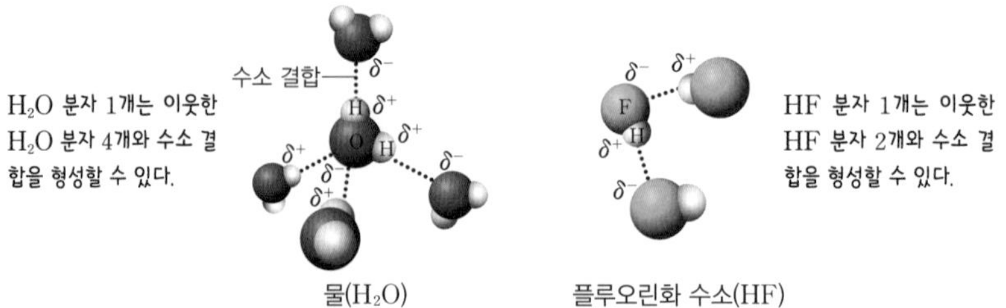

H_2O 분자 1개는 이웃한 H_2O 분자 4개와 수소 결합을 형성할 수 있다.
수소 결합
HF 분자 1개는 이웃한 HF 분자 2개와 수소 결합을 형성할 수 있다.

물(H_2O) 플루오린화 수소(HF)

(3) 수소 결합과 생명 현상 DNA가 이중 나선 구조를 이루는 것이나 단백질이 나선 구조를 이루는 것은 분자 내 수소 결합이 형성되기 때문이다.

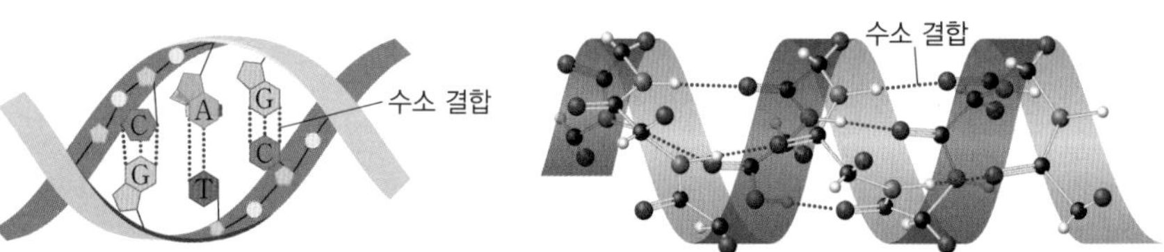

▲ DNA 수소 결합
DNA에서 단일 가닥의 염기들은 다른 가닥의 염기와 짝 지어 수소 결합을 하여 이중 나선 구조를 이룬다.

▲ 단백질의 수소 결합
단백질을 구성하는 아미노산끼리 수소 결합을 하여 나선 구조를 이룬다.

2. 수소 결합의 크기 공유 결합보다는 약하지만 분산력이나 쌍극자·쌍극자 힘에 비해 강한 분자 간 힘이다. 수소 결합은 분자 간에 작용하는 강한 힘이지만, 이온 결합, 공유 결합, 금속 결합과 같은 화학 결합에 비해서는 약한 힘이다.

> **❻ 분자 간 힘의 크기 비교**
> 수소 결합은 쌍극자·쌍극자 힘의 10배 정도, 분산력의 100배 정도로 강하다. 따라서 분자량이 비슷할 때 끓는점은 수소 결합이 작용하는 분자>쌍극자·쌍극자 힘이 작용하는 분자>분산력만 작용하는 분자이다.

3. 분자 간 힘과 물질의 끓는점 개념 POOL 분자량이 비슷한 경우 쌍극자·쌍극자 힘이 작용하는 극성 물질은 분산력만 작용하는 무극성 물질보다 끓는점이 높고, 수소 결합을 하는 물질의 끓는점이 가장 높다.❻ (분산력도 작용한다.)

암기TiP 분자량이 비슷한 물질의 끓는점은 '무극성 물질<극성 물질<수소 결합 물질'이다.

빈출 자료 수소 화합물의 끓는점 비교하기

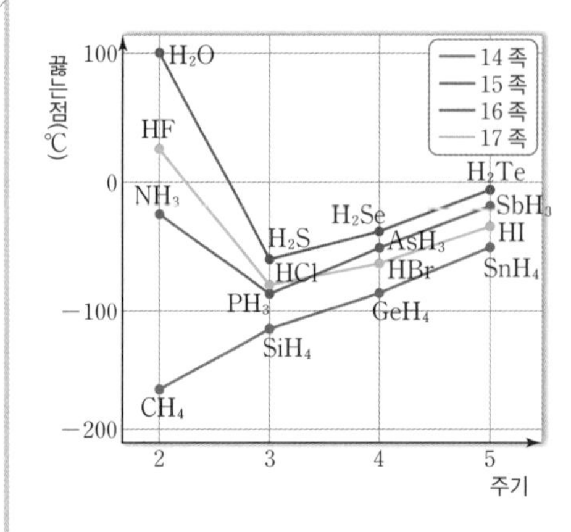

❶ 14족 원소의 수소 화합물은 무극성 분자로 분산력만 작용한다.
➡ 14족 원소의 원자 번호가 커질수록, 즉 분자량이 클수록 분산력이 커져 끓는점이 높아진다.

❷ 15족, 16족, 17족 원소의 수소 화합물는 극성 분자로 분산력 외에 쌍극자·쌍극자 힘이 작용한다.
➡ 3주기, 4주기, 5주기로 갈수록 분자의 극성은 작아지고, 분자량은 커진다. 즉 분산력이 증가에 의해 끓는점이 높아진다.

❸ HF, H_2O, NH_3 가 끓는점이 높은 까닭은 분자 간에 수소 결합을 하기 때문이다.

> **➕ 극성 물질의 끓는점은 항상 무극성 물질보다 높을까?**
> 분자량이 비슷한 경우 분산력은 쌍극자·쌍극자 힘의 약 $\frac{1}{10}$로 약하지만 분자량이 커질수록 분산력도 강해지므로 분자량이 큰 무극성 물질의 끓는점이 분자량이 작은 극성 물질보다 높을 수도 있다.
> 예 극성 물질인 CH_3F(분자량: 34)은 끓는점이 −78 °C이지만 무극성 물질인 CCl_4(분자량: 152)는 끓는점이 77 °C이다.

끓는점과 분자 간 힘의 관계 알아보기

목표 물질의 끓는점 차를 분자 간에 작용하는 힘의 크기로 설명할 수 있다.

1 몇 가지 무극성 분자의 분자량과 끓는점

기체	분자량	끓는점(℃)	기체	분자량	끓는점(℃)
수소(H_2)	2	−253	메테인(CH_4)	16	−164
헬륨(He)	4	−269	산소(O_2)	32	−183

무극성 분자에는 분산력만 존재하므로 분자량이 클수록 편극이 일어나기 쉬워 분산력이 크다. 그러나 He은 H_2보다 분자의 크기가 작으므로 분산력의 크기가 He < H_2이고, CH_4은 O_2보다 분자의 크기가 크므로 분산력의 크기가 CH_4 > O_2이다.

2 여러 가지 물질의 구조식, 쌍극자 모멘트, 분자량, 끓는점

물질	구조식	쌍극자 모멘트(D)	분자량	끓는점(℃)
질소	N≡N	0	28	−196
산소	O=O	0	32	−183
뷰테인	$CH_3-CH_2-CH_2-CH_3$	0	58	−0.5
암모니아	H | H−N−H	1.47	17	−33
포스핀	H | H−P−H	0.57	34	−88
아세톤	O ‖ CH_3-C-CH_3	2.88	58	56

분자량 차가 큰 경우 수소 결합을 하는 암모니아의 끓는점이 수소 결합을 하지 않는 아세톤보다 낮아.

❶ 쌍극자 모멘트가 0인 무극성 분자의 끓는점 비교 (뷰테인과 산소, 질소)

무극성 분자에는 분산력만 작용하며, 끓는점은 '뷰테인 > 산소 > 질소'이므로 분산력은 '뷰테인 > 산소 > 질소'이다.
➡ 무극성 분자는 분자량이 클수록 분산력이 크게 작용하여 끓는점이 높다.

❷ 분자량이 비슷한 극성 분자와 무극성 분자의 끓는점 비교 (포스핀과 산소)

끓는점은 '포스핀 > 산소'이므로 분자 간 힘의 크기는 '포스핀 > 산소'이다. 두 분자의 분자량이 비슷하므로 분산력의 크기는 비슷하나 극성 분자인 포스핀에서는 쌍극자·쌍극자 힘이 작용하므로 분자 간 힘이 산소보다 크다. ➡ 분자량이 비슷한 경우 극성 분자의 끓는점이 무극성 분자보다 높다.

❸ 수소 결합 존재 여부에 따른 끓는점 비교 (암모니아와 포스핀)

끓는점은 '암모니아 > 포스핀'이므로 분자 간 힘의 크기는 '암모니아 > 포스핀'이다. 분자량이 큰 포스핀이 암모니아보다 분산력은 크나, 암모니아는 분자 사이에 수소 결합을 형성하므로 분자 간 힘이 포스핀보다 크다. ➡ 수소 결합 물질의 끓는점은 분자량이 비슷한 극성 물질보다 높다.

한·줄·핵심 분자량이 비슷한 경우 분자 간 힘의 크기는 수소 결합이 쌍극자·쌍극자 힘이나 분산력에 비해 훨씬 강하다.

확인 문제

정답과 해설 015쪽

01 다음 설명 중 옳은 것은 ○, 옳지 않은 것은 ×로 표시하시오.

(1) HF가 HCl보다 기준 끓는점이 높은 주된 요인은 분산력이다. ( )

(2) H_2O이 H_2S보다 기준 끓는점이 높은 까닭은 분자 간 수소 결합이 존재하기 때문이다. ( )

(3) 기준 끓는점은 Br_2이 Cl_2보다 높다. ( )

02 O_2와 NO의 끓는점을 비교하시오.

콕콕! 개념 확인하기

정답과 해설 015쪽

✔ 잠깐 확인!

1. ☐☐☐
한 분자 내에서 전자들이 한 쪽으로 치우쳐 부분적인 전하를 띠는 것

2. 쌍극자·쌍극자 힘
☐☐ 분자 사이에 작용하는 힘으로 ☐☐☐ ☐☐☐가 클수록 크다.

3. ☐☐
분자 내에서 전자가 어느 한 쪽으로 치우치는 현상

4. ☐☐☐
순간 쌍극자 사이에 작용하는 정전기적 인력

5. 분산력의 크기
☐☐☐이 클수록, 분자의 ☐☐☐이 클수록 크다.

6. ☐☐ ☐☐
전기 음성도가 큰 F, O, N 원자와 ☐ 원자 사이에 작용하는 분자 사이의 힘

A 쌍극자·쌍극자 힘

01 쌍극자·쌍극자 힘에 대한 설명으로 옳은 것은 ○, 옳지 않은 것은 ×로 표시하시오.

(1) 모든 분자 사이에 작용하는 정전기적 인력이다. (　　)

(2) 분자량이 클수록 쌍극자·쌍극자 힘이 크다. (　　)

(3) 분자의 쌍극자 모멘트가 클수록 쌍극자·쌍극자 힘이 크다. (　　)

02 다음 물질 중 분자 간 쌍극자·쌍극자 힘이 존재하는 것을 모두 고르시오.

NH_3　　CH_4　　SO_2　　$CH_3CH_2CH_3$　　PH_3

B 분산력

03 분산력에 대한 설명으로 옳은 것은 ○, 옳지 않은 것은 ×로 표시하시오.

(1) 순간 쌍극자 사이에 작용하는 정전기적 힘이다. (　　)

(2) 분자량이 클수록 분산력이 크다. (　　)

(3) 무극성 분자에만 존재하는 분자 간 힘이다. (　　)

04 다음은 2～4주기 14족 원소의 수소 화합물의 분자식을 차례로 나타낸 것이다.

CH_4　　SiH_4　　GeH_4　　SnH_4

이들 화합물의 끓는점을 부등호로 나타내시오.

C 수소 결합

05 수소 결합에 대한 설명으로 옳은 것은 ○, 옳지 않은 것은 ×로 표시하시오.

(1) 수소 원자를 가진 분자 사이에 작용하는 분자 간 힘이다. (　　)

(2) 분사량이 비슷한 경우 수소 결합이 존재하는 물실은 쌍극자·쌍극자 힘이 존재하는 물질보다 끓는점이 높다. (　　)

06 다음 중 수소 결합이 존재하는 물질은?

① CH_4　② PH_3　③ CH_3OCH_3　④ CH_3OH　⑤ HCN

탄탄! 내신 다지기

정답과 해설 015쪽

A 쌍극자·쌍극자 힘 **B** 분산력

01 그림은 분자 사이에 작용하는 어떤 힘을 모형으로 나타낸 것이다. 이 힘에 대한 설명으로 옳은 것은?

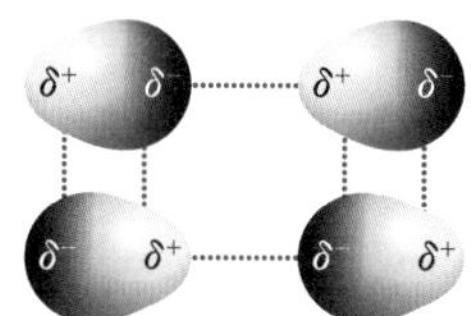

① 편극이 클수록 크다.
② 모든 분자 사이에 작용한다.
③ 분자 간 힘 중 세기가 가장 큰 힘이다.
④ 분자의 쌍극자 모멘트가 클수록 크다.
⑤ 결합하는 두 원자의 원자량 차가 클수록 크다.

02 그림은 분자 (가)가 서로 접근할 때 분자 간 힘 A가 작용하는 과정을 모형으로 나타낸 것이다.

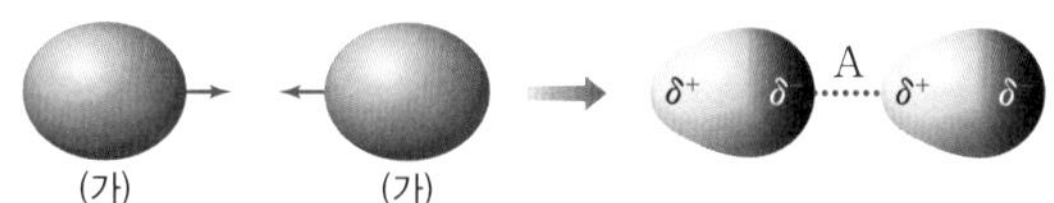

이에 대한 설명으로 옳은 것만을 〈보기〉에서 있는 대로 고른 것은?

> 보기
> ㄱ. (가)의 쌍극자 모멘트는 0이다.
> ㄴ. A는 쌍극자·쌍극자 힘이다.
> ㄷ. 분자량이 클수록 A의 크기는 크다.

① ㄱ ② ㄴ ③ ㄱ, ㄷ
④ ㄴ, ㄷ ⑤ ㄱ, ㄴ, ㄷ

03 그림은 단일 결합으로 이루어진 2가지 분자 (가)와 (나)를 모형으로 각각 나타낸 것이다. 분자량은 (가)와 (나)가 비슷하다.

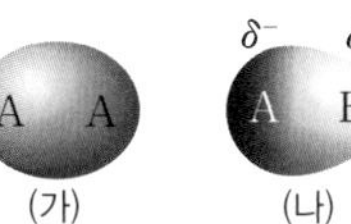

액체 상태의 (가)와 (나)에 대한 설명으로 옳은 것만을 〈보기〉에서 있는 대로 고른 것은?

> 보기
> ㄱ. 분산력은 (가)에서만 작용한다.
> ㄴ. 끓는점은 (나)가 (가)보다 높다.
> ㄷ. (가)와 (나)에서 모두 쌍극자·쌍극자 힘이 작용한다.

① ㄴ ② ㄷ ③ ㄱ, ㄴ
④ ㄱ, ㄷ ⑤ ㄱ, ㄴ, ㄷ

04 그림은 분자 간 힘 A, B를 각각 모형으로 나타낸 것이고, 표는 3가지 물질에 대한 자료이다.

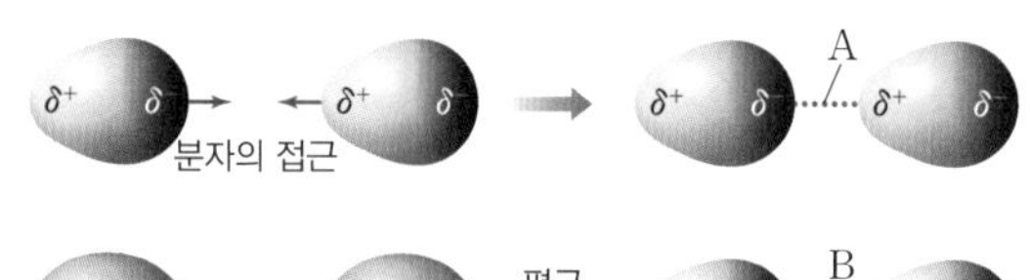

물질	분자량	끓는점(℃)
HCl	36.5	−85
CH_4	16	−161
C_2H_6	30	−88

이에 대한 설명으로 옳은 것만을 〈보기〉에서 있는 대로 고른 것은?

> 보기
> ㄱ. 분자 간 힘 A의 세기는 HCl이 C_2H_6보다 크다.
> ㄴ. 분자 간 힘 B의 세기는 C_2H_6이 CH_4보다 크다.
> ㄷ. 분자 간 힘 B가 작용하는 물질은 2가지이다.

① ㄱ ② ㄷ ③ ㄱ, ㄴ
④ ㄴ, ㄷ ⑤ ㄱ, ㄴ, ㄷ

05 표는 3가지 물질에 대한 자료이다.

물질	분자량	기준 끓는점(℃)
N_2	28	−196
Cl_2	71	−34
Br_2	160	59

이에 대한 설명으로 옳은 것만을 〈보기〉에서 있는 대로 고른 것은?

> 보기
> ㄱ. 분자 간 힘은 Br_2이 가장 크다.
> ㄴ. Cl_2는 N_2보다 편극이 일어나기 쉽다.
> ㄷ. 3가지 물질 모두 분산력이 작용한다.

① ㄱ ② ㄴ ③ ㄱ, ㄷ
④ ㄴ, ㄷ ⑤ ㄱ, ㄴ, ㄷ

06 그림은 분자 A~C에 존재하는 분자 간 힘의 종류와 분자 간 힘의 크기를 상댓값으로 나타낸 것이다.

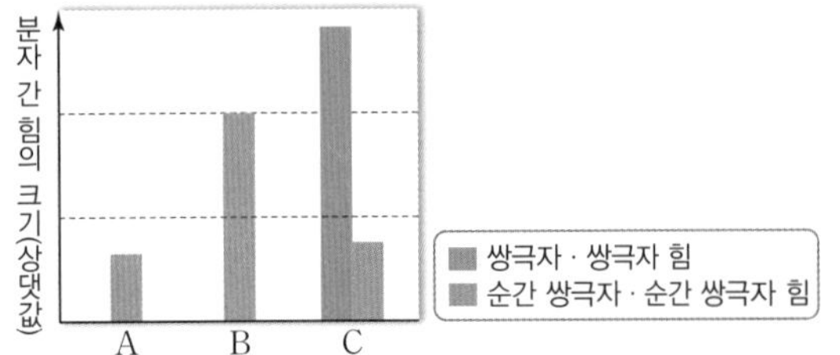

이에 대한 설명으로 옳은 것만을 〈보기〉에서 있는 대로 고른 것은?

보기
ㄱ. 분자량은 B가 A보다 크다.
ㄴ. 끓는점은 C가 B보다 높다.
ㄷ. 분자의 쌍극자 모멘트는 C가 B보다 크다.

① ㄱ ② ㄷ ③ ㄱ, ㄴ
④ ㄴ, ㄷ ⑤ ㄱ, ㄴ, ㄷ

07 표는 물질 (가)~(라)의 끓는점을 나타낸 것이다. (가)~(라)는 각각 CH_4, NH_3, SiH_4, PH_3 중 하나이다.

화합물	(가)	(나)	(다)	(라)
끓는점(℃)	−161	−112	−88	−33

이에 대한 설명으로 옳은 것만을 〈보기〉에서 있는 대로 고른 것은?

보기
ㄱ. (가)는 무극성 분자이다.
ㄴ. (다)가 (나)보다 끓는점이 높은 주된 요인은 분산력이다.
ㄷ. 분자량은 (라)가 (다)보다 크다.

① ㄱ ② ㄷ ③ ㄱ, ㄴ
④ ㄴ, ㄷ ⑤ ㄱ, ㄴ, ㄷ

C 수소 결합

08 표는 3가지 물질 (가)~(다)에 대한 자료이다.

물질	구조식	분자량	기준 끓는점(℃)
(가)	H−O−O−H	34	150.2
(나)	$H-\underset{H}{\overset{H}{C}}-\overset{O}{\overset{\|\|}{C}}-\underset{H}{\overset{H}{C}}-H$	58	56.5
(다)	$CH_3-CH_2-CH_2-CH_3$	58	−0.5

이에 대한 설명으로 옳은 것만을 〈보기〉에서 있는 대로 고른 것은?

보기
ㄱ. 분자 간 힘은 (가)가 가장 크다.
ㄴ. 액체 상태의 (나)에는 수소 결합이 존재한다.
ㄷ. (나)가 (다)보다 기준 끓는점이 높은 주된 요인은 분산력이다.

① ㄱ ② ㄷ ③ ㄱ, ㄴ
④ ㄴ, ㄷ ⑤ ㄱ, ㄴ, ㄷ

09 그림은 17족 원소의 수소 화합물의 기준 끓는점을 분자량에 따라 나타낸 것이다. A~D는 각각 F, Cl, Br, I 중 하나이다.

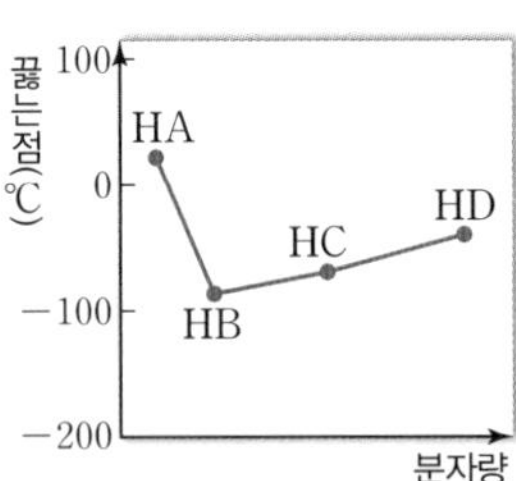

4가지 화합물에 대한 설명으로 옳은 것만을 〈보기〉에서 있는 대로 고른 것은?

보기
ㄱ. HC가 HB보다 기준 끓는점이 높은 주된 요인은 쌍극자·쌍극자 힘이다.
ㄴ. 액체 상태에서 수소 결합이 존재하는 것은 1가지이다.
ㄷ. 분산력이 가장 큰 것은 HD이다.

① ㄱ ② ㄴ ③ ㄱ, ㄷ
④ ㄴ, ㄷ ⑤ ㄱ, ㄴ, ㄷ

10 표는 15족 수소 화합물에 대한 자료이다.

물질	분자량	끓는점(℃)
NH_3	17	−33
PH_3	34	−88
AsH_3	78	−63
SbH_3	125	−17

액체 상태의 4가지 물질에 대한 설명으로 옳은 것만을 〈보기〉에서 있는 대로 고른 것은?

보기
ㄱ. 분자 간 힘은 PH_3이 가장 작다.
ㄴ. 수소 결합이 존재하는 것은 2가지이다.
ㄷ. SbH_3가 AsH_3보다 끓는점이 높은 주된 요인은 쌍극자·쌍극자 힘이다.

① ㄱ ② ㄷ ③ ㄱ, ㄴ
④ ㄴ, ㄷ ⑤ ㄱ, ㄴ, ㄷ

11 표는 화합물 (가)~(라)에 대한 자료이다.

화합물	(가)	(나)	(다)	(라)
분자식	CH_4	H_2O	SiH_4	PH_3
분자량	16	18	32	34
기준 끓는점(℃)	−161	100	−112	x

이에 대한 설명으로 옳은 것만을 〈보기〉에서 있는 대로 고른 것은?

보기
ㄱ. $x < -112$이다.
ㄴ. 분산력은 SiH_4이 CH_4보다 크다.
ㄷ. (가)~(라) 중 수소 결합이 존재하는 것은 1가지이다.

① ㄱ ② ㄱ, ㄴ ③ ㄱ, ㄷ
④ ㄴ, ㄷ ⑤ ㄱ, ㄴ, ㄷ

12 다음은 원소 A~C로 이루어진 물질의 끓는점에 대한 설명이다. A~C는 각각 H, F, Cl 중 하나이다.

- A_2, B_2, C_2 중 기준 끓는점은 A_2가 가장 낮다.
- 기준 끓는점은 AB가 AC보다 높다.

이에 대한 설명으로 옳은 것만을 〈보기〉에서 있는 대로 고른 것은?

보기
ㄱ. 기준 끓는점은 C_2가 B_2보다 높다.
ㄴ. 분산력은 AB가 AC보다 크다.
ㄷ. 액체 상태의 AC에는 수소 결합이 존재한다.

① ㄱ ② ㄱ, ㄴ ③ ㄱ, ㄷ
④ ㄴ, ㄷ ⑤ ㄱ, ㄴ, ㄷ

13 그림은 할로젠과 할로젠화 수소의 끓는점을 주기에 따라 나타낸 것이다.

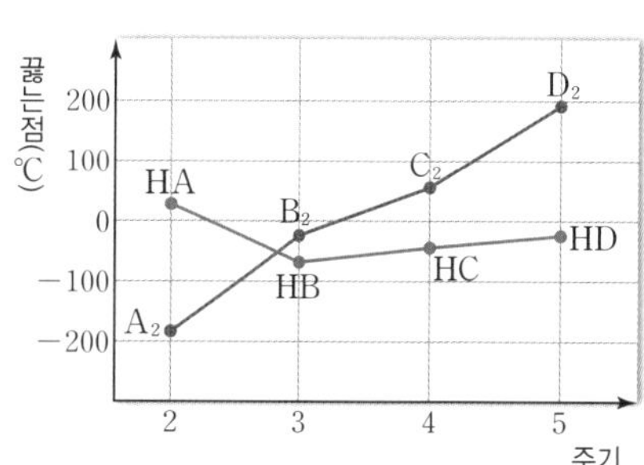

액체 상태에서 이에 대한 설명으로 옳은 것만을 〈보기〉에서 있는 대로 고른 것은?

보기
ㄱ. 분자 간 힘은 D_2가 가장 크다.
ㄴ. HA에는 수소 결합이 존재한다.
ㄷ. B_2와 HB의 끓는점 차이는 쌍극자·쌍극자 힘으로 설명할 수 있다.

① ㄱ ② ㄷ ③ ㄱ, ㄴ
④ ㄴ, ㄷ ⑤ ㄱ, ㄴ, ㄷ

도전! 실력 올리기

출제예감

01 그림은 분자량이 비슷한 3가지 물질을 주어진 기준에 따라 분류한 것이다.

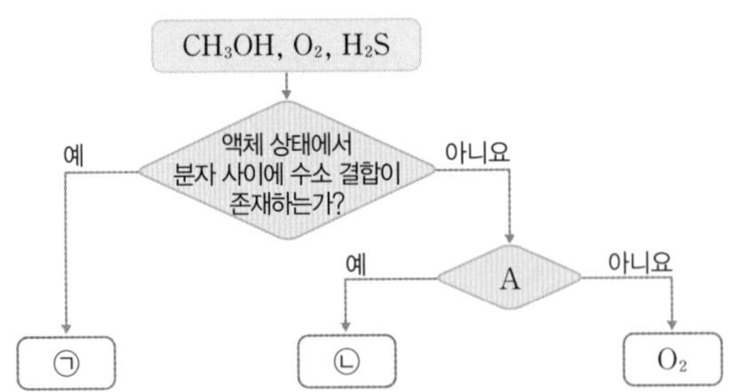

이에 대한 설명으로 옳은 것만을 〈보기〉에서 있는 대로 고른 것은?

〈보기〉
ㄱ. ㉠은 H_2S이다.
ㄴ. 기준 끓는점은 ㉠이 ㉡보다 높다.
ㄷ. A로 '분산력이 작용하는가?'가 적절하다.

① ㄱ　② ㄴ　③ ㄱ, ㄷ　④ ㄴ, ㄷ　⑤ ㄱ, ㄴ, ㄷ

02 그림은 4가지 물질 X_2, Y_2, HX, HY 분자의 쌍극자 모멘트와 기준 끓는점을 나타낸 것이다. X와 Y는 각각 F과 Cl 중 하나이다.

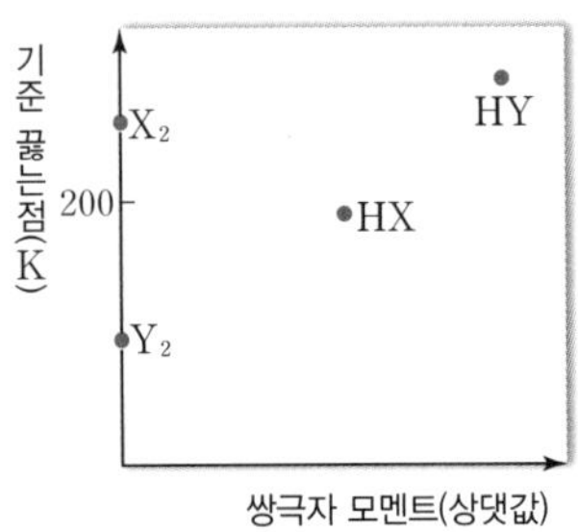

이에 대한 설명으로 옳은 것만을 〈보기〉에서 있는 대로 고른 것은?

〈보기〉
ㄱ. 분산력은 X_2가 Y_2보다 크다.
ㄴ. 분자 간 힘은 X_2가 HX보다 크다.
ㄷ. HY가 X_2보다 기준 끓는점이 높은 주된 요인은 분산력이다.

① ㄱ　② ㄷ　③ ㄱ, ㄴ　④ ㄴ, ㄷ　⑤ ㄱ, ㄴ, ㄷ

출제예감

03 그림 (가)는 3가지 물질 C_2H_6, CH_3F, CH_3NH_2의 분자량을, (나)는 기준 끓는점을 상댓값으로 나타낸 것이다.

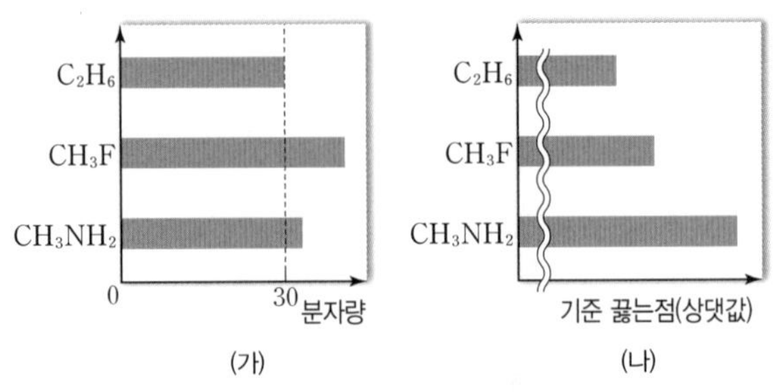

3가지 물질의 공통점만을 〈보기〉에서 있는 대로 고른 것은?

〈보기〉
ㄱ. 분자의 쌍극자 모멘트가 0이 아니다.
ㄴ. 수소 결합이 존재한다.
ㄷ. 분산력이 작용한다.

① ㄱ　② ㄷ　③ ㄱ, ㄴ　④ ㄴ, ㄷ　⑤ ㄱ, ㄴ, ㄷ

04 그림은 물질 (가)~(라)에서 분자량과 분자를 구성하는 두 원자의 전기 음성도 차를 나타낸 것이다. (가)~(라)는 각각 F_2, Cl_2, HCl, HBr 중 하나이다.

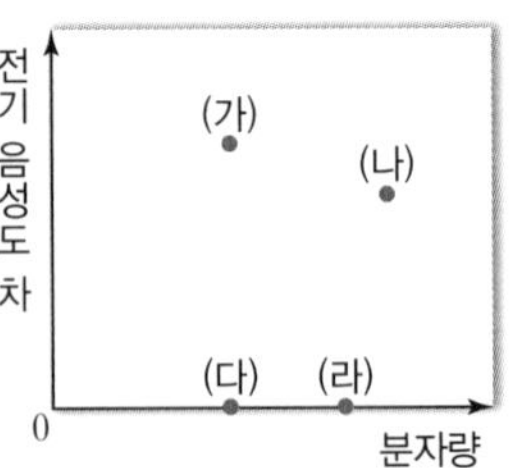

이에 대한 설명으로 옳은 것만을 〈보기〉에서 있는 대로 고른 것은?

〈보기〉
ㄱ. 액체 상태에서 (가)에는 수소 결합이 존재한다.
ㄴ. 분자의 쌍극자 모멘트는 (나)가 (라)보다 크다.
ㄷ. 기준 끓는점은 (라)가 (다)보다 높다.

① ㄱ　② ㄷ　③ ㄱ, ㄴ　④ ㄴ, ㄷ　⑤ ㄱ, ㄴ, ㄷ

정답과 해설 017쪽

05 그림은 몇 가지 이원자 분자의 분자량과 기준 끓는점을 나타낸 것이다.

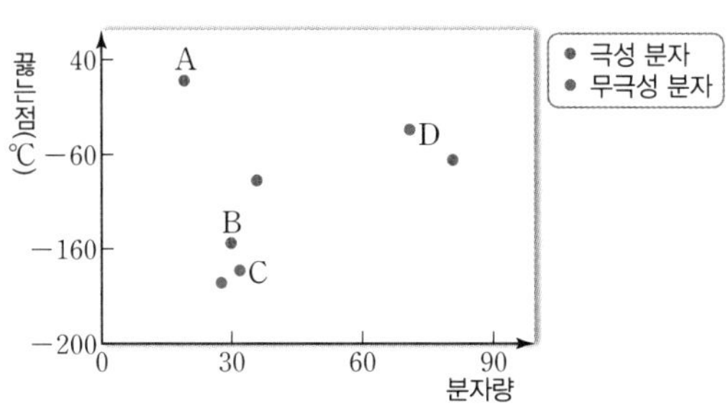

A～D에 대한 설명으로 옳은 것만을 〈보기〉에서 있는 대로 고른 것은?

보기
ㄱ. 분자의 쌍극자 모멘트는 A가 B보다 크다.
ㄴ. 분자 간 힘은 D가 B보다 크다.
ㄷ. 분산력은 A가 D보다 크다.

① ㄱ ② ㄷ ③ ㄱ, ㄴ
④ ㄴ, ㄷ ⑤ ㄱ, ㄴ, ㄷ

출제예감

06 그림은 3가지 화합물 (가)～(다)의 분자량과 기준 끓는점을 나타낸 것이다.

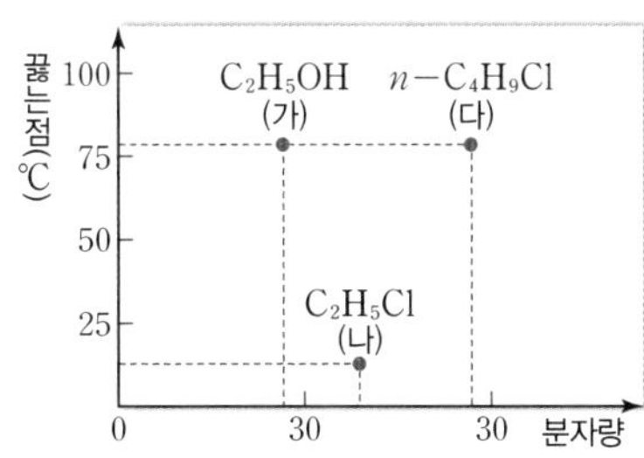

이에 대한 설명으로 옳은 것만을 〈보기〉에서 있는 대로 고른 것은?

보기
ㄱ. 액체 상태의 (가)에는 수소 결합이 존재한다.
ㄴ. 분산력은 (가)가 (나)보다 크다.
ㄷ. 분자 간 힘은 (다)가 (나)보다 크다.

① ㄱ ② ㄴ ③ ㄱ, ㄷ
④ ㄴ, ㄷ ⑤ ㄱ, ㄴ, ㄷ

서술형

07 그림은 몇 가지 공유 결합 물질의 분자의 쌍극자 모멘트와 기준 끓는점의 관계를 나타낸 것이다. 영역 Ⅲ과 영역 Ⅳ의 분자는 수소를 포함하고 있으며, 분자량이 30에서 50 사이이다.

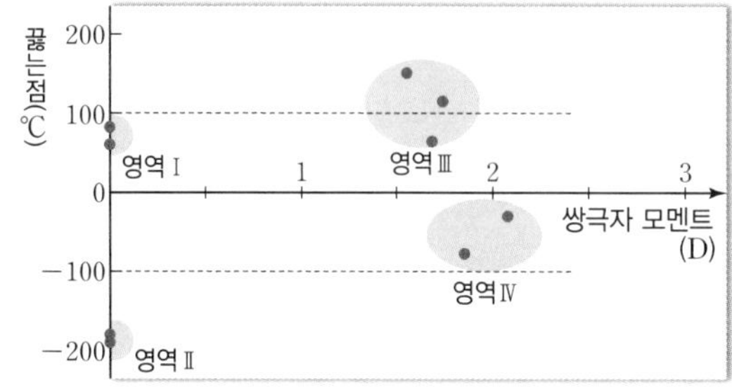

(1) 영역 Ⅰ 물질과 영역 Ⅱ 물질의 분자량을 비교하여 서술하시오.

(2) 영역 Ⅲ 물질과 영역 Ⅳ 물질의 끓는점 차의 주된 요인을 서술하시오.

서술형

08 그림은 분자식이 같은 2가지 물질 (가)와 (나)의 구조식을 나타낸 것이다.

```
      H
      |
    H-C-C
    H   |   H
    |   |   |
  H-C - C - C-H
    |   |   |
    H   |   H
    H - C-H
        |
        H
       (가)

  H   H   H   H   H   H
  |   |   |   |   |   |
H-C - C - C - C - C - C-H
  |   |   |   |   |   |
  H   H   H   H   H   H
          (나)
```

(가)와 (나)의 기준 끓는점을 비교하고, 판단 근거를 서술하시오.

02 액체

핵심 키워드로 흐름잡기
- A 물의 구조, 수소 결합, 물의 특성
- B 증기 압력, 끓는점

A 물의 특성

|출·제·단·서| 수소 결합으로 인해 나타나는 물의 특성을 묻는 문제가 나와.

1. 물 분자의 구조와 수소 결합

(1) 구조 산소(O) 원자 1개와 수소(H) 원자 2개가 공유 결합하여 형성되며 결합각❶이 104.5°인 굽은 형 구조이다.

(2) 극성 물 분자에서 O 원자는 부분적인 음전하(δ^-)를 띠고, H 원자는 부분적인 양전하(δ^+)를 띠며, 굽은 형 구조이므로 극성을 띤다. 물은 극성 물질이므로 이온 결합 물질이나 극성 물질을 녹이는 용매로 이용된다.

(3) 수소 결합 물 분자는 전기 음성도가 큰 O 원자에 H 원자가 결합하고 있어 액체나 고체 상태에서 수소 결합을 한다.❷
고체 상태에서 물 분자 사이의 수소 결합이 최대이므로 물 분자 1개당 2개의 수소 결합을 한다.

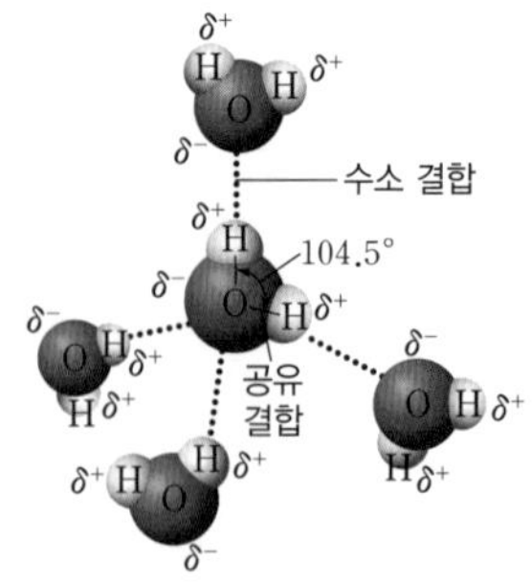

▲ H_2O 분자의 구조와 수소 결합

❶ 결합각
분자에서 중심 원자의 원자핵과 중심 원자와 결합한 두 원자의 원자핵을 선으로 연결하였을 때 생기는 내각이다.

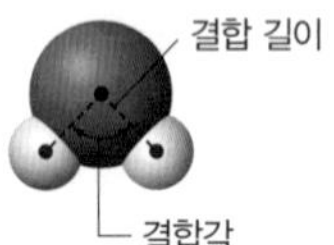

❷ 물의 수소 결합과 공유 결합 비교
공유 결합은 수소 결합보다 더 강한 결합이다. 물이 기화될 때는 분자 사이의 수소 결합이 끊어지고, 물을 전기 분해할 때는 물 분자 내 수소와 산소의 공유 결합이 끊어진다. 물이 상태 변화할 때 수소 결합의 수는 달라지나 공유 결합의 수는 달라지지 않는다.
→ 결합 세기: 공유 결합 > 수소 결합

2. 물의 ●밀도❸ 물의 상태 변화에 따른 부피 변화와 밀도 변화는 물의 수소 결합에 의한 특성이다.

(1) 상태에 따른 부피와 밀도 변화 같은 질량의 물의 부피는 '액체 < 고체'이고, 밀도는 '고체 < 액체'이다. ➡ 물이 얼음으로 될 때 수소 결합으로 인해 물 분자 사이에 빈 공간이 있는 육각형 구조를 이루므로 얼음은 물보다 부피가 크고, 밀도가 작다.

암기TIP 같은 질량의 얼음은 물보다 부피가 크고, 밀도가 작다.

물이 얼 때 1개의 물 분자가 이웃한 4개의 물 분자와 수소 결합을 형성하면서 육각형 모양의 빈 공간이 있는 결정을 형성하므로 같은 질량의 물보다 얼음의 부피가 크다.

❸ 물의 밀도 변화와 관련된 현상
얼음이 물 위에 뜨는 것은 0 ℃ 얼음의 밀도가 0 ℃ 물의 밀도보다 작기 때문이다.

⊕ 질량이 같은 물과 얼음의 비교

부피	물 < 얼음
밀도	물 > 얼음
평균 수소 결합 수	물 < 얼음
분자 사이에 작용하는 힘	물 < 얼음
분자 사이의 평균 거리	물 < 얼음

빈출 자료 온도에 따른 물 1 g의 부피 변화와 온도에 따른 물의 밀도 변화

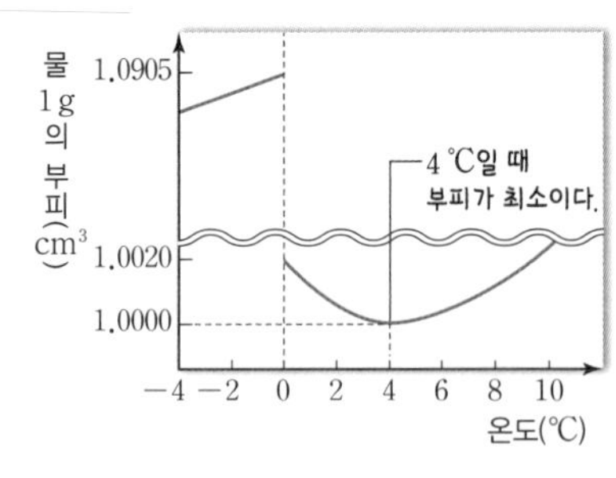

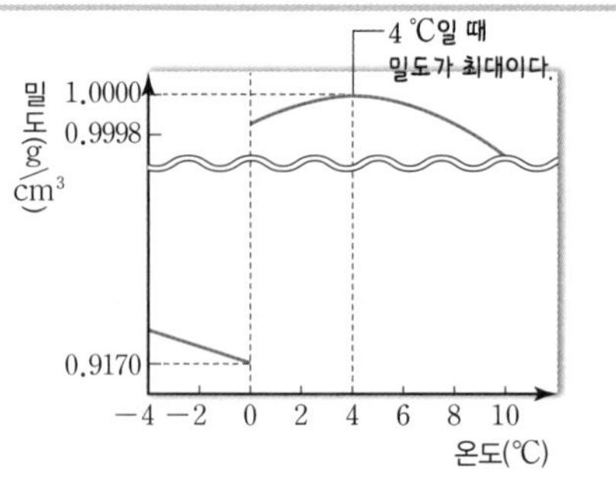

❶ 0 ℃의 얼음을 가열하여 0 ℃의 물로 상태가 변할 때: 부피가 급격히 감소하고 밀도가 증가한다.
➡ 수소 결합의 일부가 끊어지면서 육각형의 빈 공간이 채워지기 때문이다.

❷ 0 ℃의 물을 가열하여 4 ℃의 물로 될 때: 부피가 감소하고 밀도는 증가한다.
➡ 수소 결합이 계속 끊어지면서 빈 공간이 채워져 생기는 부피 감소가 온도 증가에 따른 부피 증가보다 크기 때문이다.

❸ 4 ℃ 이상의 물을 가열할 때: 부피가 증가하고 밀도가 감소한다.
➡ 온도가 높을수록 분자 운동이 활발해지기 때문이다.

용어 알기
● 밀도(빽빽하다 密, 헤아리다 度) 물질의 단위 부피당 질량

(2) 물이 얼 때 부피 및 밀도 변화와 관련된 현상

① 겨울철에 호수나 강의 물이 표면부터 언다.❹

② 추운 겨울날 수도관 속 물이 얼면 수도관이 터진다. 물이 얼면 부피가 증가하기 때문이다.

3. 물의 열용량❺

(1) 열용량(J/℃) 물질의 온도를 1 ℃ 높이는 데 필요한 열량으로, 같은 질량일 때 열용량이 큰 물질일수록 온도를 높이는 데 많은 열에너지가 필요하다. ─열용량=질량×비열

(2) 물의 열용량 물은 질량이 비슷한 다른 액체에 비해 열용량이 커서 쉽게 가열되거나 냉각되지 않는다. ➡ 물을 가열할 때 공급한 열에너지는 분자 운동을 활발하게 하는 데 쓰이지 않고, 수소 결합의 일부를 끊는 데 사용되기 때문에 수소 결합을 하지 않는 다른 액체보다 온도 변화가 작다.

(3) 물의 열용량이 크기 때문에 나타나는 현상

① 지구 전체의 온도와 인체의 온도가 일정하게 유지된다. 지구 표면의 70 %가 바다로 이루어져 있어 지구 전체적으로 보면 온도가 쉽게 변하지 않는다.

② 해안 지역의 일교차는 내륙 지역보다 작다. 바닷물의 열용량이 크기 때문이다.

4. 물의 표면 장력❻

(1) 표면 장력 액체가 표면적을 최소화하려는 힘으로, 액체 표면에 있는 분자들의 분자 간 힘과 액체 내부에 있는 분자들의 분자 간 힘의 차이에 의해 생긴다.

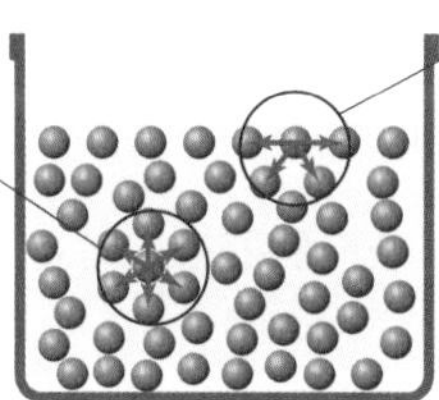

액체 내부에 있는 분자는 모든 방향으로 분자 간 힘이 작용한다.
액체 표면에 있는 분자는 옆과 아래 방향으로만 분자 간 힘이 작용한다. → 작용하는 힘이 작아 표면적을 최소화하려고 한다.

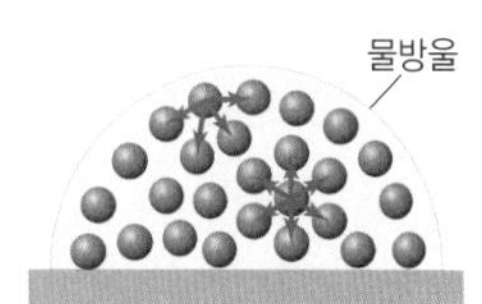

액체는 표면적을 최소화하려고 하므로 액체 방울의 모양은 둥근 모양을 한다.

(2) 물의 표면 장력 물은 수소 결합을 하여 분자 간 힘이 크기 때문에 물은 다른 액체에 비해 표면 장력이 크다. 따라서 물방울의 모양은 다른 액체 방울에 비해 상대적으로 더욱 동그랗다. └같은 부피일 때 표면적은 구가 가장 작기 때문이다.

표면 장력의 크기에 따른 액체 방울의 모양

표면 장력이 클수록 액체 방울이 더 둥근 모양이다. 따라서 표면 장력의 크기는 '수은>물>비눗물>에탄올'이다. └비눗물의 표면 장력이 물보다 작으므로 비누는 물에 녹아 표면 장력을 감소시킨다.

(3) 물의 표면 장력이 크기 때문에 나타나는 현상

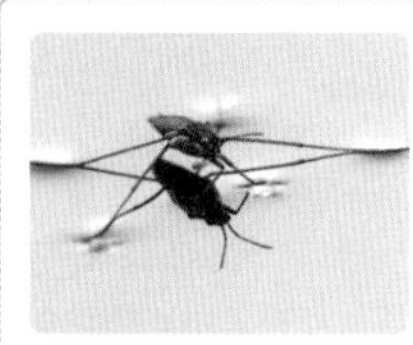

소금쟁이가 수면 위를 떠다닌다.

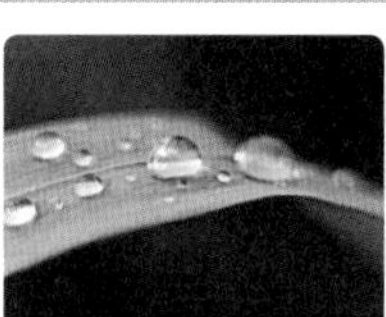

풀잎에 맺힌 이슬 방울의 모양이 동그랗다.

물이 가득 들어 있는 컵에 클립을 계속 넣어도 물이 흘러넘치지 않는다.

수면에 금속 클립을 살짝 얹어 놓으면 클립이 가라앉지 않고 떠 있다.

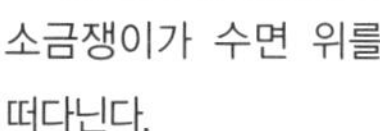

└물 표면의 분자 간 힘 때문에 떠 있을 수 있다.

5. 물의 모세관 현상

(1) °모세관 현상 액체가 가는 관이나 미세한 틈을 따라 올라가는 현상으로, 액체 분자 사이의 °응집력과 액체와 관 사이의 °부착력 때문에 나타난다.

---

❹ 겨울철 호수나 강의 물이 표면부터 어는 까닭

기온이 낮아지면 수면부터 수온이 낮아지고, 밀도 차에 의해 대류가 일어난다. 물의 온도가 4 ℃에 이르면 더 이상 대류가 일어나지 않으므로 영하의 기온에서 물은 수면부터 얼기 시작하는데, 얼음의 밀도가 물보다 작으므로 얼음은 계속 물에 떠 있게 된다.

❺ 가열 시간에 따른 온도 변화와 열용량

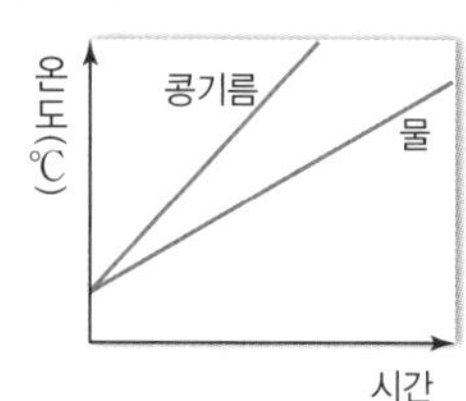

같은 질량의 물과 콩기름을 일정한 열량으로 가열할 때 온도 변화가 큰 콩기름보다 온도 변화가 작은 물의 열용량이 크다.

❻ 표면 장력을 이용한 실험

물이 들어 있는 수조에 종이배를 띄우고, 종이배의 뒤쪽에 에탄올을 떨어뜨리면 종이배가 앞으로 나아간다.

➡ 에탄올을 떨어뜨린 쪽의 표면 장력이 감소하여 상대적으로 분자 간 힘이 더 강한 쪽으로 물 분자가 이동하여 종이배가 따라 움직이기 때문이다.

용어 알기

- 모세관(털 毛, 가늘다 細, 관 管) 매우 가는 관
- 응집력(엉기다 凝, 모이다 輯, 힘 力) 같은 분자 사이에 작용하는 힘
- 부착력(붙다 附, 붙다 着, 힘 力) 서로 다른 분자 사이에 작용하는 힘

⊕ 수은의 액면의 모양

- 유리관에 물을 넣으면 수면의 모양은 아래쪽이 볼록하다. 이는 물 분자 사이의 응집력보다 물과 유리관 사이의 부착력이 크기 때문에 나타나는 현상이다.
- 유리관에 수은을 넣으면 액면의 모양은 위쪽이 볼록하게 되는데, 이는 수은 입자 간의 응집력이 수은과 유리 사이의 부착력보다 크기 때문이다.

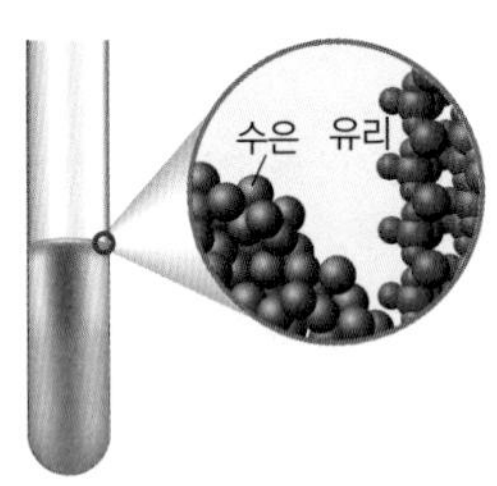

(2) 물의 모세관 현상 물은 다른 액체에 비해 분자 간 힘, 즉 응집력이 크고, 유리와의 부착력도 커서 모세관 현상이 잘 일어난다.

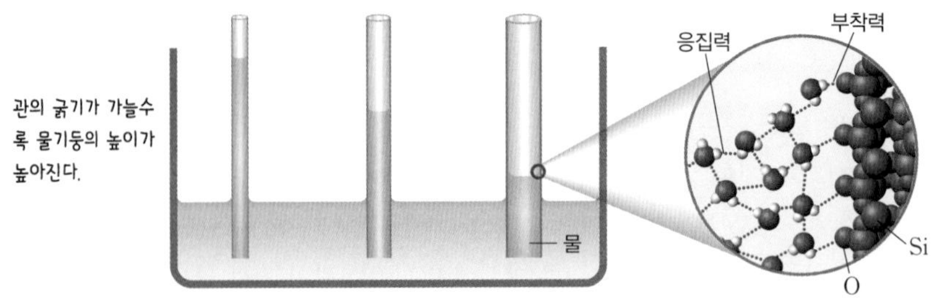

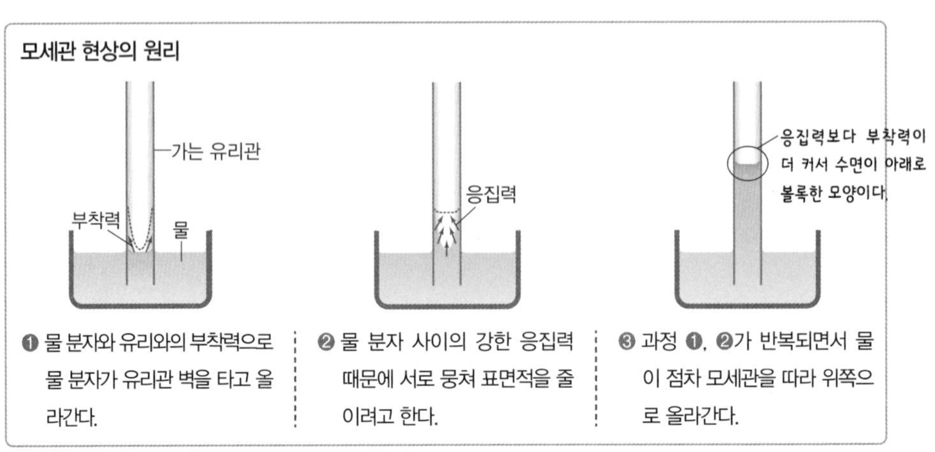

관의 굵기가 가늘수록 물기둥의 높이가 높아진다.

모세관 현상의 원리
가는 유리관
부착력
물
응집력
응집력보다 부착력이 더 커서 수면이 아래로 볼록한 모양이다.
❶ 물 분자와 유리와의 부착력으로 물 분자가 유리관 벽을 타고 올라간다.
❷ 물 분자 사이의 강한 응집력 때문에 서로 뭉쳐 표면적을 줄이려고 한다.
❸ 과정 ❶, ❷가 반복되면서 물이 점차 모세관을 따라 위쪽으로 올라간다.

(3) 물의 모세관 현상과 관련된 현상

① 종이나 수건에 물이 잘 스며든다.

② 나무의 뿌리에서 흡수된 물이 나무 꼭대기까지 올라간다.

B 액체

|출·제·단·서| 액체의 증기 압력 곡선을 해석하여 분자 간 인력을 비교하는 문제가 나와.

1. 증기 압력(증기압) 일정한 온도에서 밀폐된 용기에 들어 있는 액체가 액체 표면에서 증발하는 분자 수와 응축하는 분자 수가 같아져 겉보기에 아무 변화가 없는 것처럼 보이는 •동적 평형에 도달했을 때 이 물질의 증기가 나타내는 압력

❼ 밀폐 용기 속 액체의 증발 속도와 응축 속도

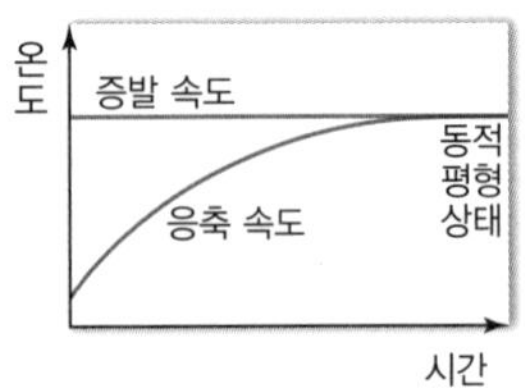

일정한 온도에서 밀폐된 용기 속 액체의 증발 속도는 일정하며, 시간이 지날수록 수증기 분자 수가 많아지므로 응축 속도가 증가하다 증발 속도와 응축 속도가 같아지는 동적 평형 상태에 도달한다.

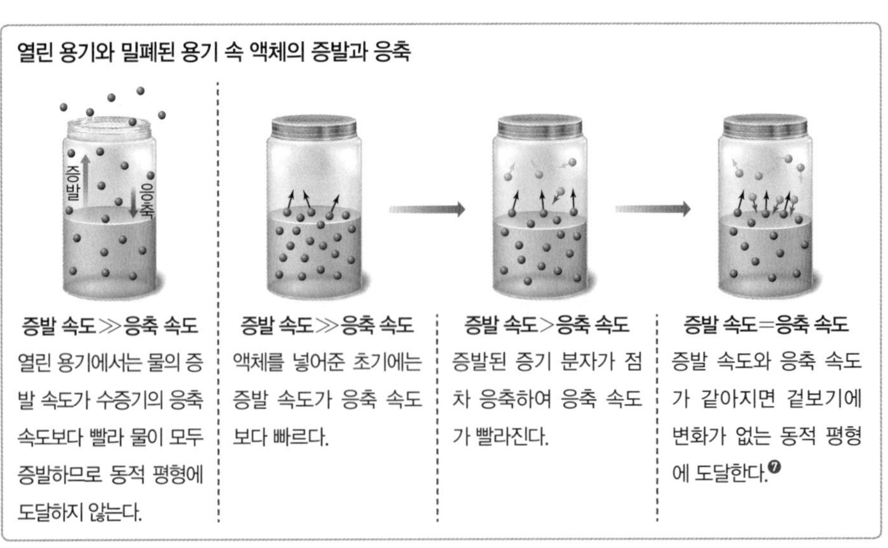

열린 용기와 밀폐된 용기 속 액체의 증발과 응축
증발
응축
증발 속도≫응축 속도
열린 용기에서는 물의 증발 속도가 수증기의 응축 속도보다 빨라 물이 모두 증발하므로 동적 평형에 도달하지 않는다.
증발 속도≫응축 속도
액체를 넣어준 초기에는 증발 속도가 응축 속도보다 빠르다.
증발 속도>응축 속도
증발된 증기 분자가 점차 응축하여 응축 속도가 빨라진다.
증발 속도=응축 속도
증발 속도와 응축 속도가 같아지면 겉보기에 변화가 없는 동적 평형에 도달한다.❼

용어 알기

• 동적 평형(움직이다 動, 과녁 的, 평형하다 平, 저울대 衡) 계의 내부에서 미시적인 변화가 일어나고 있음에도 겉으로 보기에는 반응이 멈춘 것처럼 보이는 상태

(1) 증기 압력의 측정 일정한 온도에서 진공으로 만든 플라스크에 액체를 넣으면 압력이 커지다가 일정한 압력에 도달하는데, 이때의 압력이 증기 압력이다.

액체의 증기 압력 측정 암기TiP 액체의 증기 압력 = 수은 기둥의 높이 차(h)에 해당하는 압력

일정한 온도에서 진공 상태인 플라스크에 수은이 들어 있는 U자관을 연결하여 양쪽 수은 면의 높이를 같게 만든 후 액체를 넣어 두면 수은 기둥의 높이 차가 점점 커지다가 충분한 시간이 지나 동적 평형에 도달하면 수은 기둥의 높이 차(h)가 일정해지는데, 수은 기둥의 높이 차(h)에 해당하는 압력이 이 온도에서 액체의 증기 압력이다.

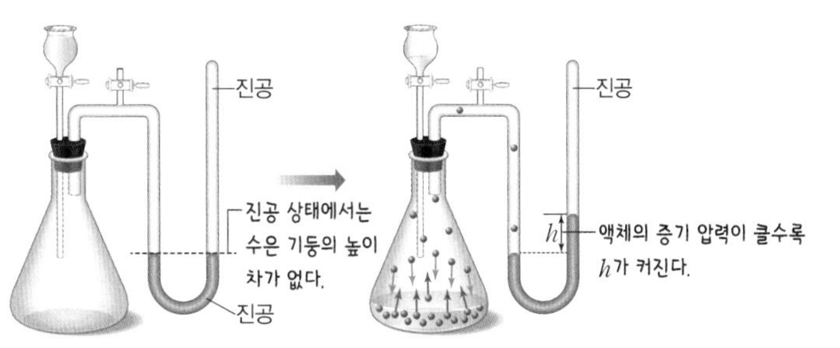

(2) 증기 압력의 크기 → 용기의 크기나 모양, 액체의 양에 관계없이 일정하다.

① 같은 액체일 때 온도가 높을수록 증기 압력이 크다. ➡ 온도가 높을수록 분자 간 힘을 극복하고 °증발하기 쉽기 때문이다.

② 같은 온도에서 분자 간 힘이 작은 액체일수록 증기 압력이 크다. ➡ 분자 간 힘이 작을수록 증발이 잘 일어나기 때문이다.

(3) 증기 압력 곡선 탐구 POOL 온도에 따른 액체의 증기 압력을 나타낸 그래프이다. 증기 압력 곡선 상의 온도와 압력에서 액체와 기체가 동적 평형을 이룬다.

❶ 온도가 높을수록 증기 압력이 커진다.
❷ 100 °C, 760 mmHg에서 물의 증발 속도와 수증기의 °응축 속도가 같은 동적 평형을 이루고 있다.
└ 100 °C, 760 mmHg에서 물과 수증기가 함께 존재한다.

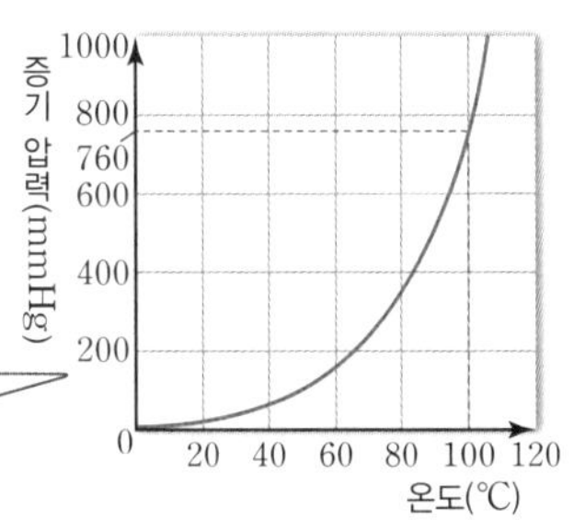

▲ 물의 증기 압력 곡선

2. 증기 압력과 끓는점

(1) 끓음 액체의 온도가 높아지면 증기 압력이 커지다가 증기 압력이 외부 압력과 같아지면 액체 표면뿐만 아니라 액체 내부에서도 기화가 일어나 기포가 생성되는 현상

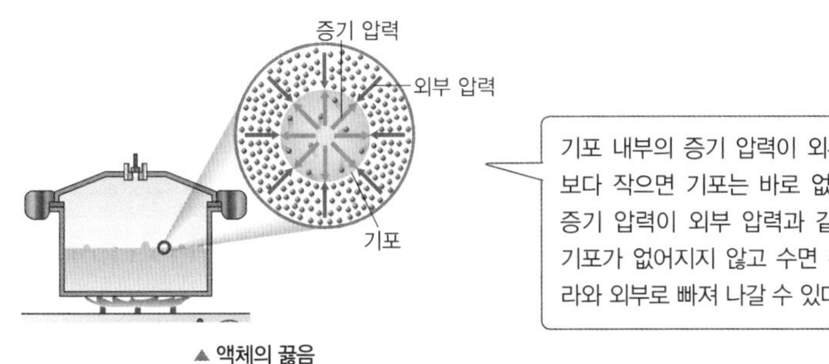

증기 압력
외부 압력
기포
기포 내부의 증기 압력이 외부 압력보다 작으면 기포는 바로 없어진다. 증기 압력이 외부 압력과 같아지면 기포가 없어지지 않고 수면 위로 올라와 외부로 빠져 나갈 수 있다.

▲ 액체의 끓음

(2) 끓는점 액체의 증기 압력이 외부 압력과 같아져 액체가 끓고 있을 때의 온도

① **기준 끓는점:** 외부 압력이 1기압(760 mmHg)일 때의 끓는점 예 물의 기준 끓는점: 100 °C

② **외부 압력과 끓는점**❽: 외부 압력이 높을수록 끓는점이 높다.

예 • 높은 산 위에서는 물이 100 °C보다 낮은 온도에서 끓어 밥을 하면 쌀이 설익는다.
높은 산 위에서는 대기압이 낮기 때문이다.

• 압력솥 내부에서는 물이 100 °C보다 높은 온도에서 끓어 일반 솥보다 밥이 빨리 된다.
압력솥에서는 기화된 수증기가 빠져나가지 못해 압력이 1기압보다 크게 유지된다.

(3) 증기 압력과 끓는점 액체의 증기 압력이 클수록 증발하기 쉽고 분자 간 힘이 작아 끓는점이 낮다. 암기TiP 증기 압력이 크다. → 증발하기 쉽다. → 분자 간 힘이 작다. → 끓는점이 낮다.

❽ 외부 압력과 끓는점의 관계
감압 용기에 80 °C 정도의 물을 넣고 펌프로 용기 속 공기를 빼내면 물이 끓기 시작한다. 이는 용기 속 압력이 1기압보다 낮아져 물의 끓는점이 100 °C보다 낮아지기 때문이다.

용어 알기

• 증발(**찌다 蒸, 필 發**) 어떤 물질이 액체 상태에서 기체 상태로 변함. 또는 그런 현상.

• 응축(**엉기다 凝, 오그라들다 縮**) 기체가 액체로 변함. 또는 그런 현상. 예를 들어 포화 증기의 온도를 내리거나 일정한 온도에서 압축시킬 때 증기의 일부가 액화하는 것

여러 가지 액체의 증기 압력 곡선 해석하기

목표 여러 가지 액체 물질의 증기 압력 곡선을 해석하고 증기 압력과 끓는점의 관계를 설명할 수 있다.

과정 그림은 여러 가지 액체의 증기 압력 곡선을 나타낸 것이다.

정리 및 해석

온도에 따른 증기 압력

각 액체 물질에서 온도가 높을수록 증기 압력이 크다. ➡ 온도가 높을수록 분자의 평균 운동 에너지가 커져 분자 간 인력을 극복하고 증발하는 분자 수가 많아지기 때문이다.

기준 끓는점

액체의 증기 압력과 외부 압력이 같아지는 온도를 끓는점이라 하고, 외부 압력이 760 mmHg일 때의 끓는점을 기준 끓는점이라고 한다. ➡ 기준 끓는점은 '다이에틸 에테르(34.6 ℃) < 에탄올(78.4 ℃) < 물(100 ℃) < 아세트산(117 ℃)' 순이다.

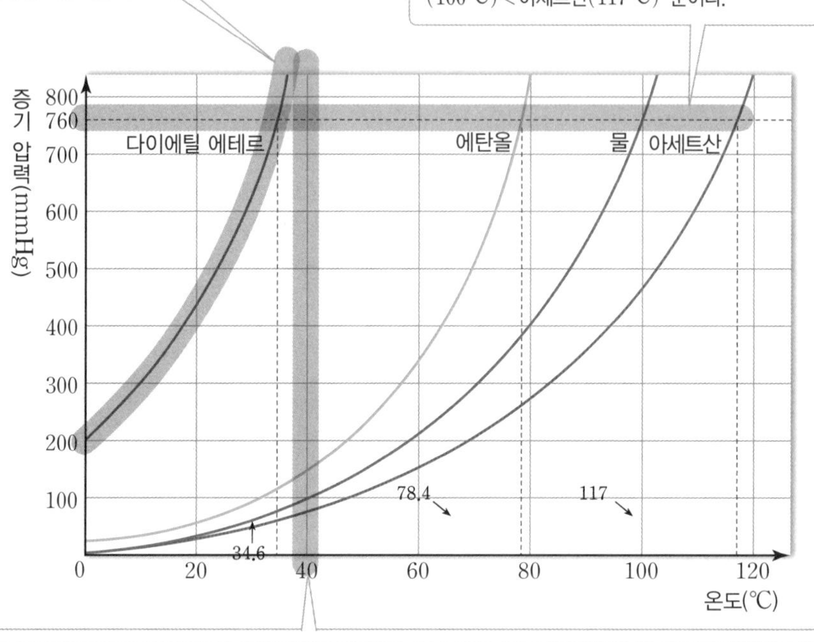

증기 압력과 분자간 힘

분자 간 힘이 작은 액체일수록 같은 온도에서 증기 압력이 크다. ➡ 같은 온도에서 4가지 물질의 증기 압력은 '다이에틸 에테르>에탄올>물>아세트산' 순이므로 분자 간 인력이 가장 작은 물질은 다이에틸 에테르이고, 분자 간 인력이 가장 큰 물질은 아세트산이다.

분자 간 힘이 작다. ➡ 증발하기 쉽다. ➡ 증기 압력이 크다. ➡ 끓는점이 낮다.

한·줄·핵심 증기 압력이 클수록 분자 간 힘이 작고 끓는점이 낮다.

이런 자료도 있어요!

증기 압력 곡선과 물질의 상태

증기 압력(mmHg) / 액체 / 기체 / 0 / 온도(℃)

증기 압력 곡선 위의 각 점에서는 액체와 기체가 공존하며, 증기 압력보다 낮은 압력에서는 기체 상태로, 증기 압력보다 높은 압력에서는 액체 상태로 존재한다.

확인 문제

정답과 해설 019쪽

01 위의 4가지 물질의 증기 압력 곡선에 대해 답하시오.

(1) 실온에서 가장 증발되기 쉬운 물질을 쓰시오.

(2) 분자 간 힘이 가장 큰 물질을 쓰시오.

(3) 기준 끓는점에서 다이에틸 에테르와 아세트산의 증기 압력을 비교하시오.

02 액체의 증기 압력 곡선에 대한 다음 설명 중 옳은 것은 ○, 옳지 않은 것은 ×로 표시하시오.

(1) 분자 간 힘이 작은 액체일수록 증기 압력이 작다. (　　)

(2) 25 ℃에서 증기 압력이 큰 물질일수록 기준 끓는점이 높다. (　　)

콕콕! 개념 확인하기

정답과 해설 019쪽

✓ 잠깐 확인!

1. 물의 밀도 변화
물이 얼 때는 분자 사이에 ⬜⬜ ⬜⬜을 하여 육각형 구조를 이루므로 얼음의 밀도가 물의 밀도보다 ⬜다.

2. ⬜⬜⬜
물질의 온도를 1 ℃ 높이는 데 필요한 열량으로, 물은 다른 액체에 비해 ⬜⬜⬜이 크다.

3. ⬜⬜ ⬜⬜
액체가 표면적을 최소화하려는 힘으로, 물은 다른 액체에 비해 이 힘이 크다.

4. ⬜⬜ ⬜⬜
일정한 온도에서 밀폐된 용기에 들어 있는 액체의 증발 속도와 응축 속도가 같은 동적 평형에 도달했을 때 증기가 나타내는 압력이다.

5. 증기 압력의 크기
같은 액체에서 증기 압력은 온도가 높을수록 ⬜고, 같은 온도에서 분자 간 힘이 작을수록 ⬜다.

A 물의 특성

01 물의 특성에 대한 설명으로 옳은 것은 ○, 옳지 않은 것은 ×로 표시하시오.

(1) 0 ℃에서 1 g의 얼음의 부피는 1 g의 물의 부피보다 작다. ( )

(2) 물은 수소 결합이 존재하므로 다른 액체 물질에 비해 표면 장력이 크다. ( )

(3) 물은 응집력과 부착력이 커서 모세관 현상이 잘 일어난다. ( )

02 그림 (가)는 물에서 물 분자의 배열을, (나)는 물 분자의 결합을 모형으로 나타낸 것이다.

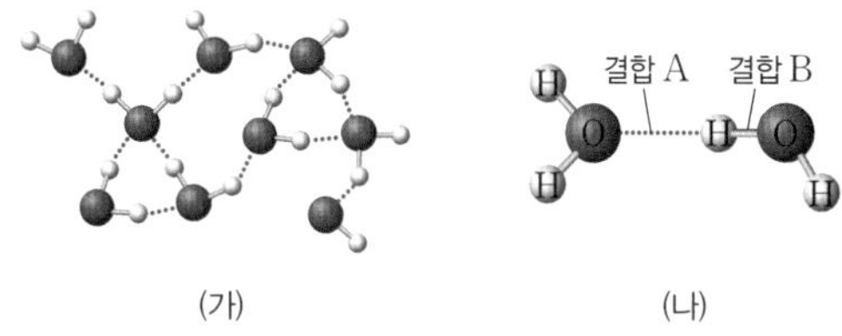

다음은 물 분자의 결합에 대한 설명이다. ㉠~㉤에 들어갈 알맞은 말을 쓰시오.

> 결합 A는 (㉠), 결합 B는 (㉡)이다. 물을 전기 분해할 때는 결합 (㉢)가 끊어지며, 물이 기화할 때는 결합 (㉣)가 끊어진다. 물이 다른 액체보다 표면 장력이 크고, 열용량이 큰 것은 결합 (㉤) 때문이다.

B 액체

03 액체의 증기 압력에 대한 설명으로 옳은 것은 ○, 옳지 않은 것은 ×로 표시하시오.

(1) 일정한 온도에서 밀폐된 용기에 들어 있는 액체의 증발과 응축이 동적 평형을 이룰 때 증기가 나타내는 압력이다. ( )

(2) 같은 종류의 액체에서 온도가 높을수록 증기 압력이 작아진다. ( )

(3) 같은 온도에서 분자 간 힘이 클수록 증기 압력이 크다. ( )

04 그림은 3가지 액체 A~C의 증기 압력 곡선을 나타낸 것이다.

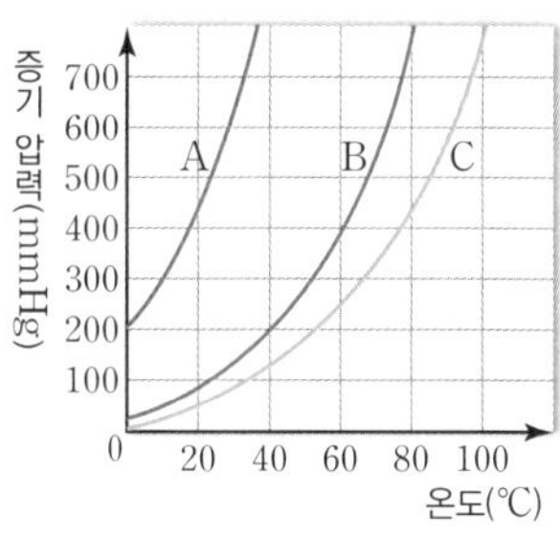

(1) 20 ℃에서 증발 속도가 가장 빠른 물질을 고르시오.

(2) 20 ℃에서 분자 간 힘이 가장 큰 물질을 고르시오.

(3) 기준 끓는점이 가장 높은 물질을 고르시오.

탄탄! 내신 다지기

A 물의 특성

01 그림은 물 분자의 결합을 모형으로 나타낸 것이다.
결합 A에 의해 나타나는 현상이 아닌 것은?

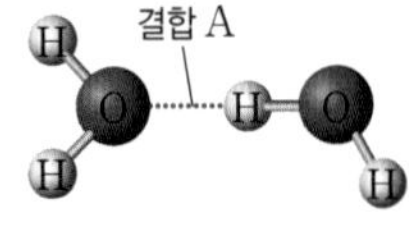

① 물이 얼면 부피가 증가한다.
② 해안 지방은 내륙 지방보다 일교차가 작다.
③ 풀잎에 맺힌 이슬 방울의 모양이 동그랗다.
④ 물은 소금과 같은 이온 결합 물질을 잘 녹인다.
⑤ 나무 뿌리에서 흡수된 물이 나무 꼭대기까지 올라간다.

02 그림은 얼음의 결정 구조를 모형으로 나타낸 것이다.
이에 대한 설명으로 옳은 것만을 〈보기〉에서 있는 대로 고른 것은?

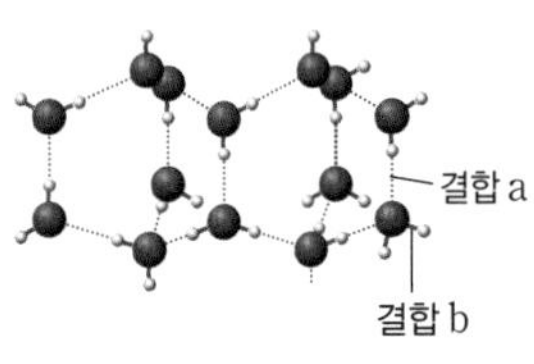

〈보기〉
ㄱ. 얼음이 녹으면 결합 a의 평균 수는 감소한다.
ㄴ. 물이 전기 분해될 때 결합 b가 끊어진다.
ㄷ. 얼음이 물에 뜨는 까닭은 물이 얼 때 결합 a를 최대로 하기 위해 결정 내에 빈 공간이 생기기 때문이다.

① ㄱ ② ㄴ ③ ㄱ, ㄷ
④ ㄴ, ㄷ ⑤ ㄱ, ㄴ, ㄷ

03 그림은 25 ℃에서 플라스틱 판 위에 같은 부피의 3가지 액체를 떨어뜨렸을 때 액체 방울의 모양을 나타낸 것이다.

이에 대한 설명으로 옳은 것만을 〈보기〉에서 있는 대로 고른 것은?

〈보기〉
ㄱ. A는 B보다 표면 장력이 크다.
ㄴ. 액체 상태에서 분자 간 힘은 B가 C보다 크다.
ㄷ. 50 ℃에서 A로 실험하면 액체 방울의 모양이 더 동그랗다.

① ㄱ ② ㄷ ③ ㄱ, ㄴ
④ ㄴ, ㄷ ⑤ ㄱ, ㄴ, ㄷ

04 그림 (가)는 물(H_2O)의 온도에 따른 밀도를, (나)는 물의 결합 모형을 나타낸 것이다.

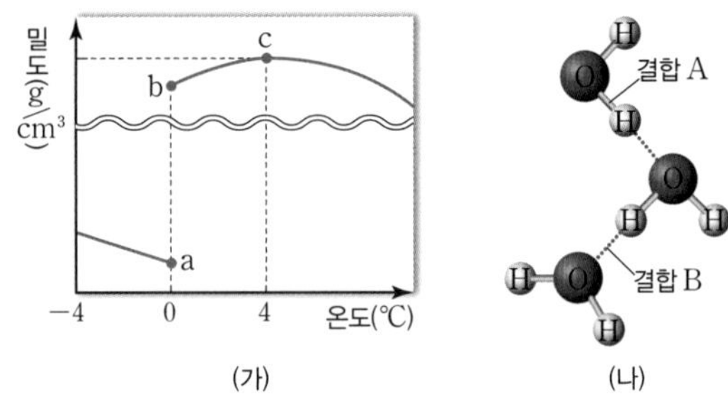

(가) (나)

이에 대한 설명으로 옳은 것은?

① 얼음의 온도가 높아지면 부피가 감소한다.
② a → b로 될 때 결합 A의 평균 수가 감소한다.
③ a → b로 될 때 물 분자 배열의 규칙성이 증가한다.
④ b → c로 될 때 1 g의 부피는 증가한다.
⑤ b → c로 될 때 결합 B의 평균 수가 감소한다.

05 다음은 물의 특성을 알아보기 위한 실험과 그 결과에 대한 해석이다.

[실험]
물보다 밀도가 큰 바늘을 그림과 같이 물 위에 살짝 놓았더니 물 위에 떠 있었다.

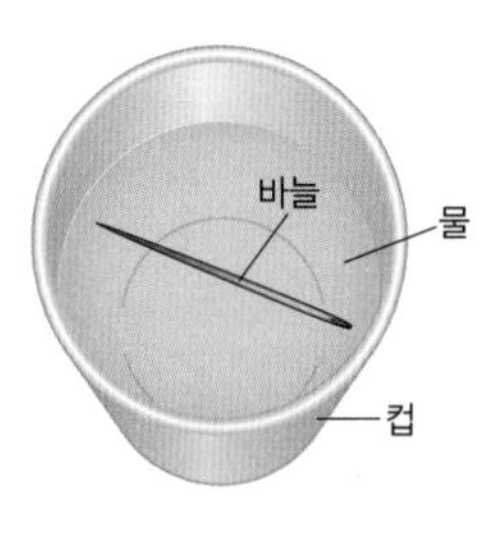

[결과 해석]
• 이는 물의 (㉠)이 크기 때문에 나타나는 현상이다. 물은 분자 사이에 (㉡)이 존재하기 때문에 다른 물질보다 (㉠)이 크다.

㉠과 ㉡으로 옳은 것은?

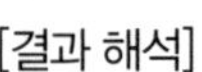

	㉠	㉡
①	밀도	공유 결합
②	밀도	수소 결합
③	표면 장력	분산력
④	표면 장력	수소 결합
⑤	극성	수소 결합

B 액체

06 그림은 액체 A와 B의 증기 압력 곡선을 나타낸 것이다.

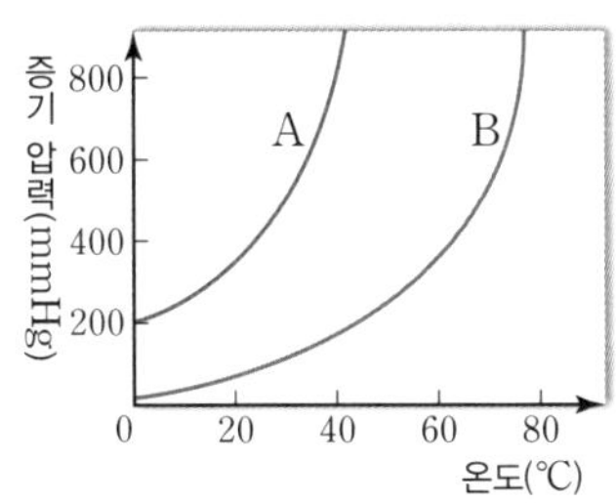

A가 B보다 큰 값을 갖는 것만을 〈보기〉에서 있는 대로 고른 것은?

> 보기
> ㄱ. 20 ℃에서 증발 속도
> ㄴ. 분자 간 힘
> ㄷ. 기준 끓는점

① ㄱ ② ㄴ ③ ㄱ, ㄷ
④ ㄴ, ㄷ ⑤ ㄱ, ㄴ, ㄷ

07 그림은 25 ℃에서 동일한 용기에 각각 액체 X와 Y를 넣고 충분한 시간이 흐른 후 수은 기둥의 높이 차를 나타낸 것이다.

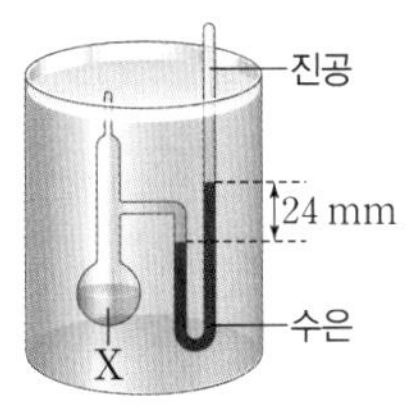

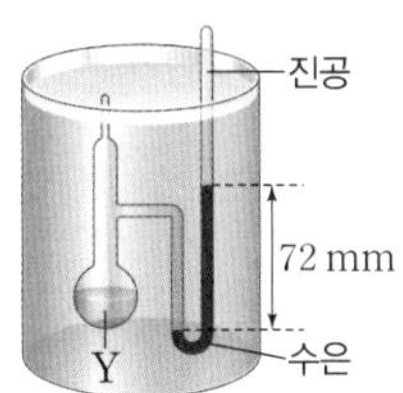

이에 대한 설명으로 옳은 것만을 〈보기〉에서 있는 대로 고른 것은?

> 보기
> ㄱ. 25 ℃에서 X의 증기 압력은 24 mmHg이다.
> ㄴ. 외부 압력이 72 mmHg일 때 Y의 끓는점은 25 ℃이다.
> ㄷ. 기준 끓는점은 Y가 X보다 높다.

① ㄱ ② ㄷ ③ ㄱ, ㄴ
④ ㄴ, ㄷ ⑤ ㄱ, ㄴ, ㄷ

08 그림은 t ℃에서 액체 A, B를 진공인 2개의 플라스크에 각각 넣고 충분한 시간이 지난 후의 상태를 나타낸 것이다.

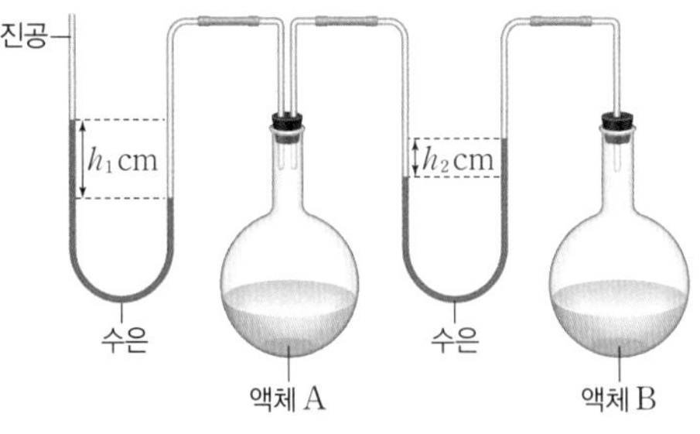

이에 대한 설명으로 옳은 것만을 〈보기〉에서 있는 대로 고른 것은?

> 보기
> ㄱ. t ℃에서 B의 증기 압력은 (h_1-h_2) cmHg이다.
> ㄴ. 증발 속도는 A가 B보다 빠르다.
> ㄷ. 기준 끓는점은 A가 B보다 높다.

① ㄱ ② ㄷ ③ ㄱ, ㄴ
④ ㄴ, ㄷ ⑤ ㄱ, ㄴ, ㄷ

09 그림 (가)는 액체의 증기 압력을 측정하는 과정을, (나)는 액체 A와 B를 (가)의 장치에 각각 20 mL씩 넣고 25 ℃에서 측정한 수은 기둥의 높이 차(h)를 시간에 따라 나타낸 것이다.

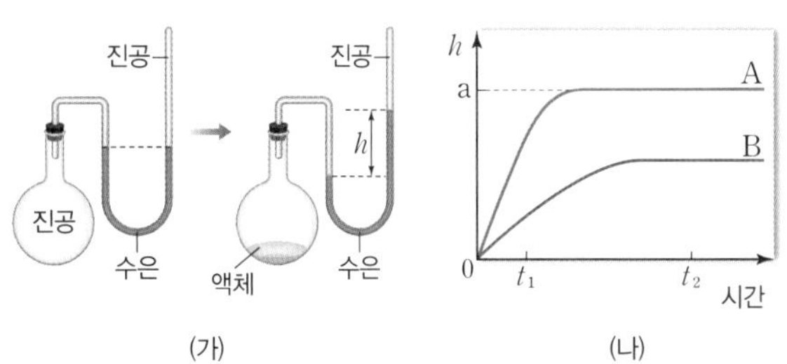

이에 대한 설명으로 옳은 것만을 〈보기〉에서 있는 대로 고른 것은?

> 보기
> ㄱ. 기준 끓는점은 A가 B보다 높다.
> ㄴ. A(g)의 응축 속도는 t_1에서와 t_2에서 같다.
> ㄷ. A 30 mL를 넣고 실험해도 t_2에서 측정되는 h는 a이다.

① ㄴ ② ㄷ ③ ㄱ, ㄴ
④ ㄱ, ㄷ ⑤ ㄱ, ㄴ, ㄷ

도전! 실력 올리기

출제예감

01 그림은 단위 시간당 일정한 열량으로 일정량의 얼음을 가열할 때 시간에 따른 밀도를 나타낸 것이다.

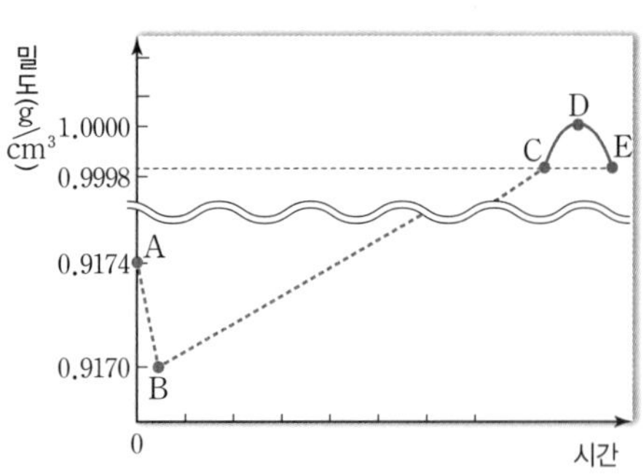

이에 대한 설명으로 옳은 것만을 〈보기〉에서 있는 대로 고른 것은?

보기
ㄱ. 분자당 평균 수소 결합 수는 B>C이다.
ㄴ. 1 g의 부피는 A>D이다.
ㄷ. 표면 장력은 D>E이다.

① ㄴ ② ㄷ ③ ㄱ, ㄴ
④ ㄱ, ㄷ ⑤ ㄱ, ㄴ, ㄷ

02 그림은 물의 결합 모형을 나타낸 것이다.

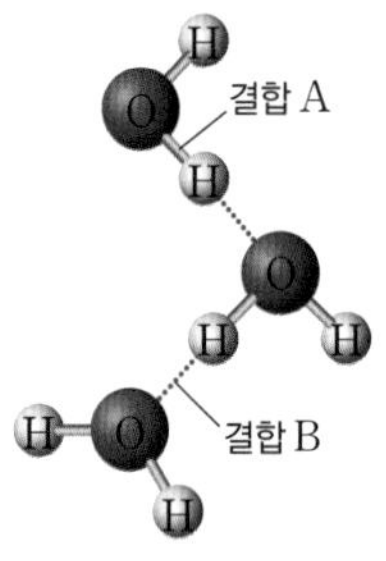

$H_2O(l) \longrightarrow H_2O(s)$ 과정에 대한 설명으로 옳은 것만을 〈보기〉에서 있는 대로 고른 것은?

보기
ㄱ. 부피가 증가한다.
ㄴ. 결합 A의 수가 감소한다.
ㄷ. 결합 B의 수가 증가한다.

① ㄱ ② ㄴ ③ ㄱ, ㄷ
④ ㄴ, ㄷ ⑤ ㄱ, ㄴ, ㄷ

출제예감

03 그림 (가)는 얼음에서 물 분자 사이의 결합 모형을, (나)는 1기압에서 같은 부피의 4 ℃ 물과 50 ℃ 물을 각각 플라스틱판 위에 떨어뜨렸을 때 물방울의 모양을 나타낸 것이다.

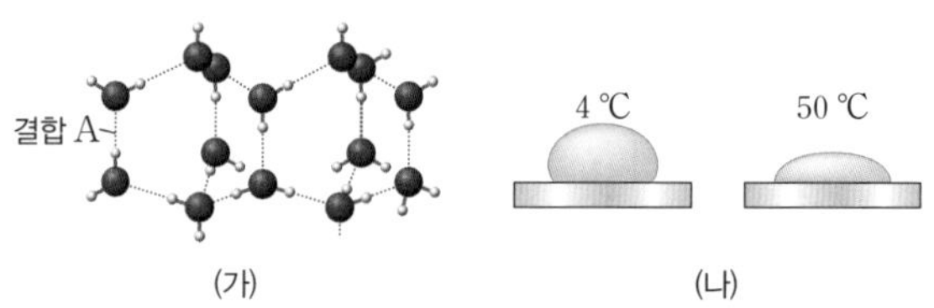

이에 대한 설명으로 옳은 것만을 〈보기〉에서 있는 대로 고른 것은?

보기
ㄱ. 얼음이 녹을 때 결합 A가 모두 끊어진다.
ㄴ. 1 g의 부피는 0 ℃ 얼음이 4 ℃ 물보다 크다.
ㄷ. 표면 장력은 4 ℃ 물이 50 ℃ 물보다 크다.

① ㄱ ② ㄷ ③ ㄱ, ㄴ
④ ㄴ, ㄷ ⑤ ㄱ, ㄴ, ㄷ

04 그림 (가)는 1기압에서 온도에 따른 물의 부피를 측정하는 장치를, (나)는 (가)의 장치에서 측정한 서로 다른 온도에서의 물 1 g의 부피를 나타낸 것이다. A~C는 각각 얼음, 물, 수증기 중 하나이다.

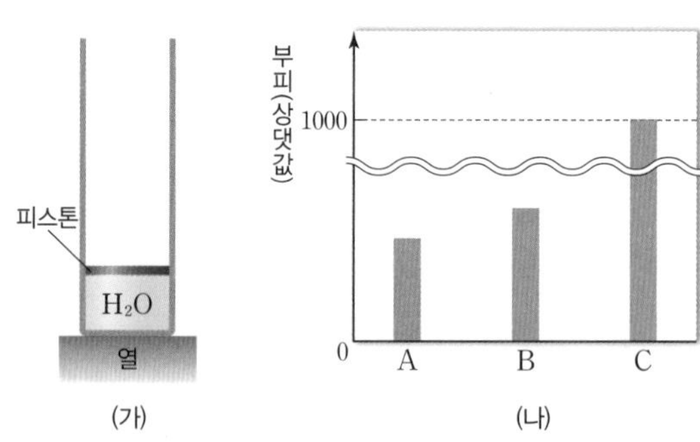

(나)에서 A~C에 대한 설명으로 옳은 것만을 〈보기〉에서 있는 대로 고른 것은?

보기
ㄱ. A는 얼음이다.
ㄴ. 밀도는 B가 가장 크다.
ㄷ. A → B 과정에서 분자당 수소 결합의 평균 수가 증가한다.

① ㄱ ② ㄷ ③ ㄱ, ㄴ
④ ㄴ, ㄷ ⑤ ㄱ, ㄴ, ㄷ

05 그림은 25 ℃에서 수은 기둥 위에 액체 물질 A, B, C를 각각 1 mL씩 넣었을 때 수은 기둥의 높이 변화를 나타낸 것이다.

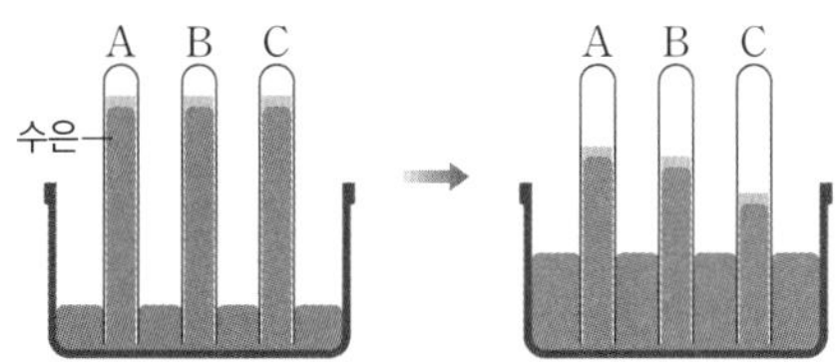

A～C에 대한 설명으로 옳은 것만을 〈보기〉에서 있는 대로 고른 것은?

> 보기
> ㄱ. 25 ℃에서 증기 압력은 A가 가장 크다.
> ㄴ. 분자 간 힘은 B가 C보다 크다.
> ㄷ. 기준 끓는점은 C가 가장 높다.

① ㄴ ② ㄷ ③ ㄱ, ㄴ
④ ㄱ, ㄷ ⑤ ㄱ, ㄴ, ㄷ

06 다음은 90 ℃, 1기압에서 물을 이용한 실험이다.

> [실험 과정 및 결과]
> (가) 감압 용기에 90 ℃ 물을 넣는다.
> (나) 뚜껑을 닫고 펌프로 용기 속 공기를 빼내면 물이 끓는다.
>
> 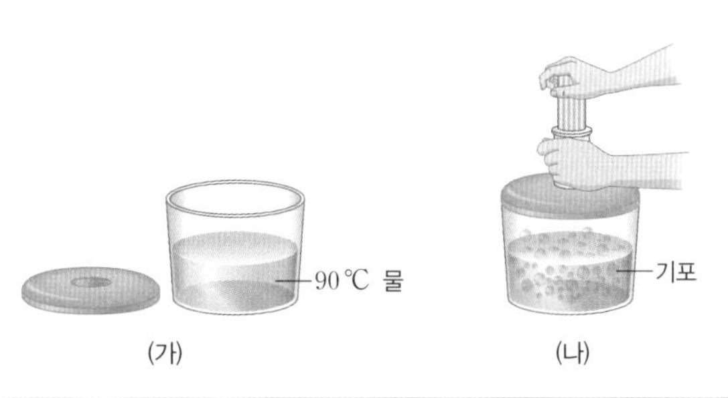
>

이에 대한 설명으로 옳은 것만을 〈보기〉에서 있는 대로 고른 것은?

> 보기
> ㄱ. (가)에서 물의 증기 압력은 1기압이다.
> ㄴ. (나)에서 물의 증기 압력은 1기압보다 크다.
> ㄷ. (나)에서 H_2O의 증발 속도와 응축 속도는 같다.

① ㄴ ② ㄷ ③ ㄱ, ㄴ
④ ㄱ, ㄷ ⑤ ㄱ, ㄴ, ㄷ

07 그림 (가)와 (나)는 2가지 상태에서 물 분자의 배열을 모형으로 나타낸 것이고, (다)는 온도에 따른 물의 밀도 변화를 나타낸 것이다. (가)와 (나)는 각각 얼음과 물 중 하나이다.

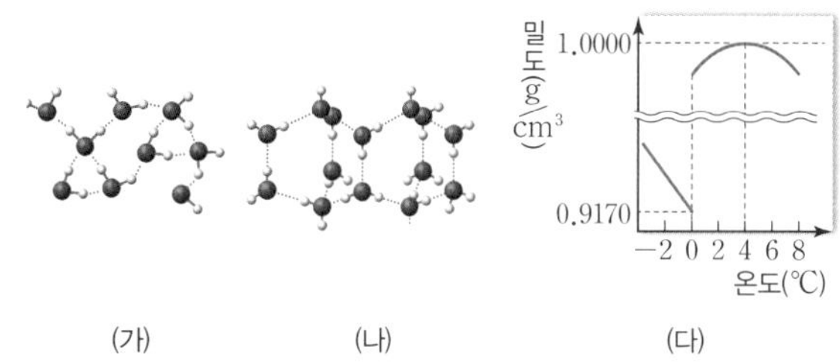

(1) (가)와 (나)에 해당하는 상태를 각각 쓰시오.

(2) (다)의 0 ℃에서의 밀도 변화를 (가)와 (나)의 물 분자 배열과 관련지어 서술하시오.

서술형

08 그림은 25 ℃, 1기압에서 수은이 들어 있는 유리관에 액체 A와 B를 각각 주입하고, 충분한 시간이 지난 후의 상태를 나타낸 것이다.

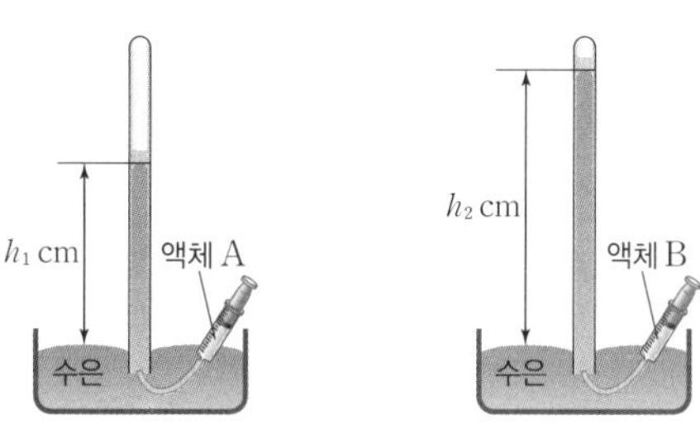

A와 B의 기준 끓는점을 비교하고, 판단 근거를 서술하시오.

03 고체

핵심 키워드로 흐름잡기

A 결정성 고체, 비결정성 고체

B 이온 결정, 분자 결정, 공유(원자) 결정, 금속 결정

A 고체의 분류

|출·제·단·서| 결정성 고체와 비결정성 고체의 특성을 구분하는 문제가 나와.

1. 고체의 분류 고체를 구성하는 입자 배열의 규칙성에 따라 •결정성 고체와 비결정 고체로 분류한다.❶

(1) 결정성 고체 입자의 배열이 규칙적이고 일정한 모양을 갖는 고체

예 석영, 다이아몬드, 염화 나트륨, 구리 등 결정성 고체를 '결정'이라고도 한다.

(2) 비결정성 고체 입자의 배열이 불규칙적이고 일정한 모양을 갖지 않는 고체

예 유리, 고무, 플라스틱 등

결정성 고체와 비결정성 고체의 모형

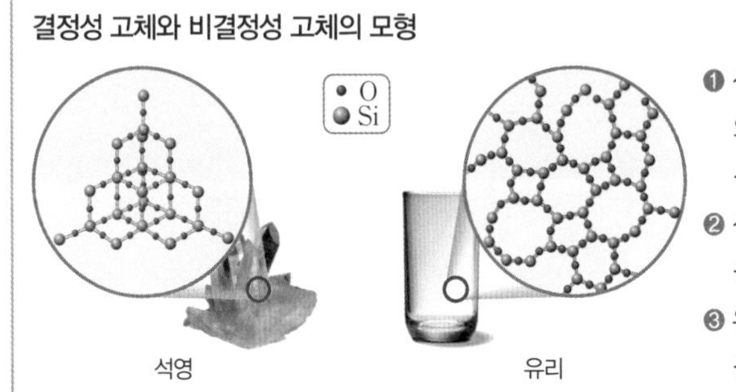

❶ 석영과 유리의 성분 원소는 모두 규소와 산소로 이루어진 물질이므로 화학식이 SiO_2로 같다.
❷ 석영은 결정성 고체로, 입자 간 인력이 균일하여 녹는점이 일정하다.
❸ 유리는 비결정성 고체로, 입자 간 인력이 균일하지 않아 녹는점이 일정하지 않다.

B 결정성 고체의 분류

|출·제·단·서| 결정성 고체의 종류에 따른 특성을 비교하는 문제가 나와.

1. 결정성 고체의 분류 결정성 고체는 구성 입자 간의 결합 방식에 따라 이온 결정, 분자 결정, 공유(원자) 결정, 금속 결정으로 분류한다.

(1) 이온 결정 양이온과 음이온이 이온 결합하여 규칙적으로 배열된 결정

예 염화 나트륨(NaCl), 염화 세슘(CsCl), 산화 마그네슘(MgO) 등

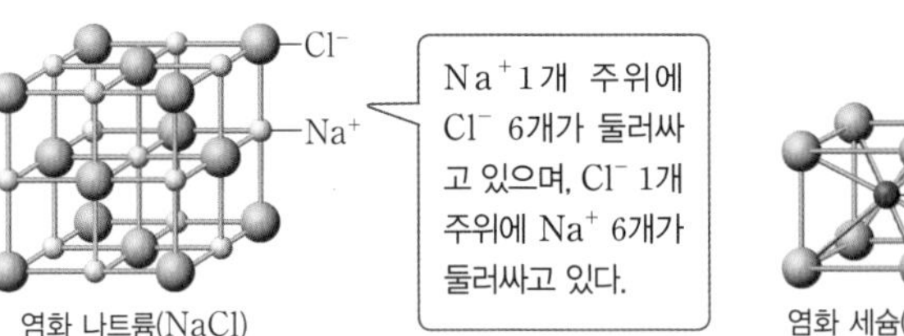

Cl^-
Na^+
Na^+ 1개 주위에 Cl^- 6개가 둘러싸고 있으며, Cl^- 1개 주위에 Na^+ 6개가 둘러싸고 있다.

염화 나트륨(NaCl)

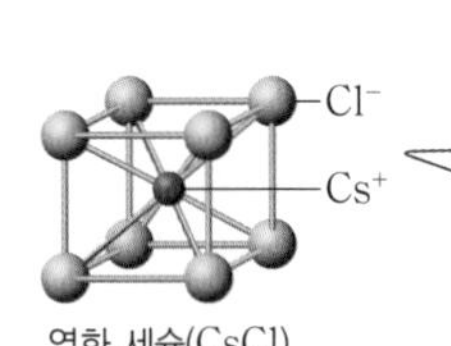

염화 세슘(CsCl)

① 녹는점이 높다. 이온 사이의 인력이 강하기 때문이다.

② 고체 상태에서는 전기 전도성이 없지만 액체 상태나 수용액에서는 전기 전도성이 있다.❷ 고체 상태에서는 이온들이 자유롭게 이동할 수 없지만 액체 상태나 수용액에서는 이온들이 자유롭게 이동할 수 있기 때문이다.

③ 단단하지만 외부에서 힘을 받으면 쉽게 부서진다.❸

(2) 분자 결정 분자들이 분자 간 힘에 의해 규칙적으로 배열된 결정

예 얼음(H_2O), 드라이아이스(CO_2), 아이오딘(I_2) 등

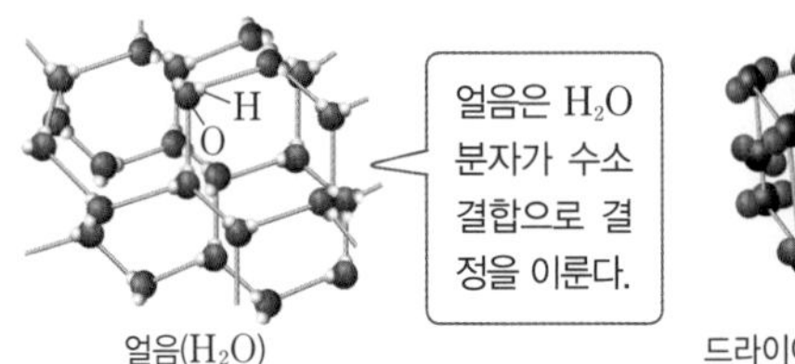

H
O
얼음은 H_2O 분자가 수소 결합으로 결정을 이룬다.
O
C

얼음(H_2O) 드라이아이스(CO_2)

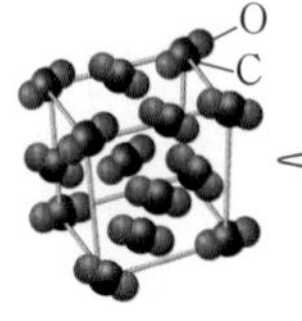

드라이아이스와 아이오딘은 각각 CO_2와 I_2 분자 사이의 분산력으로 결정을 이룬다.

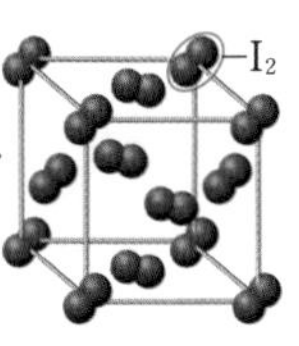

아이오딘(I_2)

---

❶ 결정성 고체와 비결정성 고체의 녹는점

결정성 고체는 각 구성 입자 간 결합력이 일정하여 녹는점이 일정하나 비결정성 고체는 각 구성 입자 간 결합력이 다르므로 녹는점이 일정하지 않다.

❷ 이온 결정의 온도에 따른 전기 전도성

이온 결정은 녹는점보다 낮은 온도에서는 전기 전도성이 없고, 녹는점보다 높은 온도에서는 전기 전도성이 있다.

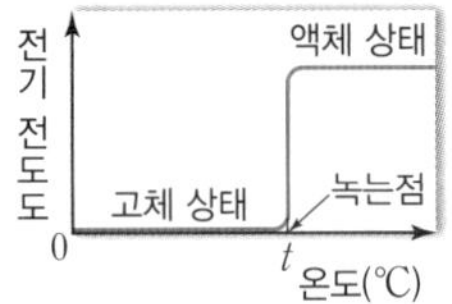

❸ 이온 결정의 쪼개짐

이온 결정에 힘을 가하면 힘을 받은 이온 층이 밀려 같은 전하를 띤 이온들이 인접하면서 반발력이 작용하므로 결정이 부서진다.

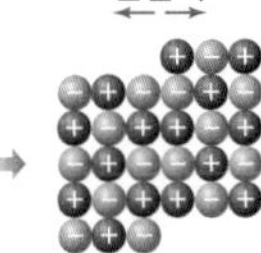

용어 알기

• 결정(뭉치다 結, 빛나다 晶) 원자, 분자, 이온 등이 규칙적인 배열을 한 고체 물질

① 녹는점이 낮고, 일부는 승화성이 있다. 결정을 이루는 힘이 분산력인 분자 결정은 대체로 가열하면 액체 상태를 거치지 않고 기체로 승화하는 성질이 있다.

② 전기 전도성이 없다. 구성 입자가 전기적으로 중성인 분자이기 때문이다.

(3) 공유(원자) 결정 원자들이 공유 결합을 하여 그물처럼 연결된 결정

예 다이아몬드(C), 흑연(C), 석영(SiO_2) 등

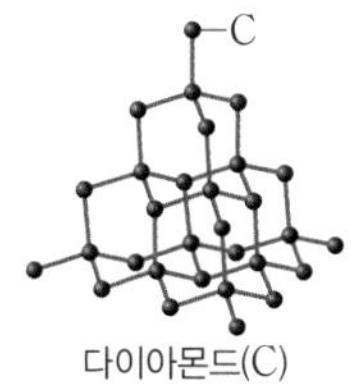

다이아몬드(C)

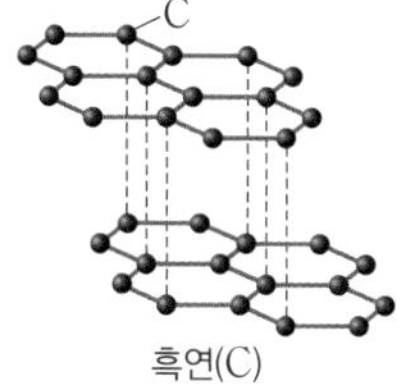

흑연(C)

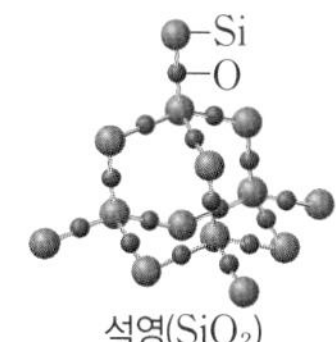

석영(SiO_2)

① 녹는점이 매우 높다. 원자들이 공유 결합으로 결정을 이루기 때문이다.

② 흑연을 제외한 대부분은 전기 전도성이 없다.❹ 전자들이 결합에 참여하고 있어 이동할 수 없기 때문이다.

(4) 금속 결정 금속 원자들이 금속 결합❺을 하여 규칙적으로 배열된 결정

예 칼륨(K), 구리(Cu), 알루미늄(Al) 등

칼륨(K)

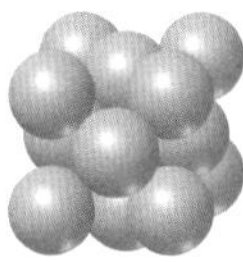
알루미늄(Al)

금속 양이온과 자유 전자 사이의 강한 정전기적 인력으로 형성된 결합으로 결정을 이룬다.

① 광택이 있다. 자유 전자가 금속 표면에서 빛을 반사하기 때문이다.

② 녹는점이 높다. 금속 양이온과 자유 전자 사이의 강한 정전기적 인력 때문이다.

③ 전기 전도성과 열전도성이 있다. 자유 전자가 자유롭게 이동할 수 있기 때문이다.

④ •전성(펴짐성)과 •연성(뽑힘성)이 있다. 외부에서 힘을 받아 금속 양이온이 밀려도 자유 전자가 빠르게 이동하여 금속 결합이 유지될 수 있기 때문이다.

빈출 자료 **결정성 고체의 특징 비교**

결정성 고체	구성 입자	구성 입자 사이의 힘	녹는점	예
이온 결정	양이온, 음이온	이온 결합	높음	염화 나트륨, 염화 칼륨
분자 결정	분자	쌍극자·쌍극자 힘, 분산력, 수소 결합	낮음	얼음, 드라이아이스
공유 결정	비금속 원자	공유 결합	매우 높음	다이아몬드, 흑연
금속 결정	금속 원자	금속 결합	높음	나트륨, 철, 금, 은

❶ 결정성 고체는 구성 입자와 구성 입자 사이의 힘에 따라 이온 결정, 분자 결정, 공유 결정, 금속 결정으로 분류한다.

❷ 녹는점은 대체로 공유(원자) 결정이 가장 높고, 분자 결정이 가장 낮다.

❸ 고체 상태에서 전기 전도성이 있는 것은 금속 결정이고, 액체 상태에서 전기 전도성이 있는 것은 금속 결정, 이온 결정이다.

2. 고체 결정의 구조 개념 POOL 고체를 이루는 입자들이 배열되는 방법에 따라 다양한 결정 구조가 형성된다.

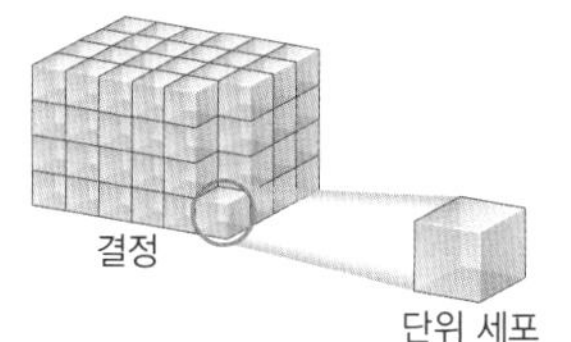

(1) 단위 세포(단위•격자) 결정 구조에서 가장 간단한 기본 단위

(2) 입방 구조 정육면체 모양의 단위 세포로 이루어진 구조

단순 입방 구조	체심 입방 구조	면심 입방 구조
정육면체의 각 꼭짓점에 입자가 1개씩 위치한 구조	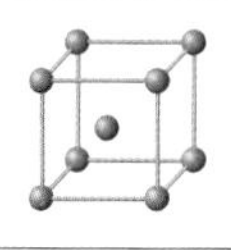 정육면체의 각 꼭짓점과 정육면체의 중심에 입자가 1개씩 위치한 구조	정육면체의 각 꼭짓점과 6개의 면에 입자가 1개씩 위치한 구조

➕ 분자 결정을 이루는 힘

분자 결정은 분자 간 힘에 의해 결정을 이루므로 분자의 종류에 따라 결정을 이루는 힘은 분산력, 쌍극자·쌍극자 힘, 수소 결합 등으로 서로 다르다.

❹ 흑연의 전기 전도성

흑연에서 탄소 원자의 원자가 전자 중 3개의 전자는 공유 결합을 하고, 나머지 1개의 전자가 탄소 평면 층에서 자유롭게 이동하므로 전기 전도성이 있다.

❺ 금속 결합

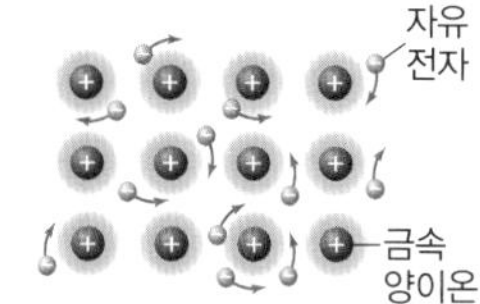

금속 결합에서 자유 전자는 규칙적으로 배열한 금속 양이온 주위를 자유롭게 이동한다. 금속이 갖는 대부분의 성질은 자유 전자에 의해 나타난다.

용어 알기

• 전성(**펴다 展, 성질 性**) 넓게 펴지는 성질

• 연성(**길다 延, 성질 性**) 실처럼 가늘게 늘어지는 성질

• 격자(**격식 格, 아들 子**) 바둑판처럼 가로세로를 일정한 간격으로 직각이 되게 짠 구조

고체의 결정 구조 알아보기

목표 고체 결정 구조의 3가지 단위 세포를 구분하고 들어 있는 입자 수를 설명할 수 있다.

단위 세포 속 입자 수

꼭짓점에 위치한 입자 1개는 8개의 단위 세포가 공유하므로 1개의 단위 세포당 입자 수는 $\frac{1}{8}$

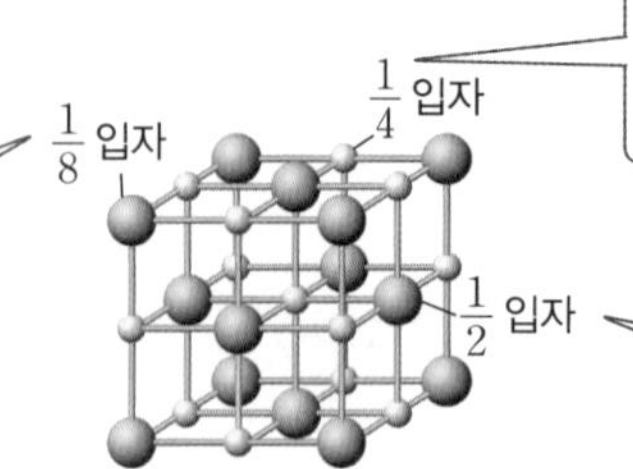

각 모서리에 위치한 입자 1개는 4개의 단위 세포가 공유하므로 1개의 단위 세포당 입자 수는 $\frac{1}{4}$

각 면에 위치한 입자 1개는 2개의 단위 세포가 공유하므로 1개의 단위 세포당 입자 수는 $\frac{1}{2}$

단순 입방 구조

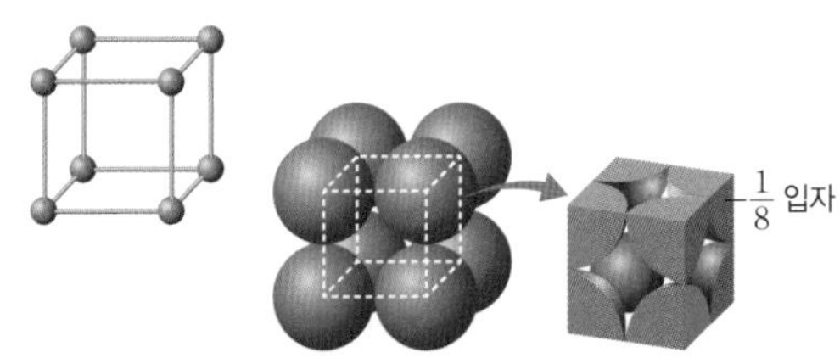

정육면체의 각 꼭짓점에 입자가 1개씩 위치한 구조

- 단위 세포당 입자 수: 8개의 꼭짓점에 $\frac{1}{8}$입자가 위치하므로 $\frac{1}{8}\times8=1$
- 1개의 입자와 가장 인접한 입자 수: 6개(같은 층에 4개, 위, 아래 층에 1개씩)

체심 입방 구조

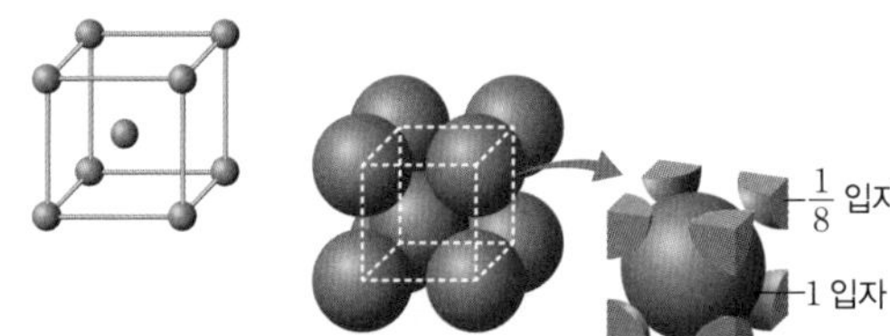

정육면체의 각 꼭짓점과 정육면체의 중심에 입자가 1개씩 위치한 구조

- 단위 세포당 입자 수: 8개의 꼭짓점에 $\frac{1}{8}$입자가 위치하고, 중심에 1입자가 위치하므로 $\frac{1}{8}\times8+1=2$
- 1개의 입자와 가장 인접한 입자 수: 8개

면심 입방 구조

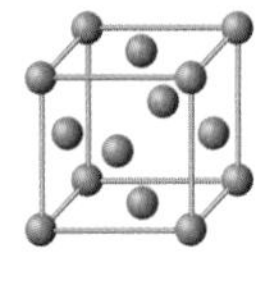

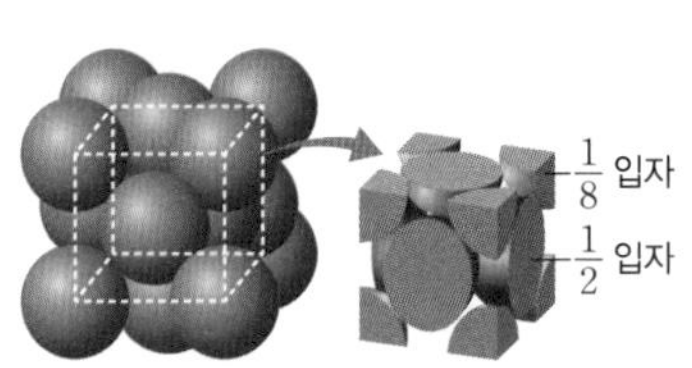

정육면체의 각 꼭짓점과 6개의 면에 입자가 1개씩 위치한 구조

- 단위 세포당 입자 수: 8개의 꼭짓점에 $\frac{1}{8}$입자가 위치하고, 6개의 면에 $\frac{1}{2}$입자가 위치하므로 $\frac{1}{8}\times8+\frac{1}{2}\times6=4$
- 1개의 입자와 가장 인접한 입자 수: 12개

한·줄·핵심 각 단위 세포에 들어 있는 입자 수는 단순 입방 구조에서 1, 체심 입방 구조에서 2, 면심 입방 구조에서 4이다.

확인 문제

정답과 해설 022쪽

01 그림은 금속 A, B의 단위 세포를 모형으로 나타낸 것이다. 이에 설명으로 옳은 것은 ○, 옳지 않은 것은 ×로 표시하시오.

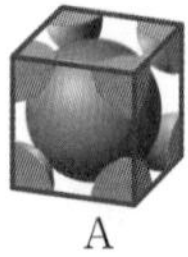
A

B

(1) A의 결정 구조는 단순 입방 구조이다. (　　)

(2) B의 결정 구조는 면심 입방 구조이다. (　　)

(3) 단위 세포에 포함된 원자 수는 (나)에서가 (가)에서의 2배이다. (　　)

콕콕! 개념 확인하기

정답과 해설 022쪽

✓ 잠깐 확인!

1. □□□ 고체
구성 입자들이 규칙적으로 배열되어 있는 고체

2. □□ 결정
양이온과 음이온으로 이루어진 결정으로, 녹는점이 □다.

3. □□ 결정
분자로 이루어진 결정으로, 대체로 녹는점이 □다.

4. □□ 결정
원자로 이루어진 결정으로, 녹는점이 매우 □다.

5. □□ 결정
금속 원자로 이루어진 결정으로, 전기 전도성이 □다.

6. □□ □□ 구조
정육면체의 각 꼭짓점에 입자가 1개씩 위치한 구조로, 단위 세포에 들어 있는 입자 수는 □이다.

7. □□ □□ 구조
정육면체의 각 꼭짓점과 중심에 입자가 1개씩 위치한 구조로, 단위 세포에 들어 있는 입자 수는 □이다.

8. □□ □□ 구조
정육면체의 각 꼭짓점과 6개의 면에 입자가 1개씩 위치한 구조로, 단위 세포에 들어 있는 입자 수는 □이다.

A 고체의 분류

01 결정성 고체와 비결정성 고체에 대한 설명으로 옳은 것은 ○, 옳지 않은 것은 ×로 표시하시오.

(1) 결정성 고체에서는 구성 입자의 배열이 규칙적이다. ( )

(2) 비결정성 고체에서는 구성 입자의 배열이 불규칙하다. ( )

(3) 결정성 고체의 녹는점은 일정하지 않고, 비결정성 고체의 녹는점은 일정하다. ( )

02 그림은 2가지 고체의 구성 입자를 모형으로 나타낸 것이다. 이에 대한 설명으로 옳은 것은 ○, 옳지 않은 것은 ×로 표시하시오.

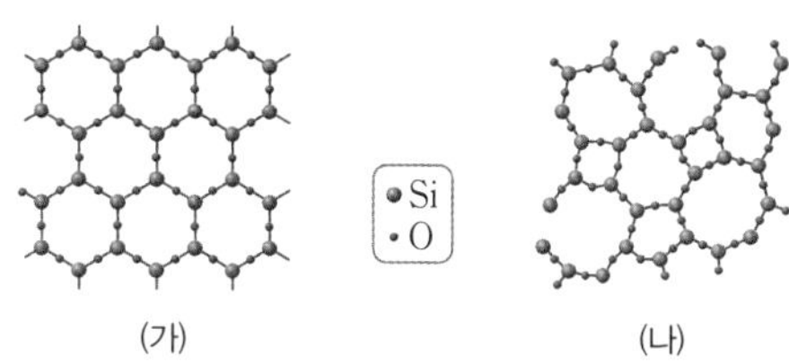

(가) (나)

(1) 화학식은 SiO_2로 같다. ( )

(2) (가)는 결정성 고체이고, (나)는 비결정성 고체이다. ( )

(3) (가)에서 입자 간 거리는 일정 범위에서 같다. ( )

(4) (가)와 (나)의 녹는점은 같다. ( )

B 결정성 고체의 분류

03 그림은 3가지 고체의 결정 구조를 모형으로 나타낸 것이다. 각 설명에 해당하는 고체의 기호를 쓰시오.

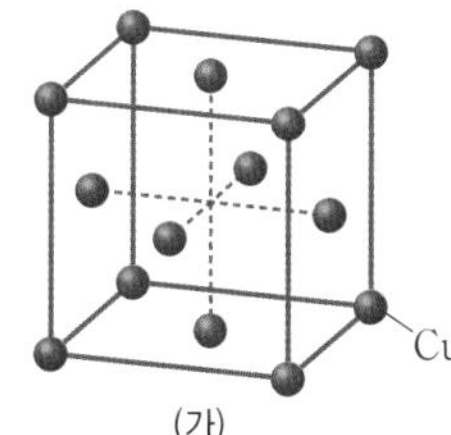

(가)

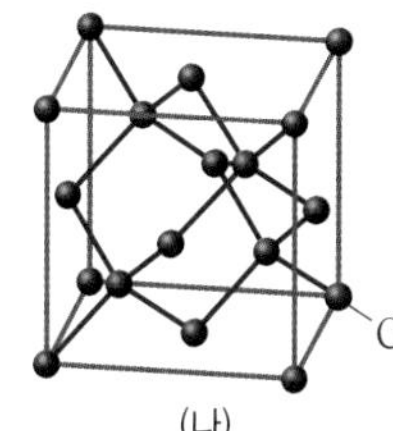

(나)

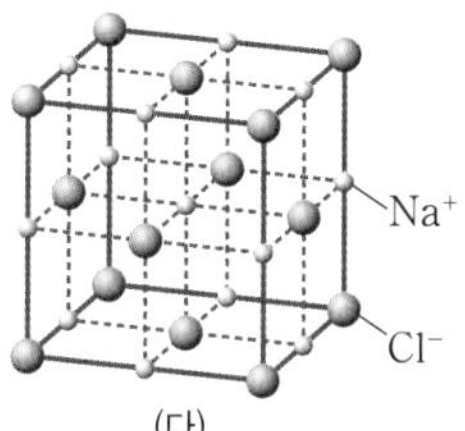

(다)

(1) 외부에서 힘을 가하면 쉽게 부서진다. ( )

(2) 고체 상태에서 전기 전도성이 있다. ( )

(3) 녹는점이 가장 높다. ( )

04 그림은 금속 X의 결정 구조를 모형으로 나타낸 것이다.

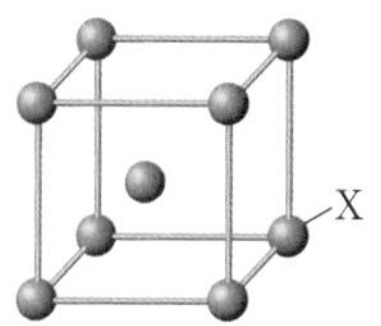

(1) X의 결정 구조를 쓰시오.

(2) 단위 세포에 들어 있는 원자 수를 쓰시오.

탄탄! 내신 다지기

A 고체의 분류 **B** 결정성 고체의 분류

01 그림은 고체 상태의 석영 유리, 다이아몬드, 얼음의 구조를 모형으로 나타낸 것이다.

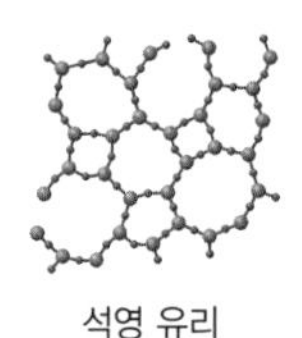
석영 유리

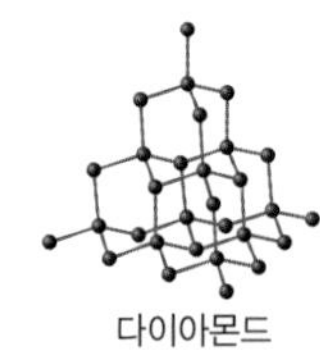
다이아몬드

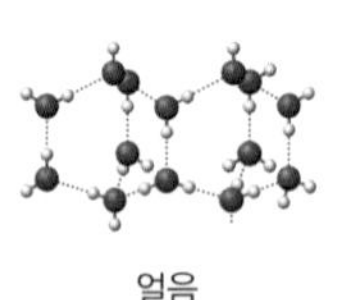
얼음

이에 대한 설명으로 옳은 것은?

① 석영 유리는 결정성 고체이다.
② 석영 유리는 공유 결정이다.
③ 다이아몬드는 분자 결정이다.
④ 얼음은 공유 결정이다.
⑤ 녹는점은 다이아몬드가 얼음보다 높다.

02 그림은 5가지 고체를 주어진 기준에 따라 분류한 것이다.

이온 결정, 분자 결정, 금속 결정, 공유 결정, 비결정성 고체

고체의 전기 전도도 — 크다. → A / 작다. ↓
녹는점 — 대체로 낮다. → B / 일정하지 않다. → C / 대체로 높다. ↓
액체의 전기 전도도 — 있다. → D / 없다. → E

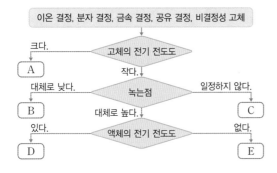

이에 대한 설명으로 옳지 않은 것은?

① A에는 자유 전자가 있다.
② C는 입자 사이의 거리가 일정하다.
③ D는 양이온과 음이온으로 구성된다.
④ 외부에서 힘을 가하면 D는 A보다 부서지기 쉽다.
⑤ B와 E의 화학 결합의 종류는 같다.

03 그림은 3가지 결정 구조의 단위 세포를 모형으로 나타낸 것이다.

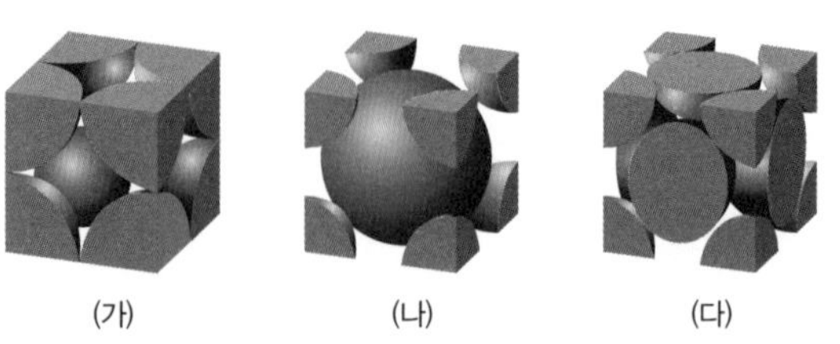
(가) (나) (다)

(가)~(다)에 대한 설명으로 옳은 것만을 〈보기〉에서 있는 대로 고른 것은?

> 보기
> ㄱ. (가)는 단순 입방 구조이다.
> ㄴ. (나)에서 단위 세포에 포함된 입자 수는 2이다.
> ㄷ. 단위 세포에 포함된 입자 수는 (다)가 (가)의 4배이다.

① ㄱ ② ㄴ ③ ㄱ, ㄷ
④ ㄴ, ㄷ ⑤ ㄱ, ㄴ, ㄷ

04 그림 (가)는 염화 나트륨(NaCl)의 결정 구조를, (나)는 다이아몬드(C)의 결정 구조를 모형으로 나타낸 것이다.

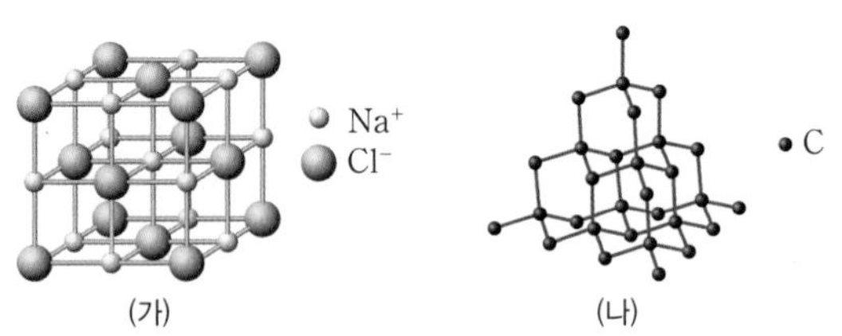

(가) (나)

이에 대한 설명으로 옳은 것만을 〈보기〉에서 있는 대로 고른 것은?

> 보기
> ㄱ. (가)는 이온 결정이다.
> ㄴ. (나)는 공유(원자) 결정이다.
> ㄷ. 힘을 가하면 (가)와 (나)는 모두 잘 부서지지 않는다.

① ㄱ ② ㄷ ③ ㄱ, ㄴ
④ ㄴ, ㄷ ⑤ ㄱ, ㄴ, ㄷ

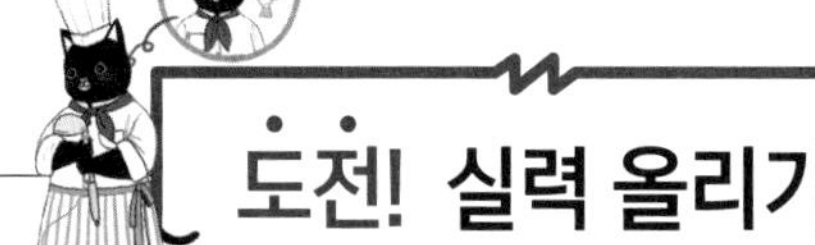

도전! 실력 올리기

정답과 해설 023쪽

출제예감

01 그림은 고체 A~C를 분류하는 과정을 나타낸 것이다. A~C는 각각 염화 나트륨($NaCl$), 아이오딘(I_2), 나트륨(Na) 중 하나이다.

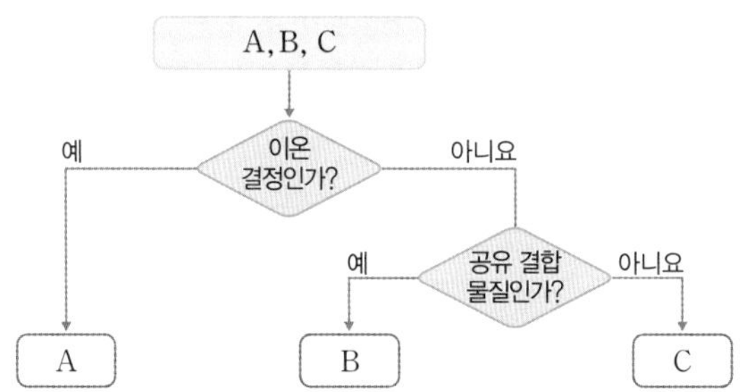

이에 대한 설명으로 옳은 것만을 〈보기〉에서 있는 대로 고른 것은?

보기
ㄱ. 녹는점은 A가 B보다 높다.
ㄴ. 연성이 있는 것은 C이다.
ㄷ. 전기 전도도는 C가 A보다 크다.

① ㄱ　② ㄷ　③ ㄱ, ㄴ　④ ㄴ, ㄷ　⑤ ㄱ, ㄴ, ㄷ

02 표는 금속 원자 A, B에 대한 자료이다. A와 B의 단위 세포는 한변의 길이가 각각 x, y인 정육면체이다.

원자	A	B
단위 세포의 질량(상댓값)	1	8
단위 세포	x	y

이에 대한 설명으로 옳은 것만을 〈보기〉에서 있는 대로 고른 것은?

보기
ㄱ. B의 단위 세포에서 한 원자에 가장 인접한 원자 수는 12이다.
ㄴ. 단위 세포에 포함된 원자 수는 B가 A의 2배이다.
ㄷ. 원자량은 B가 A의 4배이다.

① ㄱ　② ㄴ　③ ㄱ, ㄷ　④ ㄴ, ㄷ　⑤ ㄱ, ㄴ, ㄷ

출제예감

03 그림은 2가지 화합물 (가)와 (나)의 결정 구조를 모형으로 나타낸 것이다. (가)와 (나)의 단위 세포는 한 변의 길이가 각각 x와 y인 정육면체이다.

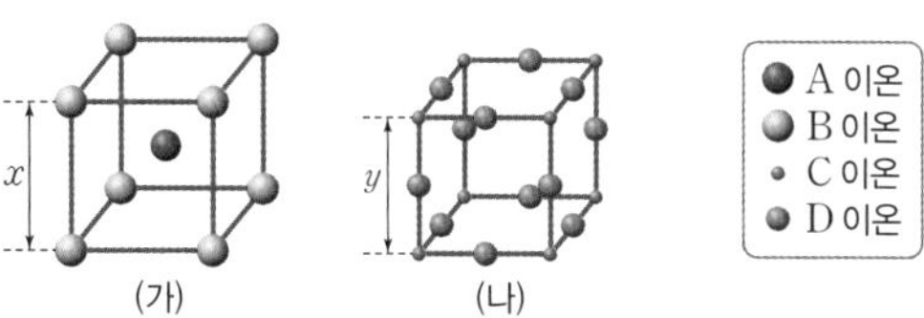

이에 대한 설명으로 옳은 것만을 〈보기〉에서 있는 대로 고른 것은? (단, A~D는 임의의 원소 기호이고, A 이온과 C 이온은 양이온이다.)

보기
ㄱ. (가)의 단위 세포에 포함된 이온 수는 2이다.
ㄴ. (가)에서 양이온의 전하의 절댓값은 음이온의 전하의 절댓값과 같다.
ㄷ. (나)의 화학식은 CD_2이다.

① ㄱ　② ㄷ　③ ㄱ, ㄴ　④ ㄴ, ㄷ　⑤ ㄱ, ㄴ, ㄷ

서답형 문제

서술형

04 그림 (가)와 (나)는 2가지 고체의 결합 모형을 나타낸 것이고, (다)는 (가)와 (나)를 각각 가열할 때 온도에 따른 밀도를 나타낸 것이다. (다)에서 A, B는 각각 (가)와 (나) 중 하나이다.

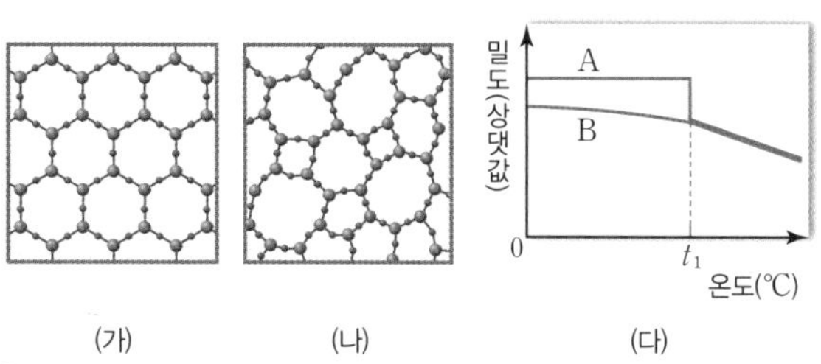

(다)에서 A와 B에 해당하는 것을 쓰고, 그 판단 근거를 서술하시오.

고체의 결정 구조

출제 의도

고체의 결정 구조 중 3개의 입방 구조의 특성을 이해하고 있는지 알아보는 문제이다.

이것이 함정

체심 입방 구조와 단순 입방 구조에서 원자의 위치를 파악하고, 입자의 배열에 따른 정육면체의 면에 나타나는 원자의 모양을 파악해야 한다.

단위 세포면을 보고 결정 구조를 판단할 수도 있고, 한 원자에 가장 인접한 원자 수 자료로도 결정 구조로 판단할 수 있어.

대표 유형

그림은 금속 X와 Y의 단위 세포 모형과 단위 세포의 면을 나타낸 것이고, 표는 X와 Y에 대한 자료의 일부이다. X와 Y의 결정 구조는 각각 단순 입방 구조와 체심 입방 구조 중 하나이다.

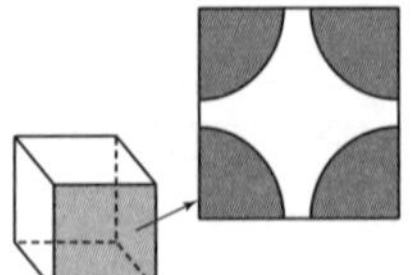

(X)

X는 중심에 원자 1개가 위치하므로 정육면체의 한면에서 입자들이 접촉해 있지 않다.
→ 체심 입방 구조

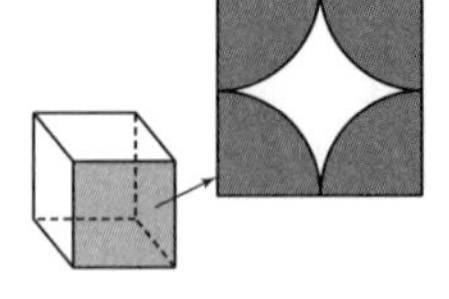

(Y)

Y는 중심에 원자가 위치하지 않으므로 정육면체의 한면에서 입자들이 접촉해 있다.
→ 단순 입방 구조

금속	X	Y
단위 세포에 포함된 원자 수	a	
한 원자에 가장 인접한 원자 수	8	b

한 원자에 가장 인접한 원자 수가 8인 구조는 체심 입방 구조이다.
→ X는 체심 입방 구조이다.

이에 대한 설명으로 옳은 것만을 <보기>에서 있는 대로 고른 것은? (단, 단위 세포 모형에 원자는 나타내지 않았다.)

보기

ㄱ. X의 결정 구조는 체심 입방 구조이다.
→ 정육면체의 면에서 원자들이 인접한 Y는 단순 입방 구조이고, 떨어져 있는 X는 체심 입방 구조이다.

ㄴ. $a=2$이다.
→ X는 체심 입방 구조로, 정육면체의 꼭짓점과 중심에 원자가 위치하므로 단위 세포에 포함된 원자 수는 $\frac{1}{8}\times8+1=2$이다.

ㄷ. $b=12$이다.
→ Y는 단순 입방 구조로 정육면체의 꼭짓점에 원자가 위치한다. 각 꼭짓점의 한 원자에 가장 인접한 원자 수는 같은 평면에 존재하는 원자 4개, 위층과 아래층에 각각 1개이므로 총 6개이다.

① ㄱ ② ㄴ ③ ㄷ ④ ㄱ, ㄴ ⑤ ㄴ, ㄷ

자료에서 단서 찾기

단위 세포면의 원자 배열 모형을 보고 결정 구조를 찾는다. >>> 결정 구조에서 원자의 위치를 파악한다. >>> 결정 구조의 단위 세포에 포함된 원자 수를 구한다. >>> 결정 구조에서 한 원자에 가장 인접한 원자 수를 구한다.

추가 선택지

• Y의 결정 구조는 단순 입방 구조이다. (○)
⋯› Y에서 정육면체의 한 면에 위치한 입자들이 인접해 있으므로 정육면체의 각 꼭짓점에만 원자가 위치하는 단순 입방 구조이다.

• Y에서 단위 세포에 포함된 원자 수는 $2a$이다. (×)
⋯› 단위 세포에 포함된 원자 수는 X가 Y의 2배이므로 Y에서 단위 세포에 포함된 원자 수는 $\frac{1}{2}a$이다.

실전! 수능 도전하기

정답과 해설 024쪽

01 그림은 수소 화합물(XH_n) (가)~(다)의 분자량에 따른 기준 끓는점을 나타낸 것이다. (가)~(다)의 X는 각각 P, S, Cl 중 하나이다.

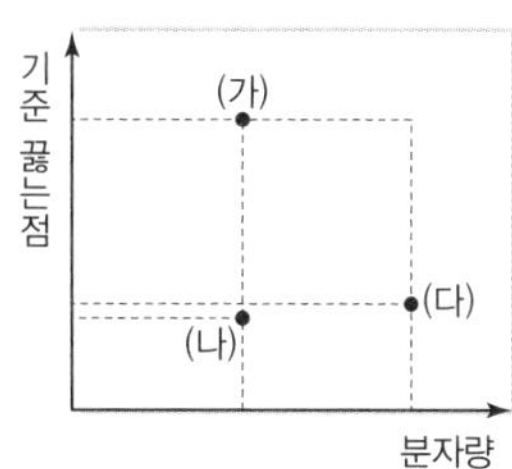

(가)~(다)에 대한 설명으로 옳은 것만을 〈보기〉에서 있는 대로 고른 것은? (단, P, S, Cl의 원자량은 각각 31, 32, 35.5이다.)

보기
ㄱ. 분자 사이의 힘은 (다)가 가장 크다.
ㄴ. HF의 기준 끓는점은 (다)보다 높다.
ㄷ. 쌍극자·쌍극자 힘은 (가)가 (나)보다 크다.

① ㄱ ② ㄴ ③ ㄱ, ㄷ
④ ㄴ, ㄷ ⑤ ㄱ, ㄴ, ㄷ

수능 기출

02 표는 4가지 물질의 기준 끓는점을 나타낸 것이다. X와 Y는 각각 F과 Cl 중 하나이다.

물질	HX	HY	X_2	Y_2
기준 끓는점(℃)	20	−85	a	−34

이에 대한 설명으로 옳은 것만을 〈보기〉에서 있는 대로 고른 것은? (단, 원자량은 Cl>F이다.)

보기
ㄱ. X는 F이다.
ㄴ. $a < -34$이다.
ㄷ. 액체 상태에서 HX 분자 사이에 분산력이 존재한다.

① ㄱ ② ㄷ ③ ㄱ, ㄴ
④ ㄴ, ㄷ ⑤ ㄱ, ㄴ, ㄷ

03 표는 4가지 물질 (가)~(라)에 대한 자료이다.

물질	(가)	(나)	(다)	(라)
구조식	H−Cl	F−F	CH_3−CH_2−NH (H−C(H)(H)−C(H)(H)−N(H)−H)	Br−Br
분자량	36.5	38	45	160
기준 끓는점(℃)	t	−188.1	16.6	58.8

이에 대한 설명으로 옳은 것만을 〈보기〉에서 있는 대로 고른 것은?

보기
ㄱ. $t < 16.6$이다.
ㄴ. 액체 분자 사이의 분산력은 (가)가 (라)보다 크다.
ㄷ. 액체 분자 사이의 인력은 (다)가 (나)보다 크다.

① ㄱ ② ㄴ ③ ㄱ, ㄷ
④ ㄴ, ㄷ ⑤ ㄱ, ㄴ, ㄷ

04 다음은 5가지 수소 화합물(XH_n) (가)~(마)에 대한 자료이다. (가)~(마)에서 X는 각각 C, N, O, Si, P 중 하나이고, 옥텟 규칙을 만족한다.

- (가)~(마)에서 n은 (나)가 가장 작다.
- 분자당 원자 수는 (가)가 (라)보다 크다.
- (나), (다), (라)의 중심 원자는 같은 주기 원소이다.

(가)~(마)에 대한 설명으로 옳은 것만을 〈보기〉에서 있는 대로 고른 것은?

보기
ㄱ. 액체 상태에서 (나)는 수소 결합을 한다.
ㄴ. 분산력은 (가)가 (다)보다 크다.
ㄷ. 기준 끓는점은 (라)가 (마)보다 높다.

① ㄱ ② ㄷ ③ ㄱ, ㄴ
④ ㄴ, ㄷ ⑤ ㄱ, ㄴ, ㄷ

05 표는 3가지 물질 (가)~(다)에 대한 자료이다.

물질	(가)	(나)	(다)
구조식	$CH_3-CH_2-CH_3$ (H–C–C–C–H)	CH_3-O-CH_3 (H–C–O–C–H)	CH_3-CH_2-OH (H–C–C–O–H)
분자량	44	46	46
끓는점 (℃)	−42	x	78

(가)~(다)에 대한 설명으로 옳은 것만을 〈보기〉에서 있는 대로 고른 것은?

보기
ㄱ. $x > -42$이다.
ㄴ. 분산력이 작용하는 것은 1가지이다.
ㄷ. 액체 상태에서 (다)는 수소 결합이 존재한다.

① ㄱ ② ㄴ ③ ㄱ, ㄷ ④ ㄴ, ㄷ ⑤ ㄱ, ㄴ, ㄷ

06 그림 (가)는 t_1 ℃에서 진공인 용기에 액체 A와 B를 넣고 평형에 도달한 상태를, (나)는 액체 A와 B의 증기 압력 곡선을 순서 없이 나타낸 것이다.

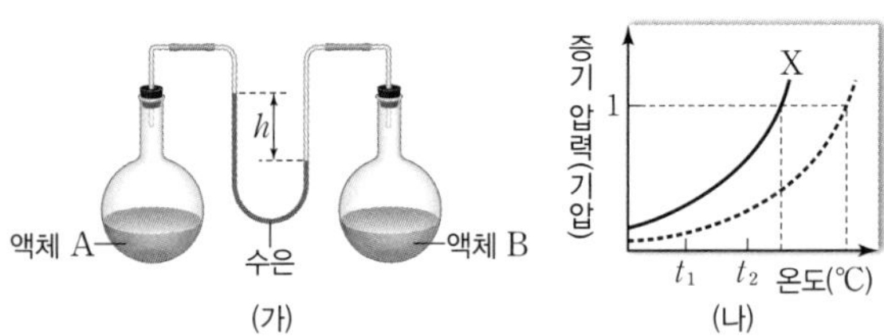

(가) (나)

이에 대한 설명으로 옳은 것만을 〈보기〉에서 있는 대로 고른 것은?

보기
ㄱ. X는 A의 증기 압력 곡선이다.
ㄴ. B의 기준 끓는점은 t_2 ℃이다.
ㄷ. (가)에서 t_1 ℃ 대신 t_2 ℃에서 실험하면 h가 증가한다.

① ㄱ ② ㄷ ③ ㄱ, ㄴ ④ ㄴ, ㄷ ⑤ ㄱ, ㄴ, ㄷ

수능 기출

07 그림 (가)는 1기압에서 온도에 따른 H_2O의 밀도를, (나)는 H_2O 분자와 관련된 결합 모형을 나타낸 것이다.

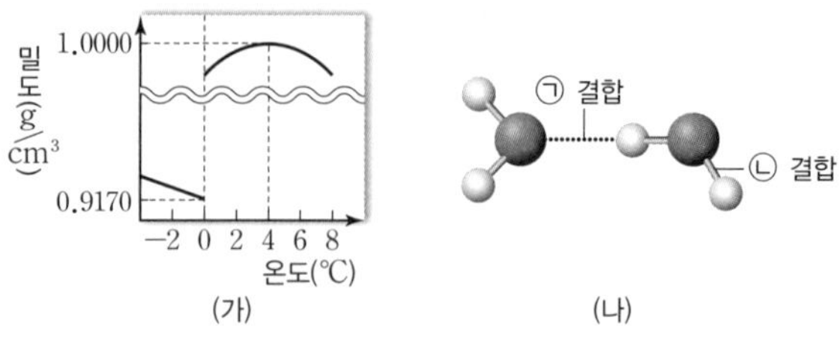

(가) (나)

이에 대한 설명으로 옳은 것만을 〈보기〉에서 있는 대로 고른 것은?

보기
ㄱ. 0 ℃에서 $H_2O(s)$의 밀도가 $H_2O(l)$의 밀도보다 작은 것은 ㉠ 결합과 관련있다.
ㄴ. 0 ℃에서 ㉡ 결합 수는 $H_2O(l)$ 1 g에서가 $H_2O(s)$ 1 g에서보다 크다.
ㄷ. $H_2O(l)$ 1 g의 부피는 0 ℃에서가 4 ℃에서보다 크다.

① ㄱ ② ㄴ ③ ㄱ, ㄷ ④ ㄴ, ㄷ ⑤ ㄱ, ㄴ, ㄷ

08 그림 (가)는 물(H_2O) 분자와 관련된 결합 모형을, (나)는 얼음이 물 위에 떠 있는 모습을, (다)는 물이 끓는 모습을 나타낸 것이다.

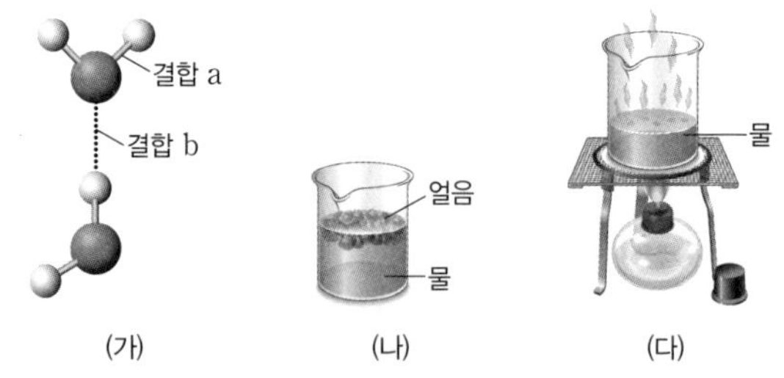

(가) (나) (다)

이에 대한 설명으로 옳은 것만을 〈보기〉에서 있는 대로 고른 것은?

보기
ㄱ. (나)에서 얼음이 물 위에 떠 있는 것은 (가)의 결합 a와 관련있다.
ㄴ. (다)에서 물이 끓어 수증기로 될 때 결합 b가 끊어진다.
ㄷ. 0 ℃, 1기압에서 단위 부피 당 H_2O 분자 수는 고체에서가 액체에서보다 크다.

① ㄱ ② ㄴ ③ ㄱ, ㄷ ④ ㄴ, ㄷ ⑤ ㄱ, ㄴ, ㄷ

정답과 해설 024쪽

09 그림 (가)는 화합물 X와 Y가 각각 30 ℃와 50 ℃에서 평형에 도달한 상태를, (나)는 X와 Y의 증기 압력 곡선을 순서 없이 나타낸 것이다. 대기압은 760 mmHg이다.

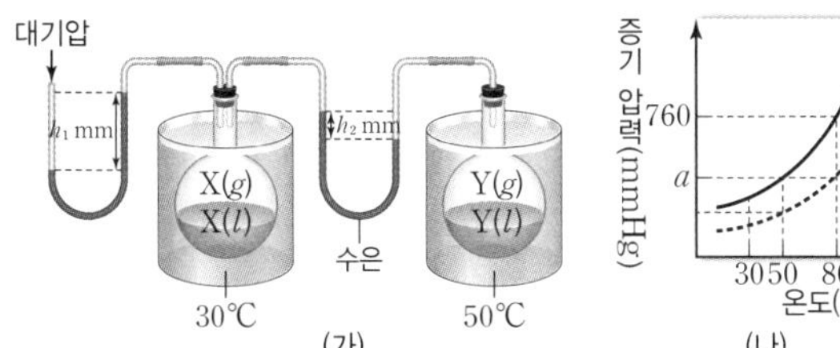

이에 대한 설명으로 옳은 것만을 〈보기〉에서 있는 대로 고른 것은? (단, 모든 과정에서 용기에 X(l)와 Y(l)가 남아 있다.)

보기
ㄱ. 30 ℃에서 X의 증기 압력은 h_1 mmHg이다.
ㄴ. (나)에서 $a=760-h_1+h_2$이다.
ㄷ. Y의 기준 끓는점은 80 ℃이다.

① ㄱ ② ㄴ ③ ㄱ, ㄷ
④ ㄴ, ㄷ ⑤ ㄱ, ㄴ, ㄷ

10 그림은 3가지 물질 A~C의 온도에 따른 액체의 증기 압력을 나타낸 것이다.

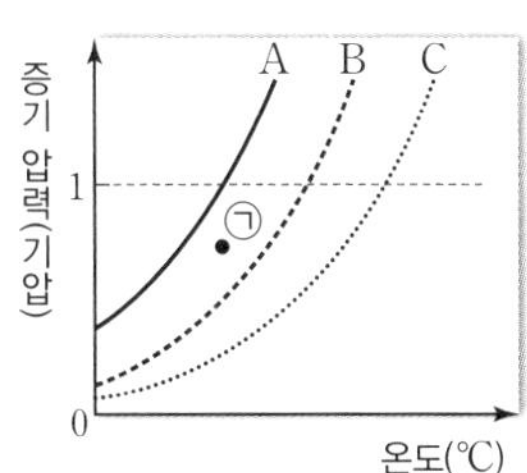

이에 대한 설명으로 옳은 것만을 〈보기〉에서 있는 대로 고른 것은?

보기
ㄱ. 분자 간 힘은 A가 가장 크다.
ㄴ. 기준 끓는점은 C가 가장 높다.
ㄷ. ㉠의 온도와 압력에서 액체 상태로 존재하는 것은 2가지이다.

① ㄱ ② ㄴ ③ ㄱ, ㄷ
④ ㄴ, ㄷ ⑤ ㄱ, ㄴ, ㄷ

수능 기출

11 표는 3가지 물질에 대한 자료이고, 그림은 3가지 물질의 온도에 따른 증기 압력을 나타낸 것이다. A와 B는 각각 NH_3, N_2 중 하나이다.

물질	NH_3	N_2	NO
분자량	17	28	30
분자 극성	극성	무극성	극성

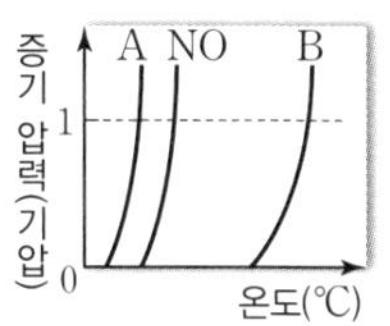

이에 대한 설명으로 옳은 것만을 〈보기〉에서 있는 대로 고른 것은?

보기
ㄱ. A는 N_2이다.
ㄴ. 액체 상태에서 NO 분자 사이에 쌍극자·쌍극자 힘이 존재한다.
ㄷ. 액체 상태에서 B 분자 사이에 분산력이 존재한다.

① ㄱ ② ㄴ ③ ㄱ, ㄷ
④ ㄴ, ㄷ ⑤ ㄱ, ㄴ, ㄷ

12 그림은 3가지 결정성 고체를 분류하는 과정을 나타낸 것이다.

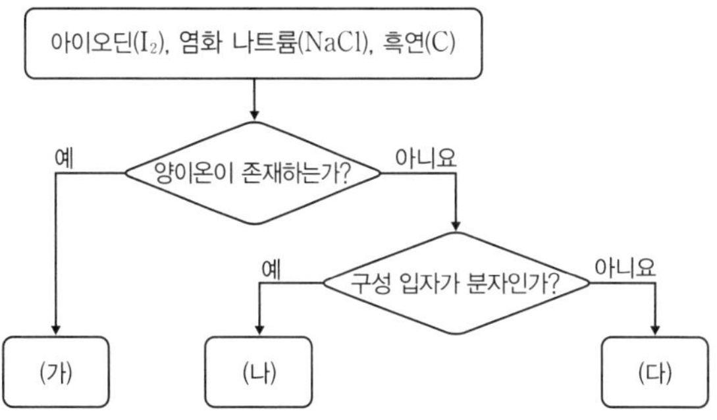

이에 대한 설명으로 옳은 것만을 〈보기〉에서 있는 대로 고른 것은?

보기
ㄱ. (가)는 힘을 받으면 부서지기 쉽다.
ㄴ. (다)의 구성 입자는 원자이다.
ㄷ. 녹는점은 (다)가 (나)보다 높다.

① ㄱ ② ㄴ ③ ㄱ, ㄷ
④ ㄴ, ㄷ ⑤ ㄱ, ㄴ, ㄷ

정답과 해설 024쪽

13 그림은 결정성 고체 A~C를 분류하는 과정을 나타낸 것이다.

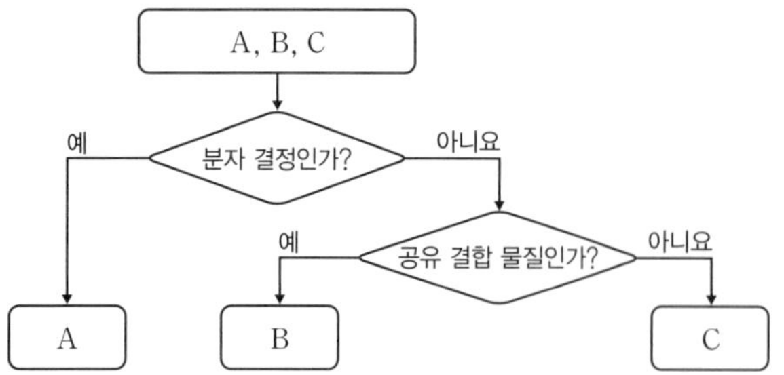

이에 대한 설명으로 옳은 것만을 <보기>에서 있는 대로 고른 것은?

보기
ㄱ. A는 공유 결합 물질이다.
ㄴ. 녹는점은 B가 A보다 높다.
ㄷ. '구리'는 C로 적절하다.

① ㄱ　② ㄴ　③ ㄱ, ㄷ　④ ㄴ, ㄷ　⑤ ㄱ, ㄴ, ㄷ

14 그림 (가), (나)는 각각 금속 X, Y의 단위 세포를, (다)는 (가), (나) 중 하나의 ABCD면을 따라 자른 단면을 나타낸 것이다. X, Y의 결정 구조는 각각 체심 입방 구조, 면심 입방 구조 중 하나이다.

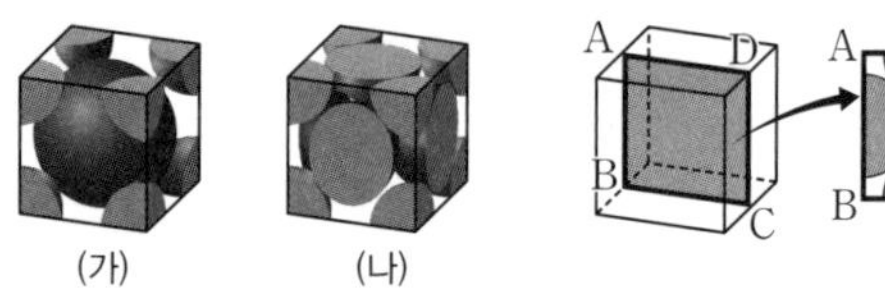

(가)　(나)　(다)

이에 대한 설명으로 옳은 것만을 <보기>에서 있는 대로 고른 것은? (단, X, Y는 임의의 원소 기호이다.)

보기
ㄱ. (다)는 (가)의 단면이다.
ㄴ. 단위 세포에 포함된 원자 수는 (나)가 (가)의 2배이다.
ㄷ. 한 원자에 가장 인접한 원자 수는 (나)에서가 (가)에서의 2배이다.

① ㄱ　② ㄴ　③ ㄱ, ㄷ　④ ㄴ, ㄷ　⑤ ㄱ, ㄴ, ㄷ

수능 기출

15 그림 (가)와 (나)는 2가지 금속 A와 B 결정의 단위 세포 모형을 순서 없이 나타낸 것이고, 표는 A와 B 결정에 대한 자료이다. A와 B 결정 구조는 각각 면심 입방 구조, 체심 입방 구조 중 하나이다.

(가)

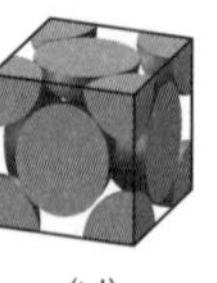
(나)

금속	원자량 (상댓값)	단위 세포에 포함된 원자 수
A	4	x
B	5	2

이에 대한 설명으로 옳은 것만을 <보기>에서 있는 대로 고른 것은?

보기
ㄱ. x는 4이다.
ㄴ. B 결정에서 한 원자에 가장 인접한 원자 수는 12이다.
ㄷ. 단위 세포의 질량비는 A : B = 5 : 8이다.

① ㄱ　② ㄴ　③ ㄱ, ㄷ　④ ㄴ, ㄷ　⑤ ㄱ, ㄴ, ㄷ

16 그림 (가)와 (나)는 각각 금속 A와 이온 화합물 ACl의 결정 구조를 모형으로 나타낸 것이다. (가)와 (나)에서 단위 세포는 한 변의 길이가 각각 a_1, a_2인 정육면체이다.

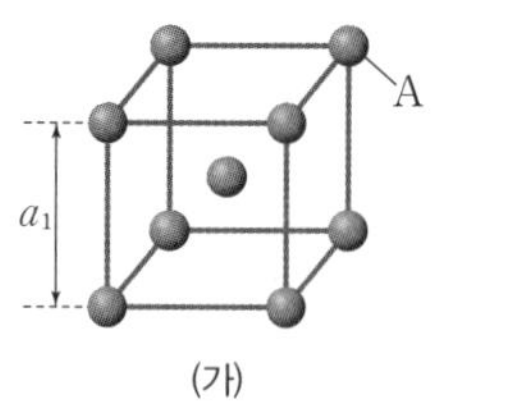

(가)

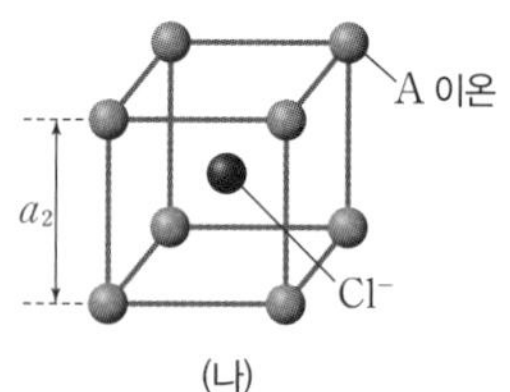

(나)

이에 대한 설명으로 옳은 것만을 <보기>에서 있는 대로 고른 것은? (단, A는 임의의 원소 기호이다.)

보기
ㄱ. (나)에서 Cl^-은 단순 입방 구조를 이룬다.
ㄴ. (나)에서 A 이온의 전하는 +1이다.
ㄷ. $\frac{\text{(나)의 단위 세포에 포함된 A 이온 수}}{\text{(가)의 단위 세포에 포함된 A 원자 수}}=\frac{1}{2}$이다.

① ㄱ　② ㄴ　③ ㄱ, ㄷ　④ ㄴ, ㄷ　⑤ ㄱ, ㄴ, ㄷ

3 용액

배울 내용 살펴보기

01 용액의 농도

- A 용해와 용액
- B 용액의 농도
- C 농도 단위 환산

용액의 농도는 퍼센트 농도, ppm 농도, 몰 농도, 몰랄 농도로 나타낼 수 있어.

02 묽은 용액의 성질 (1)

- A 증기 압력 내림
- B 끓는점 오름과 어는점 내림

묽은 용액의 성질인 증기 압력 내림, 끓는점 오름, 어는점 내림과 관련된 현상을 설명할 수 있어.

03 묽은 용액의 성질 (2)

- A 삼투압
- B 묽은 용액의 총괄성

묽은 용액의 총괄성을 이해하면 용질의 분자량을 구할 수 있어.

01 용액의 농도

핵심 키워드로 흐름잡기

- A 용해와 용액
- B 퍼센트 농도, ppm 농도, 몰 농도, 몰랄 농도
- C 농도 단위 환산

A 용해와 용액

|출·제·단·서| 용해의 원리와 물질의 극성에 따른 물질의 용해 여부를 묻는 문제가 나와.

1. 용해와 용액

(1) 용해 두 종류 이상의 순물질이 균일하게 혼합되는 과정 용질이 용매에 녹아 용액이 만들어지는 과정이다.

① **용질:** 다른 물질에 녹아 들어가는 물질

② **용매:** 다른 물질을 녹이는 물질

(2) 용액❶ 물질의 상태와 관계 없이 두 종류 이상의 순물질이 균일하게 섞여 있는 혼합물 (용질+용매)

예 공기, 탄산음료, 설탕물, 식초, 합금 등

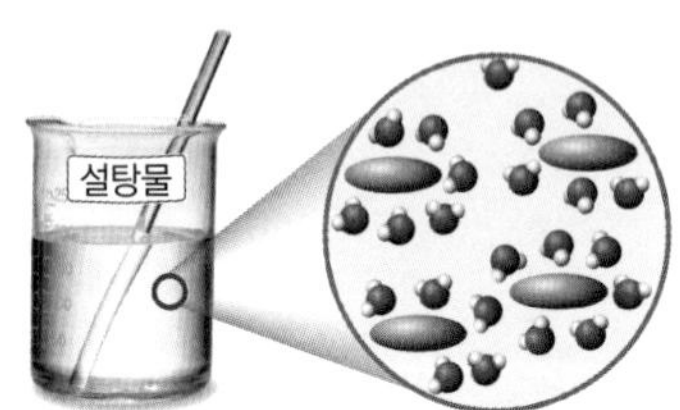

용매 + 용질 ⟶ 용액
(물) (설탕) (설탕물)

① 일반적으로 기체나 고체가 액체에 녹아 있는 용액에서는 액체 물질이 용매이고, 기체나 고체 물질이 용질이다. 용매가 물인 용액을 수용액이라고 한다.

② 같은 상태의 물질이 녹아 있는 용액에서는 양이 많은 물질이 용매, 양이 적은 물질이 용질이다.

예 공기는 질소, 산소, 아르곤 등이 섞여 있는 용액으로, 양이 많은 질소는 용매이고, 산소, 아르곤 등은 용질이다.

2. 물질의 극성과 용해

(1) 용해는 용매 입자와 용질 입자 사이에 작용하는 인력의 차이에 의해 일어난다.

(2) 용매와 용질에 작용하는 인력의 종류와 크기가 비슷할 때 용해가 잘 일어난다.

➡ (용매－용질) 입자 사이에 작용하는 인력이 (용매－용매), (용질－용질) 입자 사이에 작용하는 인력보다 클 경우 용해가 잘 일어난다. 수용액에서 용질이 전해질인 경우는 이온 상태로 수화되고, 비전해질인 경우는 분자 상태로 수화된다.

(3) 극성 물질은 극성 용매에 잘 녹고, 무극성 물질은 무극성 용매에 잘 녹는다.

예 극성 물질인 에탄올은 극성 용매인 물에 잘 녹지만, 무극성 물질인 기름은 극성 용매인 물과 잘 섞이지 않는다.

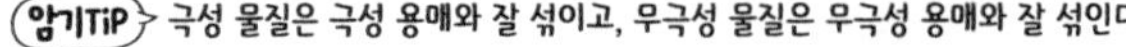

암기TiP 극성 물질은 극성 용매와 잘 섞이고, 무극성 물질은 무극성 용매와 잘 섞인다.

▲ 물과 에탄올

▲ 물과 기름

❶ 여러 가지 용액

용액의 종류	예
기체+기체	공기
액체+기체	탄산수
액체+액체	식초
액체+고체	바닷물
고체+고체	황동

⊕ 용매화

용해가 일어날 때 용질이 용매 입자에 둘러싸여 안정화되는 현상으로, 특히 용매가 물인 경우를 '수화'라고 한다.

용질 입자와 용매 입자의 분자 구조가 비슷한 경우 용해가 잘 일어나므로 보통 "끼리끼리 녹인다(like dissolves like)."라는 문구로 용해의 원리를 대신할 수 있어.

용어 알기

- 균일(고르다 均, 하나 一) 한결같이 고름.
- 극성(다하다 極, 성품 性) 전하의 분포가 고르지 않아 (+)전하를 띠는 쪽과 (−)전하를 띠는 쪽이 나누어져 나타나는 성질
- 퍼센트(%) 전체의 양을 100으로 했을 때 특정 물질이 차지하는 양(백분율)

B 용액의 농도 탐구 POOL

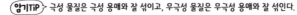

|출·제·단·서| 일정 농도의 용액에 들어 있는 용질의 양을 구하는 문제가 나와.

1. 퍼센트 농도(% 농도)

용액 100 g 속에 녹아 있는 용질의 질량(g)으로, 단위는 %이다.

$$\text{퍼센트 농도}(\%)=\frac{\text{용질의 질량(g)}}{\text{용액의 질량(g)}}\times 100$$

예) 10 % 포도당 수용액: 수용액 100 g에 포도당 10 g이 녹아 있다.

(1) 온도에 영향을 받지 않는다. 온도가 변해도 용액의 질량이나 용질의 질량이 달라지지 않으므로 용액의 퍼센트 농도는 온도에 관계없이 일정한 값을 갖는다.

(2) 일상생활에서 가장 자주 사용하는 농도이다.

2. •ppm 농도❷ 용액 10^6 g 속에 녹아 있는 용질의 질량(g)으로, 단위는 ppm이다.

$$\text{ppm 농도(ppm)} = \frac{\text{용질의 질량(g)}}{\text{용액의 질량(g)}} \times 10^6$$

예) 물속 산소의 농도 0.1 ppm: 물 10^6 g 속에 산소 0.1 g이 녹아 있다.

(1) 온도에 영향을 받지 않는다.

(2) 대기 중 오존의 양, 물속 산소의 양❸, 식품에 남아 있는 농약의 양, 인체에 축적된 중금속의 양 등 미량 물질의 농도를 나타낼 때 주로 사용한다.

암기TiP 몰 농도: 용액 1 L 속에 녹아 있는 용질의 양(mol)

3. 몰 농도 용액 1 L 속에 녹아 있는 용질의 양(mol)으로, 단위는 M 또는 mol/L이다.

$$\text{몰 농도(M)} = \frac{\text{용질의 양(mol)}}{\text{용액의 부피(L)}}$$

예) 0.1 M 수산화 나트륨(NaOH) 수용액: NaOH 수용액 1 L에 NaOH 0.1 mol이 녹아 있다.

(1) 온도의 변화에 영향을 받는다.❹ 온도가 변하면 용질의 양은 변하지 않지만 용액의 부피가 변하기 때문이다.

(2) 일정한 부피의 용액에 들어 있는 용질의 입자 수를 사용하여 농도를 나타내므로 화학 실험에서 많이 사용한다. 용액의 몰 농도와 부피를 알면 용액에 녹아 있는 용질의 양(mol)을 구할 수 있다. 용질의 양(mol) = 용액의 몰 농도(mol/L) × 용액의 부피(L)

빈출 계산연습 용액의 몰 농도 구하기

수산화 칼륨(KOH) 2.8 g을 증류수에 녹여 수용액 500 mL를 만들었다. 이 수용액의 몰 농도(M)를 구해 보자. (단, KOH의 화학식량은 56이다.)

1단계 용액 속 용질의 양(mol)을 구한다.

➡ $\text{용질의 양(mol)} = \frac{\text{용질의 질량(g)}}{\text{용질 1몰의 질량(g/mol)}} = \frac{2.8\ \text{g}}{56\ \text{g/mol}} = 0.05\ \text{mol}$

2단계 용액의 부피를 L 단위로 환산한다.

➡ 용액의 부피는 0.5 L이다.

3단계 몰 농도를 구하는 식에 대입하여 용액의 몰 농도를 구한다.

➡ $\text{몰 농도(M)} = \frac{0.05\ \text{mol}}{0.5\ \text{L}} = 0.1\ \text{M}$

암기TiP 몰랄 농도: 용매 1 kg 속에 녹아 있는 용질의 양(mol)

4. 몰랄 농도 용매 1 kg 속에 녹아 있는 용질의 양(mol)으로, 단위는 m 또는 mol/kg이다.

$$\text{몰랄 농도}(m) = \frac{\text{용질의 양(mol)}}{\text{용매의 질량(kg)}}$$

예) 0.1 m 수산화 나트륨(NaOH) 수용액: 물 1 kg에 NaOH 0.1 mol이 녹아 있다.

(1) 온도의 변화에 영향을 받지 않는다. 온도가 변해도 용질의 양과 용매의 질량이 변하지 않기 때문이다.

(2) 화학 실험에서 온도 변화에 관계 없이 일정한 농도의 용액이 필요할 때 사용한다.

---

❷ ppm 농도

물질의 질량(g)으로 ppm 농도를 사용하면 전체 질량 10^6 g에서 해당 물질의 질량을, 부피(L)로 ppm 농도를 사용하면 전체 부피 10^6 L에서 해당 물질의 부피를 의미한다.

❸ 용존 산소량(DO)

물속에 녹아 있는 산소의 양을 의미하며, 수질 오염의 지표로 사용된다.

⊕ ppb 농도

parts per billion의 약자로 용액 10^9 g 속에 녹아 있는 용질의 질량을 g 수로 나타낸 것이다.

❹ 몰 농도와 용액의 온도

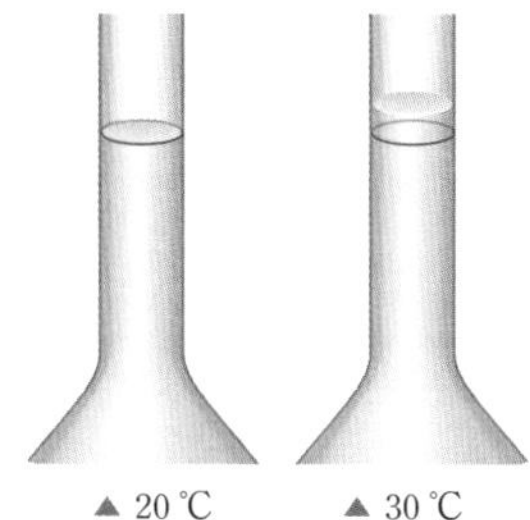

▲ 20 ℃ ▲ 30 ℃

• 20 ℃, 0.1 M 수용액의 온도를 30 ℃로 높여주면 수용액의 부피가 증가하므로 수용액의 몰 농도는 0.1 M보다 작아진다.

• 용액의 몰 농도는 온도가 변하는 실험 조건에서 사용할 수 없다.

용어 알기

• ppm(parts per million) 백만(10^6) 속에서 특정 물질이 차지하는 양

빈출 계산연습 용액의 몰랄 농도 구하기

수산화 나트륨($NaOH$) 2 g을 물 100 mL에 모두 녹였다. 이 수용액의 몰랄 농도를 구해 보자. (단, $NaOH$의 화학식량은 40이고, 물의 밀도는 1 g/mL이다.)

1단계 밀도를 이용하여 물의 부피를 질량으로 환산한다.

➡ 물의 질량(g)=물의 부피(mL)×물의 밀도(g/mL)=100 mL×1 g/mL=100 g

2단계 용질의 질량과 화학식량을 이용하여 용질의 양(mol)을 구한다.

➡ $\text{용질의 양(mol)} = \frac{\text{용질의 질량(g)}}{\text{용질 1몰의 질량(g/mol)}} = \frac{2\text{ g}}{40\text{ g/mol}} = 0.05\text{ mol}$

3단계 몰랄 농도를 구하는 식에 대입하여 용액의 몰랄 농도를 구한다.

➡ $\text{몰랄 농도}(m) = \frac{0.05\text{ mol}}{0.1\text{ kg}} = 0.5\,m$

C 농도 단위 환산 개념 POOL

|출·제·단·서| 용액의 몰 농도를 몰랄 농도로, 몰랄 농도를 퍼센트 농도로 환산하는 문제가 시험에 나와.

1. 여러 가지 농도의 환산

여러 가지 농도는 표현 방식이 달라 사용하는 용도가 다르므로 목적에 맞게 농도를 환산하여 사용하는 것이 필요하다.

❹ 농도 환산과 용액의 밀도
밀도는 단위 부피당 질량이므로 질량을 부피로 환산하거나 부피를 질량으로 환산할 때 필요한 자료이다.

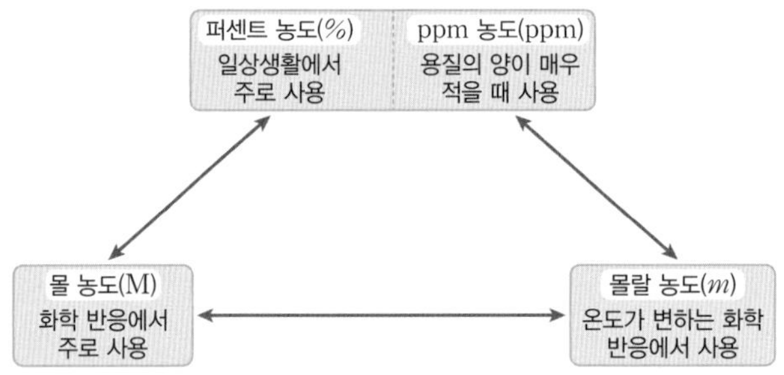

2. 퍼센트 농도를 몰랄 농도로 환산하기❺

몰랄 농도는 용매 1 kg 속에 녹아 있는 용질의 양(mol)이므로 퍼센트 농도를 몰랄 농도로 환산할 때는 용액의 질량을 100 g으로 가정하고 용질의 몰 질량을 이용하여 몰랄 농도를 구한다.

❺ 퍼센트 농도를 몰랄 농도로 변환시 필요한 자료
'용질의 질량 ⇄ 용질의 양(mol)'으로 변환해야 하므로 용질의 화학식량이 필요하다.

예 20 % 수산화 나트륨($NaOH$) 수용액의 몰랄 농도 구하기 (단, $NaOH$의 화학식량은 40이다.)

1단계 퍼센트 농도를 이용하여 용액 100 g 속 $NaOH$의 질량을 구한다.

➡ $NaOH\text{의 질량(g)} = NaOH\text{ 수용액의 질량(g)} \times \frac{\text{퍼센트 농도(\%)}}{100} = 100\text{ g} \times \frac{20}{100} = 20\text{ g}$

2단계 $NaOH$의 화학식량을 이용하여 용질의 양(mol)을 구한다.

➡ $NaOH\text{의 양(mol)} = \frac{NaOH\text{의 질량(g)}}{NaOH\text{의 몰 질량(g/mol)}} = \frac{20\text{ g}}{40\text{ g/mol}} = 0.5\text{ mol}$

3단계 용액 100 g 속 용매의 질량(kg)을 구한다.

➡ 용매의 질량(kg)=용액의 질량(kg)−용질의 질량(kg)=0.1 kg−0.02 kg=0.08 kg

4단계 $NaOH$의 양(mol)과 용매의 질량을 이용하여 몰랄 농도를 구한다.

➡ $\text{몰랄 농도}(m) = \frac{NaOH\text{의 양(mol)}}{\text{용매의 질량(kg)}} = \frac{0.5\text{ mol}}{0.08\text{ kg}} = 6.25\,m$

3. 퍼센트 농도(몰 농도)를 몰 농도(퍼센트 농도)로 환산하기[6] 몰 농도는 용액 1 L 속에 녹아 있는 용질의 양(mol)이므로 퍼센트 농도를 몰 농도로 환산할 때는 용액의 부피를 1 L로 가정하고 용액의 밀도, 용질의 몰 질량을 이용하여 몰 농도를 구한다.

예 35 % 염산($HCl(aq)$)의 몰 농도 구하기
(단, HCl의 분자량은 36.5이고, 35 % $HCl(aq)$의 밀도는 1.18 g/mL이다.)

1단계 용액의 밀도를 이용하여 염산 1 L의 질량을 구한다.
➡ 염산의 질량(g) = 염산의 부피(mL) × 염산의 밀도(g/mL)
= 1000 mL × 1.18 g/mL = 1180 g

2단계 퍼센트 농도를 이용하여 용액 1 L에 포함된 용질의 질량과 양(mol)을 구한다.
➡ • $\text{HCl의 질량(g)} = \text{HCl}(aq)\text{의 질량(g)} \times \frac{\text{퍼센트 농도(\%)}}{100} = 1180\text{ g} \times \frac{35}{100} = 413\text{ g}$
• $\text{HCl의 양(mol)} = \frac{\text{HCl의 질량(g)}}{\text{HCl의 몰 질량(g/mol)}} = \frac{413\text{ g}}{36.5\text{ g/mol}} \fallingdotseq 11.3\text{ mol}$

3단계 $HCl(aq)$의 부피와 HCl의 양(mol)을 이용하여 몰 농도를 구한다.
➡ $\text{몰 농도(M)} = \frac{\text{용질의 양(mol)}}{\text{용액의 부피(L)}} = \frac{11.3\text{ mol}}{1\text{ L}} = 11.3\text{ M}$

예 5 M NaOH 수용액의 퍼센트 농도 구하기
(단, 용액의 밀도는 1.2 g/mL이고, NaOH의 화학식량은 40이다.)

1단계 용액의 부피를 1 L라고 가정하여 용질의 질량을 구한다.
➡ 용액의 질량(g) = 용액의 부피(mL) × 용액의 밀도(g/mL) = 1000 mL × 1.2 g/mL = 1200 g

2단계 용액 1 L에 들어 있는 용질의 양을 이용하여 용질의 질량을 구한다.
➡ NaOH의 질량(g) = NaOH의 양(mol) × NaOH의 화학식량
= 5 mol × 40 g/mol = 200 g

3단계 NaOH의 질량과 $NaOH(aq)$의 질량을 이용하여 퍼센트 농도를 구한다.
➡ $\text{퍼센트 농도(\%)} = \frac{\text{NaOH의 질량(g)}}{\text{NaOH}(aq)\text{의 질량(g)}} \times 100 = \frac{200\text{ g}}{1200\text{ g}} \times 100 = 16.7\ \%$

4. 몰 농도를 몰랄 농도로 환산하기[7] 몰랄 농도는 용매 1 kg 속에 녹아 있는 용질의 양(mol)이므로 용액의 부피를 1 L로 가정하고 용액의 밀도, 용질의 몰 질량을 이용하여 몰랄 농도를 구한다.

예 2 M 수산화 나트륨(NaOH) 수용액의 몰랄 농도 구하기
(단, NaOH의 화학식량은 40이고, NaOH 수용액의 밀도는 1.2 g/mL이다.)

1단계 용액의 밀도를 이용하여 NaOH 1 L의 질량을 구한다.
➡ NaOH 수용액의 질량(g) = NaOH 수용액의 밀도(g/mL) × 수용액의 부피(mL)
= 1.2 g/mL × 1000 mL = 1200 g

2단계 NaOH의 화학식량을 이용하여 용질의 양(mol)과 질량을 구한다.
➡ • NaOH의 양(mol) = NaOH 수용액의 몰 농도(mol/L) × NaOH 수용액의 부피(L)
= 2 mol/L × 1 L = 2 mol
• NaOH의 질량(g) = NaOH의 양(mol) × NaOH 몰 질량(g/mol)
= 2 mol × 40 g/mol = 80 g

3단계 용액 1200 g 속 용매의 질량(kg)을 구한다.
➡ 용매의 질량(kg) = 용액의 질량(kg) − 용질의 질량(kg) = 1.2 kg − 0.08 kg = 1.12 kg

4단계 용매의 질량과 NaOH의 양을 이용하여 몰랄 농도를 구한다.
➡ $\text{몰랄 농도}(m) = \frac{\text{NaOH의 양(mol)}}{\text{용매의 질량(kg)}} = \frac{2\text{ mol}}{1.12\text{ kg}} \fallingdotseq 1.79\ m$

---

[6] 퍼센트 농도를 몰 농도로 변환시 필요한 자료
• '질량 ⇄ 부피'로 변환해야 하므로 용액의 밀도가 필요하다.
• '용질의 질량 ⇄ 용질의 양(mol)'으로 변환해야 하므로 용질의 화학식량이 필요하다.

⊕ 몰 농도를 퍼센트 농도로 환산하기
용액의 부피를 1 L로 가정하고 용액의 밀도를 이용하여 용액의 질량을 구하고, 용질의 몰 질량을 이용하여 용액 속 용질의 질량을 구한 후 퍼센트 농도를 구한다.

[7] 몰 농도를 몰랄 농도로 변환시 필요한 자료
• '부피 ⇄ 질량'으로 변환해야 하므로 용액의 밀도가 필요하다.
• 용매의 질량을 구하기 위해 용질의 질량을 알아야 하므로 용질의 화학식량이 필요하다.

용액의 농도 환산하기

목표 필요한 자료를 이용하여 서로 다른 농도 단위를 환산할 수 있다.

1 퍼센트 농도를 몰 농도로 환산하기

화학식량이 x인 용질이 녹아 있는 a % 수용액의 밀도가 d(g/mL)일 때 수용액의 몰 농도 구하기
➡ 필요한 자료: 수용액의 밀도, 용질의 화학식량

1단계	용액 1 L의 질량 구하기	$1000(\text{mL}) \times d(\text{g/mL}) = 1000d(\text{g})$
2단계	용액 1 L 속 용질의 질량 구하기	$1000d \times \frac{a}{100} = 10ad(\text{g})$
3단계	2단계에서 구한 용질의 질량으로 용질의 양(mol) 구하기	$\frac{10ad}{x}(\text{mol})$
4단계	몰 농도 구하기	a % 용액의 몰 농도(M)$=\frac{10ad}{x}(\text{M})$

2 퍼센트 농도를 몰랄 농도로 환산하기

화학식량이 x인 용질이 녹아 있는 a % 용액의 몰랄 농도 구하기
➡필요한 자료: 용질의 화학식량

1단계	용액 1 L의 질량 구하기	$1000(\text{mL}) \times d(\text{g/mL}) = 1000d(\text{g})$
2단계	용액 1 L 속 용질의 질량 구하기	$1000d \times \frac{a}{100} = 10ad(\text{g})$
3단계	2단계에서 구한 용질의 질량으로 용질의 양(mol) 구하기	$\frac{10ad}{x}(\text{mol})$

3 몰 농도를 몰랄 농도로 환산하기

화학식량이 x인 용질이 녹아 있는 a % 수용액의 밀도가 d(g/mL)일 때 수용액의 몰 농도 구하기
➡ 필요한 자료: 수용액의 밀도, 용질의 화학식량

1단계	용액 1 L의 질량 구하기	$1000(\text{mL}) \times d(\text{g/mL}) = 1000d(\text{g})$
2단계	용질의 양(mol)구하기	$a(\text{mol})$
3단계	용질의 양(mol)을 질량으로 환산하기	$ax(\text{g})$
4단계	용액 1 L 속 용매의 질량(kg) 구하기	$\frac{(1000d - ax)}{1000}(\text{kg})$
5단계	몰랄 농도 구하기	a M 용액의 몰랄 농도(m)$=\frac{1000a}{1000 - ax}(m)$

한·줄·핵심 몰 농도를 퍼센트 농도나 몰랄 농도로 환산할 때는 용액의 부피를 1 L로 가정하고 용액의 밀도와 용질의 화학식량을 이용하여 농도 단위를 환산한다.

확인 문제

정답과 해설 027쪽

01 다음은 밀도가 1.84 g/mL인 98 % 진한 황산(H_2SO_4)의 몰 농도를 구하는 과정이다. H_2SO_4의 분자량은 98이다. 빈칸을 채우시오.

(1) 용액 1 L의 질량(g)$=$1000(mL)$\times$ ㉠
$=$ ㉡ (g)

(2) 용질의 질량(g)$=$ ㉡ $\times \frac{98}{100} =$ ㉢ (g)

(3) 용질의 양(mol)$=$ ㉣ (몰)

02 3 M 수산화 나트륨 수용액의 몰랄 농도를 구할 때 필요한 자료를 〈보기〉에서 있는 대로 고르시오.

〈보기〉
ㄱ. 용액의 밀도　　ㄴ. 용질의 밀도
ㄷ. 용질의 화학식량　　ㄹ. 용매의 화학식량

여러 가지 농도의 용액 만들기

목표 여러 가지 농도의 용액을 만들 수 있다.

1 1 M 요소 수용액 만들기

| 과정 |

❶ 요소 1몰 측정하기
전자저울을 이용하여 요소 1몰의 질량인 60 g을 측정한다.

❷ ❶의 요소 비커에 넣어 녹이기
비커에 증류수 약 50 mL를 넣고, 과정 ❶에서 측정한 요소를 완전히 녹인다.

❸ 용액 1 L 맞추기
과정 ❷의 용액을 1 L 부피 플라스크에 넣고, 증류수로 비커를 몇 번 헹구어 부피 플라스크에 함께 넣는다. 증류수를 플라스크의 표시선까지 채운 후 잘 섞어 준다.

| 정리 및 해석 |

- 요소 60 g을 측정한 까닭: 1 M 요소 수용액에는 요소가 1 mol 녹아 있으므로 요소 1몰의 질량이 필요하다.
- 1 L 부피 플라스크의 표시선까지 증류수를 맞추는 까닭 : 용질 1 mol이 녹아 있는 수용액의 부피가 1 L가 되어야 한다.
- 1 M 용액은 용액 1 L에 용질이 1 mol 녹아 있는 수용액이다.

2 1 m 요소 수용액 만들기

| 과정 |

❶ 요소 1몰 측정하기
전자저울을 이용하여 요소 1몰의 질량인 60 g을 측정한다.

❷ ❶의 요소 비커에 넣어 녹이기
빈 부피 플라스크를 저울 위에 올려놓고 영점 조정을 한다. 과정 ❶에서 측정한 요소를 비커에 넣고 증류수를 약 50 mL 넣어 완전히 녹인 후 부피 플라스크에 넣는다.

❸ 용액 1 L 맞추기
증류수로 비커를 몇 번 헹구어 과정 ❷의 부피 플라스크에 넣고, 플라스크 속 용액의 질량이 1060 g이 될 때까지 증류수를 채운 후 잘 섞어 준다.

| 정리 및 해석 |

- 요소 60 g을 측정한 까닭: 1 m 요소 수용액에는 요소 1 mol이 녹아 있으므로 요소 1몰의 질량이 필요하다.
- 부피 플라스크의 질량을 1060 g으로 맞추는 까닭: 용질 1 mol이 용매 1 kg(=1000 g)에 녹아 있는 수용액이 되어야 한다.
- 1 m 용액은 용매 1 kg에 용질 1 mol이 녹아 있는 수용액이다.

한·줄·핵심 1 M 용액은 용액 1 L에 용질 1 mol이 녹아 있는 용액이고, 1 m 용액은 용매 1 kg에 용질 1 mol이 녹아 있는 용액이다.

확인 문제 정답과 해설 027쪽

01 용액의 농도에 대한 설명으로 옳은 것은 ○, 옳지 않은 것은 ×로 표시하시오.

(1) 1 M 요소 수용액 500 mL에 녹아 있는 요소의 질량은 30 g이다. ( )

(2) 0.5 m 요소 수용액은 용매 1 kg에 요소 0.5몰이 녹아 있는 용액이다. ( )

(3) 0.5 m 요소 수용액 500 g에 물 500 g을 첨가하면 용액의 몰랄 농도는 0.25 m이다. ( )

콕콕! 개념 확인하기

정답과 해설 028쪽

✔ 잠깐 확인!

1. ☐☐
용질과 용매가 고르게 섞이는 현상

2. ☐☐
두 종류 이상의 순물질이 균일하게 섞여 있는 혼합물

3. ☐☐☐ 농도
용액 100g 속에 녹아 있는 용질의 질량(g)

4. ☐☐☐ 농도
용액 10^6 g 속에 녹아 있는 용질의 질량(g)

5. ☐ 농도
용액 1 L 속에 녹아 있는 용질의 양(mol)으로, 단위는 ☐ 또는 mol/L를 사용

6. ☐☐ 농도
용매 1 kg 속에 녹아 있는 용질의 양(mol)으로 단위는 ☐ 또는 mol/kg을 사용

A 용해와 용액

01 용해와 용액에 대한 설명으로 옳은 것은 ○, 옳지 않은 것은 ×로 표시하시오.

(1) 용기에 들어 있는 용액을 오랫동안 방치하면 용질과 용매가 분리된다. (　　)

(2) 식초는 물과 아세트산이 고르게 섞인 용액이다. (　　)

(3) 물에 염화 나트륨을 녹인 경우 물이 용매, 염화 나트륨이 용질이다. (　　)

(4) 물과 에탄올을 혼합한 경우 양이 많은 액체가 용매가 된다. (　　)

B 용액의 농도

02 용액의 농도에 대한 설명으로 옳은 것은 ○, 옳지 않은 것은 ×로 표시하시오.

(1) 퍼센트 농도를 이용하여 일정량의 용액에 들어 있는 용질의 양(mol)을 쉽게 알 수 있다. (　　)

(2) 용액의 몰 농도는 온도가 변해도 일정한 값을 갖는다. (　　)

(3) ppm 농도는 용액 속 용질의 양이 매우 적을 때 사용한다. (　　)

03 수산화 나트륨(NaOH) 수용액 0.5 L 속에 NaOH 20 g이 녹아 있다. (단, 용액의 밀도는 1.2 g/mL이고, NaOH의 화학식량은 40이다.)

(1) 이 용액의 퍼센트 농도를 구하시오. (　　)

(2) 이 용액의 몰 농도를 구하시오. (　　)

(3) 이 용액의 몰랄 농도를 구하시오. (　　)

C 농도 단위 환산

04 다음은 6 % 포도당 수용액의 몰랄 농도를 구하는 과정이다. 포도당의 분자량은 180이다.

> (1) 6 % 포도당 수용액 100 g 속에 포도당 (　　)g이 녹아 있다.
> (2) (1)에서 구한 포도당의 양(mol)은 (　　)몰이다.
> (3) 6 % 포도당 수용액 100 g 속 물의 질량은 (　　)kg이다.
> (4) 6 % 포도당 수용액의 몰랄 농도는 (　　)m이다.

(　　) 안에 알맞은 숫자를 쓰시오.

탄탄! 내신 다지기

정답과 해설 028쪽

A 용해와 용액

01 그림은 물 분자의 모형과 용질 A, B가 물에 녹아 있는 같은 부피의 용액에서 용질이 수화된 상태를 나타낸 것이다.

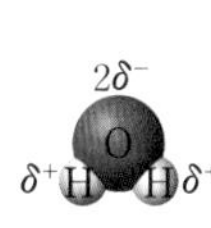

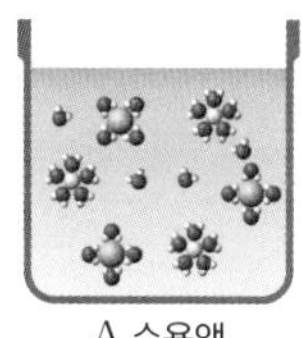
A 수용액

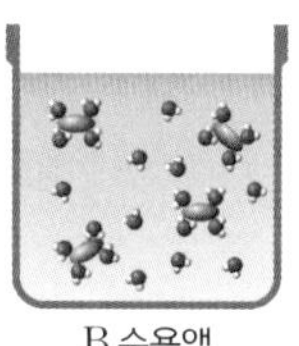
B 수용액

이에 대한 설명으로 옳은 것만을 〈보기〉에서 있는 대로 고른 것은?

〈보기〉
ㄱ. A는 이온 결합 물질이다.
ㄴ. B는 무극성 물질이다.
ㄷ. 용액의 몰 농도는 A 수용액이 B 수용액보다 크다.

① ㄱ ② ㄴ ③ ㄱ, ㄷ
④ ㄴ, ㄷ ⑤ ㄱ, ㄴ, ㄷ

02 물을 용매로 사용할 때 용액을 형성할 수 있는 용질만을 〈보기〉에서 있는 대로 고른 것은?

〈보기〉
ㄱ. 수산화 나트륨($NaOH$) ㄴ. 포도당($C_6H_{12}O_6$)
ㄷ. 벤젠(C_6H_6) ㄹ. 메탄올(CH_3OH)

① ㄱ ② ㄴ, ㄷ ③ ㄷ, ㄹ
④ ㄱ, ㄴ, ㄹ ⑤ ㄴ, ㄷ, ㄹ

B 용액의 농도

03 다음은 농도가 다른 포도당 수용액을 만드는 실험이다.

- 포도당 5 g을 증류수 x g에 녹여 10 % 포도당 수용액을 만들었다.
- 포도당 9 g을 증류수에 녹여 전체 용액의 부피가 y mL가 되도록 하여 0.1 M의 수용액을 만들었다.

x, y로 옳은 것은? (단, 포도당의 분자량은 180이다.)

	x	y		x	y
①	45	250	②	45	500
③	60	250	④	90	250
⑤	90	500			

04 그림은 물 100 g에 같은 질량의 용질 A~C를 각각 녹여 만든 수용액 (가)~(다)를 모형으로 나타낸 것이다.

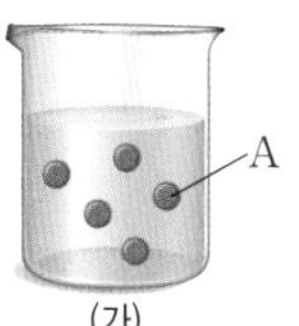

(가)

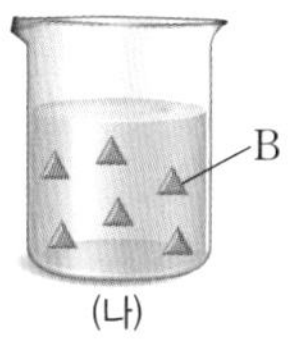

(나)

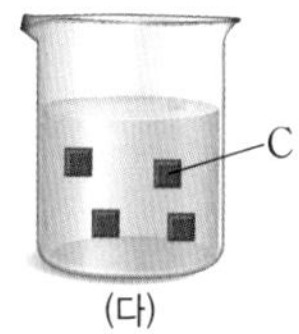

(다)

이에 대한 설명으로 옳은 것만을 〈보기〉에서 있는 대로 고른 것은?

〈보기〉
ㄱ. 퍼센트 농도는 (가)와 (나)가 같다.
ㄴ. 몰랄 농도는 (나)가 (가)의 1.5배이다.
ㄷ. 화학식량은 B>C이다.

① ㄱ ② ㄴ ③ ㄱ, ㄷ
④ ㄴ, ㄷ ⑤ ㄱ, ㄴ, ㄷ

단답형

05 다음은 일정 몰 농도의 A 수용액을 만드는 실험 기구 중 일부와 실험 과정이다. ㉠~㉢은 각각 a~c 중 하나이다.

[실험 기구]

a

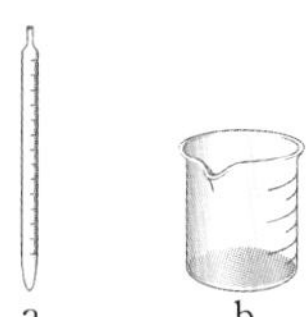
b

c

[실험 과정]
(가) 밀도가 d(g/mL)인 98 % A 수용액 x mL를 ㉠으로 취한다.
(나) (가)에서 취한 수용액을 300 mL의 증류수가 담긴 ㉡에 넣는다.
(다) (나)의 용액을 1 L ㉢에 넣고 표시선까지 증류수를 채운다.

㉠~㉢에 해당하는 실험 기구를 a~c에서 골라 쓰시오.

06 그림은 25 ℃에서 서로 다른 질량의 용질 A가 녹아 있는 수용액 (가)와 (나)를 나타낸 것이다.

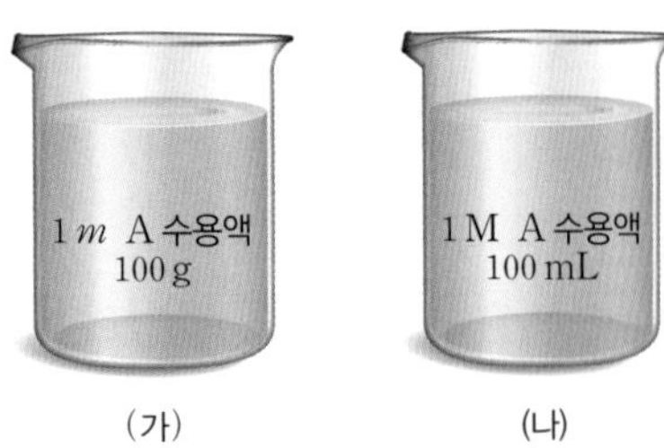

(가)　　　(나)

이에 대한 설명으로 옳은 것만을 〈보기〉에서 있는 대로 고른 것은? (단, A의 화학식량은 100이고, (나)의 밀도는 1.05 g/mL이다.)

보기
ㄱ. (가)에 녹아 있는 A의 질량은 10 g이다.
ㄴ. (나)에 녹아 있는 A의 양(mol)은 0.1몰이다.
ㄷ. (나)의 퍼센트 농도는 10 %이다.

① ㄱ　② ㄴ　③ ㄱ, ㄷ
④ ㄴ, ㄷ　⑤ ㄱ, ㄴ, ㄷ

07 다음은 x M NaOH 수용액을 만든 후, 이 수용액에 증류수를 가하여 새로운 농도의 수용액을 만드는 실험 과정이다.

(가) NaOH 4 g을 측정하여 비커에 넣어 녹인다.
(나) (가)의 비커 속 용액을 1 L 부피 플라스크에 넣고, 표시선까지 증류수를 가해 x M NaOH 수용액을 만든다.
(다) (나)에서 만든 수용액 200 mL를 취한 후 500 mL 부피 플라스크에 넣고 표시선까지 증류수를 가해 y M NaOH 수용액을 만든다.

x, y를 옳게 짝 지은 것은? (단, NaOH의 화학식량은 40이다.)

	x	y		x	y
①	0.1	0.04	②	0.1	0.05
③	0.2	0.04	④	0.2	0.05
⑤	0.3	0.06			

08 다음은 10 % 수산화 나트륨(NaOH) 수용액을 만드는 방법이다. NaOH의 화학식량은 40이다.

- NaOH 10 g을 물 w_1 g에 넣는다.
- 20 % NaOH 수용액 w_2 g에 물 100 g을 넣는다.
- 5 % NaOH 수용액 100 g에 NaOH w_3 g을 추가로 녹인다.

$\frac{w_1 \times w_3}{w_2}$은?

① 4　② 5　③ 8　④ 10　⑤ 12

09 표는 요소 수용액 (가)와 (나)에 대한 자료이다.

수용액	(가)	(나)
요소의 질량(g)	30	15
물의 질량(g)	100	50
수용액의 온도(℃)	20	60

(가)와 (나)에서 같은 값만을 〈보기〉에서 있는 대로 고른 것은?

보기
ㄱ. 몰 농도
ㄴ. 몰랄 농도
ㄷ. 물의 몰 분율

① ㄱ　② ㄴ　③ ㄱ, ㄷ
④ ㄴ, ㄷ　⑤ ㄱ, ㄴ, ㄷ

C 농도 단위 환산

10 표는 용질 A가 18 g씩 녹아 있는 수용액 (가)~(다)를 나타낸 것이다.

용액	(가)	(나)	(다)
농도	10 %	1 *m*	1 M

(가)~(다)의 질량을 옳게 비교한 것은? (단, A의 분자량은 180이고, (다)의 밀도는 1.05 g/mL이다.)

① (가)>(나)>(다)　② (가)>(다)>(나)
③ (나)>(가)>(다)　④ (나)>(다)>(가)
⑤ (다)>(가)>(나)

11 그림은 농도가 다른 수산화 나트륨(NaOH) 수용액 (가)와 (나)가 각각 100 g씩 비커에 들어 있는 것을 나타낸 것이다.

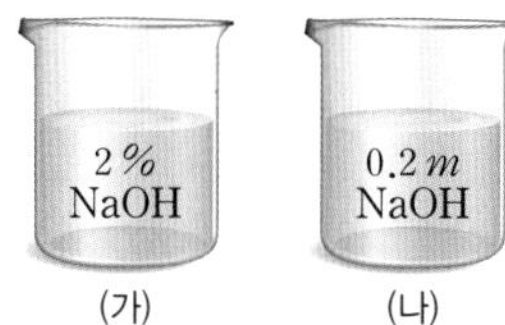

이에 대한 설명으로 옳은 것만을 〈보기〉에서 있는 대로 고른 것은? (단, NaOH의 화학식량은 40이다.)

보기
ㄱ. (나)의 퍼센트 농도는 2 %보다 작다.
ㄴ. (나)에 물 100 g을 추가하면 용액의 몰랄 농도는 0.1 m이다.
ㄷ. 용액 속 용질의 양(mol)은 (가)에서가 (나)에서보다 크다.

① ㄱ ② ㄴ ③ ㄱ, ㄷ
④ ㄴ, ㄷ ⑤ ㄱ, ㄴ, ㄷ

12 표는 수용액 (가)~(다)에 대한 자료이다.

수용액	(가)	(나)	(다)
용질	A	B	A
용질의 질량(g)	w_1	w_3	9
물의 질량(g)	w_2	100	25
농도	10 %	1 m	2 m

이에 대한 설명으로 옳은 것만을 〈보기〉에서 있는 대로 고른 것은? (단, 분자량은 A가 B의 3배이다.)

보기
ㄱ. $\frac{w_2}{w_1}=10$이다.
ㄴ. A의 분자량은 180이다.
ㄷ. $w_3=6$이다.

① ㄱ ② ㄷ ③ ㄱ, ㄴ
④ ㄴ, ㄷ ⑤ ㄱ, ㄴ, ㄷ

13 그림은 20 % NaOH(aq) 200 mL로 x M NaOH(aq) 500 mL를 만드는 과정을 나타낸 것이다. 수용액의 밀도는 (가)가 1.2 g/mL이고, (나)가 1.05 g/mL이다.

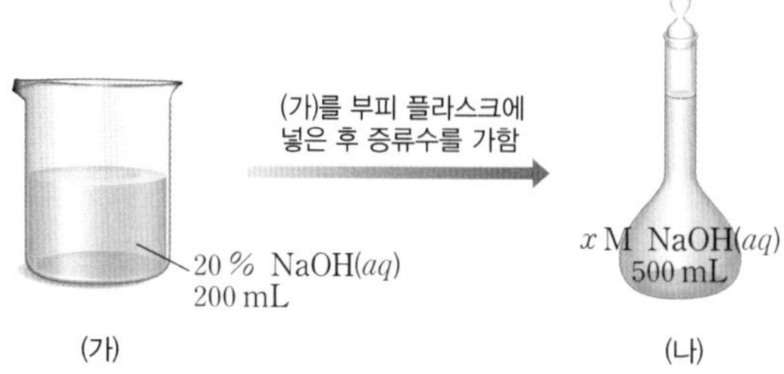

이에 대한 설명으로 옳은 것만을 〈보기〉에서 있는 대로 고른 것은? (단, NaOH의 화학식량은 40이다.)

보기
ㄱ. $x=2.4$이다.
ㄴ. (가)의 몰랄 농도는 6.25 m이다.
ㄷ. (나)의 퍼센트 농도는 8 %이다.

① ㄱ ② ㄷ ③ ㄱ, ㄴ
④ ㄴ, ㄷ ⑤ ㄱ, ㄴ, ㄷ

14 그림은 X의 수용액 (가)와 (나)의 몰랄 농도와 용액 속 용질의 질량을 나타낸 것이다.

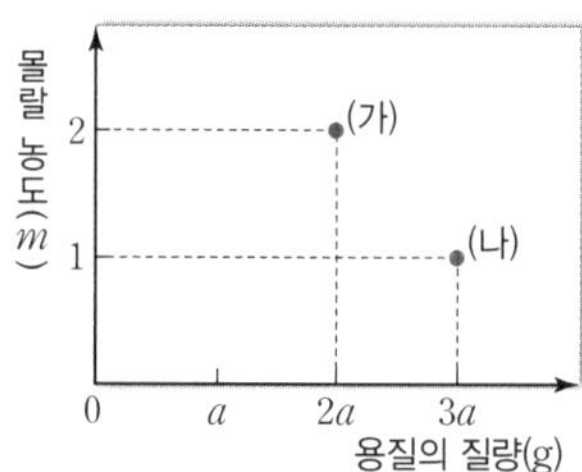

이에 대한 설명으로 옳은 것만을 〈보기〉에서 있는 대로 고른 것은?

보기
ㄱ. 퍼센트 농도는 (가)가 (나)의 2배이다.
ㄴ. 용액의 질량은 (나)가 (가)의 1.5배이다.
ㄷ. (가)와 (나)를 혼합한 용액의 몰랄 농도는 1.5 m이다.

① ㄱ ② ㄷ ③ ㄱ, ㄴ
④ ㄴ, ㄷ ⑤ ㄱ, ㄴ, ㄷ

출제예감

01 그림 (가)는 $1\,m$ A 수용액을, (나)는 (가)에 물을 추가하여 만든 수용액 (나)를 나타낸 것이다.

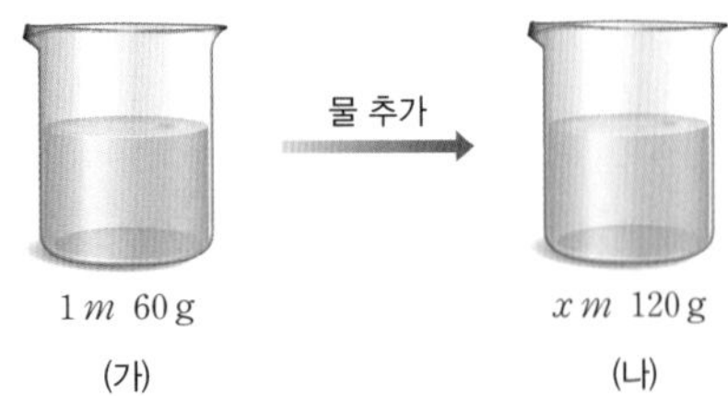

이에 대한 설명으로 옳은 것만을 〈보기〉에서 있는 대로 고른 것은? (단, A의 화학식량은 200이다.)

보기
ㄱ. (가)의 퍼센트 농도는 $\frac{50}{3}$ %이다.
ㄴ. x는 0.5이다.
ㄷ. 물의 몰 분율은 (나)에서가 (가)에서의 2배이다.

① ㄱ ② ㄴ ③ ㄱ, ㄷ
④ ㄴ, ㄷ ⑤ ㄱ, ㄴ, ㄷ

02 표는 수용액 (가)와 (나)에 대한 자료이다.

수용액	(가)	(나)
수용액의 양	100 mL	110 g
용질의 종류와 양	A 24 g	B 20 g
수용액의 밀도(g/mL)	0.96	1.1

이에 대한 설명으로 옳은 것만을 〈보기〉에서 있는 대로 고른 것은? (단, A와 B의 분자량은 각각 46, 60이다.)

보기
ㄱ. (가)의 퍼센트 농도는 25 %이다.
ㄴ. (나)의 몰랄 농도는 $3\,m$이다.
ㄷ. 몰 농도는 (가)>(나)이다.

① ㄱ ② ㄴ ③ ㄱ, ㄷ
④ ㄴ, ㄷ ⑤ ㄱ, ㄴ, ㄷ

출제예감

03 다음은 0.1 M 황산(H_2SO_4) 표준 용액을 만들 때 사용하는 실험 기구 중 일부와 실험 과정이다.

[실험 기구]

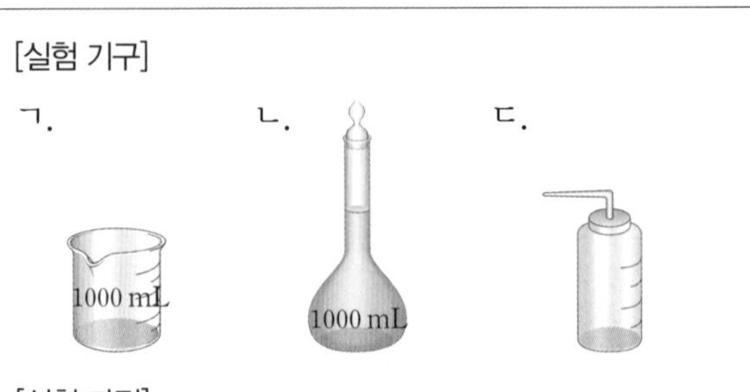

[실험 과정]
(가) 밀도가 1.4 g/mL인 50 % 황산을 준비한다.
(나) 1000 mL [A]에 증류수를 반쯤 넣는다.
(다) 50 % 황산 x mL를 피펫으로 취하여 [A]에 넣고 잘 섞는다.
(라) 증류수를 (다)의 [A]의 표시선까지 채운다.

A에 해당하는 실험 기구와 (다)에서 취한 50 % 황산의 부피 x(mL)로 옳은 것은? (단, H_2SO_4의 분자량은 98이다.)

	A	x
①	ㄱ	7
②	ㄱ	14
③	ㄴ	14
④	ㄴ	28
⑤	ㄷ	14

04 그림은 0.5 M A 수용액 (가)와 0.3 M A 수용액 (나)를 나타낸 것이다. (가)와 (나)의 밀도는 1 g/mL로 같다.

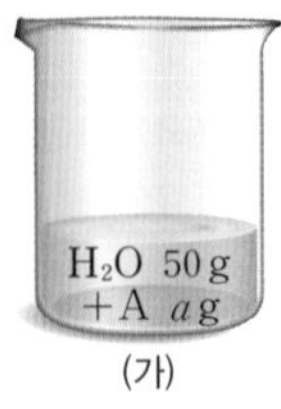

(가)

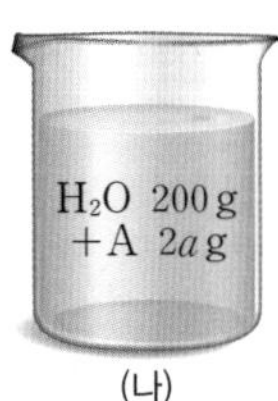

(나)

a는?

① 12.5 ② 25 ③ 30
④ 45 ⑤ 60

05 그림은 25 % A 수용액 (가)에 물을 첨가하여 20 % 수용액 (나)를 만드는 과정을 나타낸 것이다. (나)의 밀도는 d g/mL이다.

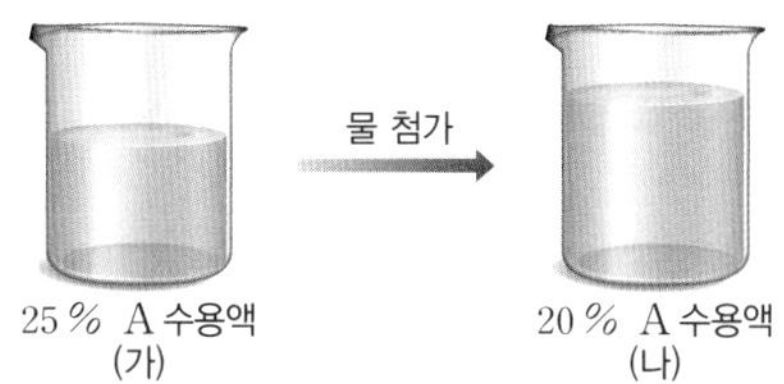

이에 대한 설명으로 옳은 것만을 〈보기〉에서 있는 대로 고른 것은? (단, A의 화학식량은 x이다.)

보기
ㄱ. 첨가한 물의 질량은 (가) 속 A의 질량과 같다.
ㄴ. (나)의 몰 농도는 $\frac{200d}{x}$ M이다.
ㄷ. 몰랄 농도는 (가)가 (나)의 $\frac{4}{3}$배이다.

① ㄱ ② ㄷ ③ ㄱ, ㄴ
④ ㄴ, ㄷ ⑤ ㄱ, ㄴ, ㄷ

출제예감

06 표는 수용액 (가)~(다)에 대한 자료이다.

수용액	용질	용매 1 kg 당 용질의 질량 (g)	몰랄 농도 (m)
(가)	X	40	a
(나)	X	20	b
(다)	Y	40	b

이에 대한 설명으로 옳은 것만을 〈보기〉에서 있는 대로 고른 것은?

보기
ㄱ. $a=2b$이다.
ㄴ. 퍼센트 농도는 (가)와 (다)가 같다.
ㄷ. 용질의 몰 분율은 (나)와 (다)에서 같다.

① ㄱ ② ㄷ ③ ㄱ, ㄴ
④ ㄴ, ㄷ ⑤ ㄱ, ㄴ, ㄷ

서술형

07 표는 같은 질량의 용질 X와 Y가 각각 녹아 있는 수용액 (가)와 (나)에 대한 자료이다.

수용액	용질	수용액의 양	몰 농도 (M)	퍼센트 농도 (%)	용질의 분자량
(가)	X	100 g		20	
(나)	Y	1 L	㉠	㉡	100

㉠과 ㉡을 구하고, 풀이 과정을 서술하시오. (단, (나)의 밀도는 1 g/mL이다.)

서술형

08 그림은 수산화 나트륨(NaOH) 수용액 (가)~(다)를 나타낸 것이다. NaOH의 화학식량은 40이다.

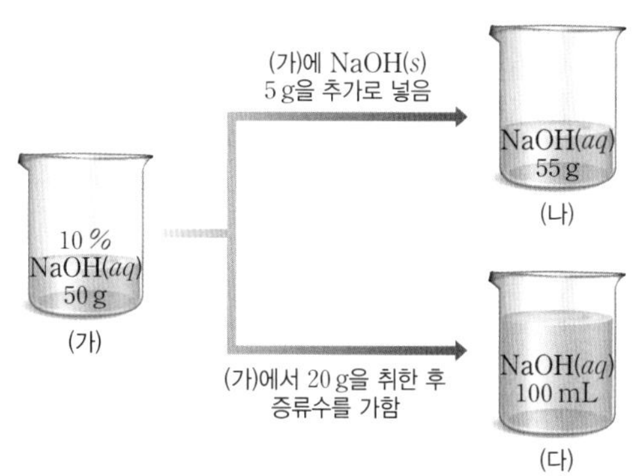

(1) (가)와 (나)의 몰랄 농도를 비교하고, 그 과정을 서술하시오.

(2) (다)의 몰 농도를 구하고, 풀이 과정을 서술하시오.

02 묽은 용액의 성질 (1)

핵심 키워드로 흐름잡기

A 증기 압력 내림, 라울 법칙

B 끓는점 오름과 어는점 내림, 몰랄 오름 상수와 몰랄 내림 상수

A 증기 압력 내림

|출·제·단·서| 용액의 증기 압력 내림으로 용액의 조성을 파악하는 문제가 나와.

1. 증기 압력❶ 내림

(1) 증기 압력 내림(ΔP) 일정한 온도에서 순수한 용매에 •비휘발성 용질❷이 녹아 있는 용액에서 용액의 증기 압력이 순수한 용매의 증기 압력보다 낮아지는 현상 ➡ 온도가 일정할 때 증기 압력 내림은 용질의 종류에는 영향을 받지 않고, 용매의 종류와 용질의 몰 분율에만 영향을 받는다.

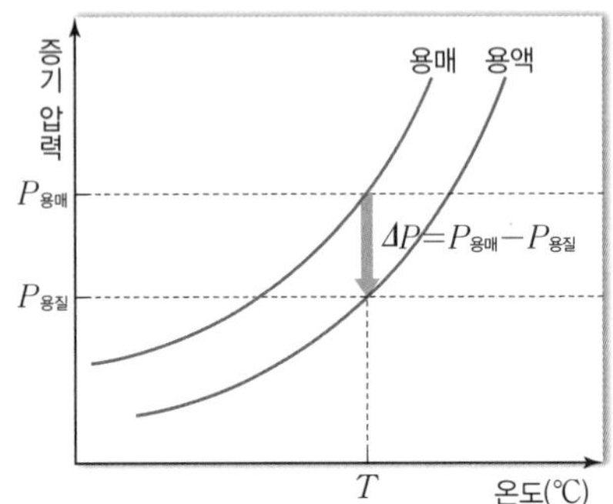

▲ 용매와 용액의 증기 압력 곡선

암기TIP $\Delta P = P^{\circ}_{용매} - P_{용액}$

$\Delta P = P^{\circ}_{용매} - P_{용액}$
$P^{\circ}_{용매}$: 용매의 증기 압력
$P_{용액}$: 용액의 증기 압력

용액의 증기 압력 내림은 용매의 증기 압력과 용액의 증기 압력 차와 같다.

(2) 증기 압력 내림이 나타나는 까닭 용액 표면의 일부를 용질 입자가 차지하고 있어 증발할 수 있는 용매 입자 수가 감소하기 때문이다. 용액의 농도가 진할수록 용질의 방해가 많아져서 용매의 증발이 감소하므로 증기 압력이 감소한다.

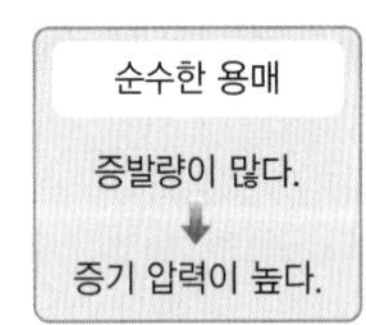

순수한 용매
증발량이 많다.
증기 압력이 높다.

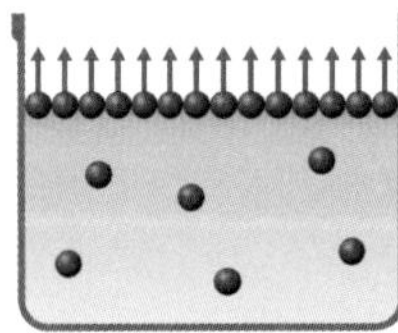

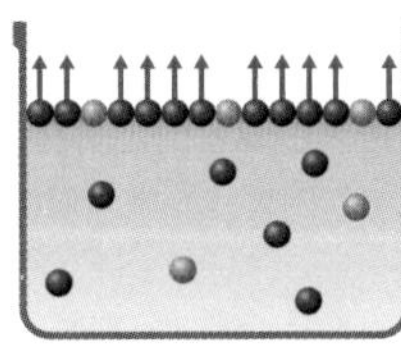

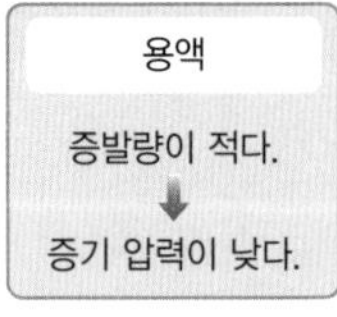

용액
증발량이 적다.
증기 압력이 낮다.

●용매 입자 ●비휘발성 용질 입자

▲ 순수한 용매와 용액의 증발과 증기 압력

빈출 자료 용매와 용액의 증기 압력 비교❸

일정한 온도에서 같은 부피의 물과 설탕물이 들어 있는 플라스크를 수은이 들어 있는 유리관으로 연결하고 충분한 시간 동안 놓아두었더니 그림과 같이 수은 기둥이 h mm만큼 높이 차가 생겼다.

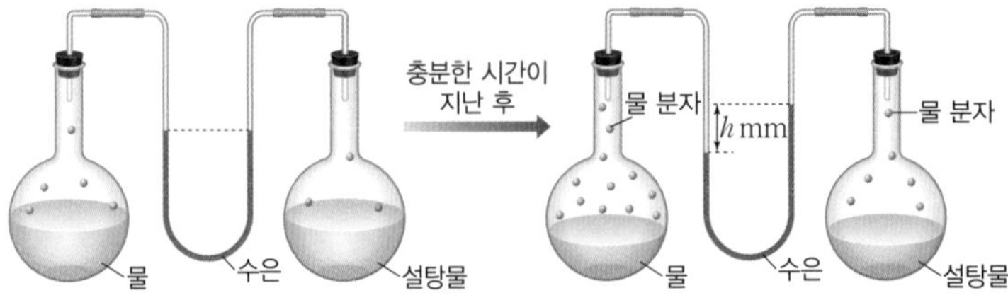

❶ 증기 압력은 물이 설탕물보다 h mmHg만큼 크다.

❷ 설탕물의 증기 압력 내림(ΔP) = 물의 증기 압력 − 설탕물의 증기 압력 = h mmHg

❸ 물과 일정 농도의 설탕물의 증기 압력은 온도가 일정하면 일정한 값을 가지므로 물과 설탕물의 양에 관계없이 h는 일정하다.

❶ 증기 압력
일정한 온도에서 밀폐된 용기에 들어 있는 액체 표면에서 일어나는 증발과 응축이 동적 평형을 이룰 때 액체의 증기가 나타내는 압력이다.

❷ 비휘발성 용질
용액에 녹은 용질이 비휘발성이므로 증발할 수 있는 것은 용매뿐이다. 즉 비휘발성 용질이 녹아 있는 용액에서 용기 속 증기 분자는 용매의 증기이다.

❸ 물과 설탕물의 증발량 비교
두 개의 비커에 같은 양의 물과 설탕물을 넣고 밀폐된 용기에 넣어두면 증기 압력이 큰 물에서 증기 압력이 작은 설탕물 쪽으로 물 분자가 이동하여 증류수의 양은 줄어들고, 설탕물의 양은 늘어난다.

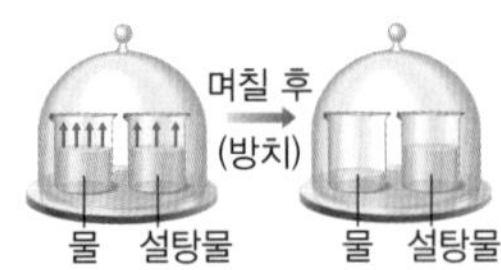

용어 알기

• 비휘발성(아니다 非, 휘두르다 揮, 피다 發, 성질 性) 실온에서 액체가 기체로 되어 날아가지 않는 성질

(3) 증기 압력 내림과 용액의 농도

용액의 농도가 클수록 증기 압력 내림이 커진다.[4]
용액의 농도가 진해지면 증기 압력은 더 낮아진다.

증기 압력 내림과 용액의 농도

일정한 온도에서 같은 부피의 농도가 서로 다른 포도당 수용액 A와 B를 넣은 플라스크를 수은이 들어 있는 유리관으로 연결하고 충분한 시간 동안 놓아두었더니 그림과 같이 수은 기둥이 포도당 수용액 B 쪽으로 h mm 만큼 밀려 올라갔다.

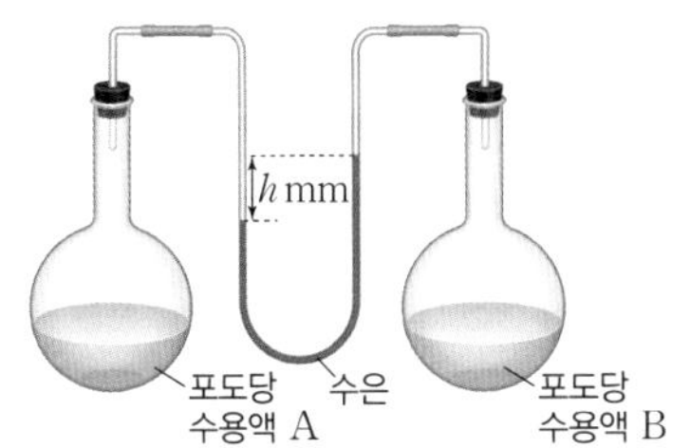

❶ 증발한 용매 분자 수는 포도당 수용액 A에서가 포도당 수용액 B에서보다 크다.
❷ 용액의 증기 압력은 포도당 수용액 A가 포도당 수용액 B보다 크다.
❸ 용액의 농도는 포도당 수용액 B가 포도당 수용액 A보다 크다.

2. 라울 법칙[5]

(1) 라울 법칙

비휘발성, 비전해질 용질이 녹아 있는 묽은 용액의 증기 압력($P_{용액}$)은 순수한 용매의 증기 압력($P^{\circ}_{용매}$)과 용매의 몰 분율($X_{용매}$)[6]을 곱한 값과 같다.

$$P_{용액}=P^{\circ}_{용매}\times X_{용매}$$

($P_{용액}$: 용액의 증기 압력, $P^{\circ}_{용매}$: 용매의 증기 압력, $X_{용매}$: 용매의 몰 분율)

(2) 라울 법칙과 증기 압력 내림

증기 압력 내림은 용매의 종류에 따라 다르고, 용매가 같으면 용질의 종류에 관계없이 용질의 몰 분율($X_{용질}$)에 비례한다.

➡ 증기 압력 내림(ΔP)은 다음과 같이 구할 수 있다.

증기 압력 내림 $\Delta P=P^{\circ}_{용매}-P_{용액}$이고, $P_{용액}=P^{\circ}_{용매}\times X_{용매}$이므로

$\Delta P=P^{\circ}_{용매}-P_{용매}\times X_{용매}=P^{\circ}_{용매}(1-X_{용매})$이다.

암기TIP $X_{용질}+X_{용매}=1$

용액이 한 종류의 용질만 포함한다면 $(1-X_{용매})=X_{용질}$이 되므로 증기 압력 내림은 다음과 같다.

$$\Delta P=P^{\circ}_{용매}\times X_{용질}$$

(ΔP: 용액의 증기 압력 내림, $P^{\circ}_{용매}$: 용매의 증기 압력, $X_{용질}$: 용질의 몰 분율)

빈출 계산연습 용액의 증기 압력 구하기

25 ℃에서 물 108 g에 요소 15 g을 녹인 수용액의 증기 압력 내림과 증기 압력을 각각 구해 보자. (단, 분자량은 물과 요소가 각각 18, 60이고, 25 ℃에서 물의 증기 압력은 24 mmHg이다.)

1단계 물과 요소의 양(mol)을 구한다.

➡ 물의 양(mol) $=\dfrac{108\text{ g}}{18\text{ g/mol}}=6$ mol, 요소의 양(mol) $=\dfrac{15\text{ g}}{60\text{ g/mol}}=0.25$ mol

2단계 용질인 요소의 몰 분율을 구한다.

➡ $X_{용질}=\dfrac{0.25}{6.25}=0.04$

3단계 용액의 증기 압력 내림을 구한다.

➡ $\Delta P=P^{\circ}_{용매}\times X_{용질}=24\text{ mmHg}\times0.04=0.96\text{ mmHg}$

4단계 라울 법칙을 이용하여 용액의 증기 압력을 구한다.

➡ $P_{용액}=P^{\circ}_{용매}\times X_{용매}=24\text{ mmHg}\times0.96=23.04\text{ mmHg}$

---

❹ 증기 압력 내림과 용액의 농도

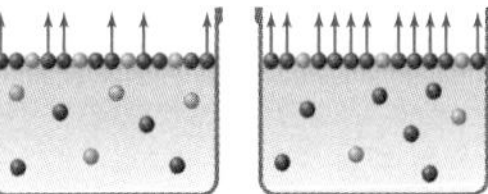

용액의 농도가 클수록 증발할 수 있는 용매 입자 수가 적어지므로 용액의 증기 압력 내림도 커진다.

⊕ 휘발성 용질이 녹아 있는 용액의 증기 압력

용질이 휘발성인 경우 용질도 증발하므로 혼합 용액의 증기 압력은 용매와 용질의 증기 압력의 합과 같다($P_{전체}=P^{\circ}_{용매}+P_{용질}$).

❺ 라울 법칙

라울 법칙은 용질의 종류에 관계없이 용질의 입자 수에만 관계된 법칙이다. 라울 법칙은 묽은 용액에서 잘 적용된다.

❻ 몰 분율

혼합물에서 어떤 성분의 양(mol)을 전체 물질의 양(mol)으로 나눈 값이다.

- $X_{용매}$: $\dfrac{n_{용매}}{n_{용매}+n_{용질}}$
- $X_{용질}$: $\dfrac{n_{용질}}{n_{용매}+n_{용질}}$
- $X_{용매}$: 용매의 몰 분율
- $X_{용질}$: 용질의 몰 분율
- $n_{용매}$: 용매의 양(mol)
- $n_{용질}$: 용질의 양(mol)

⊕ 전해질 용액의 증기 압력 내림

용액의 증기 압력 내림은 용액 중에 녹아 있는 용질 입자 수에 의해 결정된다. 전해질 용액은 이온화되지 못한 용질 입자 수와 이온화되어 있는 이온으로 존재하는 입자의 총수에 의해 증기 압력 내림이 결정된다.

용어 알기

- 비전해질(아니다 非, 전기, 전류 電, 풀다 解, 바탕 質) 물과 같은 극성 용매에 녹였을 때, 전류를 통하지 않는 물질

B 끓는점 오름과 어는점 내림

|출·제·단·서| 용액의 끓는점 오름과 어는점 내림을 비교하여 용액의 증기 압력을 구하는 문제가 나와.

1. 끓는점 오름(ΔT_b) 비휘발성 용질이 녹아 있는 용액의 끓는점(T_b')은 순수한 용매의 끓는점(T_b)보다 높다. 이때 용액의 끓는점과 용매의 끓는점 차를 용액의 끓는점 오름이라고 한다.

$$\Delta T_b = T_b' - T_b$$

(ΔT_b: 용액의 끓는점 오름, T_b': 용액의 끓는점, T_b: 용매의 끓는점)

(1) 용액의 끓는점 오름이 나타나는 까닭 같은 온도에서 비휘발성 용질이 녹아 있는 용액의 증기 압력은 순수한 용매의 증기 압력보다 낮으므로 용액의 증기 압력이 외부 압력과 같아지기 위해서는 더 높은 온도로 가열해야 한다.

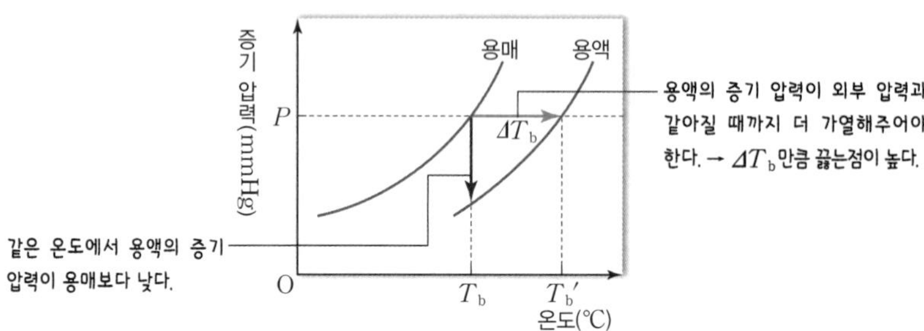

▲ 증기 압력 곡선과 용액의 끓는점 오름

(2) 용액의 끓는점 오름과 용질의 양(mol) 비휘발성, 비전해질 용질이 녹아 있는 묽은 용액의 끓는점 오름은 용질의 종류에 관계없이 일정량의 용매에 녹아 있는 용질의 양(mol), 즉 용액의 몰랄 농도(m)에 비례한다.❼

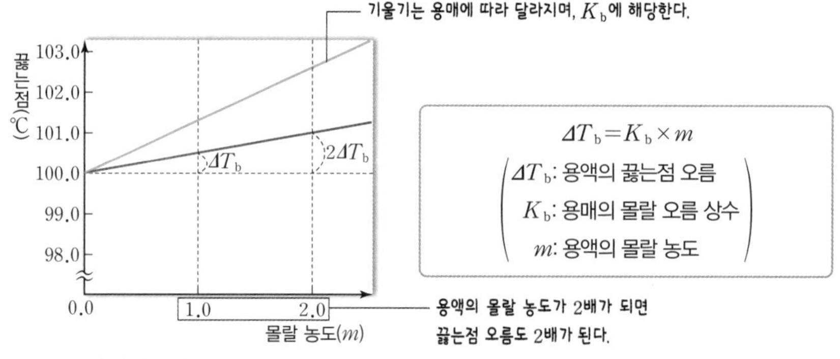

$$\Delta T_b = K_b \times m$$

(ΔT_b: 용액의 끓는점 오름, K_b: 용매의 몰랄 오름 상수, m: 용액의 몰랄 농도)

▲ 용액의 몰랄 농도와 끓는점 오름

(3) 몰랄 오름 상수(K_b) 용액의 몰랄 농도가 1 m일 때의 끓는점 오름으로, 용질의 종류에 관계없이 용매의 종류에 따라 값이 다르다. 단위는 ℃/m이다.

구분	물	벤젠	에탄올	아세트산	사염화 탄소
기준 끓는점(℃)	100.0	80.1	78.2	117.9	76.8
K_b(℃/m)	0.51	2.64	1.23	3.22	4.88

2. 어는점 내림(ΔT_f) 비휘발성 용질이 녹아 있는 용액의 어는점(T_f')은 순수한 용매의 어는점(T_f)보다 낮다. 이때 용매의 어는점과 용액의 어는점 차를 용액의 어는점 내림이라고 한다.

$$\Delta T_f = T_f - T_f'$$

(ΔT_f: 용액의 어는점 내림, T_f: 용매의 어는점, T_f': 용액의 어는점)

➕ 끓는점 오름, 어는점 내림과 몰랄 농도

몰랄 농도는 온도에 영향을 받지 않으므로 용액의 끓는점 오름과 어는점 내림에서는 몰랄 농도를 사용한다. 몰 농도는 가열할 때 부피가 팽창하여 농도가 변하므로 끓는점 오름이나 어는점 내림에서 사용하기에 불편하다.

❼ 전해질 수용액의 끓는점 오름

전해질인 NaCl 1몰은 물에 녹아 Na^+과 Cl^-으로 이온화하므로 수용액 속에는 1몰보다 더 많은 수의 용질 입자가 존재한다. 따라서 1 m NaCl 수용액의 끓는점 오름은 비전해질인 1 m 포도당 수용액보다 더 크다.

용어 알기

- 끓는점(비등점) 액체가 표면과 내부에서 기포가 발생하면서 끓기 시작하는 온도로, 액체 표면으로부터 증발이 일어날 뿐만 아니라 액체에서 기체로 물질의 상태가 변화되는 온도
- 어는점(빙점) 액체를 냉각시켜 고체로 상태 변화가 일어나기 시작할 때의 온도

(1) 용액의 어는점 내림이 나타나는 까닭 용액 내 용매 입자가 결정을 형성하는 것을 용질 입자가 방해하므로 순수한 용매보다 더 낮은 온도로 냉각해야 용액이 얼게 된다.

(2) 용액의 어는점 내림과 용질의 양(mol) 비휘발성, 비전해질 용질이 녹아 있는 묽은 용액의 어는점 내림은 용질의 종류에 관계없이 일정량의 용매에 녹아 있는 용질의 양(mol), 즉 용액의 몰랄 농도(m)에 비례한다.

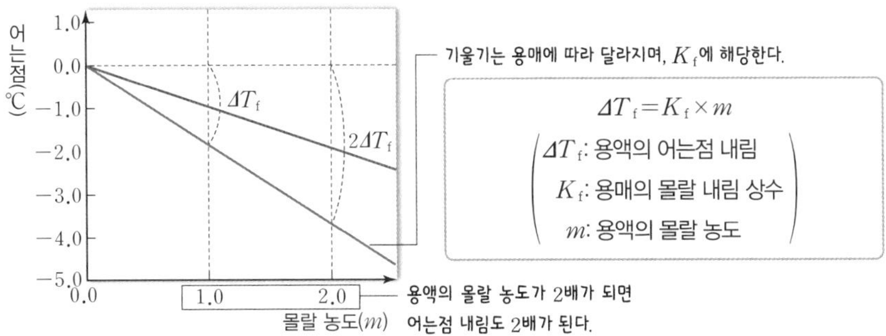

▲ 용액의 몰랄 농도와 어는점 내림

(3) 몰랄 내림 상수(K_f) 용액의 몰랄 농도가 1 m일 때의 어는점 내림으로, 용질의 종류에 관계없이 용매의 종류에 따라 값이 다르다. 단위는 ℃/m이다.

구분	물	벤젠	에탄올	아세트산	사염화 탄소
기준 어는점(℃)	0	5.5	−114.1	17.0	−22.8
K_f(℃/m)	1.86	5.07	1.99	3.63	29.8

암기TiP 용액의 끓는점 오름 $\Delta T_b = K_b \times m$, 용액의 어는점 내림 $\Delta T_f = K_f \times m$

빈출 계산연습 용액의 어는점 구하기

1기압에서 포도당 수용액의 끓는점이 100.51 ℃였다. 이 수용액의 어는점을 구해 보자. (단, 물의 K_b와 K_f는 각각 0.51 ℃/m, 1.86 ℃/m이다.)

1단계 용액의 끓는점 오름을 이용하여 용액의 몰랄 농도를 구한다.
➡ $\Delta T_b = K_b \times m$에서 0.51 ℃ = 0.51 ℃/$m \times m$이므로 몰랄 농도는 1 m이다.

2단계 용액의 어는점 내림을 구한다.
➡ $\Delta T_f = K_f \times m = 1.86$ ℃/$m \times 1\ m = 1.86$ ℃

3단계 용액의 어는점을 구한다.
➡ 용액의 어는점 = 용매의 어는점 − 용액의 어는점 내림 = 0 ℃ − 1.86 ℃ = −1.86 ℃

탐구 POOL

3. 끓는점 오름과 어는점 내림을 이용한 용질의 분자량(M) 구하기[8]

용매 W g에 분자량이 M인 비휘발성, 비전해질 용질 w g이 녹아 있는 용액에서 용질의 분자량은 다음과 같다.

$$M = \frac{1000 \times w \times K_b}{\Delta T_b \times W} = \frac{1000 \times w \times K_f}{\Delta T_f \times W}$$

4. 일상생활에서 끓는점 오름과 어는점 내림

(1) 부동액 자동차의 냉각수에 에틸렌 글리콜($C_2H_6O_2$)이 들어 있는 부동액을 넣으면 물의 어는점이 낮아지고, 끓는점이 높아져 겨울철에는 냉각수가 얼지 않고, 여름철에는 냉각수가 끓어 넘치지 않는다.

(2) 제설제 겨울철 눈이 내릴 때 도로에 염화 칼슘($CaCl_2$)을 뿌리면 물의 어는점이 낮아져 눈이 얼지 않는다.

⊕ 생물의 겨울나기와 용액의 어는점 내림

개구리가 겨울잠을 잘 때 주요 장기와 근육 세포 속의 포도당 농도가 높아진다. 이는 용액의 농도가 커지면 어는점 내림이 낮아져 겨울잠을 자는 추운 겨울 내내 세포 속 세포액이나 혈액이 얼지 않게 하기 위해서이다.

용액의 끓는점 오름이나 어는점 내림을 측정하면 용액 속에 들어 있는 용질의 양(mol)을 알 수 있으므로 이를 이용하여 용질의 분자량을 구할 수 있어.

[8] 끓는점 오름과 어는점 내림을 이용한 용질의 분자량 구하기

- 용질의 양(n) $= \frac{w}{M}$
- 용액의 몰랄 농도(m) $= \frac{1000w}{MW}$

끓는점 오름이나 어는점 내림을 구하는 식에 위의 식을 대입하면 다음과 같다.

$\Delta T_b = K_b \times m$

$= K_b \times \frac{1000 \times w}{M \times W}$ 이므로

$M = \frac{1000 \times w \times K_b}{\Delta T_b \times W}$ 이다.

용어 알기

- 부동액(아니다 不, 얼다 凍, 진액 液) 자동차 기관용 냉각수의 동결을 방지하기 위하여 사용하는 액체
- 제설제(덜다 除, 눈 雪, 약제 劑) 물의 어는점을 낮춰 도로에 쌓이는 눈을 녹이는 물질

용액의 어는점 내림으로 분자량 측정하기

목표 수용액의 어는점 내림을 측정하여 분자량을 구할 수 있다.

과정

❶ 수용액 A 만들기

비커에 증류수 100 g을 담고, 물질 A 9 g을 넣어 녹인다.

❷ ❶의 용액을 냉각하며 어는점 측정하기

시험관에 과정 ❶의 용액을 약 $\frac{1}{2}$ 채우고 온도 센서를 꽂은 후, 시험관을 한제에 넣고 5초 간격으로 온도를 측정하여 온도 변화 그래프를 작성한다.

❸ 용액의 어는점을 구하여 분자량 구하기

시험관 속 용액이 얼기 시작한 후 2분 정도가 지나면 온도 측정을 중지하고 작성된 그래프에서 어는점을 찾아 기록한다.

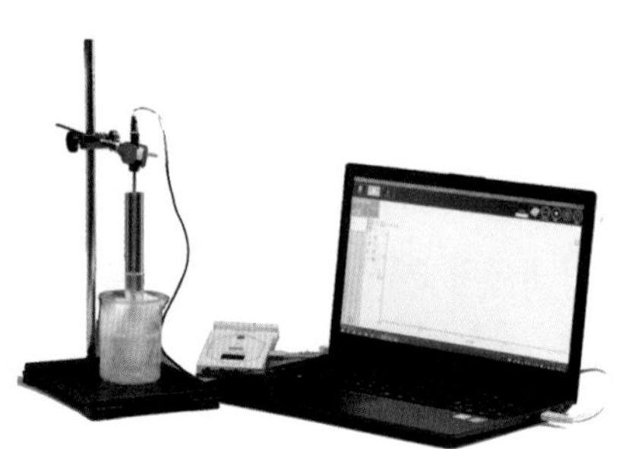

이런 실험도 있어요!

❶ 증류수가 담긴 2개의 비커에 물질 A와 B를 10 g씩 넣어 녹인 수용액을 만들어 서로 다른 시험관에 20 mL씩 넣은 다음 시험관에 온도계를 넣는다(단, 물질 A와 B는 포도당과 설탕 중 하나이다.).

❷ 시험관을 한제에 넣어 녹이면서 물질 A와 B의 수용액의 어는점을 측정한다.

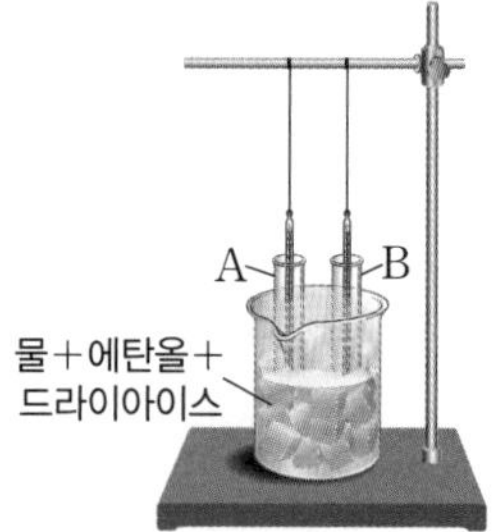

➡ 같은 질량을 넣어 녹인 수용액의 몰랄 농도는 포도당 수용액이 설탕 수용액보다 크므로 어는점 내림은 포도당 수용액이 설탕 수용액보다 크다. 따라서 어는점이 높은 물질이 설탕 수용액이다.

유의점

용액이 들어 있는 시험관이 한제에 충분히 잠기도록 한다.

한제

냉각할 때 사용하는 것으로, 일반적으로 얼음과 소금을 섞어 사용하거나 물과 에탄올의 혼합 용액에 드라이아이스를 넣어 사용한다.

결과

❶ 실험 결과

얼기 시작하는 온도(℃)	ΔT_f(℃)	몰랄 농도(m)	용질의 양(mol)
−0.93	0.93	0.5	0.05

❷ 용액이 어는 동안 온도가 계속 낮아진다.

정리 및 해석

- A의 분자량 구하기: 물의 몰랄 내림 상수(K_f)는 1.86 ℃/m이므로 용액의 몰랄 농도는 $0.93=1.86\times m$에서 $m=0.5\,m$이다. 용액을 만들 때 사용한 용매의 질량이 100 g이므로 용액 속 용질의 양(mol)은 0.05몰이고, 용질 9 g의 양(mol)이 0.05몰이므로 1몰의 질량은 180 g이다. 따라서 A의 분자량은 180이다.
- 용액 속 용매가 얼면서 아직 녹지 않은 용액의 농도가 점점 진해지므로 어는 동안 온도가 계속 낮아진다.

한·줄·핵심 용액의 어는점 내림은 몰랄 농도에 비례하므로 용액의 어는점 내림을 측정하여 분자량을 구할 수 있다.

확인 문제

정답과 해설 031쪽

01 이 실험에서 사용한 용액이 끓기 시작하는 온도를 구하시오. (단, 물의 K_b는 0.51 ℃/m이다.)

02 이 실험에 대한 설명으로 옳은 것은 ○, 옳지 않은 것은 ×로 표시하시오.

(1) 용액의 어는점은 −0.93 ℃로 일정하다. ( )

(2) 용매 100 g에 A 18 g을 녹인 용액으로 실험하면 어는점 내림은 1.86 ℃이다. ( )

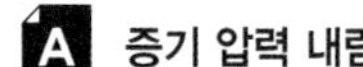

콕콕!
개념 확인하기

정답과 해설 031쪽

✔ 잠깐 확인!

1. □□ □□ □□
일정한 온도에서 비휘발성 용질이 녹아 있는 용액의 증기 압력이 순수한 용매의 증기 압력보다 낮아지는 현상

2. □□ 법칙
비휘발성, 비전해질 용질이 녹아 있는 용액의 증기 압력은 용매의 증기 압력과 □□의 몰 분율을 곱한 값과 같다.

3. □□□ □□
용액의 끓는점이 순수한 용매의 끓는점보다 □아지는 현상

4. □□□ □□
용액의 어는점이 순수한 용매의 어는점보다 □아지는 현상

5. 비휘발성, 비전해질 용질이 녹아 있는 용액의 끓는점 오름과 어는점 내림은 용질의 종류에 관계없이 용질의 □□ □□에 비례한다.

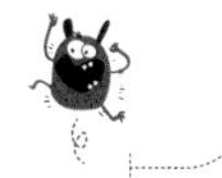

A 증기 압력 내림

01 용액의 증기 압력에 대한 설명으로 옳은 것은 ○, 옳지 않은 것은 ×로 표시하시오.

(1) 일정한 온도에서 비휘발성 용질이 녹아 있는 용액은 순수한 용매보다 증발 속도가 빠르다. (   )

(2) 일정한 온도에서 용액의 증기 압력은 용매보다 크다. (   )

(3) 용액의 증기 압력 내림은 용매의 종류가 같더라도 녹은 용질의 종류에 따라 다르다. (   )

02 그림은 일정한 온도에서 부피가 같은 2개의 플라스크에 설탕물 A와 설탕물 B가 평형을 이룬 상태를 나타낸 것이다. 이에 대한 설명으로 옳은 것은 ○, 옳지 않은 것은 ×로 표시하시오.

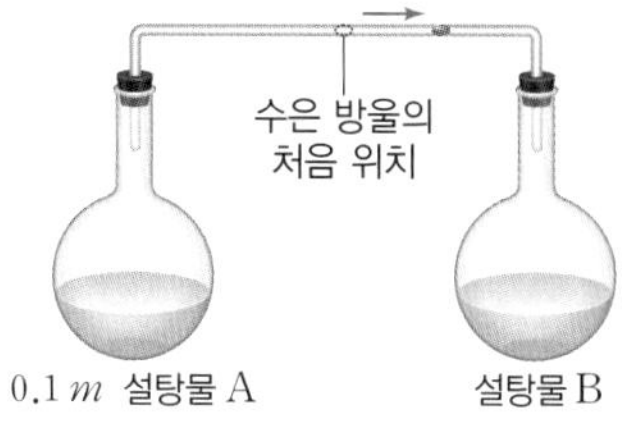

(1) 증기 압력은 A가 B보다 크다. (   )

(2) B의 몰랄 농도는 0.1 m보다 작다. (   )

(3) 용매의 몰 분율은 A가 B보다 크다. (   )

B 끓는점 오름과 어는점 내림

03 용액의 끓는점 오름과 어는점 내림에 대한 설명으로 옳은 것은 ○, 옳지 않은 것은 ×로 표시하시오.

(1) 용액의 끓는점 오름은 용액의 몰 농도에 비례한다. (   )

(2) 0.1 m 포도당 수용액과 0.1 m 요소 수용액의 어는점은 같다. (   )

(3) 0.1 m 요소 수용액과 0.1 m 요소 에탄올 용액의 어는점 내림은 같다. (   )

04 <보기>의 용액을 1기압에서 가열할 때 끓는점이 높은 용액부터 차례로 나열하시오. (단, 요소, 포도당, 설탕의 분자량은 각각 60, 180, 342이다.)

보기
ㄱ. 1 m 포도당 수용액　　ㄴ. 6 % 요소 수용액
ㄷ. 물 100 g에 설탕 30 g을 녹인 용액

05 물 100 g에 비휘발성, 비전해질 용질 X 3 g을 녹인 용액의 어는점이 -0.93 ℃이다. X의 분자량을 구하시오. (단, 물의 $K_f = 1.86$ ℃/m이다.)

탄탄! 내신 다지기

A 증기 압력 내림

01 그림은 25 ℃에서 농도가 서로 다른 설탕물 A, B와 물을 진공인 플라스크에 넣고 수은이 담긴 유리관으로 연결한 후, 평형에 도달했을 때의 모습을 나타낸 것이다.

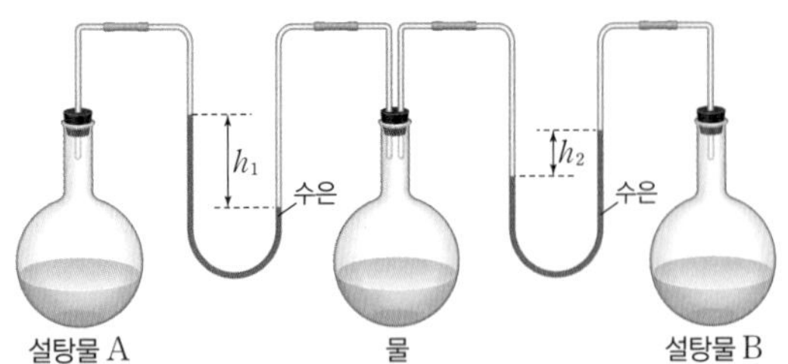

이에 대한 설명으로 옳은 것은?

① A의 증기 압력은 h_1이다.
② B의 증기 압력은 h_2이다.
③ 물의 몰 분율은 A가 B보다 크다.
④ 설탕물의 몰랄 농도는 A가 B보다 크다.
⑤ 용매의 증발 속도는 A에서가 B에서보다 빠르다.

02 그림과 같이 3 % 요소 수용액과 0.3 m 설탕물을 같은 크기의 플라스크에 넣고 수은이 들어 있는 U자관으로 연결하였다. 요소의 분자량은 60이다.

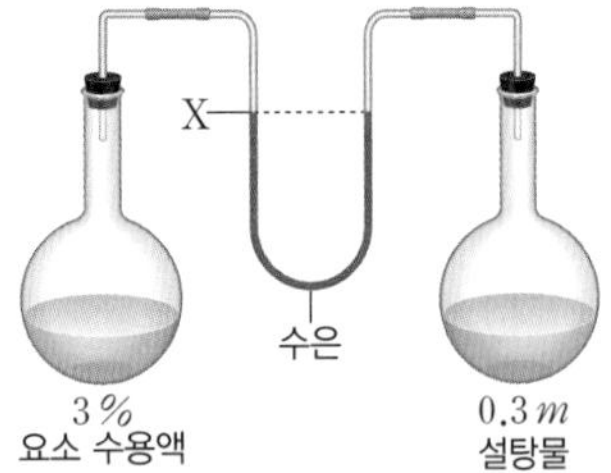

다음은 충분한 시간이 지난 후에 대한 설명이다. ㉠~㉢에 들어갈 알맞은 말을 쓰시오.

> 요소 수용액의 몰랄 농도는 설탕물의 몰랄 농도인 0.3 m보다 (㉠)므로, 증기 압력은 (㉡)이 더 크다. 따라서 충분한 시간이 지나면 요소 수용액 쪽의 수은의 높이인 X점이 (㉢)쪽으로 이동한다.

03 그림은 일정한 온도에서 진공인 두 용기에 퍼센트 농도가 같은 A 수용액과 B 수용액을 각각 같은 질량 넣은 후 평형에 도달한 상태를 나타낸 것이다.

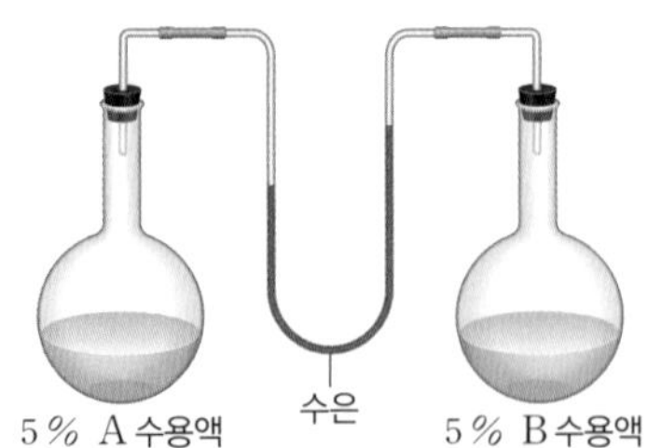

이에 대한 설명으로 옳은 것만을 〈보기〉에서 있는 대로 고른 것은? (단, A, B는 비휘발성, 비전해질이며, 수용액은 라울 법칙을 따른다.)

> 보기
> ㄱ. 증기 압력은 A 수용액이 B 수용액보다 크다.
> ㄴ. 용질의 몰 분율은 A 수용액이 B 수용액보다 크다.
> ㄷ. 분자량은 A가 B보다 크다.

① ㄱ ② ㄴ ③ ㄱ, ㄷ
④ ㄴ, ㄷ ⑤ ㄱ, ㄴ, ㄷ

04 그림은 온도에 따른 물과 A 수용액의 증기 압력을 나타낸 것이다.

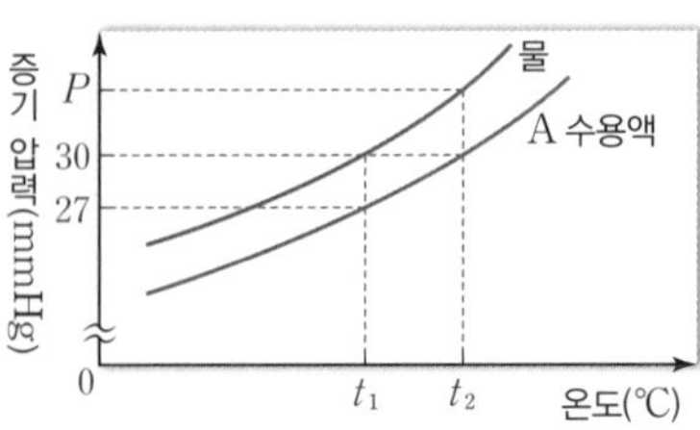

P는? (단, A는 비휘발성, 비전해질 용질이고, A 수용액은 라울 법칙을 따른다.)

① 33 ② $\frac{100}{3}$ ③ 33.6
④ $\frac{110}{3}$ ⑤ 37

B 끓는점 오름과 어는점 내림

05 표는 1기압에서 물 100 g에 비휘발성, 비전해질 용질 X를 녹여 만든 수용액 (가)와 (나)의 끓는점을 나타낸 것이다.

수용액	(가)	(나)
용질의 질량(g)	w	$2w$
끓는점(℃)	100.05	100.10

이에 대한 설명으로 옳은 것만을 〈보기〉에서 있는 대로 고른 것은? (단, 물의 몰랄 오름 상수 $K_b = 0.5$ ℃/m이다.)

보기
ㄱ. 실온에서 증기 압력은 (가)가 (나)보다 크다.
ㄴ. X의 분자량은 $100w$이다.
ㄷ. 용액의 어는점은 (나)가 (가)보다 높다.

① ㄱ ② ㄷ ③ ㄱ, ㄴ
④ ㄴ, ㄷ ⑤ ㄱ, ㄴ, ㄷ

06 그림은 물 100 g에 비휘발성, 비전해질 용질 A와 B를 각각 녹일 때 녹인 용질의 질량에 따른 수용액의 어는점을 나타낸 것이다. A의 분자량은 $10w$이다.

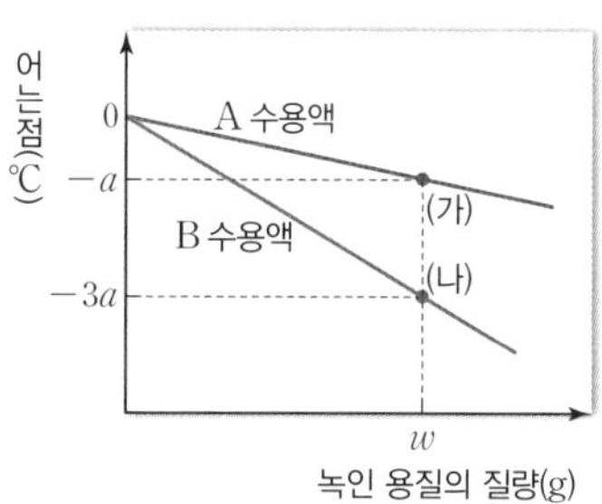

이에 대한 설명으로 옳은 것만을 〈보기〉에서 있는 대로 고른 것은?

보기
ㄱ. (가)의 몰랄 농도는 0.1 m이다.
ㄴ. B의 분자량은 $30w$이다.
ㄷ. 물의 몰랄 내림 상수는 a ℃/m이다.

① ㄱ ② ㄷ ③ ㄱ, ㄴ
④ ㄴ, ㄷ ⑤ ㄱ, ㄴ, ㄷ

07 그림은 1기압에서 물 100 g에 비휘발성, 비전해질 용질 A w g을 녹인 수용액을 가열할 때, 시간에 따른 온도 변화를 나타낸 것이다.

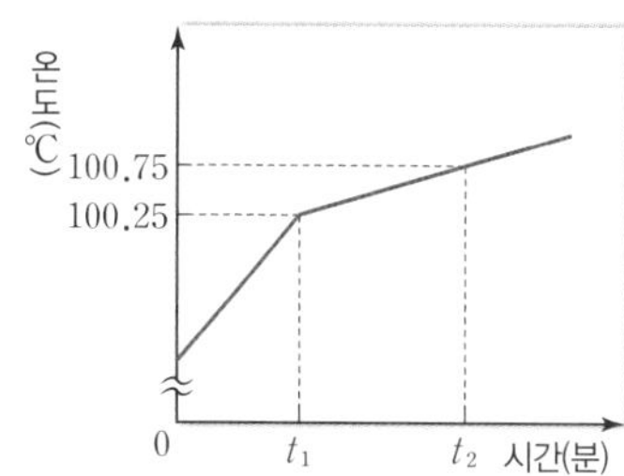

이에 대한 설명으로 옳은 것만을 〈보기〉에서 있는 대로 고른 것은? (단, 물의 몰랄 오름 상수 $K_b = 0.5$ ℃/m이며, 수용액은 라울 법칙을 따른다.)

보기
ㄱ. A의 분자량은 $10w$이다.
ㄴ. 수용액의 증기 압력은 t_1일 때가 t_2일 때보다 크다.
ㄷ. 용액의 몰랄 농도는 t_2일 때가 t_1일 때의 3배이다.

① ㄱ ② ㄷ ③ ㄱ, ㄴ
④ ㄴ, ㄷ ⑤ ㄱ, ㄴ, ㄷ

08 표는 1기압에서 수용액 (가)와 (나)에 대한 자료이다.

수용액		(가)	(나)
물의 질량(g)		100	200
용질	종류	A	B
	분자량	a	180
용질의 질량(g)		6	w
끓는점(℃)		100.5	100.25

$\frac{a}{w}$는? (단, A, B는 비휘발성, 비전해질 용질이고, 물의 몰랄 오름 상수 $K_b = 0.5$ ℃/m이며, 수용액은 라울 법칙을 따른다.)

① $\frac{5}{2}$ ② 3 ③ $\frac{10}{3}$ ④ $\frac{7}{2}$ ⑤ 4

도전! 실력 올리기

출제예감

01 그림은 1기압에서 25 ℃의 x m X 수용액을 단위 시간당 일정한 열량으로 가열할 때 시간에 따른 용액의 온도를 측정하여 나타낸 것이다.

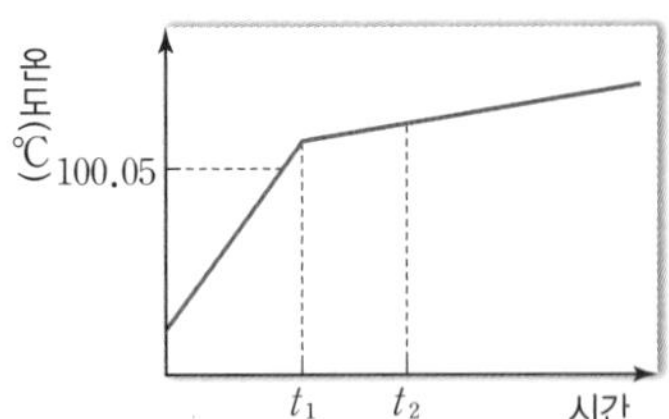

이에 대한 설명으로 옳은 것만을 〈보기〉에서 있는 대로 고른 것은? (단, X는 비휘발성, 비전해질이고, 물의 몰랄 오름 상수 K_b=0.5 ℃/m이며, 수용액은 라울 법칙을 따른다.)

보기
ㄱ. x>0.1이다.
ㄴ. t_1일 때 수용액의 증기 압력은 1기압보다 작다.
ㄷ. X의 몰 분율은 t_2일 때가 t_1일 때보다 크다.

① ㄱ ② ㄴ ③ ㄱ, ㄷ
④ ㄴ, ㄷ ⑤ ㄱ, ㄴ, ㄷ

02 그림은 25 ℃, 1기압에서 용질 X를 용매 A와 B에 각각 녹인 용액 (가)와 (나)의 증기 압력을 몰랄 농도에 따라 나타낸 것이다.

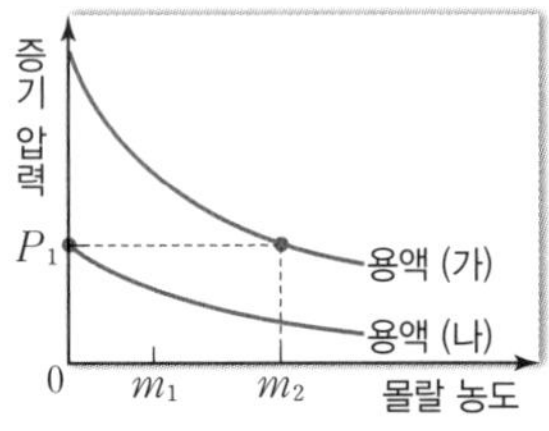

이에 대한 설명으로 옳은 것만을 〈보기〉에서 있는 대로 고른 것은? (단, X는 비휘발성, 비전해질이고, 용액은 라울 법칙을 따른다.)

보기
ㄱ. 용매의 기준 끓는점은 A가 B보다 높다.
ㄴ. 외부 압력이 P_1일 때 몰랄 농도가 m_2인 용액 (가)의 끓는점은 25 ℃이다.
ㄷ. 외부 압력이 1기압일 때, 몰랄 농도가 m_1인 두 용액의 끓는점에서 증기 압력은 (가)와 (나)가 같다.

① ㄱ ② ㄴ ③ ㄱ, ㄷ
④ ㄴ, ㄷ ⑤ ㄱ, ㄴ, ㄷ

출제예감

03 그림 (가)는 두 용기에 분자량이 동일한 액체 A와 B가 각각 100 g씩 들어 있는 모습을, (나)는 (가)의 A와 B에 각각 비휘발성, 비전해질 용질 C 10 g을 녹인 용액 X와 Y의 모습을 나타낸 것이다.

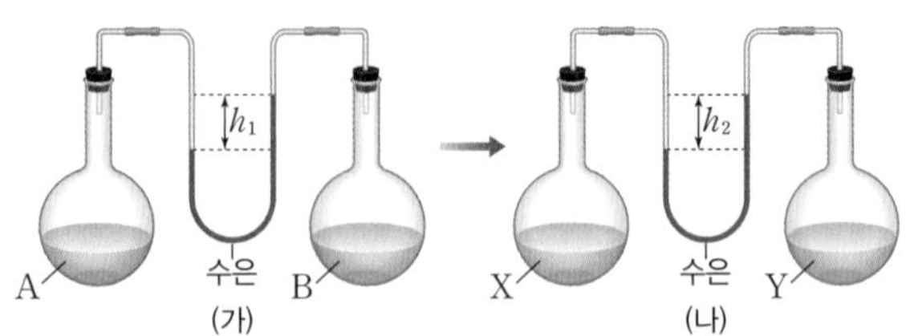

이에 대한 설명으로 옳은 것만을 〈보기〉에서 있는 대로 고른 것은?

보기
ㄱ. 기준 끓는점은 A가 B보다 높다.
ㄴ. A의 증기 압력은 Y의 증기 압력보다 크다.
ㄷ. $\frac{h_1}{h_2}$>1이다.

① ㄱ ② ㄷ ③ ㄱ, ㄴ
④ ㄴ, ㄷ ⑤ ㄱ, ㄴ, ㄷ

04 그림 (가)는 용액 Ⅰ과 용액 Ⅱ를, (나)는 각각의 용액에 추가로 X를 넣었을 때 넣어 준 X의 질량에 따른 끓는점 오름(ΔT_b)을 나타낸 것이다. ㉠과 ㉡은 각각 용액 Ⅰ, Ⅱ 중 하나이다.

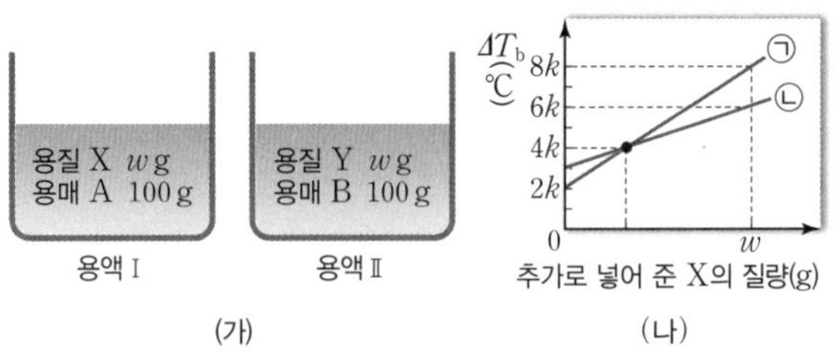

이에 대한 설명으로 옳은 것만을 〈보기〉에서 있는 대로 고른 것은?

보기
ㄱ. ㉠은 용액 Ⅱ이다.
ㄴ. 용매의 몰랄 오름 상수는 B가 A의 2배이다.
ㄷ. 용질의 분자량은 Y가 X의 1.5배이다.

① ㄱ ② ㄷ ③ ㄱ, ㄴ
④ ㄴ, ㄷ ⑤ ㄱ, ㄴ, ㄷ

정답과 해설 033쪽

05 표는 1기압에서 비휘발성, 비전해질 용질 A와 B의 수용액 (가)와 (나)에 대한 자료이다.

수용액	용액의 조성	끓는점 오름(℃)
(가)	용질 A 45 g+물 50 g	$5k$
(나)	용질 B 0.1몰+물 100 g	k

이에 대한 설명으로 옳은 것만을 〈보기〉에서 있는 대로 고른 것은?

보기
ㄱ. 25 ℃에서 증기 압력은 (나)가 (가)보다 크다.
ㄴ. 물의 몰랄 오름 상수(K_b)는 k ℃/m이다.
ㄷ. A의 분자량은 180이다.

① ㄱ ② ㄷ ③ ㄱ, ㄴ
④ ㄴ, ㄷ ⑤ ㄱ, ㄴ, ㄷ

출제예감

06 그림은 25 ℃에서 물 w g에 용질 A a g을 녹인 수용액에 물을 추가할 때, 추가한 물의 질량에 따른 수용액의 증기 압력을 나타낸 것이다. 25 ℃에서 물의 증기 압력은 P이다.

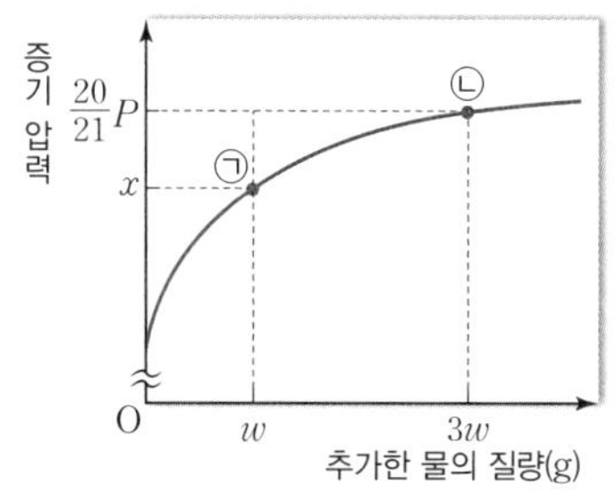

이에 대한 설명으로 옳은 것만을 〈보기〉에서 있는 대로 고른 것은? (단, A는 비휘발성, 비전해질이고, 수용액은 라울 법칙을 따르며, 온도는 일정하다.)

보기
ㄱ. A의 몰 분율은 ㉠에서가 ㉡에서의 2배이다.
ㄴ. $x=\frac{10}{11}P$이다.
ㄷ. 용액의 끓는점 오름은 ㉠에서가 ㉡에서의 3배이다.

① ㄱ ② ㄴ ③ ㄱ, ㄷ
④ ㄴ, ㄷ ⑤ ㄱ, ㄴ, ㄷ

서술형

07 그림은 유리관으로 연결된 두 용기 중 한쪽에는 0.1 m 포도당 수용액 100 mL가, 다른 한쪽에는 0.2 m 포도당 수용액 100 mL가 들어 있는 것을 순서 없이 나타낸 것이다. 꼭지를 열고 충분한 시간이 지난 후 (가)에 들어 있는 수용액의 질량이 증가하였다.

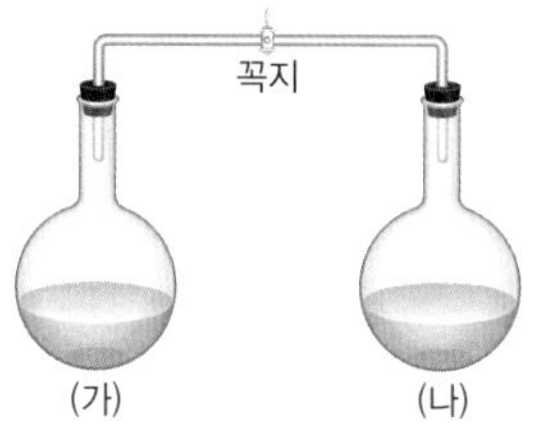

꼭지를 열기 전 (가)에 들어 있는 수용액은 무엇인지 쓰고, 판단 근거를 서술하시오.

서술형

08 그림은 액체 A, B와 X 용액이 온도 T에서 증기와 평형을 이루고 있는 상태를 나타낸 것이다. X 용액은 X(s)를 A와 B 중 하나에 녹인 용액이고, X 용액에서 X의 몰 분율은 0.05이다. T에서 A와 B의 증기 압력은 각각 P_A, P_B이다.

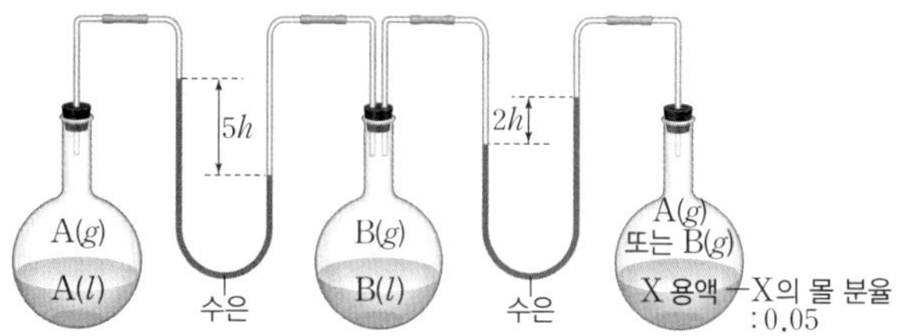

(1) X 용액의 용매가 A와 B 중 어느 것인지 쓰고 판단 근거를 서술하시오.

(2) P_A와 P_B의 비를 구하는 과정을 서술하시오.

03 묽은 용액의 성질 (2)

핵심 키워드로 흐름잡기
- A 삼투압, 반트호프 법칙
- B 묽은 용액의 총괄성

A 삼투압

|출·제·단·서| 용액의 삼투압을 비교하는 문제가 나와.

1. 삼투 현상 탐구 POOL

(1) **반투막** 물과 같은 작은 크기의 입자는 통과할 수 있지만 크기가 큰 용질 입자는 통과하지 못하는 얇은 막 예 셀로판 종이, 세포막, 달걀 속껍질 반투막은 입자를 선택적으로 통과시킨다.

(2) **삼투 현상**❶ 반투막을 사이에 두고 용매는 같지만 농도가 다른 두 용액이 있을 때 농도가 작은 용액 쪽에서 농도가 큰 용액 쪽으로 용매 입자가 이동하는 현상

예 혈액 속 적혈구를 20 % 설탕물에 담가 두면 쭈그러들지만, 증류수에 담가 두면 부풀어 올라 터진다.

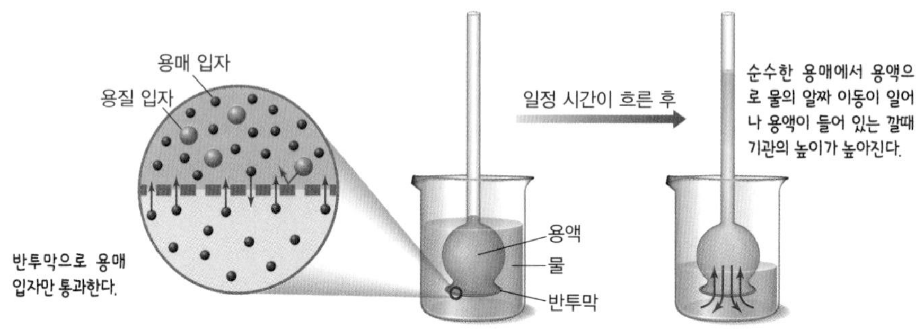

(3) **삼투압(π)** 반투막을 사이에 두고 순수한 용매와 용액이 있을 때 용매 입자가 용액 쪽으로 이동하는 삼투 현상을 막기 위해 용액 쪽에 가해 주어야 하는 최소한의 압력

삼투압

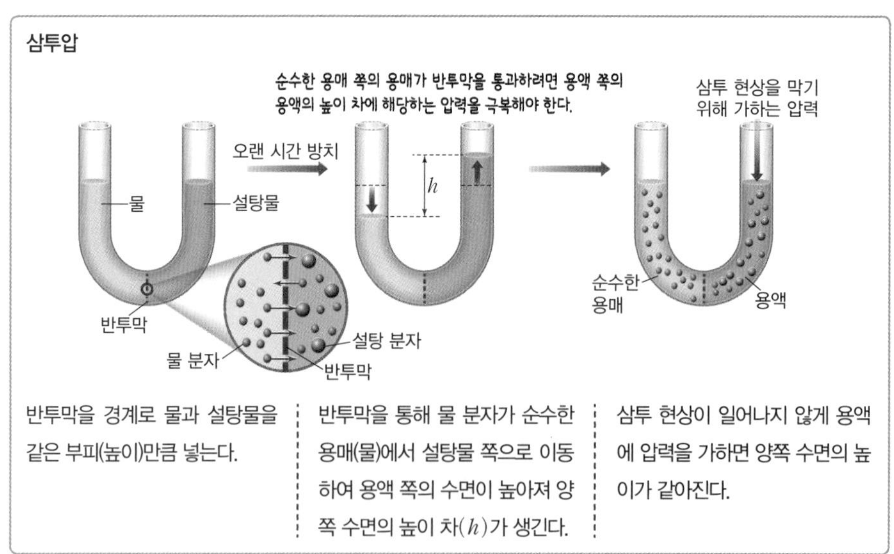

반투막을 경계로 물과 설탕물을 같은 부피(높이)만큼 넣는다.	반투막을 통해 물 분자가 순수한 용매(물)에서 설탕물 쪽으로 이동하여 용액 쪽의 수면이 높아져 양쪽 수면의 높이 차(h)가 생긴다.	삼투 현상이 일어나지 않게 용액에 압력을 가하면 양쪽 수면의 높이가 같아진다.

2. 반트호프 법칙 암기TIP $\pi=CRT$

(1) **반트호프 법칙** 비휘발성, 비전해질 용질이 녹아 있는 묽은 용액의 삼투압(π)은 용매나 용질의 종류에 관계없이 용액의 몰 농도와 절대 온도에 비례한다.

$$\pi=CRT$$

(π: 삼투압, C: 몰 농도, R: 기체 상수, T: 절대 온도)

---

❶ **삼투 현상이 일어나는 까닭**

농도가 큰 용액에서는 용질 입자가 반투막에 충돌하는 용매 입자 수를 더 많이 줄인다. 따라서 반투막을 통해 이동하는 용매 입자 수는 농도가 작은 용액이 농도가 큰 용액보다 크므로 농도가 작은 용액에서 농도가 큰 용액으로 물의 알짜 이동이 일어난다.

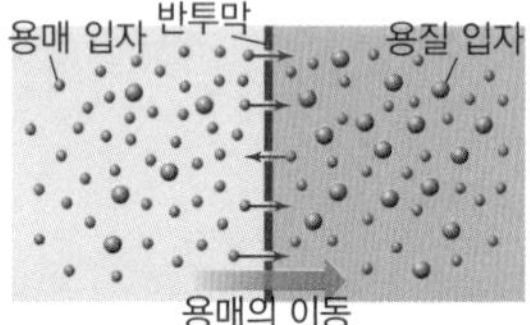

➕ **삼투 현상의 예**

- 김치를 담글 때 배추를 소금물에 절이면 배추에서 수분이 빠져나와 숨이 죽는다.
- 오이를 소금물에 담가 두면 오이의 수분이 빠져 나와 오이가 쪼글쪼글해진다.
- 식물에 비료를 많이 주면 식물 세포에서 수분이 빠져나와 식물이 말라 죽는다.

용어 알기

- **삼투(스며들다 滲, 사무치다 透)** 액체가 스며드는 현상
- **세포막(가늘다 細, 태보 胞, 꺼풀 膜)** 세포질을 둘러싸고 있는 막으로, 인지질 이중 층 안에 단백질 분자가 삽입되어 있거나 붙어 있는 구조이나, 물질을 선택적으로 투과하고 운반하며 외부의 신호를 감지하는 등 세포의 기능 유지에 필수적인 구조
- **증류수(찌다 蒸, 낙숫물 溜, 물 水)** 자연수를 증류하여 불순물을 제거한 무색 투명하고, 무미·무취한 물

용액의 몰 농도와 삼투압

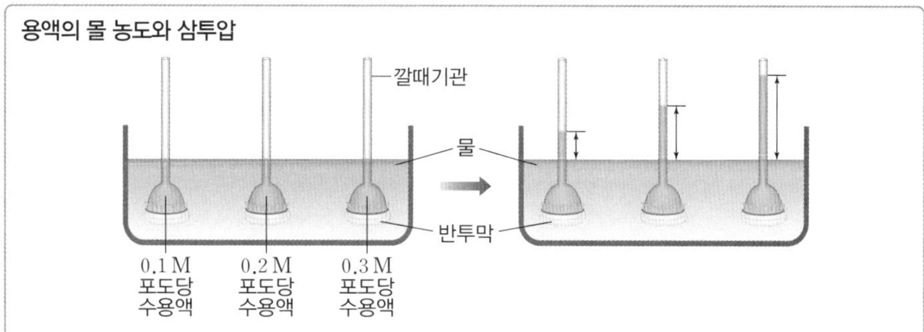

❶ 농도가 다른 포도당 수용액을 깔때기관에 같은 부피만큼 넣고 물에 담근 후 수면의 높이를 같게 한 다음 충분한 시간이 지나면 깔때기관 수면의 높이가 차 생긴다.

❷ 포도당의 농도가 클수록 수면의 높이 차가 크다. ➡ 용액의 몰 농도가 클수록 삼투압이 크다.

(2) 반트호프 법칙으로 용질의 분자량 구하기❷ 절대 온도 T에서 분자량이 M인 비휘발성, 비전해질인 용질 w g이 녹아 있는 V L의 용액에서 용질의 양(mol, n)은 $\frac{w}{M}$이고, 용액의 몰 농도는 $\frac{w}{MV}$(mol/L)이므로 이 식을 반트호프 식에 대입하면 용질의 분자량은 다음과 같다.

$$\pi = CRT = \frac{wRT}{MV} \Rightarrow M = \frac{wRT}{\pi V}$$

빈출 계산연습 삼투압을 이용하여 용질의 분자량 구하기

27 ℃에서 단백질 X 5 g을 물에 녹여 500 mL로 만든 용액의 삼투압을 측정하였더니 0.041 atm이었다. X의 분자량을 구해 보자. (단, 기체 상수 R=0.082 atm·L/(mol·K)이다.)

1단계 제시된 값들을 확인한다.
➡ 삼투압(π): 0.041 atm, 절대 온도: 27+273=300 (K), R=0.082 atm·L/(mol·K)

2단계 $\pi=CRT$에 제시된 값을 대입하여 X 수용액의 몰 농도를 구한다.
➡ $C=\frac{0.041\text{ atm}}{0.082\text{ atm}\cdot\text{L/(mol}\cdot\text{K)}\times 300\text{ K}}=\frac{1}{600}$ mol/L

3단계 몰 농도를 구하는 식에 이 값을 대입하여 용질의 분자량(M)을 구한다.
➡ $\frac{\frac{5}{M}}{0.5}=\frac{1}{600}$, $M=6000$

B 묽은 용액의 총괄성

|출·제·단·서| 묽은 용액에서 총괄성을 나타내는 물리적 성질을 묻는 문제가 나와.

1. 묽은 용액의 총괄성 비휘발성, 비전해질인 용질이 녹아 있는 묽은 용액에서 증기 압력 내림, 끓는점 오름, 어는점 내림, 삼투압 등의 묽은 용액의 성질은 용질의 종류와 관계없이 용액 속 용질의 입자 수에 따라 결정되는데, 이를 묽은 용액의 •총괄성이라고 한다.

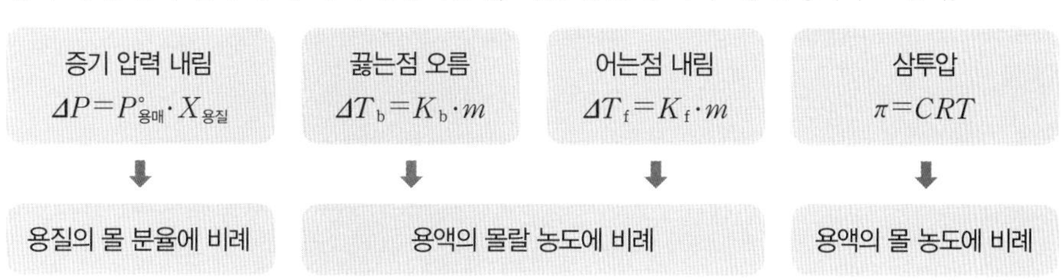

증기 압력 내림	끓는점 오름	어는점 내림	삼투압
$\Delta P=P^{\circ}_{용매}\cdot X_{용질}$	$\Delta T_b=K_b\cdot m$	$\Delta T_f=K_f\cdot m$	$\pi=CRT$
⬇	⬇	⬇	⬇
용질의 몰 분율에 비례	용액의 몰랄 농도에 비례		용액의 몰 농도에 비례

⊕ 이온이 반투막을 통과하지 못하는 까닭
소금이 물에 녹으면 Na^+과 Cl^-으로 나누어지고, 각 이온은 H_2O 분자에 둘러싸여 수화되어 있다. 이처럼 수화에 의해 커진 이온은 반투막을 통과하지 못한다.

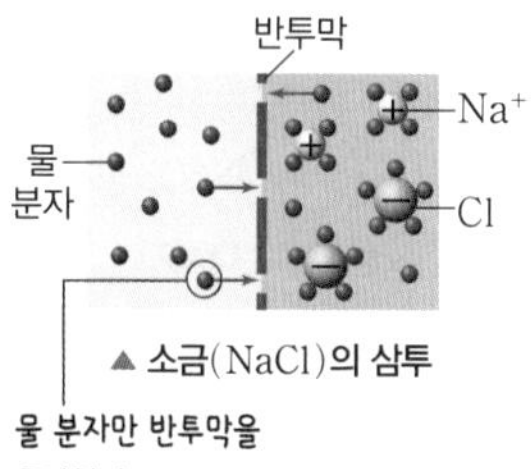

▲ 소금(NaCl)의 삼투

물 분자만 반투막을 통과한다.

❷ 반트호프 법칙으로 분자량 구하기
분자량이 10000 이상인 고분자 화합물이 녹아 있는 용액의 삼투압은 크게 측정되므로, 반트호프 법칙은 주로 단백질 등 분자량이 매우 큰 고분자 화합물의 분자량을 구할 때 이용한다.

이상 기체 방정식 ($PV=nRT$)을 이용하여 기체 분자의 분자량을 구할 수 있듯이 반트호프 법칙 ($\pi V=nRT$)을 이용하여 비휘발성, 비전해질 용질의 분자량을 구할 수 있어.

용어 알기
• 총괄성(합하다 總, 묶다 括, 성질 性) 용액에서 용질의 수에만 의존하고 용질의 종류에는 무관한 물리적 성질

삼투 현상 관찰하기

목표 채소에서 일어나는 삼투 현상을 관찰하고, 용액의 농도와 삼투 관계를 설명할 수 있다.

유의점

- 칼을 사용할 때 다치지 않도록 조심한다.
- 채소 조각의 모양과 두께를 일정하게 한다.
- 잘라 낸 채소 조각의 수분이 증발하지 않도록 비닐랩을 씌워 보관한다.

과정

❶ 채소를 준비하여 일정한 모양으로 만들기

모둠별로 당근, 무, 감자 등의 채소 중 2가지를 선택하여 준비한 후, 준비한 채소를 종류별로 모양과 크기, 질량이 같게 만든다.

❷ ❶의 채소를 서로 다른 소금물에 넣기

과정 ❶에서 준비한 채소를 각각 1 M 소금물과 2 M 소금물에 동시 넣는다.

❸ 채소의 질량 변화 확인하기

과정 ❷에서 20분이 경과한 후 각 채소를 핀셋으로 꺼내어 물기를 제거하고 질량을 측정한다.

이런 실험도 있어요!

삼투압 실험 장치를 이용하는 경우

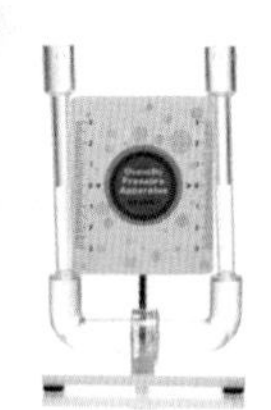

❶ 1 M, 2 M 설탕물을 준비한다.
❷ 마이크로스포이트를 이용하여 삼투압 실험 장치의 왼쪽 관과 오른쪽 관에 각각 증류수와 1 M 설탕물을 같은 양씩 넣은 뒤 10분 후 양쪽 관의 액면의 높이 변화를 관찰한다.
❸ 증류수와 2 M 설탕물로 과정 ❷를 반복한다.

결과

❶ 실험 결과

채소의 종류	소금물의 농도(M)	채소의 질량(g)		채소의 질량 변화(g)
		처음	20분 후	
당근	1	3.2	3.0	0.2
	2	3.2	2.8	0.4
감자	1	2.6	2.3	0.3
	2	2.6	2.0	0.6

❷ 소금물에 담가 둔 채소의 질량이 감소한다.
❸ 농도가 큰 소금물에 담가 둔 채소의 질량 변화가 더 크다.

정리 및 해석

- 채소의 세포막은 반투막이므로 삼투 현상이 일어난다. 세포막 안쪽의 농도가 소금물의 농도보다 작으므로 채소에서 소금물로 물이 이동한다.
- 소금물의 농도가 클수록 삼투압이 커지므로 채소에서 빠져나가는 물의 양이 많다.
- 채소의 종류에 따라 세포액의 농도가 달라 삼투 현상이 다르다.

한·줄·핵심 세포막은 반투막으로 고농도의 용액에 채소를 담그면 삼투 현상이 일어나고, 담근 용액의 농도가 클수록 삼투 현상이 잘 일어난다.

확인 문제

정답과 해설 035쪽

01 무 조각을 1 M 소금물에 넣고 10분 정도 지난 후 질량을 측정하였더니 무 조각의 질량이 감소하였다. 무의 세포액의 농도를 1 M 소금물과 비교하시오.

02 이 실험에 대한 설명으로 옳은 것은 ○, 옳지 않은 것은 ×로 표시하시오.

(1) 채소의 세포막은 반투막이다. (　　)
(2) 물은 소금물에서 채소 쪽으로 이동한다. (　　)
(3) 소금물의 농도가 클수록 채소에서 빠져나간 물의 질량이 크다. (　　)

콕콕! 개념 확인하기

정답과 해설 035쪽

✔ 잠깐 확인!

1. ☐☐☐
크기가 작은 용매 입자는 통과하지만 크기가 큰 용질 입자는 통과하지 못하는 얇은 막

2. ☐☐
반투막을 사이에 두고 농도가 서로 다른 용액을 넣을 때 농도가 작은 용액에서 농도가 큰 용액으로 용매가 이동하는 현상

3. ☐☐☐
삼투 현상이 일어나지 않도록 용액에 가해지는 압력

4. ☐☐☐☐ 법칙
비휘발성, 비전해질 용질이 녹아 있는 묽은 용액의 삼투압은 용액의 ☐ 농도와 절대 온도에 비례한다.

5. 묽은 용액의 ☐☐☐
비휘발성, 비전해질 용질이 녹아 있는 묽은 용액에서 증기 압력 내림, 끓는점 오름, 어는점 내림, 삼투압은 용질의 종류에 관계없이 용질의 ☐에 비례한다.

A 삼투압

01 **삼투압에 대한 설명으로 옳은 것은 ○, 옳지 않은 것은 ×로 표시하시오.**

(1) 반투막을 경계로 물은 통과하지 못하고 용질 입자만 통과하기 때문에 나타나는 현상이다. ( )

(2) 반투막을 사이에 두고 물과 설탕물을 넣으면 설탕물 쪽의 수면의 높이가 높아진다. ( )

(3) 수화된 이온은 반투막을 통과하므로 소금물에서는 삼투 현상이 일어나지 않는다. ( )

02 **그림은 27 ℃에서 농도가 다른 3가지 포도당 수용액을 같은 부피씩 깔때기관에 넣고 물에 넣은 상태를 나타낸 것이다. (단, 기체 상수는 R이다.)**

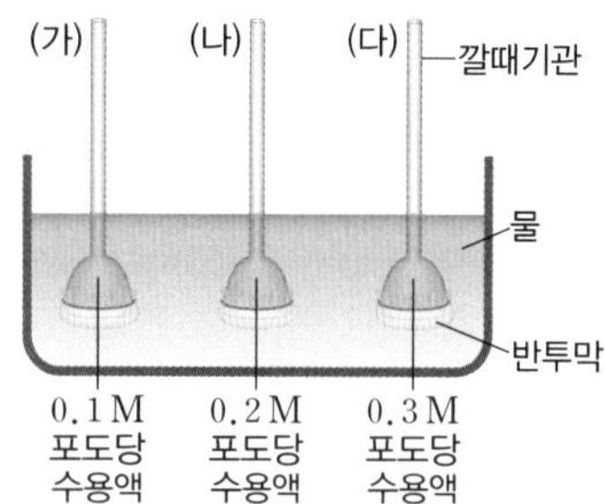

(1) 충분한 시간이 지났을 때 깔때기관 속 수면의 높이가 가장 높은 것을 쓰시오.

(2) (가)~(다)의 삼투압을 각각 구하시오.

(3) 온도를 50 ℃로 높일 때 삼투압의 변화를 쓰시오.

03 **그림은 반투막을 경계로 포도당 수용액 A와 포도당 수용액 B를 넣었을 때 용매의 이동을 모형으로 나타낸 것이다. A와 B의 몰 농도를 부등호로 비교하시오.**

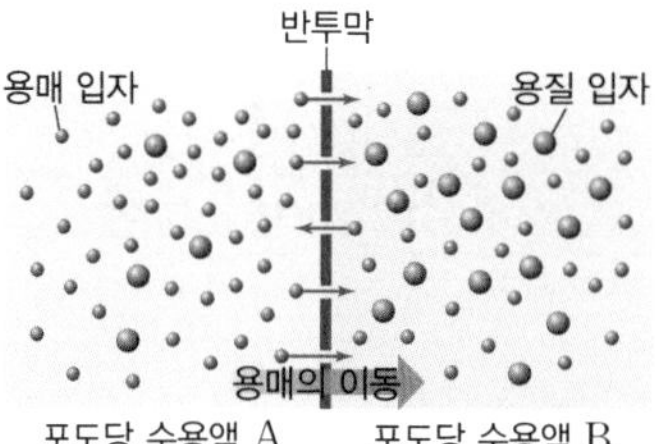

B 묽은 용액의 총괄성

04 **묽은 용액의 성질에 대한 설명으로 옳은 것은 ○, 옳지 않은 것은 ×로 표시하시오. (단, 요소, 포도당, 설탕의 분자량은 각각 60, 180, 342이다.)**

(1) 끓는점 오름은 0.1 m 포도당 수용액이 0.1 m 요소 수용액보다 작다. ( )

(2) 어는점은 0.1 m 요소 수용액이 0.2 m 설탕물보다 높다. ( )

(3) 25 ℃에서 0.2 M 포도당 수용액의 삼투압은 0.1 M 설탕물보다 크다. ( )

탄탄! 내신 다지기

A 삼투압

01 그림은 A막으로 분리된 U자관에 물과 설탕물을 넣었을 때, A막 부근에 있는 물 분자와 설탕 분자를 모형으로 나타낸 것이다.

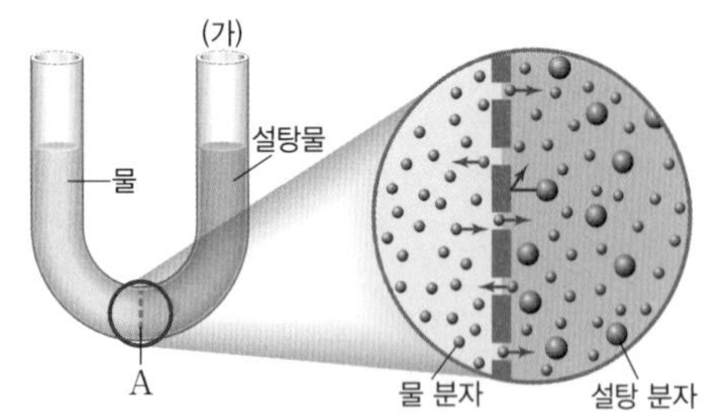

이에 대한 설명으로 옳지 않은 것은?

① 셀로판 종이는 A로 사용할 수 있다.
② 충분한 시간이 지나면 (가) 쪽의 액면이 높아진다.
③ A막의 미세한 구멍의 크기는 설탕 분자의 크기보다 작다.
④ A로 물 분자는 통과하지만 설탕 분자는 통과하지 못한다.
⑤ 충분한 시간이 지나면 설탕물의 농도는 처음보다 커진다.

02 그림 (가)는 27 ℃에서 반투막으로 분리된 수조에 물과 1 M 포도당 수용액을 같은 부피로 넣은 후 충분한 시간이 지났을 때의 모습을, (나)의 (가)의 포도당 수용액 쪽에 압력을 가해 양쪽 수면의 높이가 같아진 상태를 나타낸 것이다.

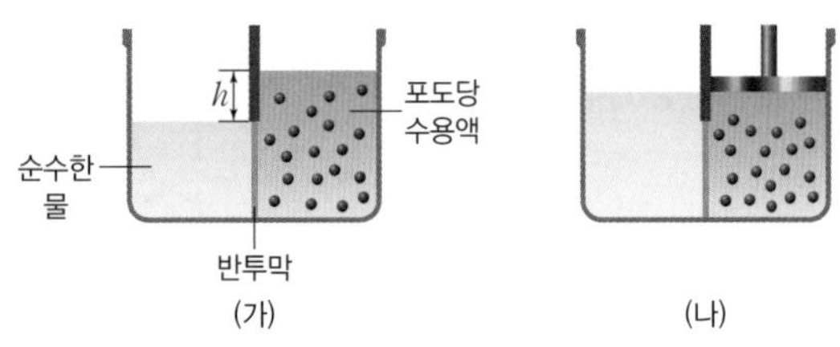

이에 대한 설명으로 옳지 않은 것은? (단, 온도는 일정하고, 기체 상수는 R이다.)

① (가)에서 온도를 높이면 h는 커진다.
② (나)에서 가해 준 압력은 $300R$기압이다.
③ 포도당 수용액의 농도는 (나)에서가 (가)에서보다 크다.
④ (나)에서 반투막을 통해 포도당 분자가 물 쪽으로 이동한다.
⑤ 1 M 포도당 수용액 대신 0.5 M 포도당 수용액으로 실험하면 h는 작아진다.

03 그림은 묽은 용액의 삼투압을 측정하는 실험 과정을 나타낸 것이다. 25 ℃, 1기압에서 이 과정을 통해 물질 A 0.1 g을 녹인 100 mL 수용액 (가)와, 물질 B 0.4 g을 녹인 100 mL 수용액 (나)에서 측정한 삼투압은 각각 0.4기압과 0.8기압이다.

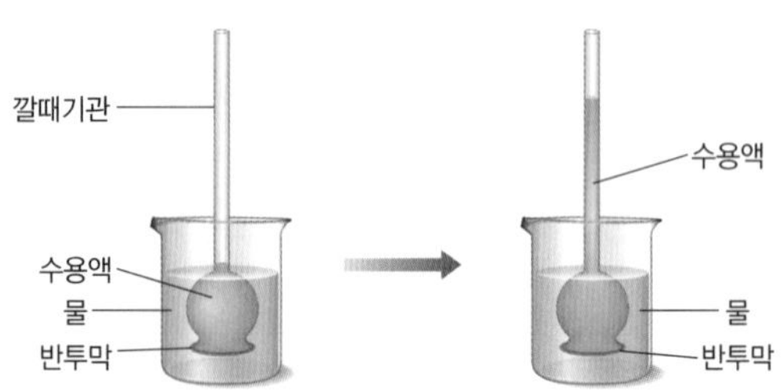

이에 대한 설명으로 옳은 것만을 〈보기〉에서 있는 대로 고른 것은? (단, A와 B는 비휘발성, 비전해질이다.)

보기
ㄱ. 반투막으로 B 입자는 통과하고, A 입자는 통과하지 못한다.
ㄴ. 수용액의 몰 농도는 (나)가 (가)의 2배이다.
ㄷ. 물질의 화학식량은 B가 A의 2배이다.

① ㄱ ② ㄴ ③ ㄱ, ㄷ
④ ㄴ, ㄷ ⑤ ㄱ, ㄴ, ㄷ

04 그림 (가)는 25 ℃에서 반투막으로 분리된 수조에 A, B 수용액을 수면의 높이가 같게 넣은 모습을, (나)는 (가)의 수조가 충분한 시간이 지났을 때의 모습을 나타낸 것이다.

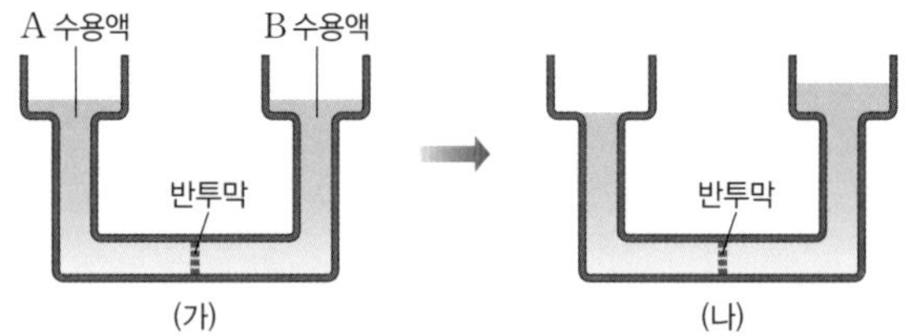

이에 대한 설명으로 옳은 것만을 〈보기〉에서 있는 대로 고른 것은? (단, A, B는 비휘발성, 비전해질이고, 온도는 일정하다.)

보기
ㄱ. (가)에서 몰 농도는 A 수용액이 B 수용액보다 크다.
ㄴ. B 수용액의 몰 농도는 (가)에서가 (나)에서보다 크다.
ㄷ. 온도를 높여 50 ℃에서 실험하면 (나)에서 수용액의 높이 차가 커진다.

① ㄱ ② ㄷ ③ ㄱ, ㄴ
④ ㄴ, ㄷ ⑤ ㄱ, ㄴ, ㄷ

단답형

05 27 ℃에서 분자량이 40000인 비휘발성, 비전해질 용질 40 g을 물에 녹여 수용액 100 mL로 만들었다. 이 수용액의 삼투압(atm)을 구하시오. 기체 상수 $R=0.08$ atm·L/(mol·K)이다.

06 다음은 3가지 수용액을 이용한 실험이다.

[실험 과정]
(가) 0.01 M 설탕 수용액 100 mL를 준비한다.
(나) 비전해질 물질 A와 B 3 g을 각각 물에 녹여 수용액 100 mL를 만든다.
(다) (가)와 (나)의 수용액을 깔때기관에 넣고 반투막으로 막는다.
(라) (다)의 깔때기관을 물이 담긴 수조에 넣고 수면의 높이를 같게 한 후 10분 정도 방치한다.
[실험 결과]
• 깔때기관 속 수용액의 높이 차가 생겼다.

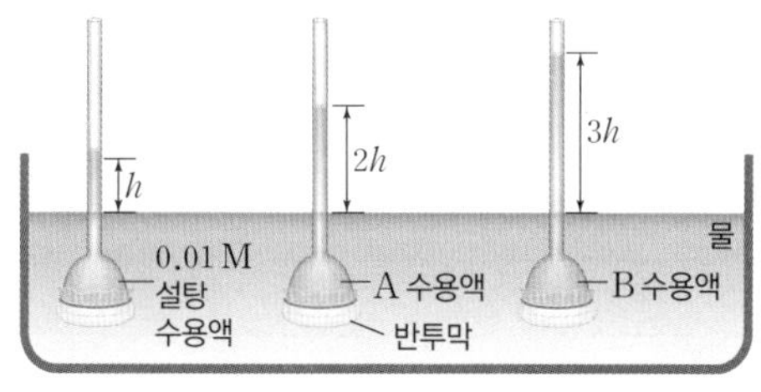

이에 대한 설명으로 옳은 것만을 〈보기〉에서 있는 대로 고른 것은? (단, 온도는 일정하고, 3가지 수용액의 밀도는 모두 같다.)

〈보기〉
ㄱ. A 수용액의 몰 농도는 0.02 M이다.
ㄴ. B 수용액의 삼투압은 설탕 수용액보다 크다.
ㄷ. 분자량은 B가 A의 1.5배이다.

① ㄱ ② ㄷ ③ ㄱ, ㄴ
④ ㄴ, ㄷ ⑤ ㄱ, ㄴ, ㄷ

07 그림 (가)는 용질 A, B를 각각 10 g씩 물에 녹인 수용액 100 mL를 반투막으로 분리된 U자관에 넣은 모습을, (나)는 충분한 시간이 지난 후 두 수용액의 높이 차가 생긴 모습을 나타낸 것이다.

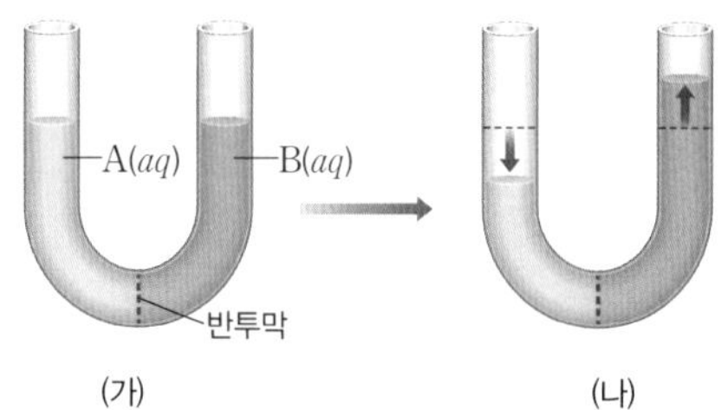

이에 대한 설명으로 옳은 것만을 〈보기〉에서 있는 대로 고른 것은? (단, A, B는 비휘발성, 비전해질이고, 온도는 일정하다.)

〈보기〉
ㄱ. 분자량은 A가 B보다 크다.
ㄴ. 몰 농도는 A(aq)가 B(aq)보다 크다.
ㄷ. (나)에서 수용액의 삼투압은 B(aq)가 A(aq)보다 크다.

① ㄱ ② ㄴ ③ ㄱ, ㄷ
④ ㄴ, ㄷ ⑤ ㄱ, ㄴ, ㄷ

B 묽은 용액의 총괄성

08 표는 3가지 수용액 (가)~(다)의 조성을 나타낸 것이다.

수용액	(가)	(나)	(다)
물의 질량(g)	100	50	150
용질의 종류와 양	요소 6 g	포도당 9 g	포도당 18 g

(가)~(다)의 비교로 옳은 것만을 〈보기〉에서 있는 대로 고른 것은? (단, 요소와 포도당의 분자량은 각각 60, 180이다.)

〈보기〉
ㄱ. 끓는점: (가)>(나)
ㄴ. 증기 압력: (가)<(다)
ㄷ. 어는점: (나)>(다)

① ㄱ ② ㄴ ③ ㄱ, ㄷ
④ ㄴ, ㄷ ⑤ ㄱ, ㄴ, ㄷ

도전! 실력 올리기

출제예감

01 그림 (가)는 25 ℃에서 한쪽 끝을 반투막으로 막은 유리관 A, B 중 한쪽에는 0.1 M 포도당 수용액 100 mL가, 다른 한쪽에는 0.2 M 포도당 수용액 100 mL가 들어 있는 모습을 순서 없이 나타낸 것이고, (나)는 (가)를 충분한 시간 방치했을 때의 모습을 나타낸 것이다.

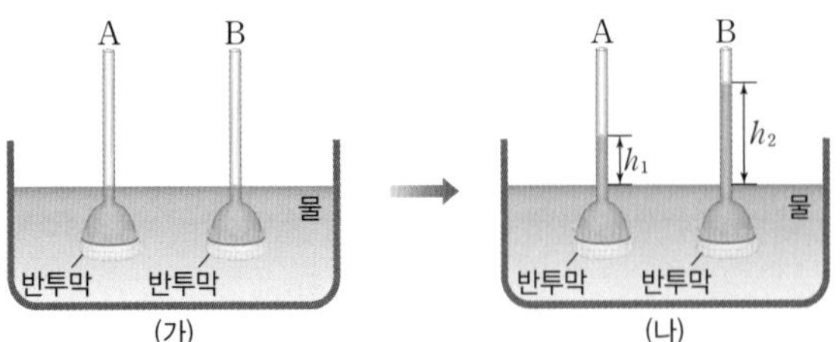

(가) (나)

이에 대한 설명으로 옳은 것만을 〈보기〉에서 있는 대로 고른 것은? (단, (나)에서 A, B 속 두 수용액의 밀도는 같다.)

보기
ㄱ. (가)의 유리관 A에는 0.2 M 포도당 수용액이 들어 있다.
ㄴ. (나)에서 삼투압은 B에 들어 있는 수용액이 A에 들어 있는 수용액보다 크다.
ㄷ. 온도를 50 ℃로 높이면 (h_2-h_1)은 2배가 된다.

① ㄱ ② ㄴ ③ ㄱ, ㄷ
④ ㄴ, ㄷ ⑤ ㄱ, ㄴ, ㄷ

02 그림 (가)는 반투막으로 분리된 U자관의 양쪽에 농도가 서로 다른 설탕물을 각각 100 mL씩 넣은 모습을, (나)는 (가)에서 충분한 시간이 지난 후 두 수용액의 높이 차(h)가 생긴 모습을 나타낸 것이다.

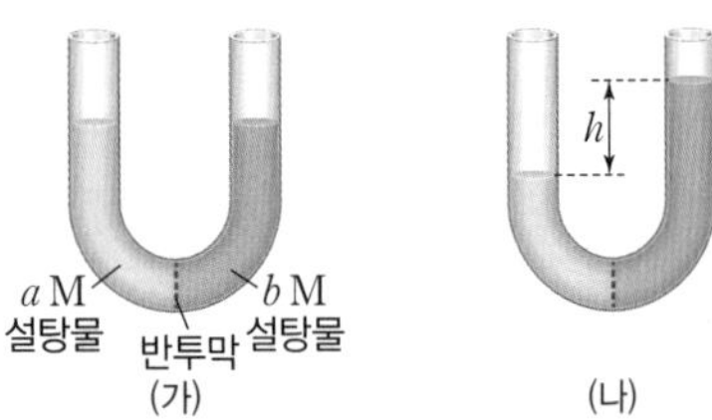

(가) (나)

이에 대한 설명으로 옳은 것만을 〈보기〉에서 있는 대로 고른 것은? (단, 대기압과 수용액의 온도는 일정하다.)

보기
ㄱ. $a>b$이다.
ㄴ. (나)에서 양쪽 수용액의 몰 농도는 같다.
ㄷ. (나)에서 온도를 높이면 h는 커진다.

① ㄱ ② ㄷ ③ ㄱ, ㄴ
④ ㄴ, ㄷ ⑤ ㄱ, ㄴ, ㄷ

출제예감

03 다음은 25 ℃, 1기압에서 용액의 삼투압을 비교하는 실험이다.

[실험 과정]
(가) 용질 A 1 g이 녹아 있는 A(aq) 100 mL와 용질 B 1 g이 녹아 있는 B(aq) 100 mL를 반투막을 사이에 둔 용기의 양쪽에 각각 넣고 충분한 시간이 흐른 후, 두 수용액의 수면의 높이 차를 측정한다.
(나) (가)의 B(aq)에 B 1 g을 더 넣어 녹이고 충분한 시간이 흐른 후, 두 수용액의 수면의 높이 차를 측정한다.

[실험 결과]
• (가)와 (나)에서 수면의 높이

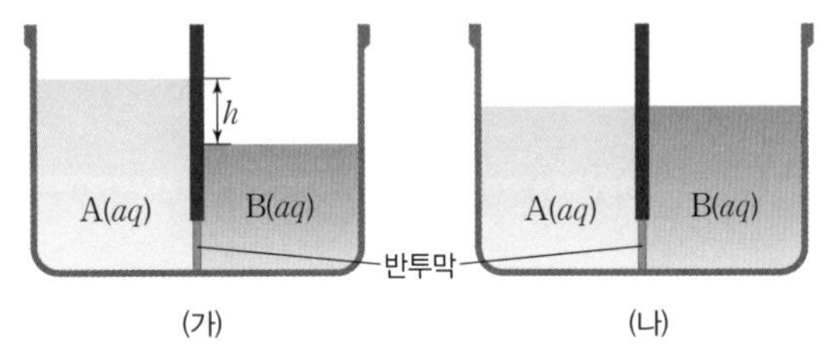

(가) (나)

이에 대한 설명으로 옳은 것만을 〈보기〉에서 있는 대로 고른 것은? (단, 온도는 일정하고, A와 B는 비휘발성, 비전해질이며, 용질의 용해에 따른 수용액의 부피 변화는 무시한다.)

보기
ㄱ. (가)에서 삼투압은 A(aq)가 B(aq)보다 크다.
ㄴ. (나)에서 반투막을 통해 이동하는 물 분자 수는 0이다.
ㄷ. $\dfrac{\text{B의 분자량}}{\text{A의 분자량}}=2$이다.

① ㄱ ② ㄴ ③ ㄱ, ㄷ
④ ㄴ, ㄷ ⑤ ㄱ, ㄴ, ㄷ

정답과 해설 037쪽

04 그림 (가)는 25 ℃에서 반투막으로 분리된 실린더에 농도가 서로 다른 설탕물 A, B를 각각 1.5 L씩 넣은 모습을, (나)는 (가)에서 충분한 시간이 지난 후의 모습을 나타낸 것이다.

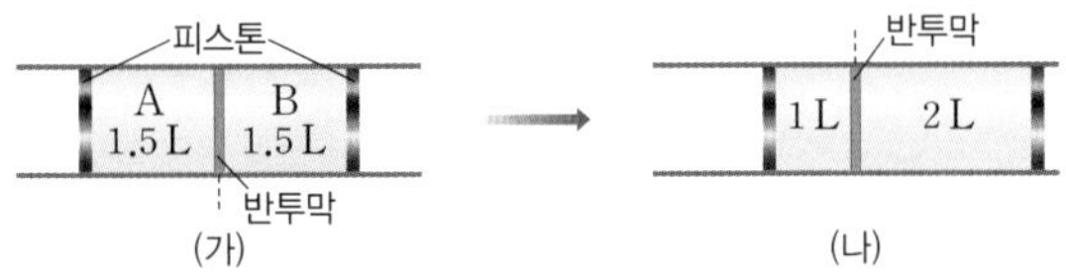

이에 대한 설명으로 옳은 것만을 〈보기〉에서 있는 대로 고른 것은?

보기
ㄱ. (가)에서 설탕물의 몰 농도는 A가 B보다 크다.
ㄴ. (나)에서 두 수용액의 삼투압은 같다.
ㄷ. (나)에서 온도를 높이면 B의 몰 농도는 커진다.

① ㄱ ② ㄴ ③ ㄱ, ㄷ
④ ㄴ, ㄷ ⑤ ㄱ, ㄴ, ㄷ

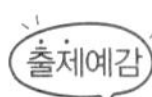

05 다음은 삼투 현상에 대한 실험이다.

[실험 과정]
(가) 모양, 크기, 질량이 같은 당근과 감자 조각을 각각 2개씩 준비한다.
(나) (가)의 채소 조각을 동시에 1 M 설탕물, 2 M 설탕물에 각각 넣는다.
(다) (나)에서 20분 정도 경과 후 채소 조각을 꺼내 질량을 측정한다.

[실험 결과]

채소의 종류	설탕물의 농도(M)	채소의 질량 변화
당근	1	0.2 g 감소
	2	x g 감소
감자	1	y g 감소
	2	0.6 g 감소

이에 대한 설명으로 옳은 것만을 〈보기〉에서 있는 대로 고른 것은? (단, 온도는 일정하다.)

보기
ㄱ. $x>0.2$이다.
ㄴ. $y<0.2$이다.
ㄷ. 채소의 체포액의 농도는 당근이 감자보다 크다.

① ㄱ ② ㄴ ③ ㄱ, ㄷ
④ ㄴ, ㄷ ⑤ ㄱ, ㄴ, ㄷ

서술형

06 다음은 27 ℃에서 삼투압을 이용하여 X의 분자량을 측정하는 실험이다.

[실험 과정]
(가) X 100 g을 녹인 수용액 1 L를 준비한다.
(나) 반투막으로 분리된 U자관 2개를 준비하여 U자관 Ⅰ에는 물과 0.01 M의 설탕물을, U자관 Ⅱ에는 물과 (가)에서 준비한 X 수용액을 수면의 높이가 같게 각각 넣는다.
(다) 충분한 시간이 지난 후 U자관 Ⅰ과 Ⅱ에서 수면의 높이 차가 생겼고, 용액 쪽에 가해진 압력이 각각 P와 $2P$일 때 수면의 높이가 같아졌다.

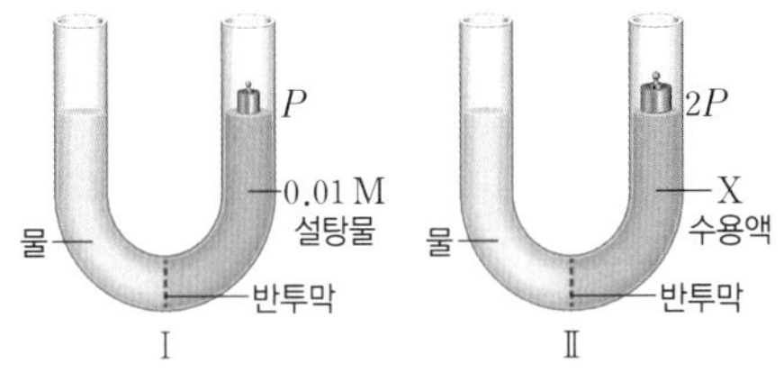

X의 분자량을 구하는 과정을 서술하시오. (단, 온도는 일정하다.)

서술형

07 같은 질량의 요소, 포도당, 설탕을 각각 물에 녹여 수용액 1 L를 만든 후, 그림과 같이 장치하였다.

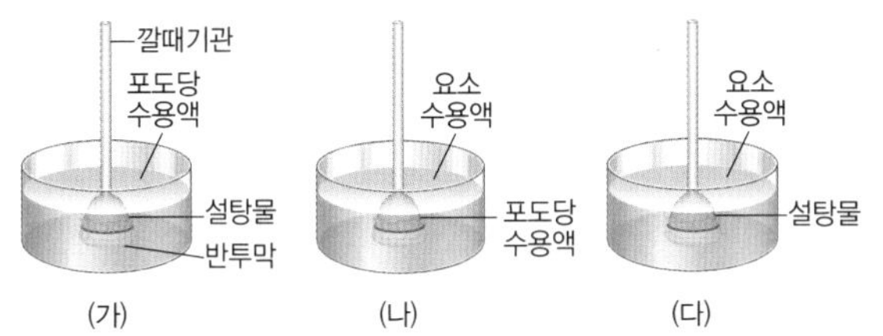

충분한 시간이 지난 후 깔때기관 속 수용액과 수면의 높이 차를 비교하고, 판단 근거를 서술하시오. (단, 요소, 포도당, 설탕의 분자량은 각각 60, 180, 342이다.)

묽은 용액의 총괄성

대표 유형

출제 의도

용액 속 용질의 몰 분율에 따른 용액의 끓는점 변화로 묽은 용액의 성질을 확인하는 문제이다.

다음은 학생 A가 수용액의 총괄성과 관련된 가설을 세우고 수행한 탐구 활동이다.

[가설]

• 일정한 압력에서 서로 다른 두 수용액의 (㉠)이 같으면 용질의 몰 분율도 같다.

[자료]

수용액	X	Y
용질의 몰 분율	0.01	0.02
1기압에서 끓는점(℃)	T_1	T_2

[탐구 과정 및 결과]

(가) 1기압에서 용질의 몰 분율이 0.01인 X(aq)을 가열하여 시간에 따른 수용액의 온도를 측정하였더니 그림과 같이 t_1에서 끓기 시작하여 t_2에서 T_2 ℃가 되었다. t_1에서 X(aq)의 끓는점은 T_1 ℃이고, 물이 기화되어 날아가므로 용액의 몰랄 농도가 증가하여 용질의 몰 분율이 커진다.

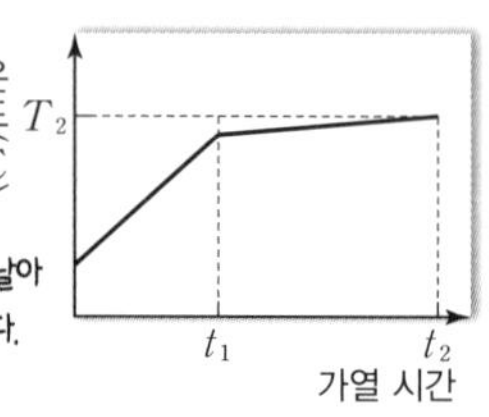

(나) t_2에서 수용액의 질량을 측정하여 용질의 몰 분율을 구하였더니 0.02이었다. 용질의 종류에 관계없이 용질의 몰 분율이 0.02인 용액의 끓는점은 T_2 ℃임을 알 수 있다.

학생 A의 가설이 옳다는 결론을 얻었을 때, 이에 대한 설명으로 옳은 것만을 <보기>에서 있는 대로 고른 것은? (단, 용질 X와 Y는 비휘발성, 비전해질이고, 수용액은 라울 법칙을 따른다.)

이것이 함정

용질의 종류에 관계없이 용질의 몰 분율이 같을 때 끓는점이 같다는 것을 파악해야 한다.

보기

㉠ '끓는점'은 ㉠으로 적절하다. → 실험에서 용질의 몰 분율이 0.02인 X(aq)와 Y(aq)의 끓는점이 같다는 것을 확인하였고, 가설이 옳으므로 '끓는점'은 ㉠으로 적절하다.

㉡ $T_2 > T_1$이다. → 용액이 끓고 있는 동안 용액의 몰랄 농도가 커지므로 온도는 $T_2 > T_1$이다.

㉢ 용질의 몰 분율이 각각 0.02인 X(aq)와 Y(aq)는 몰랄 농도가 같다.
→ 용액에서 용질의 종류가 각각 한 가지이고, 용질의 몰 분율이 같으므로 용매의 몰 분율도 같다. 즉 같은 질량의 용매에 같은 양의 용질이 녹아 있으므로 두 수용액에서 용질의 몰 분율이 같을 때 몰랄 농도가 같다.

① ㄱ ② ㄷ ③ ㄱ, ㄴ ④ ㄴ, ㄷ ⑤ ㄱ, ㄴ, ㄷ

자료에서 단서 찾기

탐구 가설에서 변화시킨 변인과 측정한 값의 관계를 찾는다. >>> 탐구 과정에서 용액의 끓는점이 달라졌을 때 용질의 몰 분율을 측정한 것을 확인한다. >>> 용매와 한 종류의 용질로 이루어진 용액에서 용질의 몰 분율이 같으면 용매의 몰 분율도 같다는 것을 파악한다.

추가 선택지

• X(aq)의 몰랄 농도는 t_2에서가 t_1에서의 2배이다. (×)

⋯→ X(aq)에서 X의 몰 분율은 t_2에서 0.02이고, t_1에서는 0.01이다. t_2에서 X의 양(mol)을 2몰이라고 할 때 용매의 양(mol)은 98몰이고, t_1에서 X의 양(mol)을 1몰이라고 할 때 용매의 양(mol)은 99몰이다. 따라서 X(aq)의 몰랄 농도는 t_2에서가 t_1에서의 2배가 되지 않는다.

• Y(aq)의 몰 분율이 0.01일 때 1기압에서 Y(aq)의 끓는점은 T_1 ℃이다. (○)

⋯→ 비휘발성, 비전해질 용질이 녹아 있는 용액에서 용질의 몰 분율이 0.01인 용액의 몰랄 농도가 같으므로 Y(aq)의 몰 분율이 0.01인 용액의 기준 끓는점은 몰 분율이 0.01인 X(aq)의 기준 끓는점과 같다.

실전! 수능 도전하기

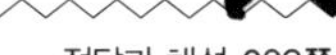

정답과 해설 038쪽

01 다음은 A 수용액 (가)~(다)를 만드는 과정이다.

(가) 물 160 g에 A 40 g을 넣어 모두 녹인다.
(나) (가) 20 g에 물을 넣어 용액 1 L를 만든다.
(다) (가) 50 g과 (나) 200 mL를 혼합한다.

이에 대한 설명으로 옳은 것만을 〈보기〉에서 있는 대로 고른 것은? (단, A의 화학식량은 100이고, 온도는 일정하다.)

보기
ㄱ. (가)의 퍼센트 농도는 40 %이다.
ㄴ. (나)의 몰 농도는 0.04 M이다.
ㄷ. (다)에 녹아 있는 A의 양(mol)은 0.20몰이다.

① ㄱ ② ㄴ ③ ㄱ, ㄷ
④ ㄴ, ㄷ ⑤ ㄱ, ㄴ, ㄷ

02 그림은 A 수용액 (가)에 용질 A와 물을 순서대로 넣어 A 수용액 (나)와 (다)를 만드는 과정을 나타낸 것이다. A의 화학식량은 40이다.

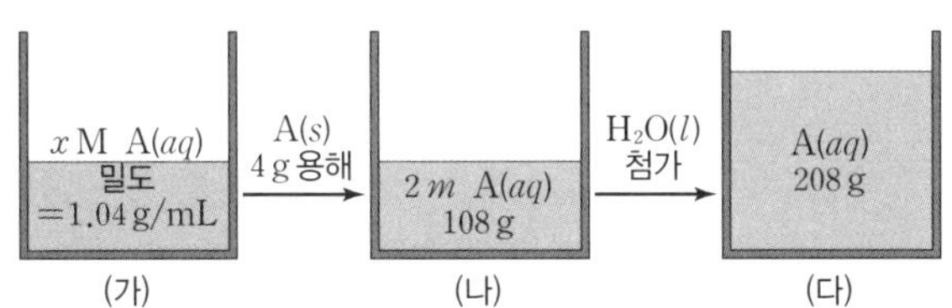

이에 대한 설명으로 옳은 것만을 〈보기〉에서 있는 대로 고른 것은? (단, 온도는 일정하고, A는 비휘발성이며, 물의 증발은 무시한다.)

보기
ㄱ. x는 1이다.
ㄴ. (나)의 퍼센트 농도는 8 %이다.
ㄷ. (다)의 몰 농도는 x M보다 작다.

① ㄱ ② ㄴ ③ ㄱ, ㄷ
④ ㄴ, ㄷ ⑤ ㄱ, ㄴ, ㄷ

03 표는 A 수용액 (가)~(다)에 대한 자료이다. (나)의 밀도는 1.1 g/mL보다 작다.

수용액	(가)	(나)	(다)
수용액의 양	100 g	100 mL	100 g
농도	1 m	1 M	10 %

이에 대한 설명으로 옳은 것만을 〈보기〉에서 있는 대로 고른 것은? (단, A의 화학식량은 100이다.)

보기
ㄱ. 퍼센트 농도는 (가)가 (나)보다 크다.
ㄴ. 용질의 질량은 (나)가 (다)보다 크다.
ㄷ. 용매의 몰 분율은 (가)가 (다)보다 크다.

① ㄱ ② ㄷ ③ ㄱ, ㄴ
④ ㄴ, ㄷ ⑤ ㄱ, ㄴ, ㄷ

04 그림 (가)는 t ℃에서 농도가 다른 설탕물 A, B와 물이 서로 다른 플라스크에 들어 있는 모습을, (나)는 온도에 따른 A와 B의 증기 압력을 나타낸 것이다.

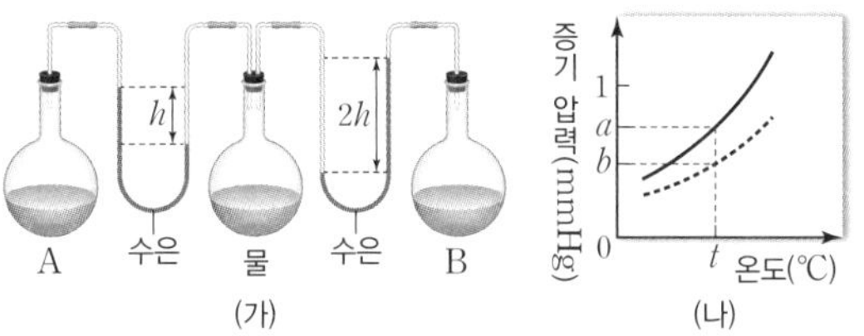

이에 대한 설명으로 옳은 것만을 〈보기〉에서 있는 대로 고른 것은? (단, 설탕물은 라울 법칙을 따른다.)

보기
ㄱ. t ℃에서 A의 증기 압력은 b mmHg이다.
ㄴ. $\frac{\text{B에서 설탕의 몰 분율}}{\text{A에서 설탕의 몰 분율}} = \frac{a}{b}$이다.
ㄷ. 기준 끓는점은 B가 A보다 높다.

① ㄱ ② ㄷ ③ ㄱ, ㄴ
④ ㄴ, ㄷ ⑤ ㄱ, ㄴ, ㄷ

실전! 수능 도전하기

05 오른쪽 그림은 비휘발성, 비전해질인 용질 A 6.35 g을 용매 B 100 g에 녹인 용액의 냉각 곡선이다.

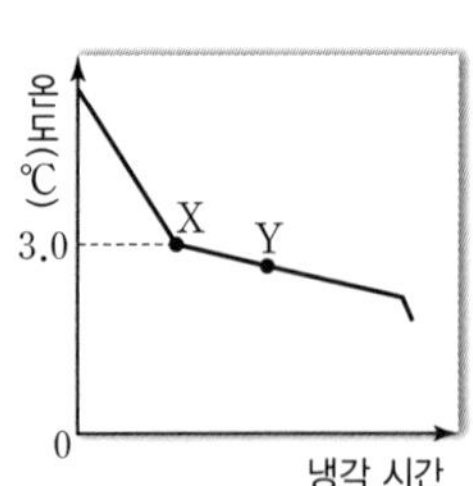

이에 대한 설명으로 옳은 것만을 <보기>에서 있는 대로 고른 것은? (단, B의 어는점은 5.5 ℃이며, 몰랄 내림 상수 K_f=5.0 ℃/m이다.)

보기
ㄱ. A의 분자량은 254이다.
ㄴ. A의 몰 분율은 Y에서가 X에서보다 크다.
ㄷ. Y에서 B는 모두 고체로 존재한다.

① ㄱ ② ㄴ ③ ㄱ, ㄷ
④ ㄴ, ㄷ ⑤ ㄱ, ㄴ, ㄷ

06 다음은 어는점 내림에 관한 실험이다.

[실험 과정]
(가) 물 100 g이 든 비커에 포도당($C_6H_{12}O_6$) 10 g을 녹여 수용액을 만든다.
(나) (가)의 수용액 20 mL를 시험관에 넣고 온도계를 꽂는다.

(다) 냉각제가 들어 있는 수조에 (나)의 시험관을 넣고 시간에 따른 온도를 측정하여 어는점을 찾는다.
(라) 포도당 대신 설탕($C_{12}H_{22}O_{11}$) 10 g을 사용하여 과정 (가)~(다)를 반복한다.

[실험 결과]

	포도당 수용액	설탕 수용액
어는점(℃)	t_1	t_2

이에 대한 설명으로 옳은 것만을 <보기>에서 있는 대로 고른 것은?

보기
ㄱ. $t_1 < t_2$이다.
ㄴ. (나)에서 수용액 10 mL를 사용하면 어는점은 t_1 ℃보다 낮아진다.
ㄷ. (다)에서 수용액이 어는 동안 온도는 일정하게 유지된다.

① ㄱ ② ㄴ ③ ㄷ ④ ㄱ, ㄴ ⑤ ㄴ, ㄷ

수능 기출

07 표는 물과 포도당 수용액의 온도와 증기 압력에 대한 자료이다.

온도(℃)		t_1	t_2
증기 압력 (mmHg)	물	P_1	P_2
	a m 포도당 수용액	P_2	P_3

이에 대한 설명으로 옳은 것만을 <보기>에서 있는 대로 고른 것은? (단, 포도당 수용액은 라울 법칙을 따른다.)

보기
ㄱ. $t_1 > t_2$이다.
ㄴ. $P_1 > P_3$이다.
ㄷ. $\frac{P_2}{P_1} > \frac{P_3}{P_2}$이다.

① ㄱ ② ㄷ ③ ㄱ, ㄴ
④ ㄴ, ㄷ ⑤ ㄱ, ㄴ, ㄷ

08 그림은 25 ℃에서 진공 상태의 두 용기에 농도가 다른 설탕 수용액 A, B를 각각 넣은 후 평형에 도달한 상태를 나타낸 것이다.

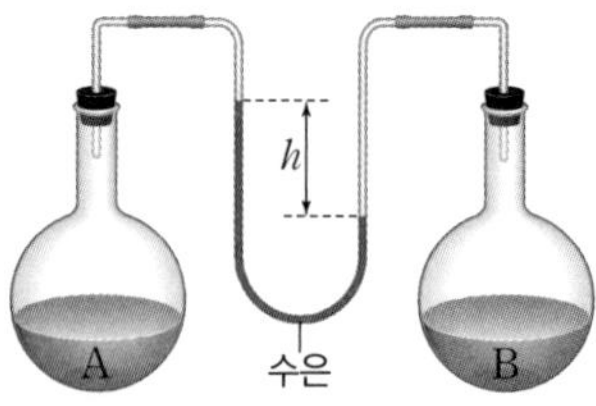

이에 대한 설명으로 옳은 것만을 <보기>에서 있는 대로 고른 것은? (단, 용액은 라울 법칙을 따른다.)

보기
ㄱ. 농도는 A가 B보다 크다.
ㄴ. 온도를 50 ℃로 높이면 h가 작아진다.
ㄷ. B에 포도당을 첨가하여 녹이면 h가 커진다.

① ㄱ ② ㄴ ③ ㄱ, ㄷ
④ ㄴ, ㄷ ⑤ ㄱ, ㄴ, ㄷ

정답과 해설 038쪽

09 그림 (가)는 중앙에 반투막으로 된 피스톤을 고정시키고 반투막 양쪽에 각각 포도당 수용액 A와 B를 가득 채운 모습을, (나)는 (가)에서 고정 장치를 풀고 충분한 시간이 지난 후의 모습을 나타낸 것이다.

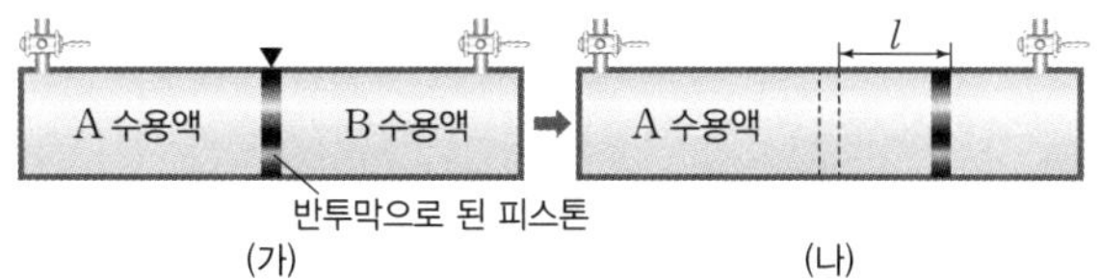

이에 대한 설명으로 옳은 것만을 〈보기〉에서 있는 대로 고른 것은? (단, 피스톤의 마찰은 무시한다.)

보기

ㄱ. (가)에서 농도는 A가 B보다 크다.

ㄴ. (나)에서 단위 부피당 용질 입자 수는 A가 B보다 크다.

ㄷ. (가)의 온도를 높여 주어도 (나)의 l은 일정하다.

① ㄱ ② ㄴ ③ ㄱ, ㄷ ④ ㄴ, ㄷ ⑤ ㄱ, ㄴ, ㄷ

10 그림 (가)는 요소 수용액을, (나)는 온도에 따른 물의 증기 압력을 나타낸 것이다. 물, 요소의 분자량은 각각 18, 60이다.

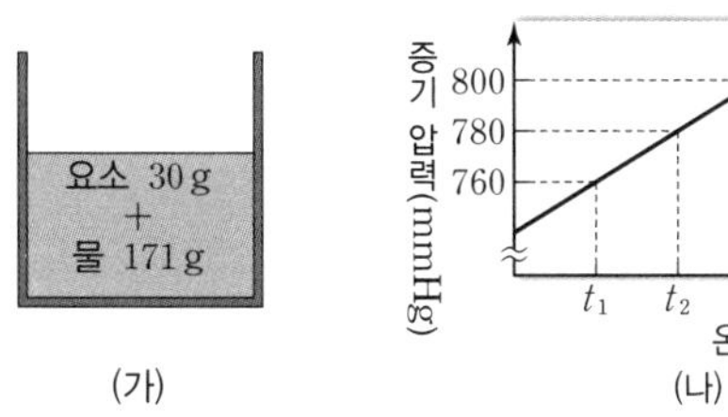

대기압이 760 mmHg일 때, (가) 수용액의 끓는점(℃)은? (단, 수용액은 라울 법칙을 따른다.)

① t_1 ② $\frac{t_1+t_2}{2}$ ③ t_2 ④ $\frac{t_2+t_3}{2}$ ⑤ t_3

11 다음은 묽은 수용액의 삼투압에 대한 실험이다.

[실험 과정]

(가) 온도 T_1에서 반투막으로 분리된 장치에 물을 그림과 같이 넣는다.

(나) Ⅰ과 Ⅱ에 각각 용질 A와 B를 w g씩 모두 용해시킨 후, $A(aq)$과 $B(aq)$에 각각 P_A와 P_B의 외부 압력을 가하여 수면의 높이가 같아지도록 맞춘다.

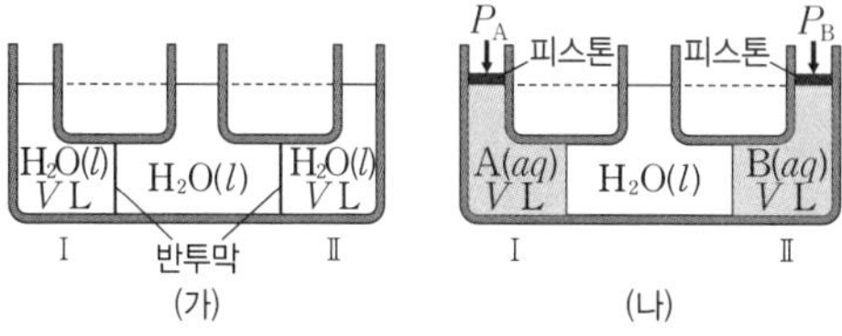

(다) 온도를 T_2로 변화시켜 과정 (가)와 (나)를 반복한다.

[실험 결과]

- T_1에서 측정된 압력 차($\Delta P = P_A - P_B$)는 ΔP_1이다.
- T_2에서 측정된 ΔP는 ΔP_2이다.
- $\Delta P_2 > \Delta P_1 > 0$이다.

이에 대한 설명으로 옳은 것만을 〈보기〉에서 있는 대로 고른 것은? (단, 대기압은 1기압으로 일정하고, A와 B는 비전해질, 비휘발성이다. 물의 증발, 용질의 용해 및 온도 변화에 따른 수용액의 부피 변화, 피스톤의 질량과 마찰은 무시한다.)

보기

ㄱ. 분자량은 A가 B보다 크다.

ㄴ. $T_2 > T_1$이다.

ㄷ. T_1에서 용해된 A와 B가 각각 $2w$ g일 때 ΔP는 $2\Delta P_1$이다.

① ㄱ ② ㄴ ③ ㄱ, ㄷ ④ ㄴ, ㄷ ⑤ ㄱ, ㄴ, ㄷ

12 표는 3가지 수용액 (가)~(다)에 대한 자료이다.

수용액	용질의 분자량	용질의 질량(g)	용액의 질량(g)	끓는점 오름(℃)	기준 어는점(℃)
(가)	a	10	100	$2x$	
(나)	b	20	100	$3x$	$-3y$
(다)	c	40	100		$-4y$

$\frac{a+b}{c}$는? (단, 용질은 비휘발성, 비전해질이고, 수용액은 라울 법칙을 따른다.)

① $\frac{2}{3}$ ② $\frac{3}{4}$ ③ $\frac{5}{6}$ ④ 1 ⑤ $\frac{3}{2}$

한눈에 보는
대단원 정리

1 물질의 세 가지 상태(1)

01 기체 (1)

1. 기체의 압력: 기체 분자가 단위 면적에 작용하는 힘으로, 기체 분자들이 끊임없이 운동하면서 충돌하기 때문에 나타난다.

2. 기체 법칙(k는 상수)

보일 법칙	일정한 온도에서 일정량의 기체의 부피(V)는 압력(P)에 반비례한다. ➡ $P \times V = k$
샤를 법칙	일정한 압력에서 일정량의 기체의 부피(V)는 절대 온도(T)에 비례한다. ➡ $V = kT$
아보가드로 법칙	일정한 온도와 압력에서 기체의 부피(V)는 기체의 양(n)에 비례한다. ➡ $V = kn$

02 기체 (2)

1. 이상 기체 방정식: 기체의 부피(V)는 압력(P)에 반비례하고, 절대 온도(T)와 기체의 양(n)에 비례한다.

$$PV = nRT \ (R: 0.082 \ \mathrm{atm \cdot L/(mol \cdot K)})$$

2. 이상 기체 방정식을 이용하여 분자량 구하기

$$PV = nRT = \frac{w}{M}RT \Rightarrow M = \frac{wRT}{PV}$$

3. 기체 분자 운동론: 기체의 성질을 기체 분자 운동으로 설명하는 이론으로, 다음과 같은 몇 가지 가정에 근거를 두고 설명한다.

- ▶ 기체 분자는 끊임없이 불규칙한 직선 운동을 한다.
- ▶ 기체 분자끼리의 충돌이나 용기 벽면과의 충돌 과정에서 에너지의 손실이 없다.
- ▶ 기체 분자의 크기는 기체의 부피에 비해 매우 작으므로 무시한다.
- ▶ 기체 분자 사이에는 인력이나 반발력이 작용하지 않는다.
- ▶ 기체 분자들의 평균 운동 에너지는 절대 온도에 비례한다.

4. 부분 압력 법칙

혼합 기체의 전체 압력(P)은 각 성분 기체의 부분 압력(P_A, $P_B \cdots$)의 합과 같다. ➡ $P = P_A + P_B \cdots$

5. 몰 분율과 부분 압력

① **몰 분율:** 혼합물에서 각 성분 물질의 양(mol)을 전체 물질의 양(mol)으로 나눈 값

② **부분 압력과 몰 분율:** 혼합 기체에서 각 성분 기체의 부분 압력은 전체 압력에 그 성분 기체의 몰 분율(n_A, $n_B \cdots$)을 곱한 값과 같다.

$$P_A = P \times \frac{n_A}{n_A + n_B}, \ P_B = P \times \frac{n_B}{n_A + n_B}$$

2 물질의 세 가지 상태(2)

01 분자 간 상호 작용

1. 분자 간 힘

쌍극자·쌍극자 힘	극성 분자의 쌍극자와 쌍극자 사이에 작용하는 정전기적 힘
분산력	• 순간 쌍극자 사이에 작용하는 정전기적 인력 • 분산력은 모든 분자 사이에 작용하는 힘으로, 분자량이 클수록, 분자 모양이 넓게 퍼진 것일수록 분산력이 크다.
수소 결합	전기 음성도가 큰 F, O, N 원자에 결합한 H 원자와 이웃한 분자의 F, O, N 원자 사이에 작용하는 강한 정전기적 인력

2. 분자 간 힘과 끓는점: 분자 간 힘이 클수록 끓는점이 높다. 분자량이 비슷한 경우 물질의 끓는점의 크기는 '수소 결합이 있는 물질>극성 분자로 이루어진 물질>무극성 분자로 이루어진 물질'이다.

02 액체

1. 물의 특성: 수소 결합에 의해 나타난다.

밀도 변화	0 ℃ 물의 밀도가 0 ℃ 얼음의 밀도보다 크다. ➡ 수소 결합에 의해 얼음에서 빈 공간이 생기기 때문
열용량	• 물질의 온도를 1 ℃ 높이는 데 필요한 열량 • 물은 질량이 비슷한 다른 액체에 비해 열용량이 커서 쉽게 가열되거나 냉각되지 않는다.
표면 장력	• 액체가 표면적을 최소화하려는 힘 • 물은 수소 결합을 하여 분자 간 힘이 크기 때문에 다른 액체에 비해 표면 장력이 크다.
모세관 현상	물은 응집력과 부착력이 커서 모세관 현상이 잘 일어난다.

2. 액체

증기 압력	• 일정한 온도에서 밀폐된 용기에 들어 있는 액체의 증발과 증기의 응축이 동적 평형을 이룰 때 증기가 나타내는 압력 • 액체의 온도가 높을수록, 분자 간 힘이 작을수록 증기 압력이 크다.
끓는점	• 액체의 증기 압력이 외부 압력과 같아져 액체 내부에서 기포가 형성되는 온도 • 외부 압력이 높을수록 끓는점이 높다.
증기 압력과 끓는점	분자 간 힘이 큰 액체일수록 증발하기 어려우므로 증기 압력이 작고, 끓는점이 높다.

2 물질의 세 가지 상태(2) 〉 3 용액

03 고체

1. 고체의 분류

구분	결정성 고체	비결정성 고체
정의	구성 입자의 배열이 규칙적인 고체	구성 입자의 배열이 불규칙적인 고체
녹는점	일정하다.	일정하지 않다.
예	석영, 염화 나트륨, 얼음, 구리 등	석영 유리, 고무 등

2. 결정성 고체의 분류

구분	이온 결정	분자 결정	공유(원자) 결정	금속 결정
구성 입자	양이온, 음이온	분자	원자	금속 원자 (금속 양이온, 자유 전자)
결합력	이온 결합	분산력, 수소 결합 등	공유 결합	금속 결합
전기 전도성	액체, 수용액: 있음	없음	없음 (흑연 예외)	고체, 액체 : 있음
녹는점	높음	낮음	매우 높음	높음
예	염화 나트륨 (NaCl)	드라이아이스 (CO_2)	다이아몬드 (C)	나트륨 (Na)

3. 결정 구조와 단위 세포

단순 입방 구조	• 정육면체의 각 꼭짓점에 입자가 1개씩 위치한 구조 • 단위 세포당 입자 수: $\frac{1}{8}\times8=1$	$\frac{1}{8}$ 입자
체심 입방 구조	• 정육면체의 각 꼭짓점과 정육면체의 중심에 입자가 1개씩 위치한 구조 • 단위 세포당 입자 수: $\frac{1}{8}\times8+1=2$	$\frac{1}{8}$ 입자, 1 입자
면심 입방 구조	• 정육면체의 각 꼭짓점과 6개의 면에 입자가 1개씩 위치한 구조 • 단위 세포당 입자 수: $\frac{1}{8}\times8+\frac{1}{2}\times6=4$	$\frac{1}{8}$ 입자, $\frac{1}{2}$ 입자

01 용액의 농도

퍼센트 농도	용액 100 g 속에 녹아 있는 용질의 질량(g) 퍼센트 농도(%) $=\frac{\text{용질의 질량(g)}}{\text{용액의 질량(g)}}\times100$
ppm 농도	용액 10^6 g 속에 녹아 있는 용질의 질량(g) ppm 농도(ppm) $=\frac{\text{용질의 질량(g)}}{\text{용액의 질량(g)}}\times10^6$
몰 농도	용액 1 L 속에 녹아 있는 용질의 양(mol) 몰 농도(M) $=\frac{\text{용질의 양(mol)}}{\text{용액의 부피(L)}}$
몰랄 농도	용매 1 kg 속에 녹아 있는 용질의 양(mol) 몰랄 농도(m) $=\frac{\text{용질의 양(mol)}}{\text{용매의 질량(kg)}}$

02 묽은 용액의 성질 (1), (2)

1. 증기 압력 내림

증기 압력 내림 (ΔP)	일정한 온도에서 순수한 용매에 비휘발성, 비전해질 용질이 녹아 있는 용액에서 용액의 증기 압력이 순수한 용매의 증기 압력보다 낮아지는 현상
라울 법칙	비휘발성, 비전해질 용질이 녹아 있는 묽은 용액의 증기 압력은 순수한 용매의 증기 압력과 용매의 몰 분율의 곱과 같다. $P_{용액}=P^{\circ}_{용매}\times X_{용매}$($X_{용매}$: 용매의 몰 분율)

2. 끓는점 오름과 어는점 내림

끓는점 오름 (ΔT_b)	용액의 끓는점이 순수한 용매의 끓는점보다 높아지는 현상으로, 몰랄 농도에 비례한다. $\Delta T_b=K_b\times m$(K_b: 몰랄 오름 상수, m: 몰랄 농도)
어는점 내림 (ΔT_f)	용액의 어는점이 순수한 용매의 어는점보다 낮아지는 현상으로, 몰랄 농도에 비례한다. $\Delta T_f=K_f\times m$(K_f: 몰랄 내림 상수, m: 몰랄 농도)

3. 삼투압

삼투 현상과 삼투압	반투막을 사이에 두고 순수한 용매와 용액이 있을 때 용매 입자가 용액 쪽으로 이동하는 삼투 현상을 막기 위해 용액 쪽에 가해 주어야 하는 최소한의 압력
반트 호프 법칙	비휘발성, 비전해질 용질이 녹아 있는 묽은 용액의 삼투압(π)은 용매나 용질의 종류에 관계 없이 용액의 몰 농도(C)와 절대 온도(T)에 비례한다. $\pi=CRT$(R: 기체 상수)

4. 묽은 용액의 총괄성

비휘발성, 비전해질 용질이 녹아 있는 묽은 용액의 증기 압력 내림, 끓는점 오름, 어는점 내림, 삼투압은 모두 용질의 종류에 관계없이 용질의 양(mol)에만 비례한다.

한번에 끝내는

대단원 문제

정답과 해설 040쪽

01 그림 (가)는 온도 T K에서 J자관에 헬륨(He) 기체 w g이 들어 있는 상태를, (나)는 (가)의 압력을 변화시켰을 때의 상태를 나타낸 것이다.

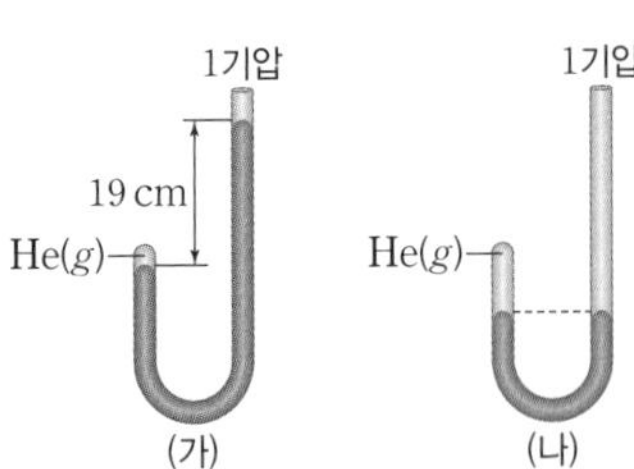

이에 대한 설명으로 옳은 것만을 〈보기〉에서 있는 대로 고른 것은? (단, 온도는 일정하고 대기압은 76 cmHg이다.)

보기
ㄱ. (가)에서 He(g)의 압력은 0.25기압이다.
ㄴ. He(g)의 부피는 (나)에서가 (가)에서의 $\frac{5}{4}$배이다.
ㄷ. (나)에 He(g) w g을 추가하면 수은 기둥의 높이 차는 38 cm가 된다.

① ㄱ ② ㄴ ③ ㄱ, ㄷ
④ ㄴ, ㄷ ⑤ ㄱ, ㄴ, ㄷ

02 다음은 기체 A와 B가 반응하여 기체 C를 생성하는 화학 반응식이다.

$$A(g) + B(g) \longrightarrow C(g)$$

그림은 꼭지로 연결된 2개의 용기에 각각 A(g)와 B(g)가 들어 있는 상태를 나타낸 것이다.

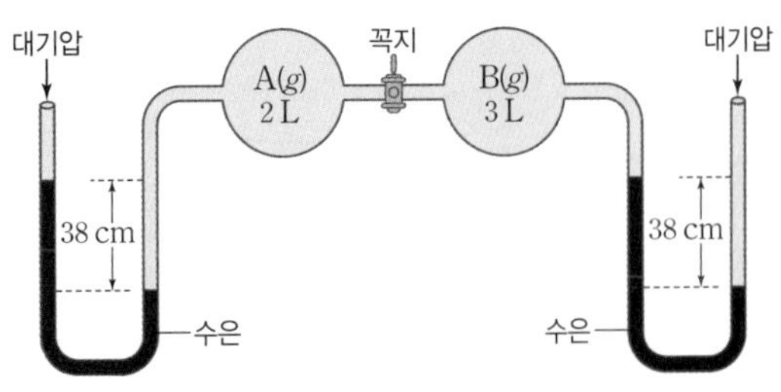

꼭지를 열고 반응이 완결된 후, 반응 후 남은 반응물의 몰 분율은? (단, 온도는 일정하고, 대기압은 76 cmHg이며, 연결관의 부피는 무시한다.)

① $\frac{1}{4}$ ② $\frac{1}{3}$ ③ $\frac{1}{2}$ ④ $\frac{2}{3}$ ⑤ $\frac{3}{4}$

03 그림 (가)와 (나)는 T K, 1기압에서 실린더에 $CH_4(g)$과 $O_2(g)$가 각각 들어 있는 모습을 나타낸 것이다.

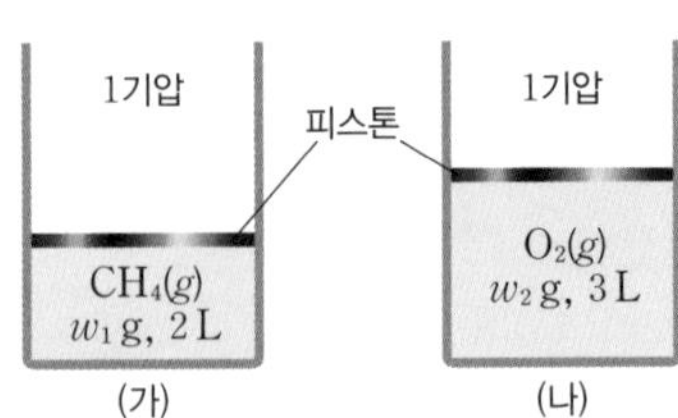

$\frac{w_2}{w_1}$는? (단, CH_4과 O_2의 분자량은 각각 16, 32이고, 피스톤의 질량과 마찰은 무시한다.)

① 1 ② $\frac{3}{2}$ ③ 2 ④ $\frac{5}{2}$ ⑤ 3

고난도

04 그림은 400 K에서 꼭지로 분리된 같은 부피의 두 용기에 $O_2(g)$와 $C_2H_4(g)$이 각각 들어 있는 모습을 나타낸 것이다. 꼭지를 열어 C_2H_4을 모두 완전 연소시켰을 때 $H_2O(g)$의 몰 분율이 $\frac{2}{5}$이었다.

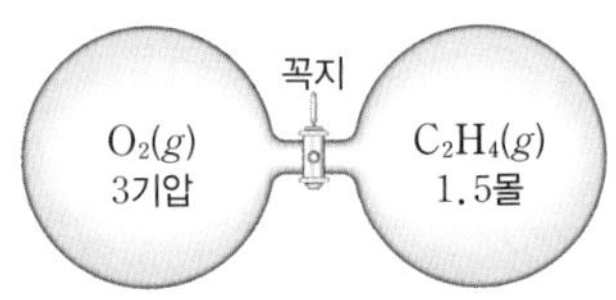

반응 후 용기 속 $CO_2(g)$의 부분 압력(기압)은? (단, 온도는 일정하고, 연결관의 부피는 무시한다.)

① $\frac{2}{3}$ ② 1 ③ $\frac{3}{4}$ ④ $\frac{3}{2}$ ⑤ $\frac{5}{2}$

05 다음은 몇 가지 분자의 분자식이다.

CH_3OH HCN CCl_4 H_2O_2

(가)~(다)에 해당하는 분자 수를 옳게 짝 지은 것은?

(가) 분자 사이에 수소 결합이 존재한다.
(나) 분자 사이에 분산력이 존재한다.
(다) 분자 사이에 쌍극자·쌍극자 힘이 존재한다.

	(가)	(나)	(다)
①	0	1	2
②	1	4	2
③	1	4	3
④	2	4	2
⑤	2	4	3

06 그림 (가)는 수은이 들어 있는 유리관 아래쪽에 넣어 준 소량의 에탄올($C_2H_6O(l)$)이 수은 기둥 위로 올라간 후 평형에 도달한 것을, (나)는 에탄올 대신 다이에틸 에테르($C_4H_{10}O(l)$)로 실험한 결과를 나타낸 것이다. $h_1 > h_2$이다.

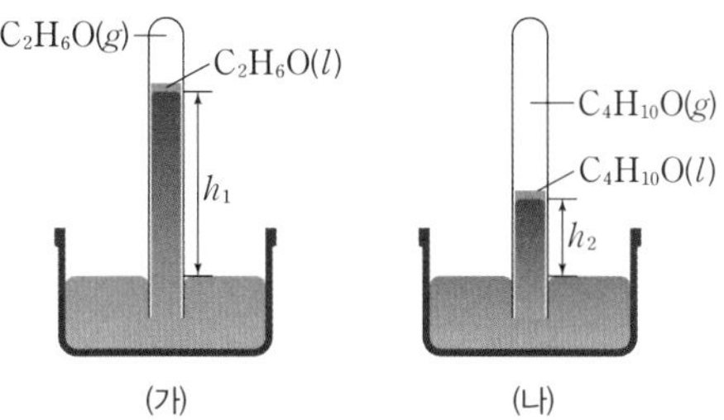

이에 대한 설명으로 옳은 것만을 〈보기〉에서 있는 대로 고른 것은? (단, 온도와 대기압은 일정하다.)

보기
ㄱ. 증발 속도는 (나)에서가 (가)에서보다 빠르다.
ㄴ. 기준 끓는점은 $C_2H_6O(l)$이 $C_4H_{10}O(l)$보다 높다.
ㄷ. $C_4H_{10}O(l)$와 $C_2H_6O(l)$의 증기 압력 차는 $h_1 - h_2$이다.

① ㄱ ② ㄴ ③ ㄱ, ㄷ
④ ㄴ, ㄷ ⑤ ㄱ, ㄴ, ㄷ

07 다음은 액체의 표면 장력에 관한 실험이다.

[실험 과정]
(가) 25 ℃에서 물(H_2O) 한 방울을 유리판 위에 떨어뜨리고 물방울의 모양을 관찰한다.
(나) ㉠
[실험 결과]
• 액체 방울의 모양

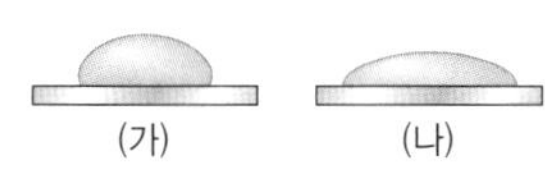

㉠으로 적절한 것만을 〈보기〉에서 있는 대로 고른 것은?

보기
ㄱ. 25 ℃ 대신 10 ℃에서 과정 (가)를 반복한다.
ㄴ. 물 대신 에탄올을 사용하여 과정 (가)를 반복한다.
ㄷ. 유리판 대신 양초를 균일하게 바른 유리판을 이용하여 과정 (가)를 반복한다.

① ㄱ ② ㄴ ③ ㄱ, ㄷ
④ ㄴ, ㄷ ⑤ ㄱ, ㄴ, ㄷ

08 그림은 $H_2O(l)$이 가득 들어 있는 용기를 냉각시켜 $H_2O(s)$으로 되는 과정 (가)를 나타낸 것이다. (가)에서 증가하는 값만을 〈보기〉에서 있는 대로 고른 것은?

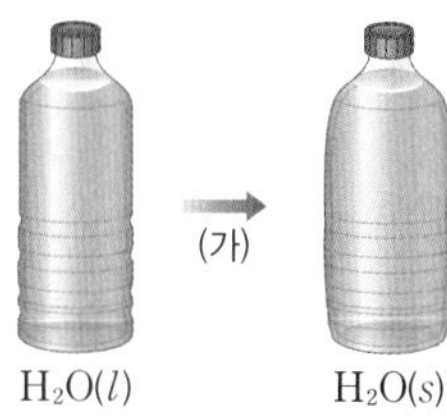

보기
ㄱ. 밀도 ㄴ. 질량 ㄷ. 분자당 평균 수소 결합 수

① ㄱ ② ㄷ ③ ㄱ, ㄴ
④ ㄴ, ㄷ ⑤ ㄱ, ㄴ, ㄷ

09 그림은 2가지 이온 결합 화합물 (가)와 (나)의 결정 구조를 각각 모형으로 나타낸 것이다.

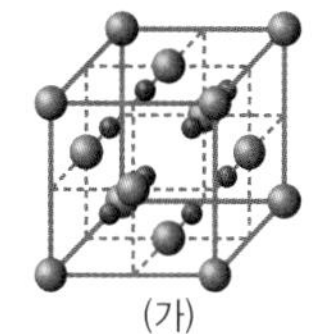
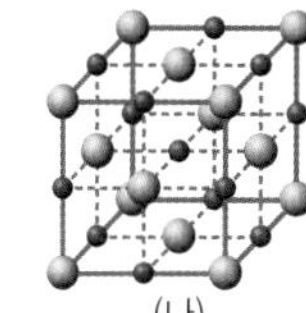

(가)와 (나)의 화학식을 옳게 짝 지은 것은? (단 A는 양이온이고, B와 C는 음이온이다.)

	(가)	(나)		(가)	(나)
①	AB	AC	②	AB	A_2C
③	A_2B	AC	④	A_2B	A_2C
⑤	AB_2	AC			

10 그림은 4가지 고체를 분류하는 과정을 나타낸 것이다.

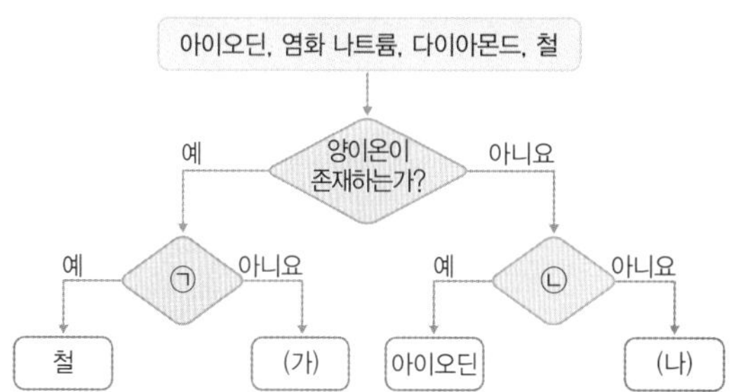

이에 대한 설명으로 옳은 것만을 〈보기〉에서 있는 대로 고른 것은?

보기
ㄱ. '액체 상태에서 전기 전도성이 있는가?'는 ㉠으로 적절하다.
ㄴ. '공유 결합 물질인가?'는 ㉡으로 적절하다.
ㄷ. 녹는점은 (나) > (가)이다.

① ㄱ ② ㄷ ③ ㄱ, ㄴ
④ ㄴ, ㄷ ⑤ ㄱ, ㄴ, ㄷ

11 다음은 0.01 M A 수용액을 만드는 실험 과정이다.

[실험 과정]
(가) 500 mL 부피 플라스크에 A x g을 넣고 표시선까지 증류수를 넣어 0.1 M A 수용액을 만든다.
(나) (가)의 수용액 y mL를 취하여 250 mL 부피 플라스크에 넣는다.
(다) (나)의 부피 플라스크의 표시선까지 증류수를 넣어 0.01 M A 수용액을 만든다.

이에 대한 설명으로 옳은 것만을 〈보기〉에서 있는 대로 고른 것은? (단, A의 화학식량은 40이고, 0.01 M A 수용액의 밀도는 1.0 g/mL이다.)

보기
ㄱ. x는 2이다.
ㄴ. y는 25이다.
ㄷ. (다)에서 만든 0.01 M A 수용액의 퍼센트 농도는 0.04 %이다.

① ㄱ ② ㄷ ③ ㄱ, ㄴ
④ ㄴ, ㄷ ⑤ ㄱ, ㄴ, ㄷ

12 표는 25 ℃, 1기압에서 물에 비휘발성, 비전해질 용질 A와 B를 녹인 수용액 (가)~(다)에 대한 자료이다.

수용액	물의 질량 (g)	용질의 질량(g)		어는점 (℃)
		A	B	
(가)	100	48		$-4k$
(나)	200		72	$-k$
(다)	300	36	36	x

이에 대한 설명으로 옳은 것만을 〈보기〉에서 있는 대로 고른 것은? (단, 물의 분자량은 18이고, A와 B는 서로 반응하지 않으며, 수용액은 라울 법칙을 따른다.)

보기
ㄱ. 분자량은 A가 B의 1.5배이다.
ㄴ. x는 $-\frac{4}{3}k$이다.
ㄷ. (가)와 (나)를 혼합한 용액의 어는점은 $\frac{3}{2}x$ ℃이다.

① ㄱ ② ㄷ ③ ㄱ, ㄴ
④ ㄴ, ㄷ ⑤ ㄱ, ㄴ, ㄷ

고난도

13 그림 (가)는 꼭지가 닫힌 상태에서 크기가 같은 2개의 용기에 6 % 요소 수용액과 x m 포도당 수용액이 평형 Ⅰ에 도달한 것을, (나)는 (가)에서 두 수용액의 높이비를 시간에 따라 나타낸 것이다. 시간 t_1에서 꼭지를 열었고, 요소의 분자량은 60이다.

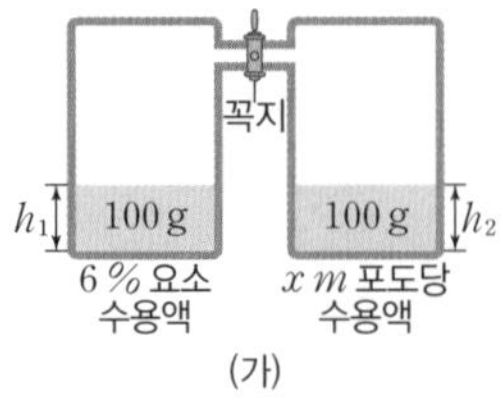

(가)

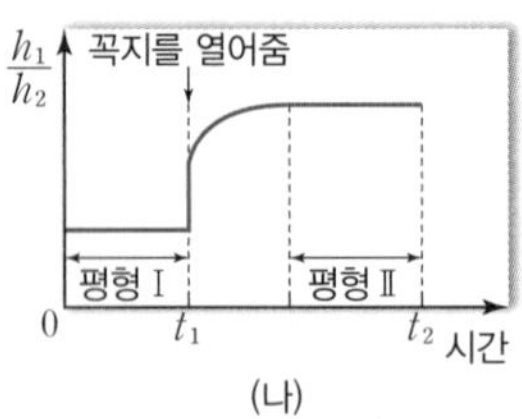

(나)

이에 대한 설명으로 옳은 것만을 〈보기〉에서 있는 대로 고른 것은? (단, 온도는 일정하고, 수용액은 라울 법칙을 따른다.)

보기
ㄱ. $x>1.07$이다.
ㄴ. (가)에서 증발 속도는 요소 수용액이 포도당 수용액보다 빠르다.
ㄷ. 요소의 몰 분율은 Ⅰ에서가 Ⅱ에서보다 크다.

① ㄱ ② ㄷ ③ ㄱ, ㄴ
④ ㄴ, ㄷ ⑤ ㄱ, ㄴ, ㄷ

14 그림은 25 ℃, 1기압에서 반투막으로 분리된 용기에 설탕물 A, B와 물이 평형 상태에 있는 것을 나타낸 것이다. h_1과 h_2는 각각 물과 설탕물 A와 B의 수면 높이 차이고, $h_2>h_1$이다.

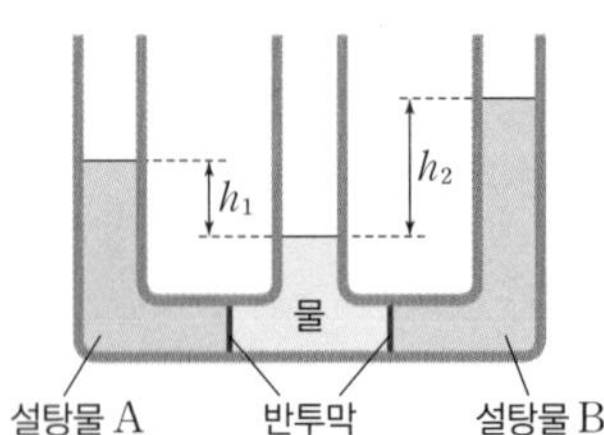

이에 대한 설명으로 옳은 것만을 〈보기〉에서 있는 대로 고른 것은? (단, 설탕물의 농도에 따른 밀도 변화는 무시한다.)

보기
ㄱ. 기준 끓는점은 A가 B보다 높다.
ㄴ. 25 ℃에서 증기 압력은 B가 A보다 크다.
ㄷ. 온도를 50 ℃로 높이면 (h_2-h_1)은 증가한다.

① ㄱ ② ㄷ ③ ㄱ, ㄴ
④ ㄴ, ㄷ ⑤ ㄱ, ㄴ, ㄷ

서술형

15 그림은 온도 T에서 동일한 실린더에 같은 질량의 기체 A~C가 각각 들어 있는 상태를 나타낸 것이다.

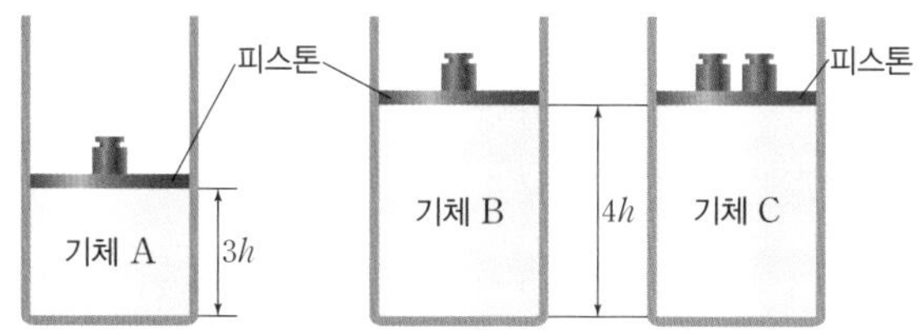

A~C의 분자량비를 구하는 과정을 서술하시오. (단, 추 1개가 피스톤에 작용하는 압력은 대기압과 같고, 피스톤의 질량과 마찰은 무시한다.)

16 그림은 펜테인(C_5H_{12})의 두 가지 구조를 모형으로 나타낸 것이다.

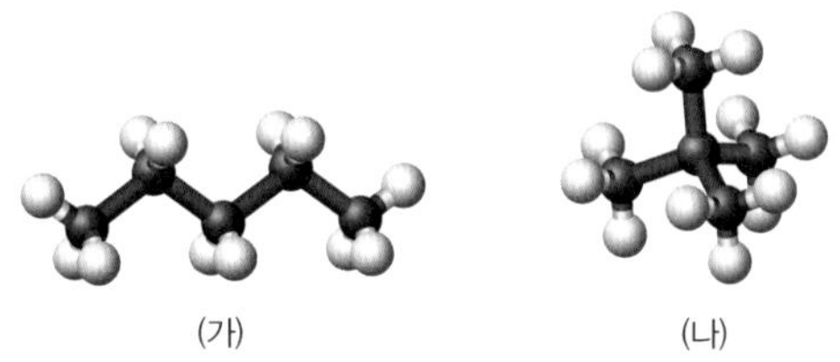
(가) (나)

(1) (가)와 (나)의 끓는점을 부등호로 비교하시오.

(2) (가)와 (나)의 끓는점이 다른 까닭을 서술하시오.

17 표는 비휘발성, 비전해질 물질 A와 B를 녹인 수용액에 대한 자료이다.

	용질의 질량(g)	물의 질량(g)	기준 어는점(℃)
A 수용액	114	1000	−0.62
B 수용액	5	500	−0.31

$\frac{\text{A의 분자량}}{\text{B의 분자량}}$을 계산 과정과 함께 구하시오. (단, A와 B는 비휘발성, 비전해질이다.)

서술형

18 그림은 이온 결정 X의 단위 세포를 모형으로 나타낸 것이다.

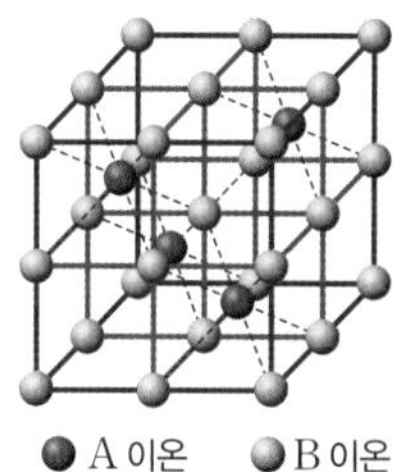

단위 세포 속 A 이온 수와 B 이온 수를 구하여 X의 화학식을 구하는 과정을 서술하시오. (단, A와 B는 임의의 원소 기호이고, A 이온은 양이온이다.)

19 그림은 고체 X와 고체 Y의 화학 결합 모형을 각각 나타낸 것이다.

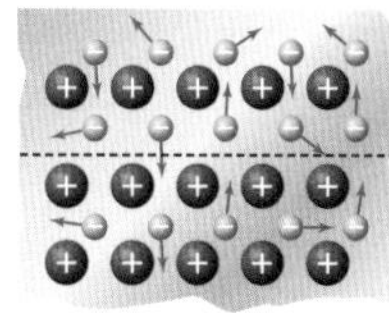
고체 X

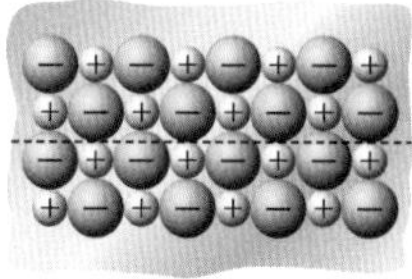
고체 Y

(1) X와 Y의 결정의 종류를 각각 쓰시오.

(2) X와 Y에 각각 힘을 가했을 때의 변화를 쓰고, 그 까닭을 결합과 관련지어 서술하시오.

Ⅱ 반응엔탈피와 화학 평형

한食왕

나의 학습 계획표

중단원	소단원	계획일	실천일	성취도
1 반응 엔탈피	01. 반응엔탈피와 열화학 반응식	/	/	○△×
	02. 헤스 법칙	/	/	○△×
	수능 POOL + 실전! 수능 도전하기	/	/	○△×
2 화학 평형과 평형 이동	01. 화학 평형	/	/	○△×
	02. 화학 평형 이동 (1)	/	/	○△×
	03. 화학 평형 이동 (2)	/	/	○△×
	04. 상평형 그림	/	/	○△×
	수능 POOL + 실전! 수능 도전하기	/	/	○△×
3 산 염기 평형	01. 산 염기의 세기	/	/	○△×
	02. 염의 가수 분해와 완충 용액	/	/	○△×
	수능 POOL + 실전! 수능 도전하기	/	/	○△×
	대단원 정리 + 문제	/	/	○△×

스스로 계획하고 실천하면
실력이 올라간다~옹!

1 반응엔탈피

배울 내용 살펴보기

01 반응엔탈피와 열화학 반응식

- A 반응엔탈피
- B 열화학 반응식
- C 반응엔탈피의 종류

열화학 반응식을 엔탈피를 이용하여 표현할 수 있고, 반응엔탈피의 종류를 알 수 있지.

02 헤스 법칙

- A 결합 에너지와 반응엔탈피
- B 헤스 법칙

엔탈피와 결합 에너지의 관계를 이해하여 헤스 법칙을 설명할 수 있게 돼.

반응엔탈피와 열화학 반응식

핵심 키워드로 흐름잡기

A 엔탈피, 반응엔탈피, 발열 반응, 흡열 반응
B 열화학 반응식
C 생성 엔탈피, 분해 엔탈피, 연소 엔탈피, 중화 엔탈피, 용해 엔탈피

A 반응엔탈피

|출·제·단·서| 반응의 종류와 반응엔탈피의 관계를 파악하거나 이에 대한 예를 찾는 문제가 시험에 나와.

1. 반응엔탈피

(1) 엔탈피(H) ❶

① 모든 물질은 에너지를 가지고 있으며, 그 양은 물질의 종류에 따라 다르다.

② 일정한 온도와 압력에서 어떤 물질이 가지고 있는 고유한 총 에너지이다.

(2) 반응엔탈피(ΔH) 물질이 가지는 엔탈피의 절대량은 알 수 없지만, 화학 반응이 일어날 때 엔탈피의 변화는 알 수 있다.

① **화학 반응에서의 엔탈피 변화:** 화학 반응이 일어나면 물질의 종류와 상태, 엔탈피가 달라지므로 열의 출입을 측정하면 엔탈피 변화를 알 수 있다.

② **반응엔탈피(ΔH):** 일정한 압력에서 화학 반응이 일어날 때의 엔탈피 변화이며, 생성물의 총 엔탈피에서 반응물의 총 엔탈피를 뺀 값이다.

반응엔탈피 = 생성물의 엔탈피 합 − 반응물의 엔탈피 합

$$\Delta H = H_{생성물} - H_{반응물}$$

③ 여러 가지 화학적, 물리적 변화에서의 엔탈피 변화량을 열량계(간이 열량계 또는 통 열량계)를 이용하여 측정할 수 있다.

❶ **엔탈피(H, enthalpy)**
물질의 엔탈피는 원자핵 속의 핵 에너지, 전자가 가지는 에너지, 원자 사이의 공유 결합 에너지, 분자의 운동 에너지의 모든 에너지를 포함한다.
열역학 계에서 내부 에너지 U와 부피 변화에 의한 일 PV를 합한 것

2. 반응의 종류와 반응엔탈피

(1) 발열 반응과 흡열 반응 암기TiP 발열 반응: 엔탈피 감소 → $\Delta H<0$, 흡열 반응: 엔탈피 증가 → $\Delta H>0$

구분	발열 반응 엔탈피 감소	흡열 반응 엔탈피 증가
정의	화학 반응이 일어날 때 열을 방출하는 반응으로, 생성물의 엔탈피 합이 반응물의 엔탈피 합보다 작다.	화학 반응이 일어날 때 열을 흡수하는 반응으로, 생성물의 엔탈피 합이 반응물의 엔탈피 합보다 크다.
엔탈피 변화		
물질의 엔탈피	반응물 > 생성물	생성물 > 반응물
주위의 온도	올라간다.	내려간다.
반응의 예	연소 반응, 중화 반응, 산과 금속의 반응, 진한 황산을 묽히는 반응	광합성, 열분해, 전기 분해, 수산화 바륨과 질산 암모늄의 반응

(2) 반응의 종류와 반응엔탈피(ΔH)

발열 반응에서는 엔탈피가 감소하므로 반응엔탈피의 부호가 (−)이고, 흡열 반응에서는 엔탈피가 증가하므로 반응엔탈피의 부호가 (+)이다.

발열 반응: $H_{생성물} < H_{반응물} \Rightarrow \Delta H<0$
흡열 반응: $H_{생성물} > H_{반응물} \Rightarrow \Delta H>0$

발열 반응이 일어날 때 열을 방출하는데 반응엔탈피는 (−)값인 까닭은 무엇일까?
반응이 일어날 때의 열 출입은 외부에서 측정한 값을 기준으로 하지만, 반응엔탈피는 화학 반응이 일어날 때의 엔탈피 변화로 생성물의 엔탈피 합에서 반응물의 엔탈피 합을 뺀 값으로 구한다. 따라서 출입하는 열량과 반응엔탈피는 크기는 같고 부호는 다르다.

용어 알기
- 발열(보낼 發, 더울 熱) 열이 남 또는 열을 냄
- 흡열(들이쉴 吸, 더울 熱) 열을 빨아들임

빈출 탐구 화학 반응에서의 에너지 출입

과정

❶ 나무판에 몇 방울의 물을 떨어뜨리고 그 위에 수산화 바륨($Ba(OH)_2$) 40 g과 질산 암모늄(NH_4NO_3) 20 g을 넣은 삼각 플라스크를 올려놓는다.

❷ 두 물질이 잘 반응하도록 5~6분 정도 유리 막대로 저어 준 다음, 삼각 플라스크를 들어 올려 본다.

결과 및 분석

❶ $Ba(OH)_2$과 NH_4NO_3이 반응할 때 주위로부터 열을 흡수하여 온도가 내려가기 때문에 나무판의 물이 얼게 된다.

❷ 나무판 위의 물이 얼면서 나무판이 삼각 플라스크에 달라붙으므로 삼각 플라스크를 들어 올리면 나무판이 함께 올라온다. 나무판 위의 물은 열을 빼앗기므로 물이 얼음으로 변하는 과정은 발열 반응이다.

결론 $Ba(OH)_2$과 NH_4NO_3의 반응은 주위로부터 에너지를 흡수하는 흡열 반응이다.

⊕ 열의 출입 이용

- 발열 반응: 발열 도시락은 산화 칼슘(CaO)이 물(H_2O)과 반응할 때 방출하는 열을 이용한다.
- 흡열 반응: 냉찜질 주머니는 질산 암모늄이 용해될 때 열을 흡수하는 것을 이용한다.

B 열화학 반응식

|출·제·단·서| 여러 가지 열화학 반응식으로부터 어떤 반응의 반응엔탈피를 구하는 문제가 시험에 나와.

1. •열화학 반응식 화학 반응이 일어날 때 출입하는 열을 화학 반응식❷에 함께 표시한 식

(1) 열화학 반응식에서 출입하는 에너지는 반응엔탈피(ΔH)로 나타낸다.

(2) **발열 반응** 열을 방출하므로 $\Delta H<0$인 반응

예 프로페인(C_3H_8) 1몰이 연소할 때 2220 kJ의 에너지를 방출한다.

$C_3H_8(g)+5O_2(g) \longrightarrow 3CO_2(g)+4H_2O(l) \quad \Delta H=-2220\ kJ$

(3) **흡열 반응** 열을 흡수하므로 $\Delta H>0$인 반응

예 탄산 칼슘($CaCO_3$) 1몰이 열분해❸될 때 178 kJ의 에너지를 흡수한다.

$CaCO_3(s) \longrightarrow CaO(s)+CO_2(g) \quad \Delta H=178\ kJ$

2. 열화학 반응식 나타내기

(1) 물질의 상태에 따라 엔탈피가 달라지므로 물질의 상태를 꼭 표시한다.

> 고체: s(solid), 액체: l(liquid), 기체: g(gas), 수용액: aq(aqueous)

예 $H_2(g)$와 $O_2(g)$의 반응에 의해 생성되는 H_2O의 상태에 따라 방출되는 에너지가 달라진다.

$H_2(g)+\frac{1}{2}O_2(g) \longrightarrow H_2O(l) \quad \Delta H=-285.8\ kJ$

$H_2(g)+\frac{1}{2}O_2(g) \longrightarrow H_2O(g) \quad \Delta H=-241.8\ kJ$

생성물의 상태에 따라 방출하는 에너지가 다르므로 상태를 표시한다.

(2) 출입하는 열에너지는 반응하는 물질의 몰수에 비례하므로 반응식의 계수를 정수배로 하면 반응엔탈피도 같은 정수배가 된다.

$H_2(g)+\frac{1}{2}O_2(g) \longrightarrow H_2O(l) \quad \Delta H=-285.8\ kJ$

$2H_2(g)+O_2(g) \longrightarrow 2H_2O(l) \quad \Delta H=-571.6\ kJ$

엔탈피는 크기 성질이기 때문에 물질의 양에 비례한다.

(3) 화학 반응이 역반응으로 진행되면 반응엔탈피는 정반응과 비교하여 크기는 같고, 부호는 반대이다.

$H_2(g)+\frac{1}{2}O_2(g) \longrightarrow H_2O(l) \quad \Delta H=-285.8\ kJ$

$H_2O(l) \longrightarrow H_2(g)+\frac{1}{2}O_2(g) \quad \Delta H=285.8\ kJ$

수소와 산소로부터 물이 생성될 때 열을 방출하고, 반대로 물이 수소와 산소로 분해될 때 열을 흡수하므로 물의 생성 반응은 발열 반응, 물의 분해 반응은 흡열 반응이다.

❷ 화학 반응식
화학 반응을 물질의 화학식과 반응 몰비로 나타낸 식이다.

❸ 열분해
열을 이용하여 물질이 분해되는 것으로, 물질이 분해될 때 열을 흡수하므로 흡열 반응이다.

? 액체와 수용액의 차이점은 무엇일까?
액체는 물질의 3가지 상태 중 한 가지로 고체에 열을 가하거나 기체의 온도를 낮추어 생성되는 물질이다. 수용액은 물에 고체, 액체, 기체인 물질을 녹인 것으로 물과 용질의 혼합물이다.

용어 알기

• 열화학(더울 熱, 될 化, 배울 學) 열과 화학 변화의 상호 관계를 연구하는 분야

ΔH_f°에서 위 첨자°(naught)는 표준의 상태를 뜻하고, 아래 첨자 f는 생성(formation)을 뜻해.

C 반응엔탈피의 종류

|출·제·단·서| 제시된 열화학 반응식으로부터 반응엔탈피의 종류를 알아내는 문제가 시험에 나와!

1. 생성 엔탈피(ΔH_f) 어떤 물질 1몰이 가장 안정한 성분 •원소 물질로부터 생성될 때 방출하거나 흡수하는 반응엔탈피 표준 상태에서 가장 안정한 원소를 기준으로 한다.

예 $N_2(g)+3H_2(g) \longrightarrow 2NH_3(g)$ $\Delta H=-92.2$ kJ

➡ $NH_3(g)$ 2몰이 생성될 때 92.2 kJ의 에너지가 방출되므로, $NH_3(g)$의 생성 엔탈피(ΔH_f)는 -46.1 kJ/mol이다.

(1) 표준 생성 엔탈피(ΔH_f°) 25 ℃, 1기압에서의 생성 엔탈피

(2) 원소의 표준 생성 엔탈피(ΔH_f°) 원소의 표준 생성 엔탈피는 0이다. 원소에 여러 가지 동소체❹가 존재하는 경우 가장 안정한 물질의 표준 생성 엔탈피가 0이다.

예 흑연과 다이아몬드가 각각 연소될 때 열화학 반응식은 다음과 같다.

$C(흑연, s)+O_2(g) \longrightarrow CO_2(g)$ $\Delta H=-393.5$ kJ 흑연이 다이아몬드로 될 때는 1.9 kJ/mol의 에너지를 흡수한다.

$C(다이아몬드, s)+O_2(g) \longrightarrow CO_2(g)$ $\Delta H=-395.4$ kJ

➡ 흑연이 다이아몬드보다 엔탈피가 낮으므로 C의 안정한 원소는 흑연이다.

따라서 C(흑연, s)의 표준 생성 엔탈피(ΔH_f°)는 0이다.

(3) 생성 엔탈피와 물질의 안정성 같은 원소로부터 여러 종류의 화합물이 생성되는 경우 표준 생성 엔탈피(ΔH_f°)가 작을수록 상대적으로 안정하다. 생성 엔탈피로 물질의 안정성을 비교할 때 같은 원소로 구성된 물질만 가능하다.

물질	ΔH_f° (kJ/mol)	물질	ΔH_f° (kJ/mol)	물질	ΔH_f° (kJ/mol)
$C_2H_2(g)$	226.7	$CH_3OH(l)$	−238.7	$NO(g)$	90.3
$C_2H_4(g)$	52.3	$C_2H_5OH(l)$	−277.7	$HCl(g)$	−92.3
$C_2H_6(g)$	−84.7	$H_2O(l)$	−285.8	$SO_2(g)$	−296.8

▲ 몇 가지 물질의 표준 생성 엔탈피(25 ℃, 1기압)

❹ 동소체

$O_2(g)$와 $O_3(g)$과 같이 구성 원소가 같지만 물질의 구조나 성질이 다른 원소이다.

빈출 자료 물과 수증기의 안정성

자료 그림은 수소(H_2)와 산소(O_2)가 반응하여 $H_2O(l)$과 $H_2O(g)$가 각각 생성될 때의 엔탈피 변화를 나타낸 것이다.

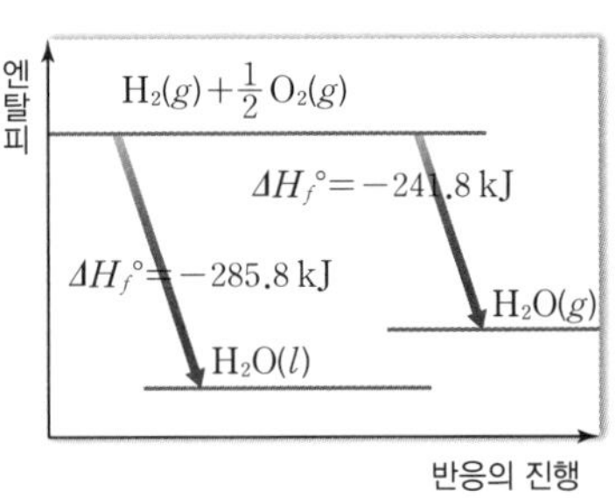

분석

❶ 수소와 산소가 반응하여 물과 수증기가 각각 생성될 때의 열화학 반응식은 다음과 같다.

$H_2(g)+\frac{1}{2}O_2(g) \longrightarrow H_2O(l)$ $\Delta H=-285.8$ kJ

$H_2(g)+\frac{1}{2}O_2(g) \longrightarrow H_2O(g)$ $\Delta H=-241.8$ kJ

❷ 물의 표준 생성 엔탈피가 수증기보다 낮으므로 물이 수증기보다 더 안정하다.

❸ 물의 표준 생성 엔탈피는 수증기보다 44.0 kJ/mol만큼 작다. 물질의 상태에 따라 방출하는 에너지가 다르다.

결론 같은 원소로부터 생성되는 여러 종류의 화합물의 안정성을 비교할 때 표준 생성 엔탈피를 비교한다. 이때 표준 생성 엔탈피가 작을수록 화합물은 상대적으로 안정하다.

⊕ 물의 기화 엔탈피

$H_2O(l)$ 1몰이 $H_2O(g)$ 1몰로 될 때 흡수하는 에너지로 $H_2O(l)$의 기화 엔탈피는 $+44$ kJ/mol이다.

(4) 표준 반응엔탈피(ΔH°)

표준 반응엔탈피=생성물의 표준 생성 엔탈피의 합−반응물의 표준 생성 엔탈피의 합

$$\Delta H^\circ=\sum H_f^\circ{}_{생성물}-\sum H_f^\circ{}_{반응물}$$

용어 알기

• 원소(근본 元, 작을 宵) 화학적으로 성립과 구조가 가장 간단한 성분

2. 분해 엔탈피 어떤 물질 1몰이 성분 원소로 분해될 때 흡수하거나 방출하는 반응엔탈피로, 분해 엔탈피는 생성 엔탈피와 크기는 같고 부호는 반대이다.

예 $2NH_3(g) \longrightarrow N_2(g)+3H_2(g) \quad \Delta H=92.2$ kJ 분해 엔탈피는 물질 1몰이 구성 원자가 아닌 원소로 분해될 때의 열량이므로 결합 에너지와 다르다.

➡ $NH_3(g)$ 2몰이 분해될 때 92.2 kJ의 에너지를 흡수하므로 $NH_3(g)$의 분해 엔탈피(ΔH)는 46.1 kJ/mol이다.

3. 연소 엔탈피 어떤 물질 1몰이 완전 연소❺할 때 방출하는 반응엔탈피 탐구 POOL

(1) 연소 반응은 발열 반응이므로 반응엔탈피(ΔH)는 항상 (−)값을 갖는다.

예 탄소(C)의 연소 반응에서 탄소의 연소 엔탈피는 −393.5 kJ/mol이다.

$C(s)+O_2(g) \longrightarrow CO_2(g) \quad \Delta H=-393.5$ kJ

연소 반응과 열

$CO(g)$ 2몰이 완전 연소하면 565.6 kJ의 열을 방출한다.

$CO(g)$ 1몰이 완전 연소하면 282.8 kJ의 열을 방출한다.

열화학 반응식

$2CO(g)+O_2(g) \longrightarrow 2CO_2(g) \quad \Delta H=-565.6$ kJ

➡ $CO(g)$의 연소 엔탈피(ΔH)는 −282.8 kJ/mol이다.

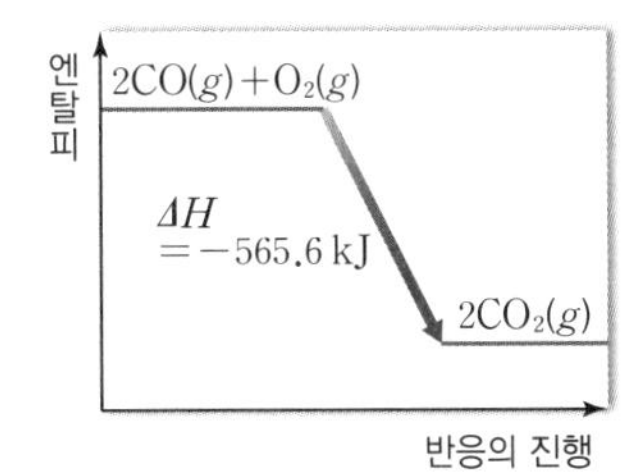

(2) 연소 엔탈피는 물질의 종류에 따라 다르다.

물질	연소 엔탈피(kJ/mol)	물질	연소 엔탈피(kJ/mol)
$C(s)$	−393.5	$C_3H_8(g)$	−2220.0
$CH_4(g)$	−890.4	$C_4H_{10}(g)$	−2280.0

▲ 몇 가지 물질의 표준 연소 엔탈피(ΔH)

빈출 자료 연소 엔탈피와 생성 엔탈피 비교

자료 표는 25 ℃, 1기압에서 2가지 탄소 화합물에 대한 자료이다.

탄소 화합물	화학식	분자량❻	연소 엔탈피(kJ/mol)
에탄올	$C_2H_5OH(l)$	46	−1367
다이메틸 에테르	$CH_3OCH_3(l)$	46	−1460

분석

❶ 25 ℃, 1기압에서 2가지 물질의 연소 엔탈피를 그림으로 나타내면 다음과 같다.

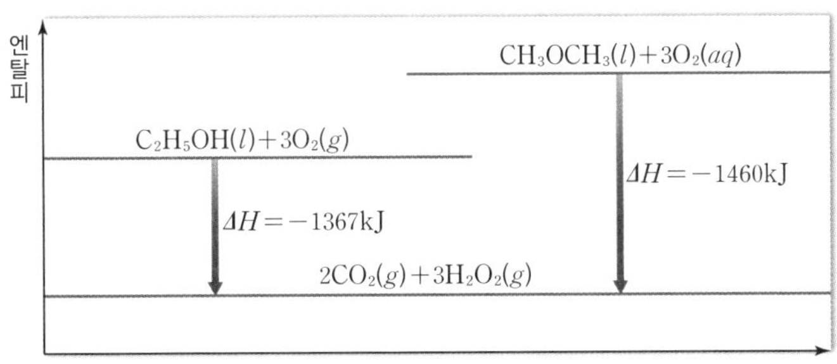

❷ 화합물의 연소 엔탈피: $C_2H_5OH(l)>CH_3OCH_3(l)$

❸ 화합물의 생성 엔탈피: $CH_3OCH_3(l)>C_2H_5OH(l)$

결론 같은 원소로부터 생성되는 여러 종류의 화합물에서 연소 엔탈피가 작을수록 생성 엔탈피는 크다. 따라서 생성 엔탈피가 작을수록 상대적으로 안정하고, 완전 연소할 때 발생하는 열량의 크기는 상대적으로 작다.

❺ **완전 연소**
물질이 연소될 때 표준 상태에서 가장 안정한 생성물로 되는 화학 변화이다.

암기TiP
반응엔탈피의 종류와 기준

생성 엔탈피	물질 1몰이 생성
분해 엔탈피	물질 1몰이 분해
연소 엔탈피	물질 1몰이 연소
중화 엔탈피	물 1몰 생성
용해 엔탈피	물질 1몰이 용해

❻ **분자량**
분자의 질량을 상댓값으로 나타낸 것으로 단위가 없다.

용어 알기
- 분해(나눌 分, 풀 解) 한 종류의 화합물이 두 가지 이상의 간단한 물질로 변함
- 연소(탈 燃, 탈 燒) 불이 붙어 탐

4. 중화 엔탈피❼ 산과 염기의 중화 반응에 의해 1몰의 $H_2O(l)$이 생성될 때의 반응엔탈피

1몰의 $H^+(aq)$과 1몰의 $OH^-(aq)$이 중화되어 $H_2O(l)$ 1몰이 생성될 때 55.8 kJ의 열이 방출된다.

열화학 반응식

$H^+(aq)+OH^-(aq) \longrightarrow H_2O(l) \quad \Delta H=-55.8$ kJ

➡ 중화 엔탈피(ΔH)는 -55.8 kJ/mol이다.

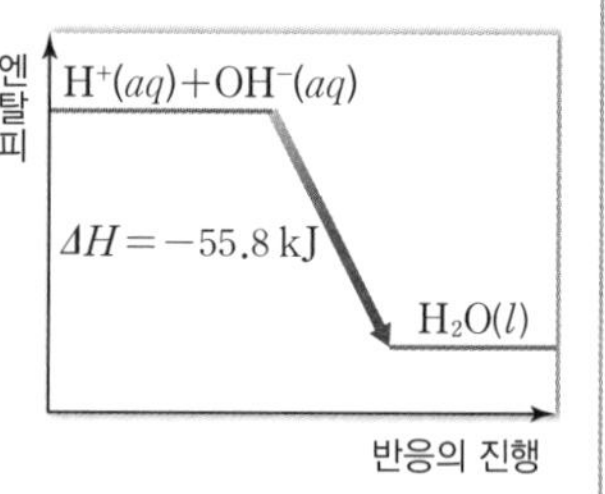

❼ **중화 반응과 중화 엔탈피**
아레니우스 산과 아레니우스 염기의 반응과 같이 수소 이온과 수산화 이온이 반응하여 물이 생성될 때의 반응엔탈피를 중화 엔탈피라고 한다.

(1) 반응하는 산과 염기의 종류에 관계없이 중화 엔탈피는 -55.8 kJ/mol로 일정하다.

예 $HCl(aq)+NaOH(aq) \longrightarrow NaCl(aq)+H_2O(l) \quad \Delta H=-55.8$ kJ

$H_2SO_4(aq)+2NaOH(aq) \longrightarrow Na_2SO_4(aq)+2H_2O(l) \quad \Delta H=-111.6$ kJ

➡ $H_2O(l)$ 2몰이 생성될 때 111.6 kJ의 에너지를 방출하므로 중화 엔탈피(ΔH)는 -55.8 kJ/mol이다.

(2) 아레니우스 산과 염기의 중화 반응에서 알짜 이온은 H^+, OH^-이므로 중화 엔탈피는 산과 염기의 종류와 관계없이 일정하다.

(3) 알짜 이온 반응식❽ $H^+(aq)+OH^-(aq) \longrightarrow H_2O(l) \quad \Delta H=-55.8$ kJ

❽ **알짜 이온 반응식**
반응에 직접 참여하는 이온인 알짜 이온만으로 나타낸 화학 반응식이다.

5. •용해 엔탈피 어떤 물질 1몰이 다량의 물에 용해될 때 흡수하거나 방출하는 반응엔탈피

① **고체의 용해:** 고체는 대부분 물에 용해될 때 열을 흡수한다(흡열 반응).
단, $NaOH(s)$, $KOH(s)$, $CaCl_2(s)$ 등은 물에 용해될 때 열을 방출한다.

예 $KNO_3(s) \longrightarrow KNO_3(aq) \quad \Delta H=34.7$ kJ

$NaOH(s) \longrightarrow NaOH(aq) \quad \Delta H=-44.5$ kJ

용해 반응이 발열 반응이면 수용액의 온도는 높아지고, 용해 반응이 흡열 반응이면 수용액의 온도는 낮아진다.

② **기체와 액체의 용해:** 기체나 액체가 용해되면 엔탈피가 낮아지므로 열을 방출한다.

예 $HCl(g) \longrightarrow HCl(aq) \quad \Delta H=-75.3$ kJ

$H_2SO_4(l) \longrightarrow H_2SO_4(aq) \quad \Delta H=-81.9$ kJ

물질	용해 엔탈피(kJ/mol)	물질	용해 엔탈피(kJ/mol)
$NaCl(s)$	3.9	$H_2SO_4(l)$	−81.9
$CaO(s)$	−76.9	$HCl(g)$	−75.3
$NaOH(s)$	−44.5	$NH_3(g)$	−34.7
$CaCl_2(s)$	−81.7	$CO_2(g)$	−24.8

▲ 몇 가지 물질의 표준 용해 엔탈피(25 ℃, 1기압)

➕ **비열**
물질 1 g의 온도를 1 ℃ 높이는 데 필요한 열량

빈출 자료 간이 열량계❾를 이용한 용해 엔탈피의 측정

❶ 가정: 출입하는 열량은 열량계 속의 수용액이 흡수하거나 방출한다.

❷ 출입하는 열량(Q)=수용액이 얻거나 잃은 열량

수용액이 얻거나 잃은 열량(Q)
=수용액의 비열(c)×질량(m)×온도 변화(Δt)

❸ 용해 엔탈피(kJ/mol): 물질 1몰이 다량의 물에 용해될 때 방출하거나 흡수하는 열량으로 다음과 같이 구한다.

$$\text{용해 엔탈피(kJ/mol)}=\frac{\text{용질이 용해될 때 출입하는 열량(kJ)}}{\text{용해된 용질의 양(mol)}}$$

❹ 간이 열량계를 이용하면 쉽게 반응엔탈피를 측정할 수 있으나 열손실이 많으므로 정확한 반응엔탈피를 측정하기 어렵다.

▲ 간이 열량계의 구조

❾ **간이 열량계**
용해 반응, 중화 반응 등과 같은 반응이 일어날 때 출입하는 열량을 간단히 측정할 수 있도록 만든 열량계로 외부로 손실되는 열량이 많으므로 이론값과 차이가 있다.

용어 알기
• 용해(녹을 溶, 녹을 解) 고체, 액체, 기체 등이 액체 속으로 균일하게 섞이는 현상
• 열량계(더울 熱, 헤아릴 量, 꾀 計) 열량을 측정하는 계기

연소 엔탈피의 측정

목표 에탄올을 완전 연소시켰을 때 발생하는 열량을 측정하여 연소 엔탈피를 구할 수 있다.

유의점

- 뚜껑을 열어 놓은 상태로 질량을 측정하면 에탄올의 증발로 인해 질량의 오차가 생길 수 있다.
- 바람막이나 깡통 등을 설치하여 열이 외부로 빠져나가는 것을 최소화한다.
- 불을 끈 후에도 온도가 조금씩 올라가므로 최고 온도를 정확히 측정한다.
- 연료를 연소시킬 때는 보안경을 착용한다.

이런 실험도 있어요!

통 열량계를 이용한 연소열의 측정

통 열량계를 이용하면 외부로의 열손실이 최소화되므로 보다 정확한 값을 측정할 수 있다.

과정

온도계
물
에탄올

❶ 연소 전 알코올램프의 질량 측정

알코올램프에 에탄올을 $\frac{1}{2}$ 정도 넣고 뚜껑을 씌운 상태로 질량을 측정한다.

❷ 연소 전 물의 질량과 온도 측정

삼각 플라스크에 물 150 g을 넣고 그림과 같이 장치한 후 물의 온도를 측정한다.

❸ 물 가열하기

알코올램프에 불을 붙여 물이 든 삼각 플라스크를 가열한다.

❹ 연소 후 물의 온도 측정

물의 온도가 처음보다 60~70 ℃ 정도 올라가면 불을 끄고 물의 최고 온도를 측정한다.

❺ 연소 후 알코올램프의 질량 측정

알코올램프를 식힌 다음 뚜껑을 씌운 상태로 질량을 측정한다.

❻ 에탄올의 연소 엔탈피 구하기

물의 질량, 온도 변화, 알코올램프(에탄올)의 질량 변화를 이용하여 에탄올의 연소 엔탈피를 구한다.

결과

에탄올의 질량(g)			물의 온도(℃)		
연소 전	연소 후	변화량	연소 전	연소 후	변화량
119.2	118.2	1.0	22.0	62.0	40.0

정리 및 해석

❶ 에탄올 1.0 g, 즉 $\frac{1}{46}$ 몰이 연소할 때 발생한 열량은 물 150 g이 흡수한 열량과 같다.

발생한 열량(Q)$=c_{물}\times m_{물}\times \Delta t_{물}=4.2\ \text{J/g}\cdot℃\times 150\ \text{g}\times 40\ ℃=25200.0\ \text{J}$

❷ 에탄올의 연소 엔탈피는 에탄올 46 g을 완전 연소시킬 때 발생한 열량과 같다.

➡ 에탄올의 연소 엔탈피$=25.2\ \text{kJ/g}\times 46\ \text{g/mol}=1159.2\ \text{kJ/mol}$

❸ 연소시 발생한 열이 주변의 공기와 용기를 데우는 데 사용되므로 실험값은 실제값보다 작다.
(실제값: 1367.0 kJ/mol)

한·줄·핵심 간이 열량계를 이용하면 연료의 연소 엔탈피를 구할 수 있다.

확인 문제

정답과 해설 044쪽

01 다음은 에탄올의 연소열을 측정할 때 가정한 내용이다. (   ) 안에 공통으로 들어갈 알맞은 말을 쓰시오.

> 에탄올이 연소할 때 발생하는 열량은 모두 (   )이 흡수한다고 가정한다. 따라서 에탄올이 연소할 때 발생한 열량은 (   )이 흡수한 열량과 같다.

02 이 탐구 활동과 관련된 내용 중 옳은 것은 ○, 옳지 않은 것은 ×로 표시하시오.

(1) 에탄올이 연소될 때 발생한 열량은 물의 온도 변화에 비례한다. (   )

(2) 연소 후 알코올램프의 질량은 불을 끈 직후 바로 측정해야 한다. (   )

(3) 에탄올의 연소 엔탈피를 구하기 위해 에탄올의 분자량을 알아야 한다. (   )

콕콕! 개념 확인하기

정답과 해설 044쪽

✔ 잠깐 확인!

1. □□□
일정한 압력에서 어떤 물질이 가지는 고유한 에너지

2. □□ □□□
일정한 압력에서 화학 반응이 일어날 때의 엔탈피 변화

3. 발열 반응이 일어나면 □□ 에너지가 □에너지의 형태로 방출된다.

4. □□ 반응
반응물의 엔탈피 합이 생성물의 엔탈피 합보다 작은 반응이다.

5. □□□ 반응식
화학 반응이 일어날 때 반응엔탈피를 화학 반응식과 함께 나타낸 식이다.

6. □□ □□ 엔탈피
표준 상태에서 어떤 물질 1몰이 가장 안정한 성분 원소 물질로부터 생성될 때의 반응엔탈피

7. 스타이로폼 용기를 사용하는 간이 □□□로 기체가 발생하지 않는 반응의 반응엔탈피를 간단히 측정할 수 있다.

A 반응엔탈피

01 엔탈피에 대한 설명으로 옳은 것은 ○, 옳지 않은 것은 ×로 표시하시오.

(1) 일정한 압력에서 어떤 물질이 가지는 고유한 에너지이다. ( )

(2) 엔탈피는 물질의 상태와 관계없이 일정한 값을 갖는다. ( )

(3) 화학 반응이 일어날 때 반응물과 생성물의 엔탈피 차이만큼 에너지를 방출하거나 흡수한다. ( )

(4) 발열 반응이 일어날 때 엔탈피는 증가하므로 $\Delta H > 0$이다. ( )

02 다음은 어떤 반응에 대한 설명이다. ㉠, ㉡에 들어갈 알맞은 말을 쓰시오.

> (㉠) 반응은 생성물의 엔탈피 합이 반응물의 엔탈피 합보다 작아 열을 방출하는 반응으로 반응이 일어날 때 엔탈피가 감소하고, (㉡) 반응은 생성물의 엔탈피 합이 반응물의 엔탈피 합보다 커 열을 흡수하는 반응으로 반응이 일어날 때 엔탈피가 증가한다.

B 열화학 반응식

03 다음은 물의 기화에 대한 열화학 반응식이다.

$$H_2O(l) \longrightarrow H_2O(g) \quad \Delta H = 44.0\ \mathrm{kJ}$$

이에 대한 설명으로 옳은 것은 ○, 옳지 않은 것은 ×로 표시하시오.

(1) 발열 반응이다. ( )

(2) 엔탈피는 $H_2O(g)$가 $H_2O(l)$보다 크다. ( )

(3) 반응이 일어날 때 주위의 온도가 내려간다. ( )

04 다음은 어떤 반응에 대한 설명이다.

> 25 ℃, 1기압에서 질소(N_2) 기체와 수소(H_2) 기체를 반응시켜 암모니아(NH_3) 기체 1몰이 생성될 때 46 kJ의 열에너지가 방출된다.

이 반응을 열화학 반응식으로 나타내시오.

C 반응엔탈피의 종류

05 ( ) 안에 들어갈 알맞은 말을 쓰시오.

(1) ( ) 엔탈피는 어떤 물질 1몰이 완전 연소할 때의 반응엔탈피이다.

(2) ( ) 엔탈피는 어떤 물질 1몰이 가장 안정한 상태의 원소로 분해될 때의 반응엔탈피이다.

(3) ( ) 엔탈피는 어떤 물질 1몰이 충분한 양의 물에 용해될 때의 반응엔탈피이다.

탄탄! 내신 다지기

정답과 해설 044쪽

A 반응엔탈피

01 발열 반응과 흡열 반응에 대한 설명으로 옳은 것만을 〈보기〉에서 있는 대로 고른 것은?

보기
ㄱ. 발열 반응의 반응엔탈피(ΔH)는 0보다 크다.
ㄴ. 흡열 반응이 일어나면 주위의 온도가 내려간다.
ㄷ. 발열 반응이 일어나면 화학 에너지가 열에너지 형태로 방출된다.
ㄹ. 흡열 반응에서 반응물의 엔탈피 합이 생성물의 엔탈피 합보다 크다.

① ㄱ, ㄴ ② ㄴ, ㄷ ③ ㄴ, ㄹ
④ ㄷ, ㄹ ⑤ ㄴ, ㄷ, ㄹ

02 다음은 발열 반응에 대한 세 학생의 대화이다.

반응이 일어나는 동안 주위의 온도는 증가해.
열을 방출하기 때문에 엔탈피는 감소하지.
이 반응의 반응엔탈피는 0보다 크지.
학생 A
학생 B
학생 C

제시한 내용이 옳은 학생만을 있는 대로 고른 것은?

① A ② B ③ A, B
④ B, C ⑤ A, B, C

03 일상생활에서 일어나는 현상 중 반응물의 엔탈피 합이 생성물의 엔탈피 합보다 큰 반응에 해당하는 것만을 〈보기〉에서 있는 대로 고른 것은?

보기
ㄱ. 물을 가열하였더니 수증기가 되었다.
ㄴ. 마그네슘이 산화되어 산화 마그네슘이 되었다.
ㄷ. 메테인이 완전 연소되면서 이산화 탄소와 물이 생성되었다.

① ㄱ ② ㄴ ③ ㄱ, ㄴ
④ ㄱ, ㄷ ⑤ ㄴ, ㄷ

04 그림은 반응 (가)가 일어날 때, 반응의 진행에 따른 엔탈피를 나타낸 것이다.

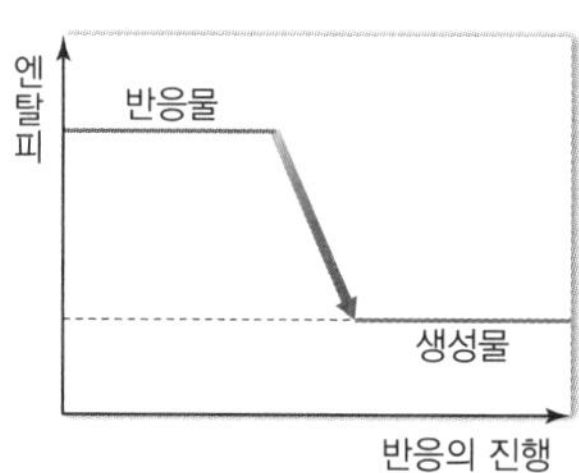

(가)에 대한 설명으로 옳은 것만을 〈보기〉에서 있는 대로 고른 것은?

보기
ㄱ. 발열 반응이다.
ㄴ. 반응엔탈피(ΔH)는 0보다 작다.
ㄷ. 반응이 일어날 때 주위의 온도는 올라간다.

① ㄱ ② ㄴ ③ ㄱ, ㄴ
④ ㄴ, ㄷ ⑤ ㄱ, ㄴ, ㄷ

B 열화학 반응식

05 다음의 열화학 반응식으로부터 알 수 있는 것만을 〈보기〉에서 있는 대로 고른 것은?

$$2H_2(g)+O_2(g) \longrightarrow 2H_2O(l) \quad \Delta H=-285.8\ kJ$$

보기
ㄱ. 반응물과 생성물의 상태
ㄴ. 반응물과 생성물의 엔탈피
ㄷ. 반응물과 생성물의 엔탈피 차

① ㄱ ② ㄴ ③ ㄱ, ㄴ
④ ㄱ, ㄷ ⑤ ㄴ, ㄷ

단답형

06 25 ℃, 1기압에서 흑연(C) 6 g을 완전 연소시켰더니 197 kJ의 열이 방출되었다. 이 반응의 열화학 반응식을 쓰시오. (단, C의 원자량은 12이다.)

07 화학 반응 중 흡열 반응은?

① $H_2(g)+I_2(g) \longrightarrow 2HI(g)+49.6\ kJ$
② $H_2(g) \longrightarrow 2H(g)\ \Delta H=436.8\ kJ$
③ $N_2O_5(g)+H_2O(l) \longrightarrow 2HNO_3(l)+73.7\ kJ$
④ $N_2(g)+O_2(g) \longrightarrow 2NO(g)\ \Delta H=-180.6\ kJ$
⑤ $2CO(g)+O_2(g) \longrightarrow 2CO_2(g)\ \Delta H=-567.8\ kJ$

08 다음은 25 ℃, 1기압에서 이산화 황과 산소가 반응하여 삼산화 황이 생성되는 반응의 열화학 반응식이다.

$$2SO_2(g)+O_2(g) \longrightarrow 2SO_3(g) \quad \Delta H=-196\ kJ$$

25 ℃, 1기압에서 이 반응이 일어날 때, 이에 대한 설명으로 옳은 것만을 〈보기〉에서 있는 대로 고른 것은?

보기
ㄱ. 엔탈피는 증가한다.
ㄴ. 기체의 양(몰)은 감소한다.
ㄷ. $SO_2(g)$ 1몰이 반응할 때 98 kJ의 열에너지를 방출한다.

① ㄱ ② ㄴ ③ ㄱ, ㄴ
④ ㄴ, ㄷ ⑤ ㄱ, ㄴ, ㄷ

09 25 ℃, 1기압에서 $CH_4(g)$을 완전 연소시켰더니 $H_2O(l)$ 1몰이 생성되고 445 kJ의 에너지가 방출되었다. 이에 대한 설명으로 옳은 것만을 〈보기〉에서 있는 대로 고른 것은? (단, H, C, O의 원자량은 각각 1, 12, 16이다.)

보기
ㄱ. 반응한 $O_2(g)$의 양은 1몰이다.
ㄴ. 생성된 $CO_2(g)$의 질량은 22 g이다.
ㄷ. 25 ℃, 1기압에서 $CH_4(g)$ 1몰이 완전 연소할 때의 반응엔탈피는 445 kJ이다.

① ㄱ ② ㄷ ③ ㄱ, ㄴ
④ ㄴ, ㄷ ⑤ ㄱ, ㄴ, ㄷ

C 반응엔탈피의 종류

10 반응엔탈피에 대한 설명으로 옳은 것만을 〈보기〉에서 있는 대로 고른 것은?

보기
ㄱ. 연소 엔탈피는 물질 1몰이 완전 연소할 때의 반응 엔탈피이다.
ㄴ. 생성 엔탈피는 분해 엔탈피와 크기는 같지만 부호는 다르다.
ㄷ. 중화 엔탈피는 산의 H^+과 염기의 OH^-이 반응하여 물 1몰이 생성될 때의 반응엔탈피이다.

① ㄱ ② ㄷ ③ ㄱ, ㄴ
④ ㄴ, ㄷ ⑤ ㄱ, ㄴ, ㄷ

11 다음은 25 ℃, 1기압에서 2가지 반응의 열화학 반응식이다.

(가) $2CO(g)+O_2(g) \longrightarrow 2CO_2(g)\quad \Delta H=-567.8\ kJ$
(나) $2NO(g) \longrightarrow N_2(g)+O_2(g)\quad \Delta H=-180.6\ kJ$

25 ℃, 1기압에서 이에 대한 설명으로 옳은 것만을 〈보기〉에서 있는 대로 고른 것은?

보기
ㄱ. (가)와 (나)는 모두 발열 반응이다.
ㄴ. $CO_2(g)$의 생성 엔탈피는 $-283.9\ kJ/mol$이다.
ㄷ. $NO(g)$의 분해 엔탈피는 $-180.6\ kJ/mol$이다.

① ㄱ ② ㄴ ③ ㄱ, ㄷ
④ ㄴ, ㄷ ⑤ ㄱ, ㄴ, ㄷ

단답형

12 다음은 25 ℃, 표준 상태에서 수소와 산소가 반응하여 물이 생성되는 반응의 열화학 반응식이다.

$$2H_2(g)+O_2(g) \longrightarrow 2H_2O(l) \quad \Delta H=-572\ kJ$$

25 ℃, 표준 상태에서 $H_2(g)$의 연소 엔탈피와 $H_2O(l)$의 표준 생성 엔탈피를 각각 구하시오.

13 표는 25 ℃, 1기압에서 3가지 물질의 용해 엔탈피(ΔH)를 나타낸 것이다.

	(가)	(나)	(다)
물질	$NaOH(s)$	$KCl(s)$	$HCl(g)$
ΔH (kJ/mol)	−44.5	17.2	−75.3

25 ℃, 1기압에서 (가)~(다)에 대한 설명으로 옳은 것만을 〈보기〉에서 있는 대로 고른 것은?

보기
ㄱ. 물에 녹였을 때 수용액의 온도가 올라가는 물질은 2가지이다.
ㄴ. 1몰을 물에 녹였을 때 열 출입이 가장 많은 물질은 (나)이다.
ㄷ. $H_2(g)+Cl_2(g) \longrightarrow 2HCl(aq)$의 반응엔탈피는 −150.6 kJ이다.

① ㄱ ② ㄱ, ㄴ ③ ㄱ, ㄷ
④ ㄴ, ㄷ ⑤ ㄱ, ㄴ, ㄷ

14 그림은 25 ℃, 1기압에서 수소(H_2) 기체와 산소(O_2) 기체가 반응하여 물(H_2O)이 생성될 때 반응 진행에 따른 엔탈피(H) 변화를 나타낸 것이다.

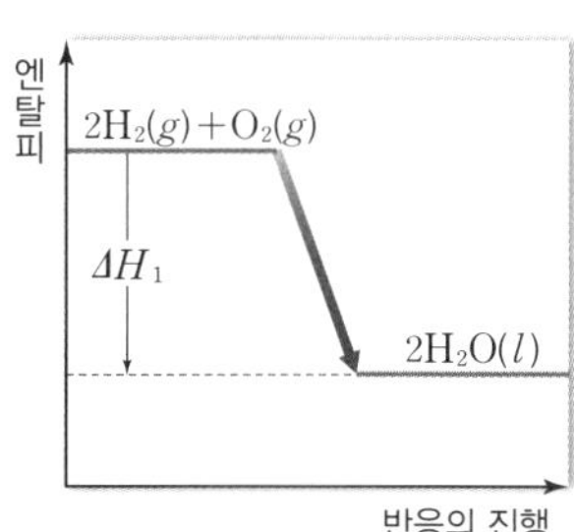

25 ℃, 1기압에서 이에 대한 설명으로 옳은 것만을 〈보기〉에서 있는 대로 고른 것은?

보기
ㄱ. 반응이 일어날 때 주위의 온도는 높아진다.
ㄴ. $H_2(g)$의 연소 엔탈피는 $2\Delta H_1$이다.
ㄷ. $H_2O(l)$의 분해 엔탈피는 $-\frac{1}{2}\Delta H_1$이다.

① ㄱ ② ㄴ ③ ㄱ, ㄷ
④ ㄴ, ㄷ ⑤ ㄱ, ㄴ, ㄷ

15 그림은 25 ℃, 1기압에서 다이아몬드와 흑연이 각각 산소(O_2)와 반응하여 이산화 탄소(CO_2)를 생성하는 반응의 엔탈피(H) 변화를 나타낸 것이다.

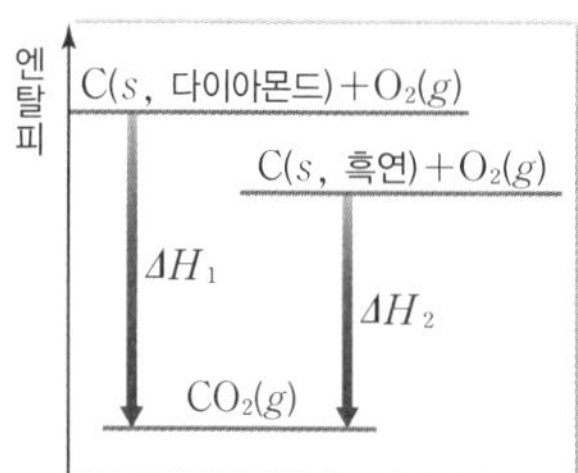

이에 대한 설명으로 옳은 것만을 〈보기〉에서 있는 대로 고른 것은?

보기
ㄱ. $\Delta H_1 > \Delta H_2$이다.
ㄴ. $C(s$, 흑연$)$이 $C(s$, 다이아몬드$)$보다 안정하다.
ㄷ. $CO_2(g)$의 생성 엔탈피는 ΔH_1이다.

① ㄱ ② ㄴ ③ ㄱ, ㄷ
④ ㄴ, ㄷ ⑤ ㄱ, ㄴ, ㄷ

16 그림은 25 ℃, 1기압에서 $H_2O(g)$와 $H_2O(l)$의 생성과 관련된 반응의 엔탈피(H) 관계를 나타낸 것이다.

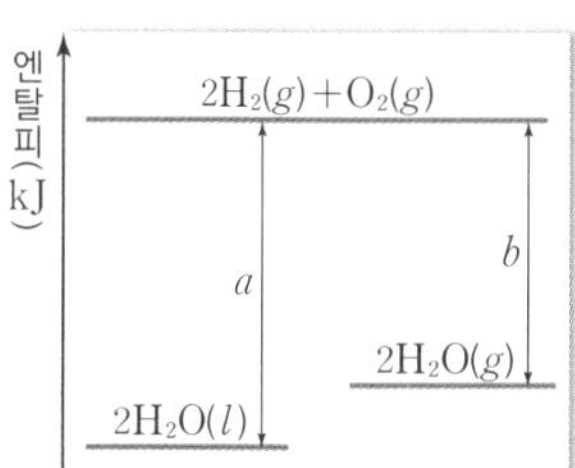

25 ℃, 1기압에서 제시된 자료만으로 구할 수 있는 것만을 〈보기〉에서 있는 대로 고른 것은? (단, $a>0$, $b>0$이다.)

보기
ㄱ. $H_2(g)$의 연소 엔탈피
ㄴ. $H_2O(g)$의 분해 엔탈피
ㄷ. $H_2O(l)$의 기화 엔탈피

① ㄱ ② ㄷ ③ ㄱ, ㄴ
④ ㄴ, ㄷ ⑤ ㄱ, ㄴ, ㄷ

도전! 실력 올리기

01 그림은 반응 (가)의 반응 전후 반응물과 생성물의 엔탈피(상댓값)를 나타낸 것이다.

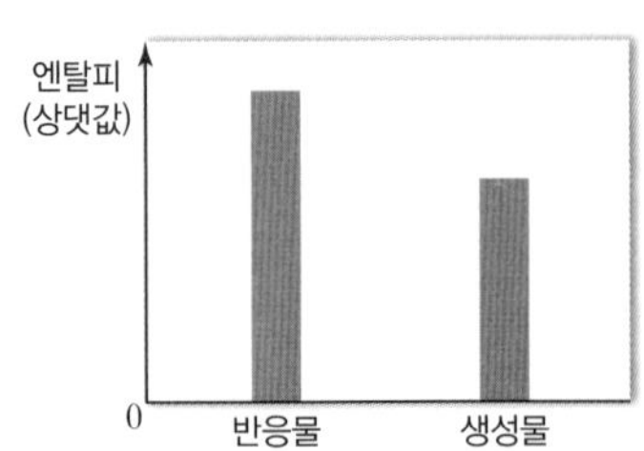

이에 대한 설명으로 옳은 것만을 <보기>에서 있는 대로 고른 것은?

> 보기
> ㄱ. (가)의 반응엔탈피(ΔH)는 0보다 작다.
> ㄴ. 반응이 진행될 때 주위의 온도는 낮아진다.
> ㄷ. (가)는 염산과 수산화 나트륨의 반응과 에너지 출입 방향이 같다.

① ㄱ ② ㄴ ③ ㄱ, ㄷ
④ ㄴ, ㄷ ⑤ ㄱ, ㄴ, ㄷ

02 그림은 25 ℃, 1기압에서 일산화 질소(NO)가 질소(N_2)와 산소(O_2)로 분해되는 반응의 엔탈피 변화를 나타낸 것이다.

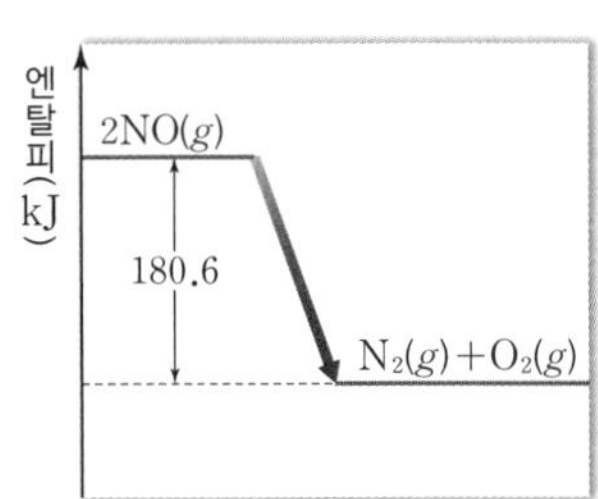

25 ℃, 1기압에서 이에 대한 설명으로 옳은 것만을 <보기>에서 있는 대로 고른 것은? (단, N, O의 원자량은 각각 14, 16이다.)

> 보기
> ㄱ. 반응이 일어나면 주위의 온도는 높아진다.
> ㄴ. $NO(g)$의 생성 엔탈피 ΔH는 180.6 kJ/mol이다.
> ㄷ. 15 g의 $NO(g)$가 반응할 때 방출하는 에너지는 45.15 kJ이다.

① ㄱ ② ㄷ ③ ㄱ, ㄷ
④ ㄴ, ㄷ ⑤ ㄱ, ㄴ, ㄷ

03 다음은 25 ℃, 1기압에서 3가지 반응의 열화학 반응식이다.

> $C(s, \text{흑연}) + O_2(g) \longrightarrow CO_2(g)\ \Delta H_1$
> $2H_2(g) + O_2(g) \longrightarrow 2H_2O(l)\ \Delta H_2$
> $C_3H_8(g) + 5O_2(g) \longrightarrow 3CO_2(g) + 4H_2O(l)\ \Delta H_3$

25 ℃, 1기압에서 이에 대한 설명으로 옳은 것만을 <보기>에서 있는 대로 고른 것은?

> 보기
> ㄱ. $CO_2(g)$의 생성 엔탈피는 ΔH_1이다.
> ㄴ. $H_2(g)$의 연소 엔탈피는 ΔH_2이다.
> ㄷ. ΔH_3를 구하기 위해 $C_3H_8(g)$의 생성 엔탈피를 알아야 한다.

① ㄱ ② ㄴ ③ ㄱ, ㄷ
④ ㄴ, ㄷ ⑤ ㄱ, ㄴ, ㄷ

출제예감

04 그림은 25 ℃, 1기압에서 2가지 물질의 표준 생성 엔탈피(ΔH_f)를 나타낸 것이다.

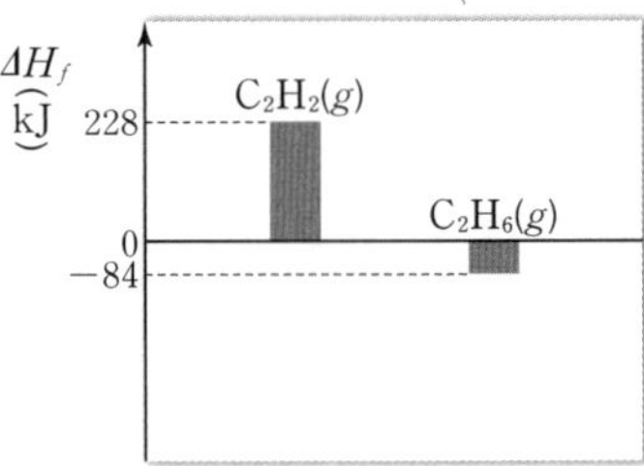

25 ℃, 1기압에서 이에 대한 설명으로 옳은 것만을 <보기>에서 있는 대로 고른 것은?

> 보기
> ㄱ. $C_2H_6(g)$가 $C_2H_2(g)$보다 안정하다.
> ㄴ. $C_2H_6(g)$의 분해 엔탈피는 −84 kJ/mol이다.
> ㄷ. $C_2H_2(g) + 2H_2(g) \longrightarrow C_2H_6(g)$의 반응엔탈피는 312 kJ/mol이다.

① ㄱ ② ㄴ ③ ㄱ, ㄷ
④ ㄴ, ㄷ ⑤ ㄱ, ㄴ, ㄷ

출제예감

05 표는 25 ℃, 1기압에서 3가지 물질의 표준 생성 엔탈피 (ΔH)를 나타낸 것이다.

물질	화학식	ΔH(kJ/mol)
수증기	$H_2O(g)$	−242
일산화 질소	$NO(g)$	90
메탄올	$CH_3OH(l)$	−239

25 ℃, 1기압에서 이에 대한 설명으로 옳은 것만을 〈보기〉에서 있는 대로 고른 것은?

보기
ㄱ. $H_2(g)$의 연소 엔탈피는 −242 kJ/mol이다.
ㄴ. $CH_3OH(l)$의 분해 엔탈피는 239 kJ/mol이다.
ㄷ. $N_2(g)+O_2(g) \longrightarrow 2NO(g)$의 반응엔탈피는 90 kJ/mol이다.

① ㄱ ② ㄴ ③ ㄱ, ㄷ
④ ㄴ, ㄷ ⑤ ㄱ, ㄴ, ㄷ

06 그림은 25 ℃, 1기압에서 3가지 물질의 생성 엔탈피를 나타낸 것이다. 표준 상태에서 탄소 동소체 중 가장 안정한 물질은 흑연이다.

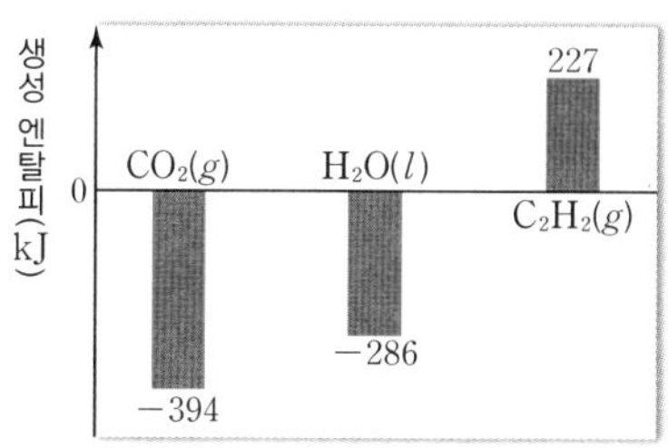

25 ℃, 1기압에서 이에 대한 설명으로 옳은 것만을 〈보기〉에서 있는 대로 고른 것은?

보기
ㄱ. $H_2(g)$의 연소 엔탈피는 −286 kJ/mol이다.
ㄴ. C(s, 다이아몬드)의 연소 엔탈피는 −394 kJ/mol이다.
ㄷ. $C_2H_2(g)$의 연소 엔탈피는 −846 kJ/mol이다.

① ㄱ ② ㄴ ③ ㄱ, ㄴ
④ ㄱ, ㄷ ⑤ ㄴ, ㄷ

정답과 해설 046쪽

07 다음은 $H_2O(g)$와 $H_2O(l)$의 안정성을 비교하여 설명한 것이다. ㉠~㉢에 들어갈 알맞은 말을 쓰시오.

같은 원소로부터 생성되는 여러 종류의 화합물 중에서 (㉠)가 작을수록 상대적으로 안정하다. 따라서 $H_2(g)$와 $O_2(g)$로부터 $H_2O(g)$가 생성될 때보다 $H_2O(l)$이 생성될 때 방출되는 에너지가 더 많으므로 (㉡)의 생성 엔탈피보다 (㉢)의 생성 엔탈피가 더 낮아서 $H_2O(l)$이 더 안정하다.

서술형

08 표는 25 ℃, 1기압에서 몇 가지 물질의 표준 생성 엔탈피와 연소 엔탈피를 나타낸 것이다.

물질	생성 엔탈피(kJ/mol)	연소 엔탈피(kJ/mol)
$H_2(g)$		a
$CH_4(g)$	b	c
$CO(g)$	d	
C(s, 흑연)		e

25 ℃, 1기압에서 $CO(g)$와 $H_2(g)$가 반응하여 $CH_4(g)$과 $H_2O(l)$가 생성되는 반응의 열화학 반응식을 완성하고, ΔH를 구하는 과정을 서술하시오.

서술형

09 표는 25 ℃, 1기압에서 2가지 물질에 대한 자료이다.

물질	$HCl(g)$	$NaOH(s)$
화학식량	36.5	40
물에서의 용해 엔탈피(kJ/몰)	−75	−45

$HCl(g)$와 $NaOH(s)$을 각각 물에 녹여 1 % 수용액 100 g을 만들 때 방출하는 에너지의 크기를 비교하시오.

02 헤스 법칙

핵심 키워드로 흐름잡기

A 결합 에너지, 평균 결합 에너지, 분자의 해리 에너지, 결합 에너지와 반응엔탈피

B 헤스 법칙, 헤스 법칙의 이용

A 결합 에너지와 반응엔탈피

|출·제·단·서| 시험에는 결합 에너지와 반응엔탈피의 관계를 이용한 문제가 자주 출제되고 있어.

1. 화학 반응과 •결합 에너지

암기TiP 반응엔탈피 = 반응물의 결합 에너지 합 − 생성물의 결합 에너지 합

(1) 결합 에너지❶ 공유 결합을 이루는 기체 상태의 분자에서 두 원자 사이의 공유 결합 1몰을 끊는 데 필요한 에너지

공유 결합: 2개 이상의 비금속 원자가 전자쌍을 공유하여 형성되는 결합

$HCl(g)$의 결합을 끊을 때

1몰의 $HCl(g)$에서 수소와 염소 원자 사이의 결합을 끊는 데 필요한 에너지는 432 kJ이다.

열화학 반응식

$HCl(g) \longrightarrow H(g)+Cl(g)\ \Delta H=432$ kJ

➡ HCl의 결합 에너지 : 432 kJ/mol

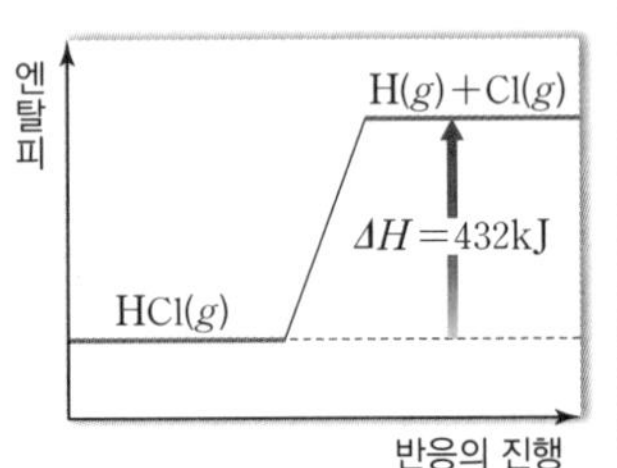

① **결합 에너지와 결합의 세기 :** 원자 사이의 결합력이 클수록 결합을 끊기 어려우므로 결합 에너지는 원자 사이의 결합이 강할수록 크다.

예 $H_2(g) \longrightarrow H(g)+H(g)\ \ \Delta H=436$ kJ

$Cl_2(g) \longrightarrow Cl(g)+Cl(g)\ \ \Delta H=243$ kJ

➡ H−H의 결합 에너지(436 kJ)는 Cl−Cl의 결합 에너지(243 kJ)보다 크므로 결합의 세기는 H−H가 Cl−Cl보다 크다.

단일 결합						다중 결합	
H−H	436	F−F	159	C−H	410	C=O	732
H−Cl	432	Cl−Cl	243	O−H	460	O=O	498
H−I	298	O−O	139	N−H	392	N≡N	945

▲ 몇 가지 결합의 결합 에너지(kJ/mol)

② **결합수와 결합 에너지:** 같은 원자 사이의 결합이라도 결합수가 증가할수록 결합 길이❷가 짧아지고, 결합 에너지가 증가한다.

결합수	C−C	C=C	C≡C
결합 길이(pm)	154	134	120
결합 에너지(kJ/mol)	348	605	837

(2) 평균 결합 에너지 같은 원자 사이의 결합이라도 화합물에 따라 조금씩 다른 값을 가지므로 결합 에너지는 여러 화합물에서의 결합 에너지를 측정하여 그 평균값을 사용한다.

$H_2O(g)$에서 첫 번째 H를 떼어 낼 때와 두 번째 H를 떼어 낼 때의 결합 에너지는 다르므로 평균 결합 에너지로 나타낸다.

보충 자료 분자의 해리 에너지

분자에 존재하는 모든 결합을 끊어 원자 상태로 만드는 데 필요한 에너지로, 분자에 존재하는 모든 결합 에너지를 합한 값이다.

메테인(CH_4)의 해리 에너지

CH_4 1분자에는 C−H 결합 4개가 존재한다.

$CH_4(g) \longrightarrow C(g)+4H(g)$

해리 에너지(ΔH)=4×(C−H의 결합 에너지)=4×410 kJ=1640 kJ

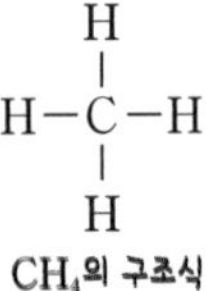

CH_4의 구조식

---

❶ 결합 에너지와 결합 엔탈피
엔탈피는 일정한 압력에서 어떤 물질이 가지고 있는 에너지의 양이므로 결합 에너지와 결합 해리 에너지를 결합 엔탈피로 표현한다.

❷ 결합수와 결합 길이
- 결합수는 두 원자가 공유 결합을 형성할 때 두 원자 사이의 공유 전자쌍 수와 같다.
- 결합 길이는 두 원자가 결합을 형성할 때 두 원자의 원자핵 사이의 거리로 나타낸다.

? $H_2O(g)$와 $H_2O_2(g)$에서 H−O의 결합 에너지는 같을까?
$H_2O(g)$에서 O 원자는 H 원자하고만 결합하고 있지만, $H_2O_2(g)$에서 O 원자는 H와 O 원자와 결합하고 있으므로 H−O의 결합 세기는 서로 다르다. 따라서 $H_2O(g)$와 $H_2O_2(g)$에서 H−O의 결합 에너지가 서로 다르므로 결합 에너지는 평균 결합 에너지로 나타낸다.

용어 알기
• 결합(맺을 결, 합할 合) 둘 이상의 사물이 하나가 됨

(3) 결합 에너지와 반응엔탈피 개념 POOL 결합 에너지를 이용하여 화학 반응식의 반응엔탈피(ΔH)를 구할 수 있다.

① 원자 사이의 결합이 형성❸되거나 끊어질 때(●해리될 때) 에너지를 방출하거나 흡수한다.

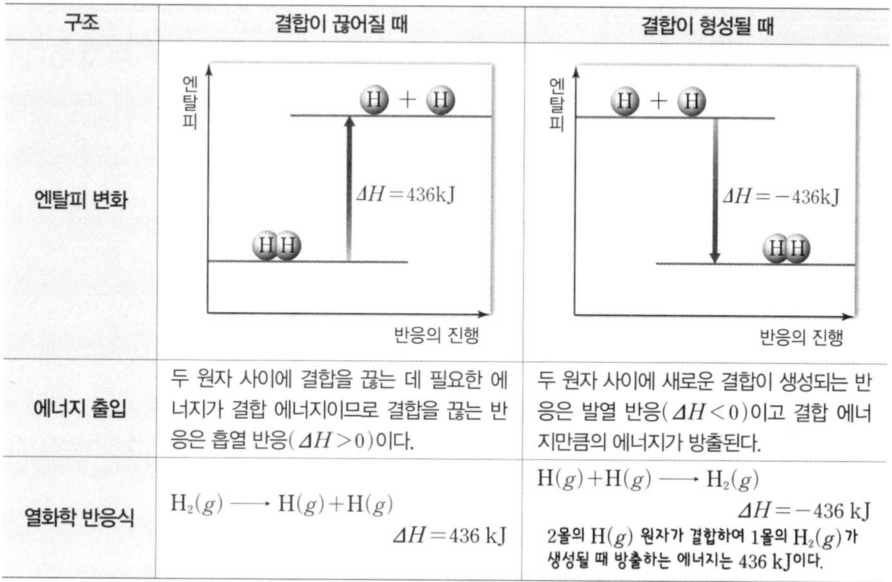

구조	결합이 끊어질 때	결합이 형성될 때
엔탈피 변화	(그래프: 엔탈피, H H → H + H, $\Delta H=436\text{kJ}$, 반응의 진행)	(그래프: 엔탈피, H + H → H H, $\Delta H=-436\text{kJ}$, 반응의 진행)
에너지 출입	두 원자 사이에 결합을 끊는 데 필요한 에너지가 결합 에너지이므로 결합을 끊는 반응은 흡열 반응($\Delta H>0$)이다.	두 원자 사이에 새로운 결합이 생성되는 반응은 발열 반응($\Delta H<0$)이고 결합 에너지만큼의 에너지가 방출된다.
열화학 반응식	$H_2(g) \longrightarrow H(g)+H(g)$ $\Delta H=436\ \text{kJ}$	$H(g)+H(g) \longrightarrow H_2(g)$ $\Delta H=-436\ \text{kJ}$ 2몰의 $H(g)$ 원자가 결합하여 1몰의 $H_2(g)$가 생성될 때 방출하는 에너지는 436 kJ이다.

② 반응물의 결합이 끊어질 때 흡수하는 에너지와 생성물의 결합이 생성될 때 방출하는 에너지의 차이가 반응엔탈피(ΔH)이다. 결합 에너지를 이용하여 반응엔탈피를 구할 수 있는 것은 공유 결합을 하는 분자들의 반응에서만 가능하다.

> ΔH=(끊어지는 결합 에너지의 합)−(생성되는 결합 에너지의 합)
> =(반응물의 결합 에너지 합)−(생성물의 결합 에너지 합)

❸ 결합의 형성
분자는 원자보다 안정하므로 원자가 공유 결합을 형성할 때는 에너지가 낮아진다. 따라서 결합이 형성될 때 에너지를 방출한다.

화학 반응에서 출입하는 열은 대부분 원자 사이의 결합이 끊어지고 새로운 결합이 형성되는 것과 관련이 있으므로 반응엔탈피를 결합 에너지로부터 구할 수 있어.

빈출 계산연습 결합 에너지를 이용하여 반응엔탈피 구하기

다음은 25 ℃, 1기압에서 $N_2(g)$와 $H_2(g)$가 반응하여 $NH_3(g)$가 생성되는 반응의 열화학 반응식과 이와 관련된 결합의 결합 에너지이다.

$$N_2(g)+3H_2(g) \longrightarrow 2NH_3(g) \quad \Delta H_1=?$$

결합	N≡N	H−H	N−H
결합 에너지(kJ/mol)	945	436	392

25 ℃, 1기압에서 $NH_3(g)$의 생성 엔탈피를 구해 보자.

1단계 반응물과 생성물의 구조식❹을 각각 나타낸다.
반응물: N≡N, H−H, 생성물: H−N−H (N 아래에 H)
분자의 구조식은 루이스 전자점식으로 나타낸 후 공유 전자쌍을 결합선으로 표현하여 나타낸다.

2단계 1몰의 $N_2(g)$와 3몰의 $H_2(g)$를 원자 상태로 해리시키는 데 필요한 에너지를 구한다.
(N≡N의 결합 에너지)+3×(H−H의 결합 에너지)=945+3×436=2253 kJ

3단계 2몰의 $NH_3(g)$가 생성될 때 방출하는 에너지를 구한다.
2×3×(N−H의 결합 에너지)=6×392=2352 kJ

4단계 반응엔탈피(ΔH)를 계산하여 구한다.
➡ ΔH_1=반응물의 결합 에너지 합−생성물의 결합 에너지 합=2253−2352=−99 kJ
➡ $NH_3(g)$의 생성 엔탈피는 −49.5 kJ/mol이다.

❹ 구조식
분자내 원자들 사이의 화학 결합을 나타내며 공유 전자쌍 1개를 결합선(−) 1개로 나타낸다.

용어 알기
● 해리(풀 解, 떼어놓을 離) 화합물에 열을 가했을 때 분자나 이온 등으로 분해되는 현상

빈출 자료 HCl(g)의 생성 엔탈피 구하기

자료 그림은 수소($H_2(g)$)와 염소($Cl_2(g)$)로부터 염화 수소($HCl(g)$)가 생성될 때의 엔탈피 변화를 나타낸 것이다.

엔탈피

H H Cl Cl

Cl−Cl 결합 에너지: 243 kJ

H−H 결합 에너지: 436 kJ

679 kJ

−864 kJ 2×H−Cl의 결합 에너지

HH ClCl

H Cl H Cl

−185 kJ

분석

❶ 반응물의 결합이 끊어지는 과정

$H_2(g)+Cl_2(g) \longrightarrow 2H(g)+2Cl(g)$

$\Delta H_1=(436+243)kJ=679(kJ)$

❷ 생성물의 결합이 생성되는 과정

$2H(g)+2Cl(g) \longrightarrow 2HCl(g) \quad \Delta H_2=-2\times 432=-864(kJ)$ (432: H−Cl 결합 에너지)

❸ 반응엔탈피: 전체 반응은 ❶단계와 ❷단계 반응의 합이므로 반응엔탈피는 다음과 같이 구한다.

반응엔탈피(ΔH)$=\Delta H_1+\Delta H_2=(436+243)\ kJ+(-864)\ kJ$

$=-185(kJ/mol)$

❹ 생성 엔탈피(ΔH)는 물질 1몰이 가장 안정한 성분 원소 물질로부터 생성될 때의 반응엔탈피이므로 염화 수소의 생성 엔탈피(ΔH)는 다음과 같이 구한다.

$HCl(g)$의 생성 엔탈피(ΔH)$=-\frac{185}{2}\ kJ/mol=-92.5(kJ/mol)$

2몰의 $HCl(g)$이 생성될 때 방출하는 열량이 185 kJ이므로 1몰의 $HCl(g)$이 생성될 때 방출하는 열량은 92.5 kJ이다.

결론 반응엔탈피는 반응물의 결합 에너지 합에서 생성물의 결합 에너지 합을 뺀 값으로 구할 수 있다.

결합 에너지의 크기는 H−H가 Cl−Cl보다 크기 때문에 원자 사이의 결합은 H_2가 Cl_2보다 크다.

B 헤스 법칙

|출·제·단·서| 헤스 법칙을 이용하여 반응엔탈피를 구하는 문제가 자주 출제돼!

1. 헤스 법칙(총열량 불변의 법칙) 탐구 POOL 화학 반응에서 반응물의 종류와 상태, 생성물의 종류와 상태가 같으면 반응 경로에 관계없이 반응엔탈피의 합은 일정하다.

탄소(C(s, 흑연))의 연소 반응과 헤스 법칙

반응열을 이미 알고 있는 화학 반응식을 이용하여 구하고자 하는 열화학 반응식을 완성하는 것이 첫번째!

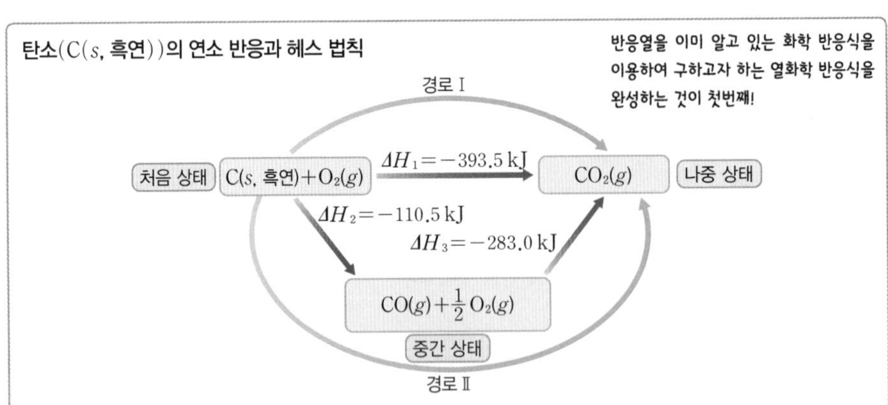

• 경로 I: 탄소가 연소하여 직접 이산화 탄소로 되는 과정

$C(s)+O_2(g) \longrightarrow CO_2(g) \quad \Delta H_1=-393.5\ kJ$

• 경로 II: 탄소가 연소하여 일산화 탄소로 되었다가 이산화 탄소로 되는 과정

$C(s)+\frac{1}{2}O_2(g) \longrightarrow CO(g) \quad \Delta H_2=-110.5\ kJ$ ❺

$CO(g)+\frac{1}{2}O_2(g) \longrightarrow CO_2(g) \quad \Delta H_3=-283.0\ kJ$

• 경로 II의 반응엔탈피의 합은 $\Delta H_2+\Delta H_3=-393.5$ kJ로 경로 I의 반응엔탈피 $\Delta H_1=-393.5$ kJ/mol과 같다. 따라서 처음과 나중 물질의 종류와 상태가 같으면 화학 반응의 경로에 관계없이 출입하는 열량은 같다.

⊕ 헤스

스위스 출신의 러시아 화학자로, 반응열을 계통적으로 측정하여 총열량 불변 법칙인 헤스 법칙을 이끌어 냈다.

? 헤스 법칙이 성립하는 까닭은 무엇일까?

엔탈피는 어떤 압력과 온도에서 물질이 가진 에너지이므로 반응 경로에 관계없이 반응 전후의 물질의 종류와 상태가 같으면 일정한 온도와 압력에서 엔탈피 변화가 같다.

❺ $CO(g)$의 생성 엔탈피

흑연을 연소시킬 때는 일산화 탄소만 생성되지 않고 이산화 탄소도 함께 생성되므로 일산화 탄소의 생성 엔탈피를 측정하기는 힘들다. 이때 헤스 법칙을 이용하면 일산화 탄소의 생성 엔탈피를 구할 수 있다.

2. 헤스 법칙의 이용 실험적으로 구하기 어려운 반응의 반응엔탈피를 이미 알고 있는 다른 열화학 반응식의 반응엔탈피로부터 계산할 수 있다.

(1) 구하고자 하는 반응의 열화학 반응식을 적는다.

(2) 구하고자 하는 열화학 반응식에 있는 물질의 계수와 주어진 열화학 반응식의 계수를 맞춘다.

(3) 주어지거나 변형한 화학 반응식을 더하거나 빼서 반응엔탈피를 구한다.

예 이산화 황($SO_2(g)$)의 •생성 엔탈피 구하기

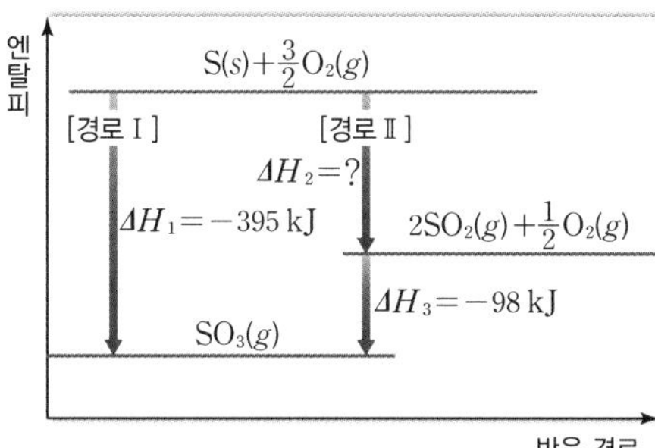

① **황의 연소 반응:** $S(s)$을 연소하면 $SO_2(g)$뿐만 아니라 $SO_3(g)$도 생성되므로 $SO_2(g)$의 생성 엔탈피를 실험적으로 측정하기 힘들다. 그러나 헤스 법칙을 이용하면 $SO_2(g)$의 생성 엔탈피(ΔH_2)를 쉽게 구할 수 있다.

[경로Ⅰ] $S(s)+\frac{3}{2}O_2(g) \longrightarrow SO_3(g) \quad \Delta H_1=-395\ kJ$❻

[경로Ⅱ] $S(s)+O_2(g) \longrightarrow SO_2(g) \quad \Delta H_2=?$

$SO_2(g)+\frac{1}{2}O_2(g) \longrightarrow SO_3(g) \quad \Delta H_3=-98\ kJ$

② **헤스 법칙 적용:** 경로 Ⅰ과 Ⅱ에서 반응엔탈피의 합이 같으므로 $\Delta H_1=\Delta H_2+\Delta H_3$이다. 따라서 $SO_2(g)$의 생성 엔탈피(ΔH_2)는 다음과 같다.

$\Delta H_2=\Delta H_1-\Delta H_3=-395\ kJ-(-98\ kJ)=-297\ kJ/mol$이다.

빈출 계산연습 헤스 법칙을 이용하여 메테인($CH_4(g)$)의 생성 엔탈피 구하기

다음은 25 ℃, 1기압에서 C(s, 흑연), $H_2(g)$, $CH_4(g)$을 각각 완전 연소시켰을 때, 연소 반응의 열화학 반응식이다.

$C(s, 흑연)+O_2(g) \longrightarrow CO_2(g)$❼ $\Delta H_1=-393.5\ kJ$ ……①

$H_2(g)+\frac{1}{2}O_2(g) \longrightarrow H_2O(l) \quad \Delta H_2=-285.8\ kJ$ ……②

$CH_4(g)+2O_2(g) \longrightarrow CO_2(g)+2H_2O(l) \quad \Delta H_3=-890.8\ kJ$ ……③

25 ℃, 1기압에서 $CH_4(g)$의 생성 엔탈피를 구해 보자.

1단계 구하고자 하는 반응의 열화학 반응식을 쓴다.

$C(s, 흑연)+2H_2(g) \longrightarrow CH_4(g) \quad \Delta H=?$

2단계 주어진 열화학 반응식을 변형시켜 ①+2×②−③의 화학 반응식을 만들어 낸다.

$C(s,흑연)+O_2(g)$	$\longrightarrow$	$CO_2(g)$	ΔH_1
$2H_2(g)+O_2(g)$	$\longrightarrow$	$2H_2O(l)$	$2\times\Delta H_2$
$CO_2(g)+2H_2O(l)$	$\longrightarrow$	$CH_4(g)+2O_2(g)$	$-\Delta H_3$
$C(s, 흑연)+2H_2(g)$	$\longrightarrow$	$CH_4(g)$	ΔH

3단계 반응엔탈피(ΔH)를 계산하여 구한다.

$\Delta H=\Delta H_1+2\times\Delta H_2-\Delta H_3=-393.5+2\times(-285.8)-(-890.8)=-74.3(kJ/mol)$

➡ $CH_4(g)$의 생성 엔탈피는 $-74.3\ kJ/mol$이다.

❻ **$S(s)$의 연소 엔탈피**
$SO_3(g)$이 $SO_2(g)$보다 안정한 물질이므로 황의 연소 엔탈피는 황이 연소되어 $SO_3(g)$이 생성될 때의 반응엔탈피와 같다.

❼ **이산화 탄소의 생성 엔탈피**
흑연 1몰이 완전 연소할 때 방출하는 열량은 이산화 탄소 1몰이 흑연과 산소로부터 생성될 때 방출하는 열량과 같으므로 이산화 탄소의 생성 엔탈피는 흑연의 연소 엔탈피와 같다.

용어 알기
• 생성(날 生, 이룰 成) 사물이 생겨남. 사물이 생겨 이루어지게 함

결합 에너지와 반응엔탈피

목표 결합 에너지와 기화 엔탈피를 이용하여 $H_2O(g)$와 $H_2O(l)$의 분해 엔탈피를 구할 수 있다.

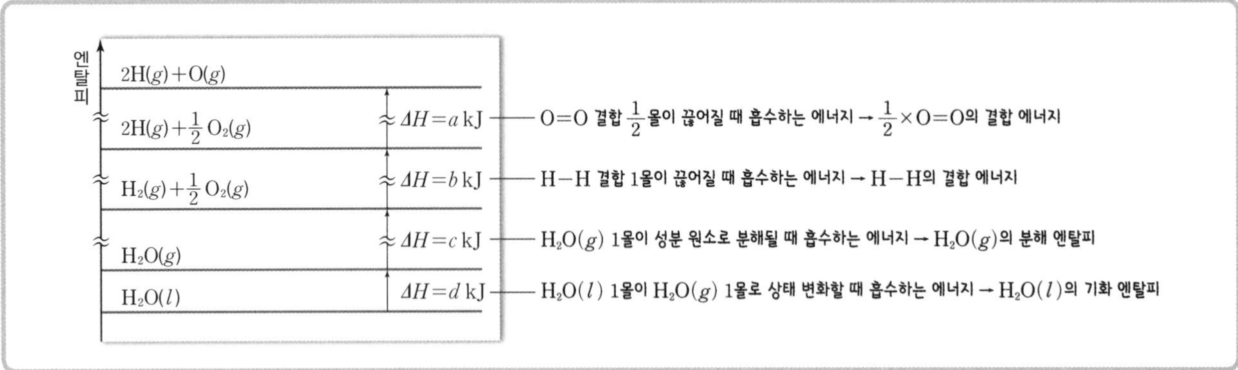

1 $H_2O(g)$의 분해 엔탈피 구하기

1단계 $H_2O(g)$ 분해 반응의 열화학 반응식을 완성한다.

$$H_2O(g) \longrightarrow H_2(g)+\frac{1}{2}O_2(g) \quad \Delta H=?$$

2단계 끊어지는 결합과 생성되는 결합으로 분류한다.

➡ 끊어지는 결합: $H_2O(g) \longrightarrow 2H(g)+O(g) \quad \Delta H_1=(a+b+c)$ kJ/mol

➡ 생성되는 결합: $2H(g) \longrightarrow H_2(g) \quad \Delta H_2=-b$ kJ/mol

$$O(g) \longrightarrow \frac{1}{2}O_2(g) \quad \Delta H_3=-a \text{ kJ/mol}$$

3단계 결합이 끊어지면 열을 흡수하고, 결합이 생성되면 열을 방출하므로 흡수되는 에너지와 방출되는 에너지의 차이가 반응엔탈피(ΔH)이다.

➡ 전체 반응엔탈피(ΔH)$=\Delta H_1+\Delta H_2+\Delta H_3$

ΔH=흡수되는 에너지−방출되는 에너지

=반응물의 결합 에너지 합−생성물의 결합 에너지 합

$=(a+b+c)$ kJ/mol$-(a+b)$ kJ/mol$=c$ kJ/mol

2 $H_2O(l)$의 분해 엔탈피 구하기

$H_2O(l)$의 기화 엔탈피와 $H_2O(g)$의 분해 엔탈피의 합과 같다.

➡ $H_2O(l)$의 분해 엔탈피$=(c+d)$ kJ/mol이다.

한·줄·핵심 기체 반응의 반응엔탈피는 반응물의 결합 에너지 합에서 생성물의 결합 에너지 합을 뺀 값과 같다.

확인 문제

정답과 해설 048쪽

[01~02] 위 그림의 $a\sim d$를 참고하여 각 물음에 답하시오.

01 각 반응에 해당하는 반응엔탈피를 구하시오.

(1) $O_2(g)$의 결합 에너지

(2) $H_2(g)$의 결합 에너지

(3) $H_2O(l)$의 생성 엔탈피

02 다음 설명 중 옳은 것은 ○, 옳지 않은 것은 ×로 표시하시오.

(1) 결합이 끊어지는 반응은 흡열 반응이다. ( )

(2) 결합이 생성될 때 에너지를 방출한다. ( )

(3) H−O 결합의 결합 에너지는 $(a+b+c)$ kJ/mol이다. ( )

(4) $H_2O(g)$ 분자의 해리 에너지는 c kJ/mol이다. ( )

(5) $H_2O(l)$의 결합 에너지 합은 $-(a+b+c+d)$ kJ/mol이다. ( )

헤스 법칙

목표 반응 경로가 다른 두 실험을 통해 반응엔탈피를 구하고 헤스 법칙을 적용할 수 있다.

과정

[실험 1] 묽은 염산과 수산화 나트륨의 반응

❶ 0.5 M $HCl(aq)$ 100 mL를 간이 열량계에 넣고 온도를 측정한다.

❷ 과정 ❶의 열량계에 $NaOH(s)$ 2.0 g을 넣고 완전히 용해시킨 후 최고 온도를 측정한다.

[실험 2] 수산화 나트륨과 물의 반응

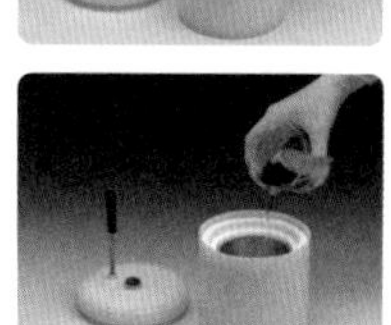

❸ 증류수 100 mL를 열량계에 넣고 온도를 측정한다.

❹ 과정 ❸의 열량계에 $NaOH(s)$ 2.0 g을 넣고 완전히 용해시킨 후 최고 온도를 측정한다.

[실험 3] 묽은 염산과 수산화 나트륨 수용액의 반응

❺ 0.5 M $NaOH(aq)$ 50 mL를 ❸의 처음 온도와 같아질 때까지 식힌다.

❻ 과정 ❺의 용액과 0.5 M $HCl(aq)$ 50 mL를 간이 열량계에 넣고 완전히 반응시킨 후 최고 온도를 측정한다.

유의점

- 수산화 나트륨은 조해성이 있으므로 질량을 측정한 후 즉시 열량계에 넣는다.
- 수산화 나트륨을 녹이거나 염산을 묽힐 때 열이 발생하므로 주의한다.
- 온도를 측정할 때 열량계의 뚜껑을 닫아 열이 외부로 빠져나가는 것을 막는다.
- 반응이 일어난 수용액의 온도 변화를 정확하게 측정하려면 반응하는 두 수용액의 온도를 같게 해야 한다.

결과

실험	용액의 질량(g)	온도 변화(Δt, ℃)	반응한 NaOH의 양(몰)	반응한 HCl의 양(몰)
실험 1	102	10.5	0.05	0.05
실험 2	102	4.1	0.05	0
실험 3	101	3.2	0.025	0.025

정리 및 해석

❶ [실험 1~3]에서 용액이 흡수한 열량과 반응엔탈피 구하기

실험	용액이 흡수한 열량(kJ)	반응엔탈피(kJ/mol)
실험 1	$4.2\ kJ/g\cdot℃ \times 102\ g \times 10.5\ ℃ \fallingdotseq 4498\ J = 4.498\ kJ$	$\Delta H_1 = \frac{4.498}{0.05} \fallingdotseq 90.0\ kJ/mol$
실험 2	$4.2\ kJ/g\cdot℃ \times 102\ g \times 4.1\ ℃ \fallingdotseq 1756\ J = 1.756\ kJ$	$\Delta H_2 = \frac{1.756}{0.05} \fallingdotseq 35.1\ kJ/mol$
실험 3	$4.2\ kJ/g\cdot℃ \times 101\ g \times 3.2\ ℃ \fallingdotseq 1357\ J = 1.357\ kJ$	$\Delta H_3 = \frac{1.357}{0.025} \fallingdotseq 54.3\ kJ/mol$

❷ 헤스 법칙 확인하기

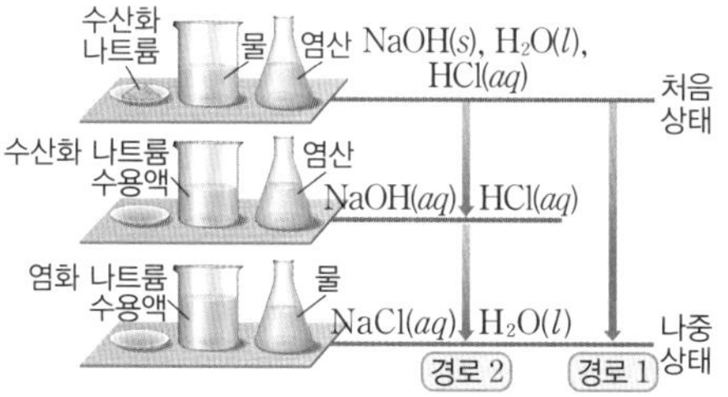

[경로1] $HCl(aq)+NaOH(s)$의 반응
반응엔탈피 : $\Delta H_1 = 90.0$ kJ/mol

[경로2] $NaOH(s)$의 용해, $NaOH(aq)+HCl(aq)$의 반응
반응엔탈피 : $\Delta H_3 = 35.1$ kJ/mol
$\Delta H_3 = 54.3$ kJ/mol
➡ $\Delta H_2 + \Delta H_3 = 89.4$ kJ/mol
$\Delta H_1 \fallingdotseq \Delta H_2 + \Delta H_3$

한·줄·핵심 반응엔탈피는 처음 상태와 나중 상태가 같을 때 경로에 관계없이 같다.

확인 문제

정답과 해설 048쪽

01 다음은 이 탐구 활동의 실험 결과를 정리한 내용이다. (   ) 안에 들어갈 알맞은 말을 쓰시오.

> 실험 1~3의 결과로부터 반응물의 종류와 상태, 생성물의 종류와 상태가 같으면 (   )에 관계없이 반응엔탈피의 총합은 일정함을 알 수 있다.

02 다음 설명 중 옳은 것은 ○, 옳지 않은 것은 ×로 표시하시오.

(1) $NaOH(s)$의 용해 반응은 발열 반응이다. (   )

(2) $NaOH(s)$의 용해 엔탈피는 35.1 kJ/mol이다. (   )

(3) 실험 3의 반응엔탈피로부터 중화 엔탈피를 구할 수 있다. (   )

콕콕! 개념 확인하기

정답과 해설 048쪽

✔ 잠깐 확인!

1. □□ □□□는 공유 결합을 이루는 기체 상태의 분자에서 두 원자 사이의 결합을 끊는 데 필요한 에너지이다.

2. 반응엔탈피는 □□□의 결합 에너지 합에서 □□□의 결합 에너지 합을 뺀 값과 같다.

3. 공유 결합이 끊어질 때는 에너지를 □□하고, 공유 결합이 형성될 때에는 에너지를 □□한다.

4. 발열 반응에서 결합 에너지 합은 반응물이 생성물보다 □□.

5. □□ □□는 화학 반응이 일어나는 단계를 말한다.

6. 헤스 법칙은 반드시 반응물과 생성물의 □□와 □□가 같아야 성립한다.

7. 어떤 화학 반응의 반응엔탈피를 직접 측정하기 어려운 경우 □□ □□을 이용하여 구한다.

A 결합 에너지와 반응엔탈피

01 결합 에너지에 대한 설명으로 옳은 것은 ○, 옳지 않은 것은 ×로 표시하시오.

(1) 액체 상태에서 두 원자 사이의 결합 1몰을 끊어 기체 상태의 원자로 만드는 데 필요한 에너지이다. (　　)

(2) 공유 결합을 이루는 기체 상태의 분자에서 원자 사이의 결합을 끊는 데 필요한 에너지이다. (　　)

(3) 같은 원자 사이의 결합에서 결합수가 많을수록 결합 에너지가 크다. (　　)

(4) 원자 사이의 결합을 끊는 데 필요한 에너지이므로 항상 0보다 크다. (　　)

02 다음은 3가지 질소 원자 사이의 결합을 나타낸 것이다.

(가) 단일 결합(N－N)　　(나) 2중 결합(N＝N)　　(다) 3중 결합(N≡N)

(가)~(다)의 결합 에너지의 크기를 비교하시오.

03 다음은 $H_2O(g)$ 생성 반응의 열화학 반응식과 3가지 결합의 결합 에너지를 나타낸 것이다.

열화학 반응식	$2H_2(g)+O_2(g) \longrightarrow 2H_2O(g)\ \Delta H$		
결합	H－H	O＝O	H－O
결합 에너지(kJ/mol)	436	498	460

ΔH를 구하시오.

B 헤스 법칙

04 다음은 헤스 법칙에 대한 설명이다. ㉠, ㉡에 들어갈 알맞은 말을 쓰시오.

화학 반응에서 반응물과 생성물의 종류와 (㉠)가 같으면 화학 반응이 일어나는 동안 (㉡)에 관계없이 출입하는 열량의 총합은 같다.

05 다음은 3가지 반응의 열화학 반응식이다.

- $A(g) \longrightarrow B(g)\quad \Delta H=20\ kJ$
- $3C(g) \longrightarrow 2B(g)\quad \Delta H=-45\ kJ$
- $C(g) \longrightarrow D(g)\quad \Delta H=-10\ kJ$

$2A(g) \longrightarrow 3D(g)$ 반응의 반응엔탈피를 구하시오.

탄탄! 내신 다지기

정답과 해설 048쪽

A 결합 에너지와 반응엔탈피

01 결합 에너지에 대한 설명으로 옳지 않은 것은?

① 결합 에너지는 항상 0보다 크다.
② 결합의 세기가 클수록 결합 에너지가 크다.
③ 분자 1몰의 모든 결합을 끊을 때 필요한 에너지이다.
④ C=C의 결합 에너지는 C−C의 결합 에너지보다 크다.
⑤ $N_2(g)+O_2(g) \longrightarrow 2NO(g)$의 반응은 결합 에너지를 이용하여 반응엔탈피를 구할 수 있다.

02 표는 몇 가지 결합의 결합 에너지를 나타낸 것이다.

결합	H−Cl	H−Br	O−O	O=O
결합 에너지 (kJ/mol)	432	366	180	498

이에 대한 설명으로 옳은 것만을 〈보기〉에서 있는 대로 고른 것은?

〈보기〉
ㄱ. 결합의 세기는 O−O가 H−Cl보다 크다.
ㄴ. 두 원자 사이의 전기 음성도 차가 클수록 결합 에너지가 크다.
ㄷ. 같은 원자 사이의 결합에서 공유 전자쌍 수가 많을수록 결합 에너지가 크다.

① ㄱ ② ㄴ ③ ㄱ, ㄷ
④ ㄴ, ㄷ ⑤ ㄱ, ㄴ, ㄷ

단답형

03 다음은 25℃, 1기압에서 암모니아 생성 반응의 열화학 반응식과 3가지 결합의 결합 에너지에 대한 자료이다.

$$N_2(g)+3H_2(g) \longrightarrow 2NH_3(g) \quad \Delta H$$

결합	H−H	N≡N	N−H
결합 엔탈피(kJ/mol)	436	945	392

위 자료로부터 $NH_3(g)$ 생성 반응의 반응엔탈피(ΔH)를 구하시오.

04 그림은 $HCl(g)$의 결합이 끊어져 $H(g)$와 $Cl(g)$로 되는 반응의 엔탈피 변화를 나타낸 것이다.

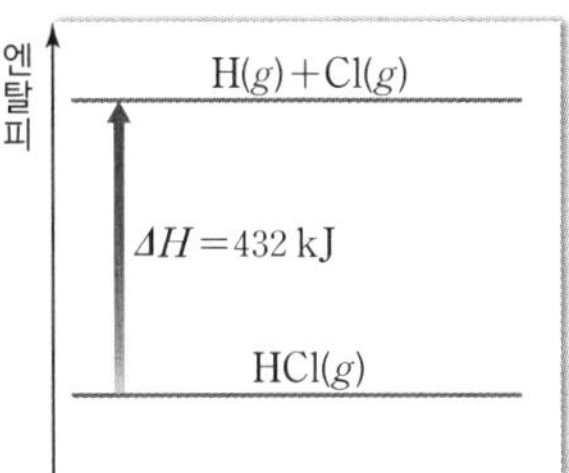

이에 대한 설명으로 옳은 것만을 〈보기〉에서 있는 대로 고른 것은?

〈보기〉
ㄱ. 결합이 끊어질 때 에너지를 흡수한다.
ㄴ. $HCl(g)$의 결합 에너지는 432 kJ/mol이다.
ㄷ. $HCl(g)$의 생성 엔탈피는 −432 kJ/mol이다.

① ㄱ ② ㄷ ③ ㄱ, ㄴ
④ ㄴ, ㄷ ⑤ ㄱ, ㄴ, ㄷ

05 다음은 기체 A_2와 기체 B_2가 반응하여 기체 AB를 생성하는 열화학 반응식과 몇 가지 결합의 결합 에너지를 나타낸 것이다.

$$A_2(g)+B_2(g) \longrightarrow 2AB(g) \quad \Delta H$$

결합	A−A	B−B	A−B
결합 에너지(kJ/mol)	436	243	432

이에 대한 설명으로 옳은 것만을 〈보기〉에서 있는 대로 고른 것은?

〈보기〉
ㄱ. $AB(g)$의 분해 엔탈피는 92.5 kJ/mol이다.
ㄴ. 반응이 일어나면 주위의 온도는 낮아진다.
ㄷ. 생성물의 결합 에너지 합은 반응물의 결합 에너지 합보다 크다.

① ㄱ ② ㄴ ③ ㄱ, ㄷ
④ ㄴ, ㄷ ⑤ ㄱ, ㄴ, ㄷ

06 그림은 일산화 탄소(CO)와 산소(O_2)가 반응하여 이산화 탄소(CO_2)가 생성되는 반응의 경로에 따른 엔탈피(H)를 나타낸 것이다.

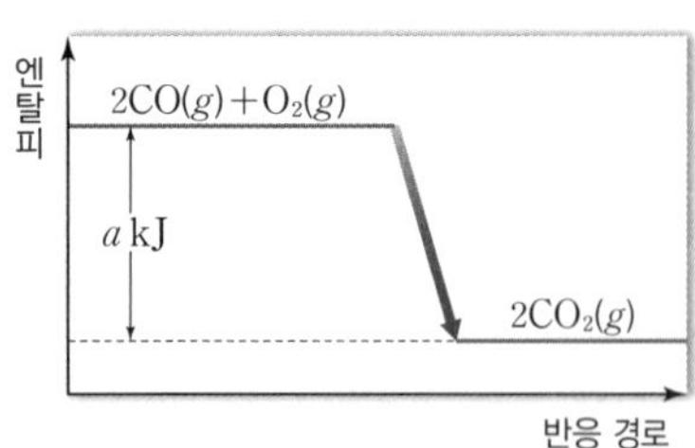

이에 대한 설명으로 옳은 것만을 <보기>에서 있는 대로 고른 것은?

보기
ㄱ. $CO(g)$의 연소 엔탈피는 $-a$ kJ/mol이다.
ㄴ. $CO_2(g)$는 $CO(g)$보다 안정한 화합물이다.
ㄷ. 반응물의 결합 에너지 합은 생성물의 결합 에너지 합보다 작다.

① ㄱ ② ㄴ ③ ㄱ, ㄷ
④ ㄴ, ㄷ ⑤ ㄱ, ㄴ, ㄷ

07 그림은 25 ℃, 1기압에서 수증기의 생성과 관련된 물질의 엔탈피 관계를 나타낸 것이다.

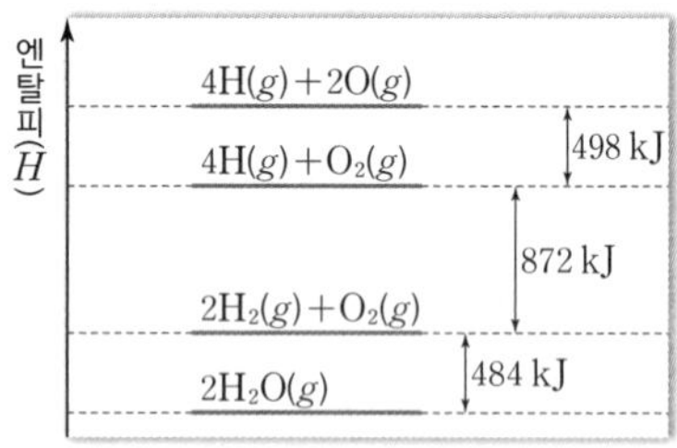

이에 대한 설명으로 옳지 않은 것은?

① H−H의 결합 에너지는 436 kJ/mol이다.
② O=O의 결합 에너지는 498 kJ/mol이다.
③ 결합의 세기는 H−O가 H−H보다 크다.
④ $H_2(g)$의 연소 엔탈피는 −242 kJ/mol이다.
⑤ $H_2O(g)$의 생성 엔탈피는 −242 kJ/mol이다.

B 헤스 법칙

08 다음은 2가지 반응의 열화학 반응식이다.

(가) $N_2(g)+O_2(g) \longrightarrow 2NO(g)$ $\Delta H_1=180.6$ kJ
(나) $2NO(g)+O_2(g) \longrightarrow 2NO_2(g)$ $\Delta H_2=-114.2$ kJ

이에 대한 설명으로 옳은 것만을 <보기>에서 있는 대로 고른 것은?

보기
ㄱ. (가)는 발열 반응이다.
ㄴ. (나)에서 결합 에너지의 합은 반응물이 생성물보다 작다.
ㄷ. $NO_2(g)$의 생성 엔탈피는 −66.4 kJ/mol이다.

① ㄱ ② ㄴ ③ ㄱ, ㄷ
④ ㄴ, ㄷ ⑤ ㄱ, ㄴ, ㄷ

09 그림은 $CaO(s)$과 $HCl(aq)$이 반응할 때 엔탈피 관계를 나타낸 것이다. $\Delta H_1<0$이다.

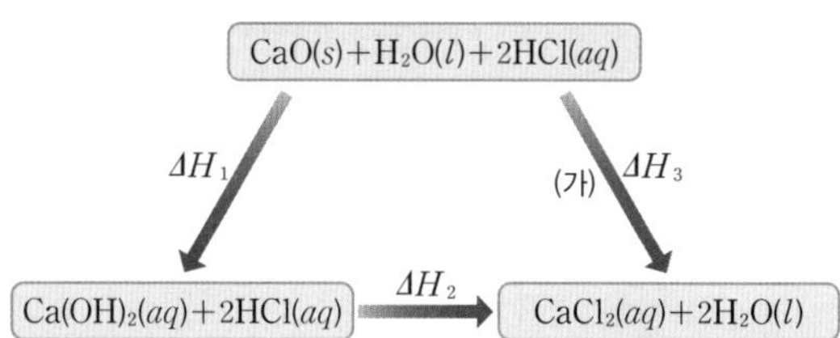

이에 대한 설명으로 옳지 않은 것은?

① $\Delta H_2<0$이다.
② $\Delta H_3=\Delta H_1+\Delta H_2$이다.
③ 중화 엔탈피는 ΔH_2이다.
④ $CaO(s)$의 용해 엔탈피는 ΔH_1이다.
⑤ (가) 반응이 일어날 때 주위의 온도는 높아진다.

단답형

10 다음은 3가지 반응의 열화학 반응식이다.

$A(g)+2B(g) \longrightarrow C(g)+D(g)$ $\Delta H=a$ kJ
$A(g)+2B(g) \longrightarrow 2E(g)$ ΔH_1
$2E(g) \longrightarrow C(g)+D(g)$ $\Delta H=b$ kJ

ΔH_1을 구하시오.

11 다음은 25 ℃, 표준 상태에서 화합물 A와 B에 관련된 3가지 열화학 반응식이다. a～e는 반응 계수이다.

(가) $a\text{C}(s, \text{흑연}) + b\text{H}_2(g) \longrightarrow \text{A}(g)$ $\quad \Delta H = -126\ \text{kJ}$

(나) $\text{B}(g) + c\text{O}_2(g) \longrightarrow d\text{CO}_2(g) + e\text{H}_2\text{O}(l)$ $\quad \Delta H = -2880\ \text{kJ}$

(다) $\text{A}(g) \longrightarrow \text{B}(g)$ $\quad \Delta H = -8\ \text{kJ}$

25 ℃, 표준 상태에서 이에 대한 설명으로 옳은 것만을 〈보기〉에서 있는 대로 고른 것은?

보기
ㄱ. (가) 반응이 일어나면 주위의 온도는 높아진다.
ㄴ. $\text{B}(g)$의 표준 생성 엔탈피는 $-134\ \text{kJ/mol}$이다.
ㄷ. 결합 에너지 합은 $\text{A}(g)$가 $\text{B}(g)$보다 크다.

① ㄱ ② ㄷ ③ ㄱ, ㄴ
④ ㄴ, ㄷ ⑤ ㄱ, ㄴ, ㄷ

12 그림은 25 ℃, 1기압에서 $\text{SO}_3(g)$의 생성과 관련된 반응의 반응 경로에 따른 엔탈피를 나타낸 것이다.

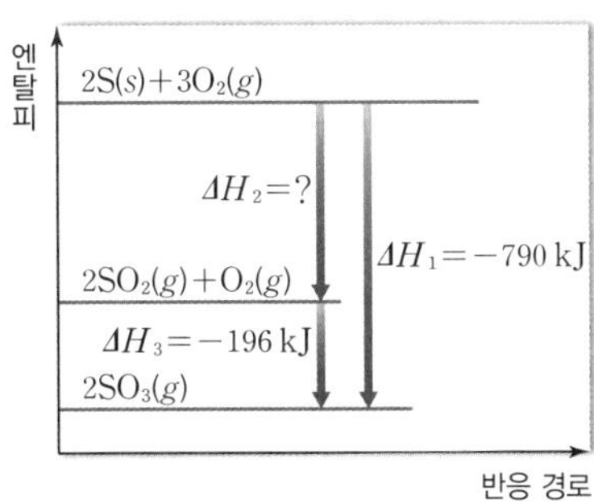

25 ℃, 1기압에서 이에 대한 설명으로 옳은 것만을 〈보기〉에서 있는 대로 고른 것은?

보기
ㄱ. $\Delta H_2 = -594\ \text{kJ}$이다.
ㄴ. $\text{SO}_2(g)$은 $\text{SO}_3(g)$보다 더 안정한 물질이다.
ㄷ. $[2\text{SO}_2(g) + \text{O}_2(g)]$의 결합 에너지 합은 $[2\text{SO}_3(g)]$의 결합 에너지 합보다 크다.

① ㄱ ② ㄴ ③ ㄱ, ㄷ
④ ㄴ, ㄷ ⑤ ㄱ, ㄴ, ㄷ

13 그림은 25 ℃, 1기압에서 수산화 나트륨($\text{NaOH}(s)$)과 염산($\text{HCl}(aq)$)이 중화 반응할 때의 엔탈피(H) 변화를 나타낸 것이다.

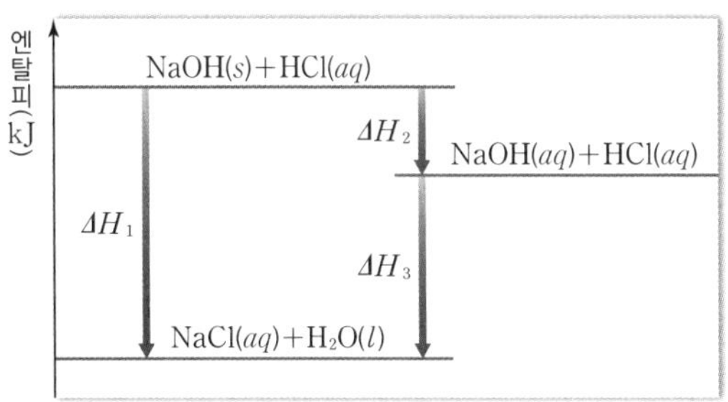

25 ℃, 1기압에서 이에 대한 설명으로 옳은 것만을 〈보기〉에서 있는 대로 고른 것은?

보기
ㄱ. $\Delta H_1 = \Delta H_2 + \Delta H_3$이다.
ㄴ. $\text{NaOH}(s)$의 용해가 일어날 때 주위의 온도는 높아진다.
ㄷ. $\text{NaOH}(s)$ 대신 $\text{KOH}(s)$을 이용하여 실험해도 ΔH_3는 같다.

① ㄱ ② ㄷ ③ ㄱ, ㄴ
④ ㄴ, ㄷ ⑤ ㄱ, ㄴ, ㄷ

14 다음은 25 ℃, 1기압에서 2가지 열화학 반응식을 나타낸 것이다.

(가) $\text{O}_2(g) \longrightarrow 2\text{O}(g)$ $\quad \Delta H_1$

(나) $3\text{O}_2(g) \longrightarrow 2\text{O}_3(g)$ $\quad \Delta H_2$

25 ℃, 1기압에서 이에 대한 설명으로 옳은 것만을 〈보기〉에서 있는 대로 고른 것은?

보기
ㄱ. $\Delta H_1 > 0$이다.
ㄴ. $\text{O}_3(g)$의 생성 엔탈피는 ΔH_2이다.
ㄷ. $\text{O}_3(g)$ 1몰의 결합을 모두 끊기 위해 필요한 에너지는 $\dfrac{\Delta H_1 + 3\Delta H_2}{2}$이다.

① ㄱ ② ㄴ ③ ㄱ, ㄴ
④ ㄱ, ㄷ ⑤ ㄴ, ㄷ

도전! 실력 올리기

01 다음은 25 ℃, 1기압에서 에서 물과 관련된 자료이다.

- $H_2O(l)$의 생성 엔탈피(ΔH): -285 kJ/mol
- $H_2O(l)$의 기화 엔탈피(ΔH): 50 kJ/mol
- H−H의 결합 에너지: 440 kJ/mol
- O=O의 결합 에너지: 490 kJ/mol

25 ℃, 1기압에서 이에 대한 설명으로 옳은 것만을 〈보기〉에서 있는 대로 고른 것은?

보기
ㄱ. $H_2(g)$의 연소 엔탈피는 -285 kJ/mol이다.
ㄴ. $H_2O(g)$의 생성 엔탈피는 -235 kJ/mol이다.
ㄷ. H−O의 결합 에너지는 460 kJ/mol이다.

① ㄱ ② ㄷ ③ ㄱ, ㄴ
④ ㄴ, ㄷ ⑤ ㄱ, ㄴ, ㄷ

02 표는 t ℃, 1기압에서 4가지 결합의 결합 에너지를 나타낸 것이다.

결합	C−H	C−Cl	Cl−Cl	H−Cl
결합 에너지 (kJ/mol)	410	330	240	430

25 ℃, 1기압에서 이에 대한 설명으로 옳은 것만을 〈보기〉에서 있는 대로 고른 것은?

보기
ㄱ. 결합 세기는 H−Cl이 C−Cl보다 크다.
ㄴ. $CH_4(g)$ 1몰의 결합을 모두 끊는 데 필요한 에너지는 410 kJ/mol이다.
ㄷ. $CH_4(g)+Cl_2(g) \longrightarrow CH_3Cl(g)+HCl(g)$의 반응엔탈피는 -110 kJ/mol이다.

① ㄱ ② ㄴ ③ ㄱ, ㄷ
④ ㄴ, ㄷ ⑤ ㄱ, ㄴ, ㄷ

03 다음은 25 ℃, 1기압에서 질소(N_2)의 생성과 관련된 열화학 반응식과 3가지 결합의 결합 에너지를 나타낸 것이다.

$$2H_2O_2(g)+N_2H_4(g) \longrightarrow 4H_2O(g)+N_2(g) \quad \Delta H=?$$

결합	N−H	O−O	N≡N
결합 에너지(kJ/mol)	392	139	945

이 반응의 반응엔탈피(ΔH)를 구하기 위해 추가로 필요한 결합 에너지만을 〈보기〉에서 있는 대로 고른 것은?

보기
ㄱ. H−O의 결합 에너지
ㄴ. N−N의 결합 에너지
ㄷ. N=N의 결합 에너지

① ㄱ ② ㄴ ③ ㄱ, ㄴ
④ ㄱ, ㄷ ⑤ ㄴ, ㄷ

출제예감

04 그림은 25 ℃, 1기압에서 흑연과 관련된 반응의 엔탈피 관계를 나타낸 것이다.

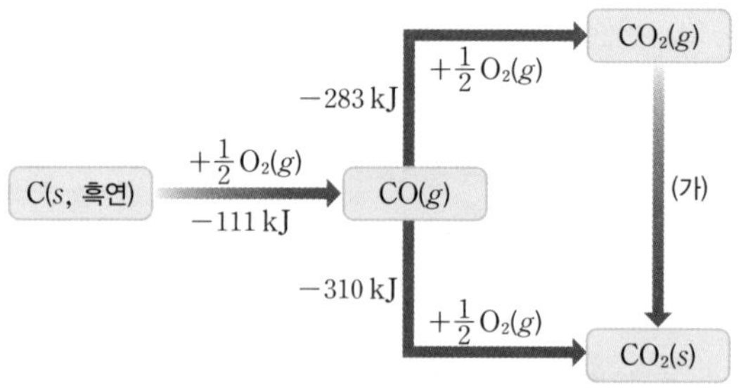

25 ℃, 1기압에서 이에 대한 설명으로 옳은 것만을 〈보기〉에서 있는 대로 고른 것은?

보기
ㄱ. (가)는 -593 kJ이다.
ㄴ. 생성 엔탈피는 $CO_2(g)$가 $CO(g)$보다 작다.
ㄷ. C(s, 흑연)의 연소 엔탈피는 -421 kJ/mol이다.

① ㄱ ② ㄴ ③ ㄱ, ㄷ
④ ㄴ, ㄷ ⑤ ㄱ, ㄴ, ㄷ

05 그림은 25 ℃, 1기압에서 몇 가지 물질의 생성 엔탈피를 나타낸 것이다. $CH_4(g)$의 연소 엔탈피는 -890 kJ/mol이다.

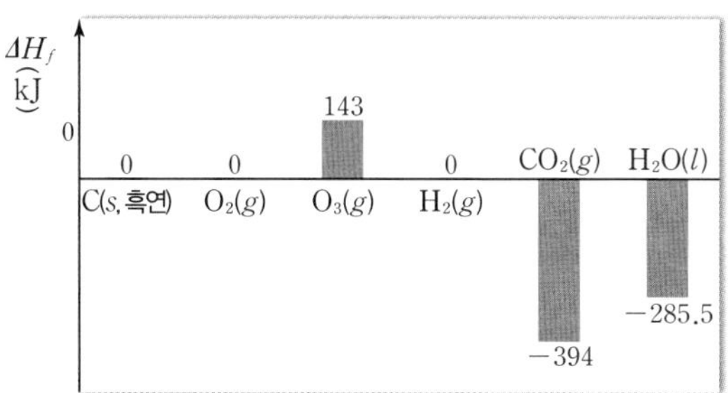

25 ℃, 1기압에서 이에 대한 설명으로 옳은 것만을 〈보기〉에서 있는 대로 고른 것은? (단, C의 원자량은 12이다.)

〈보기〉

ㄱ. C(s, 흑연) 6 g을 완전 연소시킬 때 방출되는 에너지는 394 kJ이다.

ㄴ. 산소 동소체 중 가장 안정한 물질은 $O_2(g)$이다.

ㄷ. 제시된 자료로부터 $CH_4(g)$의 생성 엔탈피를 구할 수 있다.

① ㄴ ② ㄷ ③ ㄱ, ㄴ ④ ㄴ, ㄷ ⑤ ㄱ, ㄴ, ㄷ

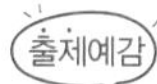

06 그림은 25 ℃, 1기압에서 NaCl(s)의 생성 반응에서 엔탈피 관계를 나타낸 것이다.

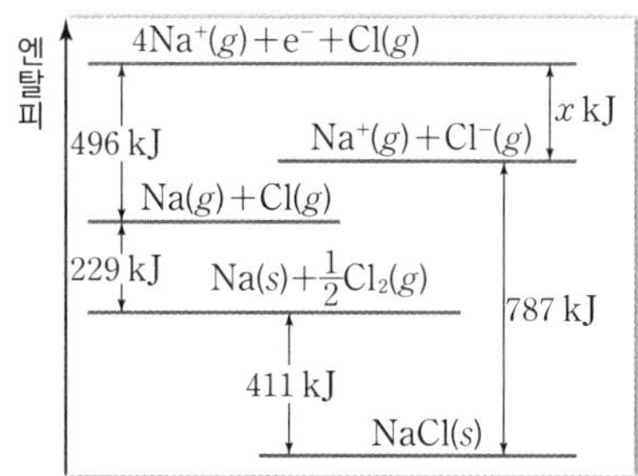

25 ℃, 1기압에서 이에 대한 설명으로 옳은 것만을 〈보기〉에서 있는 대로 고른 것은?

〈보기〉

ㄱ. $x=349$이다.

ㄴ. $Cl_2(g)$의 결합 에너지는 376 kJ/mol이다.

ㄷ. NaCl(s)의 생성 엔탈피는 -411 kJ/mol이다.

① ㄱ ② ㄴ ③ ㄱ, ㄷ ④ ㄴ, ㄷ ⑤ ㄱ, ㄴ, ㄷ

07 다음은 메테인(CH_4)의 연소 반응에 대한 열화학 반응식과 3가지 결합의 결합 에너지에 대한 자료이다.

$$CH_4(g)+2O_2(g) \longrightarrow CO_2(g)+2H_2O(g) \quad \Delta H=-890 \text{ kJ}$$

결합	H−C	O=O	H−O
결합 에너지(kJ/mol)	410	498	460

C=O의 결합 에너지를 구하시오.

서술형

08 표는 25 ℃, 1기압에서 3가지 물질의 생성 엔탈피와 연소 엔탈피에 대한 자료이다.

물질	생성 엔탈피(kJ/mol)	연소 엔탈피(kJ/mol)
$H_2O(l)$	ΔH_1	
C(s, 흑연)		ΔH_2
$CH_3OH(l)$	ΔH_3	

(1) 25 ℃, 1기압에서 $CO_2(g)$의 생성 엔탈피를 구하시오.

(2) 25 ℃, 1기압에서 $CH_3OH(g)$의 연소 엔탈피를 구하는 과정을 서술하시오.

서술형

09 그림은 25 ℃, 1기압에서 HCl(g)가 분해되어 $H_2(g)$와 $Cl_2(g)$를 생성하는 반응의 엔탈피 관계를 나타낸 것이다.

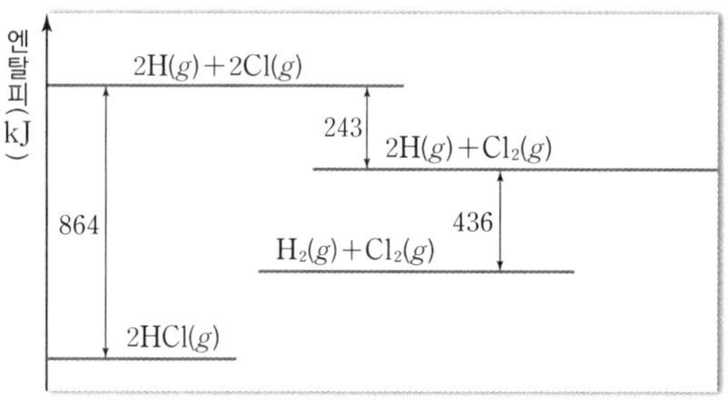

(1) H−H, Cl−Cl, H−Cl의 결합 세기를 비교하시오.

(2) 25 ℃, 표준 상태에서 HCl(g)의 분해 엔탈피를 구하는 과정을 서술하시오.

수능을 알기 쉽게 풀어주는 수능 POOL

생성 엔탈피와 연소 엔탈피의 관계

대표 유형

구성 원소가 같을 때 연소 엔탈피가 작을수록 생성 엔탈피가 크다.
구성 원소가 같을 때 생성 엔탈피가 작을수록 안정하다.

표는 25 ℃, 표준 상태에서 분자식이 C_3H_6인 두 물질 A(g), B(g)의 생성 엔탈피와 연소 엔탈피에 대한 자료이고, 그림은 25 ℃, 표준 상태에서 A(g), B(g)의 연소 반응의 엔탈피 H 관계를 각각 나타낸 것이다. ㉠과 ㉡은 각각 A(g), B(g) 중 하나이다.

연소 엔탈피는 A(g)>B(g)이므로 ㉠은 B(g), ㉡은 A(g)이다.

A(g)와 B(g)의 생성 엔탈피 차이=연소 엔탈피 차이

물질	A(g)	B(g)
생성 엔탈피 (kJ/mol)	20	53
연소 엔탈피 (kJ/mol)	−2058	x

$O_2(g)$의 생성 엔탈피는 0이다.

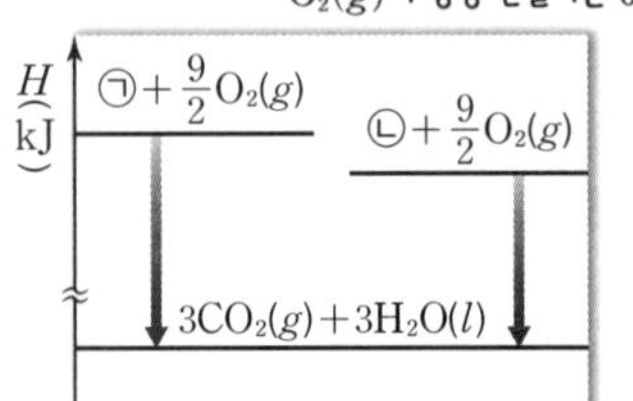

H (kJ)
㉠$+\frac{9}{2}O_2(g)$
㉡$+\frac{9}{2}O_2(g)$
$3CO_2(g)+3H_2O(l)$

생성 엔탈피가 작은 A(g)가 ㉡이고 더 안정해.

연소 엔탈피는 ㉠이 ㉡보다 더 작아.

A(g)와 B(g)의 생성 엔탈피 차이=연소 엔탈피 차이이고 B(g)의 연소 엔탈피가 더 작으니까 x는 −2091이지.

이에 대한 설명으로 옳은 것만을 〈보기〉에서 있는 대로 고른 것은?

〈보기〉

ㄱ. ㉠은 B(g)이다. 생성 엔탈피가 클수록 방출하는 에너지가 크므로 연소 엔탈피는 작다.

ㄴ. $x=-2091$이다. B(g)의 연소 엔탈피=A(g)의 연소 엔탈피 −33 kJ/mol

ㄷ. 25 ℃, 표준 상태에서 $CO_2(g)$의 생성 엔탈피와 $H_2O(l)$의 생성 엔탈피의 합은 $-\frac{2038}{3}$ kJ/mol이다.
(물질 1몰에 대한 값이다.)
반응엔탈피=생성물의 생성 엔탈피의 합−반응물의 생성 엔탈피의 합
−2058 kJ=3×($CO_2(g)+H_2O(l)$의 생성 엔탈피)−20 kJ

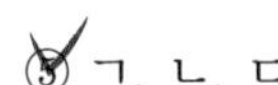

① ㄱ　② ㄷ　③ ㄱ, ㄴ　④ ㄴ, ㄷ　⑤ ㄱ, ㄴ, ㄷ (✓)

출제 의도

분자식이 같은 화합물의 생성 엔탈피를 통해 화합물의 안정성을 비교하여 두 화합물을 구분하는 문제이다.

이것이 함정

생성 엔탈피가 큰 물질일수록 완전 연소될 때 방출하는 에너지가 많으므로 연소 엔탈피는 더 작다는 것을 기억해야 한다.

자료에서 단서 찾기

표에서 A(g), B(g)의 생성 엔탈피와 A(g)의 연소 엔탈피를 이용하여 x를 구한다. ≫ A(g), B(g)의 연소 엔탈피(x)를 이용하여 그래프에서 ㉠과 ㉡에 해당하는 화합물을 찾는다. ≫ A(g), B(g) 중 어느 하나의 연소 엔탈피와 생성 엔탈피를 이용하여 $CO_2(g)$와 $H_2O(l)$의 생성 엔탈피 합을 구한다.

추가 선택지

• A(g) ⟶ B(g) 반응의 반응엔탈피는 33 kJ/mol이다. (○)
⋯ 반응엔탈피는 생성물의 생성 엔탈피에서 반응물의 생성 엔탈피를 뺀 값과 같다. 따라서 $\Delta H=53-20=33$ kJ/mol이다.

• 분해 엔탈피는 A(g)가 B(g)보다 크다. (○)
⋯ 분해 엔탈피는 생성 엔탈피와 그 크기는 같고 부호만 다르므로 A(g)의 분해 엔탈피는 −20 kJ/mol이고, B(g)의 분해 엔탈피는 −53 kJ/mol이다.

실전! 수능 도전하기

정답과 해설 052쪽

01 다음은 염화 수소($HCl(g)$)의 생성 및 용해와 관련된 열화학 반응식이다.

- $H_2(g) \longrightarrow 2H(g)$ $\Delta H = 436$ kJ
- $Cl_2(g) \longrightarrow 2Cl(g)$ $\Delta H = 243$ kJ
- $H_2(g) + Cl_2(g) \longrightarrow 2HCl(g)$ $\Delta H = -185$ kJ
- $H_2(g) + Cl_2(g) \longrightarrow 2HCl(aq)$ $\Delta H = -335$ kJ

이에 대한 설명으로 옳은 것만을 <보기>에서 있는 대로 고른 것은?

보기
ㄱ. $HCl(g)$의 결합 에너지는 864 kJ/mol이다.
ㄴ. $HCl(g)$의 분해 엔탈피는 92.5 kJ/mol이다.
ㄷ. $HCl(g)$의 용해 엔탈피는 -150 kJ/mol이다.

① ㄴ ② ㄷ ③ ㄱ, ㄴ
④ ㄱ, ㄷ ⑤ ㄴ, ㄷ

수능 기출

02 다음은 질산 암모늄(NH_4NO_3)의 용해 관련 실험이다.

[실험 과정]
(가) 25 ℃의 물이 들어 있는 시험관에 일정량의 $NH_4NO_3(s)$을 넣는다.
(나) ㉠$NH_4NO_3(s)$이 용해되면서 나타나는 온도 변화와 시험관의 바깥벽에 나타나는 현상을 관찰한다.

온도계
$NH_4NO_3(s)$
물

[실험 결과]
- 수용액의 온도가 내려가면서 시험관 바깥벽에 공기 중 ㉡수증기가 물방울이 되어 맺혔다.

㉠ 과정의 엔탈피 변화(ΔH_1)와 ㉡ 과정의 엔탈피 변화(ΔH_2)의 부호 또는 값으로 옳은 것은? (단, 외부 온도와 대기압은 각각 25 ℃, 1기압으로 일정하다.)

	ΔH_1	ΔH_2		ΔH_1	ΔH_2
①	+	+	②	+	−
③	−	+	④	−	−
⑤	0	0			

03 다음은 염화 칼슘($CaCl_2$)과 질산 암모늄(NH_4NO_3)의 용해 엔탈피를 알아보기 위한 실험이다.

[실험]
Ⅰ. 염화 칼슘($CaCl_2$) 2 g을 열량계 속에 들어 있는 25 ℃의 물 100 g에 모두 녹였더니 수용액의 온도는 29 ℃였다.
Ⅱ. 질산 암모늄(NH_4NO_3) 2 g을 열량계 속에 들어 있는 25 ℃의 물 100 g에 모두 녹였더니 수용액의 온도는 23 ℃였다.

이에 대한 설명으로 옳은 것만을 <보기>에서 있는 대로 고른 것은? (단, $CaCl_2$, NH_4NO_3의 화학식량은 각각 111, 80이고, 열량계가 얻은 열량은 무시하고 두 수용액의 비열은 같다.)

보기
ㄱ. $CaCl_2(s)$의 용해 과정은 발열 반응이다.
ㄴ. $NH_4NO_3(s)$의 용해도는 온도가 높을수록 커진다.
ㄷ. |용해 엔탈피|는 $CaCl_2(s)$이 $NH_4NO_3(s)$보다 크다.

① ㄱ ② ㄷ ③ ㄱ, ㄴ
④ ㄴ, ㄷ ⑤ ㄱ, ㄴ, ㄷ

04 그림은 25 ℃, 1기압에서 몇 가지 물질의 생성 엔탈피를 나타낸 것이다.

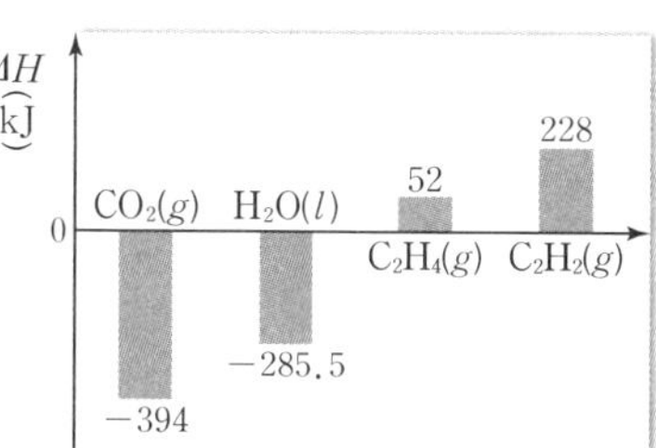

25 ℃, 1기압에서 이에 대한 설명으로 옳은 것만을 <보기>에서 있는 대로 고른 것은?

보기
ㄱ. C(s, 흑연)의 연소 엔탈피는 -394 kJ/mol이다.
ㄴ. 연소 엔탈피는 $C_2H_4(g)$이 $C_2H_2(g)$보다 작다.
ㄷ. $C_2H_2(g) + H_2(g) \longrightarrow C_2H_4(g)$의 반응이 일어날 때 주위의 온도는 증가한다.

① ㄱ ② ㄴ ③ ㄱ, ㄷ
④ ㄴ, ㄷ ⑤ ㄱ, ㄴ, ㄷ

실전! 수능 도전하기

05 다음은 25 ℃, 1기압에서 3가지 열화학 반응식과 반응 엔탈피 (ΔH)이다.

- $2NO_2(g) \longrightarrow 2NO(g)+O_2(g)$ $\Delta H_1>0$
- $2NO_2(g) \longrightarrow N_2O_4(g)$ $\Delta H_2<0$
- $2NO(g) \longrightarrow N_2(g)+O_2(g)$ $\Delta H_3<0$

25 ℃, 1기압에서 이에 대한 설명으로 옳은 것만을 <보기>에서 있는 대로 고른 것은? (단, $N_2(g)$와 $O_2(g)$의 표준 생성 엔탈피는 모두 0이다.)

보기
ㄱ. NO_2의 생성 엔탈피는 $-(\Delta H_1+\Delta H_3)$이다.
ㄴ. $N_2O_4(g)$의 엔탈피는 $2\times(NO_2(g)$의 엔탈피)보다 작다.
ㄷ. $2\times[NO(g)$의 결합 에너지]는 $[N_2(g)$와 $O_2(g)$의 결합 에너지]보다 작다.

① ㄱ ② ㄴ ③ ㄱ, ㄷ
④ ㄴ, ㄷ ⑤ ㄱ, ㄴ, ㄷ

수능 기출

06 다음은 25 ℃, 1기압에서 3가지 열화학 반응식을 나타낸 것이다.

- $C_3H_8(g)+5O_2(g) \longrightarrow 3CO_2(g)+4H_2O(l)$ $\Delta H=a$
- $C(s,$ 흑연$)+O_2(g) \longrightarrow CO_2(g)$ $\Delta H=b$
- $2H_2(g)+O_2(g) \longrightarrow 2H_2O(l)$ $\Delta H=c$

25 ℃, 1기압에서 이에 대한 설명으로 옳은 것만을 <보기>에서 있는 대로 고른 것은?

보기
ㄱ. $C_3H_8(g)$의 연소 엔탈피는 a이다.
ㄴ. $C_3H_8(g)$의 생성 엔탈피는 $3b+2c-a$이다.
ㄷ. 1몰의 $H_2O(l)$이 가장 안정한 성분 원소로 분해될 때, 엔탈피 변화는 $-c$이다.

① ㄱ ② ㄷ ③ ㄱ, ㄴ
④ ㄴ, ㄷ ⑤ ㄱ, ㄴ, ㄷ

07 다음은 25 ℃, 표준 상태에서 화합물 A와 B와 관련된 3가지 열화학 반응식이다. $a\sim e$는 반응 계수이다.

- $aC(s,$ 흑연$)+bH_2(g) \longrightarrow A(g)$ $\Delta H=-126$ kJ
- $B(g)+cO_2(g) \longrightarrow dCO_2(g)+eH_2O(l)$ $\Delta H=-2880$ kJ
- $A(g) \longrightarrow B(g)$ $\Delta H=-8$ kJ

25 ℃, 표준 상태에서 이에 대한 설명으로 옳은 것만을 <보기>에서 있는 대로 고른 것은?

보기
ㄱ. $A(g)$가 $B(g)$보다 안정한 물질이다.
ㄴ. $B(g)$의 표준 생성 엔탈피는 -134 kJ/mol이다.
ㄷ. $A(g)$의 연소 엔탈피는 -2880 kJ/mol보다 크다.

① ㄱ ② ㄴ ③ ㄱ, ㄷ
④ ㄴ, ㄷ ⑤ ㄱ, ㄴ, ㄷ

08 표는 25 ℃, 1기압에서 몇 가지 물질의 반응엔탈피 (ΔH)를 나타낸 것이다.

물질	화학식	연소 엔탈피 (kJ/mol)	생성 엔탈피 (kJ/mol)
물	$H_2O(l)$		ΔH_1
수증기	$H_2O(g)$		ΔH_2
흑연	$C(s,$ 흑연$)$	ΔH_3	
에탄올	$C_2H_5OH(l)$	ΔH_4	x

이에 대한 설명으로 옳은 것만을 <보기>에서 있는 대로 고른 것은?

보기
ㄱ. $H_2(g)$의 연소 엔탈피는 ΔH_2이다.
ㄴ. $CO_2(g)$의 분해 엔탈피(ΔH)는 $-\Delta H_3$이다.
ㄷ. x는 $2\Delta H_3+\Delta H_2-\Delta H_4$이다.

① ㄱ ② ㄴ ③ ㄱ, ㄴ
④ ㄴ, ㄷ ⑤ ㄱ, ㄴ, ㄷ

수능 기출

09 다음은 25 ℃, 표준 상태에서 $N_2H_4(l)$과 관련된 열화학 반응식이고, 표는 3가지 결합의 결합 에너지를 나타낸 것이다.

$$N_2(g)+2H_2O(g) \longrightarrow N_2H_4(l)+O_2(g) \quad \Delta H=532\ \text{kJ}$$

결합	H−H	O=O	H−O
결합 에너지 (kJ/mol)	436	498	463

이 자료로부터 구한 $N_2H_4(l)$의 표준 생성 엔탈피(kJ/mol)는?

① 50　② 61　③ 88
④ 482　⑤ 1014

10 그림은 25 ℃, 1기압에서 몇 가지 반응에 대한 엔탈피 변화 H를 나타낸 것이다.

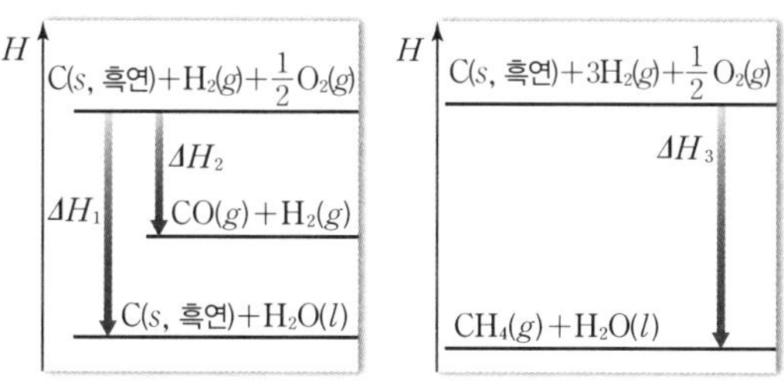

이에 대한 설명으로 옳은 것만을 〈보기〉에서 있는 대로 고른 것은?

보기
ㄱ. $H_2(g)$의 연소 엔탈피는 ΔH_1이다.
ㄴ. $CO(g)$의 생성 엔탈피는 ΔH_2이다.
ㄷ. $CH_4(g)$의 생성 엔탈피는 $\Delta H_3-\Delta H_1$이다.

① ㄱ　② ㄷ　③ ㄱ, ㄴ
④ ㄴ, ㄷ　⑤ ㄱ, ㄴ, ㄷ

11 다음은 25 ℃, 1기압에서 $C_2H_4(g)$이 분해되는 반응의 열화학 반응식이다.

$$C_2H_4(g) \longrightarrow 2C(g)+4H(g) \quad \Delta H=a\ \text{kJ}$$

표는 4가지 물질의 표준 생성 엔탈피이다.

물질	C(s, 흑연)	C(g)	H(g)	$C_2H_4(g)$
표준 생성 엔탈피 (kJ/mol)	0	b	218	52

이에 대한 설명으로 옳은 것만을 〈보기〉에서 있는 대로 고른 것은?

보기
ㄱ. $a=-52$이다.
ㄴ. $b>0$이다.
ㄷ. $H_2(g)$의 결합 에너지는 436 kJ/mol이다.

① ㄱ　② ㄴ　③ ㄱ, ㄴ
④ ㄱ, ㄷ　⑤ ㄴ, ㄷ

12 그림은 25 ℃, 1기압에서 과산화 수소(H_2O_2)와 관련된 반응의 반응엔탈피 ΔH를 나타낸 것이다.

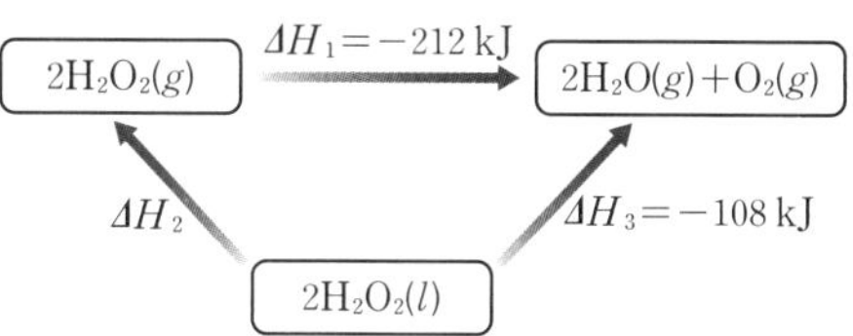

25 ℃, 1기압에서 이에 대한 설명으로 옳은 것만을 〈보기〉에서 있는 대로 고른 것은? (단, H_2O_2와 H_2O에 있는 O−H의 결합 에너지는 모두 같다.)

보기
ㄱ. $\Delta H_2>0$이다.
ㄴ. 생성 엔탈피는 $H_2O_2(g)$가 $H_2O(g)$보다 크다.
ㄷ. $H_2O_2(l)$의 분해 엔탈피는 −108 kJ/mol이다.

① ㄱ　② ㄷ　③ ㄱ, ㄴ
④ ㄴ, ㄷ　⑤ ㄱ, ㄴ, ㄷ

실전! 수능 도전하기

정답과 해설 052쪽

수능 기출

13 표는 25 ℃, 표준 상태에서 4가지 물질에 대한 자료이다.

물질	$NO(g)$	$NO_2(g)$	$N_2(g)$	$O_2(g)$
생성 엔탈피 (kJ/mol)	91	33	0	0
결합 에너지 합 (kJ/mol)	x	y	945	498

25 ℃, 표준 상태에서 이에 대한 설명으로 옳은 것만을 〈보기〉에서 있는 대로 고른 것은?

보기
ㄱ. $2NO(g)+O_2(g) \longrightarrow 2NO_2(g)$ 반응의 반응엔탈피는 -116 kJ/mol이다.
ㄴ. $N(g)$의 생성 엔탈피는 945 kJ/mol이다.
ㄷ. $|x-y|=307$이다.

① ㄱ ② ㄴ ③ ㄱ, ㄷ
④ ㄴ, ㄷ ⑤ ㄱ, ㄴ, ㄷ

14 다음은 이산화 탄소(CO_2)와 일산화 질소(NO)가 반응할 때의 열화학 반응식과 몇 가지 반응의 엔탈피 변화를 나타낸 것이다.

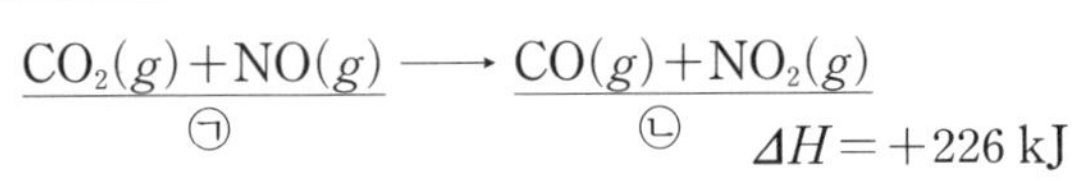

$\underbrace{CO_2(g)+NO(g)}_{㉠} \longrightarrow \underbrace{CO(g)+NO_2(g)}_{㉡}$ $\Delta H=+226$ kJ

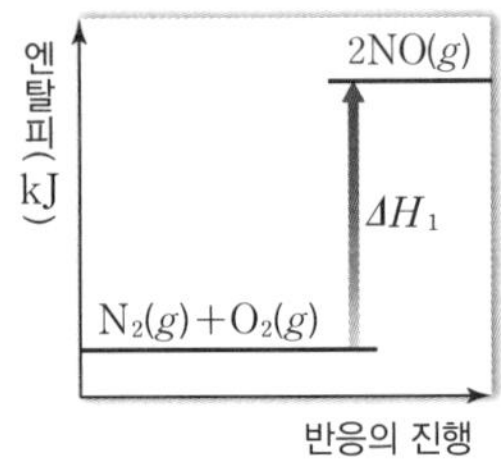

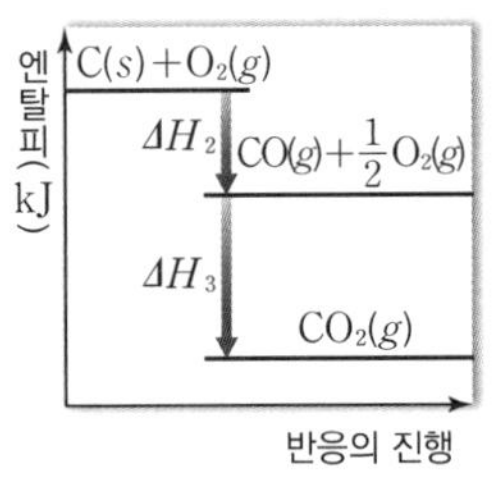

이에 대한 설명으로 옳은 것만을 〈보기〉에서 있는 대로 고른 것은?

보기
ㄱ. 결합 에너지 총합은 ㉠이 ㉡보다 크다.
ㄴ. $C(s$, 흑연$)$의 연소 엔탈피는 ΔH_3이다.
ㄷ. $NO_2(g)$의 생성 엔탈피는 $226+\frac{\Delta H_1}{2}+\Delta H_3$(kJ)이다.

① ㄱ ② ㄷ ③ ㄱ, ㄷ
④ ㄴ, ㄷ ⑤ ㄱ, ㄴ, ㄷ

수능 기출

15 다음은 25 ℃, 표준 상태에서 3가지 열화학 반응식과 반응물의 표준 생성 엔탈피를 비교한 자료이다.

[열화학 반응식]
- $C_2H_2(g) \longrightarrow 2C(s,$ 흑연$)+H_2(g)$ ΔH_1
- $C_2H_4(g) \longrightarrow C_2H_2(g)+H_2(g)$ ΔH_2
- $C_2H_6(g) \longrightarrow C_2H_4(g)+H_2(g)$ ΔH_3

[자료]
- 표준 생성 엔탈피 비교
: $C_2H_2(g)>C_2H_4(g)>C_2H_6(g)$

이에 대한 설명으로 옳은 것만을 〈보기〉에서 있는 대로 고른 것은? (단, $H_2(g)$와 $C(s$, 흑연$)$의 표준 생성 엔탈피는 모두 0이다.)

보기
ㄱ. $\Delta H_2>0$이다.
ㄴ. $|\Delta H_2+\Delta H_3|>|\Delta H_1|$이다.
ㄷ. $\Delta H_1+\Delta H_2+\Delta H_3$은 $C_2H_6(g)$의 표준 생성 엔탈피와 같다.

① ㄱ ② ㄷ ③ ㄱ, ㄴ
④ ㄴ, ㄷ ⑤ ㄱ, ㄴ, ㄷ

16 그림은 25 ℃, 1기압에서 몇 가지 반응에 대한 엔탈피 H를 나타낸 것이다.

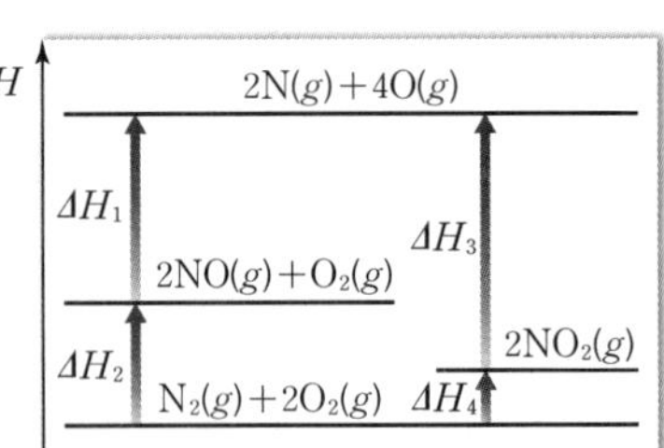

25 ℃, 1기압에서 이에 대한 설명으로 옳은 것만을 〈보기〉에서 있는 대로 고른 것은?

보기
ㄱ. $\Delta H_4=\Delta H_1-\Delta H_3$이다.
ㄴ. $NO(g)$의 분해 엔탈피는 $-\frac{1}{2}\Delta H_2$이다.
ㄷ. $NO_2(g)$의 결합 에너지 총합은 ΔH_3이다.

① ㄱ ② ㄴ ③ ㄱ, ㄴ
④ ㄱ, ㄷ ⑤ ㄴ, ㄷ

2 화학 평형과 평형 이동

배울 내용 살펴보기

01 화학 평형

A 화학 평형
B 평형 상수
C 화학 반응의 진행 방향 예측

가역 반응에서 동적 평형을 이해하고, 평형 상수를 이용해서 반응의 진행 방향을 예측할 수 있어.

02 화학 평형 이동 (1)

A 평형 이동 법칙
B 농도 변화와 평형 이동
C 압력 변화와 평형 이동

농도, 압력 변화에 따른 화학 평형의 이동을 알 수 있지.

03 화학 평형 이동 (2)

A 온도 변화와 평형 이동
B 평형 이동의 활용

온도 변화에 따른 화학 평형의 이동을 르샤틀리에 원리로 알 수 있게 돼.

04 상평형 그림

A 상평형 그림
B 물과 이산화 탄소의 상평형 그림

상평형 그림을 이용하여 물질의 상변화를 이해할 수 있어.

01 화학 평형

핵심 키워드로 흐름잡기

- A 정반응, 역반응, 가역 반응, 비가역 반응, 동적 평형, 화학 평형
- B 화학 평형 법칙, 평형 상수
- C 반응 지수, 반응의 진행 방향 예측

A 화학 평형

|출·제·단·서| 가역 반응과 비가역 반응의 구분, 화학 평형 상태의 특성 및 시간에 따른 반응 속도 또는 농도 그래프를 분석하는 문제가 시험에 나와.

1. 정반응과 역반응

(1) **정반응** 반응물이 생성물로 되는 반응, 즉 화학 반응식에서 오른쪽으로 진행되는 반응으로 화살표 →로 나타낸다.

(2) **역반응** 생성물이 반응물로 되는 반응, 즉 화학 반응식에서 왼쪽으로 진행되는 반응으로 화살표 ←로 나타낸다.

2. 가역 반응과 비가역 반응

암기TiP 가역 반응: 정반응과 역반응이 모두 일어남

(1) 가역 반응

① 반응 조건(농도, 압력, 온도 등)에 따라 정반응과 역반응이 모두 일어날 수 있는 반응이다.

② 가역 반응은 화학 반응식에서 '$\rightleftarrows$'로 나타낸다.

예 물의 상태 변화: $H_2O(l) \rightleftarrows H_2O(g)$ 물의 온도를 높이면 기화되고 물의 온도를 낮추면 액화되므로 온도에 따라 정반응과 역반응이 모두 일어난다.

- 석회 동굴과 종유석, 석순❶의 생성:

$$CaCO_3(s)+CO_2(g)+H_2O(l) \rightleftarrows Ca(HCO_3)_2(aq)$$

- 염화 코발트 종이의 색 변화: 무수 염화 코발트에 물을 묻히면 붉은색으로 변하므로 물을 검출하는 데 사용할 수 있다.

$$\underset{\text{붉은색}}{Co(H_2O)_6^{2+}(aq)}+4Cl^-(aq) \rightleftarrows \underset{\text{푸른색}}{CoCl_4^{2-}(aq)}+6H_2O(l)$$

빈출 탐구 이산화 질소와 사산화 이질소의 가역 반응

목표 기체 반응의 색 변화로부터 가역 반응❷을 확인할 수 있다.

과정

① 갈색의 이산화 질소($NO_2(g)$)와 무색의 사산화 이질소($N_2O_4(g)$) 혼합 기체를 시험관에 넣고 마개를 닫은 후 충분한 시간 동안 실온의 물에 넣는다.

② ①의 시험관을 얼음물에 넣은 후 색깔을 관찰한다.

③ ②의 시험관을 뜨거운 물에 넣은 후 색깔을 관찰한다.

결과

혼합 기체는 시험관은 얼음물에서는 갈색이 옅어지고, 뜨거운 물에서는 갈색이 진해진다.

정반응이 일어난다.
→ 무색의 N_2O_4 기체가 생성되므로 색깔이 옅어진다.
역반응이 일어난다.
→ NO_2 기체의 양이 많아지므로 색깔이 진해진다.

▲ 얼음물 ▲ 실온의 물 ▲ 뜨거운 물

정리

❶ $NO_2(g)$와 $N_2O_4(g)$의 화학 반응식: $\underset{\text{갈색}}{2NO_2(g)} \rightleftarrows \underset{\text{무색}}{N_2O_4(g)}$

❷ 얼음물에서 갈색이 옅어지는 까닭: 정반응이 일어나 갈색의 $NO_2(g)$가 소모되고 무색의 $N_2O_4(g)$가 생성되므로 갈색이 옅어진다.

❸ 뜨거운 물에서 갈색이 진해지는 까닭: 역반응이 일어나 무색의 $N_2O_4(g)$가 소모되고 $NO_2(g)$가 생성되므로 갈색이 진해진다.

➡ $NO_2(g)$의 합성 반응은 온도에 따른 정반응과 역반응이 모두 일어나는 가역 반응임을 알 수 있다.

❶ **종유석과 석순**
- 종유석: 석회 동굴에서 지하수 속 탄산 칼슘 성분이 물이 떨어지는 아래쪽으로 성장하면서 형성된다.
- 석순: 석회 동굴 바닥으로부터 탄산 칼슘 성분이 성장하여 형성된다.

❷ **기체 반응과 동적 평형**
평형 상태의 혼합 기체를 얼음물(또는 뜨거운 물)에 넣으면 정반응(또는 역반응)이 일어나지만 충분한 시간이 지나면 동적 평형에 도달하여 새로운 평형에 도달한다.

평형 상태에서 반응물과 생성물이 일정한 농도비로 공존하는 것을 알 수 있어.

(2) **비가역 반응❸** 한쪽 반향으로만 진행되는 반응으로, 역반응이 정반응에 비해 무시할 수 있을 만큼 거의 일어나지 않는다.

예 • 연소 반응: $CH_4(g)+2O_2(g) \longrightarrow CO_2(g)+2H_2O(l)$

• 기체 발생 반응: $Mg(s)+2HCl(aq) \longrightarrow MgCl_2(aq)+H_2(g)$

• 산 염기 중화 반응: $HCl(aq)+NaOH(aq) \longrightarrow NaCl(aq)+H_2O(l)$

산의 H^+과 염기의 OH^-이 반응하여 물이 생성되는 반응이다.

• 앙금 생성 반응: $NaCl(aq)+AgNO_3(aq) \longrightarrow NaNO_3(aq)+AgCl(s)$

3. 화학 평형

(1) **동적 평형❹** 정반응의 속도와 역반응의 속도가 같아져서 변화가 계속 일어나고 있지만 겉으로 보기에 변화가 일어나지 않는 것처럼 보이는 상태 정반응 속도와 역반응 속도가 0이 되는 것은 아니므로 같은 속도로 정반응과 역반응이 끊임없이 일어나는 동적 평형 상태이다.

(2) **화학 평형❺** 가역 반응에서 정반응의 속도와 역반응의 속도가 같아져서 반응물의 농도와 생성물의 농도가 더 이상 변하지 않고 일정하게 유지되어 겉보기에 반응이 정지된 것처럼 보이는 상태

$$2NO_2(g) \rightleftharpoons N_2O_4(g)$$

갈색 무색

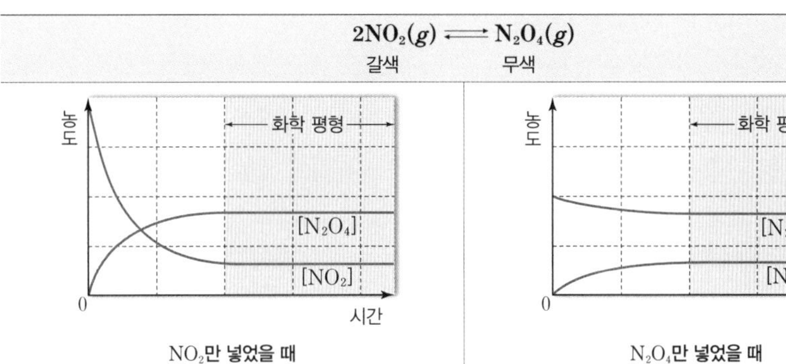

NO_2만 넣었을 때	N_2O_4만 넣었을 때
용기에 NO_2를 넣을 때: 색이 점점 옅어지다가 일정한 시간이 지나면 색이 일정하게 유지된다. ➡ 시간이 지남에 따라 NO_2 농도는 감소하고, N_2O_4의 농도는 증가 한다. ➡ 일정한 시간이 지나면 두 물질의 농도가 일정해지는 화학 평형에 도달한다.	용기에 N_2O_4만 넣을 때: 색이 점점 진해지다다가 일정한 시간이 지나면 색이 일정하게 유지된다. ➡ 시간이 지남에 따라 N_2O_4 의 농도는 감소하고, NO_2의 농도는 증가한다. ➡ 일정한 시간이 지나면 두 물질의 농도가 일정해지는 화학 평형에 도달한다.

▲ 일정한 온도에서 밀폐된 용기에 NO_2만 넣었을 때와 N_2O_4만 넣었을 때 시간에 따른 농도 변화

빈출 자료 아이오딘화 수소 $HI(g)$의 생성 반응과 분해 반응

그림은 1000 K에서 강철 용기에 무색인 $H_2(g)$와 보라색인 $I_2(g)$을 넣고 반응시킬 때 시간에 따른 반응 속도와 농도를 나타낸 것이다.

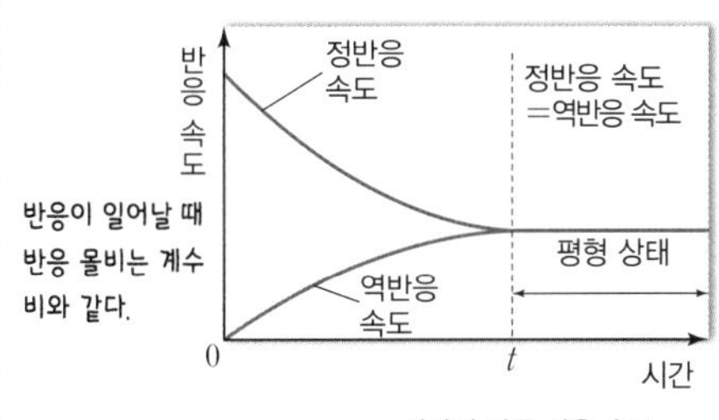

반응이 일어날 때 반응 몰비는 계수비와 같다.

▲ 시간에 따른 반응 속도

평형 상태에서 물질의 몰비는 계수비와 상관없다.

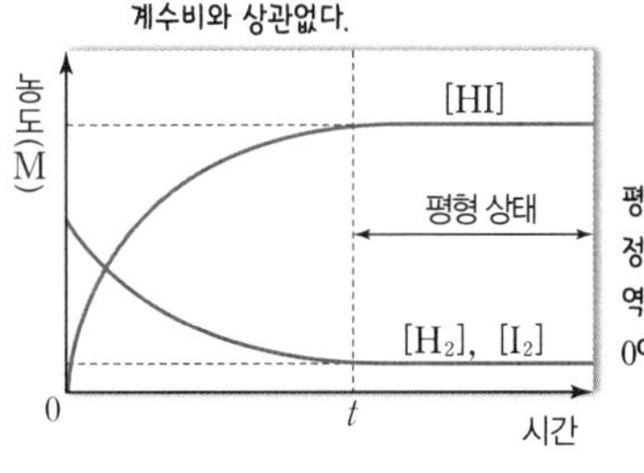

평형 상태에서 정반응 속도와 역반응 속도는 0이 아니다.

▲ 시간에 따른 농도

❶ 강철 용기에서 반응이 일어나면 보라색이 점점 연해지다가 더 이상 연해지지 않는다.

➡ $H_2(g)$와 $I_2(g)$이 반응하여 $HI(g)$가 생성되는 반응이 시간 t에서 동적 평형에 도달했기 때문이다.

$$H_2(g)+I_2(g) \underset{\text{역반응}}{\overset{\text{정반응}}{\rightleftharpoons}} 2HI(g)$$

❷ 시간 t 이후 평형 상태에 도달하면 반응물인 H_2, I_2와 생성물인 HI의 농도가 일정하게 유지된다.

❸ 비가역 반응

어떤 화학 반응에서 발생한 기체가 공기 중으로 날아가 버리면 그 반응은 비가역 반응이다. 앙금이 생성되는 과정도 비가역 반응이다.

❹ 동적 평형

닫힌 그릇 속에 들어 있는 물의 표면에서 물이 수증기로 증발하는 증발 속도와 수증기가 물로 응축되는 응축 속도가 같아지면 물의 양이 일정하게 유지되면서 아무런 변화가 일어나지 않는 것처럼 보인다.

$$H_2O(l) \underset{\text{응축}}{\overset{\text{증발}}{\rightleftharpoons}} H_2O(g)$$

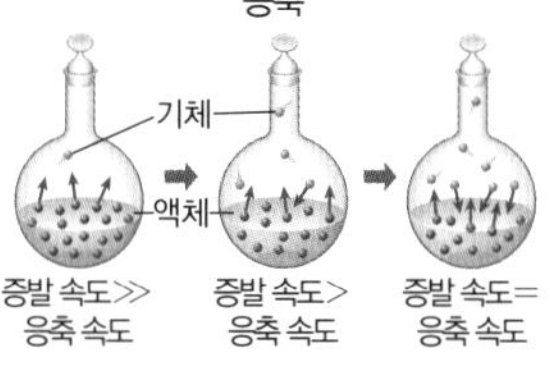

▲ 액체와 기체의 동적 평형

평형 상태에서는 증발 속도와 응축 속도가 같아 겉보기에 물이 증발하지 않는 것처럼 보인다.

❺ 화학 평형

온도가 일정할 때 반응물이나 생성물 중 한 가지만 넣어 주거나 반응물과 생성물의 혼합물을 넣어 주어도 동일한 평형에 도달한다.

용어 알기

• 증발(더울 蒸, 떠날 發) 액체의 표면에서 액체에서 기체로 상태가 변하는 현상

• 응축(엉길 凝, 줄일 縮) 액체 표면에서 기체 분자가 에너지를 잃고 액체로 상태가 변하는 현상

❻ **동적 평형**

- 정반응 속도와 역반응 속도가 같으므로 정반응과 역반응이 같은 속도로 끊임 없이 일어나는 상태이다.
- 정반응 속도와 역반응 속도가 같은 것이지 속도가 0인 것은 아니다.

❼ **화학 평형과 물질의 농도**

일단 평형 상태에 도달하면 물질들은 온도나 압력 등의 반응 조건을 변화시키지 않는 한 그 상태를 그대로 유지한다.

❽ **평형 농도**

물질이 평형 상태일 때의 농도

❾ **평형 상수의 표현**

같은 화학 반응이라도 화학 반응식의 계수를 다르게 쓰면 평형 상수의 표현이 달라진다.

$2NO_2(g) \rightleftharpoons N_2O_4(g)$

➡ $K=\frac{[N_2O_4]}{[NO_2]^2}$

$NO_2(g) \rightleftharpoons \frac{1}{2}N_2O_4(g)$

➡ $K=\frac{[N_2O_4]^{\frac{1}{2}}}{[NO_2]}$

➕ **온도와 평형 상수**

발열 반응의 경우 온도가 올라가면 평형 상수가 작아지고, 흡열 반응의 경우 온도가 올라가면 평형 상수가 커진다.

(3) 화학 평형 상태의 특징 암기TiP 평형 상태: 정반응 속도=역반응 속도≠0, 평형 농도비≠계수비

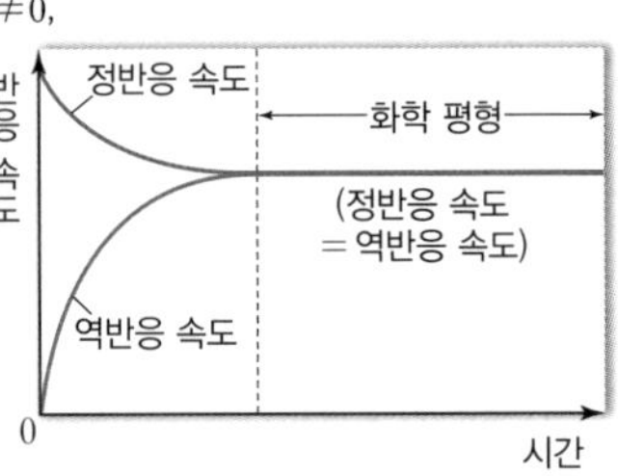

① 밀폐된 용기에서 일어나는 가역 반응에서만 이루어진다.

② 정반응의 속도와 역반응의 속도가 같은 동적 평형❻이다.

③ 반응물과 생성물의 농도가 일정❼하게 유지된다. (평형 상태에서 반응물과 생성물의 농도가 일정하게 유지된다는 것은 반응물과 생성물의 농도가 같다는 뜻은 아니다.)

④ 반응물과 생성물의 농도 비는 화학 반응식의 계수비와 무관하다. ➡ 화학 반응식의 계수비는 평형에 도달할 때까지 반응물이 감소한 농도와 생성물이 증가한 농도 비에 해당한다.

B 평형 상수

|출·제·단·서| 평형 상수의 특징, 반응물과 생성물의 농도를 이용하여 평형 상수를 계산하는 문제가 시험에 나와!

1. 화학 평형 법칙 일정한 온도에서 어떤 반응이 화학 평형 상태에 있을 때, 반응물의 농도 곱에 대한 생성물의 농도 곱의 비는 항상 일정하게 나타나는데, 이를 화학 평형 법칙(질량 작용 법칙)이라고 한다.

예 $N_2O_4(g) \rightleftharpoons 2NO_2(g)$, $\frac{[NO_2]^2}{[N_2O_4]}$=일정($[N_2O_4]$, $[NO_2]$는 평형 농도❽)

2. 평형 상수❾

(1) 평형 상수 K 화학 반응이 평형 상태에 있을 때, 반응물의 농도 곱에 대한 생성물의 농도 곱의 비

> A(g)와 B(g)가 반응하여 C(g)와 D(g)가 생성되는 반응이 평형 상태일 때,
>
> $$aA(g)+bB(g) \rightleftharpoons cC(g)+dD(g)$$
>
> $K=\frac{[C]^c[D]^d}{[A]^a[B]^b}$ ([A], [B], [C], [D]: 평형 상태에서 각 물질의 농도)

(2) 평형 상수 K의 특징 일반적으로 평형 상수는 물질의 몰 농도를 이용하여 계산하지만 기체 반응의 경우 몰 농도 대신 부분 압력을 사용한다. 일반적으로 단위를 사용하지 않는다.

① 평형 상수는 온도에 의해서만 변한다.

➡ 일정한 온도에서는 반응물의 초기 농도에 관계없이 일정한 값을 갖는다.

② 화학 반응식의 계수에 따라 평형 상수식이 달라진다.

예 어떤 온도에서 $H_2(g)+I_2(g) \rightleftharpoons 2HI(g)$ 반응의 평형 상수가 $K=100$이라면 $\frac{1}{2}H_2(g)+\frac{1}{2}I_2(g) \rightleftharpoons HI(g)$ 반응의 평형 상수는 $K=10$이다.

③ 정반응의 평형 상수가 K이면 역반응의 평형 상수는 $\frac{1}{K}$이다.

예 $N_2O_4(g) \rightleftharpoons 2NO_2(g)$의 반응이 어떤 온도에서 평형을 이루고 있을 때 정반응의 평형 상수 $K=\frac{[NO_2]^2}{[N_2O_4]}$, 역반응의 평형 상수 $K'=\frac{[N_2O_4]}{[NO_2]^2}=\frac{1}{K}$

④ 고체 물질이나 용매는 평형 상수식에 포함시키지 않는다.

예 $CaCO_3(s) \rightleftharpoons CaO(s)+CO_2(g)$의 반응에서 평형 상수식 $K=[CO_2]$

보충 자료 압력 평형 상수 K_p

> **기체의 반응이 평형 상태에 있을 때 성분 기체의 농도는 기체의 부분 압력에 비례하므로 평형 상수를 농도 대신 압력으로 나타낼 수 있다.**
>
> $$aA(g)+bB(g) \rightleftharpoons cC(g)+dD(g)$$
>
> $K_p=\frac{P_C{}^c \cdot P_D{}^d}{P_A{}^a \cdot P_B{}^b}$ (P_A, P_B, P_C, P_D는 평형 상태에서 각 기체의 압력)

빈출 자료 평형 상수식의 결정⑩

표는 일정한 온도에서 NO_2와 N_2O_4의 초기 농도를 달리하여 용기에 넣고 밀폐한 다음 평형에 도달하였을 때 각각의 ●평형 농도를 나타낸 것이다.

$$2NO_2(g) \rightleftharpoons N_2O_4(g)$$

[ ]는 몰 농도를 뜻한다.

실험	초기 농도(M)		평형 농도(M)		평형에서의 농도 관계		
	$[NO_2]$	$[N_2O_4]$	$[NO_2]$	$[N_2O_4]$	$\frac{[N_2O_4]}{[NO_2]}$	$\frac{[N_2O_4]}{2[NO_2]}$	$\frac{[N_2O_4]}{[NO_2]^2}$
I	0.0600	0	0.0107	0.0246	2.300	1.150	214.9
II	0	0.0400	0.0125	0.0337	2.700	1.350	215.7
III	0.0600	0.0200	0.0141	0.0429	3.040	1.520	215.9

➡ 평형 농도를 식에 대입하면 $\frac{[N_2O_4]}{[NO_2]^2}$의 값만 거의 일정하게 나타남을 알 수 있다.

따라서 평형 상수식은 $K=\frac{[N_2O_4]}{[NO_2]^2}$가 된다.

실험 I과 II로부터 온도가 일정할 때 반응물만 넣고 반응시키거나, 생성물만 넣고 반응시켜도 동일한 평형 상태에 도달함을 알 수 있다.

(4) 평형 상수 구하기

① 주어진 반응의 화학 반응식을 완성한다.

② 화학 반응식으로부터 평형 상수식을 쓴다.

③ 계수비를 이용하여 각 물질의 평형 농도⑪를 구한다.

④ 평형 상수식에 평형 농도를 대입하여 평형 상수를 구한다.

빈출 계산연습 평형 상수 K 구하기

t ℃에서 1 L의 강철 용기에 $N_2O_4(g)$ 0.4몰을 넣고 반응시켰더니 $NO_2(g)$ 0.4몰이 생성되었다. 이 반응의 평형 상수를 구하시오.

1단계 기체 반응의 화학 반응식을 완성한다.

➡ $N_2O_4(g) \rightleftharpoons 2NO_2(g)$

2단계 화학 반응의 평형 상수식을 쓴다. ➡ $K=\frac{[NO_2]^2}{[N_2O_4]}$

3단계 화학 반응식의 계수비로부터 양적 관계를 이용하여 평형 농도를 구한다.

➡

	$N_2O_4(g)$	$\rightleftharpoons$ $2NO_2(g)$
처음 농도(mol/L)	0.4	0
반응 농도(mol/L)	−0.2	+0.4
평형 농도(mol/L)	0.2	+0.4

반응 농도비는 계수비와 같으므로 $N_2O_4 : NO_2 = 1 : 2$의 몰비로 반응한다.

4단계 평형 상수식에 평형 농도를 대입하여 평형 상수를 구한다.

➡ $K=\frac{[NO]^2}{[N_2O_4]}=\frac{0.4^2}{0.2}=0.8$

개념 POOL

3. 평형 상수의 의미⑫

암기TIP $K>1$ → 정반응 우세, $K<1$ → 역반응 우세

구분	평형 상수(K)가 클 때($K>1$)	평형 상수(K)가 작을 때($K<1$)
평형 상태에서의 농도	반응물의 농도 < 생성물의 농도	반응물의 농도 > 생성물의 농도
평형의 치우침	정반응이 우세하게 일어난 상태로 평형에 도달	역반응이 우세하게 일어난 상태로 평형에 도달
예	$N_2(g)+3H_2(g) \rightleftharpoons 2NH_3(g)$ $K=6.8\times10^5$ ➡ 평형 상태에서 대부분 NH_3로 존재	$N_2(g)+O_2(g) \rightleftharpoons 2NO(g)$ $K=1.0\times10^{-25}$ ➡ 평형 상태에서 대부분 N_2, O_2로 존재

⑩ 평형 농도와 평형 상수식

반응의 조건이 변하지 않으면 평형 농도는 일정하게 유지되므로 반응물과 생성물의 농도 비가 일정한 식을 찾아 평형 상수식으로 나타낸다.

⑪ 평형 농도 구하기

평형 상태의 농도가 주어지지 않았을 경우에는 화학 반응식의 계수로부터 물질의 양적 관계를 이용하여 평형 농도를 구해야 한다.

- 반응물의 평형 농도(M)=처음 농도(M)−반응한 농도(M)
- 생성물의 평형 농도(M)=처음 농도(M)+반응한 농도(M)

⑫ 평형 상수의 의미

$K>1$일 때 정반응 우세

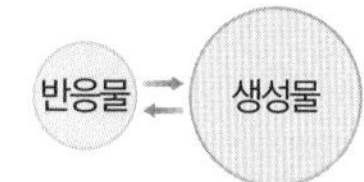

$K<1$일 때 역반응 우세

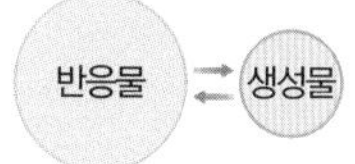

용어 알기

● 평형(평평할 平, 저울 衡) 사물이 한쪽으로 기울지 않고 안정해 있음

C 화학 반응의 진행 방향 예측

|출·제·단·서| 반응 지수와 평형 상수를 비교하여 반응의 진행 방향을 예측하는 문제가 시험에 나와!

1. 평형 상수 K와 반응의 진행 방향

현재의 농도를 평형 상수식에 대입한 값(반응 지수)을 평형 상수와 비교하여 반응의 진행 방향을 예측할 수 있다.

2. 반응 지수 Q

평형 상수식에 현재의 농도를 대입하여 계산한 값이다.

> A(g)와 B(g)가 반응하여 C(g)와 D(g)가 생성되는 반응
>
> 평형 상수는 평형 농도를, 반응 지수는 현재 농도를 이용하여 구한다.
>
> $$aA(g)+bB(g) \rightleftharpoons cC(g)+dD(g)$$
>
> 반응 지수 $Q=\frac{[C]^c[D]^d}{[A]^a[B]^b}$ ([A], [B], [C], [D]: 현재 상태에서 각 물질의 농도)

3. 반응의 진행 방향[13] 예측

일정 온도에서 어떤 반응은 항상 평형 상수 K에 도달할 때까지 진행된다. (암기TiP) $Q<K$이면 정반응 진행, $Q>K$이면 역반응 진행

(1) $Q<K$인 경우 평형 상태와 비교할 때 반응물의 농도가 생성물의 농도보다 상대적으로 커서 평형 상태에 도달하려면 반응물이 소모되어야 한다.

➡ 정반응 쪽으로 진행(정반응 속도 > 역반응 속도)

(2) $Q=K$인 경우 반응이 진행되지 않는 것처럼 보이는 동적 평형에 도달한 상태

➡ 평형 상태(정반응 속도 = 역반응 속도)

(3) $Q>K$인 경우 평형 상태와 비교할 때 생성물의 농도가 반응물의 농도보다 상대적으로 커서 평형 상태에 도달하려면 생성물이 소모되어야 한다.

➡ 역반응 쪽으로 진행 (정반응 속도 < 역반응 속도)

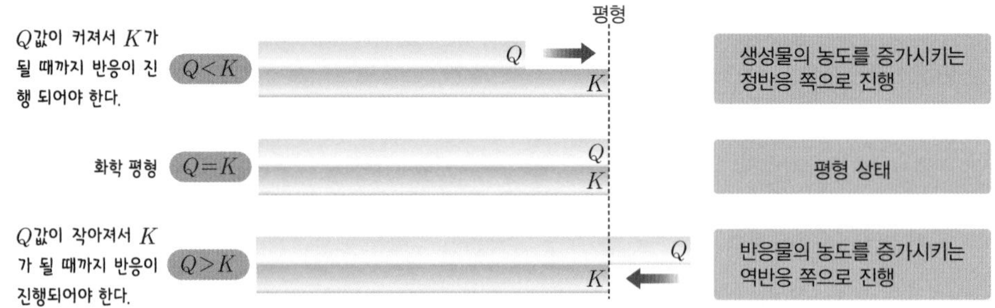
평형
Q값이 커져서 K가 될 때까지 반응이 진행 되어야 한다.
Q<K
Q
K
생성물의 농도를 증가시키는 정반응 쪽으로 진행
화학 평형
Q=K
Q
K
평형 상태
Q값이 작아져서 K가 될 때까지 반응이 진행되어야 한다.
Q>K
Q
K
반응물의 농도를 증가시키는 역반응 쪽으로 진행

▲ 일정한 온도에서 Q와 K를 비교하여 반응의 방향 예측하기

[13] 반응의 진행 방향

- 반응물의 현재 농도가 평형 농도보다 큰 경우 ➡ $Q<K$이므로 정반응이 일어난다.
- 반응물의 현재 농도가 평형 농도보다 작은 경우 ➡ $Q>K$이므로 역반응이 일어난다.

⊕ 반응 지수와 평형 상수의 관계

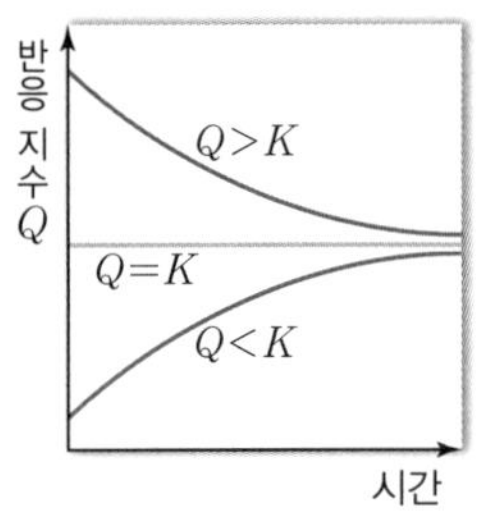
반응 지수 Q
Q>K
Q=K
Q<K
시간

Q가 크다는 것은 이미 반응이 많이 진행되었다는 뜻이니까 K가 될 때까지 역반응!

빈출 자료 반응의 진행 방향 예측

자료

다음은 수소(H_2) 기체와 아이오딘(I_2) 기체가 반응하여 아이오딘화 수소(HI) 기체가 생성되는 반응의 화학 반응식과 t ℃에서의 평형 상수이다.

$$H_2(g)+I_2(g) \rightleftharpoons 2HI(g) \qquad K=\frac{[HI]^2}{[H_2][I_2]}=10$$

t ℃에서 1 L의 강철 용기에 H_2, I_2, HI를 각각 1몰, 2몰, 3몰씩 넣고 반응시킬 때, 이 반응은 어느 쪽으로 진행되는지 예측하시오.

결과

❶ $H_2(g)$, $I_2(g)$, HI(g)의 몰 농도를 구한다. ➡ $[H_2]=1$ M, $[I_2]=2$ M, $[HI]=3$ M

❷ 반응 지수 Q를 구한다. ➡ $Q=\frac{[HI]^2}{[H_2][I_2]}=\frac{3^2}{1\times2}=4.5$

❸ 평형 상수 K와 반응 지수 Q를 비교하여 반응의 진행 방향을 예측한다.

➡ 반응 지수 Q가 평형 상수 K보다 작으므로 이 반응이 평형 상태가 되기 위해서는 Q 값이 증가하는 방향인 정반응 쪽으로 반응이 진행된다.

용어 알기

- 상수(항상 常, 셀 數) 어느 관계를 통해서 변하지 않는 값을 갖는 수

개념을 알기
쉽게 풀어주는
개념
POOL

평형 상수의 의미

평형 상수는 평형에서의
반응물과 생성물의 농도비와
관련되며, 평형에 이르는
속도와는 무관하다.

목표 가역 반응에서 평형 상수와 평형 상태에서 반응물과 생성물의 농도를 비교할 수 있다.

구분	$A \rightleftarrows B$, $K=\frac{[B]}{[A]}$에서 평형 상수가 1보다 매우 클 때	평형 상수가 1보다 매우 작을 때
2 평형 상태에서 농도 비교	반응 몰 농도비＝화학 반응식의 계수비 / [동적 평형] 정반응 속도＝역반응 속도 / 그래프: 농도(M)–시간, $K>1$, 화학 평형, [B], [A], 감소한 반응물의 물농도, 증가한 생성물의 물농도 / 반응물 ⇄ 생성물 K≫1: 평형 상태에서 생성물이 반응물보다 많다.	그래프: 농도(M)–시간, $K<1$, 화학 평형, [A], [B] / 반응물 ⇄ 생성물 K≪1: 평형 상태에서 반응물이 생성물보다 많다.
3 화학 평형	정반응이 더 우세하게 일어나 생성물이 더 생성되는 쪽에서 평형이 이루어진다.	역반응이 우세하게 일어나 반응물이 더 남아있는 쪽에서 평형이 이루어진다.

4 예

(가)는 강철 용기에 $N_2(g)$ 1몰과 $H_2(g)$ 1몰이 들어 있고, (나)는 강철 용기에 $N_2(g)$ 1몰과 $O_2(g)$ 1몰이 들어 있다. (단, (가)와 (나)의 부피는 모두 같다.)

(가)	(나)
$N_2(g)+3H_2(g) \rightleftarrows 2NH_3(g)$ $K=7\times10^5$ $N_2(g)$ 1 몰, $H_2(g)$ 1 몰	$N_2(g)+O_2(g) \rightleftarrows 2NO(g)$ $K=1\times10^{-25}$ $N_2(g)$ 1 몰, $O_2(g)$ 1 몰

5 분석

- (가)의 평형 상수는 매우 크므로 (가)는 정반응이 우세한 반응이다.
  ➡ 평형에 도달한 후 반응물과 생성물의 농도: $[NH_3]^2>[N_2][H_2]^3$
- (나)의 평형 상수는 매우 작으므로 (나)는 역반응이 우세한 반응이다.
  ➡ 평형에 도달한 후 반응물과 생성물의 농도: $[N_2][O_2]>[NO]^2$
- 평형에 도달한 후 용기 속에 들어 있는 N_2의 양: (가)<(나)

한·줄·핵심 $K>1$인 가역 반응은 정반응이 우세한 반응이고, $K<1$인 가역 반응은 역반응이 우세한 반응이다.

확인 문제

정답과 해설 055쪽

01 ㉠, ㉡에 들어갈 알맞은 말을 쓰시오.

> K가 매우 큰 반응은 생성물 농도>반응물 농도이므로 (㉠)이 우세하게 진행되어 평형에 도달하고, K가 매우 작은 반응은 반응물 농도>생성물 농도이므로 (㉡)이 우세하게 진행되어 평형에 도달한다.

02 다음 설명 중 옳은 것은 ○, 옳지 않은 것은 ×로 표시하시오.

(1) 정반응이 우세한 반응의 평형 상수는 1보다 크다. ( )

(2) 역반응이 우세한 반응은 평형 상태에서 생성물의 농도가 반응물의 농도보다 크다. ( )

(3) $K>1$인 반응은 평형 상태에서 정반응 속도가 역반응 속도보다 빠르다. ( )

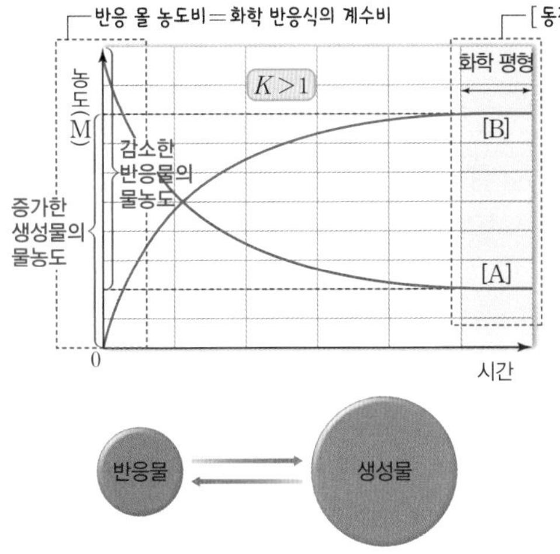

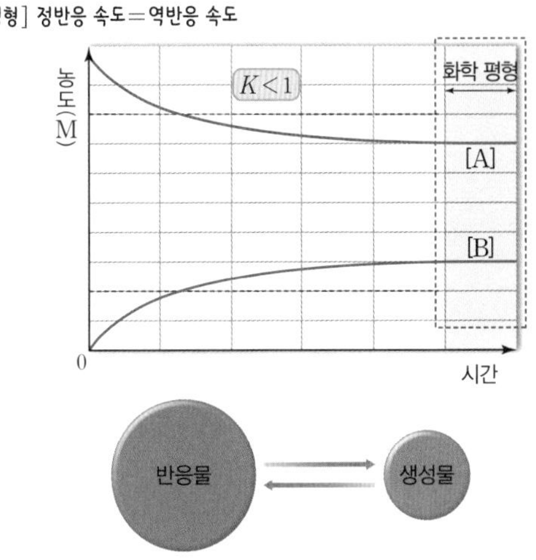

콕콕! 개념 확인하기

정답과 해설 055쪽

✔ 잠깐 확인!

1. ▢▢ ▢▢
정반응과 역반응이 모두 일어날 수 있는 반응

2. ▢▢ ▢▢
정반응 속도와 역반응 속도가 같아져 겉으로 보기에 아무런 변화가 없는 것처럼 보이는 상태

3. ▢▢ ▢▢
정반응 속도와 역반응 속도가 같아져 반응물과 생성물의 농도가 일정하게 유지되는 상태

4. ▢▢ 농도
어떤 반응이 평형 상태에 있을 때의 물질의 몰 농도

5. ▢▢ ▢▢
평형 상태에서 반응물의 농도 곱에 대한 생성물의 농도 곱의 비를 나타낸 값

6. 어떤 반응이 ▢▢ 반응인 경우 온도가 증가할수록 평형 상수는 작아진다.

7. K▢1인 경우 평형이 생성물 쪽으로 치우쳐 있으므로 정반응이 우세하다.

8. ▢▢ ▢▢
평형 상수식에 현재 농도를 대입한 값

A 화학 평형

01 화학 평형에 대한 설명으로 옳은 것은 ○, 옳지 않은 것은 ×로 표시하시오.

(1) 정반응 속도와 역반응 속도가 같은 동적 평형이다. ( )

(2) 반응물과 생성물의 농도가 일정하게 유지된다. ( )

(3) 반응물과 생성물의 농도비는 화학 반응식의 계수비와 항상 같다. ( )

02 다음은 질소 기체와 수소 기체로부터 암모니아가 생성되는 반응의 화학 반응식이다.

$$N_2(g)+3H_2(g) \rightleftharpoons 2NH_3(g)$$

밀폐 용기에서 $N_2(g)$와 $H_2(g)$를 넣고 반응시킨 후 평형 상태에 도달했을 때, 용기 속에 들어 있는 기체를 모두 쓰시오.

B 평형 상수

03 다음은 화학 평형 법칙에 대한 설명이다. ㉠, ㉡에 들어갈 알맞은 말을 쓰시오.

일정한 온도에서 $A(g)+B(g) \rightleftharpoons C(g)+D(g)$ 반응이 (㉠)에 있을 때, 반응물의 농도 곱에 대한 생성물의 농도 곱의 비는 항상 일정하게 나타난다. 이를 화학 평형 법칙이라고 하며, 이때 $\frac{[C][D]}{[A][B]}$를 (㉡)(이)라고 한다.

04 평형 상수에 대한 설명으로 옳은 것은 ○, 옳지 않은 것은 ×로 표시하시오.

(1) 화학 반응식의 계수에 따라 평형 상수식이 달라진다. ( )

(2) 평형 상수는 온도와 압력에 따라 변한다. ( )

(3) 정반응의 평형 상수가 K일 때 역반응의 평형 상수는 $\frac{1}{K}$이다. ( )

(4) 고체나 용매의 경우에도 평형 상수식에 포함하여 나타낸다. ( )

05 다음 반응의 평형 상수식을 쓰시오.

$$N_2(g)+3H_2(g) \rightleftharpoons 2NH_3(g)$$

C 화학 반응의 진행 방향 예측

06 반응 지수 Q와 평형 상수 K를 비교하여 반응의 진행 방향을 예측하여 연결하시오.

(1) $Q>K$인 경우 • • ㉠ 화학 평형 상태

(2) $Q<K$인 경우 • • ㉡ 정반응이 일어남

(3) $Q=K$인 경우 • • ㉢ 역반응이 일어남

탄탄! 내신 다지기

정답과 해설 056쪽

A 화학 평형

01 역반응이 일어날 수 있는 반응은?

① 광합성 ② 중화 반응
③ 메테인의 연소 반응 ④ 앙금 생성 반응
⑤ 마그네슘과 염산의 반응

02 어떤 반응이 평형 상태에 있을 때, 이에 대한 설명으로 옳은 것만을 〈보기〉에서 있는 대로 고른 것은?

보기
ㄱ. 동적 평형 상태이다.
ㄴ. 정반응 속도가 역반응 속도보다 빠르다.
ㄷ. 시간이 지나도 반응물과 생성물의 농도비는 일정하다.

① ㄱ ② ㄴ ③ ㄱ, ㄷ
④ ㄴ, ㄷ ⑤ ㄱ, ㄴ, ㄷ

03 그림은 $H_2(g)+I_2(g) \rightleftharpoons 2HI(g)$의 반응에서 강철 용기에 $H_2(g)$와 $I_2(g)$을 넣고 반응시켰을 때 시간에 따른 물질의 몰 농도를 나타낸 것이다.

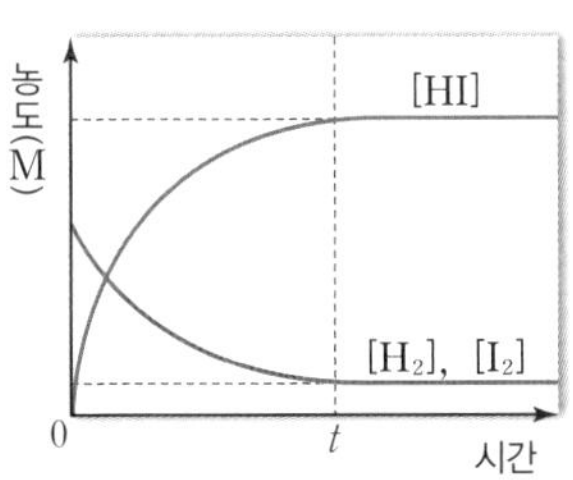

이에 대한 설명으로 옳은 것만을 〈보기〉에서 있는 대로 고른 것은? (단, 온도는 일정하다.)

보기
ㄱ. t에서 평형 상태에 도달한다.
ㄴ. t 이후 반응은 진행되지 않는다.
ㄷ. $0\sim t$까지 각 물질의 농도 변화량 비는 화학 반응식의 계수비와 같다.

① ㄱ ② ㄴ ③ ㄱ, ㄴ
④ ㄱ, ㄷ ⑤ ㄱ, ㄴ, ㄷ

B 평형 상수

04 평형 상수에 대한 설명으로 옳은 것만을 〈보기〉에서 있는 대로 고른 것은?

보기
ㄱ. 평형 상수는 온도와 압력에 의해서 달라진다.
ㄴ. 정반응의 평형 상수와 역반응의 평형 상수는 역수 관계에 있다.
ㄷ. 평형 상수가 1보다 큰 반응은 반응물이 많이 남아 있는 상태에서 평형을 이룬다.

① ㄱ ② ㄴ ③ ㄱ, ㄴ
④ ㄴ, ㄷ ⑤ ㄱ, ㄴ, ㄷ

단답형

05 다음 반응의 평형 상수식을 쓰시오.

(1) $N_2(g)+O_2(g) \rightleftharpoons 2NO(g)$
(2) $CaCO_3(s) \rightleftharpoons CaO(s)+CO_2(g)$

06 다음은 t ℃에서 질소(N_2)와 수소(H_2)가 반응하여 암모니아(NH_3)를 생성하는 반응의 화학 반응식과 농도로 정의되는 평형 상수이다.

$$N_2(g)+3H_2(g) \rightleftharpoons 2NH_3(g) \quad K=8$$

t ℃에서 부피가 1 L인 강철 용기에 N_2 1몰과 H_2 3몰을 넣은 후 평형에 도달하였을 때, 이에 대한 설명으로 옳은 것만을 〈보기〉에서 있는 대로 고른 것은?

보기
ㄱ. 역반응의 평형 상수는 $\frac{1}{8}$이다.
ㄴ. 용기 속에는 $NH_3(g)$ 2몰이 들어 있다.
ㄷ. 용기에 들어 있는 기체의 몰 농도는 H_2가 N_2의 3배이다.

① ㄱ ② ㄴ ③ ㄱ, ㄴ
④ ㄱ, ㄷ ⑤ ㄱ, ㄴ, ㄷ

07 그림은 $A(g) \rightleftharpoons B(g)$ 반응의 평형 상태에서 반응물과 생성물의 몰 농도 관계를 나타낸 것이다.

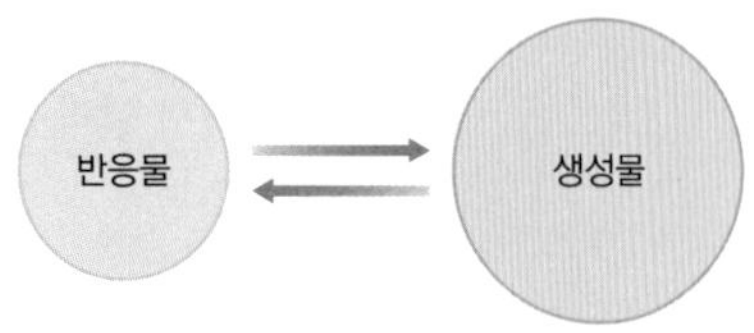

이에 대한 설명으로 옳은 것만을 〈보기〉에서 있는 대로 고른 것은? (단, 온도는 일정하다.)

보기
ㄱ. 정반응이 우세한 반응이다.
ㄴ. 평형 상수는 1보다 크다.
ㄷ. 반응이 일어날 때 몰 농도의 변화량은 B가 A보다 크다.

① ㄱ ② ㄷ ③ ㄱ, ㄴ
④ ㄴ, ㄷ ⑤ ㄱ, ㄴ, ㄷ

08 다음은 기체 A가 반응하여 기체 B가 생성되는 반응의 화학 반응식이다.

$aA(g) \rightleftharpoons bB(g)$ (a, b는 반응 계수)

그림은 강철 용기에 기체 A를 넣고 반응시켰을 때 시간에 따른 A, B의 농도를 나타낸 것이다.

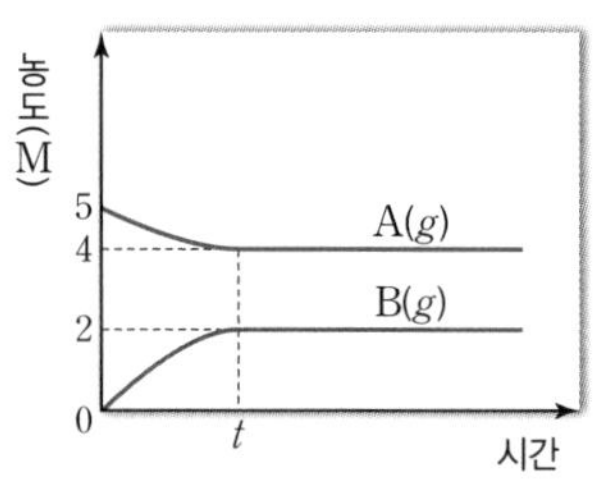

이에 대한 설명으로 옳은 것만을 〈보기〉에서 있는 대로 고른 것은? (단, 온도는 일정하다.)

보기
ㄱ. $a : b = 2 : 1$이다.
ㄴ. 평형 상수는 1이다.
ㄷ. 시간 t 이후 정반응 속도와 역반응 속도는 같다.

① ㄱ ② ㄴ ③ ㄱ, ㄷ
④ ㄴ, ㄷ ⑤ ㄱ, ㄴ, ㄷ

09 다음은 수소 기체와 아이오딘 기체가 반응하여 아이오딘화 수소 기체가 생성되는 반응의 화학 반응식과 농도로 정의되는 평형 상수를 나타낸 것이다.

$H_2(g) + I_2(g) \rightleftharpoons 2HI(g) \quad K$

일정한 온도에서 1 L의 밀폐 용기 속에 H_2 1몰과 I_2 0.6몰을 넣고 반응시켰더니 HI 0.8몰이 생성된 후 평형에 도달하였다. 이에 대한 설명으로 옳은 것만을 〈보기〉에서 있는 대로 고른 것은?

보기
ㄱ. 반응한 H_2의 양은 0.4몰이다.
ㄴ. 평형 상태에서 $[I_2] = 0.2$ M이다.
ㄷ. $K < 5$이다.

① ㄱ ② ㄷ ③ ㄱ, ㄴ
④ ㄴ, ㄷ ⑤ ㄱ, ㄴ, ㄷ

단답형

10 다음은 25 ℃에서 어떤 반응의 화학 반응식과 농도로 정의되는 평형 상수를 나타낸 것이다.

$A(g) + 3B(g) \rightleftharpoons 2C(g) \quad K_1$

(1) 25 ℃에서 반응 $2A(g) + 6B(g) \rightleftharpoons 4C(g)$의 평형 상수를 구하시오.
(2) 25 ℃에서 반응 $2C(g) \rightleftharpoons A(g) + 3B(g)$의 평형 상수를 구하시오.

11 다음은 기체 A와 B가 반응하여 기체 C를 생성하는 화학 반응식이다.

$2A(g) + B(g) \rightleftharpoons 2C(g)$

t ℃에서 부피가 1 L인 강철 용기에 A x몰, B 1몰을 넣고 반응시켰더니 평형에 도달하였을 때 C 1.6몰이 생성되었고, A 0.4몰과 B y몰이 남아 있었다.
$x + y$는?

① 2 ② 2.2 ③ 2.4
④ 2.8 ⑤ 3.2

C 화학 반응의 진행 방향 예측

12 반응 지수 Q와 평형 상수 K에 대한 설명으로 옳지 않은 것은?

① K는 평형 상수식에 평형 농도를 대입한 값이다.
② Q는 평형 상수식에 현재 농도를 대입한 값이다.
③ K가 Q보다 큰 경우 정반응이 일어난다.
④ $\frac{Q}{K}=1$인 경우 평형 상태이다.
⑤ 반응 초기 정반응이 일어난다면 이때 $Q>K$이다.

13 그림은 t ℃에서 어떤 반응의 반응 지수와 평형 상수를 비교하여 나타낸 것이다. t ℃에서 이에 대한 설명으로 옳은 것만을 〈보기〉에서 있는 대로 고른 것은? (단, 온도는 일정하다.)

보기
ㄱ. 반응이 일어나면 반응물의 농도는 증가한다.
ㄴ. 반응 초기 정반응의 속도는 역반응의 속도보다 크다.
ㄷ. 생성물의 몰 농도는 반응 초기가 평형일 때보다 크다.

① ㄱ　② ㄴ　③ ㄱ, ㄷ　④ ㄴ, ㄷ　⑤ ㄱ, ㄴ, ㄷ

단답형

14 다음은 기체 A가 반응하여 기체 B가 생성되는 반응의 화학 반응식과 농도로 정의되는 평형 상수 K를 나타낸 것이다.

$$A(g) \rightleftharpoons 2B(g) \quad K=2$$

부피가 1 L인 강철 용기에 $A(g)$ 1몰과 $B(g)$ 1몰을 넣었을 때 반응의 진행 방향을 예측하시오.

15 다음은 기체 A와 B가 반응하여 기체 C가 생성되는 반응의 화학 반응식이다.

$$A(g)+B(g) \rightleftharpoons 2C(g)$$

표는 부피가 1 L인 강철 용기에 기체를 넣고 반응시킬 때 평형 농도를 나타낸 것이다.

실험	온도(℃)	평형 농도(M)		
		A	B	C
Ⅰ	25	1	2	2
Ⅱ	25	2	x	2

이에 대한 설명으로 옳은 것만을 〈보기〉에서 있는 대로 고른 것은?

보기
ㄱ. 실험 Ⅰ에서 평형 상수는 2이다.
ㄴ. $x=2$이다.
ㄷ. 25 ℃에서 강철 용기에 A~C 각 1몰을 넣었을 때 역반응이 일어난다.

① ㄱ　② ㄴ　③ ㄱ, ㄷ　④ ㄴ, ㄷ　⑤ ㄱ, ㄴ, ㄷ

16 그림은 t ℃에서 강철 용기 속에 $A(g)$와 $B(g)$를 넣고 반응시킬 때, 시간에 따른 각 물질의 농도 변화를 나타낸 것이다.

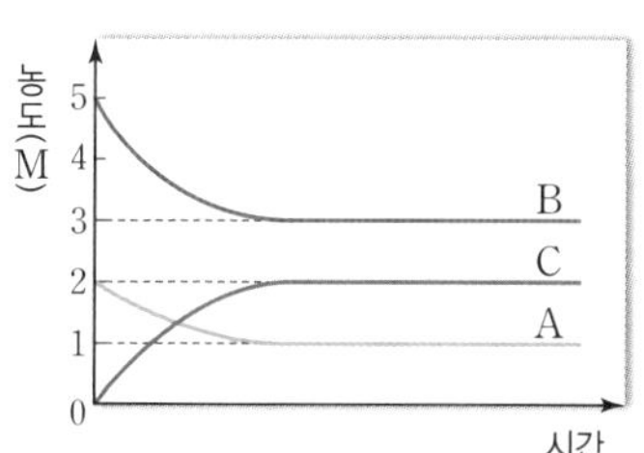

t ℃에서 이에 대한 설명으로 옳은 것만을 〈보기〉에서 있는 대로 고른 것은? (단, 온도는 일정하다.)

보기
ㄱ. 화학 반응식은 $A(g)+3B(g) \rightleftharpoons 2C(g)$이다.
ㄴ. t ℃에서 평형 상수는 $\frac{4}{9}$이다.
ㄷ. 반응 초기 각 물질의 농도가 [A]=2 M, [B]=2 M, [C]=2 M인 경우 역반응이 일어난다.

① ㄱ　② ㄴ　③ ㄱ, ㄷ　④ ㄴ, ㄷ　⑤ ㄱ, ㄴ, ㄷ

도전! 실력 올리기

01 그림은 t ℃에서 부피가 1 L인 강철 용기에 기체 A_2와 B_2를 넣고 반응시켰을 때, 처음 상태와 평형 상태에서의 분자 모형을 나타낸 것이다.

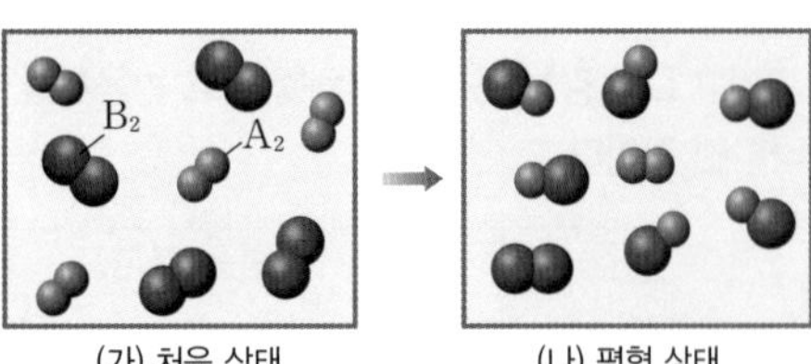

(가) 처음 상태　　(나) 평형 상태

이에 대한 설명으로 옳은 것만을 〈보기〉에서 있는 대로 고른 것은?

보기
ㄱ. 반응한 기체의 양(몰)은 A_2와 B_2가 같다.
ㄴ. t ℃에서 평형 상수는 6이다.
ㄷ. (나)에서 $AB(g)$의 분해 속도와 생성 속도는 같다.

① ㄱ　② ㄴ　③ ㄱ, ㄷ　④ ㄴ, ㄷ　⑤ ㄱ, ㄴ, ㄷ

02 다음은 기체 A가 반응하여 기체 B가 생성되는 반응의 화학 반응식이다.

$$2A(g) \rightleftharpoons B(g)$$

강철 용기에 기체 A를 넣고 반응시켰더니 시간 t에서 평형에 도달하였다. 이 반응에서 시간에 따른 A와 B의 농도를 옳게 나타낸 것은?

①
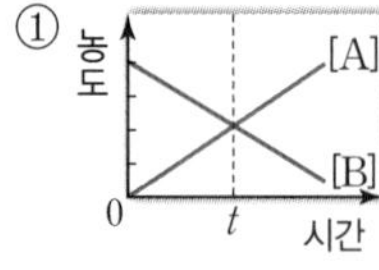

②
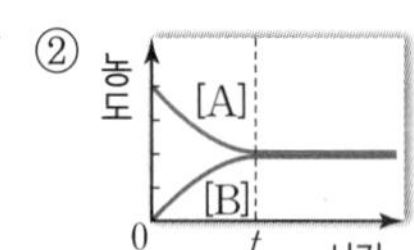

③
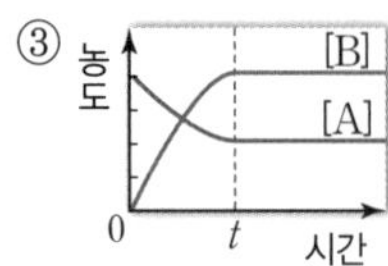

④
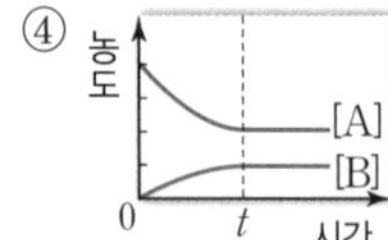

⑤
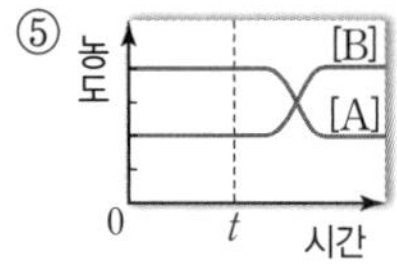

출제예감

03 다음은 기체 A와 B가 반응하여 기체 C가 생성되는 반응의 화학 반응식과 t ℃에서 농도로 정의되는 평형 상수이다.

$$2A(g)+B(g) \rightleftharpoons 2C(g) \quad K=2$$

표는 상태 (가)~(다)에서 기체 A~C의 농도를 나타낸 것이다.

상태	농도(M)		
	A	B	C
(가)	8	4	4
(나)	4	2	8
(다)	2	1	10

이에 대한 설명으로 옳은 것만을 〈보기〉에서 있는 대로 고른 것은?

보기
ㄱ. (나)는 평형 상태이다.
ㄴ. (다)에서 정반응이 일어난다.
ㄷ. $\frac{Q}{K}$는 (가)가 (다)보다 크다.

① ㄱ　② ㄴ　③ ㄱ, ㄷ　④ ㄴ, ㄷ　⑤ ㄱ, ㄴ, ㄷ

04 다음은 질소(N_2) 기체와 수소(H_2) 기체가 반응하여 암모니아(NH_3) 기체가 생성되는 반응의 화학 반응식이다.

$$N_2(g)+3H_2(g) \rightleftharpoons 2NH_3(g)$$

그림은 부피가 1 L인 강철 용기에 $N_2(g)$ 2몰, $H_2(g)$ 4몰을 넣고 반응시킬 때 반응 시간에 따른 $N_2(g)$의 몰수를 나타낸 것이다.

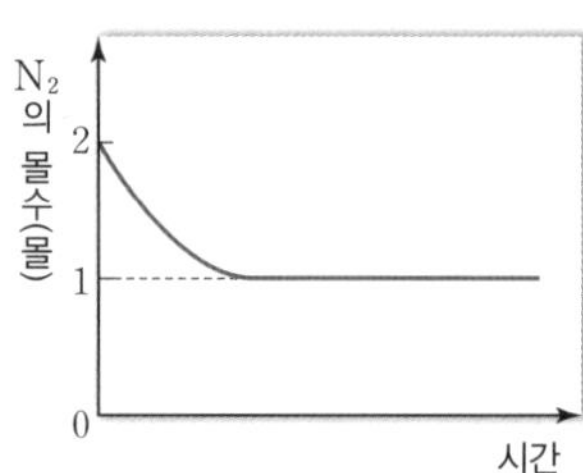

평형 상태에 도달했을 때, 이에 대한 설명으로 옳은 것만을 〈보기〉에서 있는 대로 고른 것은? (단, 온도는 일정하다.)

보기
ㄱ. $[H_2]=1$ M이다.
ㄴ. $K=2$이다.
ㄷ. 정반응 속도와 역반응 속도는 같다.

① ㄱ　② ㄷ　③ ㄱ, ㄷ　④ ㄴ, ㄷ　⑤ ㄱ, ㄴ, ㄷ

정답과 해설 058쪽

출제예감

05 다음은 기체 A가 반응하여 기체 B가 생성되는 반응의 화학 반응식과 농도로 정의되는 평형 상수 K이다.

$$A(g) \rightleftharpoons B(g) \quad K$$

그림은 온도 T에서 평형 상수 K와 반응 지수 Q의 비 $\frac{K}{Q}$를 A의 몰 분율에 따라 나타낸 것이다.

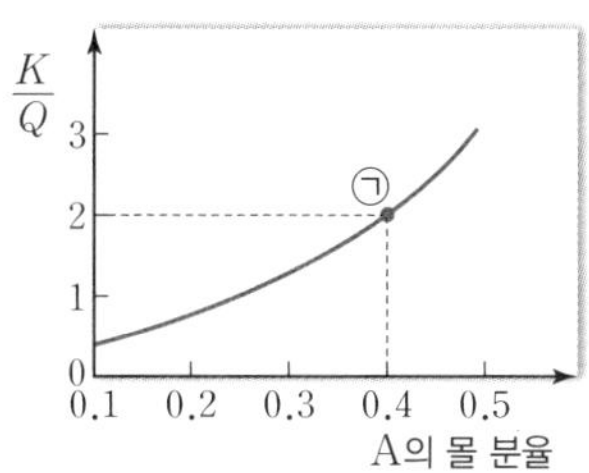

이에 대한 설명으로 옳은 것만을 〈보기〉에서 있는 대로 고른 것은?

보기
ㄱ. $K=3$이다.
ㄴ. 평형 상태에서 B의 몰 분율은 0.25이다.
ㄷ. ㉠에서 정반응 쪽으로 반응이 일어난다.

① ㄱ ② ㄷ ③ ㄱ, ㄷ
④ ㄴ, ㄷ ⑤ ㄱ, ㄴ, ㄷ

06 다음은 기체 A와 B가 반응하여 기체 C가 생성되는 반응의 화학 반응식이다.

$$A(g)+B(g) \rightleftharpoons 2C(g)$$

표는 강철 용기에 A(g)와 B(g)를 넣고 반응시켰을 때, 물질 A, B, C의 처음 농도와 평형 농도를 나타낸 것이다.

물질	A	B	C
처음 농도(M)	0.6	0.6	0
평형 농도(M)	0.2		

같은 온도에서 강철 용기에 [A]=0.4 M, [B]=0.6 M, [C]=0.6 M를 넣었을 때 반응의 진행 방향과 평형에 도달했을 때의 평형 상수로 옳은 것은?

	진행 방향	평형 상수		진행 방향	평형 상수
①	정반응	2	②	역반응	2
③	정반응	4	④	역반응	4
⑤	정반응	10			

07 다음은 t ℃에서 기체 A가 분해되어 기체 B가 생성되는 반응의 화학 반응식과 농도로 정의되는 평형 상수이다.

$$A(g) \rightleftharpoons 2B(g) \quad K=4$$

㉠~㉢에 들어갈 알맞은 부등호나 등호 또는 말을 쓰시오.

t ℃에서 부피가 1 L인 강철 용기에 A(g) 2몰과 B(g) 4몰을 넣으면 반응 지수 (㉠) 평형 상수이므로, (㉡)이 일어나고 평형 상태에 도달했을 때 평형 상수는 (㉢)이다

서술형

08 그림은 강철 용기에서 기체 A와 B를 넣고 반응시켰을 때 시간에 따른 몰 농도를 나타낸 것이다. 온도는 t ℃로 일정하다.

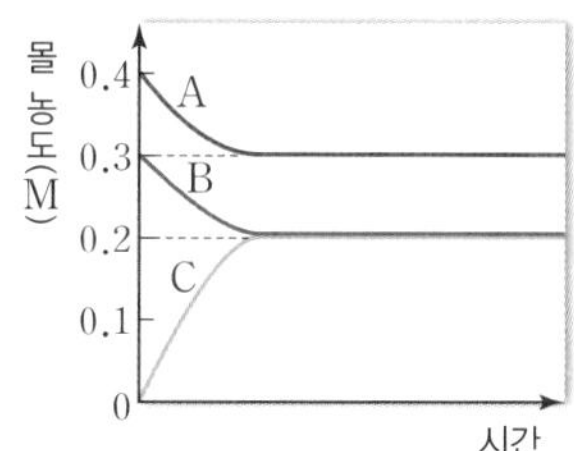

(1) 화학 반응식을 완성하고 그 까닭을 서술하시오.

(2) t ℃에서 평형 상수를 구하시오.

(3) t ℃에서 부피가 2 L인 강철 용기에 A(g)~C(g) 각 2몰을 넣었을 때 반응의 진행 방향을 예측하고 그 까닭을 서술하시오.

02

화학 평형 이동 (1)

핵심 키워드로 흐름잡기

- A 평형 이동, 평형 이동 법칙(르샤틀리에 원리)
- B 농도 변화와 평형 이동, 농도 변화와 평형 상수의 변화
- C 압력 변화와 평형 이동

A 평형 이동 법칙

|출·제·단·서| 반응 조건을 변화시켰을 때 평형 이동의 방향을 알아내는 문제가 시험에 나와.

1. 평형 이동

암기TiP 평형 이동은 변화시킨 조건의 반대 방향으로 일어난다.

평형 상태를 유지하던 화학 반응에서 반응 조건(농도, 압력, 온도)이 변하면 정반응이나 역반응 쪽으로 반응이 진행되어 새로운 평형 상태에 도달하는 것

정반응 속도 =역반응 속도
정반응 속도 ≠역반응 속도
정반응 속도 =역반응 속도

평형 상태 — 반응물, 생성물 농도: 일정 → 농도 · 압력 · 온도 외부 조건 변화 → 평형이 깨짐 → 정반응 또는 역반응 진행 → 반응물, 생성물 농도: 일정 — 새로운 평형 상태

평형 상태 Ⅰ 평형 상태 Ⅰ과 평형 상태 Ⅱ에서 반응물의 농도는 서로 다르다. 평형 상태 Ⅱ

2. 평형 이동 법칙[•][❶](르샤틀리에 원리)

어떤 가역 반응이 평형 상태에 있을 때 농도, 압력, 온도와 같은 반응 조건을 변화시키면 그 변화를 감소시키려는 방향으로 평형이 이동하여 새로운 평형에 도달하는 것

❶ 평형 이동 법칙
1884년 프랑스의 화학자 르샤틀리에는 여러 가지 조건의 변화에 따른 화학 평형의 이동을 연구하여 르샤틀리에 원리를 발표하였다.

B 농도 변화와 평형 이동

|출·제·단·서| 반응물이나 생성물의 농도 변화에 따른 평형 이동, 반응 시간-농도 그래프를 해석하는 문제가 잘 나와.

1. 농도 변화와 평형 이동 탐구 POOL

평형 상태에 있는 반응에서 어떤 물질의 농도를 변화시키면 농도의 변화를 감소시키는 방향으로 평형이 이동한다.

암기TiP 반응물 증가, 생성물 감소 → 정반응
반응물 감소, 생성물 증가 → 역반응

$N_2(g)+3H_2(g) \rightleftharpoons 2NH_3(g)$ 반응의 평형 상태에서 반응물 $N_2(g)$를 첨가하면 $N_2(g)$를 감소시키는 정반응으로 평형이 이동하여 $NH_3(g)$ 합성 반응이 일어난다.

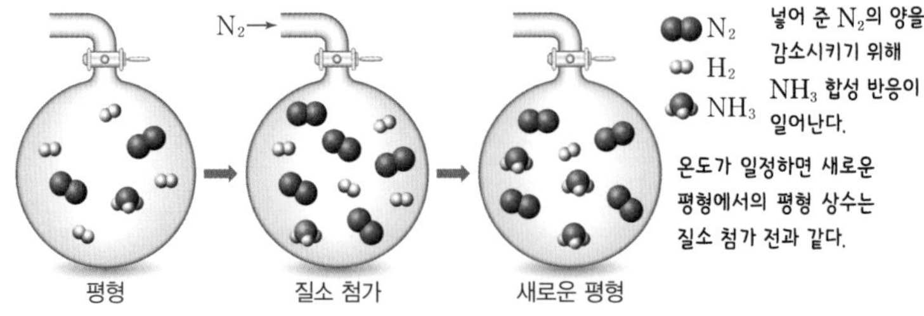
N₂→
N₂
H₂
NH₃
넣어 준 N₂의 양을 감소시키기 위해 NH₃ 합성 반응이 일어난다.
온도가 일정하면 새로운 평형에서의 평형 상수는 질소 첨가 전과 같다.
평형
질소 첨가
새로운 평형

(1) 반응물이나 생성물의 농도 증가

① **반응물 첨가:** $K>Q$, 정반응 쪽으로 평형 이동 → 반응물의 농도가 감소하는 방향

② **생성물 첨가:** $K<Q$, 역반응 쪽으로 평형 이동 → 생성물의 농도가 감소하는 방향

(2) 반응물이나 생성물의 농도 감소

① **반응물 제거:** $K<Q$, 역반응 쪽으로 평형 이동 → 반응물의 농도가 증가하는 방향

② **생성물 제거:** $K>Q$, 정반응 쪽으로 평형 이동 → 생성물의 농도가 증가하는 방향

2. 농도 변화와 평형 상수의 변화

(1) 평형 상태에서 반응물이나 생성물의 농도를 변화시키면 그 시점에서 농도가 급변한다.

(2) 시간이 지남에 따라 물질의 농도[❷]가 변한다.

(3) 새로운 평형 상태에 도달한다. 이때 평형 농도는 처음 평형 상태의 농도와 다르지만, 온도가 일정하면 평형 상수는 변하지 않는다.

➕ 평형 이동의 이해

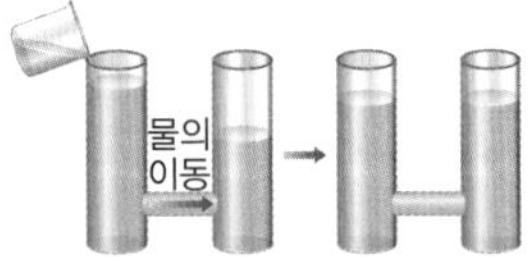
물의 이동

같은 부피의 물이 들어 있는 관으로 연결된 용기의 한쪽에만 물을 넣으면 물을 부은 쪽의 수면이 높아지지만, 관을 통과하여 다른 쪽 용기로 물이 이동하므로 두 용기 속 수면의 높이는 같아진다.

❷ 평형 이동과 농도 변화
가역 반응에서 평형이 이동할 때 감소하는 물질의 농도와 증가하는 물질의 농도비는 화학 반응식의 계수비와 같다.

용어 알기

• 법칙(법 法, 법칙 則) 모든 사물과 현상의 원인과 결과 사이에 내재하는 보편적, 필연적인 불변의 관계

빈출 자료 농도 변화와 평형 이동

$N_2(g)+3H_2(g) \rightleftharpoons 2NH_3(g)$ 반응의 평형 상태에서 반응물 $N_2(g)$를 첨가했을 때 시간에 따른 물질의 농도 변화

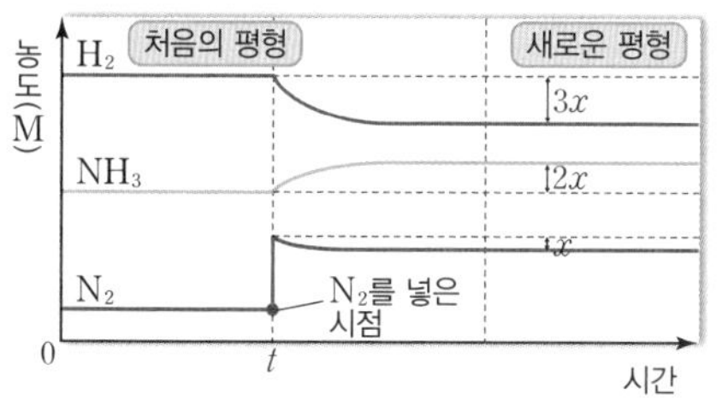

❶ 시간 t에서 $N_2(g)$를 넣으면서 $N_2(g)$의 •농도가 급격히 증가한다.

❷ $N_2(g)$를 첨가하면 $N_2(g)$의 농도가 감소하는 방향, 즉 정반응 쪽으로 평형이 이동하므로 $N_2(g)$와 $H_2(g)$의 농도는 감소하고 $NH_3(g)$의 농도는 증가한다.

➡ 반응 몰비는 계수비와 같다.

❸ $N_2(g)$ 첨가에 의해 평형 이동이 일어났으나 온도는 변하지 않았으므로 새로운 평형에서의 평형 상수는 처음 평형에서의 평형 상수와 같다.❸

3. 반응 지수와 농도에 의한 평형 이동

(1) $N_2(g)+3H_2(g) \rightleftharpoons 2NH_3(g)$의 반응이 평형 상태에 있을 때 $N_2(g)$를 첨가하면 처음에는 $H_2(g)$와 $NH_3(g)$의 농도는 변하지 않고 $N_2(g)$의 농도만 증가한다.

➡ 반응 지수는 $Q=\dfrac{[NH_3]^2}{[N_2][H_2]^3}$에서 분모인 $[N_2]$가 증가하므로 평형 상수보다 작다.

(2) 평형 상수 K는 온도가 일정하면 농도에 관계없이 일정하다.

➡ 반응 지수 Q가 평형 상수 K와 같아지려면 분모 $[N_2][H_2]^3$ 항은 작아지고 분자 $[NH_3]^2$ 항이 커져야 한다.

➡ 정반응 쪽으로 반응이 진행되어야 한다.

빈출 계산연습 농도 변화에 의한 평형 이동을 반응 지수와 평형 상수로 설명하기

다음은 수소(H_2)와 염소(Cl_2)가 반응하여 염화 수소(HCl)가 생성되는 반응의 화학 반응식과 t ℃에서의 평형 상수이다.

$$H_2(g)+Cl_2(g) \rightleftharpoons 2HCl(g) \quad K=4$$

t ℃에서 1 L의 강철 용기 속에서 H_2 4몰, Cl_2 1몰, HCl 4몰이 평형 상태에 있다. 이 용기에 HCl 1몰을 첨가했을 때 반응의 진행 방향을 반응 지수와 평형 상수를 이용하여 서술하고, 새로운 평형에서 각 물질의 몰 농도를 구하시오.

1단계 HCl 1몰을 첨가했을 때 반응 전 각 물질의 몰 농도를 구한다.

몰 농도$=\dfrac{\text{기체의 양(몰)}}{\text{기체의 부피(L)}}$이므로 각 기체의 몰 농도는 다음과 같다.

➡ $[H_2]=4\,M$, $[Cl_2]=1\,M$, $[HCl]=5\,M$

2단계 HCl 1몰을 첨가했을 때 반응 지수를 계산한다.

➡ $Q=\dfrac{[HCl]^2}{[H_2][Cl_2]}=\dfrac{5^2}{4\times1}=6.25$

3단계 반응 지수와 평형 상수를 비교하여 반응의 진행 방향을 예측한다.

➡ 반응 지수(Q)>평형 상수(K)이므로 역반응이 진행된다.

4단계 역반응이 진행될 때 반응한 HCl의 양을 $2x$몰이라 가정하여 평형 농도를 구한다.❹

생성된 H_2의 양: x몰, Cl_2의 양: x몰이다.

온도가 일정하므로 새로운 평형에서 평형 상수는 평형 이동 전과 같다.

$K=\dfrac{[HCl]^2}{[H_2][Cl_2]}=\dfrac{(5-2x)^2}{(4+x)\times(1+x)}=4$, $x=0.225$

따라서 새로운 평형 상태에서의 몰 농도는

$[H_2]=4.225\,M$, $[Cl_2]=1.225\,M$, $[HCl]=4.55\,M$이다.

? 반응물을 첨가했을 때, 새로운 평형에서 넣어 준 반응물의 농도가 초기 농도보다 증가한 까닭은 무엇일까?

온도가 일정할 때 평형 상수는 변하지 않기 때문에 넣어 준 반응물의 농도는 초기보다 증가한다. 만일 넣어 준 반응물의 농도가 초기와 같거나 작아진다면 생성물의 농도는 증가하였기 때문에 반응 지수는 평형 상수보다 커지므로 다시 역반응이 일어나게 된다.

❸ 농도 변화에 의한 평형 이동과 평형 상수

가역 반응의 경우 온도가 일정하면 동적 평형 상태에서 반응물과 생성물의 농도가 다르더라도 평형 상수는 변하지 않는다.

반응물을 첨가한 경우 일시적으로 농도가 증가했다가 새로운 평형에 도달하면 일정해져. 어쨌거나 조금 증가!

❹ 반응 몰비와 계수비

반응이 일어날 때 화학 반응식의 계수비로 반응하므로 반응 몰비는 계수비와 같다.

용어 알기

• **농도(짙을 濃, 법도 度)** 용액 따위의 진하고 묽은 정도

C 압력 변화와 평형 이동[5]

|출·제·단·서| 기체 반응에서 압력 변화에 따른 평형 이동이나 비활성 기체를 넣었을 때 평형 이동에 대한 문제가 시험에 나와!

암기TiP 압력 증가 → 기체 몰수가 작아지는 방향, 압력 감소 → 기체 몰수가 증가하는 방향

1. 압력 변화와 평형 이동 기체가 포함된 화학 반응이 평형 상태에 있을 때 압력을 변화시키면 그 압력 변화를 줄이는 쪽으로 평형이 이동한다.

(1) 압력을 높임(부피 감소) 반응 몰비는 계수비와 같으므로 기체 반응에서 반응물과 생성물의 계수를 비교하여 평형 이동 방향을 예측한다.

➡ 기체의 압력이 감소하는 방향, 즉 기체의 양(mol)이 감소하는 쪽으로 평형 이동

(2) 압력을 낮춤(부피 증가)

➡ 기체의 압력이 증가하는 방향, 즉 기체의 양(mol)이 증가하는 쪽으로 평형 이동

빈출 자료 압력 변화와 평형 이동

일정한 온도에서 평형 상태에 있는 가역 반응 $2NO_2(g) \rightleftarrows N_2O_4(g)$에 압력을 변화시켰을 때 시간에 따른 농도 변화

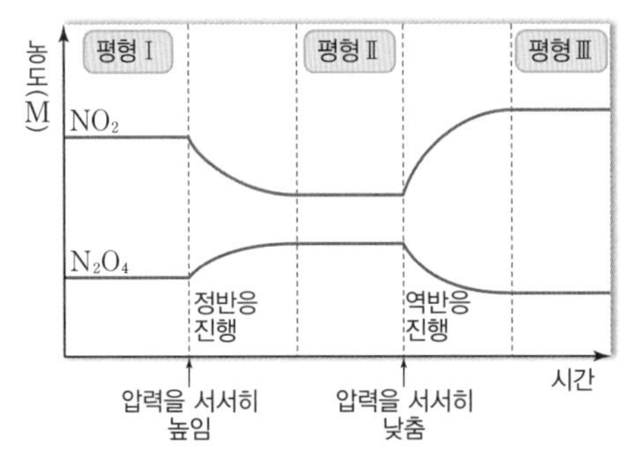

❶ 압력 높임: 밀폐된 용기에서 피스톤을 눌러 혼합 기체의 부피를 감소시키면 용기 내의 기체의 압력이 증가한다.

➡ NO_2 분자의 일부가 N_2O_4로 바뀌어 전체 분자 수가 줄어든다.

➡ 압력이 작아지는 쪽(정반응 쪽)으로 평형 이동

❷ 압력 낮춤: 밀폐된 용기에서 피스톤을 당겨 혼합 기체의 부피를 증가시키면 용기 내의 기체의 압력이 감소한다.

➡ N_2O_4의 일부가 NO_2로 바뀌어 전체 분자 수가 늘어난다.

➡ 압력이 커지는 쪽(역반응 쪽)으로 평형 이동

❸ 반응이 진행되는 동안 온도는 일정하므로 평형 Ⅰ ~ Ⅲ의 평형 상수는 같다.

2. 압력 변화에 의한 평형 이동의 모형

(1) 압력을 높이면 기체의 몰수가 감소하는 정반응 쪽으로 평형이 이동한다.

(2) 압력을 낮추면 기체의 몰수가 증가하는 역반응 쪽으로 평형이 이동한다.

예 $\underset{2몰}{\underline{2NO_2(g)}} \rightleftarrows \underset{1몰}{\underline{N_2O_4(g)}}$ $K=\dfrac{[N_2O_4]}{[NO_2]^2}$

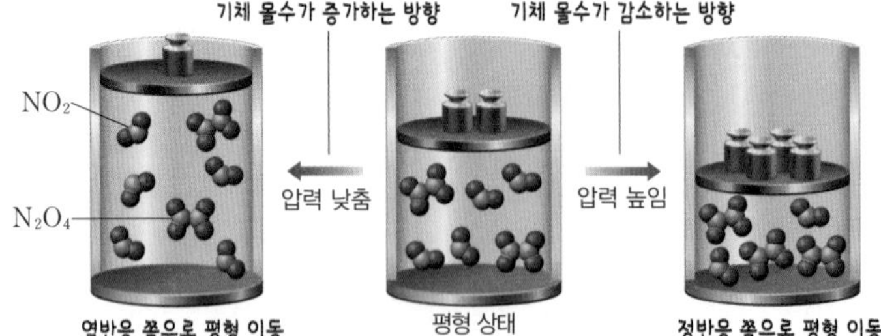

3. 압력 변화에 따른 평형 이동이 일어나지 않는 경우

(1) 반응물과 생성물의 기체 몰수(계수)가 같은 반응에서는 압력에 의해 평형 이동이 일어나지 않는다.

반응이 평형 상태에 있을 때 압력을 2배로 높여 각 물질의 농도가 처음 평형 농도의 2배가 되더라도 $Q=K$이므로 평형은 이동하지 않는다.

예 $\underset{2몰}{\underline{N_2(g)+O_2(g)}} \rightleftarrows \underset{2몰}{\underline{2NO(g)}}$ ➡ 압력이 변해도 평형이 이동하지 않음

(2) 반응에 영향을 주지 않는 •비활성 기체를 넣어 전체 압력이 변하는 경우에는 압력에 의한 평형 이동이 일어나지 않는다.[6]

---

❺ 압력 변화에 의한 평형 이동과 평형 상수

한 가역 반응의 경우 온도가 일정하면 동적 평형 상태에서 반응물과 생성물의 압력이 다르더라도 평형 상수는 변하지 않는다.

➕ 압력 변화에 따른 몰수 변화

예

$\underset{4몰}{\underline{N_2(g)+3H_2(g)}} \rightleftarrows \underset{2몰}{\underline{2NH_3(g)}}$

$K=\dfrac{[NH_3]^2}{[N_2][H_2]^3}$

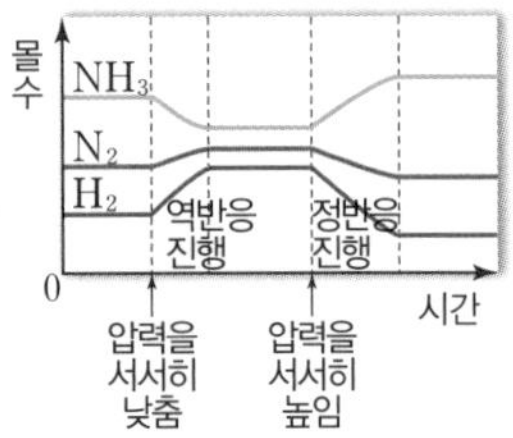

❻ 비활성 기체 첨가에 의한 평형 이동

- 강철 용기와 같이 부피 변화가 없는 용기에 비활성 기체를 넣으면 반응물과 생성물의 부분 압력이 변하지 않으므로 평형 이동은 일어나지 않는다.
- 실린더와 같이 부피가 변하는 용기에 비활성 기체를 넣으면 반응물과 생성물의 부분 압력도 변하므로 평형 이동이 일어난다.

용어 알기

• 비활성(아니다 非, 살다 活, 성품 性) 기체: 반응성이 거의 없어 다른 물질과 화학 반응을 잘 일으키지 않는 기체로, 헬륨(He), 네온(Ne), 아르곤(Ar) 등이 있다.

㉮ 강철 용기에서 $2NO_2(g) \rightleftharpoons N_2O_4(g)$의 반응이 평형 상태에 있을 때, 용기에 $He(g)$을 넣어도 $NO_2(g)$와 $N_2O_4(g)$의 압력에 영향을 주지 않으므로 평형은 이동하지 않는다.

(3) 고체나 액체가 포함된 경우는 기체의 몰수로만 비교한다. 고체, 액체의 농도는 압력의 영향을 받지 않고 일정하게 때문이다.

㉮ $C(s)+H_2O(l) \rightleftharpoons CO(g)+H_2(g)$에서 압력을 높이면 기체 몰수가 적은 쪽인 역반응 쪽으로 평형이 이동한다.

기체가 포함된 반응에서는 압력에 따라 평형이 이동해. 고체나 액체는 고려하지 않아도 돼.

4. 반응 •지수와 압력 변화에 의한 평형 이동

(1) $2NO_2(g) \rightleftharpoons N_2O_4(g)$의 반응이 평형 상태에 있을 때 반응계의 부피를 $\frac{1}{2}$로 감소시키면 $NO_2(g)$와 $N_2O_4(g)$의 농도는 각각 처음 평형 농도의 2배로 된다.

➡ 반응 지수 Q는 평형 상수 K의 $\frac{1}{2}$이 된다.

$$Q=\frac{2[N_2O_4]}{2[NO_2]^2}=\frac{1}{2}\frac{[N_2O_4]}{[NO_2]^2}=\frac{1}{2}K$$

(2) 온도가 일정할 때 평형 상수는 항상 일정하므로 반응 지수 Q가 평형 상수 K와 같아지려면 분모 $[NO_2]^2$ 항은 작아지고, 분자 $[N_2O_4]$ 항이 커지는 쪽으로 반응이 진행된다.

➡ 정반응 쪽으로 반응이 진행되어야 한다.

빈출 탐구 압력 변화에 따른 평형 이동

목표 압력 변화와 평형 이동의 원리를 설명할 수 있다.

과정

① 주사기에 $NO_2(g)$와 $N_2O_4(g)$ 혼합 기체를 넣은 후 충분한 시간 동안 놓아 두어 평형에 도달하게 한다.

② 주사기의 피스톤을 눌러 압력을 가한 후 충분한 시간 동안 놓아 두어 평형에 도달하게 한다.

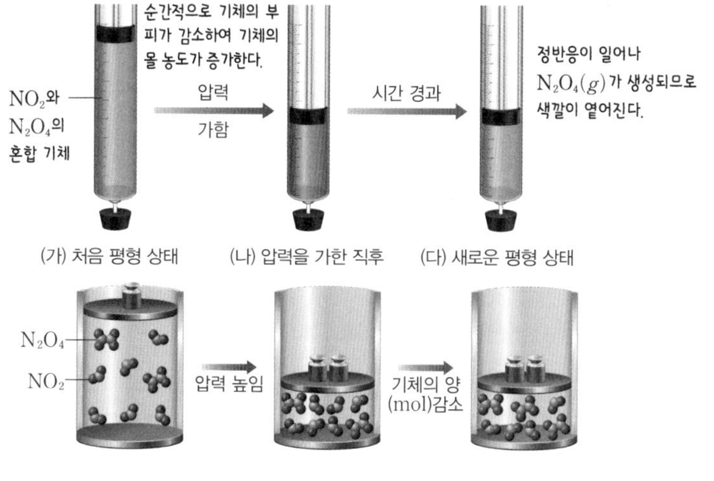

결과

• 압력을 가한 순간 색깔이 진해지고❼ 시간이 지나면 진해진 색깔이 다시 옅어진다.

정리

❶ $NO_2(g)$와 $N_2O_4(g)$는 다음과 같이 평형을 이룬다.

• $NO_2(g)$의 색깔이 적갈색이므로 평형 상태에서 적갈색을 띤다.

➡ 적갈색을 띠지만 $NO_2(g)$와 $N_2O_4(g)$가 공존한다.

$2NO_2(g)$	$\rightleftharpoons$	$N_2O_4(g)$
적갈색		무색

❷ (가)→(나): 평형 상태에서 압력을 가한 순간 부피가 줄어들어 기체의 농도가 진해지므로 색깔이 진해진다.

➡ 적갈색의 NO_2 분자수는 변화 없으나 단위 부피당 NO_2 분자수가 많아지기 때문

❸ (나)→(다): 압력이 높아지면 기체의 몰수를 감소시키는 정반응 쪽으로 평형이 이동하므로 NO_2의 양은 감소하고 N_2O_4의 양이 증가하여 색깔이 다시 옅어진다.

❼ 압력 변화에 따른 기체의 농도

$PV=nRT$에서 $\frac{n}{V}=\frac{P}{RT}$이므로 일정한 온도에서 기체의 몰 농도는 기체의 압력에 비례하며, $\frac{\text{기체의 몰수}}{\text{기체의 부피}}$로 나타낼 수 있다. 따라서 기체의 경우 반응 용기의 부피를 줄이면 압력이 커지고 농도가 증가한다.

⊕ 화학 반응식 계수와 평형 이동

$aA(g)+bB(g) \rightleftharpoons cC(g)$

$a+b>c$
• 압력 증가 → 정반응 쪽 • 압력 감소 → 역반응 쪽으로 평형 이동
$a+b<c$
• 압력 증가 → 역반응 쪽 • 압력 감소 → 정반응 쪽으로 평형 이동
$a+b=c$
압력에 의한 평형 이동은 일어나지 않는다.

용어 알기

• 지수(가리킬 指, 셀 數) 어느 수를 기준으로 다른 수를 비율로 나타낸 수치

농도 변화와 평형 이동

목표 농도에 따른 평형의 이동을 관찰하고, 원리를 설명할 수 있다.

자료 주황색의 다이크로뮴산 이온($Cr_2O_7^{2-}$)과 노란색의 크로뮴산 이온(CrO_4^{2-})은 다음과 같이 평형을 이룬다.

$$\underset{\text{주황색}}{\underline{Cr_2O_7^{2-}(aq)}} + H_2O(l) \rightleftarrows \underset{\text{노란색}}{\underline{2CrO_4^{2-}(aq)}} + 2H^+(aq)$$

유의점

- 시약이 피부에 닿지 않도록 주의한다
- 실험이 끝난 후 폐시약을 정해진 곳에 버린다.

과정

❶ 시험관에 주황색의 0.1 M $K_2Cr_2O_7(aq)$ 5 mL를 넣는다.

❷ 일정한 온도에서 ❶의 시험관에 1 M $NaOH(aq)$을 조금씩 넣으면서 색깔 변화를 관찰한다.

❸ 일정한 온도에서 ❷의 시험관에 1 M $HCl(aq)$을 조금씩 넣으면서 색깔 변화를 관찰한다.

❶ 주황색 — $K_2Cr_2O_7(aq)$

❷ $NaOH(aq)$, 노란색 — NaOH 수용액을 넣었을 때

❸ $HCl(aq)$, 주황색 — $HCl(aq)$을 넣었을 때

결과

① 과정 ❷에서 시험관 속 수용액의 색은 노란색으로 변한다.

② 과정 ❸에서 시험관 속 수용액의 색은 다시 주황색으로 변한다.

정리 및 해석

❶ 과정 ❷에서 수용액 속 H^+은 넣어 준 OH^-과 중화 반응하므로 수용액 속 H^+의 농도는 감소한다.

➡ 감소한 H^+ 농도를 증가시키기 위해 정반응이 일어나므로 CrO_4^{2-}의 농도가 증가한다.

➡ 수용액의 색이 노란색으로 변한다.

❷ 과정 ❸에서 넣어 준 H^+에 의해 다시 H^+ 농도가 증가한다.

➡ 증가한 H^+ 농도를 감소시키기 위해 역반응이 일어나므로 $Cr_2O_7^{2-}$의 농도가 증가한다.

➡ 수용액의 색이 다시 주황색으로 변한다.

한·줄·핵심 반응물의 농도가 증가하면 이 반응물의 농도를 감소시키는 쪽으로 반응이 진행된다.

확인 문제

정답과 해설 059쪽

01 이 탐구 활동에 대한 설명이다. ㉠, ㉡에 들어갈 알맞은 말을 쓰시오.

> 수용액의 색 변화를 통해 반응물의 농도가 증가하면 (㉠) 쪽으로 평형이 이동하고, 반응물의 농도가 감소하면 (㉡) 쪽으로 평형이 이동함을 알 수 있다.

02 이 탐구 활동에 대한 설명으로 옳은 것은 ○, 옳지 않은 것은 ×로 표시하시오.

(1) 과정 ❷에서 반응 초기 반응 지수는 평형 상수보다 크다. ( )

(2) 과정 ❸에서 역반응 쪽으로 평형이 이동한다. ( )

(3) 각 과정 후 $Cr_2O_7^{2-}$의 농도는 과정 ❷에서가 과정 ❸에서보다 크다. ( )

(4) 새로운 평형 상태에서 평형 상수는 과정 ❷에서가 과정 ❸에서보다 크다. ( )

콕콕!
개념 확인하기

정답과 해설 059쪽

✔ 잠깐 확인!

1. 기체 반응이 평형 상태에 있을 때 반응물의 농도를 증가시키면 □□□ 쪽으로 평형이 이동한다.

2. 기체 반응이 평형 상태에 있을 때 생성물의 농도를 증가시키면 □□ □□가 평형 상수보다 커져 역반응이 일어난다.

3. 온도가 일정한 경우 농도에 의해 평형 이동이 일어나 새로운 평형에 도달했을 때, □□ □□는 변하지 않는다.

4. 일정한 온도에서 기체의 몰 농도는 기체의 □□에 비례한다.

5. 기체 반응에서 반응물의 계수 합이 생성물의 계수 합보다 큰 경우 압력을 높이면 □□□ 쪽으로 평형이 이동한다.

6. 강철 용기에서 기체 반응이 평형 상태에 있을 때 □□□ 기체를 넣어 압력을 증가시킨 경우 평형이 이동하지 않는다.

A 평형 이동 법칙

01 평형 이동 법칙에 대한 설명으로 옳은 것은 ○, 옳지 않은 것은 ×로 표시하시오.

(1) 평형 상태에 있는 반응은 외부 조건을 변화시켜도 평형이 그대로 유지되려는 경향이 있다. ( )

(2) 평형 상태에서 조건을 변화시키면 그 변화를 감소시키려는 방향으로 평형이 이동한다. ( )

(3) 조건이 변화하여 평형 이동이 일어난 후 새로운 평형 상태에 도달했을 때 평형 상수는 항상 달라진다. ( )

B 농도 변화와 평형 이동

02 다음은 농도 변화와 평형 이동에 대한 설명이다. ㉠, ㉡에 들어갈 알맞은 말을 쓰시오.

> 일정한 온도에서 어떤 기체 반응이 평형 상태에 있을 때, 용기 속에 반응물을 넣어 주면 넣어 준 반응물을 소모하기 위해 (㉠) 쪽으로 평형이 이동하고, 생성물을 넣어 주면 넣어 준 생성물을 소모하기 위해 (㉡) 쪽으로 평형이 이동한다.

03 t ℃, 강철 용기에서 $A(g)+B(g) \rightleftharpoons 2C(g)$ 반응이 평형 상태에 있을 때, 이에 대한 설명으로 옳은 것은 ○, 옳지 않은 것은 ×로 표시하시오.

(1) $A(g)$를 넣어 주면 $B(g)$의 몰 농도는 감소한다. ( )

(2) $C(g)$를 넣어 준 후 새로운 평형 상태에 도달했을 때 A~C의 양(몰)은 C를 넣기 전보다 모두 증가한다. ( )

(3) 농도에 의해 평형이 이동해도 평형 상수는 변하지 않는다. ( )

C 압력 변화와 평형 이동

04 t ℃에서 $aA(g)+bB(g) \rightleftharpoons cC(g)+dD(g)$ 반응이 평형 상태에 있다. 기체의 압력을 높였을 때 반응 계수와 압력 변화에 의한 평형 이동을 옳게 연결하시오.

(1) $a+b=c+d$ • • ㉠ 정반응 쪽으로 평형 이동

(2) $a+b>c+d$ • • ㉡ 역반응 쪽으로 평형 이동

(3) $a+b<c+d$ • • ㉢ 평형 이동이 일어나지 않음

탄탄! 내신 다지기

A 평형 이동 법칙 **B** 농도 변화와 평형 이동

01 농도 변화와 평형 이동에 대한 설명으로 옳은 것만을 〈보기〉에서 있는 대로 고른 것은?

보기
ㄱ. 평형 상태에서 반응물을 첨가하면 정반응 쪽으로 평형이 이동한다.
ㄴ. 농도에 의해 평형이 이동하는 경우 평형 상수는 달라진다.
ㄷ. 반응 전후 몰수 변화가 없는 반응은 농도의 영향을 받지 않는다.

① ㄱ ② ㄴ ③ ㄱ, ㄷ
④ ㄴ, ㄷ ⑤ ㄱ, ㄴ, ㄷ

02 일정한 온도와 압력에서

$$3H_2(g)+N_2(g) \rightleftharpoons 2NH_3(g)$$

반응이 평형 상태 Ⅰ에 있을 때, 이 용기 속에 $H_2(g)$를 첨가하여 새로운 평형 Ⅱ에 도달하였다.
이에 대한 설명으로 옳은 것은?

① 평형 상수는 증가한다.
② H_2의 농도는 Ⅱ일 때가 Ⅰ일 때보다 크다.
③ N_2의 농도는 Ⅱ일 때가 Ⅰ일 때보다 크다.
④ NH_3의 농도는 Ⅰ일 때가 Ⅱ일 때보다 크다.
⑤ 용기 속 기체의 몰비는 계수비와 같다.

03 강철 용기에서 $A(g)+B(g) \rightleftharpoons 2C(g)$의 반응이 일어나 평형 상태에 도달한 후, $A(g)$를 넣고 새로운 평형에 도달했을 때, $A(g)$를 넣기 전보다 감소하는 값으로 옳은 것은?(단, 온도는 일정하다.)

① [A] ② [B] ③ [C]
④ 평형 상수 ⑤ 전체 압력

04 다음은 일정한 온도에서 붉은색 염화 코발트 결정 ($CoCl_2 \cdot 6H_2O$)을 물에 녹였을 때의 화학 반응식을 나타낸 것이다.

$$\underset{\text{붉은색}}{Co(H_2O)_6^{2+}}(aq)+4Cl^-(aq) \rightleftharpoons \underset{\text{푸른색}}{CoCl_4^{2-}}(aq)+6H_2O(l)$$

이 반응이 평형 상태에 있을 때, 이에 대한 설명으로 옳은 것만을 〈보기〉에서 있는 대로 고른 것은?

보기
ㄱ. 정반응 속도와 역반응 속도가 같다.
ㄴ. 물을 첨가하면 역반응이 일어난다.
ㄷ. KCl(s)을 첨가하면 푸른색이 진해진다.

① ㄱ ② ㄷ ③ ㄱ, ㄴ
④ ㄴ, ㄷ ⑤ ㄱ, ㄴ, ㄷ

05 t℃, 강철 용기에서 $A(g) \rightleftharpoons 2B(g)$ 반응이 평형 상태에 있을 때 $X(g)$를 첨가하였더니 전체 압력이 감소하였다. 이에 대한 설명으로 옳은 것만을 〈보기〉에서 있는 대로 고른 것은?

보기
ㄱ. X는 A이다.
ㄴ. B의 양은 X를 넣기 전보다 증가한다.
ㄷ. 평형 상수는 X를 넣기 전보다 증가한다.

① ㄱ ② ㄴ ③ ㄱ, ㄷ
④ ㄴ, ㄷ ⑤ ㄱ, ㄴ, ㄷ

단답형

06 다음은 농도 변화와 평형 이동에 대한 설명이다. ㉠, ㉡에 들어갈 알맞은 말을 쓰시오.

어떤 기체 반응이 평형 상태에 있을 때 생성물을 용기 속에 넣어 주면 (㉠)가 (㉡)보다 커지므로 역반응이 일어나 새로운 평형에 도달한다.

C 압력 변화와 평형 이동

07 압력의 변화에 의해 평형이 이동하지 않는 것은?

① $3O_2(g) \rightleftharpoons 2O_3(g)$
② $H_2O(l) \rightleftharpoons H_2O(g)$
③ $2NO_2(g) \rightleftharpoons N_2O_4(g)$
④ $N_2(g)+O_2(g) \rightleftharpoons 2NO(g)$
⑤ $CaCO_3(s) \rightleftharpoons CaO(s)+CO_2(g)$

08 다음은 기체 A와 B가 반응하여 기체 C가 생성되는 반응의 화학 반응식이다.

$$aA(g)+bB(g) \rightleftharpoons cC(g)$$

일정한 온도에서 이 반응이 평형 상태에 있을 때, 이에 대한 설명으로 옳지 않은 것은?

① 용기에 $A(g)$를 넣어 주면 정반응이 일어난다.
② 용기에 $C(g)$를 넣어 주면 $B(g)$의 양은 증가한다.
③ $a+b>c$일 때, 기체의 압력을 높이면 정반응이 일어난다.
④ $a+b=c$일 때, 기체의 압력을 낮추면 $C(g)$의 양은 증가한다.
⑤ $a+b<c$일 때, 기체의 압력을 높이면 $A(g)$와 $B(g)$의 양은 모두 증가한다

단답형

09 그림은 일정한 온도에서 $N_2O_4(g) \rightleftharpoons 2NO_2(g)$ 반응이 평형을 이루고 있는 모습을 나타낸 것이다.

평형 상태

피스톤의 추를 제거했을 때 평형이 어느 쪽으로 이동하는지 쓰시오.

10 다음은 고체 A와 기체 B가 반응하여 기체 C가 생성되는 화학 반응식을 나타낸 것이다.

$$A(s)+B(g) \rightleftharpoons 2C(g)$$

이에 대한 설명으로 옳은 것만을 <보기>에서 있는 대로 고른 것은?

보기
ㄱ. $K=\frac{[C]^2}{[A][B]}$이다.
ㄴ. $B(g)$를 넣어 주면 $C(g)$의 양은 증가한다.
ㄷ. 기체의 압력을 높이면 역반응 쪽으로 평형이 이동한다.

① ㄱ ② ㄴ ③ ㄱ, ㄷ
④ ㄴ, ㄷ ⑤ ㄱ, ㄴ, ㄷ

11 그림은 일정한 온도에서 사산화 이질소($N_2O_4(g)$)와 이산화 질소($NO_2(g)$)의 반응이 평형 상태에 있을 때, 이 반응의 화학 반응식을 모형으로 나타낸 것이다.

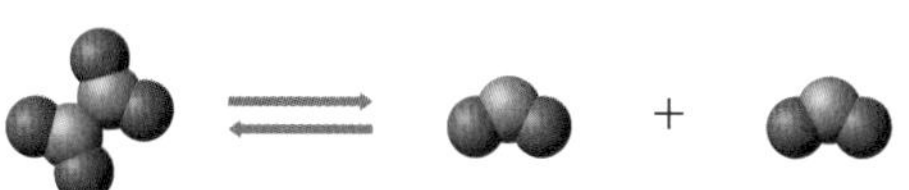

실린더에 $N_2O_4(g)$를 넣은 후 평형에 도달했을 때, 이에 대한 설명으로 옳은 것만을 <보기>에서 있는 대로 고른 것은?

보기
ㄱ. 실린더의 피스톤을 당기면 정반응이 일어난다.
ㄴ. 실린더에 헬륨(He)을 넣어 주어도 평형은 이동하지 않는다.
ㄷ. 피스톤을 고정시키고 $N_2O_4(g)$를 넣어 주면 기체의 색깔은 적갈색이 옅어졌다가 다시 진해진다.

① ㄱ ② ㄴ ③ ㄱ, ㄴ
④ ㄱ, ㄷ ⑤ ㄴ, ㄷ

도전! 실력 올리기

01 그림은 $A(g) \rightleftharpoons 2B(g)$의 반응이 일어날 때 시간에 따른 기체의 전체 압력을 나타낸 것이다.

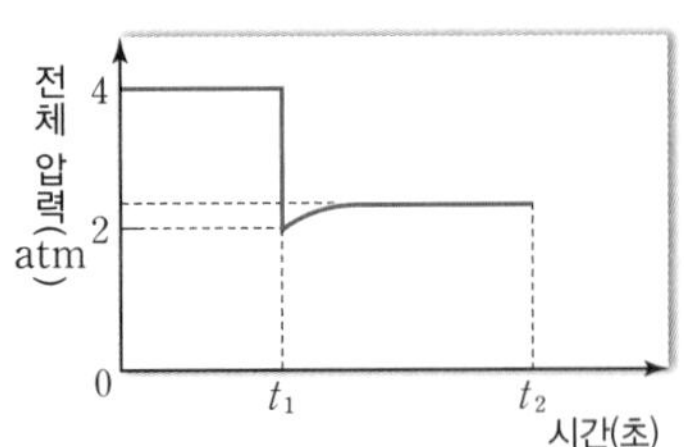

이에 대한 설명으로 옳은 것만을 <보기>에서 있는 대로 고른 것은? (단, 온도는 일정하다.)

보기
ㄱ. t_1에서 기체의 압력을 증가시켰다.
ㄴ. $B(g)$의 양(몰)은 t_2일 때가 t_1일 때보다 크다.
ㄷ. t_2에서 $A(g)$를 넣어 주면 역반응이 일어난다.

① ㄱ　② ㄴ　③ ㄱ, ㄷ　④ ㄴ, ㄷ　⑤ ㄱ, ㄴ, ㄷ

02 그림은 t ℃에서 $NO(g)$와 $O_2(g)$가 반응하여 $NO_2(g)$가 생성되는 반응이 일어날 때 시간에 따른 각 물질의 농도를 나타낸 것이다.

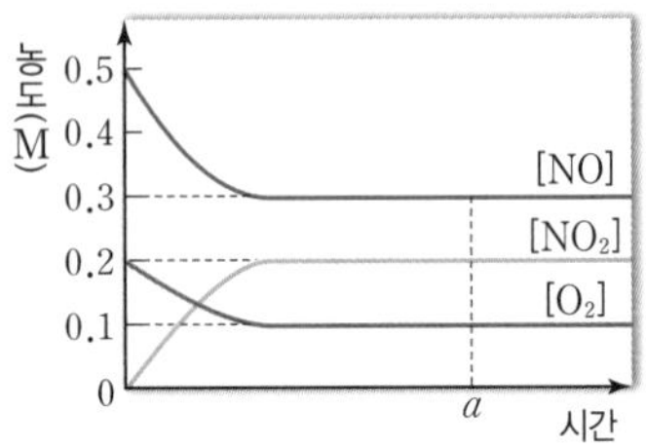

이에 대한 설명으로 옳은 것만을 <보기>에서 있는 대로 고른 것은?

보기
ㄱ. t ℃에서 평형 상수는 $\frac{20}{3}$이다.
ㄴ. 시간 a일 때 기체의 압력을 높이면 역반응이 일어난다.
ㄷ. 시간 a일 때 O_2를 더 넣어 주면 정반응이 일어난다.

① ㄱ　② ㄷ　③ ㄱ, ㄷ　④ ㄴ, ㄷ　⑤ ㄱ, ㄴ, ㄷ

출제예감

03 다음은 이산화 질소(NO_2)가 반응하여 사산화 이질소(N_2O_4)가 생성되는 반응의 화학 반응식이다.

$$2NO_2(g) \rightleftharpoons N_2O_4(g)$$

그림 (가)는 주사기에 $NO_2(g)$를 넣은 후 평형에 도달한 모습을, (나)는 주사기의 피스톤을 누른 직후의 모습을, (다)는 새로운 평형에 도달한 모습을 나타낸 것이다.

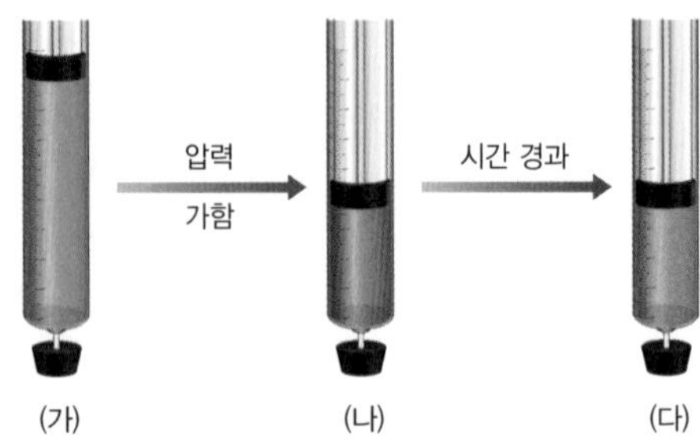

이에 대한 설명으로 옳은 것만을 <보기>에서 있는 대로 고른 것은? (단, 온도는 일정하다.)

보기
ㄱ. $NO_2(g)$는 적갈색을 띤다.
ㄴ. 평형 상수는 (다)가 (가)보다 크다.
ㄷ. 기체 분자 수는 (다)가 (나)보다 크다.

① ㄱ　② ㄴ　③ ㄱ, ㄷ　④ ㄴ, ㄷ　⑤ ㄱ, ㄴ, ㄷ

04 그림은 $A(g) \rightleftharpoons 2B(g)$ 반응이 평형 상태에 있을 때 시간 t_1에서 기체 B를 첨가한 후 새로운 평형에 도달할 때까지 시간에 따른 B의 농도를 나타낸 것이다. (단, 온도는 일정하다.)

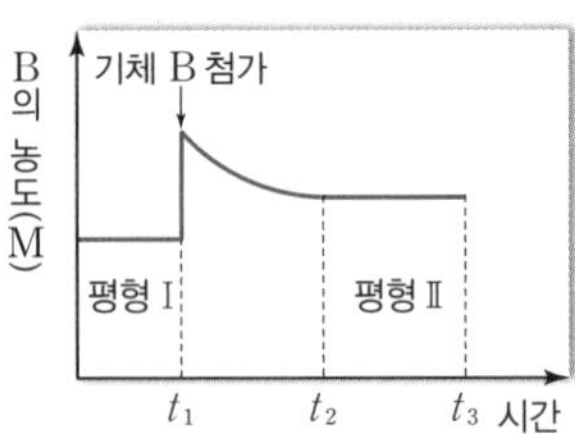

이에 대한 설명으로 옳은 것만을 <보기>에서 있는 대로 고른 것은?

보기
ㄱ. 평형 상수는 평형 Ⅰ과 Ⅱ에서 서로 같다.
ㄴ. $A(g)$의 양은 평형 Ⅱ에서가 Ⅰ에서보다 크다.
ㄷ. t_3에서 기체의 압력을 높이면 정반응 쪽으로 평형이 이동한다.

① ㄱ　② ㄷ　③ ㄱ, ㄴ　④ ㄴ, ㄷ　⑤ ㄱ, ㄴ, ㄷ

출제예감

05 다음은 t℃, 1기압에서 이산화 질소(NO_2)가 생성되는 반응의 화학 반응식이다.

$$2NO(g)+O_2(g) \rightleftharpoons 2NO_2(g)$$

그림 (가)는 t℃, 1기압에서 이 반응이 평형에 도달한 상태를, (나)는 헬륨(He)을 첨가한 후 평형에 도달한 상태를 나타낸 것이다.

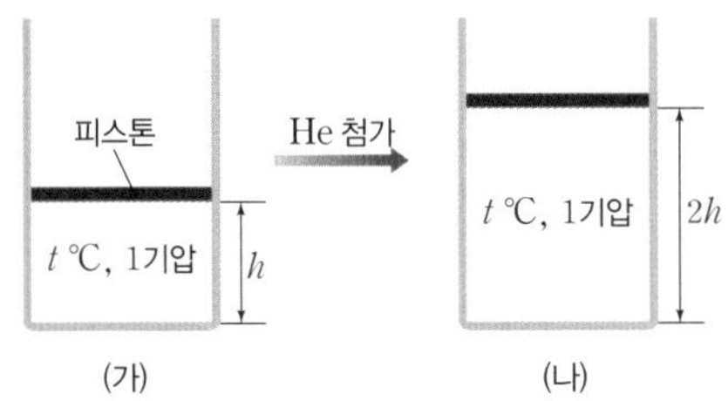

이에 대한 설명으로 옳은 것만을 〈보기〉에서 있는 대로 고른 것은?

보기
ㄱ. (가)와 (나)에서 평형 상수는 같다.
ㄴ. NO의 양(몰)은 (나)에서가 (가)에서보다 크다.
ㄷ. $NO_2(g)$의 부분 압력은 (가)에서가 (나)에서의 2배이다.

① ㄱ ② ㄴ ③ ㄱ, ㄴ
④ ㄱ, ㄷ ⑤ ㄱ, ㄴ, ㄷ

06 그림은 일정한 온도에서

$$aA_2(g)+bB_2(g) \rightleftharpoons cAB_3(g)$$

반응이 일어날 때 반응 초기와 평형 상태를 모형으로 나타낸 것이다.

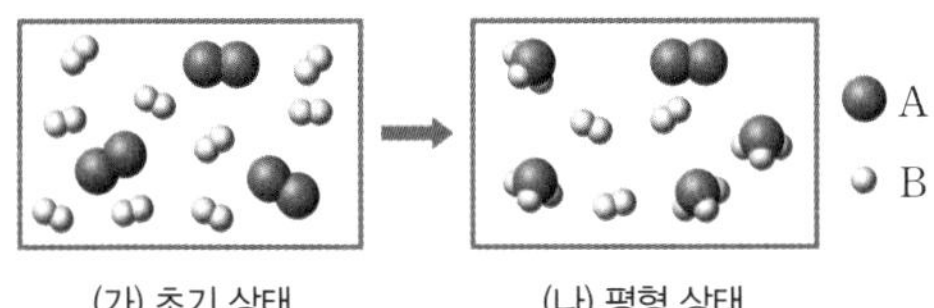

(가) 초기 상태 (나) 평형 상태

이에 대한 설명으로 옳은 것만을 〈보기〉에서 있는 대로 고른 것은?

보기
ㄱ. $a+b=2c$이다.
ㄴ. (나)의 부피를 증가시키면 정반응이 일어난다.
ㄷ. (나)에 AB_3를 넣으면 A_2의 양(몰)은 증가한다.

① ㄱ ② ㄴ ③ ㄱ, ㄷ
④ ㄴ, ㄷ ⑤ ㄱ, ㄴ, ㄷ

07 다음은 압력 변화와 평형 이동에 대한 설명이다. ( ) 안에 알맞은 말을 쓰시오.

일정한 온도에서 기체의 전체 압력을 증가시키면 기체의 몰수가 감소하는 방향으로 평형이 이동한다. 따라서 t℃에서 평형 상태인

$$aA(g)+bB(g) \rightleftharpoons cC(g)+dD(g)$$

반응의 기체의 전체 압력을 높였을 때 ( ) 쪽으로 평형이 이동한다면 반응 계수는 $a+b>c+d$이다.

서술형

08 그림은 일정한 온도에서 $N_2O_4(g) \rightleftharpoons 2NO_2(g)$ 반응이 평형을 이루고 있는 모습을 나타낸 것이다. 다음의 조건을 변화시켰을 때 반응의 진행 방향을 예측하고 그 까닭을 서술하시오.

평형 상태

(1) 피스톤에 추를 추가로 올려놓은 경우
(2) 실린더에 헬륨(He) 기체를 추가로 넣은 경우

서술형

09 다음은 이산화 질소(NO_2)가 반응하여 사산화 이질소(N_2O_4)가 생성되는 반응의 화학 반응식이다.

$$2NO_2(g) \rightleftharpoons N_2O_4(g)$$

그림 (가), (나)는 25 ℃에서 두 기체가 실린더 속에서 평형을 이루고 있는 상태를 각각 나타낸 것이다. (가)의 피스톤은 고정 장치로 고정되어 있다.

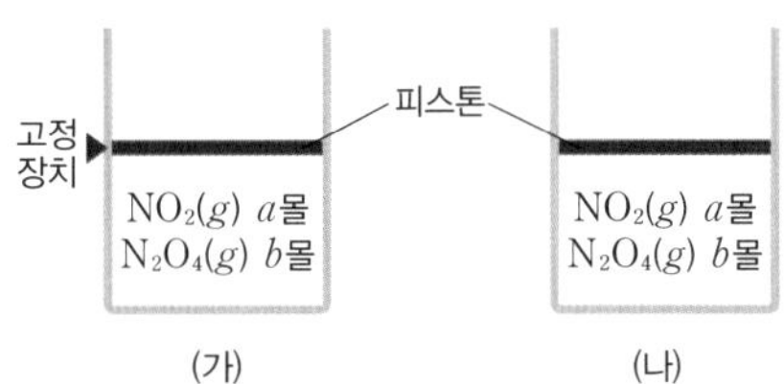

(가)와 (나)에 각각 같은 양의 헬륨(He)을 넣었을 때 반응의 진행 방향과 평형 상수를 각각 비교하여 서술하시오.

03 화학 평형 이동(2)

핵심 키워드로 흐름잡기

A 온도 변화와 평형 이동, 온도 변화와 평형 상수의 관계

B 평형 이동의 활용, 수득률, 암모니아의 생성 반응과 수득률

A 온도 변화와 평형 이동

|출·제·단·서| 온도 변화에 따른 평형 이동, 온도 변화에 따른 평형 상수 변화에 대한 문제가 시험에 나와.

1. 온도 변화와 평형 °이동 평형 상태에 있는 반응에서 온도를 높이면 온도가 낮아지는 방향인 흡열 반응❶ 쪽으로 평형이 이동하고, 온도를 낮추면 온도가 높아지는 방향인 발열 반응❷ 쪽으로 평형이 이동한다. 암기TiP 온도 증가 → 흡열 반응 쪽으로, 온도 감소 → 발열 반응 쪽으로 평형 이동

- 온도를 높임 ➡ 온도가 낮아지는 쪽(흡열 반응 쪽)으로 평형 이동
- 온도를 낮춤 ➡ 온도가 높아지는 쪽(발열 반응 쪽)으로 평형 이동

2. 온도 변화와 평형 °이동의 방향

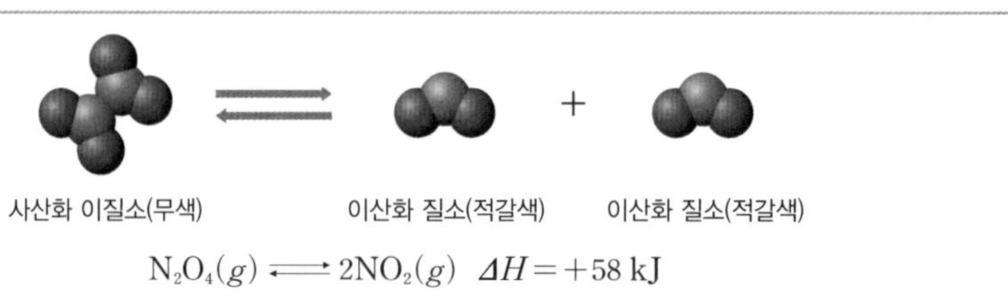

$N_2O_4(g) \rightleftharpoons 2NO_2(g)$ $\Delta H = +58$ kJ

(1) 온도 높임 $N_2O_4(g)$와 $NO_2(g)$의 혼합 기체가 들어 있는 용기를 뜨거운 물에 넣어 두면 적갈색이 진해진다. 적갈색의 이산화 질소의 양이 증가하므로 적갈색이 진해진다.

➡ $NO_2(g)$가 생성되는 쪽(정반응 쪽), 즉 흡열 반응 쪽으로 평형이 이동

(2) 온도 낮춤 $N_2O_4(g)$와 $NO_2(g)$의 혼합 기체가 들어 있는 용기를 얼음 속에 넣어 두면 거의 무색으로 된다. 무색의 사산화 이질소의 양이 증가하므로 적갈색이 옅어진다.

➡ $N_2O_4(g)$가 생성되는 쪽(역반응 쪽), 즉 발열 반응 쪽으로 평형이 이동

빈출 탐구 온도 변화와 평형 이동 탐구 POOL

목표 $Co(H_2O)_6Cl_2$와 진한 염산(HCl)의 반응에서 온도 변화에 의한 평형 이동을 설명할 수 있다.

과정

① 시험관 3개에 $Co(H_2O)_6Cl_2(aq)$ 2 mL와 진한 염산 2 mL를 넣는다.

② ①의 시험관을 1개는 그대로 두고, 1개는 얼음물에 1개는 뜨거운 물에 각각 넣은 후 색깔 변화를 관찰한다.

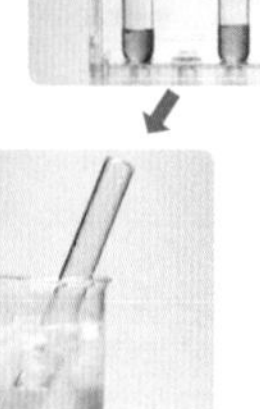
얼음물

뜨거운 물

결과

- 과정 ①에서 수용액의 색깔은 보라색이다.
- 과정 ②에서 얼음물에 넣은 수용액은 붉은색을, 뜨거운 물에 넣은 수용액은 푸른색을 띤다.

정리

$Co(H_2O)_6Cl_2(aq)$ 수용액에 HCl을 넣으면 Cl^- 농도가 증가하므로 정반응이 일어나 수용액의 색깔이 붉은색에서 보라색, 보라색에서 푸른색으로 변한다.

❶ $Co(H_2O)_6Cl_2(aq)$은 다음과 같이 평형을 이룬다.

$$\underbrace{Co(H_2O)_6^{2+}(aq)}_{\text{붉은색}} + 4Cl^-(aq) \rightleftharpoons \underbrace{CoCl_4^{2-}(aq)}_{\text{푸른색}} + 6H_2O(l),\ \Delta H = 50\ \text{kJ}$$

❷ 수용액의 온도를 낮추면 붉은색을, 온도를 높이면 푸른색을 띠므로 정반응은 흡열 반응이다.

❶ **흡열 반응**
주위로부터 열을 흡수하는 반응으로 생성물의 엔탈피 합이 반응물의 엔탈피 합보다 크다. 따라서 반응 엔탈피 ΔH는 0보다 크다.

❷ **발열 반응**
주위로 열을 방출하는 반응으로 반응물의 엔탈피 합이 생성물의 엔탈피 합보다 크다. 따라서 반응 엔탈피 ΔH는 0보다 작다.

용어 알기

- 이동(옮길 移, 움직일 動) 움직여 옮김, 움직여 자리를 바꿈.

3. 온도 변화와 평형 상수의 관계

암기TIP 발열 반응: 온도 증가 → 역반응 → 평형 상수 감소
흡열 반응: 온도 증가 → 정반응 → 평형 상수 증가

온도가 변할 때는 평형이 이동하고 평형 상수도 변해. 흡열 반응은 열이 필요하니까 온도가 높을수록 정반응이 잘 일어나서 평형 상수가 커져.

구분	발열 반응($\Delta H<0$)		흡열 반응($\Delta H>0$)	
온도 변화	온도 높임	온도 낮춤	온도 높임	온도 낮춤
평형 이동 방향	역반응 쪽	정반응 쪽	정반응 쪽	역반응 쪽
평형 이동 결과	반응물 농도 증가 생성물 농도 감소	반응물 농도 감소 생성물 농도 증가	반응물 농도 감소 생성물 농도 증가	반응물 농도 증가 생성물 농도 감소
평형 상수 K	감소	증가	증가	감소
온도 변화에 따른 평형 상수 변화	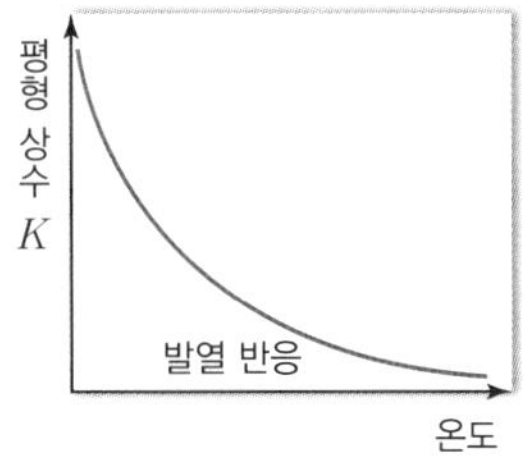 평형 상수 K 발열 반응 온도 ➡ 발열 반응의 경우: 온도가 높을수록 평형 상수 감소		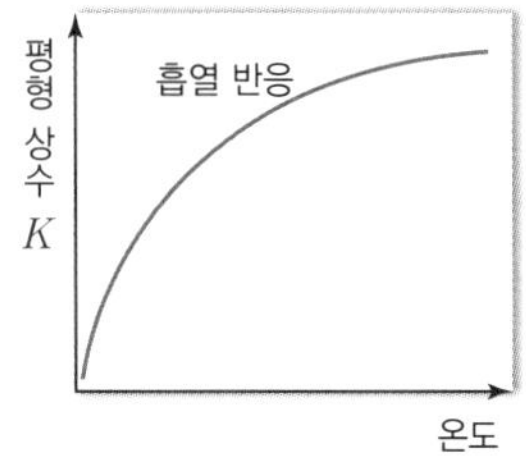 평형 상수 K 흡열 반응 온도 ➡ 흡열 반응의 경우: 온도가 높을수록 평형 상수 증가	

빈출 자료 온도 변화와 평형 이동

$K=\frac{[NO_2]^2}{[N_2O_4]}$ $N_2O_4(g) \rightleftharpoons 2NO_2(g)$ ΔH

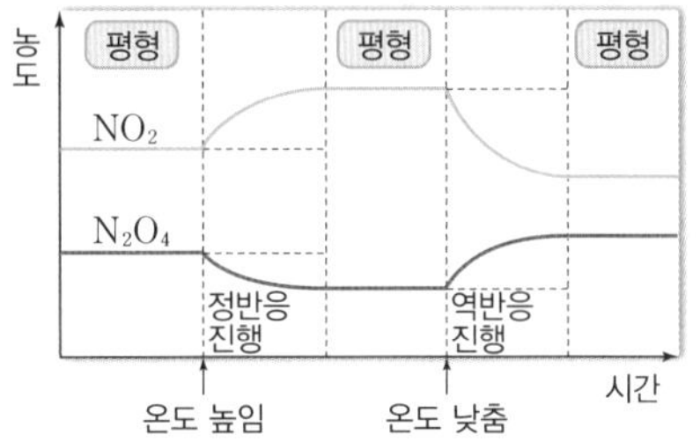

농도
평형
평형
평형
NO_2
N_2O_4
정반응 진행
역반응 진행
시간
온도 높임
온도 낮춤

온도를 높이면 $[N_2O_4]$가 감소하고 $[NO_2]$가 증가하므로 K는 증가한다.

❶ 온도를 높였을 때 정반응 쪽으로 평형이 이동한다.
➡ 정반응이 흡열 반응이므로 $\Delta H>0$이다.
➡ $[N_2O_4]$는 감소, $[NO_2]$는 증가하므로 평형 상수는 증가한다.

❷ 온도를 낮추면 역반응 쪽으로 평형이 이동한다.
➡ $[N_2O_4]$는 증가, $[NO_2]$는 감소하므로 평형 상수는 감소한다.

4. 일상생활에서 온도 변화에 따른 평형 이동의 예❸

(1) 설탕($C_{12}H_{22}O_{11}$)의 용해 반응 $C_{12}H_{22}O_{11}(s) \rightleftharpoons C_{12}H_{22}O_{11}(aq)$ $\Delta H>0$

설탕이 물에 잘 녹지 않을 때 온도를 높여 주면 흡열 반응인 정반응 쪽으로 평형이 이동하므로 설탕이 물에 잘 녹게 된다.

(2) 이산화 탄소의 용해 반응 $CO_2(g) \rightleftharpoons CO_2(aq)$ $\Delta H<0$

탄산음료의 온도가 높아지면 이산화 탄소의 용해 반응이 흡열 반응인 역반응 쪽으로 평형이 이동하여 용액에 녹아 있던 이산화 탄소 기체가 빠져나가기 때문에 톡 쏘는 맛이 적어진다.

❸ **일상생활에서 온도 변화에 따른 평형 이동의 예**
일산화 질소(NO)의 생성 반응: $N_2(g)+O_2(g) \rightleftharpoons 2NO(g)$, $\Delta H>0$
실온에서는 NO가 거의 생성되지 않는데, 자동차 엔진 내부와 같이 온도가 높을 경우에는 흡열 반응인 정반응 쪽으로 평형이 이동하므로 NO가 많이 생성된다.

5. 르샤틀리에의 원리

화학 반응이 평형 상태에 있을 때, 온도, 농도, 기체의 압력이 평형에 미치는 영향은 다음과 같다.

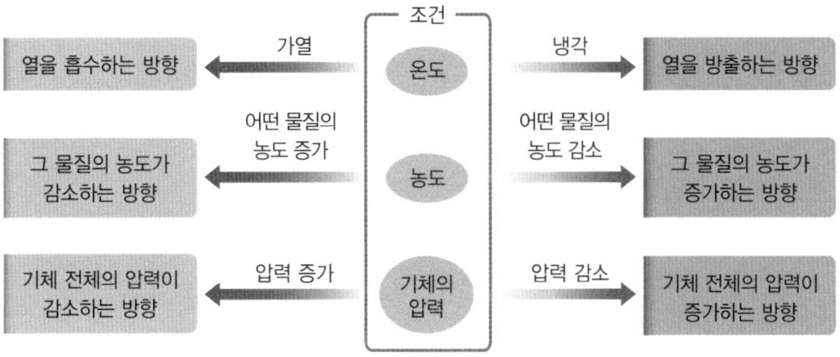

조건
온도
가열
열을 흡수하는 방향
냉각
열을 방출하는 방향
농도
어떤 물질의 농도 증가
그 물질의 농도가 감소하는 방향
어떤 물질의 농도 감소
그 물질의 농도가 증가하는 방향
기체의 압력
압력 증가
기체 전체의 압력이 감소하는 방향
압력 감소
기체 전체의 압력이 증가하는 방향

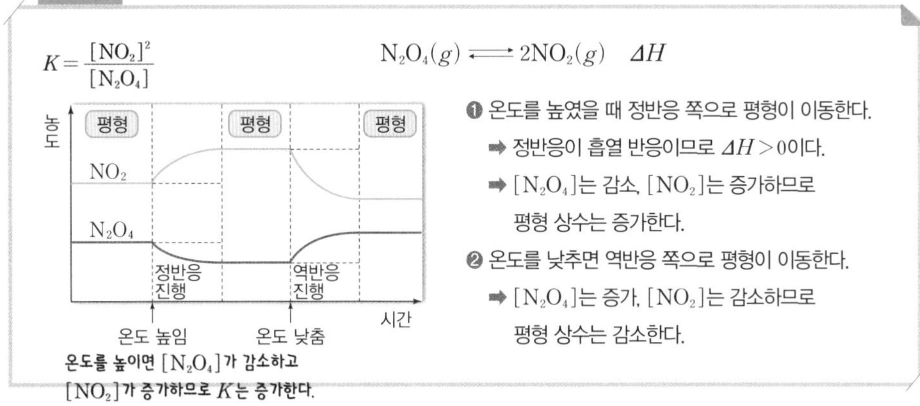

B 평형 이동의 활용

|출·제·단·서| 온도와 압력에 따른 수득률, 암모니아 합성법과 수득률을 높이는 방법에 대한 문제가 시험에 나와!

1. 수득률

암기TIP 수득률 증가 → 정반응 쪽으로 평형 이동

(1) 수득률(%) 반응물로부터 최대로 얻을 수 있는 생성물의 양(이론값[4])에 대한 평형 상태에서의 생성물의 양(실험값)의 비율

$$수득률(\%) = \frac{평형\ 상태에서의\ 생성물의\ 양}{최대로\ 얻을\ 수\ 있는\ 생성물의\ 양} \times 100$$

(2) 수득률을 높이려면 평형을 정반응 쪽으로 이동시켜야 한다.

(3) 수득률은 온도와 압력에 따라 달라진다. 수득률은 생성물의 양이 많을 때 크므로, 평형 상태에 있는 반응을 정반응 쪽으로 이동시킬 때 수득률이 높아진다.

빈출 자료 압력과 온도에 따른 수득률

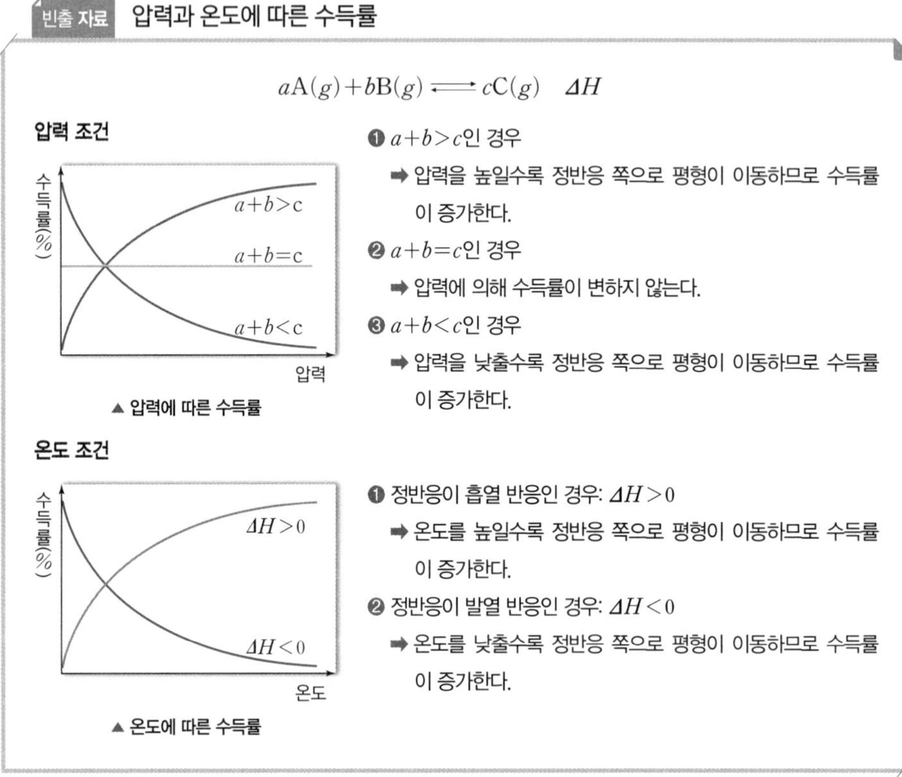

▲ 압력에 따른 수득률

❶ $a+b>c$인 경우
➡ 압력을 높일수록 정반응 쪽으로 평형이 이동하므로 수득률이 증가한다.

❷ $a+b=c$인 경우
➡ 압력에 의해 수득률이 변하지 않는다.

❸ $a+b<c$인 경우
➡ 압력을 낮출수록 정반응 쪽으로 평형이 이동하므로 수득률이 증가한다.

▲ 온도에 따른 수득률

❶ 정반응이 흡열 반응인 경우: $\Delta H>0$
➡ 온도를 높일수록 정반응 쪽으로 평형이 이동하므로 수득률이 증가한다.

❷ 정반응이 발열 반응인 경우: $\Delta H<0$
➡ 온도를 낮출수록 정반응 쪽으로 평형이 이동하므로 수득률이 증가한다.

2. 암모니아의 생성 반응과 수득률

암모니아 생성 반응은 정반응이 기체의 몰수가 감소하며 발열 반응이므로 압력을 높이고 온도를 낮추면 수득률은 증가한다.

(1) 암모니아의 생성

$N_2(g)+3H_2(g) \rightleftharpoons 2NH_3(g) \quad \Delta H=-92\,kJ$

(2) 수득률을 높이는 방법 평형을 정반응 쪽으로 이동시킬 수 있는 온도와 압력 조건을 가한다.

① **온도:** 정반응이 발열 반응이므로 온도를 낮추어 주어야 평형이 정반응 쪽으로 이동한다. 그러나 온도를 낮추면 수득률은 증가하지만 반응 속도가 느려지므로 생산성은 떨어진다.

② **압력:** 정반응이 기체 몰수가 작아지는 쪽이므로 압력을 높여 주어야 평형이 정반응 쪽으로 이동한다.

(3) 암모니아 생성 반응의 실제 온도를 너무 낮추면 반응 속도가 느려져서 시간이 많이 걸린다. 또한 압력을 너무 높이면 큰 압력에서 견딜 수 있는 반응 용기를 설치하는 데 비용이 많이 든다. 따라서 실제로는 촉매[5]를 이용하여 200~400기압, 400~600 ℃ 정도에서 암모니아를 생성한다.

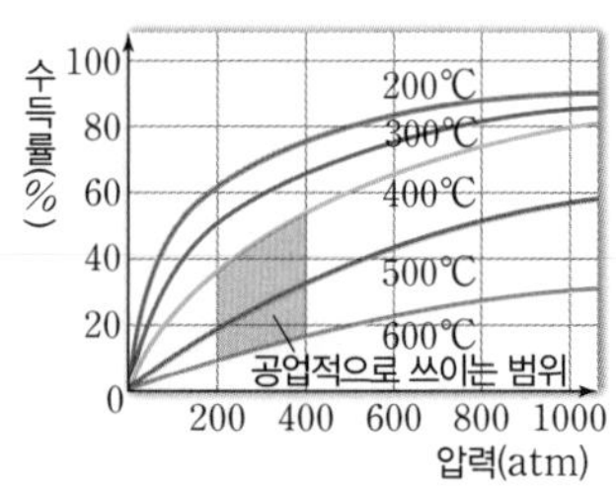

---

[4] 이론값
화학 반응식의 양적 관계를 이용하여 반응물이 모두 반응했을 때 생성된 생성물의 양을 의미한다.

? 수득률은 100 %가 되지 못하는 까닭은 무엇일까요?
대부분의 반응은 반응물이 모두 생성물로 되는 것이 아니라 반응이 평형 상태에 도달하여 더 이상 진행되지 않기 때문이다. 또한 반응 시간이 부족하거나 반응 이외의 다른 반응이 동시에 일어나기도 하고, 생성물을 완전히 회수하지 못하는 경우도 있어 수득률이 100 %가 되지 못한다.

+ 하버-보쉬법
독일의 하버가 발견한 암모니아의 합성 방법으로, 르샤틀리에 원리를 이용하여 질소와 수소로부터 암모니아를 합성하며, 산화 철을 촉매로 이용하였다.

[5] 촉매
화학 반응에 참여하여 자신은 변하지 않으면서 반응 속도를 변화시키는 물질로, 반응 속도를 빠르게 하는 정촉매와 반응 속도를 느리게 하는 부촉매로 구분한다.

용어 알기
- 수득(거두다 收, 얻다 得) 거두어 들여 제 것으로 하다.
- 촉매(닿을 觸, 중매 媒) 자신은 변하지 않으면서 다른 물질의 화학 반응을 매개하여 반응을 빠르게 하거나 늦추는 일 또는 물질

온도 변화와 평형 이동

목표 온도 변화에 의한 평형 이동을 설명할 수 있다.

자료 붉은색의 염화 코발트 이온($Co(H_2O)_6^{2+}$)은 염산($HCl(aq)$)과 반응하여 다음과 같이 평형을 이룬다.

$$\underset{\text{붉은색}}{\underline{Co(H_2O)_6^{2+}(aq)}}+4Cl^-(aq) \rightleftharpoons \underset{\text{푸른색}}{\underline{CoCl_4^{2-}(aq)}}+6H_2O(l) \quad \Delta H=50\ kJ$$

유의점
- 염화 코발트(Ⅱ)는 독성이 있으므로 시약이나 용액이 피부에 묻지 않도록 하고, 보안경을 반드시 착용한다.
- 진한 염산은 후드에서 사용한다.
- 실험에 사용한 용액은 반드시 폐수통에 버린다.

과정

❶ $CoCl_2 \cdot 6H_2O$ 0.5 g을 증류수 15 mL에 녹인다.
❷ ❶의 용액을 3개의 시험관 A～C에 각각 2 mL씩 넣는다.
❸ 시험관 A는 그대로 두고, 시험관 B에는 진한 염산 2 mL, 시험관 C에는 진한 염산 4 mL를 넣은 뒤 각 용액의 색깔을 관찰한다.
❹ 시험관 A～C를 얼음물에 넣고 색깔 변화를 관찰한다.
❺ 시험관 A～C를 뜨거운 물에 넣고 색깔 변화를 관찰한다.

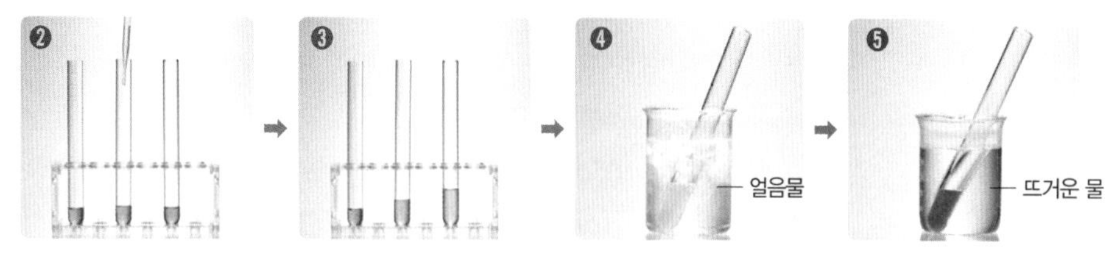

결과

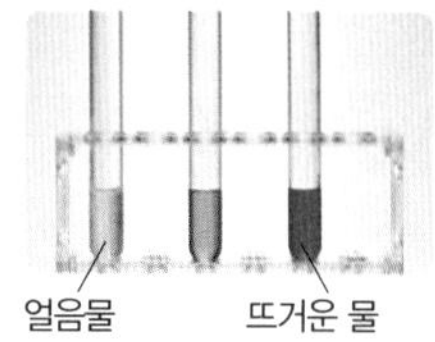

① 과정 ❸에서 시험관 속 수용액의 색깔은 시험관 A에서 붉은색, B에서 보라색, C에서 푸른색을 띤다.
② 과정 ❹에서 시험관 A～C 속 수용액의 색깔은 모두 붉은색이다.
③ 과정 ❺에서 시험관 A～C 속 수용액의 색깔은 모두 푸른색이다.

정리 및 해석

❶ 과정 ❸에서 진한 $HCl(aq)$을 시험관 B와 C에 넣으면 수용액의 $[Cl^-]$가 증가한다.
➡ $[Cl^-]$가 증가하므로 $[Cl^-]$의 농도를 감소시키기 위해 정반응이 일어난다.
➡ 정반응이 일어나면 푸른색을 띠는 $CoCl_4^{2-}$의 농도가 증가하므로 수용액의 색은 보라색과 푸른색을 띤다.
❷ 과정 ❹에서 시험관 A～C를 얼음물에 넣으면 온도가 낮아지므로 온도를 높이기 위해 발열 반응 쪽으로 평형이 이동한다. ➡ 정반응이 흡열 반응이므로 역반응이 일어나 $Co(H_2O)_6^{2+}$의 농도가 증가하므로 수용액은 붉은색을 띤다.
❸ 과정 ❺에서 시험관 A～C를 뜨거운 물에 넣으면 온도가 높아지므로 온도를 낮추기 위해 흡열 반응 쪽으로 평형이 이동한다. ➡ 정반응이 흡열 반응이므로 정반응이 일어나 $CoCl_4^{2-}$의 농도가 증가하므로 수용액은 푸른색을 띤다.

한·줄·핵심 가역 반응의 온도를 높이면 흡열 반응 쪽으로, 온도를 낮추면 발열 반응 쪽으로 평형이 이동한다.

확인 문제

정답과 해설 062쪽

01 이 탐구 활동에 대한 설명이다. ㉠, ㉡에 들어갈 알맞은 말을 쓰시오.

> 수용액의 색 변화를 통해 가역 반응의 온도를 높이면 (㉠) 쪽으로 평형이 이동하고, 온도를 낮추면 (㉡) 쪽으로 평형이 이동함을 알 수 있다.

02 이 탐구 활동에 대한 설명으로 옳은 것은 ○, 옳지 않은 것은 ×로 표시하시오.

(1) 과정 ❹에서 정반응 쪽으로 평형이 이동한다. ( )

(2) 각 과정 후 $CoCl_4^{2-}$의 농도는 과정 ❸에서가 과정 ❺에서보다 크다. ( )

(3) 새로운 평형 상태에서 평형 상수는 과정 ❺에서가 과정 ❹에서보다 크다. ( )

콕콕! 개념 확인하기

정답과 해설 062쪽

✔ 잠깐 확인!

1. □□ □□
주위로 열을 방출하는 반응으로, 반응물의 엔탈피 합이 생성물의 엔탈피 합보다 큰 반응

2. $\Delta H>0$인 반응은 반응이 일어날 때 엔탈피가 증가하는 반응이므로 □□ □□이다.

3. 화학 반응이 평형 상태에 있을 때 온도를 높이면 □□ 반응 쪽으로 평형이 이동한다.

4. 정반응이 발열 반응인 화학 반응이 평형 상태에 있을 때 온도를 높이면 □□□□는 작아진다.

5. □□□
반응물로부터 최대로 얻을 수 있는 생성물의 양에 대한 실제로 얻어낼 수 있는 생성물의 양의 비율

6. 수득률을 높이려면 평형을 □□□ 쪽으로 이동시켜야 한다.

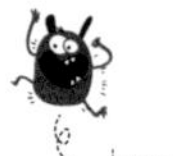

A 온도 변화와 평형 이동

01 어떤 기체 반응이 평형 상태에 있을 때, 이에 대한 설명으로 옳은 것은 ○, 옳지 않은 것은 ×로 표시하시오.

(1) $\Delta H<0$일 때 온도를 높이면 역반응이 일어난다. ( )

(2) $\Delta H<0$일 때 온도를 낮추면 평형 상수는 증가한다. ( )

(3) $\Delta H>0$일 때 온도를 높이면 생성물의 양(몰)은 증가한다. ( )

02 다음은 t ℃에서 기체 A와 B가 반응하여 기체 C가 생성되는 반응의 열화학 반응식과 농도로 정의되는 평형 상수를 나타낸 것이다.

$$A(g)+2B(g) \rightleftharpoons 2C(g) \quad \Delta H<0,\ K$$

강철 용기에 A(g)와 B(g)를 넣고 반응시킨 후 평형에 도달했을 때, 이에 대한 설명으로 옳은 것은 ○, 옳지 않은 것은 ×로 표시하시오.

(1) A(g)를 넣어 주면 정반응 쪽으로 평형이 이동한다. ( )

(2) He(g)을 넣어 주면 기체의 전체 압력이 증가하므로 정반응 쪽으로 평형이 이동한다. ( )

(3) 기체의 온도를 t ℃보다 높게 올리면 역반응 쪽으로 평형이 이동한다. ( )

B 평형 이동의 활용

03 다음은 암모니아 생성 반응의 열화학 반응식을 나타낸 것이다.

$$N_2(g)+3H_2(g) \rightleftharpoons 2NH_3(g) \quad \Delta H=-92\ \text{kJ}$$

암모니아의 수득률을 높이기 위한 압력과 온도 조건을 쓰시오.

04 다음은 기체 A와 B가 반응하여 기체 C를 생성하는 반응의 열화학 반응식이다.

$$aA(g)+bB(g) \rightleftharpoons cC(g) \quad \Delta H\ (a\sim c\text{는 반응 계수})$$

그림은 위 반응에서 온도와 압력에 따른 생성물 C의 수득률을 나타낸 것이다.
이에 대한 설명으로 옳은 것은 ○, 옳지 않은 것은 ×로 표시하시오.

(1) $a+b>c$이다. ( )

(2) $\Delta H>0$이다. ( )

(3) 300 K에서 압력이 높을수록 평형 상수는 증가한다. ( )

탄탄! 내신 다지기

정답과 해설 062쪽

A 온도 변화와 평형 이동

01 다음은 기체 A와 B가 반응하여 기체 C를 생성하는 반응의 열화학 반응식이다.

$$A(g)+B(g) \rightleftharpoons 2C(g) \quad \Delta H>0$$

위의 반응이 평형을 이루고 있을 때, 정반응 쪽으로 평형을 이동시키기 위해 변화시켜야 할 조건으로 옳지 않은 것은?

① 용기에 $A(g)$를 넣는다.
② 용기에 $B(g)$를 넣는다.
③ 생성된 $C(g)$를 제거한다.
④ 기체의 온도를 높인다.
⑤ 기체의 압력을 높인다.

[02~03] 다음은 기체 A와 B가 반응하여 C가 생성되는 반응의 열화학 반응식이다.

$$2A(g)+B(g) \rightleftharpoons 2C(g) \quad \Delta H<0$$

단답형

02 이 반응의 평형 상수식을 쓰시오.

03 온도 t ℃, 강철 용기에서 위 반응이 평형 상태에 있을 때, 이에 대한 설명으로 옳은 것은? (단, t ℃에서 이 반응의 평형 상수 K는 5이다.)

① 역반응의 평형 상수는 2.5이다.
② 온도를 높이면 정반응이 일어난다.
③ 온도를 낮추면 평형 상수는 5보다 작아진다.
④ A의 농도를 증가시키면 평형 상수는 5보다 커진다.
⑤ 기체의 전체 압력을 증가시키면 C의 양(몰)은 증가한다.

04 다음 반응의 평형 상태에 (　　)안의 조건을 변화시켰을 때 정반응 쪽으로 평형이 이동하는 것만을 〈보기〉에서 있는 대로 고른 것은?

〈보기〉
ㄱ. $H_2(g)+I_2(g) \rightleftharpoons 2HI(g)$ ($H_2(g)$ 첨가)
ㄴ. $N_2(g)+O_2(g) \rightleftharpoons 2NO(g)$ (압력 증가)
ㄷ. $3H_2(g)+N_2(g) \rightleftharpoons 2NH_3(g)$
$\Delta H<0$ (온도 증가)

① ㄱ　② ㄴ　③ ㄷ
④ ㄱ, ㄴ　⑤ ㄱ, ㄷ

05 다음은 수소와 아이오딘이 반응하여 아이오딘화 수소가 생성되는 반응의 열화학 반응식이다.

$$H_2(g)+I_2(g) \rightleftharpoons 2HI(g) \quad \Delta H<0$$

위 반응이 평형 상태에 있을 때, HI의 농도를 증가시키기 위해 변화시켜야 할 조건만을 〈보기〉에서 있는 대로 고르시오.

〈보기〉
ㄱ. I_2를 첨가한다.
ㄴ. 반응 온도를 낮춘다.
ㄷ. 기체의 전체 압력을 증가시킨다.

단답형

06 다음은 기체 A가 분해되어 기체 B를 생성하는 반응에 대한 열화학 반응식과 농도로 표현되는 평형 상수이다.

• 열화학 반응식: $2A(g) \rightleftharpoons B(g) \quad \Delta H<0$
• t ℃에서 평형 상수: 2

㉠, ㉡에 들어갈 알맞은 말을 쓰시오.

t ℃, 강철 용기에서 $A(g)$, $B(g)$가 평형을 이루고 있을 때, 기체의 온도를 높이면 정반응이 (㉠)이므로 역반응이 일어나며, 새로운 평형 상태에 도달했을 평형 상수는 2보다 (㉡)한다.

07 그림 (가)는 $2A(g)+B(g) \rightleftharpoons 3C(g)$ 반응이 평형 상태에 있는 것을, (나)는 (가)의 온도를 높인 후 평형 상태에 있는 것을 나타낸 것이다. (단, 정반응의 $\Delta H<0$이다.)

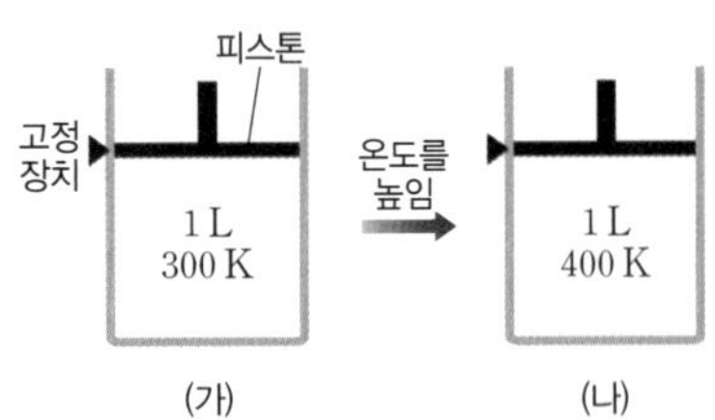

(가), (나)에서의 평형 상수와 전체 기체의 양(몰)을 옳게 비교한 것은?

	평형 상수	기체의 양(몰)
①	(가)>(나)	(가)=(나)
②	(가)>(나)	(가)>(나)
③	(가)>(나)	(가)<(나)
④	(가)<(나)	(가)=(나)
⑤	(가)<(나)	(가)<(나)

08 그림은 $A(g)+B(g) \rightleftharpoons C(g)$ 반응에서 반응 진행에 따른 엔탈피 변화를 나타낸 것이다.

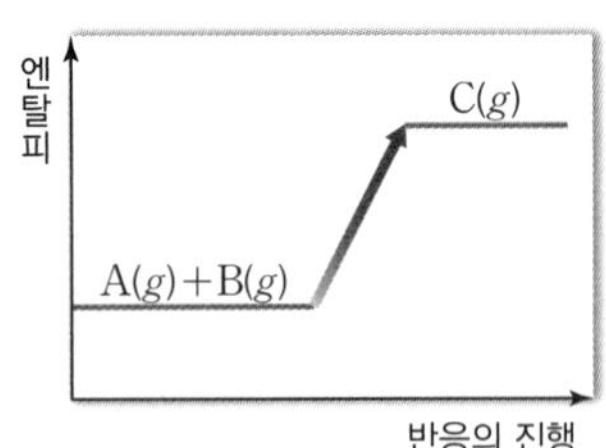

강철 용기에서 이 반응이 평형 상태에 있을 때 온도를 증가시켰다. 이에 대한 설명으로 옳지 않은 것은?

① 정반응이 일어난다.
② B의 양(몰)은 감소한다.
③ 평형 상수는 변하지 않는다.
④ $C(g)$의 부분 압력은 증가한다.
⑤ 전체 기체의 양(몰)은 감소한다.

09 그림은 $2NO_2(g) \rightleftharpoons N_2O_4(g)$ 반응이 평형 상태에 있는 모습을 나타낸 것이다. 정반응의 $\Delta H<0$이다.
정촉매를 넣은 후 추 하나를 제거했을 때, 이에 대한 설명으로 옳은 것만을 〈보기〉에서 있는 대로 고른 것은? (단, 온도는 일정하다.)

보기
ㄱ. 정반응이 일어난다.
ㄴ. 기체의 밀도는 감소한다.
ㄷ. 평형 상수는 감소한다.

① ㄱ ② ㄴ ③ ㄱ, ㄷ
④ ㄴ, ㄷ ⑤ ㄱ, ㄴ, ㄷ

단답형

10 다음은 온도와 평형 상수에 대한 설명이다. ㉠~㉣에 들어갈 알맞은 말을 쓰시오.

평형 상태에 있는 반응의 정반응이 흡열 반응일 때, 온도를 높이면 온도가 낮아지는 (㉠) 쪽으로 반응이 진행되므로 평형 상수는 (㉡)한다. 또한 온도를 낮추면 온도가 높아지는 (㉢) 쪽으로 반응이 진행되므로 평형 상수는 (㉣)한다.

11 그림은 t ℃에서 강철 용기에 $A(g)$ 1몰이 들어 있는 모습을 나타낸 것이다.

A(g) 1몰

$2A(g) \rightleftharpoons B(g)$ 반응이 일어난 후 평형 상태에 도달했을 때, 이에 대한 설명으로 옳은 것만을 〈보기〉에서 있는 대로 고른 것은? (단, 정반응의 $\Delta H<0$이다.)

보기
ㄱ. 용기에 $He(g)$을 넣으면 정반응이 일어난다.
ㄴ. 용기에 $A(g)$을 넣으면 역반응이 일어난다.
ㄷ. 기체의 온도를 높이면 A의 몰 분율은 증가한다.

① ㄱ ② ㄷ ③ ㄱ, ㄴ
④ ㄱ, ㄷ ⑤ ㄴ, ㄷ

B 평형 이동의 활용

12 다음은 수소(H_2) 기체와 질소(N_2) 기체가 반응하여 암모니아(NH_3) 기체가 생성되는 반응의 열화학 반응식이다.

$$3H_2(g)+N_2(g) \rightleftarrows 2NH_3(g) \quad \Delta H<0$$

일정한 압력에서 온도를 높였을 때와 일정한 온도에서 압력을 증가시켰을 때 평형 이동 방향으로 옳은 것은?

	온도 상승	압력 증가
①	정반응	정반응
②	정반응	역반응
③	역반응	평형 이동 없음
④	역반응	역반응
⑤	역반응	정반응

13 기체 반응이 평형에 있을 때, 온도, 압력 변화와 수득률의 관계에 대한 설명으로 옳은 것만을 〈보기〉에서 있는 대로 고른 것은?

보기
ㄱ. 정반응이 $\Delta H<0$일 때, 온도를 높이면 수득률은 감소한다.
ㄴ. 계수의 합이 같은 반응에서 압력을 증가시키면 수득률은 증가한다.
ㄷ. 계수의 합이 증가하는 반응에서 압력을 증가시키면 수득률은 감소한다.

① ㄱ ② ㄴ ③ ㄱ, ㄴ
④ ㄱ, ㄷ ⑤ ㄴ, ㄷ

단답형

14 다음은 아이오딘화 수소(HI)가 생성되는 반응의 열화학 반응식이다.

$$H_2(g)+I_2(g) \rightleftarrows 2HI(g) \quad \Delta H=-21\text{ kJ}$$

$HI(g)$의 수득률을 높이기 위한 압력과 온도 조건을 쓰시오.

15 다음은 기체 A와 B가 반응하여 기체 C를 생성하는 반응의 열화학 반응식이다. a~c는 반응 계수이다.

$$aA(g)+bB(g) \rightleftarrows cC(g) \quad \Delta H$$

그림은 위 반응에서 온도와 압력에 따른 생성물 C의 수득률을 나타낸 것이다.

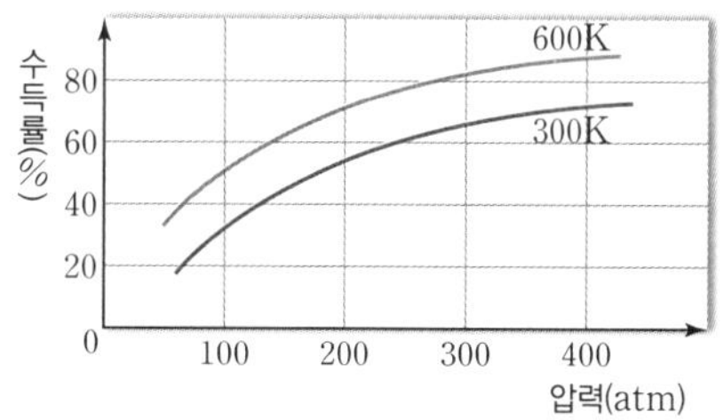

이에 대한 설명으로 옳은 것만을 〈보기〉에서 있는 대로 고른 것은?

보기
ㄱ. $\Delta H>0$이다.
ㄴ. $a+b>c$이다.
ㄷ. 200기압에서 평형 상수는 600 K일 때가 300 K일 때보다 크다.

① ㄱ ② ㄱ, ㄴ ③ ㄱ, ㄷ
④ ㄴ, ㄷ ⑤ ㄱ, ㄴ, ㄷ

16 그림은 평형 상태에서 온도와 압력을 변화시켰을 때 생성물의 수득률을 나타낸 것이다.

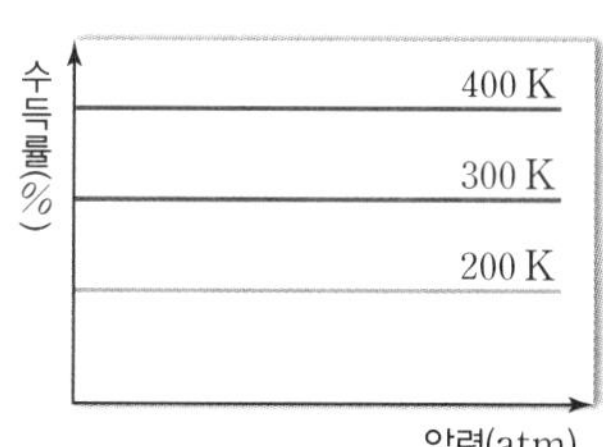

이에 해당하는 반응의 열화학 반응식으로 가장 적절한 것은?

① $N_2O_4(g) \rightleftarrows 2NO_2(g)\ \Delta H=58\text{ kJ}$
② $2HI(g) \rightleftarrows H_2(g)+I_2(g)\ \Delta H=21\text{ kJ}$
③ $2NO(g) \rightleftarrows N_2(g)+O_2(g)\ \Delta H=-181\text{ kJ}$
④ $3H_2(g)+N_2(g) \rightleftarrows 2NH_3(g)\ \Delta H=-92\text{ kJ}$
⑤ $2SO_2(g)+O_2(g) \rightleftarrows 2SO_3(g)\ \Delta H=-188\text{ kJ}$

도전! 실력 올리기

출제예감

01 그림은 온도에 따른 평형 상수 K를 나타낸 것이다.

㉠에 해당하는 기체 반응에 대한 설명으로 옳은 것만을 <보기>에서 있는 대로 고른 것은?

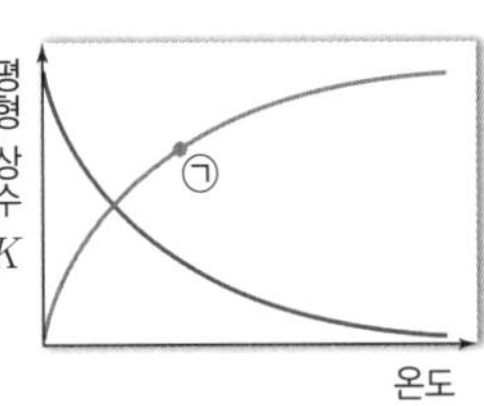

보기
ㄱ. 엔탈피의 합은 생성물이 반응물보다 크다.
ㄴ. 온도를 증가시키면 정반응이 일어난다.
ㄷ. 온도를 감소시키면 평형 상수는 증가한다.

① ㄱ ② ㄱ, ㄴ ③ ㄱ, ㄷ
④ ㄴ, ㄷ ⑤ ㄱ, ㄴ, ㄷ

02 다음은 기체 A가 분해되어 기체 B와 C가 생성되는 반응의 열화학 반응식이다.

$$2A(g) \rightleftharpoons B(g)+C(g) \quad \Delta H<0$$

표는 부피가 1 L인 강철 용기에 기체를 넣고 반응시킬 때 평형 상태에서의 각 물질의 농도를 나타낸 것이다.

실험	온도(℃)	평형 농도(M)		
		A	B	C
Ⅰ	T_1	2	1	2
Ⅱ	T_2	1	3	2

이에 대한 설명으로 옳은 것만을 <보기>에서 있는 대로 고른 것은?

보기
ㄱ. T_1에서 평형 상수는 0.5이다.
ㄴ. $T_1>T_2$이다.
ㄷ. T_2에서 기체의 전체 압력을 증가시키면 역반응 쪽으로 평형이 이동한다.

① ㄱ ② ㄷ ③ ㄱ, ㄴ
④ ㄴ, ㄷ ⑤ ㄱ, ㄴ, ㄷ

출제예감

03 그림은 25 ℃에서 평형 상태에 있는 반응 $aX(g) \rightleftharpoons bY(g)+cZ(g)$의 온도를 50 ℃로 변화시켰을 때 시간에 따른 X～Z의 농도를 나타낸 것이다. 평형 상수는 25 ℃에서 K_1, 50 ℃에서 K_2이다.

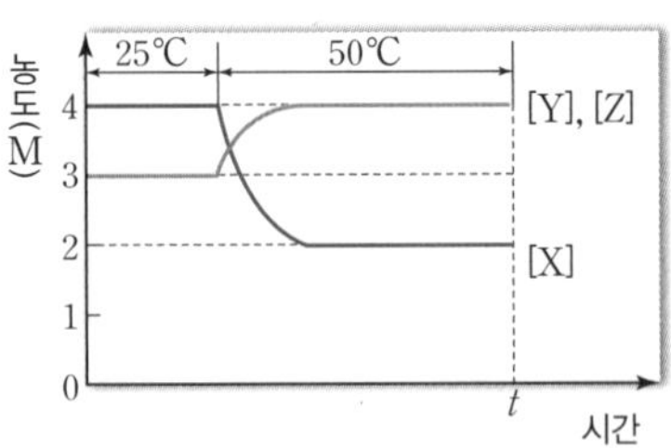

이에 대한 설명으로 옳은 것만을 <보기>에서 있는 대로 고른 것은?

보기
ㄱ. $\frac{b+c}{a}=1$이다.
ㄴ. $K_1 : K_2=9 : 32$이다.
ㄷ. 시간 t에서 기체의 압력을 높이면 역반응이 일어난다.

① ㄱ ② ㄷ ③ ㄱ, ㄴ
④ ㄴ, ㄷ ⑤ ㄱ, ㄴ, ㄷ

04 다음은 $N_2O_4(g)$가 분해되어 $NO_2(g)$가 생성되는 반응의 열화학 반응식이다.

$$N_2O_4(g) \rightleftharpoons 2NO_2(g) \quad \Delta H=58\ kJ$$

그림은 부피가 1 L인 강철 용기에 $N_2O_4(g)$를 넣은 후 평형 상태에 도달했을 때, (가)와 (나)에 변화를 주었을 때 시간에 따른 $N_2O_4(g)$와 $NO_2(g)$의 농도를 나타낸 것이다.

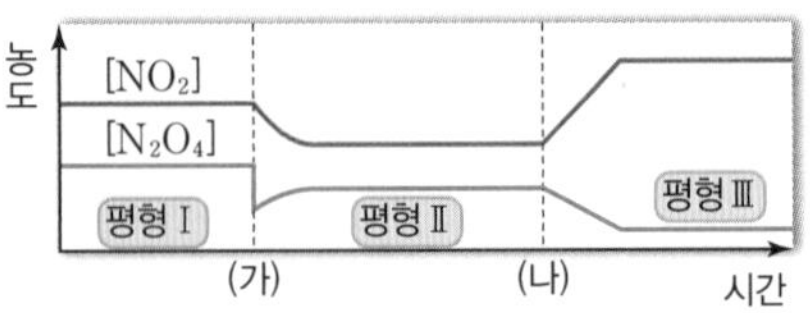

이에 대한 설명으로 옳은 것만을 <보기>에서 있는 대로 고른 것은?

보기
ㄱ. (가)에서 반응 지수는 평형 상수보다 작다.
ㄴ. (나)에서 온도를 높였다.
ㄷ. 평형 상수는 평형 Ⅰ에서가 Ⅲ에서보다 크다.

① ㄱ ② ㄴ ③ ㄱ, ㄷ
④ ㄴ, ㄷ ⑤ ㄱ, ㄴ, ㄷ

정답과 해설 064쪽

05 다음은 기체 A가 반응하여 기체 B와 C가 생성되는 반응의 열화학 반응식이다.

$$2A(g) \rightleftharpoons B(g)+C(g) \quad \Delta H<0$$

그림은 t ℃에서 부피가 같은 2개의 강철 용기에 각각 $A(g)$ 1몰이 들어 있는 모습을 나타낸 것이다. (나)에는 $He(g)$를 넣어 주었다.

A(g) 1 몰	A(g) 1 몰 He(g)
(가)	(나)

(가)와 (나)에서 $A(g)$가 분해되어 각각 평형 상태에 도달했을 때, 이에 대한 설명으로 옳은 것만을 〈보기〉에서 있는 대로 고른 것은?

보기
ㄱ. B의 양(몰)은 (가)에서가 (나)에서보다 크다.
ㄴ. 평형 상수는 (나)에서가 (가)에서보다 크다.
ㄷ. (나)에서 기체의 온도를 증가시키면 B의 몰 분율은 감소한다.

① ㄱ ② ㄴ ③ ㄷ ④ ㄱ, ㄷ ⑤ ㄴ, ㄷ

06 다음은 A와 B가 반응하여 C를 생성하는 반응의 열화학 반응식과 이를 이용한 실험이다. $a \sim c$는 반응 계수이다.

[열화학 반응식]
$aA(g)+bB(g) \rightleftharpoons cC(g) \quad \Delta H=x$
[실험 과정 및 결과]
(가) 100기압에서 온도를 높였더니 C의 수득률이 감소하였다.
(나) 300 ℃에서 압력을 증가시켰더니 C의 수득률이 증가하였다.

이에 대한 설명으로 옳은 것만을 〈보기〉에서 있는 대로 고른 것은?

보기
ㄱ. $x>0$이다.
ㄴ. $a+b>c$이다.
ㄷ. (가)에서 평형 상수는 증가한다.

① ㄱ ② ㄴ ③ ㄷ ④ ㄱ, ㄷ ⑤ ㄴ, ㄷ

서술형

07 다음은 25 ℃에서 기체 A와 B가 반응하여 기체 C가 생성되는 반응의 열화학 반응식과 평형 상태에서의 몰 농도를 나타낸 것이다.

[열화학 반응식] $A(g)+2B(g) \rightleftharpoons 2C(g) \quad \Delta H<0$

기체	A	B	C
평형 농도(M)	2	1	2

(1) 25 ℃에서 평형 상수를 구하시오.

(2) C의 수득률을 높이기 위한 온도와 압력 조건을 그 까닭과 함께 서술하시오.

서술형

08 다음은 기체 A와 B가 반응하여 기체 C가 생성되는 반응의 열화학 반응식이다. (단, $a \sim c$는 반응 계수)

$$aA(g)+bB(g) \rightleftharpoons cC(g) \quad \Delta H$$

그림은 일정한 부피의 강철 용기에서 반응이 진행될 때 3가지 평형 상태에서 용기에 들어 있는 입자 수를 각각 나타낸 것이다.

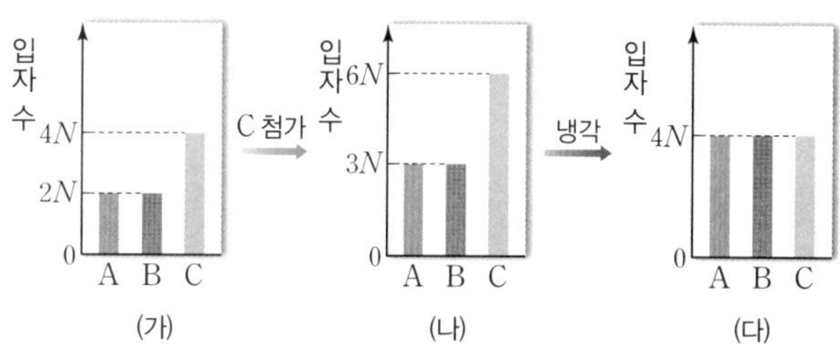

(가) (나) (다)

(1) (가)에 첨가한 C의 입자 수를 구하는 과정을 서술하시오.

(2) (가)와 (다)의 평형 상수 비를 구하는 과정을 서술하시오.

04 상평형 그림

핵심 키워드로 흐름잡기

A 상과 상평형, 상평형 그림

B 물의 상평형, 이산화 탄소의 상평형, 승화성 물질, 압력과 녹는점, 압력과 끓는점

A 상평형 그림

|출·제·단·서| 상평형 그림의 의미와 각 곡선에 해당하는 상변화를 찾는 문제가 시험에 나와.

1. 상과 상평형

(1) **상(Phase)** 물질의 세 가지 상태, 즉 기체, 액체, 고체를 상이라고 한다.

(2) **상평형** 한 물질의 여러 상들이 동적 평형❶을 이루고 있는 상태이다.

① 물질의 세 가지 상은 온도와 압력에 따라 결정된다.

② 온도와 압력 조건에 따라 두 가지 이상의 상이 평형을 이룰 수 있다.

2. 상평형 그림

암기TiP 융해 곡선 → 고체와 액체, 증기 압력 곡선 → 액체와 기체, 승화 곡선: 기체와 고체

(1) 온도와 압력에 따른 물질의 상을 나타낸 그래프로, 상평형 그림은 융해 곡선, 증기 압력 곡선, 승화 곡선으로 이루어져 있다.

대부분의 물질은 융해 곡선(BT)의 기울기가 양(+)의 값이다.

(2) 상평형 그림의 곡선 상의 모든 점에서는 두 가지 상이 •공존하여 평형을 이룬다.

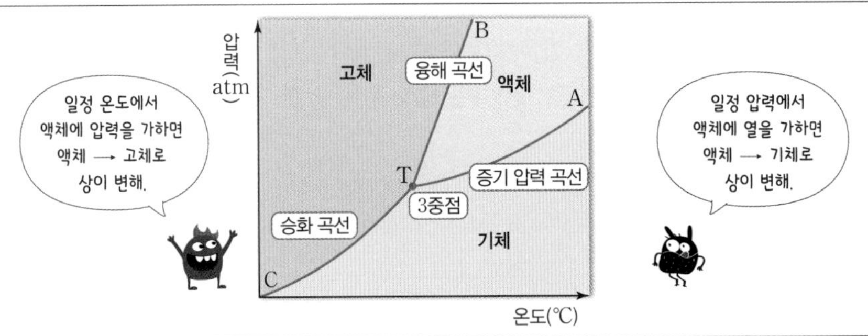

융해 곡선(BT 곡선)	고체와 액체가 동적 평형을 이루며 공존하는 온도와 압력을 나타낸 곡선 ➡ 융해 곡선 상의 온도: 녹는점(어는점)
증기 압력 곡선(AT 곡선)	액체와 기체가 동적 평형❷을 이루며 공존하는 온도와 압력을 나타낸 곡선 ➡ 증기 압력 곡선 상의 온도: 끓는점 증기 압력 곡선 상에서 평형을 이루고 있을 때 증기의 압력을 증기 압력이라고 한다.
•승화 곡선(TC 곡선)	고체와 기체가 동적 평형을 이루며 공존하는 온도와 압력을 나타낸 곡선 고체에서 기체로, 기체에서 고체로 변하는 상태 변화를 모두 승화라고 한다.
3중점(T)	고체, 액체, 기체의 3가지 상이 공존하는 온도와 압력 3중점의 압력이 대기압보다 작은 물질의 경우 온도에 따라 3가지 상으로 존재할 수 있다.

빈출 자료 상평형 그림의 해석

일반적인 물질의 상평형 그림과 상태

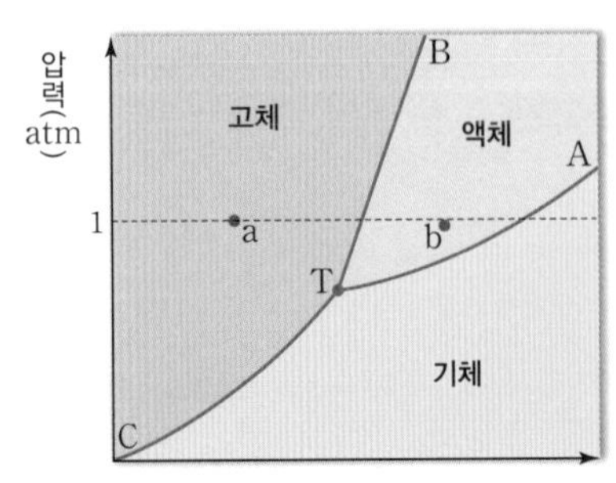

❶ 압력이 1기압인 점에서 가로로 직선을 그었을 때 융해 곡선과 만나는 점의 온도가 기준 어는점이고, 증기 압력 곡선과 만나는 점의 온도가 기준 끓는점이다.

❷ 3중점보다 높은 압력에서 온도를 높이면 고체 → 액체 → 기체로 상태가 변한다.

❸ 3중점보다 낮은 압력에서 온도를 높이면 고체에서 기체로 승화한다.

❹ a점에서 압력을 낮추면 기체로 승화하고, 온도를 높이면 액체로 융해되고, 액체에서 기체로 기화된다.

❺ b점에서 압력을 낮추거나 온도를 높이면 기체로 기화되고, 온도를 낮추면 고체로 응고된다.

---

❶ **동적 평형**
가역 반응에서 정반응 속도와 역반응 속도가 같아 겉으로 보기에 반응이 멈춘 것처럼 보이는 상태이다.

❷ **액체와 기체의 동적 평형**
증기 압력 곡선 상의 지점에서 기화 속도와 액화 속도가 같아 겉으로 보기에 아무런 변화가 없는 것처럼 보이는 상태이다.

➕ **응고**
액체에서 고체로의 상변화를 응고라고 하며, 응고가 일어날 때 고체와 액체가 동적 평형을 이루며 공존한다.

용어 알기

• 공존(함께 共, 있을 存) 2가지 이상의 사물이나 현상이 함께 존재함.

• 승화(오를 昇, 빛날 華) 고체가 액체를 거치지 않고 직접 기체로 기화되는 현상

B 물과 이산화 탄소의 상평형 그림

|출·제·단·서| 물과 이산화 탄소의 상평형 그림을 비교하여 각 상평형의 특징을 찾는 문제가 나와!

1. 물의 상평형 개념 POOL

암기TiP 물의 융해 곡선은 (−) 기울기 : 압력↑ ➡ 녹는점↓

(1) 융해 곡선 기울기가 음(−)의 값이므로 외부 압력이 높아지면 녹는점(어는점)이 낮아진다.
➡ 얼음에 압력을 가하면 얼음이 녹아 물이 된다.

(2) 증기 압력 곡선 기울기가 양(+)의 값을 가지므로 외부 압력이 높아지면 녹는점(어는점)이 높아진다.

(3) 승화 곡선 3중점의 압력인 0.006기압보다 낮은 압력에서는 승화가 일어난다. ➡ 승화 현상은 동결 건조에 이용된다.

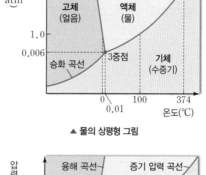

▲ 물의 상평형 그림

2. 이산화 탄소의 상평형

(1) 융해 곡선 기울기가 양(+)의 값이므로 외부 압력이 높아지면 녹는점(어는점)이 높아진다.

(2) 증기 압력 곡선 기울기가 양(+)의 값을 가지므로, 외부 압력이 높아지면 끓는점❸이 높아진다.

(3) 승화 곡선 3중점의 압력(5.1기압)이 •대기압(1기압)보다 높으므로 상온에서 고체에서 바로 기체로 변하는 승화가 일어난다. A점의 압력이 1기압일 때 상온에서 고체가 기체로 상이 변하는 승화가 일어난다.

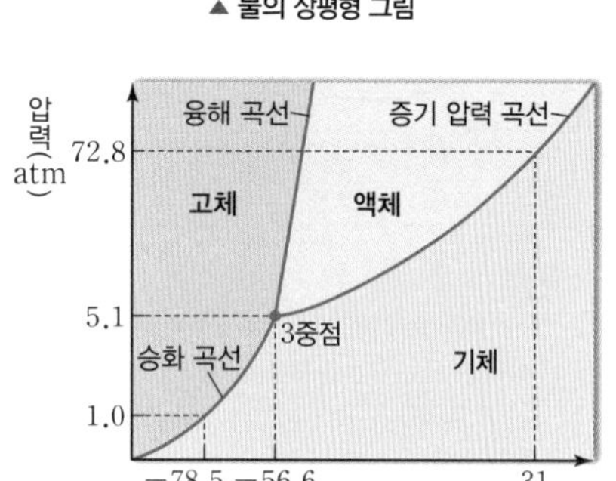

▲ 이산화 탄소의 상평형 그림

3. •승화성 물질

암기TiP 3중점의 압력 > 1기압 ➡ 승화성 물질

(1) 승화 조건 물질은 3중점 이하의 압력이나 온도에서 승화가 일어난다.

(2) 승화성 물질 3중점의 압력이 1기압보다 높은 물질로, 1기압 조건에서 승화가 일어나는 물질이다. 예 드라이아이스(이산화 탄소), 아이오딘, 나프탈렌 등

4. 상평형 그림과 생활

압력과❹ 녹는점	추운 겨울 얼음 위에서 스케이트를 탈 때 스케이트의 날이 얼음판에 미치는 압력은 1기압보다 훨씬 크므로 얼음의 녹는점이 0 ℃ 이하로 낮아진다. 따라서 얼음이 녹아 물이 되므로 스케이트가 잘 미끄러지게 된다.
압력과 끓는점	• 높은 산에서는 대기압이 낮으므로 물의 끓는점이 100 ℃ 보다 낮아져서 밥이 설익게 된다. • 압력 밥솥 내부에서는 압력이 높아지므로 물의 끓는점이 100 ℃ 보다 높아져서 음식이 빨리 익는다.
진공 동결 건조	식품을 −50 ℃ 이하의 온도에서 얼린 다음 압력을 0.006 기압 이하로 유지하면서 온도를 높여 식품 속의 얼음을 승화시켜 제거하는 방법이다. 이를 이용하면 식품의 맛, 색, 영양분이 거의 그대로 유지되고 물을 가하면 원래의 식품 상태로 복원되는 능력이 뛰어나 즉석 커피, 라면의 건더기 스프, 우주인의 식품 등을 만들 때 사용되기도 한다.

대기압과 증기 압력이 같을 때 끓게 되므로 끓는점은 대기압의 영향을 받는다.

빈출 탐구 드라이아이스를 액체 상태로 만드는 방법

목표 이산화 탄소의 상태 변화를 관찰할 수 있다.

과정
① 일회용 스포이트에 곱게 간 드라이아이스를 넣는다.
② 기체가 새지 않도록 집게로 일회용 스포이트의 입구를 막고, 실온의 물이 담긴 수조 속에 넣은 후 변화를 관찰한다.

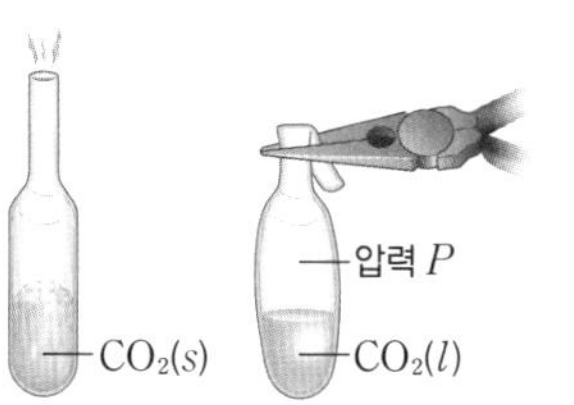

결과
드라이아이스가 승화하여 생긴 기체에 의해 스포이트 내부의 압력이 5.1기압보다 커지면 남은 드라이아이스는 액체가 된다.

❸ **끓는점**
• 증기 압력이 대기압과 같아져 물질이 끓을 때의 온도이다.
• 1기압일 때의 끓는점을 기준 끓는점이라고 한다.

3중점의 압력(5.1기압)보다 높은 압력에서 온도를 변화시키면 이산화 탄소는 고체 → 액체 → 기체로 상변화가 일어난다.

❹ **압력과 녹는점**
얼음 위에 무거운 추를 매단 철사를 올려놓으면 철사에 닿은 부분은 높은 압력으로 녹는점이 낮아져 물이 되고, 철사가 통과한 후 녹았던 물이 다시 얼기 때문에 얼음이 쪼개지지 않고 철사가 얼음을 통과한다.

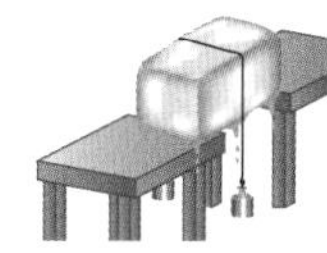

⊕ **임계점**
상평형 그림에서 증기 압력 곡선은 어느 한계 이상 나타낼 수 없다. 액체와 기체의 두 가지 상태를 서로 구분할 수 없게 되는 온도와 압력 한계를 임계점이라고 한다. 예를 들어 물의 임계점은 374 ℃, 218기압이다.

용어 알기
• 대기압(큰 大, 기운 氣, 누를 壓) 대기의 압력

물의 상평형 그림

목표 물의 상평형 그림에서 융해, 기화, 승화가 일어나는 조건을 알아낼 수 있다.

다음은 물의 상평형 그림을 나타낸 것이다. 상평형 그림을 통해 주어진 온도와 압력에서 물질이 어떤 상태로 존재하는지 알 수 있다.

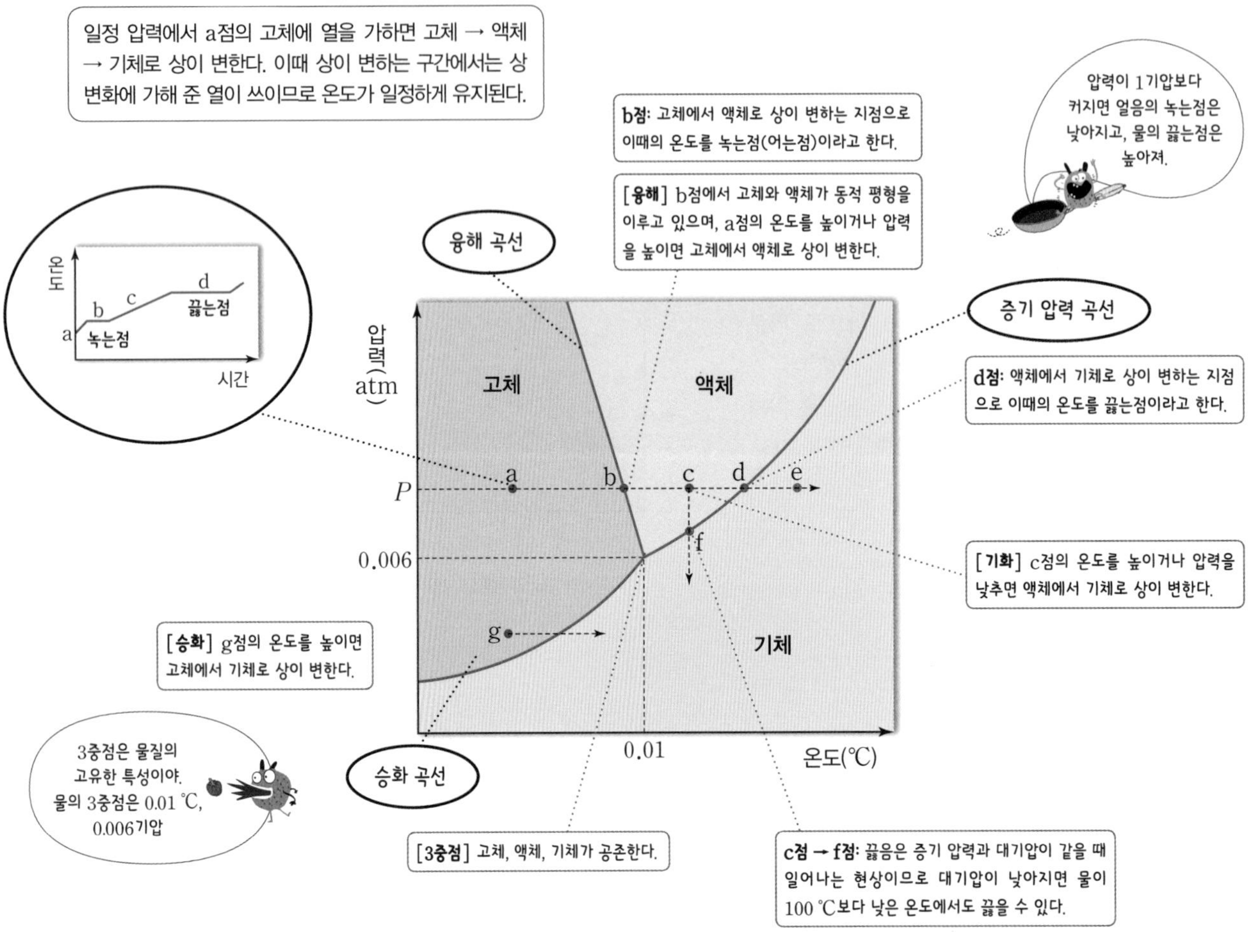

일정 압력에서 a점의 고체에 열을 가하면 고체 → 액체 → 기체로 상이 변한다. 이때 상이 변하는 구간에서는 상 변화에 가해 준 열이 쓰이므로 온도가 일정하게 유지된다.

(그래프: 온도–시간; a, b 녹는점, c, d 끓는점)

b점: 고체에서 액체로 상이 변하는 지점으로 이때의 온도를 녹는점(어는점)이라고 한다.

[융해] b점에서 고체와 액체가 동적 평형을 이루고 있으며, a점의 온도를 높이거나 압력을 높이면 고체에서 액체로 상이 변한다.

압력이 1기압보다 커지면 얼음의 녹는점은 낮아지고, 물의 끓는점은 높아져.

융해 곡선

증기 압력 곡선

(상평형 그림: 압력(atm) – 온도(℃); 고체, 액체, 기체; P, 0.006, 0.01; 점 a, b, c, d, e, f, g)

d점: 액체에서 기체로 상이 변하는 지점으로 이때의 온도를 끓는점이라고 한다.

[기화] c점의 온도를 높이거나 압력을 낮추면 액체에서 기체로 상이 변한다.

[승화] g점의 온도를 높이면 고체에서 기체로 상이 변한다.

3중점은 물질의 고유한 특성이야. 물의 3중점은 0.01 ℃, 0.006기압

승화 곡선

[3중점] 고체, 액체, 기체가 공존한다.

c점 → f점: 끓음은 증기 압력과 대기압이 같을 때 일어나는 현상이므로 대기압이 낮아지면 물이 100 ℃보다 낮은 온도에서도 끓을 수 있다.

한·줄·핵심 상평형 그림은 온도와 압력에 따른 물질의 상태를 그래프로 나타낸 것이다.

확인 문제

정답과 해설 066쪽

[01~02] 그림을 보고 물음에 답하시오.

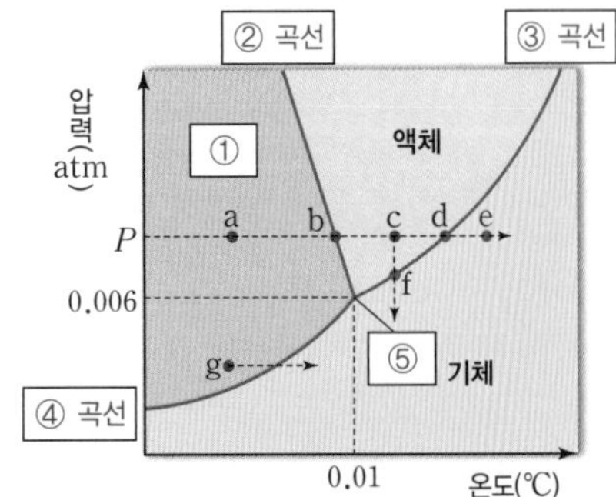

01 ①~⑤에 해당하는 명칭을 각각 쓰시오.

02 다음 설명 중 옳은 것은 ○, 옳지 않은 것은 ×로 표시하시오.

(1) b점에서 고체와 액체는 동적 평형을 이룬다. ( )

(2) ⑤에서 2가지 상태가 공존한다. ( )

(3) a점에서 온도를 높이면 고체→액체→기체로 상태가 변할 수 있다. ( )

(4) c → f로부터 높은 산 위에서 밥이 설익는 이유를 설명할 수 있다. ( )

(5) $P=1$일 때 b와 d에서의 온도가 각각 기준 어는점, 기준 끓는점이다. ( )

콕콕! 개념 확인하기

정답과 해설 066쪽

✔ 잠깐 확인!

1. 물질의 3가지 상태인 고체, 액체, 기체를 ☐이라고 한다.

2. ☐☐☐
물질의 여러 상들이 동적 평형을 이루고 있는 상태

3. ☐☐☐ ☐☐
물질의 상과 온도, 압력의 관계를 그래프로 나타낸 것

4. ☐☐ ☐☐ 곡선
액체와 기체가 평형을 이루고 있는 온도와 압력을 나타내는 곡선

5. ☐☐☐
고체, 액체, 기체가 공존하며 평형을 이루는 온도와 압력의 조건

6. ☐은 고체의 밀도가 액체의 밀도보다 작아 외부 압력이 커지면 고체에서 액체로 상이 변한다.

7. 이산화 탄소의 3중점의 압력은 ☐기압보다 높으므로 상온, 상압에서 ☐☐만 일어난다.

8. 1기압에서 얼음의 온도를 높이면 ☐☐ → ☐☐ → ☐☐로 상이 변한다.

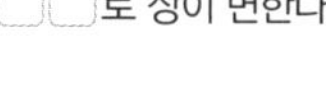

A 상평형 그림

01 물질의 상태에 대한 설명으로 옳은 것은 ○, 옳지 않은 것은 ×로 표시하시오.

(1) 물질은 온도와 압력에 따라 상이 변한다. ( )

(2) 녹는점에서 고체와 액체가 함께 존재한다. ( )

(3) 일정한 압력에서 물질의 엔탈피는 기체일 때가 가장 작다. ( )

(4) 액체로 존재하는 물질은 끓는점보다 높은 온도에서 기체로 상이 변한다. ( )

02 다음은 상평형 그림에 대한 설명이다. ㉠~㉣에 들어갈 알맞은 말을 쓰시오.

> 상평형 그림은 물질의 상과 (㉠), (㉡)의 관계를 그래프로 나타낸 것으로, 증기 압력 곡선, 융해 곡선, (㉢) 곡선으로 이루어져 있고, 세 곡선이 만나는 점을 (㉣)이라고 한다.

B 물과 이산화 탄소의 상평형 그림

03 그림은 물의 상평형 그림을 나타낸 것이다. 이에 대한 설명으로 옳은 것은 ○, 옳지 않은 것은 ×로 표시하시오.

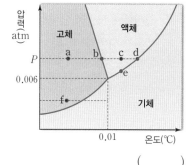

(1) 분자당 수소 결합 수는 a에서가 c에서보다 크다. ( )

(2) b와 d에서 모두 2가지 상이 동적 평형을 이루고 있다. ( )

(3) 물의 증기 압력은 e에서가 d에서보다 크다. ( )

(4) f 상태에서 온도를 높이면 액체를 거치지 않고 바로 기체로 상이 변한다. ( )

04 다음은 물과 이산화 탄소의 상평형 그림에 대한 설명이다. ㉠~㉢에 들어갈 알맞은 말을 쓰시오.

> 물과 이산화 탄소의 상평형 그림에서 물의 융해 곡선은 (㉠)의 기울기를, 이산화 탄소의 융해 곡선은 (㉡)의 기울기를 나타낸다. 따라서 외부 압력이 커지면 물의 (㉢)은 낮아지지만 이산화 탄소의 (㉢)은 높아진다.

A 상평형 그림

01 고체, 액체, 기체에 대한 설명으로 옳은 것만을 〈보기〉에서 있는 대로 고른 것은?

〈보기〉
ㄱ. 온도와 압력에 따라 상이 결정된다.
ㄴ. 분자 사이의 거리는 기체가 액체보다 크다.
ㄷ. 일정한 압력에서 엔탈피는 고체가 가장 작다.

① ㄱ ② ㄷ ③ ㄱ, ㄴ
④ ㄴ, ㄷ ⑤ ㄱ, ㄴ, ㄷ

02 상변화에 대한 설명으로 옳은 것만을 〈보기〉에서 있는 대로 고른 것은?

〈보기〉
ㄱ. 고체에서 기체로 되는 상변화를 융해라고 한다.
ㄴ. 일정한 압력에서 상변화가 일어날 때 온도는 일정하게 유지된다.
ㄷ. 일정한 온도에서 기체의 압력을 높이면 액체로 상변화가 일어날 수 있다.

① ㄱ ② ㄷ ③ ㄱ, ㄴ
④ ㄴ, ㄷ ⑤ ㄱ, ㄴ, ㄷ

03 상평형 그림에 대한 설명으로 옳은 것만을 〈보기〉에서 있는 대로 고른 것은?

〈보기〉
ㄱ. 온도와 압력에 따른 물질의 상을 나타낸 것이다.
ㄴ. 3중점에서 고체, 액체, 기체가 동적 평형을 이룬다.
ㄷ. 융해 곡선 상에서 액체에 압력을 가하면 모두 고체로 상이 변한다.

① ㄱ ② ㄷ ③ ㄱ, ㄴ
④ ㄴ, ㄷ ⑤ ㄱ, ㄴ, ㄷ

04 그림은 상평형 그림을 나타낸 것이다.

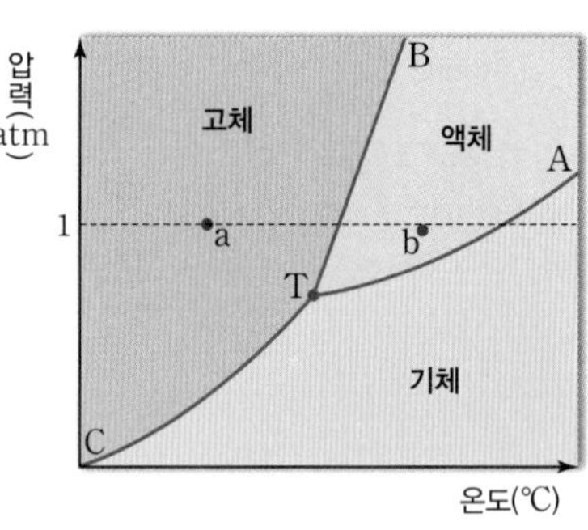

이에 대한 설명으로 옳은 것만을 〈보기〉에서 있는 대로 고른 것은?

〈보기〉
ㄱ. 엔탈피는 b가 a보다 크다.
ㄴ. 일정한 온도에서 a의 압력을 낮추면 기체가 된다.
ㄷ. 일정한 압력에서 b의 온도를 낮추면 밀도가 증가한다.

① ㄱ ② ㄷ ③ ㄱ, ㄴ
④ ㄴ, ㄷ ⑤ ㄱ, ㄴ, ㄷ

05 그림은 어떤 물질의 상평형 그림이다.

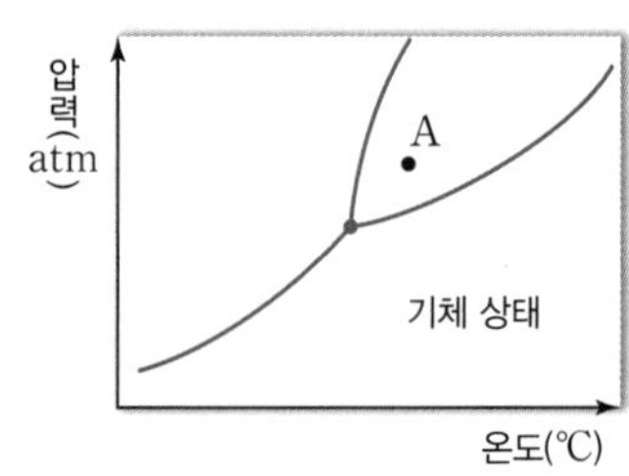

A점에 있는 물질에 대한 설명으로 옳은 것만을 〈보기〉에서 있는 대로 고른 것은?

〈보기〉
ㄱ. 일정한 압력에서 온도를 낮추면 기체에서 고체로 된다.
ㄴ. 일정한 온도에서 압력을 낮추면 액체에서 기체로 된다.
ㄷ. 일정한 온도에서 압력을 높이면 액체에서 고체로 된다.

① ㄱ ② ㄴ ③ ㄱ, ㄷ
④ ㄴ, ㄷ ⑤ ㄱ, ㄴ, ㄷ

B 물과 이산화 탄소의 상평형 그림

06 그림은 물의 상평형 그림이다.

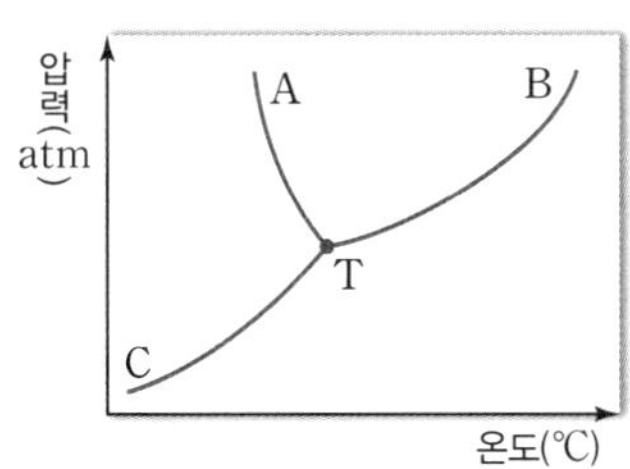

얼음에 압력을 가하면 얼음이 녹는 현상과 관련된 곡선(㉠)과 식품의 동결 건조와 관련된 곡선(㉡)을 옳게 짝 지은 것은?

	㉠	㉡
①	AT	BT
②	AT	CT
③	BT	AT
④	BT	CT
⑤	CT	AT

단답형

07 다음은 물의 상평형 그림에 대한 설명이다. ㉠, ㉡에 들어갈 알맞은 말을 쓰시오.

> 물은 다른 물질과 달리 (㉠) 곡선의 기울기가 음(−)의 값이므로 외부 압력이 높아지면 (㉡)이 낮아진다.

08 물의 상평형 그림에 대한 설명으로 옳은 것만을 〈보기〉에서 있는 대로 고른 것은?

> 보기
> ㄱ. 3중점의 압력은 1기압보다 높다.
> ㄴ. 1기압에서 온도에 따라 3가지 상으로 존재한다.
> ㄷ. 1기압, −20 ℃인 얼음에 압력을 가하면 물로 상이 변한다.

① ㄱ　② ㄴ　③ ㄱ, ㄷ　④ ㄴ, ㄷ　⑤ ㄱ, ㄴ, ㄷ

[09~11] 그림은 이산화 탄소의 상평형 그림을 나타낸 것이다.

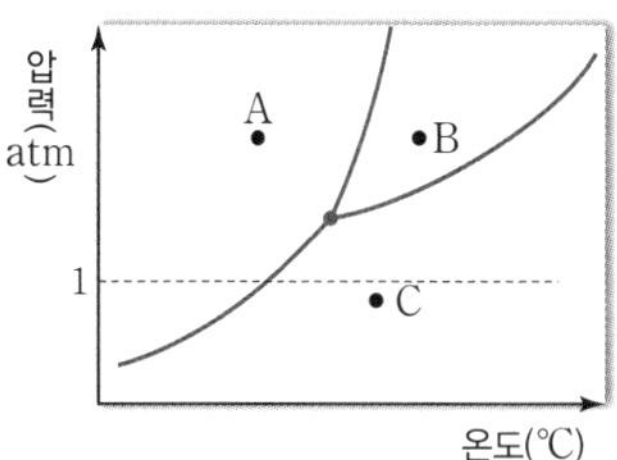

09 A~C에서 이산화 탄소는 각각 어떤 상으로 존재하는지 쓰시오.

10 그림에 대한 설명으로 옳은 것만을 〈보기〉에서 있는 대로 고른 것은?

> 보기
> ㄱ. 이산화 탄소는 승화성 물질이다.
> ㄴ. 일정한 압력에서 A에서 B로 상변화할 때 에너지를 흡수한다.
> ㄷ. 일정한 온도에서 C의 압력을 높이면 A로 상이 변한다.

① ㄱ　② ㄴ　③ ㄱ, ㄴ　④ ㄱ, ㄷ　⑤ ㄱ, ㄴ, ㄷ

11 이산화 탄소의 상평형 그림에 대한 설명으로 옳은 것만을 〈보기〉에서 있는 대로 고른 것은?

> 보기
> ㄱ. 융해 곡선의 기울기가 양(+)의 값이다.
> ㄴ. 대기압에서 온도에 따라 3가지 상으로 존재한다.
> ㄷ. 드라이아이스를 3중점의 압력보다 낮은 압력에서 가열하면 액체로 상이 변한다.

① ㄱ　② ㄴ　③ ㄱ, ㄴ　④ ㄱ, ㄷ　⑤ ㄱ, ㄴ, ㄷ

도전! 실력 올리기

출제예감

01 그림은 물의 상평형 그림을 나타낸 것이다. ㉠~㉢은 각각 고체, 액체, 기체 중 하나이다.

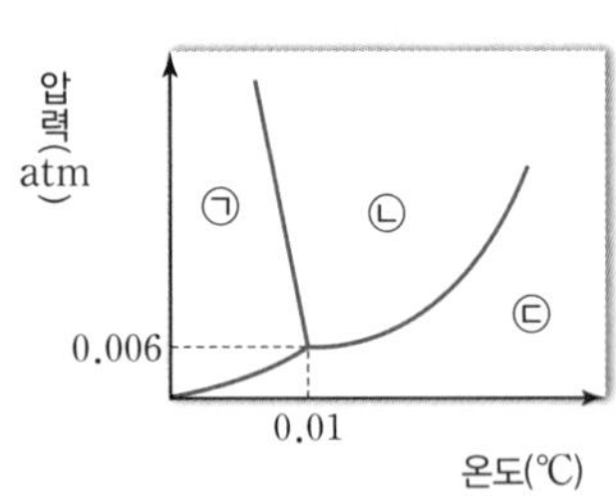

이에 대한 설명으로 옳은 것만을 〈보기〉에서 있는 대로 고른 것은?

〈보기〉
ㄱ. ㉠은 고체이다.
ㄴ. 0 ℃, 1기압에서 물의 밀도는 ㉡이 ㉠보다 크다.
ㄷ. 1기압에서 ㉢의 온도를 낮추면 액체를 거쳐 고체로 상이 변한다.

① ㄱ ② ㄷ ③ ㄱ, ㄴ
④ ㄴ, ㄷ ⑤ ㄱ, ㄴ, ㄷ

02 그림은 물질 X의 상평형 그림의 일부를 나타낸 것이다.

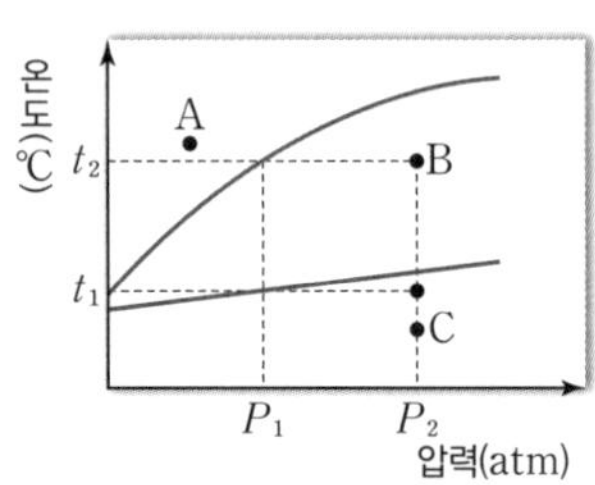

이에 대한 설명으로 옳은 것만을 〈보기〉에서 있는 대로 고른 것은?

〈보기〉
ㄱ. A의 압력은 3중점의 압력보다 높다.
ㄴ. t_1, P_1에서 기체와 액체는 평형을 이룬다.
ㄷ. P_2에서 B의 밀도는 C의 밀도보다 크다.

① ㄱ ② ㄴ ③ ㄱ, ㄷ
④ ㄴ, ㄷ ⑤ ㄱ, ㄴ, ㄷ

03 그림은 물질 A와 B의 상평형 그림 중 증기 압력 곡선을 나타낸 것이다.

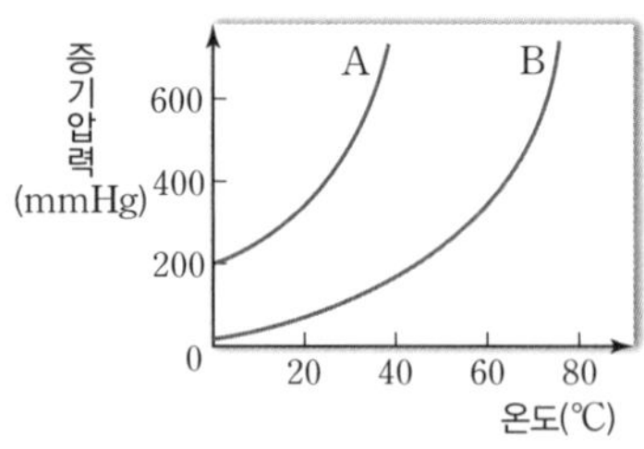

이에 대한 설명으로 옳은 것만을 〈보기〉에서 있는 대로 고른 것은? (단, 1기압=760 mmHg이다.)

〈보기〉
ㄱ. 20 ℃, 1기압에서 A의 안정한 상은 액체이다.
ㄴ. B의 3중점의 압력은 1기압보다 높다.
ㄷ. 일정한 온도에서 증기 압력은 A가 B보다 크다.

① ㄱ ② ㄴ ③ ㄱ, ㄷ
④ ㄴ, ㄷ ⑤ ㄱ, ㄴ, ㄷ

출제예감

04 그림은 물질 A와 B의 상평형 그림을 나타낸 것이다.

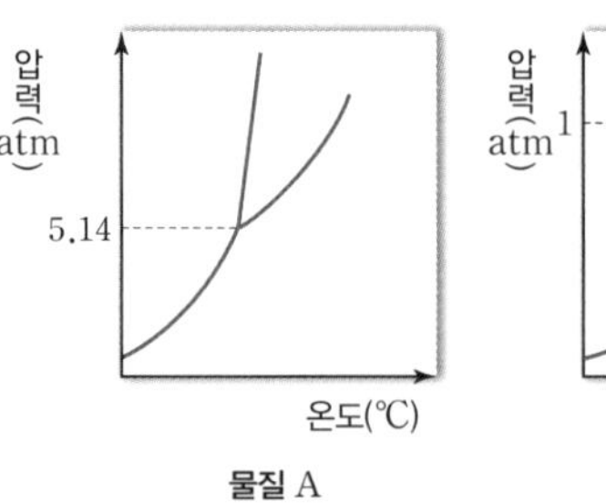

물질 A

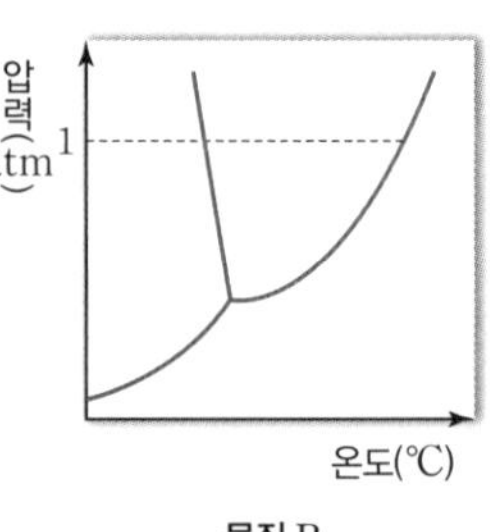

물질 B

이에 대한 설명으로 옳은 것만을 〈보기〉에서 있는 대로 고른 것은?

〈보기〉
ㄱ. A는 1기압에서 고체에서 기체로만 상이 변한다.
ㄴ. 온도와 압력이 같을 때 B의 밀도는 고체가 액체보다 크다.
ㄷ. 고체 상태에서 외부 압력이 증가하면 A와 B의 녹는점은 모두 높아진다.

① ㄱ ② ㄴ ③ ㄱ, ㄷ
④ ㄴ, ㄷ ⑤ ㄱ, ㄴ, ㄷ

05 그림 (가)는 T K, P_1 기압에서 이산화 탄소 기체와 액체가 평형을 이루고 있는 모습을, (나)는 이산화 탄소의 상평형 그림을 나타낸 것이다.

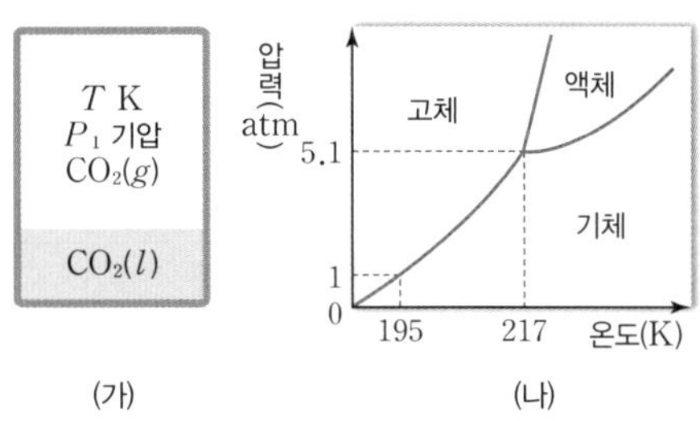

이에 대한 설명으로 옳은 것만을 〈보기〉에서 있는 대로 고른 것은?

보기
ㄱ. $T<217$이다.
ㄴ. $P_1>5.1$이다.
ㄷ. (가)의 온도를 195 K으로 낮추었을 때 $CO_2(g)$의 압력은 1기압이다.

① ㄱ ② ㄴ ③ ㄱ, ㄷ
④ ㄴ, ㄷ ⑤ ㄱ, ㄴ, ㄷ

출제예감

06 그림 (가)는 실린더에 들어 있는 물질 A를 일정한 열원으로 가열하는 모습을, (나)는 가열 시간에 따른 A의 상을 나타낸 것이다. 단, A의 초기 온도는 40 ℃이고, A의 기준 어는점과 기준 끓는점은 각각 80 ℃, 220 ℃이다.

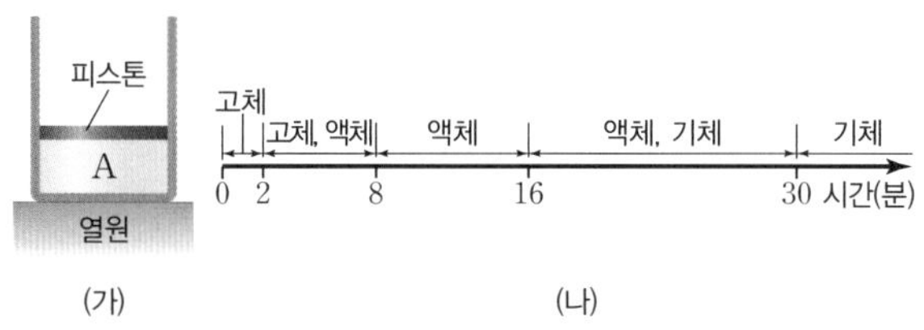

이에 대한 설명으로 옳은 것만을 〈보기〉에서 있는 대로 고른 것은?

보기
ㄱ. 2분일 때 A의 온도는 80 ℃이다.
ㄴ. A의 비열은 액체일 때가 고체일 때보다 크다.
ㄷ. A는 기화 엔탈피가 융해 엔탈피보다 작다.

① ㄱ ② ㄷ ③ ㄱ, ㄴ
④ ㄴ, ㄷ ⑤ ㄱ, ㄴ, ㄷ

서술형

07 그림은 물의 상평형 그림을 나타낸 것이다.

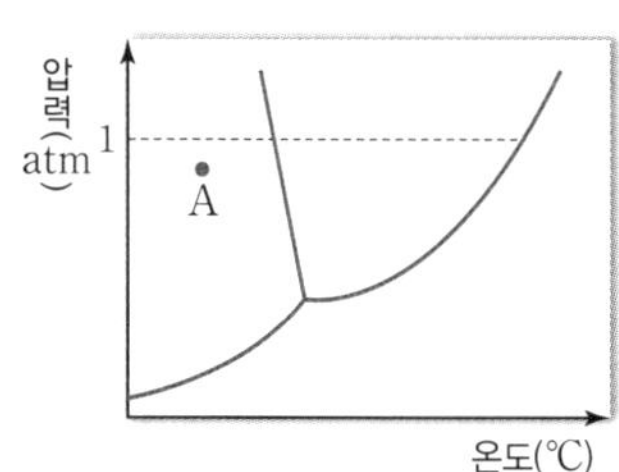

(1) 일정한 온도에서 A에 해당하는 물질의 상을 기체로 변화시킬 수 있는 조건을 쓰시오.

(2) 얼음에 압력을 가하면 녹는 까닭을 쓰시오.

서술형

08 그림은 드라이아이스($CO_2(s)$)를 사용한 실험이다.

[실험 과정 및 결과]
(가) 드라이아이스를 반 정도 채운 플라스틱 스포이트 A, B를 준비한다.
(나) A를 상온에 두었더니 드라이아이스의 양이 줄었다.
(다) B의 입구를 집게로 단단히 막은 후 물에 넣었더니 액체 이산화 탄소가 생겼다.

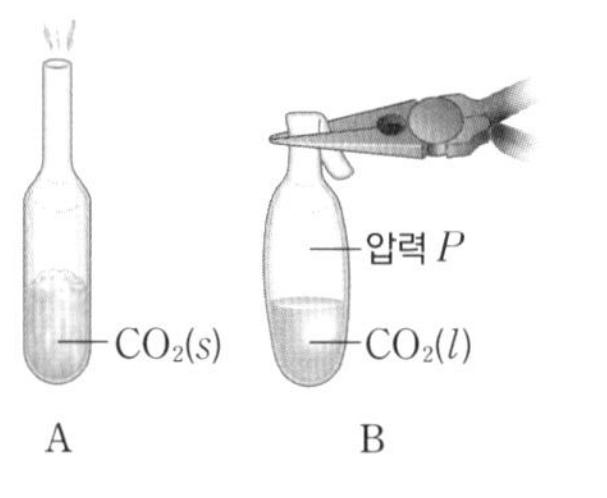

(1) (나)에서 드라이아이스의 양이 줄어든 까닭을 쓰시오.

(2) (다)에서 P의 압력을 대기압과 비교하고 그렇게 생각한 까닭을 쓰시오.

수능을 알기 쉽게 풀어주는 수능 POOL

평형 이동 법칙

대표 유형

출제 의도

평형 Ⅱ에서 B의 몰 분율과 평형 상수를 이용하여 평형 전후 부피 비와 평형 전 압력을 구하는 문제이다.

이것이 함정

평형 Ⅰ에서 넣어 준 Ne(g)은 혼합 기체의 부피 변화에 영향을 주고, 혼합 기체의 몰 분율에 포함해야 함을 기억해야 한다.

다음은 기체 A로부터 기체 B가 생성되는 반응의 화학 반응식이다.

$$A(g) \rightleftarrows 2B(g)$$

그림은 실린더에 A(g)와 B(g)가 들어 있는 평형 상태(평형 Ⅰ)에서 Ne(g) 9몰을 첨가하고 고정 장치를 제거하여 새로운 평형 상태(평형 Ⅱ)에 도달한 것을 나타낸 것이다.

평형 Ⅱ에서 B(g)의 몰 분율은 $\frac{1}{5}$이고, 평형 Ⅰ과 Ⅱ에서 온도는 T(K)로 일정하다.

└ 부피 증가, 압력 감소 → 정반응 쪽으로 평형 이동

└ 평형 Ⅰ에서와 평형 Ⅱ에서의 평형 상수가 같다.

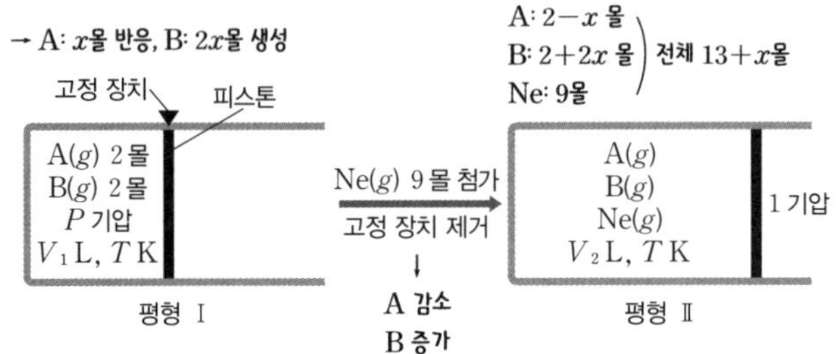

이에 대한 설명으로 옳은 것만을 〈보기〉에서 있는 대로 고른 것은? (단, 피스톤의 마찰은 무시한다.)

〈보기〉

ㄱ. (×) 평형 Ⅱ에서 혼합 기체의 몰수는 $\frac{40}{5}$몰이다. → B의 몰 분율 $=\frac{2+2x}{13+x}=\frac{1}{5}$, $x=\frac{1}{3}$
혼합 기체의 몰수 $=13+\frac{1}{3}=\frac{40}{3}$몰

ㄴ. $\frac{V_2}{V_1}=\frac{32}{15}$이다. → $K=\frac{[B]^2}{[A]}=\frac{\left(\frac{2}{V_1}\right)^2}{\frac{2}{V_1}}=\frac{\left(\frac{8}{3V_2}\right)^2}{\frac{5}{3V_2}}$, $\frac{V_2}{V_1}=\frac{32}{15}$

ㄷ. $P=\frac{16}{25}$이다. → 평형 Ⅰ: $T=\frac{PV_1}{4nR}$, 평형 Ⅱ: $T=\frac{V_2}{\frac{40}{3}nR}$, $P=\frac{16}{25}$

① ㄱ　② ㄷ　③ ㄱ, ㄴ　④ ㄴ, ㄷ (✓)　⑤ ㄱ, ㄴ, ㄷ

자료에서 단서 찾기

그림에서 혼합 기체의 부피와 압력 변화로부터 정반응이 일어남을 파악한다. ⋙ 평형 Ⅱ에서 B의 몰 분율로부터 기체의 양(몰)을 구하여 혼합 기체의 양(몰)을 구한다. ⋙ 평형 상수가 같다는 사실로부터 평형 Ⅰ과 Ⅱ의 부피 비 $\frac{V_2}{V_1}$를 구한다. ⋙ 이상 기체 방정식과 평형 Ⅰ과 Ⅱ의 온도가 같음을 이용하여, 평형 Ⅰ의 혼합 기체의 압력 P를 구한다.

추가 선택지

• 평형 상수는 평형 Ⅱ에서가 Ⅰ에서보다 크다. (×)
⋯→ 평형 이동이 일어나도 온도는 일정하므로 평형 상수는 변하지 않는다.

• 평형 Ⅰ에서 고정 장치를 풀면 역반응이 일어난다. (○)
⋯→ P는 1기압보다 작으므로, 평형 Ⅰ에서 고정 장치를 풀면 혼합 기체의 압력이 증가한다. 따라서 기체의 몰수가 감소하는 방향인 역반응이 일어난다.

실전! 수능 도전하기

정답과 해설 069쪽

01 다음은 기체 A와 B로부터 기체 C가 생성되는 반응의 화학 반응식과 온도 T에서 농도로 정의되는 평형 상수 K이다.

$$A(g)+B(g) \rightleftarrows C(g) \quad K$$

꼭지를 열어 A와 B가 반응하여 평형에 도달하였을 때, 용기에 들어 있는 기체의 전체의 양은 0.5 mol이었다.

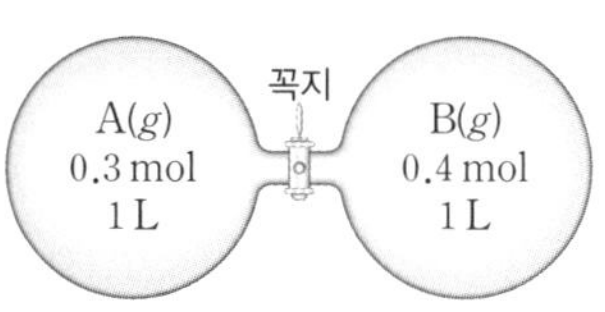

이 평형 상태에 대한 설명으로 옳은 것만을 〈보기〉에서 있는 대로 고른 것은? (단, 온도는 일정하다.)

〈보기〉
ㄱ. $K=20$이다.
ㄴ. 기체의 부분 압력은 B(g)와 C(g)가 같다.
ㄷ. 온도 T에서 용기 속에 네온(Ne)을 넣으면 정반응 쪽으로 평형이 이동한다.

① ㄱ ② ㄷ ③ ㄱ, ㄴ ④ ㄴ, ㄷ ⑤ ㄱ, ㄴ, ㄷ

02 다음은 기체 A가 기체 B로 되는 반응의 화학 반응식과 농도로 정의되는 평형 상수 K이다. a는 반응 계수이다.

$$aA(g) \rightleftarrows B(g) \quad K=x$$

표는 강철 용기에 4.0 M의 기체 A를 넣고 반응시킨 후 평형에 도달하였을 때 평형 농도를 나타낸 것이다. 이 평형에서 B의 몰 분율은 $\frac{1}{7}$이다.

기체	A	B
평형 농도(M)	y	0.5

$\frac{y}{x}$는? (단, 온도는 일정하다.)

① $\frac{1}{18}$ ② $\frac{1}{9}$ ③ 3 ④ 24 ⑤ 54

03 다음은 기체 A와 B로부터 기체 C가 생성되는 반응의 화학 반응식과 온도 T에서 농도로 정의되는 평형 상수 K이다.

$$A(g)+B(g) \rightleftarrows 2C(g) \quad K$$

그림은 온도 T에서 강철 용기에 A(g)와 B(g)가 들어 있는 초기 상태를 나타낸 것이다. 반응이 진행되어 C(g)의 몰 분율이 $\frac{1}{3}$일 때, 반응 지수는 Q이고, $K=3Q$이다.

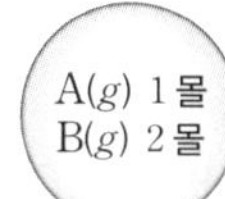

평형에 도달한 상태에서 A(g)의 양은? (단, 온도는 T로 일정하다.)

① $\frac{1}{4}$몰 ② $\frac{1}{3}$몰 ③ $\frac{1}{2}$몰 ④ $\frac{2}{3}$몰 ⑤ $\frac{3}{4}$몰

04 다음은 A(g)와 B(g)가 반응하여 C(g)가 생성되는 반응의 화학 반응식과 온도 T에서 농도로 정의되는 평형 상수 K이다. c는 반응 계수이다.

$$A(g)+B(g) \rightleftarrows cC(g) \quad K$$

그림은 T(K)에서 A(g)와 B(g)를 2 M씩 강철 용기에 넣은 후 반응시켰을 때, 시간에 따른 각 물질의 농도를 나타낸 것이다.

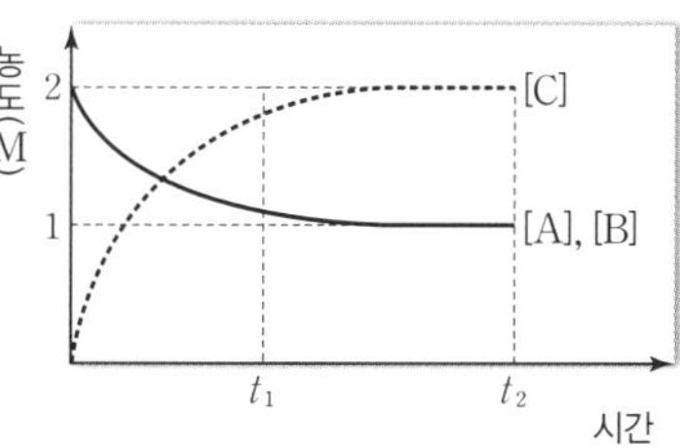

이에 대한 설명으로 옳은 것만을 〈보기〉에서 있는 대로 고른 것은? (단, 온도는 일정하다.)

〈보기〉
ㄱ. $K\times c=8$이다.
ㄴ. t_1에서 반응 지수 Q는 평형 상수 K보다 크다.
ㄷ. t_2에서 A(g)~C(g)를 각각 1 M씩 추가로 넣으면 역반응 쪽으로 평형이 이동한다.

① ㄱ ② ㄴ ③ ㄱ, ㄷ ④ ㄴ, ㄷ ⑤ ㄱ, ㄴ, ㄷ

실전! 수능 도전하기

05 다음은 $NO_2(g)$가 반응하여 $N_2O_4(g)$를 생성하는 반응의 화학 반응식이다.

$$2NO_2(g) \rightleftharpoons N_2O_4(g)$$

그림은 일정한 온도에서 부피가 1 L인 강철 용기에 NO_2 0.4몰과 N_2O_4 0.4몰을 넣고 반응시켰더니 평형에 도달한 모습을 나타낸 것이다.

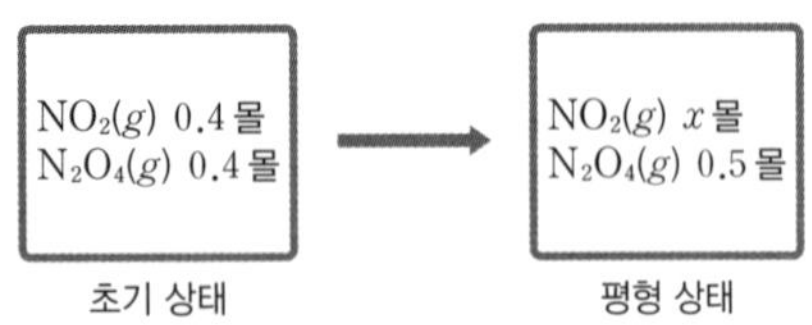

이에 대한 설명으로 옳은 것만을 〈보기〉에서 있는 대로 고른 것은?

보기
ㄱ. $x=0.1$이다.
ㄴ. 평형 상수는 $\frac{2}{5}$이다.
ㄷ. 동일한 조건에서 $N_2O_4(g)$ 0.6몰을 넣고 반응시킨 후 평형에 도달했을 때 NO_2의 몰 분율은 $\frac{2}{7}$이다.

① ㄱ ② ㄷ ③ ㄱ, ㄷ ④ ㄴ, ㄷ ⑤ ㄱ, ㄴ, ㄷ

수능 기출

06 다음은 기체 A가 분해되는 반응의 화학 반응식과 농도로 정의되는 평형 상수 K이다. b는 반응 계수이다.

$$2A(g) \rightleftharpoons bB(g)+C(g) \quad K$$

그림은 T K에서 반응 전 $A(g)$가 실린더 속에 들어 있는 상태를 나타낸 것이고, 표는 T(K)와 $\frac{5}{4}T$(K)에서 도달한 평형에 대한 자료이다. P_A와 P_B는 각각 $A(g)$와 $B(g)$의 부분 압력(기압)이다.

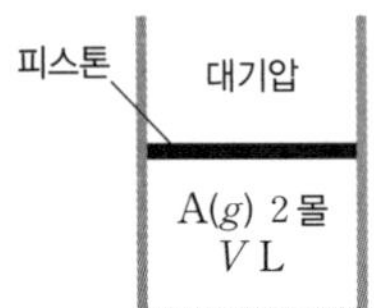

상태	온도 (K)	$\frac{P_B}{P_A}$	혼합 기체의 부피(L)	평형 상수
평형 Ⅰ	T	1	$\frac{5}{4}V$	$K_{Ⅰ}$
평형 Ⅱ	$\frac{5}{4}T$	2		$K_{Ⅱ}$

$\frac{K_{Ⅰ}}{K_{Ⅱ}}$은? (단, 대기압은 일정, 피스톤의 질량과 마찰은 무시한다.)

① $\frac{1}{4}$ ② $\frac{1}{5}$ ③ $\frac{3}{16}$ ④ $\frac{3}{20}$ ⑤ $\frac{1}{8}$

07 다음은 기체 A가 분해되어 기체 B가 생성되는 반응의 열화학 반응식이다.

$$A(g) \rightleftharpoons 2B(g) \quad \Delta H>0$$

그림은 강철 용기에서 위 반응이 평형 상태에 있을 때 반응 조건과 반응 시간에 따른 물질의 농도를 나타낸 것이다.

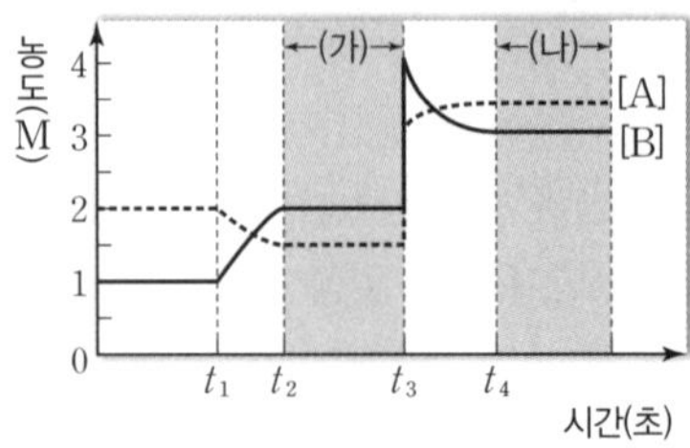

이에 대한 설명으로 옳은 것만을 〈보기〉에서 있는 대로 고른 것은?

보기
ㄱ. 시간 t_1일 때 기체의 온도를 높였다.
ㄴ. 시간 t_3일 때 용기에 $B(g)$를 넣어 주었다.
ㄷ. 평형 상수는 (나)에서가 (가)에서보다 크다.

① ㄱ ② ㄴ ③ ㄷ ④ ㄱ, ㄷ ⑤ ㄴ, ㄷ

08 다음은 $NO(g)$가 분해되는 반응의 열화학 반응식이다.

$$2NO(g) \rightleftharpoons N_2(g)+O_2(g) \quad \Delta H<0$$

그림은 일정한 질량의 $NO(g)$가 각각 다른 조건에서 반응하여 평형 상태 A~D에 도달하였을 때, A~D에서 혼합 기체의 압력과 부피를 나타낸 것이다.

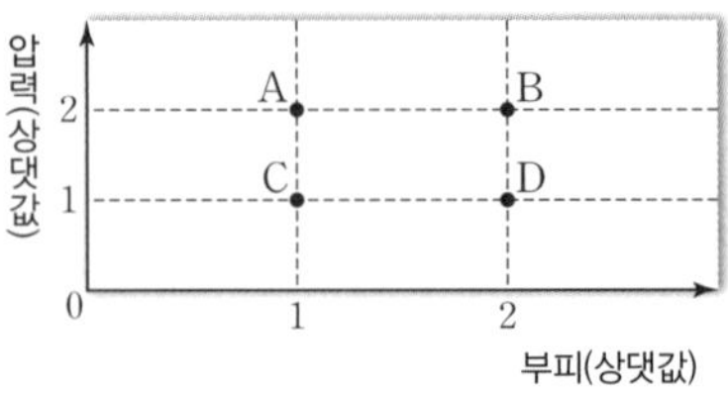

평형 상태 A~D에 대한 설명으로 옳은 것만을 〈보기〉에서 있는 대로 고른 것은?

보기
ㄱ. 평형 상수가 가장 큰 평형 상태는 C이다.
ㄴ. $N_2(g)$의 몰 분율이 가장 큰 평형 상태는 B이다.
ㄷ. $NO(g)$의 부분 압력이 가장 큰 평형 상태는 D이다.

① ㄱ ② ㄴ ③ ㄷ ④ ㄱ, ㄷ ⑤ ㄴ, ㄷ

수능 기출

09 다음은 $A(g)$가 $B(g)$를 생성하는 반응의 화학 반응식과 농도로 정의되는 평형 상수 K이다. a는 반응 계수이다.

$$aA(g) \rightleftharpoons 2B(g) \quad K$$

표는 3개의 실린더에 n몰의 $A(g)$를 각각 넣고 절대 온도 T_1과 T_2에서 외부 압력을 변화시켜 반응이 진행되어 도달한 평형 상태 (가)~(다)에 대한 자료이다. $\dfrac{T_2\text{에서 } K}{T_1\text{에서 } K}=\dfrac{1}{3}$이다.

평형 상태	절대 온도	혼합 기체의 압력(기압)	B의 몰 분율	혼합 기체의 부피(L)
(가)	T_1	2	$\frac{1}{2}$	x
(나)	T_1	6	$\frac{1}{3}$	
(다)	T_2	5	$\frac{1}{5}$	y

$\dfrac{x}{y}$는?

① $\dfrac{5}{2}$ ② 3 ③ $\dfrac{10}{3}$ ④ $\dfrac{15}{4}$ ⑤ 4

10 다음은 기체 X와 Y가 반응하여 기체 Z를 생성하는 반응의 열화학 반응식이다. x~z는 반응 계수이다.

$$xX(g)+yY(g) \rightleftharpoons zZ(g) \quad \Delta H<0$$

그림은 위 반응이 부피가 1 L인 강철 용기에서 평형 Ⅰ~Ⅲ에 도달했을 때, 평형 상태 Ⅰ~Ⅲ에서 X~Z의 농도와 평형 상수 K를 나타낸 것이다.

Ⅰ	Ⅱ	Ⅲ
$X(g)$ 2몰 $Y(g)$ 1몰 $Z(g)$ 1몰 $K_1=0.5$	$X(g)$ 1몰 $Y(g)$ 2몰 $Z(g)$ 2몰 $K_2=2$	$X(g)$ 3몰 $Y(g)$ 1몰 $Z(g)$ 3몰 $K_3=3$

이에 대한 설명으로 옳은 것만을 〈보기〉에서 있는 대로 고른 것은?

보기
ㄱ. 평형 상태 Ⅰ의 온도가 Ⅲ보다 높다.
ㄴ. 평형 상태 Ⅱ에서 온도를 높이면 역반응이 일어난다.
ㄷ. 평형 상태 Ⅲ에서 압력을 높이면 Z의 몰 분율이 증가한다.

① ㄱ ② ㄷ ③ ㄱ, ㄴ
④ ㄴ, ㄷ ⑤ ㄱ, ㄴ, ㄷ

수능 기출

11 다음은 기체 A와 B가 반응하여 기체 C를 생성하는 반응의 화학 반응식과 농도로 정의되는 평형 상수 K이다.

$$A(g)+B(g) \rightleftharpoons 2C(g) \quad K$$

그림은 온도 T_1에서 강철 용기에 $A(g)$ 1몰과 $B(g)$ 3몰을 넣어 도달한 평형 Ⅰ과, 평형 Ⅰ에서 순차적으로 조건을 달리하여 새롭게 도달한 평형 Ⅱ, Ⅲ을 나타낸 것이다. 평형 Ⅰ~Ⅲ에서 $C(g)$의 양은 각각 n몰, $2n$몰, $3n$몰이다.

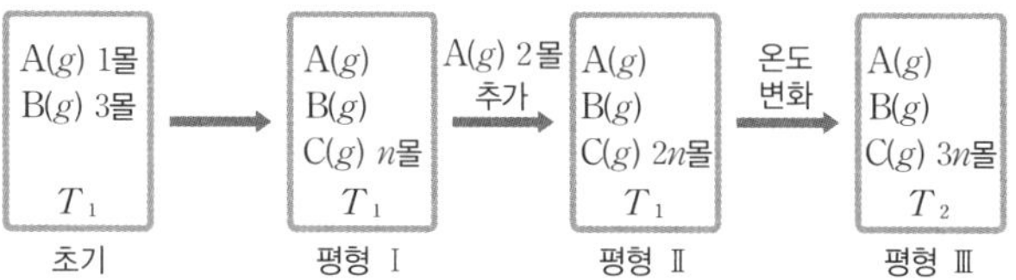

$\dfrac{\text{평형 Ⅲ에서의 평형 상수}}{\text{평형 Ⅰ에서의 평형 상수}}$는?

① 2 ② 3 ③ 6 ④ 8 ⑤ 9

12 다음은 밀폐된 1 L 용기에서 기체 A가 반응하여 기체 B를 생성할 때의 열화학 반응식과 반응 시간에 따른 A와 B의 농도를 나타낸 것이다. (단, a, b는 반응 계수이다.)

$$aA(g) \rightleftharpoons bB(g) \quad \Delta H<0$$

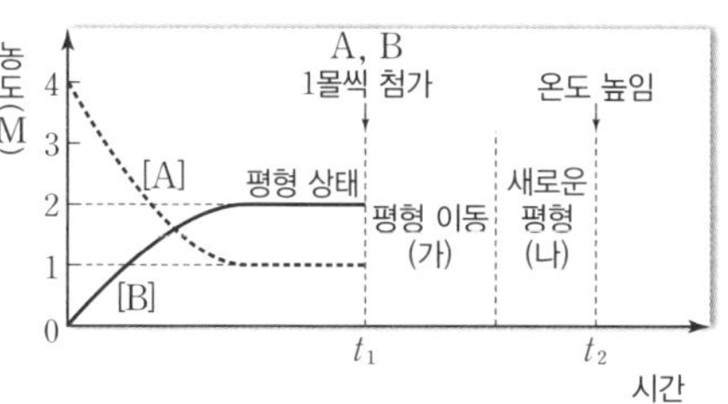

이에 대한 설명으로 옳은 것만을 〈보기〉에서 있는 대로 고른 것은?

보기
ㄱ. 평형 상수 K는 $\dfrac{a}{b}$의 2배이다.
ㄴ. (가)에서 B의 양은 증가한다.
ㄷ. 시간이 t_2일 때 역반응이 일어난다.

① ㄱ ② ㄷ ③ ㄱ, ㄴ
④ ㄴ, ㄷ ⑤ ㄱ, ㄴ, ㄷ

정답과 해설 069쪽

13 다음은 질소(N_2)와 수소(H_2)가 반응할 때의 열화학 반응식이다.

$$N_2(g) + 3H_2(g) \rightleftharpoons 2NH_3(g) \quad \Delta H < 0$$

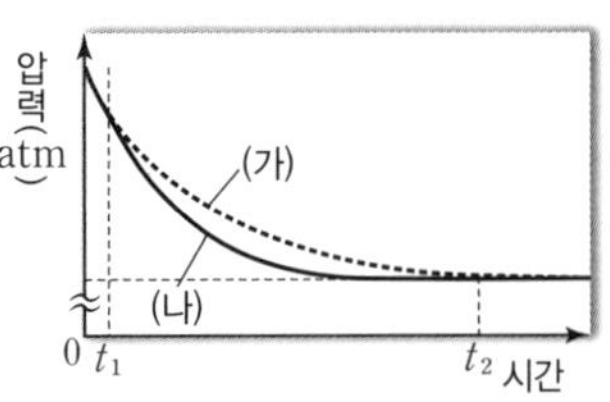

그림에서 (가)는 일정 온도의 강철 용기에서 N_2와 H_2가 반응할 때 반응 시간에 따른 용기의 압력을 나타낸 것이다. (나)는 (가)와 반응 초기 상태는 같지만 시간 t_1에서 어떤 반응 조건을 변화시켰을 때의 결과이다. 이에 대한 설명으로 옳은 것만을 〈보기〉에서 있는 대로 고른 것은?

보기
ㄱ. (가)의 시간 t_1에서 $N_2(g)$를 넣었다.
ㄴ. (가)의 시간 t_1에서 온도를 높인 후 일정하게 유지하였다.
ㄷ. 시간 t_2에서 기체의 압력을 높이면 NH_3의 수득률은 증가한다.

① ㄱ ② ㄷ ③ ㄱ, ㄴ
④ ㄴ, ㄷ ⑤ ㄱ, ㄴ, ㄷ

14 다음은 25 ℃에서 기체 X와 Y가 반응하여 기체 Z를 생성하는 열화학 반응식과 농도로 정의되는 평형 상수이다.

$$X(g) + Y(g) \rightleftharpoons 2Z(g) \quad \Delta H < 0 \quad K = 4$$

그림은 25 ℃에서 1 L의 강철 용기에 기체 X와 Y를 각각 1몰씩 넣은 것을 나타낸 것이다. 25 ℃에서 강철 용기의 기체를 반응시킨 후 새로운 평형에 도달하였을 때, 이에 대한 설명으로 옳은 것만을 〈보기〉에서 있는 대로 고른 것은? (단, 온도는 일정하다.)

보기
ㄱ. 평형 상수는 4이다.
ㄴ. X의 몰 분율은 $\frac{3}{8}$이다.
ㄷ. 온도를 높이면 Z의 수득률은 증가한다.

① ㄱ ② ㄴ ③ ㄱ, ㄴ
④ ㄴ, ㄷ ⑤ ㄱ, ㄴ, ㄷ

수능 기출

15 그림은 이산화 탄소(CO_2)의 상평형 그림을, 표는 온도와 압력에 따른 CO_2의 안정한 상을 나타낸 것이다. $t_1 < t_0$이다.

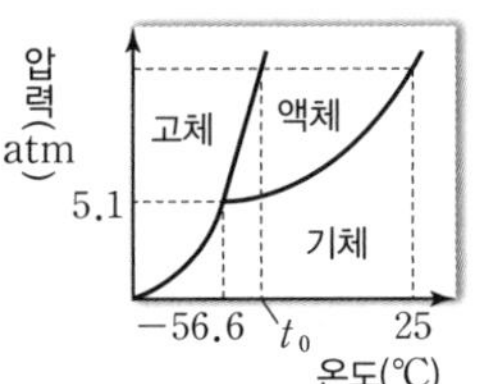

온도(℃)	압력(기압)	안정한 상
t_1	P_1	액체
t_1	P_2	액체, 고체

이에 대한 설명으로 옳은 것만을 〈보기〉에서 있는 대로 고른 것은?

보기
ㄱ. $P_2 > 5.1$이다.
ㄴ. $P_1 > P_2$이다.
ㄷ. 25 ℃, P_1기압에서 안정한 상은 액체이다.

① ㄱ ② ㄷ ③ ㄱ, ㄴ
④ ㄴ, ㄷ ⑤ ㄱ, ㄴ, ㄷ

16 표는 물질 X의 상평형 그림에서 온도와 압력, 그 조건 (가)~(다)에서 안정한 상에 대한 자료이다.

구분	온도(℃)	압력(기압)	안정한 상
(가)	t_1	P_1	고체, 액체, 기체
(나)	t_1	P_2	고체
(다)	t_2	P_2	액체, 기체

이에 대한 설명으로 옳은 것만을 〈보기〉에서 있는 대로 고른 것은?

보기
ㄱ. $t_2 > t_1$이다.
ㄴ. $P_1 > P_2$이다.
ㄷ. t_2, P_1에서 안정한 상은 기체이다.

① ㄱ ② ㄴ ③ ㄱ, ㄷ
④ ㄴ, ㄷ ⑤ ㄱ, ㄴ, ㄷ

3 산 염기 평형

배울 내용 살펴보기

01 산 염기의 세기

A 산 염기의 정의

B 산 염기의 세기

이온화 상수를 이용하여 산과 염기의 세기를 설명할 수 있어.

02 염의 가수 분해와 완충 용액

A 염의 가수 분해

B 완충 용액

C 생체 내 완충 작용

염의 생성 반응과 염의 가수 분해에 의한 용액의 액성을 예측하고, 완충 용액이 생체 내에서 작용하는 원리를 이해할 수 있지.

01 산 염기의 세기

핵심 키워드로 흐름잡기

A 아레니우스 정의, 브뢴스테드·로리 산과 염기, 짝산-짝염기, 양쪽성 물질

B 이온화도, 이온화 상수, 상대적 산의 세기

A 산 염기의 정의

|출·제·단·서| 브뢴스테드·로리 산과 염기, 짝산과 짝염기, 양쪽성 물질에 대한 예를 찾는 문제가 시험에 나와.

1. 아레니우스 정의

(1) 산 수용액에서 수소 이온(H^+)을 내놓는 물질

예 HCl, HNO_3, H_2SO_4 등

(2) 염기 수용액에서 수산화 이온(OH^-)을 내놓는 물질

예 $NaOH$, KOH, $Ca(OH)_2$ 등

가역 반응과 평형 상태를 고려한 개념으로, 아레니우스 산과 염기를 포함하는 보다 넓은 의미의 산과 염기의 정의이다.

2. 브뢴스테드·로리❶ 정의

암기TiP 산: H^+을 주는 물질, 염기: H^+을 받는 물질

(1) 산 양성자(H^+)를 내는 물질(양성자 주개)

(2) 염기 양성자(H^+)를 받는 물질(양성자 받개)

HCl와 H_2O의 반응

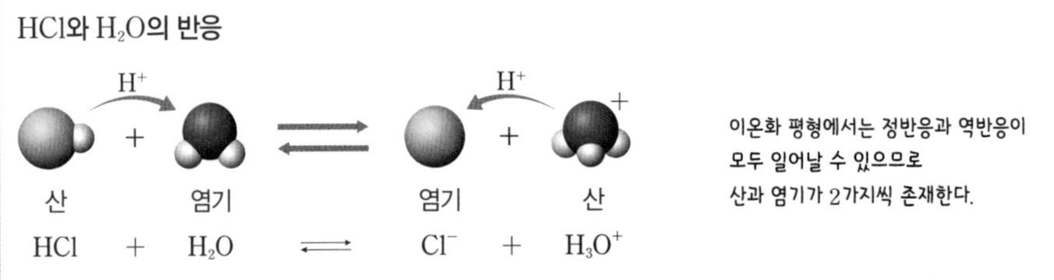

- 정반응에서 HCl는 H^+을 H_2O에 주므로 산이고, H_2O은 H^+❷을 받으므로 염기이다.
- 역반응에서 H_3O^+은 H^+을 Cl^-에 주므로 산이고, Cl^-은 H^+을 받으므로 염기이다.

NH_3와 H_2O의 반응

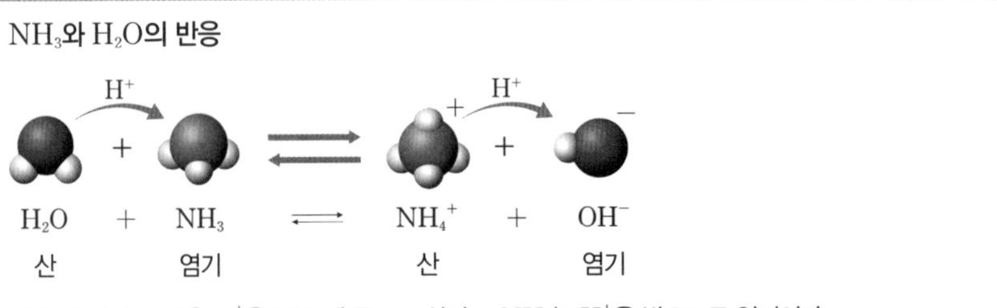

- 정반응에서 H_2O은 H^+을 NH_3에 주므로 산이고, NH_3는 H^+을 받으므로 염기이다.
- 역반응에서 NH_4^+은 H^+을 OH^-에 주므로 산이고, OH^-은 H^+을 받으므로 염기이다.

(3) 짝산-짝염기

① H^+의 이동에 따라 산과 염기가 되는 한 쌍의 물질이다.

② 정반응에서의 산과 역반응에서의 염기, 정반응에서의 염기와 역반응에서의 산의 관계이다.

예

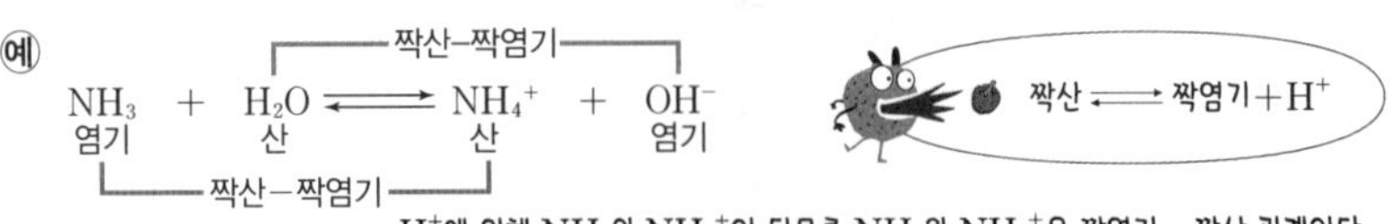

H^+에 의해 NH_3와 NH_4^+이 되므로 NH_3와 NH_4^+은 짝염기-짝산 관계이다.

(4) 양쪽성 물질 반응 물질에 따라 한 물질이 양성자(H^+)를 받아 염기로 작용하기도 하고, 양성자(H^+)를 내놓아 산으로 작용하기도 하는 물질

$HCl + H_2O \rightleftharpoons H_3O^+ + Cl^-$ (H_2O이 염기로 작용)

$NH_3 + H_2O \rightleftharpoons NH_4^+ + OH^-$ (H_2O이 산으로 작용)

---

❶ 브뢴스테드·로리
- 브뢴스테드: 덴마크의 화학자. 양성자를 이용한 산 염기 정의를 제안하였다.
- 로리: 영국의 화학자. 양성자를 이용한 산 염기 정의를 제안하였다.

❷ H^+과 H_3O^+
H^+은 수소의 원자핵인 양성자로, 물속에서 H_2O과 결합하여 H_3O^+(하이드로늄 이온)으로 존재한다.

⊕ 루이스 산-염기
양성자(H^+)를 가지고 있지 않은 산과 염기까지 포함하는 가장 넓은 의미의 산과 염기의 정의이다. 루이스 산은 비공유 전자쌍을 얻는 물질이고 루이스 염기는 비공유 전자쌍을 주는 물질이다.

용어 알기
- 산(시큼할 酸) 물에 녹았을 때 이온화하여 수소 이온을 만드는 물질
- 염기(소금 鹽, 터 基) 일반적으로 수용액 상태에서 해리하여 수산화 이온을 내놓는 물질

B 산 염기의 세기

|출·제·단·서| 산, 염기의 이온화도와 이온화 상수의 관계를 이용하여 수용액 속 이온의 농도를 계산하는 문제가 시험에 나와!

1. 이온화도와 산 염기의 세기

암기TiP 이온화도가 클수록 강산, 강염기이다.

(1) 이온화도(α) 수용액에서 용해된 전해질의 양(몰)에 대한 이온화한 전해질의 양(몰) 비이다.

$$이온화도(\alpha)=\frac{이온화한\ 전해질의\ 양(몰)}{용해된\ 전해질의\ 양(몰)}\ (0<\alpha\leq 1)$$

① 동일한 전해질인 경우, 온도가 높을수록 이온화도가 커진다.

② 동일한 전해질인 경우, 농도가 묽을수록 이온화도가 커진다.

(2) 이온화도와 산 염기의 세기

① 같은 농도의 산과 염기 수용액에서 이온화도가 클수록 H^+이나 OH^-의 농도가 크므로 강산❸, 강염기이다. H^+의 농도가 커서 산성이 강하게 나타난다. 일반적으로 이온화도가 0.05 이하이면 약산, 약염기이다.

② 강산은 수용액에서 대부분 이온화하고, 약산은 수용액에서 일부분만 이온화한다.

분자의 상대적인 개수

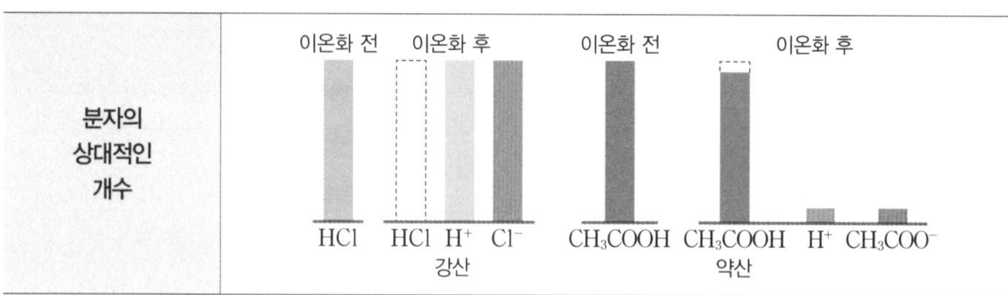

③ 이온화도가 크면 이온 수가 많아지므로 전류의 세기가 강해진다.

- 강산, 강염기 ➡ 이온화도가 크다. ➡ 이온 수가 많다. ➡ 전기 전도도가 크다.
- 약산, 약염기 ➡ 이온화도가 작다. ➡ 이온 수가 적다. ➡ 전기 전도도가 작다.

빈출 탐구 이온화도와 산의 세기

목표 ●전기 전도도를 측정하여 산의 세기를 알아낼 수 있다.

과정

① 1 M $HCl(aq)$과 1 M $CH_3COOH(aq)$이 20 mL씩 들어 있는 비커에 전극을 담가 전류의 세기를 비교한다.

② ①의 비커에 같은 크기의 아연 조각을 넣은 뒤 발생하는 기포의 양을 비교한다.

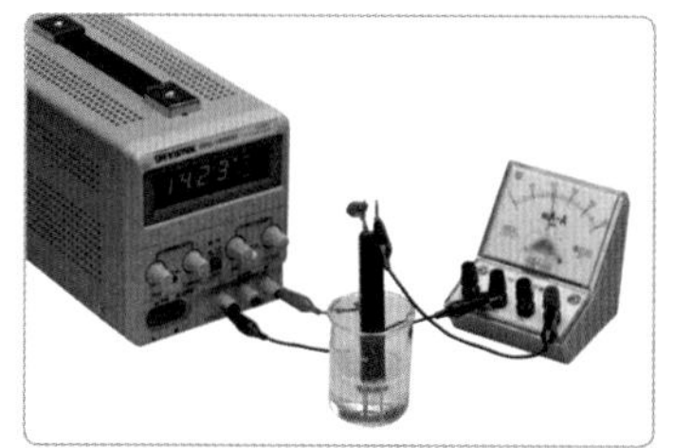

결과

물질	1 M $HCl(aq)$	1 M $CH_3COOH(aq)$
전류의 세기	강함	약함
발생하는 기포의 양	많음	적음

정리

❶ 전기 전도도는 $HCl(aq)$이 $CH_3COOH(aq)$보다 크다.

- 염산의 이온화도가 같은 농도의 아세트산보다 크므로 이온의 농도가 더 커 전류가 강하게 흐른다.

❷ $Zn(s)$을 넣었을 때 발생하는 기포의 양은 $HCl(aq)$이 $CH_3COOH(aq)$보다 크다.

금속과 산의 알짜 이온 반응식은 $Zn+2H^+ \longrightarrow Zn^{2+}+H_2$이므로 H^+의 농도가 클수록 반응이 빠르게 일어나며 생성되는 H_2의 양도 많다.

- 염산의 이온화도가 아세트산보다 크므로 염산의 H^+의 농도가 아세트산보다 크기 때문이다.

$$2HCl(aq)+Zn(s) \longrightarrow ZnCl_2(aq)+H_2(g)\uparrow$$

$$2CH_3COOH(aq)+Zn(s) \longrightarrow (CH_3COO)_2Zn(aq)+H_2(g)\uparrow$$

➕ 온도와 이온화도

$HA+H_2O \rightleftharpoons H_3O^++A^-$에서 H−A의 결합이 끊어져야 이온화하므로 정반응은 흡열 반응이다. 따라서 온도를 높이면 평형이 오른쪽으로 이동하여 이온화도가 커진다.

❸ 강산과 약산의 이온화 모형

- 강산의 모형

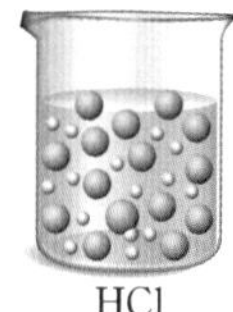

- 약산의 모형

❓ 농도가 진한 산이 모두 강산이 아닌 까닭은 무엇일까?

산과 염기의 세기는 농도와 상관없이 이온화도에 따라 달라지기 때문이다. 강산은 수용액 속 H^+의 농도가 큰 산으로 산의 이온화도가 클수록 H^+ 수가 많아 농도가 크기 때문에 강산이다.

용어 알기

● 전기 전도도(번개 電, 기운 氣 전할 傳, 이끌 導, 법 度) 전원 장치를 연결했을 때 전류가 흐르는 정도

2. 이온화 상수와 산 염기의 세기

(1) 이온화 상수(K_a) 산이나 염기가 수용액에서 이온화 평형 상태에 있을 때의 평형 상수이다.

구분	산(HA)의 이온화 상수 K_a	염기(B)의 이온화 상수 K_b
이온화 평형	산이나 염기는 수용액에서 이온화 평형을 이룬다.	
	$HA(aq)+H_2O(l) \rightleftharpoons H_3O^+(aq)+A^-(aq)$	$B(aq)+H_2O(l) \rightleftharpoons HB^+(aq)+OH^-(aq)$
평형 상수식	$K=\frac{[H_3O^+][A^-]}{[HA][H_2O]}$	$K=\frac{[HB^+][OH^-]}{[B][H_2O]}$
이온화 상수식	용매인 물의 농도는 거의 일정하므로 평형 상수식에 나타내지 않는다.	
	$K_a=\frac{[H_3O^+][A^-]}{[HA]}$	$K_b=\frac{[HB^+][OH^-]}{[B]}$

① 이온화 상수는 일종의 평형 상수이므로 온도에 의해서만 달라진다.❹

② 온도가 일정하면 같은 산이나 염기의 이온화 상수는 산과 염기의 농도와 관계없이 일정하다. 온도가 일정하면 평형 상태에서 물질의 농도가 달라질 뿐 반응물의 농도 곱에 대한 생성물의 농도 곱의 비는 같으므로 온도가 일정할 때 수용액의 농도와 관계없이 이온화 상수가 같다.

(2) 이온화도와 이온화 상수의 관계

① 수용액에서는 이온화도에 따라 이온화 평형이 이루어지므로 이온화도와 이온화 상수 사이에는 밀접한 관계가 있다.

② 농도가 C M, 이온화도가 α인 약산 HA의 수용액에서 이온화 상수 K_a와 이온화도 α, 산의 농도 사이에는 다음과 같은 관계가 성립한다.

	$HA(aq)$ + $H_2O(l)$ $\rightleftharpoons$	$H_3O^+(aq)$ +	$A^-(aq)$
처음 농도(M)	C	0	0
이온화한 농도(M)	$-C\alpha$	$+C\alpha$	$+C\alpha$
평형 농도(M)	$C(1-\alpha)$	$C\alpha$	$C\alpha$

$$\therefore K_a=\frac{[H_3O^+][A^-]}{[HA]}=\frac{C\alpha \cdot C\alpha}{C(1-\alpha)}=\frac{C\alpha^2}{1-\alpha}$$

➡ 약산인 경우 α가 매우 작으므로 $1-\alpha \fallingdotseq 1$이고, $K_a=C\alpha^2$이다.

③ 이 식에서 이온화도를 구하면 $\alpha=\sqrt{\frac{K_a}{C}}$, K_a는 상수이므로 농도(c)가 묽을수록 이온화도(α)는 커진다.

빈출 계산연습 CH_3COOH의 이온화 상수(K_a) 구하기

25 ℃, 0.1 M $CH_3COOH(aq)$에서 CH_3COOH의 이온화 상수(K_a)를 구해 보자. (단, 25 ℃에서 0.1 M $CH_3COOH(aq)$의 이온화도는 0.01이다.❺)

1단계 $CH_3COOH(aq)$의 이온화 평형을 화학 반응식으로 나타낸다.

➡ $CH_3COOH(aq)+H_2O(l) \rightleftharpoons H_3O^+(aq)+CH_3COO^-(aq)$

2단계 $[H_3O^+]=C\alpha$를 이용하여 양적 관계를 나타낸다.

	$CH_3COOH(aq)+H_2O(l) \rightleftharpoons$	$H_3O^+(aq)+$	$CH_3COO^-(aq)$
처음 농도(M)	0.1	0	0
반응 농도(M)	$-x$	$+x$	$+x$
평형 농도(M)	$0.1-x$	x	x

$x=C\alpha=0.1\times0.01$이므로 평형 상태에서 $[CH_3COOH]=0.1\times(1-0.01)$M이다.

3단계 이온화 상수식에 대입하여 K_a를 구한다.

➡ $K_a=\frac{[H_3O^+][CH_3COO^-]}{[CH_3COOH]}=\frac{0.001^2}{0.1\times(1-0.01)}\fallingdotseq 1.0\times10^{-5}$

❹ 온도와 이온화 상수

- 온도가 높을수록 이온화도가 증가하고, 이온화도가 클수록 산의 이온화 상수가 크므로 온도가 높을수록 이온화 상수가 크다.
- 이온화 반응은 정반응이 흡열 반응이므로 온도를 높이면 정반응 쪽으로 평형이 이동하여 이온화 상수가 커진다.

❺ 약산의 이온화 상수

약산의 이온화 상수는 $K_a=C\alpha^2$이므로 $K_a=0.1\times0.01^2=1.0\times10^{-5}$

➕ 수용액의 pH 구하기

$[H_3O^+]=C\alpha=\sqrt{C\times K_a}$이다.

$[H_3O^+]=0.1\times0.01=1.0\times10^{-3}$ M이므로 $pH=-\log[H_3O^+]=3$이다.

(3) 이온화 상수와 산 염기의 세기❻

① 이온화 상수가 클수록 정반응이 우세하고, 이온화 상수가 작을수록 역반응이 우세하다.

② 이온화 상수가 클수록 산이나 염기의 세기가 강하다.

➡ 이온화 상수 K_a, K_b가 클수록 수용액에서 이온화하는 쪽으로 평형이 치우쳐 이온화 평형에서 $[H_3O^+]$나 $[OH^-]$가 커지기 때문이다.

산의 상대적인 세기는 이온화 평형에서 브뢴스테드·로리 산과 염기의 정의에 의해 짝산과 짝염기 관계에 있는 물질을 이온화 상수를 이용하여 나타낸 것이다.

3. 산 염기의 •상대적인 세기

암기TiP 강산의 짝염기는 약염기, 약산의 짝염기는 강염기

(1) 강산

① 이온화 상수 K_a가 매우 크므로 정반응이 우세하다. ➡ 생성물의 농도가 크다.

H^+을 주는 힘이 강함 / H^+을 주는 힘이 약함

$$\underset{\text{강산}}{HCl} + \underset{\text{강염기}}{H_2O} \rightleftharpoons \underset{\text{약산}}{H_3O^+} + \underset{\text{약염기}}{Cl^-} \qquad K_a\text{: 매우 크다}$$

산의 세기: $HCl > H_3O^+$ 염기의 세기: $H_2O > Cl^-$

② 이온화 평형에서 HCl과 H_3O^+이 산으로 경쟁하는데 HCl이 H_3O^+보다 H^+을 내놓는 힘이 훨씬 강해 평형이 정반응 쪽으로 치우치므로, K_a가 커진다.

(2) 약산

$HCl(aq)$에서 산의 세기는 $HCl > H_3O^+$이고 $CH_3COOH(aq)$에서 산의 세기는 $H_3O^+ > CH_3COOH$이므로 상대적으로 가장 강한 산은 HCl이고 가장 약한 산은 CH_3COOH이다.

① 이온화 상수 K_a가 매우 작으므로 역반응이 우세하다. ➡ 반응물의 농도가 크다.

H^+을 주는 힘이 약함 / H^+을 주는 힘이 강함

$$\underset{\text{약산}}{CH_3COOH} + \underset{\text{약염기}}{H_2O} \rightleftharpoons \underset{\text{강산}}{H_3O^+} + \underset{\text{강염기}}{CH_3COO^-} \qquad K_a\text{: } 1.8 \times 10^{-5}$$

산의 세기: $CH_3COOH < H_3O^+$ 염기의 세기: $H_2O < CH_3COO^-$

② 이온화 평형에서 H_3O^+과 CH_3COOH이 산으로 경쟁하는데 H_3O^+이 CH_3COOH보다 H^+을 내놓는 힘이 훨씬 강해 평형이 역반응 쪽으로 치우치므로, K_a가 작아진다.

빈출 자료 산과 염기의 상대적 세기

산의 상대적 세기	짝산	짝염기	염기의 세기
강	HCl	Cl^-	약
↑	H_2SO_4	HSO_4^-	↓
	H_3O^+	H_2O	
	HSO_4^-	SO_4^{2-}	
	H_3PO_4	$H_2PO_4^-$	
	CH_3COOH	CH_3COO^-	
	H_2CO_3	HCO_3^-	
	HCN	CN^-	
	NH_4^+	NH_3	
	HCO_3^-	CO_3^{2-}	
약	H_2O	OH^-	강

❶ 이온화 상수 (K_a)가 클수록 산의 세기는 강해지고, 짝염기의 세기는 약해진다.

❷ 강산의 짝염기는 약염기이고, 약산의 짝염기는 강염기이다.

❸ 산 염기의 이온화 평형에서는 약산과 약염기를 생성하는 쪽으로 평형이 치우친다.

❻ 몇 가지 약산의 이온화 상수 (25 ℃)

산	K_a
HF	6.8×10^{-4}
HCOOH	1.8×10^{-4}
CH_3COOH	1.8×10^{-5}

산과 염기의 반응은 약산과 약염기를 생성하는 방향으로 진행돼.

❓ $HCl(aq)$에서 물은 상대적으로 강염기인데, 왜 물은 염기의 공통적 성질이 없을까?

물이 염기인 것은 이온화 평형에서 브뢴스테드·로리의 정의에 의한 것으로 산의 짝염기와 비교했을 때 상대적으로 강하다는 것을 의미한다. 실제로 물은 중성이며 염기의 공통적인 성질을 갖고 있지 않다.

용어 알기

• 상대적(서로 相, 대답할 對, 과녁 的) 다른 것과의 관계나 비교에 있어 존재하는(것)

콕콕! 개념 확인하기

정답과 해설 072쪽

✔ 잠깐 확인!

1. 브뢴스테드·로리 산은 ☐☐☐를 주는 물질이다.

2. ☐☐☐ ☐☐ 반응에 따라 산으로부터 H^+을 받기도 하고 H^+을 주기도 하는 물질

3. HCl의 짝염기는 ☐이고, NH_3의 짝산은 ☐이다.

4. ☐☐☐ ☐☐ 산이나 염기가 수용액에서 이온화 평형 상태에 있을 때의 평형 상수

5. 이온화도는 ☐☐가 높을수록, ☐☐가 묽을수록 커진다.

6. 같은 농도의 산이나 염기의 수용액에서 ☐☐☐☐가 클수록 산과 염기의 세기가 강하다.

7. 강산의 짝염기는 상대적으로 ☐☐☐이고, 약산의 짝염기는 상대적으로 ☐☐☐이다.

A 산 염기의 정의

01 산과 염기에 대한 설명으로 옳은 것은 ○, 옳지 않은 것은 ×로 표시하시오.

(1) 양성자(H^+)를 주는 물질을 브뢴스테드·로리 산이라고 한다. ( )

(2) 모든 염기는 브뢴스테드·로리 염기로 작용한다. ( )

(3) 물에 HCl를 넣으면 HCl은 브뢴스테드·로리 산으로 작용한다. ( )

02 다음은 2가지 산 염기 반응식이다.

$$NH_3+H_2O \rightleftharpoons NH_4^+ + OH^-$$
$$H_2CO_3+H_2O \rightleftharpoons HCO_3^- + H_3O^+$$

양쪽성 물질을 찾아 화학식을 쓰시오.

B 산 염기의 세기

03 이온화도와 이온화 상수에 대한 설명으로 옳은 것은 ○, 옳지 않은 것은 ×로 표시하시오.

(1) 이온화도가 클수록 산, 염기의 세기는 강하다. ( )

(2) 산, 염기 평형에서 이온화 상수가 클수록 생성물의 양이 많다. ( )

(3) 온도가 같을 때 산의 이온화 상수는 산의 농도와 관계없이 일정하다. ( )

04 다음은 짝산－짝염기의 상대적 세기에 대한 설명이다. ㉠, ㉡에 들어갈 알맞은 말을 쓰시오.

산 수용액이 평형에 있을 때 산의 (㉠)가 클수록 정반응이 우세하게 일어나므로 산의 세기가 강하다. $HCl+H_2O \rightleftharpoons H_3O^+ + Cl^-$에서 HCl는 강산으로 HCl 이온화 반응의 (㉠)가 매우 크다. 따라서 산의 상대적인 세기는 HCl이 H_3O^+보다 크고, 짝염기인 Cl^-은 (㉡)이다.

05 다음은 2가지 산, 염기 반응의 화학 반응식과 이온화 상수이다. 이에 대한 설명으로 옳은 것은 ○, 옳지 않은 것은 ×로 표시하시오.

(가) $HCN(aq)+H_2O(l) \rightleftharpoons CN^-(aq)+H_3O^+(aq)$ $K_a=6.2\times10^{-10}$

(나) $CH_3COOH(aq)+H_2O(l) \rightleftharpoons CH_3COO^-(aq)+H_3O^+(aq)$ $K_a=1.8\times10^{-5}$

(1) (가)와 (나)에서 H_2O은 양쪽성 물질이다. ( )

(2) 산의 세기는 CH_3COOH이 HCN보다 강하다. ( )

(3) 염기의 세기는 CN^-이 가장 크다. ( )

탄탄! 내신 다지기

정답과 해설 072쪽

A 산 염기의 정의

01 다음은 염화 수소(HCl)와 암모니아(NH_3)를 물에 녹여 이온화 평형에 도달했을 때의 화학 반응식이다.

(가) $HCl+H_2O \rightleftharpoons H_3O^+ + Cl^-$
(나) $NH_3+H_2O \rightleftharpoons NH_4^+ + OH^-$

이에 대한 설명으로 옳지 않은 것은?

① HCl는 아레니우스 산이다.
② NH_3는 브뢴스테드·로리 염기이다.
③ HCl의 짝염기는 Cl^-이다.
④ NH_3의 짝산은 OH^-이다.
⑤ H_2O은 양쪽성 물질이다.

02 브뢴스테드·로리 산으로도 염기로도 작용할 수 있는 물질은?

① CO_3^{2-}　② NO_3^-　③ Cl^-
④ HCO_3^-　⑤ NH_4^+

03 그림은 염화 수소(HCl)를 물에 녹였을 때 이온화 반응식을 나타낸 것이다.

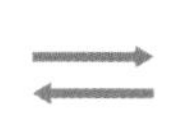

이에 대한 설명으로 옳은 것만을 <보기>에서 있는 대로 고른 것은?

보기
ㄱ. $HCl(aq)$은 산성이다.
ㄴ. Cl^-은 브뢴스테드·로리 염기이다.
ㄷ. H_2O의 짝산은 H_3O^+이다.

① ㄱ　② ㄷ　③ ㄱ, ㄴ
④ ㄴ, ㄷ　⑤ ㄱ, ㄴ, ㄷ

[04~05] 다음은 산 HA, 염기 B와 관련된 반응 (가)와 (나)에 대한 설명이다.

(가) HA를 물에 녹이면 A^-과 하이드로늄 이온(H_3O^+)이 생성된다.
(나) B를 물에 녹이면 BH^+과 수산화 이온(OH^-)이 생성된다.

04 이에 대한 설명으로 옳은 것만을 <보기>에서 있는 대로 고른 것은?

보기
ㄱ. (가)에서 HA는 아레니우스 산이다.
ㄴ. (나)에서 BH^+의 짝염기는 B이다.
ㄷ. (가)와 (나)에서 H_2O은 모두 브뢴스테드·로리 염기이다.

① ㄱ　② ㄷ　③ ㄱ, ㄴ
④ ㄴ, ㄷ　⑤ ㄱ, ㄴ, ㄷ

단답형

05 (가)와 (나)에서 양쪽성 물질을 찾아 쓰시오.

06 다음은 탄산수소 이온(HCO_3^-)과 관련된 화학 반응식을 나타낸 것이다.

(가) $H_2CO_3+H_2O \rightleftharpoons HCO_3^- + H_3O^+$
(나) $HCO_3^- + H_2O \rightleftharpoons H_2CO_3 + OH^-$

(가)에서 H_2CO_3의 짝염기와 (가)와 (나)에서 양쪽성 물질을 옳게 짝 지은 것은?

	H_2CO_3의 짝염기	양쪽성 물질
①	H_2O	H_2O
②	HCO_3^-	H_2O
③	HCO_3^-	HCO_3^-
④	CO_3^{2-}	HCO_3^-
⑤	CO_3^{2-}	CO_3^{2-}

B 산 염기의 세기

07 이온화도에 대한 설명으로 옳은 것만을 <보기>에서 있는 대로 고른 것은?

> 보기
> ㄱ. 같은 전해질인 경우, 온도가 높을수록 이온화도가 크다.
> ㄴ. 같은 전해질인 경우, 농도가 묽을수록 이온화도가 작아진다.
> ㄷ. 온도와 농도가 같은 서로 다른 산 수용액에서 이온화도가 클수록 산의 세기가 강하다.

① ㄱ ② ㄴ ③ ㄱ, ㄷ
④ ㄴ, ㄷ ⑤ ㄱ, ㄴ, ㄷ

08 표는 온도가 같은 2가지 산 수용액에 대한 자료이다.

수용액	HA(aq)	HB(aq)
몰 농도(M)	0.1	0.1
수용액의 pH	1	3

HA(aq)가 HB(aq)보다 큰 값만을 <보기>에서 있는 대로 고른 것은?

> 보기
> ㄱ. 산의 이온화도
> ㄴ. 수용액 속 $[H_3O^+]$
> ㄷ. 짝염기의 이온화 상수

① ㄱ ② ㄴ ③ ㄱ, ㄴ
④ ㄱ, ㄷ ⑤ ㄴ, ㄷ

단답형

09 t ℃에서 0.1 M 아세트산(CH_3COOH) 수용액의 이온화도(α)가 0.01일 때, t ℃에서 아세트산의 이온화 상수 K_a를 구하시오.

10 다음은 25 ℃에서 2가지 산의 이온화 반응식과 이온화 상수(K_a)이다.

> $HCl + H_2O \rightleftharpoons H_3O^+ + Cl^-$ $K_a = 1.0 \times 10^7$
> $CH_3COOH + H_2O \rightleftharpoons H_3O^+ + CH_3COO^-$
> $K_a = 1.8 \times 10^{-5}$

25 ℃, 0.1 M 수용액에서 이에 대한 설명으로 옳지 않은 것은?

① $[CH_3COOH] > [CH_3COO^-]$이다.
② 이온화도는 $HCl > CH_3COOH$이다.
③ 산의 세기는 $HCl > CH_3COOH$이다.
④ 산의 상대적인 세기는 $CH_3COOH > H_3O^+$이다.
⑤ 염기의 상대적인 세기는 $CH_3COO^- > Cl^-$이다.

11 다음은 25 ℃에서 CH_3COOH과 관련된 실험 과정이다.

> [실험 과정]
> (가) 소량의 $CH_3COOH(l)$을 증류수에 넣어 충분한 시간 동안 놓아둔다.
> (나) (가)의 수용액에 NaOH(aq)을 소량 넣어 충분한 시간 동안 놓아둔다.

(나)에 대한 설명으로 옳은 것만을 <보기>에서 있는 대로 고른 것은? (단, 온도는 일정하다.)

> 보기
> ㄱ. $CH_3COOH(aq)$의 이온화도는 증가한다.
> ㄴ. $CH_3COOH(aq)$의 이온화 상수는 증가한다.
> ㄷ. $CH_3COOH(aq)$의 pH는 변하지 않는다.

① ㄱ ② ㄴ ③ ㄱ, ㄷ
④ ㄴ, ㄷ ⑤ ㄱ, ㄴ, ㄷ

12 다음은 산 HA와 HB의 이온화 반응식과 25 ℃에서 이온화 상수(K_a)이다.

$$HA(aq)+H_2O(l) \rightleftharpoons A^-(aq)+H_3O^+(aq) \quad K_a=1\times10^{-5}$$
$$HB(aq)+H_2O(l) \rightleftharpoons B^-(aq)+H_3O^+(aq) \quad K_a=2\times10^{-5}$$

25 ℃에서 이에 대한 설명으로 옳은 것만을 〈보기〉에서 있는 대로 고른 것은?

보기
ㄱ. $H_2O(l)$은 양쪽성 물질로 작용하였다.
ㄴ. 25 ℃, 0.1 M 수용액에서 HA의 이온화도는 0.01이다.
ㄷ. 25 ℃, 0.1 M 수용액의 pH는 HA가 HB보다 크다.

① ㄱ ② ㄴ ③ ㄱ, ㄷ
④ ㄴ, ㄷ ⑤ ㄱ, ㄴ, ㄷ

13 그림은 25 ℃에서 농도와 부피가 서로 다른 약산 HA(*aq*)을 나타낸 것이다.

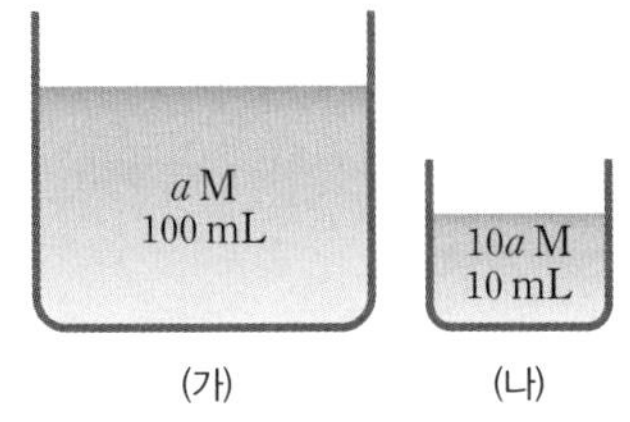

이에 대한 설명으로 옳은 것은?

① (가)에서 $[H_3O^+]=a$ M이다.
② (나)에서 $[A^-]=10a$ M이다.
③ A^-의 양(몰)은 (나)에서가 (가)에서보다 크다.
④ HA의 이온화도는 (가)에서가 (나)에서보다 크다.
⑤ HA의 이온화 상수는 (나)에서가 (가)에서보다 크다.

14 그림은 25 ℃에서 0.1 M HA 수용액에서 이온화한 후의 농도비를 나타낸 것이다.

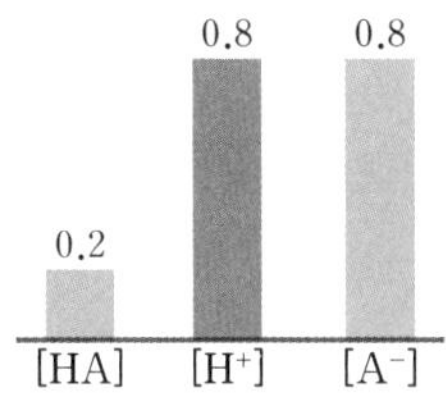

25 ℃에서 이에 대한 설명으로 옳은 것만을 〈보기〉에서 있는 대로 고른 것은?

보기
ㄱ. HA의 짝염기는 A^-이다.
ㄴ. HA의 이온화도는 0.2이다.
ㄷ. HA의 K_a는 0.32이다.

① ㄱ ② ㄷ ③ ㄱ, ㄷ
④ ㄴ, ㄷ ⑤ ㄱ, ㄴ, ㄷ

15 표는 25 ℃에서 약산 HA(*aq*)와 HB(*aq*)에 대한 자료이다.

수용액	HA(*aq*)	HB(*aq*)
부피(mL)	100	200
몰 농도(M)	0.1	0.2
수용액 속 양이온의 양(몰)	0.0001	0.0002

이에 대한 설명으로 옳은 것만을 〈보기〉에서 있는 대로 고른 것은?

보기
ㄱ. HA의 이온화 상수는 1×10^{-5}이다.
ㄴ. HB(*aq*)의 pH는 3이다.
ㄷ. 이온화도는 HA가 HB보다 작다.

① ㄱ ② ㄷ ③ ㄱ, ㄴ
④ ㄴ, ㄷ ⑤ ㄱ, ㄴ, ㄷ

도전! 실력 올리기

출제예감

01 다음은 두 가지 산 HA와 HB의 이온화 반응식과 25 ℃, 1 M 산 수용액의 이온화도(α)이다.

$$HA + H_2O \rightleftharpoons H_3O^+ + A^- \quad \alpha = 0.92$$
$$HB + H_2O \rightleftharpoons H_3O^+ + B^- \quad \alpha = 0.013$$

이에 대한 설명으로 옳은 것만을 <보기>에서 있는 대로 고른 것은?

보기
ㄱ. HA의 짝염기는 A^-이다.
ㄴ. 상대적인 산의 세기는 HB가 H_3O^+보다 크다.
ㄷ. 25 ℃에서 이온화 상수는 HB가 HA보다 크다.

① ㄱ ② ㄴ ③ ㄱ, ㄷ
④ ㄴ, ㄷ ⑤ ㄱ, ㄴ, ㄷ

02 그림은 25 ℃에서 산 HA(aq) 1 L에 HA가 이온화한 상태를 모형으로 나타낸 것이다. 입자 모형 ●○은 이온화하지 않은 HA를 나타낸 것이고, ● 1개는 0.02몰에 해당한다.

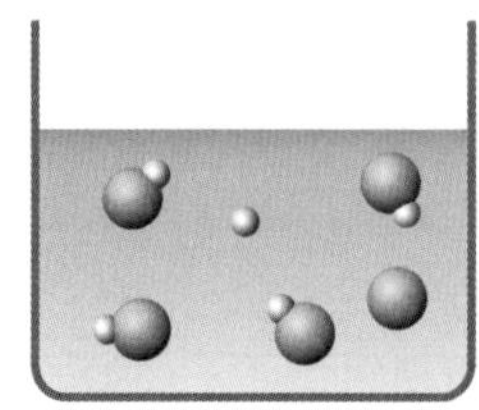

25 ℃에서 이에 대한 설명으로 옳은 것만을 <보기>에서 있는 대로 고른 것은?

보기
ㄱ. HA의 짝염기는 A^-이다.
ㄴ. HA의 이온화도는 0.8이다.
ㄷ. HA의 이온화 상수는 0.05이다.

① ㄱ ② ㄴ ③ ㄱ, ㄷ
④ ㄴ, ㄷ ⑤ ㄱ, ㄴ, ㄷ

출제예감

03 다음은 두 가지 산 HA와 HB가 포함된 X 수용액의 이온화 평형 반응식이다. 25 ℃에서 산의 이온화 상수(K_a)는 HA가 HB보다 크다.

$$HA(aq) + B^-(aq) \rightleftharpoons HB(aq) + A^-(aq) \quad K$$

이에 대한 설명으로 옳은 것만을 <보기>에서 있는 대로 고른 것은?

보기
ㄱ. 25 ℃에서 $K < 1$이다.
ㄴ. 상대적인 염기의 세기는 $B^- > A^-$이다.
ㄷ. X 수용액에 소량의 NaOH(aq)을 넣으면 $[B^-]$는 증가한다.

① ㄱ ② ㄷ ③ ㄱ, ㄴ
④ ㄴ, ㄷ ⑤ ㄱ, ㄴ, ㄷ

04 그림은 25 ℃에서 산 HA(aq) 1 L와 산 HB(aq) 1 L에 들어 있는 입자 수를 나타낸 것이다. 물 분자 수는 나타내지 않았다.

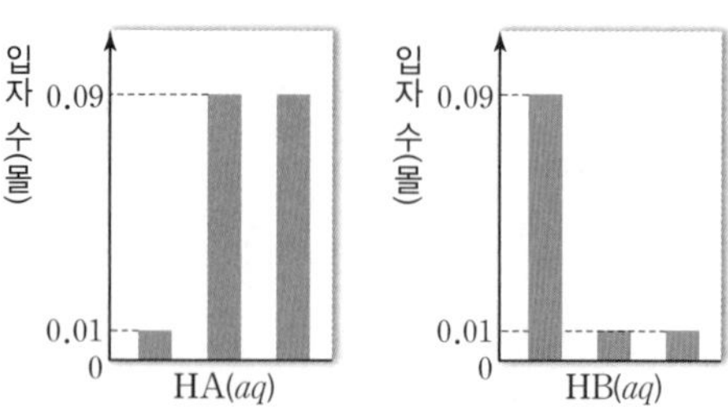

25 ℃에서 이에 대한 설명으로 옳은 것만을 <보기>에서 있는 대로 고른 것은?

보기
ㄱ. HB의 이온화 상수(K_a)는 1.0×10^{-5}이다.
ㄴ. 이온화도(α)는 HA가 HB의 9배이다.
ㄷ. HB(aq)의 pH는 HA(aq)의 pH+1이다.

① ㄱ ② ㄴ ③ ㄱ, ㄷ
④ ㄴ, ㄷ ⑤ ㄱ, ㄴ, ㄷ

05 그림은 0.1 M HA(aq) 10 mL에 x M NaOH(aq) 5 mL를 첨가한 것을 나타낸 것이다.

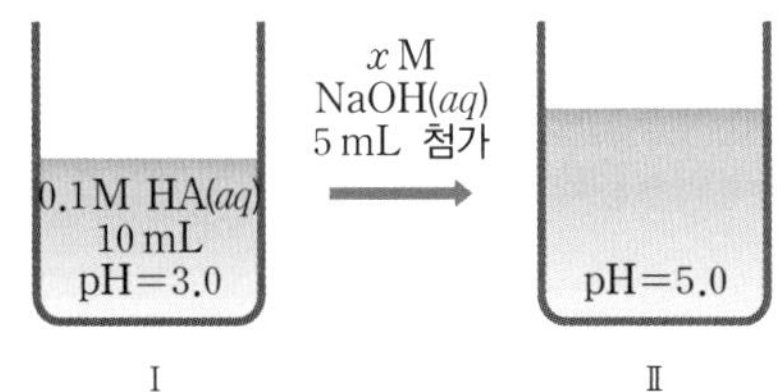

이에 대한 설명으로 옳은 것만을 〈보기〉에서 있는 대로 고른 것은? (단, 수용액의 온도는 일정하고, 혼합 후 부피는 혼합 전 부피의 합과 같다.)

보기
ㄱ. x=0.1이다.
ㄴ. HA의 이온화도는 Ⅱ에서가 Ⅰ에서보다 크다.
ㄷ. HA의 이온화 상수는 Ⅱ에서가 Ⅰ에서보다 크다.

① ㄴ ② ㄷ ③ ㄱ, ㄴ
④ ㄴ, ㄷ ⑤ ㄱ, ㄴ, ㄷ

출제예감

06 그림은 25 ℃에서 0.1 M 산 HA(aq) 100 mL와 0.4 M HA(aq) 200 mL에서 HA(aq)의 pH를 나타낸 것이다.

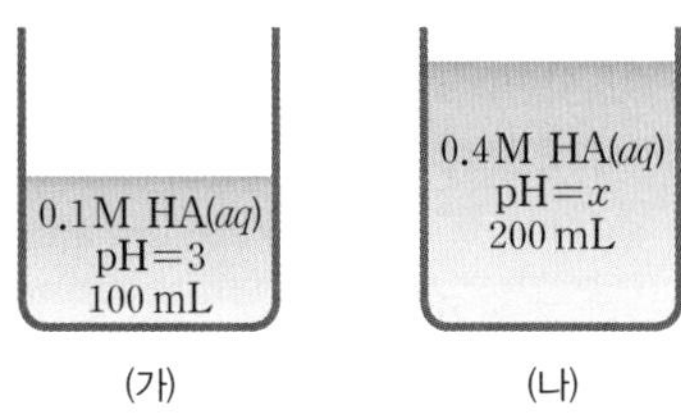

이에 대한 설명으로 옳은 것만을 〈보기〉에서 있는 대로 고른 것은? (단, 25 ℃에서 물의 이온화 상수 K_w는 1.0×10^{-14}이다.)

보기
ㄱ. $x<3$이다.
ㄴ. (나)에서 HA의 이온화도는 5.0×10^{-3}이다.
ㄷ. A^-의 양은 (나)에서가 (가)에서의 2배이다.

① ㄴ ② ㄷ ③ ㄱ, ㄴ
④ ㄴ, ㄷ ⑤ ㄱ, ㄴ, ㄷ

07 다음은 산 HA 0.1몰을 물에 녹여 부피가 1 L인 수용액을 만들었을 때, 이온화 평형과 이온화 상수를 나타낸 것이다.

$$HA(aq)+H_2O(l) \rightleftharpoons A^-(aq)+H_3O^+(aq)$$
$$K_a=1.0\times10^{-5}$$

이 수용액에서 HA의 이온화도 α를 구하시오.

서술형

08 다음은 25 ℃에서 약산 HA 수용액에 증류수와 2가지 수용액을 각각 혼합한 용액 (가)~(다)에 대한 자료이다.

(가) 0.1 M HA(aq) 1 mL+증류수 100 mL
(나) 0.1 M HA(aq) 1 mL+0.1 M NaOH(aq) 100 mL
(다) 0.1 M HA(aq) 1 mL+0.1 M HCl(aq) 100 mL

(1) 3가지 용액에서 HA의 이온화 상수를 비교하시오.

(2) 3가지 용액에서 HA의 이온화도를 비교하고, 그 까닭을 서술하시오.

서술형

09 그림은 25 ℃에서 2가지 산 수용액이 비커에 들어 있는 모습을 나타낸 것이다.

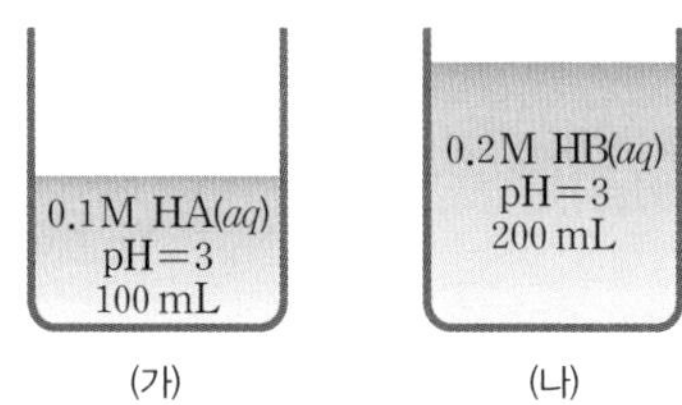

(1) (가)에서 HA의 이온화 상수를 구하시오.

(2) (가)와 (나)에서 HA와 HB의 이온화도 비를 구하는 방법을 서술하시오.

02 염의 가수 분해와 완충 용액

핵심 키워드로 흐름잡기

A 염, 염의 가수 분해
B 공통 이온 효과, 완충 용액
C 혈액의 완충 작용

A 염의 가수 분해

|출·제·단·서| 시험에는 염의 생성 반응과 염의 가수 분해에 의한 용액의 액성을 예측하는 문제가 나와.

1. 염❶

암기TiP 염: 산의 음이온+염기의 양이온

(1) 염 산의 음이온과 염기의 양이온이 결합한 물질 (일반적으로 염은 금속 양이온과 비금속 음이온으로 이루어진 이온 결합 물질이다.)

$$\underset{\text{산}}{HA(aq)}+\underset{\text{염기}}{BOH(aq)} \longrightarrow \underset{\text{염}}{BA(aq)}+\underset{\text{물}}{H_2O(l)}$$

(2) 염의 생성 염은 중화 반응뿐만 아니라 여러 가지 반응에서도 생성된다.

① **산과 염기의 중화 반응:** $HCl(aq)+NaOH(aq) \longrightarrow NaCl(aq)+H_2O(l)$

② **금속과 산의 반응:** $Mg(s)+2HCl(aq) \longrightarrow MgCl_2(aq)+H_2(g)$

③ **금속 산화물과 비금속 산화물의 반응:** $CaO(s)+CO_2(g) \longrightarrow CaCO_3(s)$

④ **금속 산화물과 산의 반응:** $MgO(s)+2HCl(aq) \longrightarrow MgCl_2(aq)+H_2O(l)$

⑤ **비금속 산화물과 염기의 반응:** $CO_2(g)+2NaOH(aq) \longrightarrow Na_2CO_3(aq)+H_2O(l)$

⑥ **염과 염의 반응:** $NaCl(aq)+AgNO_3(aq) \longrightarrow AgCl(s)+NaNO_3(aq)$

(3) 염의 분류 화학식에 따른 조성상의 분류일 뿐 물에 녹았을 때의 액성과는 무관하다.

① **정염(중성염) :** H^+이나 OH^-을 포함하지 않는 염 예 $NaCl$, Na_2CO_3 등

② **산성염:** H^+을 포함하는 염 예 $NaHCO_3$, $NaHSO_4$ 등

③ **염기성염:** OH^-을 포함하는 염 예 $Mg(OH)Cl$, $Ca(OH)Cl$ 등

$NaCl(aq)$은 중성, $Na_2CO_3(aq)$은 염기성이므로 염의 분류와 수용액의 액성은 무관하다.

❶ 염

산의 H^+ 대신에 염기의 양이온(금속 이온)으로 치환되거나 염기의 OH^- 대신 산의 음이온(비금속 이온)으로 치환된 물질

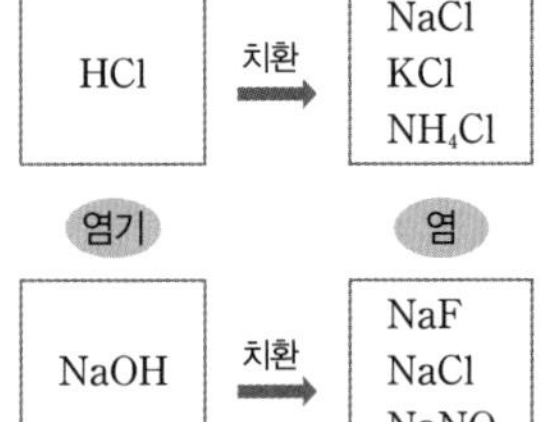

2. 염의 가수 분해

암기TiP 강산+약염기 → 양이온 가수 분해 → 산성, 약산+강염기 → 음이온 가수 분해 → 염기성

(1) 가수 분해 염이 물에 녹아 이온화할 때 생성되는 이온 중 일부가 물과 반응하여 H_3O^+이나 OH^-을 내놓는 반응

(2) 염의 구성과 수용액의 액성❷ 염의 구성으로부터 염이 생성될 때 중화하는 산과 염기의 종류를 알 수 있으므로 수용액의 액성을 예측할 수 있다.

① **「강산과 강염기의 중화」로부터 생성된 염:** 강산의 짝염기, 강염기의 짝산은 가수 분해하지 않고 이온화만 되어 수용액의 액성은 염의 종류에 따라 달라진다.

중성을 띠는 염	$NaCl(aq) \longrightarrow Na^+(aq)+Cl^-(aq)$
산성을 띠는 염	$NaHSO_4(aq) \longrightarrow Na^+(aq)+H^+(aq)+SO_4^{2-}(aq)$
염기성을 띠는 염	$Ca(OH)Cl(aq) \longrightarrow Ca^{2+}(aq)+OH^-(aq)+Cl^-(aq)$

② **「강산과 약염기의 중화」로부터 생성된 염:** 약염기의 짝산이 가수 분해하여 H^+을 내놓으므로 산성을 나타낸다.

- 이온화: $NH_4Cl(aq) \longrightarrow NH_4^+(aq)+Cl^-(aq)$
- 약염기의 짝산이 가수 분해:

$$NH_4^+(aq)+H_2O(l) \rightleftharpoons NH_3(aq)+H_3O^+(aq)$$

➡ 산성 NH_3의 짝산은 NH_4^+이므로 $K_w=K_aK_b$의 관계에 있다.

약염기의 짝산: NH_4^+, Cu^{2+}, Mg^{2+} 등

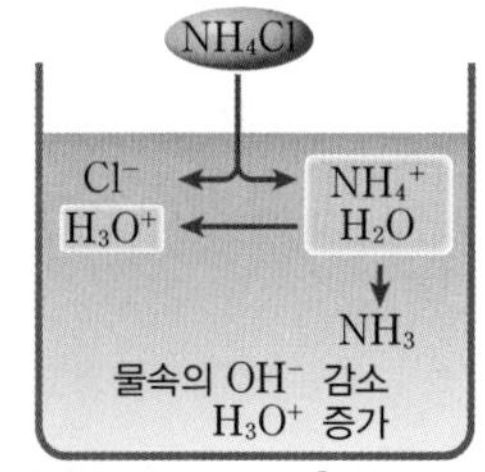

NH_3의 $K_b≒1.0\times10^{-5}$이므로 NH_4^+의 $K_a=\frac{K_w}{K_b}=1.0\times10^{-9}$이다.

❷ 염과 수용액의 액성

염이 가수 분해 한 후의 액성은 염을 구성하는 산 또는 염기 중에서 강한 쪽의 액성을 따른다.

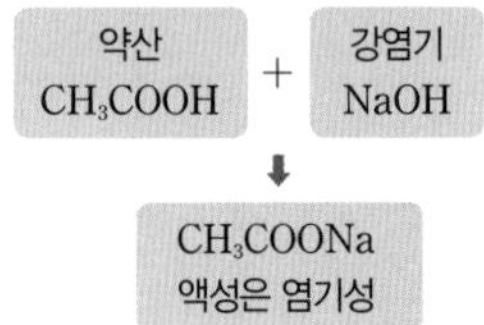

용어 알기

- 염(소금 鹽) 원래 소금의 뜻이지만, 넓은 의미로 염기의 양이온과 산의 음이온이 결합한 물질을 말한다.
- 가수 분해(더할 加, 물 水, 나눌 分, 풀 解) 무기 염류가 물과 반응하여 산 또는 염기로 분해하는 반응

약산의 짝염기: HCO_3^-, CH_3COO^-, $H_2PO_4^-$ 등

③ 「약산과 강염기의 중화」로부터 생성된 염: 약산의 짝염기가 가수 분해하여 OH^-을 내놓으므로 염기성을 나타낸다.

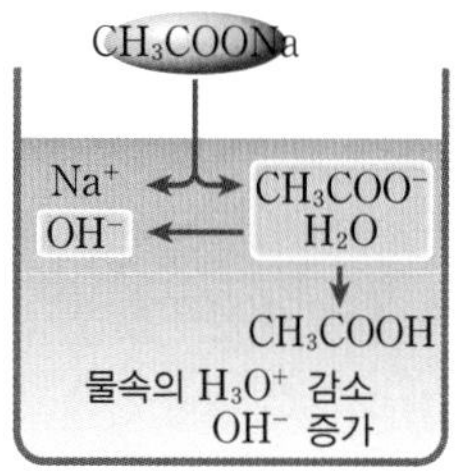

- 이온화: $CH_3COONa(aq) \longrightarrow CH_3COO^-(aq) + Na^+(aq)$
- 약산의 짝염기가 가수 분해: $CH_3COO^-(aq) + H_2O(l) \rightleftharpoons CH_3COOH(aq) + OH^-(aq)$ ➡ 염기성

④ 「약산과 약염기의 중화」로부터 생성된 염: 약산의 짝염기와 약염기의 짝산이 모두 가수 분해❸하여 거의 중성을 나타낸다. 약산의 짝염기나 약염기의 짝산의 이온화 상수가 매우 작으므로, 이온화 상수가 다르더라도 약산과 약염기로부터 생성된 염의 수용액은 거의 중성을 나타낸다.

- 이온화: $CH_3COONH_4(aq) \longrightarrow CH_3COO^-(aq) + NH_4^+(aq)$
- 약산의 짝염기, 약염기의 짝산의 가수 분해

$$CH_3COO^-(aq) + H_2O(l) \rightleftharpoons CH_3COOH(aq) + OH^-(aq)$$

$$NH_4^+(aq) + H_2O(l) \rightleftharpoons NH_3(aq) + H_3O^+(aq)$$

➡ OH^-이나 H_3O^+이 거의 같은 양이 생성되므로 중성을 나타낸다.

❸ 이온의 가수 분해

약염기의 짝산(양이온)이나 약산의 짝염기(음이온)가 가수 분해하는 까닭은 약산이나 약염기가 수용액에서 이온 상태로 존재하기 어렵기 때문이다.

빈출 탐구 염 수용액의 액성 확인

<u>목표</u> 염의 종류에 따라 염 수용액의 액성이 어떻게 달라지는지 설명할 수 있다.

<u>과정</u>

① 5개의 비커에 각각 0.1 M $NaCl(aq)$, $NaHSO_4(aq)$, $CH_3COONa(aq)$, $NaHCO_3(aq)$, $NH_4Cl(aq)$을 넣는다.

② 각 수용액에 pH미터를 넣어 pH를 측정하여 용액의 액성을 알아낸다.

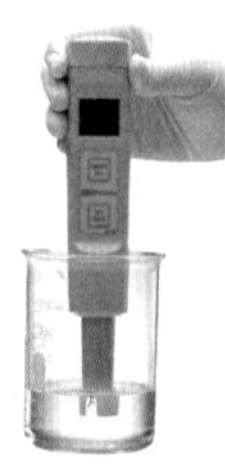

<u>결과 및 정리</u>

염	$NaCl$	$NaHSO_4$	CH_3COONa	$NaHCO_3$	NH_4Cl
수용액의 pH	7	1	8.6	7.8	5.4
수용액의 액성	중성	산성	염기성	염기성	산성
가수 분해 여부	×	×	○	○	○
가수 분해하는 이온	없음	없음	CH_3COO^-	HCO_3^-	NH_4^+

❶ 강산의 짝염기와 강염기의 짝산으로 구성된 염은 가수 분해하지 않고 이온화가 일어난다.

➡ $NaHSO_4(aq)$이 산성인 까닭은 이온화되어 H^+을 내놓기 때문이다.

$NaHSO_4(aq) \longrightarrow Na^+(aq) + H^+(aq) + SO_4^{2-}(aq)$

❷ 약산의 짝염기는 상대적으로 강염기이고, 약염기의 짝산은 상대적으로 강산이므로 가수 분해한다.

➡ $CH_3COO^-(aq) + H_2O(l) \rightleftharpoons CH_3COOH(aq) + OH^-(aq)$ 상대적인 산 또는 염기의 세기가 강하더라도 실제 이온화 상수는 매우 작다.

$HCO_3^-(aq) + H_2O(l) \rightleftharpoons H_2CO_3(aq) + OH^-(aq)$

$NH_4^+(aq) + H_2O(l) \rightleftharpoons NH_3(aq) + H_3O^+(aq)$

❓ 이온 음료가 산성인 까닭은 무엇일까?

이온 음료에는 Na^+, Mg^{2+}, Ca^{2+} 등이 들어 있는데, 이 중 약염기의 짝산인 Mg^{2+} 등이 가수 분해하여 H^+을 내놓기 때문이다.

빈출 자료 염의 종류와 수용액의 액성

0.1 M $NaHSO_4(aq)$과 0.1 M $NaHCO_3(aq)$의 액성 비교하기

❶ 강산의 짝염기와 강염기의 짝산은 각각 상대적으로 약산, 약염기이므로 가수 분해하지 않는다.

❷ 약산의 짝염기인 HCO_3^-은 상대적으로 강염기이므로 가수 분해한다.

❸ $NaHSO_4$: 강산 H_2SO_4 + 강염기 $NaOH$

➡ 이온화: $NaHSO_4(aq) \longrightarrow Na^+(aq) + H^+(aq) + SO_4^{2-}(aq)$

➡ 수용액은 산성이므로 BTB❹ 용액을 넣으면 노란색을 띤다.

❹ $NaHCO_3$: 약산 H_2CO_3 + 강염기 $NaOH$

➡ 가수 분해: $HCO_3^-(aq) + H_2O(l) \rightleftharpoons H_2CO_3(aq) + OH^-(aq)$

➡ 수용액은 염기성이므로 BTB 용액을 넣으면 파란색을 띤다.

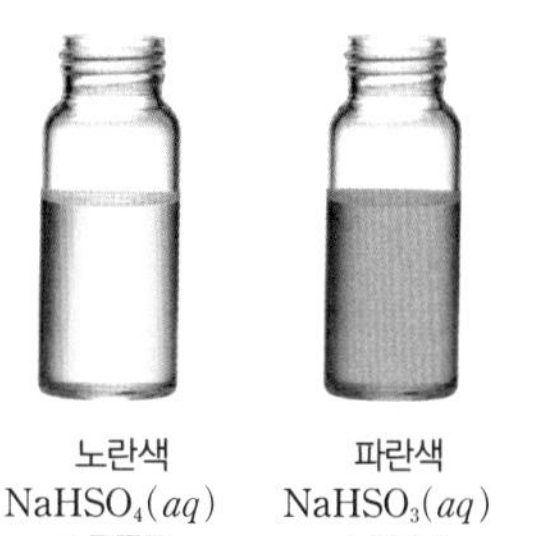

노란색 $NaHSO_4(aq)$ + BTB　　파란색 $NaHSO_3(aq)$ + BTB

❹ BTB

브로모티몰 블루(Bromothymol blue)라는 지시약으로 산성일 때 노란색, 중성일 때 초록색, 염기성일 때 파란색을 띠므로 수용액의 액성을 구분하는 데 사용한다.

B 완충 용액

|출·제·단·서| 공통 이온 효과를 평형 이동 원리로 설명할 수 있는지, 완충 용액의 원리를 이해하고 있는지 묻는 문제가 시험에 나와.

❺ 공통 이온
2가지 서로 다른 물질을 물에 녹였을 때 생성되는 동일한 이온

1. 공통 이온❺ 효과

(1) 이온화 평형 상태에 있는 수용액 속에 들어 있는 이온과 동일한 이온, 즉 공통 이온을 수용액에 넣어 줄 때 그 이온의 농도가 감소하는 방향으로 평형이 이동하는 현상

(2) 공통 이온 효과는 농도의 변화에 의한 평형 이동 원리로 설명한다.

[아세트산 수용액에서 아세트산 나트륨을 넣은 경우]

❶ 아세트산 수용액에서 이온화 평형 반응식

$CH_3COOH(aq)+H_2O(l) \rightleftharpoons CH_3COO^-(aq)+H_3O^+(aq)$

❷ 수용액에서 아세트산 나트륨의 이온화 반응식

$CH_3COONa(aq) \longrightarrow CH_3COO^-(aq)+Na^+(aq)$

❸ $CH_3COOH(aq)$에 $CH_3COONa(aq)$을 넣었을 때 공통 이온인 $CH_3COO^-(aq)$의 농도가 증가하므로 ❶의 이온화 평형은 역반응 쪽으로 이동한다.

➡ $[H_3O^+]$가 감소하여 수용액의 pH❻는 증가하고, $[CH_3COOH]$는 증가한다.

① 농도 증가

$CH_3COOH(aq)+H_2O(l) \rightleftharpoons H_3O^+(aq)+CH_3COO^-(aq)$

② CH_3COO^-의 농도가 감소하는 역반응 쪽으로 평형 이동

❻ pH
수소 이온 농도 지수로 용액의 산성도를 나타내며 다음과 같이 정의한다.
$pH=-\log[H_3O^+]$

2. •완충 용액 탐구 POOL

(1) 완충 용액 산이나 염기를 소량 가하여도 용액의 pH가 크게 변하지 않고 거의 일정한 용액으로, 약산과 그 짝염기 또는 약염기와 그 짝산으로 이루어져 있는 용액

(2) 완충 용액의 예 완충 용액은 약산과 그 짝염기(또는 약염기와 그 짝산)를 1 : 1의 몰비로 혼합했을 때 완충 효과가 가장 크다.

① 약산에 그 짝염기가 포함된 염을 넣어 만든 용액

예 CH_3COOH(약산)$+CH_3COONa$(약산의 짝염기) 용액, $HCOOH$(약산)$+HCOONa$(약산의 짝염기) 용액

② 약염기에 그 짝산이 포함된 염을 넣어 만든 용액

예 NH_3(약염기)$+NH_4Cl$(약염기의 짝산) 용액

(3) 완충 용액의 원리 일반적으로 약산(HA)과 그 약산의 짝염기(A^-)로 이루어진 완충 용액에 산을 넣으면 A^-과 반응하여 산이 없어지고, 염기를 넣으면 HA와 반응하여 염기가 없어지므로 용액의 pH가 크게 변하지 않는다.

❼ 완충 용액에 산과 염기를 계속 넣어도 pH는 유지가 될까?
완충 용액에 들어 있는 산과 염기의 양은 정해져 있으므로 완충 용액에 산과 염기를 계속 넣으면 완충 효과가 떨어져 pH는 급격히 변하게 된다.

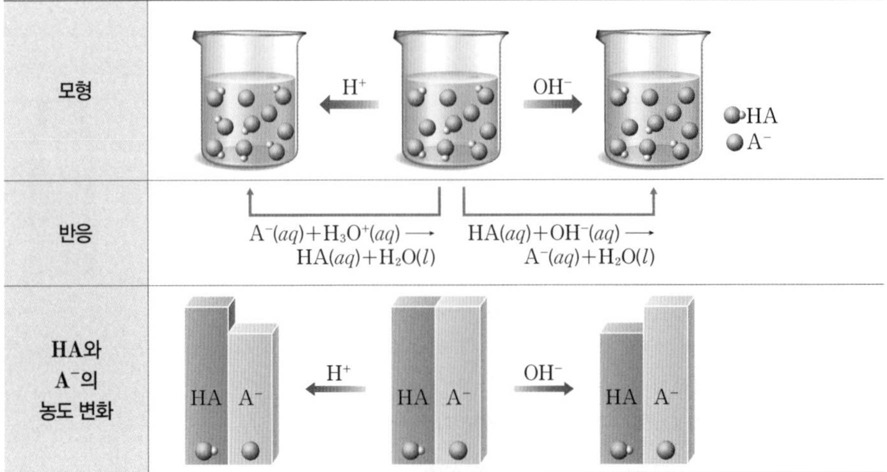

용어 알기
• 완충(느릴 緩, 부딪칠 衝) 대립하는 것 사이에서 불화나 충격을 누그러지게 함. 또는 충격을 완화시킴.

빈출 자료 아세트산과 아세트산 나트륨 혼합 용액

CH_3COOH과 CH_3COONa을 1 : 1의 몰비로 혼합하여 만든 완충 용액❼

$$CH_3COOH + H_2O \rightleftharpoons CH_3COO^- + H_3O^+ \text{(조금 이온화됨)}$$
$$CH_3COONa \longrightarrow CH_3COO^- + Na^+ \text{(완전히 이온화됨)}$$

❶ 산을 첨가하면 용액 속 H_3O^+ 양이 증가하므로 평형 이동 원리에 의해 역반응 쪽으로 평형이 이동한다.
➡ pH 거의 일정하게 유지

❷ 염기를 첨가하면 OH^-이 용액 속 H_3O^+과 반응하여 H_2O이 생성되므로 H_3O^+의 농도를 감소시킨다. 따라서 평형 이동 원리에 의해 정반응 쪽으로 평형이 이동한다.
➡ pH 거의 일정하게 유지 화학 평형 이동 법칙에 의해 평형이 이동하므로 pH가 거의 일정하게 유지된다.

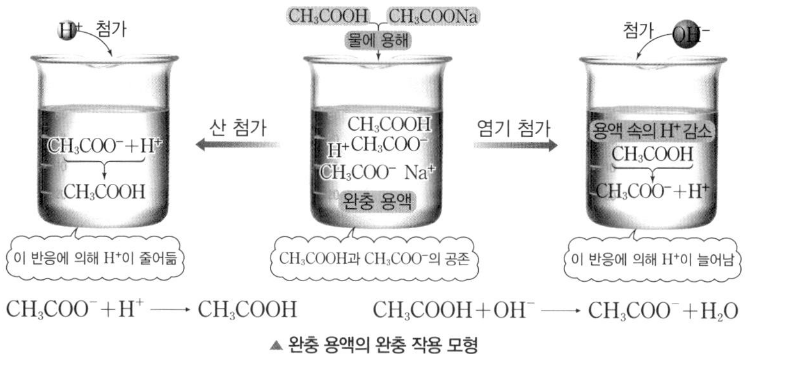

$CH_3COO^- + H^+ \longrightarrow CH_3COOH$ $\qquad CH_3COOH + OH^- \longrightarrow CH_3COO^- + H_2O$

▲ 완충 용액의 완충 작용 모형

❼ **완충 용액의 pH**
약산과 그 짝염기를 1 : 1의 몰비로 혼합하여 만든 혼합 용액에서 $[CH_3COOH]$와 $[CH_3COO^-]$가 거의 같으므로 이 용액에 들어있는 $[H_3O^+]$는 약산의 K_a와 같다. 즉, 완충 용량은 $\frac{[A^-]}{[HA]}=1$일 때 가장 크다.

완충 용액은 용액의
pH를 일정하게 유지할
필요가 있을 때 사용해.

C 생체 내 완충 작용

|출·제·단·서| 완충 용액이 생체 내에서 작용하는 원리를 이해하고 있는지 묻는 문제가 시험에 나와!

1. °혈액의 완충 작용❽ H^+의 농도가 조금만 변해도 세포의 기능에 변화를 일으킨다.

혈액은 pH가 7.4로 일정하게 유지되고 있다. 이것은 혈액 속의 약산인 탄산(H_2CO_3)과 그 짝염기인 탄산수소 이온(HCO_3^-)이 완충 용액을 이루기 때문이다.
H_2CO_3과 HCO_3^-의 양(몰)은 H_3O^+의 양보다 상대적으로 아주 크다.

(가) $CO_2(aq) + H_2O(l) \rightleftharpoons H_2CO_3(aq)$
(나) $H_2CO_3(aq) + H_2O(l) \rightleftharpoons HCO_3^-(aq) + H_3O^+(aq)$

2. 혈액의 완충 작용 원리

(1) 혈액 속 H^+ 증가 심한 운동으로 젖산이 축적되면 H^+이 증가하는데, 이때 증가한 H^+은 HCO_3^-과 반응하여 소모된다.
➡ (나)의 역반응($HCO_3^-(aq) + H_3O^+(aq) \longrightarrow H_2CO_3(aq) + H_2O(l)$)이 일어난다.
➡ pH 거의 일정 ➡ (가)의 역반응이 일어나 CO_2가 생성되어 몸 밖으로 배출된다.

(2) 혈액 속 OH^- 증가 OH^-은 약산인 H_2CO_3과 중화되어 소모된다.
➡ (나)의 정반응($H_2CO_3(aq) + H_2O(l) \longrightarrow HCO_3^-(aq) + H_3O^+(aq)$)이 일어난다.
➡ pH 거의 일정 ➡ (가)의 정반응이 일어나 혈액 중 CO_2가 H_2CO_3을 생성한다.

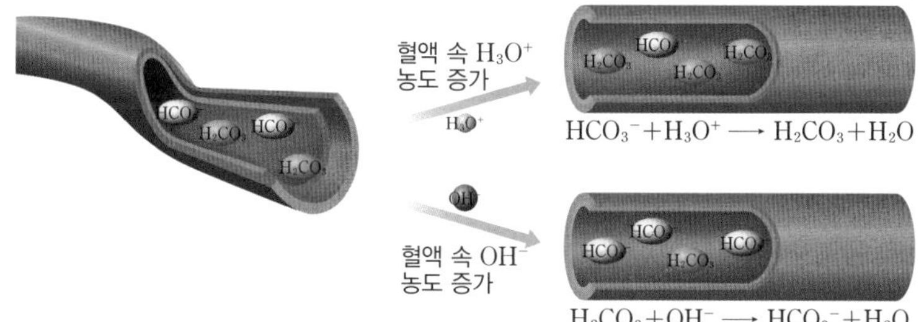

▲ 혈액의 완충 작용

❽ **혈액의 완충 작용**
혈액은 우리 몸의 피이며, 여러 가지 물질이 녹아 있다. 혈액 속에서는 여러 가지 화학 반응이 일어나므로 pH가 일정하게 유지되는 것이 중요하다. 혈액에는 여러 가지 종류의 완충계가 존재한다. 혈액 속에 녹아 있는 인산수소 이온(HPO_4^{2-})과 인산이 수소 이온($H_2PO_4^-$)도 혈액의 완충 작용을 돕는다.

용어 알기
• 혈액(피 血, 진 液) 동물의 몸 안의 혈관을 돌며 산소와 영양분을 공급하고 노폐물을 운반하는 붉은색의 액체

완충 용액의 특징

목표 완충 용액에 소량의 산과 염기를 넣었을 때 pH가 일정하게 유지됨을 확인한다.

과정

❶ 삼각 플라스크에 $CH_3COOH(aq)$과 $CH_3COONa(s)$을 각각 0.1몰씩 넣은 후 증류수를 넣어 완충 용액 1 L를 만든다.

❷ 삼각 플라스크 2개에 증류수와 ❶의 완충 용액을 각각 50 mL씩 넣는다.

❸ 증류수와 완충 용액을 유리 막대에 묻혀 만능 pH 시험지에 대어 본 뒤 표준 변색표와 비교하여 pH를 측정한다.

❹ 증류수와 완충 용액에 1 M $HCl(aq)$을 각각 한 방울씩 떨어뜨린 뒤 pH를 측정한다.

❺ 새로운 증류수와 완충 용액을 준비하여 1 M $NaOH(aq)$ 수용액을 각각 한 방울씩 떨어뜨린 뒤 pH를 측정한다.

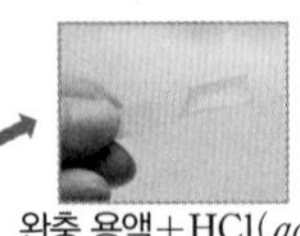

완충 용액+$HCl(aq)$

완충 용액+$NaOH(aq)$

유의점
- 시약이 피부에 닿지 않도록 주의한다
- 실험이 끝난 후 폐시약을 정해진 곳에 버린다.

pH 시험지

pH 시험지에 용액을 묻혀 색깔이 달라지면 변색표와 대조하여 산의 세기를 알 수 있다.

결과

구분		증류수	완충 용액
용액의 pH	실험 전	7	5
	1M $HCl(aq)$을 넣었을 때	2	4.8
	1M $NaOH(aq)$을 넣었을 때	11	5.3

정리 및 해석

❶ 증류수에 소량의 산과 염기를 넣었을 때 pH가 크게 변하는 것은 H^+과 OH^-을 중화시키지 못했기 때문이다.

❷ 완충 용액에 소량의 산과 염기를 넣었을 때는 완충 용액 속 산과 염기에 의해 중화되므로 pH 변화가 거의 없다.

➡ 소량의 산을 넣었을 때: $CH_3COO^- + H^+ \longrightarrow CH_3COOH$의 반응이 일어나므로 pH는 일정하게 유지된다.

➡ 소량의 염기를 넣었을 때: $CH_3COOH + OH^- \longrightarrow CH_3COO^- + H_2O$의 반응이 일어나므로 pH는 일정하게 유지된다.

❸ 이 실험으로부터 완충 용액은 소량의 산 또는 염기를 넣어도 pH가 거의 변하지 않음을 알 수 있다.

한·줄·핵심 완충 용액에 소량의 산과 염기를 넣어도 pH는 거의 일정하게 유지된다.

확인 문제

정답과 해설 075쪽

01 이 탐구 활동에 대한 설명이다. ㉠, ㉡에 들어갈 알맞은 말을 쓰시오.

> 완충 용액은 약산과 그 짝염기 또는 약염기와 그 짝산을 (㉠)의 몰비로 혼합하여 만든 용액으로, 소량의 산이나 염기를 넣어도 (㉡)가 거의 일정하게 유지된다.

02 이 탐구 활동에 대한 설명으로 옳은 것은 ○, 옳지 않은 것은 ×로 표시하시오.

(1) 과정 ❶에서 만든 완충 용액에 들어 있는 수소 이온 농도는 $[H_3O^+]=K_a$이다. (　　)

(2) 과정 ❹에서 용액의 pH가 급격히 감소한 것은 $[H_3O^+]$가 급격히 증가했기 때문이다. (　　)

(3) 과정 ❺에서 온도가 일정할 때 CH_3COOH의 이온화 상수(K_a)는 증가한다. (　　)

콕콕! 개념 확인하기

정답과 해설 075쪽

✔ 잠깐 확인!

1. 염은 산의 ☐☐☐과 염기의 ☐☐☐이 결합한 물질이다.

2. ☐☐ ☐☐
염이 물에 녹아 생성된 이온이 물과 반응하여 H^+이나 OH^-을 생성하는 반응

3. 강산과 약염기의 중화 반응에 의해 생성된 염의 수용액은 ☐☐이다.

4. Na^+과 CH_3COO^-이 들어 있는 수용액에서 ☐☐☐이 물과 반응하여 ☐을 생성하므로 이 수용액은 염기성이다.

5. ☐☐ ☐☐
서로 다른 전해질에 공통으로 포함되어 있는 이온

6. ☐☐ ☐☐
소량의 산이나 염기를 가해도 수용액의 pH가 거의 변하지 않는 용액

7. 혈액 속에서는 ☐☐☐과 ☐☐☐의 완충 작용이 일어나므로 혈액의 pH는 일정하게 유지된다.

8. 혈액에 $[H^+]$가 증가하게 되면 H_2CO_3의 농도가 증가하는 방향으로 평형이 이동하므로 우리 몸 밖으로 ☐☐☐ ☐☐가 배출된다.

A 염의 가수 분해

01 염의 가수 분해에 대한 설명으로 옳은 것은 ○, 옳지 않은 것은 ×로 표시하시오.

(1) 모든 염은 물에 녹아 수소 이온 또는 수산화 이온을 생성한다. ( )

(2) 강산과 약염기가 반응하여 생성된 염의 수용액은 산성이다. ( )

(3) 강산과 강염기가 반응하여 생성된 염의 수용액은 모두 중성이다. ( )

(4) $NH_4Cl(s)$을 물에 녹이면 NH_4^+이 물과 반응한다. ( )

02 ㉠, ㉡에 들어갈 알맞은 화학식과 말을 쓰시오.

> $CH_3COONa(s)$을 물에 녹이면 $CH_3COO^-(aq)$이 물과 반응하여 (㉠)을 생성하므로 $CH_3COONa(aq)$의 액성은 (㉡)이다.

B 완충 용액

03 $CH_3COOH(aq)$에서 $CH_3COOH(aq)+H_2O(l) \rightleftharpoons H_3O^+(aq)+CH_3COO^-(aq)$의 평형을 이룬다. 이에 대한 설명으로 옳은 것은 ○, 옳지 않은 것은 ×로 표시하시오.

(1) CH_3COO^-의 짝산은 H_3O^+이다. ( )

(2) 수용액에 CH_3COONa을 소량 넣어 주면 $[CH_3COOH]$가 증가한다. ( )

(3) 수용액에 CH_3COONa을 소량 넣어 주면 이온화 상수(K_a)는 감소한다. ( )

04 다음은 완충 용액에 대한 설명이다. 이에 대한 설명으로 옳은 것은 ○, 옳지 않은 것은 ×로 표시하시오.

(1) 강염기와 그 짝산을 약 1 : 1의 몰비로 혼합하여 만든다. ( )

(2) 완충 용액에 소량의 산 또는 염기를 넣어도 pH는 거의 일정하다. ( )

(3) HA와 NaA를 혼합하여 만든 완충 용액에 소량의 $HCl(aq)$을 넣으면 A^-의 농도는 증가한다. ( )

C 생체 내 완충 작용

05 다음은 혈액 속에서 H_2CO_3의 이온화 평형을 화학 반응식으로 나타낸 것이다.

$$CO_2(aq)+H_2O(l) \rightleftharpoons H_2CO_3(aq)$$
$$H_2CO_3(aq)+H_2O(l) \rightleftharpoons HCO_3^-(aq)+H_3O^+(aq)$$

운동에 의해 우리 몸에 젖산이 생성되었을 때 혈액 속에서 일어나는 평형의 이동 방향을 쓰시오.

탄탄! 내신 다지기

A 염의 가수 분해

01 염에 대한 설명으로 옳은 것은?

① 염은 공유 결합 물질이다.
② 염은 모두 물에 잘 용해된다.
③ 강산과 강염기의 반응으로 생성된 염은 가수 분해한다.
④ 강산과 약염기의 반응으로 생성된 염의 수용액은 산성이다.
⑤ H^+을 포함하는 염을 녹인 수용액의 액성은 모두 산성이다.

02 염 수용액의 액성이 염기성인 것은?

① $NaCl$ ② $NaHSO_4$ ③ NH_4Cl
④ $NaHCO_3$ ⑤ K_2SO_4

03 다음은 4가지 염을 화학식으로 나타낸 것이다.

(가) $NaCl$	(나) CH_3COONa
(다) NH_4Cl	(라) $KHSO_4$

25 ℃에서 이에 대한 설명으로 옳은 것만을 〈보기〉에서 있는 대로 고른 것은? (단, 온도는 일정하다.)

보기
ㄱ. 수용액의 pH가 7보다 큰 염은 2가지이다.
ㄴ. 수용액에서 가수 분해하는 염은 2가지이다.
ㄷ. 수용액 속 양이온의 수가 음이온의 수보다 많은 염은 2가지이다.

① ㄱ ② ㄴ ③ ㄱ, ㄷ
④ ㄴ, ㄷ ⑤ ㄱ, ㄴ, ㄷ

04 25 ℃에서 0.1 M $NaOH(aq)$ 100 mL에 0.1 M $CH_3COOH(aq)$을 넣어 중화점에 도달하였을 때, 이에 대한 설명으로 옳은 것만을 〈보기〉에서 있는 대로 고른 것은? (단, 25 ℃에서 물의 이온화 상수는 $K_w=1.0\times10^{-14}$이고, 온도는 일정하다.)

보기
ㄱ. 중화점까지 넣어 준 $CH_3COOH(aq)$의 부피는 100 mL이다.
ㄴ. 중화점에서 혼합 용액의 pH는 7보다 크다.
ㄷ. 중화점에서 혼합 용액에 가장 많이 들어 있는 이온은 Na^+이다.

① ㄱ ② ㄷ ③ ㄱ, ㄴ
④ ㄴ, ㄷ ⑤ ㄱ, ㄴ, ㄷ

05 25 ℃에서 0.1 M $HCl(aq)$ 100 mL와 0.2 M $NH_3(aq)$ V mL를 혼합하였을 때 두 수용액은 완전히 중화가 되었다. V와 수용액의 pH로 옳은 것은? (단, 25 ℃에서 물의 이온화 상수는 $K_w=1.0\times10^{-14}$이고, 온도는 일정하다.)

	V(mL)	pH
①	25	7
②	50	7
③	50	7보다 작다
④	100	7보다 작다
⑤	100	7보다 크다

단답형

06 다음의 3가지 염을 물에 녹인 수용액의 pH를 비교하시오.

$NaCl$ $NaHSO_4$ $NaHCO_3$

B 완충 용액

단답형

07 (　　) 안에 들어갈 알맞은 말을 쓰시오.

> 이온화 평형 상태에 있는 수용액 속에 들어 있는 이온과 동일한 이온을 수용액에 넣어 줄 때 그 이온의 농도가 감소하는 방향으로 평형이 이동하는 현상을 (　　) 효과라고 한다.

08 다음은 HF(aq)가 이온화 평형 상태에 있을 때 화학 반응식을 나타낸 것이다.

$$HF(aq)+H_2O(l) \rightleftharpoons F^-(aq)+H_3O^+(aq)$$

HF(aq)에 NaF(s)을 조금 넣어 주었을 때, 공통 이온과 평형 이동 방향으로 옳은 것은?

	공통 이온	평형 이동 방향
①	F^-	정반응
②	F^-	역반응
③	H_3O^+	정반응
④	H_3O^+	역반응
⑤	Na^+	정반응

09 다음과 같이 2가지 물질을 혼합하여 만든 수용액에 0.1 M HCl(aq)을 넣었을 때 pH가 가장 작게 변할 것으로 예상되는 것은? (단, 각 혼합 용액의 부피는 같고, 혼합 전 용질의 양은 모두 1몰이다.)

① HCl+NaCl
② NaCl+KCl
③ NaOH+NaBr
④ H_2SO_4+NaOH
⑤ $CH_3COOH+CH_3COONa$

10 다음은 NH_3 0.1몰과 NH_4Cl 0.1몰을 혼합하여 만든 수용액에서 이온화 평형 상태에 도달했을 때, 화학 반응식과 이온화 상수를 나타낸 것이다.

$$NH_3(aq)+H_2O(l) \rightleftharpoons NH_4^+(aq)+OH^-(aq) \quad K_b=1.8\times10^{-5}$$

이에 대한 설명으로 옳은 것만을 〈보기〉에서 있는 대로 고른 것은? (단, 온도는 일정하다.)

보기
ㄱ. NH_3의 짝산은 NH_4^+이다.
ㄴ. HCl(aq)을 조금 넣어 주면 역반응이 일어난다.
ㄷ. NaOH(aq)을 조금 넣어 주면 K_a는 감소한다.

① ㄱ　② ㄴ　③ ㄱ, ㄷ　④ ㄴ, ㄷ　⑤ ㄱ, ㄴ, ㄷ

C 생체 내 완충 작용

11 다음은 혈액 속에 H_2CO_3과 관련된 이온화 평형의 화학 반응식을 나타낸 것이다.

$$CO_2(aq)+H_2O(l) \rightleftharpoons H_2CO_3(aq)$$
$$H_2CO_3(aq)+H_2O(l) \rightleftharpoons HCO_3^-(aq)+H_3O^+(aq)$$

이에 대한 설명으로 옳은 것만을 〈보기〉에서 있는 대로 고른 것은?

보기
ㄱ. 혈액은 H_2CO_3의 이온화 평형에 의해 pH가 일정하게 유지된다.
ㄴ. 혈액 속 OH^-의 농도가 증가하면 역반응이 일어난다.
ㄷ. 혈액 속 H_3O^+의 농도가 증가하면 이산화 탄소가 몸 밖으로 배출된다.

① ㄱ　② ㄱ, ㄴ　③ ㄱ, ㄷ　④ ㄴ, ㄷ　⑤ ㄱ, ㄴ, ㄷ

도전! 실력 올리기

01 표는 25 ℃에서 수용액 (가)~(다)에 대한 자료이다.

수용액	(가)	(나)	(다)
염의 종류	NH_4Cl	$NaCl$	CH_3COONa
수용액의 pH	5.4	7.0	8.6

이에 대한 설명으로 옳은 것만을 〈보기〉에서 있는 대로 고른 것은?

보기
ㄱ. NH_4^+의 짝염기는 OH^-이다.
ㄴ. (가)와 (나)에서 Cl^-은 가수 분해한다.
ㄷ. (다)에서 수용액은 $CH_3COO^- + H_2O \rightleftharpoons CH_3COOH + OH^-$ 반응에 의해 염기성을 띤다.

① ㄱ ② ㄷ ③ ㄱ, ㄴ
④ ㄱ, ㄷ ⑤ ㄴ, ㄷ

출제예감

02 다음은 25 ℃에서 산 HA의 이온화 반응식과 이온화 상수이다.

$$HA(aq) + H_2O(l) \rightleftharpoons H_3O^+(aq) + A^-(aq) \quad K_a = 1.0 \times 10^{-5}$$

25 ℃에서 0.2 M $HA(aq)$ 50 mL에 0.2 M $NaOH(aq)$ 50 mL를 혼합한 용액에 대한 설명으로 옳은 것만을 〈보기〉에서 있는 대로 고른 것은? (단, 25 ℃에서 물의 이온화 상수는 $K_w = 1.0 \times 10^{-14}$이다.)

보기
ㄱ. 혼합 용액의 pH는 9이다.
ㄴ. 가장 많이 들어 있는 이온은 A^-이다.
ㄷ. 소량의 $HCl(aq)$을 넣어도 혼합 용액의 pH는 거의 변하지 않는다.

① ㄱ ② ㄴ ③ ㄱ, ㄴ
④ ㄱ, ㄷ ⑤ ㄴ, ㄷ

03 다음은 탄산수소 나트륨($NaHCO_3$)을 물에 녹였을 때의 화학 반응식을 나타낸 것이다.

- $NaHCO_3(aq) \longrightarrow Na^+(aq) + HCO_3^-(aq)$
- $HCO_3^-(aq) + H_2O(l) \rightleftharpoons H_2CO_3(aq) + OH^-(aq)$

이 수용액에 대한 설명으로 옳은 것만을 〈보기〉에서 있는 대로 고른 것은?

보기
ㄱ. 염기성이다.
ㄴ. 평형 상태에서 $[HCO_3^-]$가 가장 작다.
ㄷ. $NaOH(aq)$을 넣으면 $[HCO_3^-]$는 증가한다.

① ㄱ ② ㄴ ③ ㄱ, ㄷ
④ ㄴ, ㄷ ⑤ ㄱ, ㄴ, ㄷ

출제예감

04 그림은 25 ℃에서 몰 농도와 부피가 같은 2가지 산 수용액에서 이온화 평형 상태를 모형으로 나타낸 것이다.

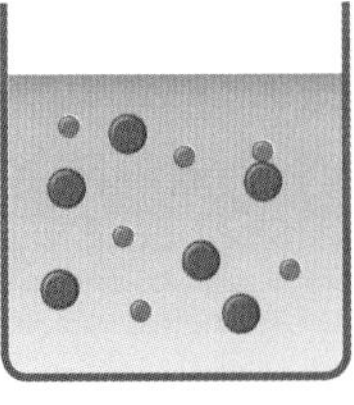
(가) HX 수용액

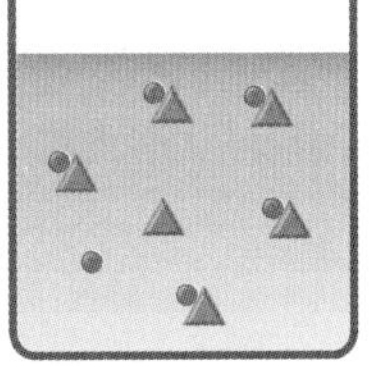
(나) HY 수용액

(가)와 (나)에 각각 0.1 M $NaOH(aq)$을 조금씩 넣었을 때, 이에 대한 설명으로 옳은 것만을 〈보기〉에서 있는 대로 고른 것은?

보기
ㄱ. $NaOH(aq)$을 넣기 전 수용액의 pH는 (가)가 (나)보다 크다.
ㄴ. 중화점에서의 pH는 (나)가 (가)보다 크다.
ㄷ. 중화점까지 넣어 준 $NaOH(aq)$의 부피는 (가)가 (나)보다 크다.

① ㄱ ② ㄴ ③ ㄱ, ㄷ
④ ㄴ, ㄷ ⑤ ㄱ, ㄴ, ㄷ

05 다음은 25 ℃에서 NH_3 0.1몰과 NH_4Cl 0.1몰을 혼합하여 만든 1L의 수용액에서 이온화 평형 상태에 도달했을 때, 화학 반응식과 이온화 상수를 나타낸 것이다.

$$NH_3(aq)+H_2O(l) \rightleftharpoons NH_4^+(aq)+OH^-(aq) \quad K_b=1.8\times10^{-5}$$

이에 대한 설명으로 옳은 것만을 〈보기〉에서 있는 대로 고른 것은? (단, 온도는 일정하다.)

〈보기〉
ㄱ. 상대적인 산의 세기는 NH_4^+이 H_2O보다 크다.
ㄴ. 혼합 용액에 소량의 염기를 넣어 주면 역반응이 일어난다.
ㄷ. 혼합 용액에 소량의 산을 넣어 주면 혼합 용액의 pH는 급격히 증가한다.

① ㄱ ② ㄷ ③ ㄱ, ㄴ
④ ㄴ, ㄷ ⑤ ㄱ, ㄴ, ㄷ

출제예감

06 그림은 25 ℃에서 산 HA와 NaA 혼합 용액에 소량의 산 또는 염기를 가했을 때의 변화를 모형으로 나타낸 것이다. 과정 (가)와 (나)에서 산 또는 염기를 소량 넣어 주었다.

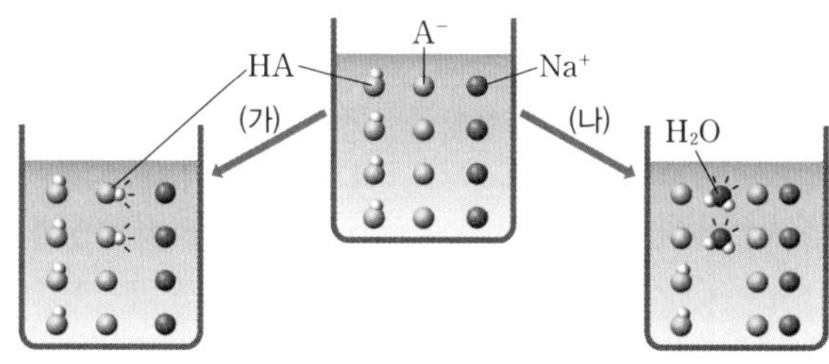

이에 대한 설명으로 옳은 것만을 〈보기〉에서 있는 대로 고른 것은? (단, 온도는 일정하다.)

〈보기〉
ㄱ. 혼합 용액의 pH는 7보다 크다.
ㄴ. 과정 (가)에서 HA의 이온화 상수는 감소한다.
ㄷ. 과정 (나)에서 혼합 용액의 pH는 급격히 증가한다.

① ㄱ ② ㄷ ③ ㄱ, ㄴ
④ ㄴ, ㄷ ⑤ ㄱ, ㄴ, ㄷ

07 다음은 2가지 염의 화학식이다.

$NaHCO_3$ $NaHSO_4$

(1) $NaHCO_3(aq)$에서 이온화 평형 상태에 있을 때 가장 많이 존재하는 이온을 쓰시오.

(2) 25 ℃에서 같은 농도의 $NaHCO_3(aq)$과 $NaHSO_4(aq)$의 pH를 비교하고, 그렇게 생각한 까닭을 서술하시오.

서술형

08 그림은 25 ℃에서 CH_3COOH 0.1몰과 CH_3COONa 0.1몰을 물에 녹여 혼합 용액 1 L를 만드는 모습을 나타낸 것이다. (단, 온도는 25 ℃이고, 25 ℃에서 CH_3COOH의 $K_a=2.0\times10^{-5}$이다.)

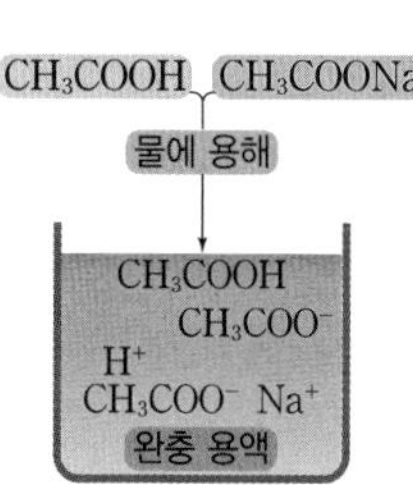

(1) 혼합 용액의 pH를 구하는 방법을 서술하시오. (단, log 2=0.3이다.)

(2) 이 혼합 용액에 소량의 $HCl(aq)$을 넣었을 때 혼합 용액의 pH는 어떻게 변할지 예측하고, 그 까닭을 서술하시오.

수능을 알기 쉽게 풀어주는 수능 POOL

짝산과 짝염기의 몰 농도 비 구하기

대표 유형

출제 의도

염기 수용액을 넣기 전 약산의 $\frac{[A^-]}{[HA]}$는 이온화도와 같다는 것으로부터 $HA(aq)$의 몰 농도와 K_a를 구하여 중화점에서 $\frac{[A^-]}{[HA]}$를 구하는 문제이다.

이것이 함정

중화점에서 HA의 짝염기인 A^-이 가수 분해하므로 이를 이용하여 중화점에서 A^-과 HA의 몰 농도 비를 구하여야 한다.

다음은 25 ℃에서 약산 수용액 (가)와 혼합 수용액 (나)에 대한 자료이다.

중화점까지 넣어 주어야 할 부피의 $\frac{1}{4}$이다.

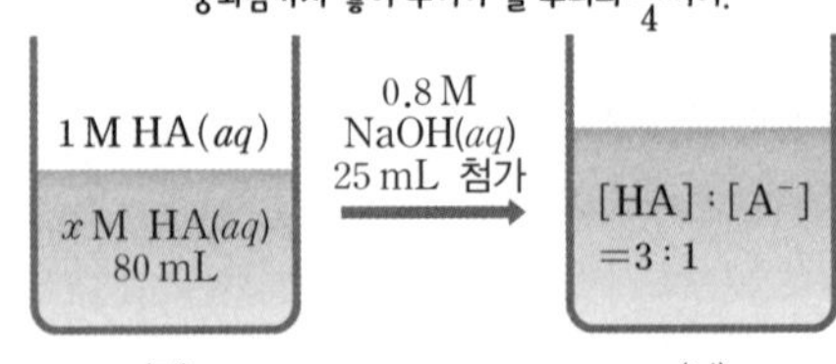

→ 0.8 M NaOH(aq) 100 mL를 넣으면 완전히 중화됨
→ $MV=M'V'$이므로 $x=1$이다.

수용액	(가)	(나)
$\frac{[A^-]}{[HA]}$	0.001	$\frac{1}{3}$

(나) [HA] : [A⁻]=3 : 1
→ HA의 $\frac{1}{4}$이 중화되었음을 알 수 있다.
→ 중화점까지 더 넣어 주어야 할 0.8 M NaOH(aq)의 부피 100 mL
0.001 → HA의 이온화도와 같다.

25 ℃에서 $0.2x$ M HA(aq) 20 mL를 0.8 M NaOH(aq)으로 적정하였을 때
(0.2 M HA(aq))

→ $MV=M'V'$에서 중화점까지 넣어 준 NaOH(aq)의 부피는 5 mL이다.
→ 중화점에서 NaA(aq)의 몰 농도는 $\frac{0.2\times0.02}{0.025}=0.16$ M이다.

중화점에서의 $\frac{[A^-]}{[HA]}$는?
(단, 온도는 일정하고, 25 ℃에서 물의 이온화 상수(K_w)는 1×10^{-14}이다.)

① 1000 ② 2000 ③ 3000 ④ 4000 ⑤ 5000

→ HA의 이온화도는 0.001, HA(aq)의 몰 농도는 1 M이므로 $K_a=C\alpha^2=1\times0.001^2=1\times10^{-6}$
→ 염기 A^-의 $K_b=\frac{K_w}{K_a}=\frac{10^{-14}}{10^{-6}}=10^{-8}$
→ 중화점에서 $[A^-]=C'$, 염기 A^-의 이온화도를 α'이라고 할 때, $K_b=C'\times\alpha'^2$, $\alpha'^2=\frac{10-8}{0.16}$ ∴ $\alpha'=\frac{10^{-3}}{4}$
→ 중화점에서 $\frac{[A^-]}{[HA]}=\frac{C'}{C'\times\alpha'}=\frac{1}{\alpha'}$이므로 $\frac{[A^-]}{[HA]}=4000$이다.

자료에서 단서 찾기

(가)의 $\frac{[A^-]}{[HA]}$로부터 HA의 이온화도를 알아낸다.
>>>
(나)의 $\frac{[A^-]}{[HA]}$로부터 중화점까지 넣어 준 NaOH(aq)의 부피를 구하고, 이로부터 HA(aq)의 몰 농도를 구한다.
>>>
(다)에서 HA의 이온화도와 이온화 상수로부터 HA의 K_a와 A^-의 K_b를 구한다.
>>>
중화점에서 $[A^-]$와 A^-의 K_b를 이용하여 $\frac{[A^-]}{[HA]}$를 구한다.

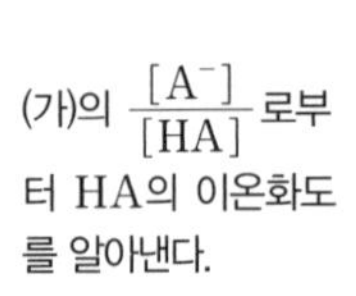

추가 선택지

• $x=1$이다. (○)
⋯ (나)에서 $\frac{[A^-]}{[HA]}=\frac{1}{3}$이므로 중화점까지 넣어 주어야 할 0.8 M NaOH(aq)의 부피는 100 mL이다. $MV=MV'$이므로 $x=1$이다.

• HA의 이온화 상수는 (나)에서가 (가)에서보다 크다. (×)
⋯ 이온화 상수는 온도에 따라 변하는데, (가)와 (나)의 온도는 25 ℃로 일정하므로 HA의 이온화 상수는 (가)와 (나)에서 서로 같다.

• (나)에 0.8 M NaOH(aq) 75 mL를 넣은 혼합 용액의 pH는 7보다 크다. (○)
⋯ (나)에 0.8 M NaOH(aq) 75 mL를 넣으면 중화점에 해당하므로 A^-이 가수 분해하여 OH^-을 생성한다. 따라서 혼합 용액의 pH는 7보다 크다.

정답과 해설 078쪽

01 다음은 2가지 반응의 화학 반응식이다.

(가) $H_2CO_3(aq)+H_2O(l) \rightleftharpoons HCO_3^-(aq)+H_3O^+(aq)$

(나) $HCO_3^-(aq)+H_2O(l) \rightleftharpoons CO_3^{2-}(aq)+H_3O^+(aq)$

이에 대한 설명으로 옳은 것만을 <보기>에서 있는 대로 고른 것은?

보기
ㄱ. (가)에서 H_2CO_3의 짝염기는 HCO_3^-이다.
ㄴ. H_2O은 양쪽성 물질이다.
ㄷ. 이온화 상수(K_a)는 (가)에서가 (나)에서보다 크다.

① ㄱ ② ㄴ ③ ㄱ, ㄴ
④ ㄱ, ㄷ ⑤ ㄴ, ㄷ

02 그림은 25 ℃ 수용액에서 산 HA와 HB의 농도에 따른 이온화도를 나타낸 것이다.

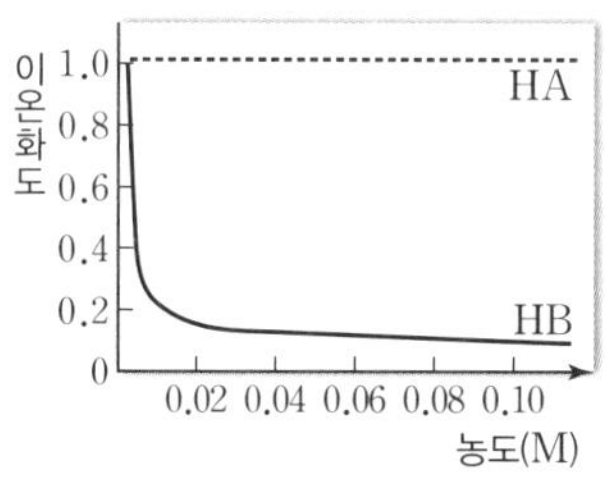

이에 대한 설명으로 옳은 것만을 <보기>에서 있는 대로 고른 것은?

보기
ㄱ. 0.05 M 수용액의 pH는 HA>HB이다.
ㄴ. HB의 이온화 상수(K_a)는 0.04 M일 때가 0.1 M일 때보다 크다.
ㄷ. 0.1 M 수용액에 들어 있는 이온의 몰 농도는 $A^->B^-$이다.

① ㄱ ② ㄷ ③ ㄱ, ㄴ
④ ㄴ, ㄷ ⑤ ㄱ, ㄴ, ㄷ

03 표는 25 ℃ 수용액에서 몇 가지 약산과 약염기의 이온화 상수에 대한 자료이다.

약산	이온화 상수(K_a)	약염기	이온화 상수(K_b)
HCOOH	2×10^{-4}	CH_3NH_2	4×10^{-4}
HCN	5×10^{-10}	$C_6H_5NH_2$	4×10^{-10}

이에 대한 설명으로 옳은 것만을 <보기>에서 있는 대로 고른 것은? (단, 25 ℃에서 물의 이온화 상수(K_w)는 1×10^{-14}이다.)

보기
ㄱ. 산의 세기는 HCOOH이 HCN보다 크다.
ㄴ. CH_3NH_2의 짝산은 $CH_3NH_3^+$이다.
ㄷ. 0.1 M 수용액의 pH가 가장 큰 것은 $C_6H_5NH_2$이다.

① ㄱ ② ㄷ ③ ㄱ, ㄴ
④ ㄴ, ㄷ ⑤ ㄱ, ㄴ, ㄷ

04 다음은 25 ℃에서 산 HA와 아질산(HNO_2)의 이온화 반응과 이온화 상수(K_a)이다.

$HA(aq)+H_2O(l) \rightleftharpoons H_3O^+(aq)+A^-(aq)$ $K_a=3.7\times10^{-8}$

$HNO_2(aq)+H_2O(l) \rightleftharpoons H_3O^+(aq)+NO_2^-(aq)$ $K_a=6.0\times10^{-4}$

HA와 HNO_2이 들어 있는 혼합 용액 (가)가 평형 상태에 있을 때 이온화 평형 반응식과 평형 상수이다.

$A^-(aq)+HNO_2(aq) \rightleftharpoons HA(aq)+NO_2^-(aq)$ K

이에 대한 설명으로 옳은 것만을 <보기>에서 있는 대로 고른 것은?

보기
ㄱ. 산의 세기는 HA가 HNO_2보다 크다.
ㄴ. $K>1$이다.
ㄷ. (가)에 소량의 NaA(s)를 넣으면 NO_2^-의 농도는 증가한다.

① ㄱ ② ㄴ ③ ㄱ, ㄷ
④ ㄴ, ㄷ ⑤ ㄱ, ㄴ, ㄷ

실전! 수능 도전하기

05 그림은 25 ℃에서 약산 $HA(aq)$과 $NaOH(aq)$의 혼합 수용액 1 L에 포함된 HA와 A^-의 양(몰)을 나타낸 것이다. 25 ℃에서 HA의 이온화 상수(K_a)는 1×10^{-5}이다.

HA 5×10^{-3} mol
A^- 5×10^{-3} mol
1 L

이 수용액에 대한 설명으로 옳은 것만을 〈보기〉에서 있는 대로 고른 것은? (단, 25 ℃에서 물의 이온화 상수(K_w)는 1×10^{-14}이다.)

보기
ㄱ. 완충 용액이다.
ㄴ. pH는 5이다.
ㄷ. $NaOH(s)$ 5×10^{-3} mol을 첨가하면 수용액의 pH는 7보다 커진다.

① ㄱ ② ㄷ ③ ㄱ, ㄴ
④ ㄴ, ㄷ ⑤ ㄱ, ㄴ, ㄷ

수능 기출

06 표는 25 ℃에서 강산 $HX(aq)$과 약산 $HY(aq)$을 a M $NaOH(aq)$으로 적정했을 때 중화점에 해당하는 혼합한 용액 (가)와 (나)에 대한 자료이다. 25 ℃에서 HY의 이온화 상수(K_a)는 1×10^{-5}이다.

용액	혼합 전 산 수용액			첨가한 a M $NaOH(aq)$의 부피(mL)
	용질	용질의 양 (mol)	부피 (mL)	
(가)	HX	0.01	100	50
(나)	HY	x	100	100

(나)에 대한 설명으로 옳은 것만을 〈보기〉에서 있는 대로 고른 것은? (단, 온도는 일정하고, 25 ℃에서 물의 이온화 상수(K_w)는 1×10^{-14}이다.)

보기
ㄱ. $x=0.02$이다.
ㄴ. 혼합 전 넣기 전 HY의 이온화도는 0.01이다.
ㄷ. 혼합 후 $[OH^-]=1\times10^{-7}$이다.

① ㄱ ② ㄴ ③ ㄱ, ㄷ
④ ㄴ, ㄷ ⑤ ㄱ, ㄴ, ㄷ

07 표는 25 ℃에서 약산과 강산에 각각 $NaOH(aq)$을 넣은 염기의 혼합 용액 (가)와 (나)의 pH와 혼합 전 산과 염기 수용액의 부피를 나타낸 것이다. $HA(aq)$, $HB(aq)$의 몰 농도는 0.1 M이고, $NaOH(aq)$의 몰 농도는 x M이다.

혼합 용액	혼합 전 수용액의 부피(mL)			혼합 용액의 pH
	$HA(aq)$	$HB(aq)$	$NaOH(aq)$	
(가)	100	0	50	5
(나)	0	100	100	7

이에 대한 설명으로 옳은 것만을 〈보기〉에서 있는 대로 고른 것은? (단, 온도는 일정하고, 25 ℃에서 물의 이온화 상수 K_w는 1×10^{-14}이다.)

보기
ㄱ. HA의 이온화 상수(K_a)는 1×10^{-5}이다.
ㄴ. 혼합 전 수용액의 pH는 $HA(aq)$가 $HB(aq)$의 3배이다.
ㄷ. (가)에 xM $NaOH(aq)$ 50 mL를 추가로 넣은 혼합 용액에서 $[Na^+]=[A^-]$이다.

① ㄴ ② ㄷ ③ ㄱ, ㄴ
④ ㄱ, ㄷ ⑤ ㄴ, ㄷ

08 그림 (가)는 x M $HA(aq)$을, (나)는 $0.1x$ M $HB(aq)$을 나타낸 것이다. (가)와 (나)에서 HA와 HB의 이온화도는 같다.

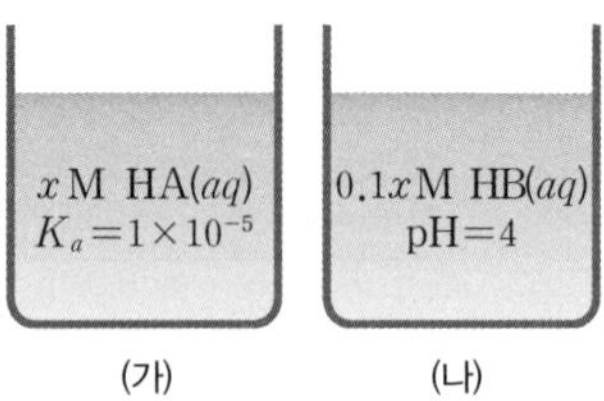

이에 대한 설명으로 옳은 것만을 〈보기〉에서 있는 대로 고른 것은? (단, 온도는 일정하고, 25 ℃에서 물의 이온화 상수(K_w)는 1×10^{-14}이다.)

보기
ㄱ. $x=0.1$이다.
ㄴ. (가)에서 $\frac{[HA]}{[A^-]}=1$이다.
ㄷ. HB의 이온화 상수(K_a)는 1×10^{-6}이다.

① ㄱ ② ㄴ ③ ㄱ, ㄴ
④ ㄱ, ㄷ ⑤ ㄴ, ㄷ

정답과 해설 078쪽

수능 기출

09 그림 (가)는 1 M NaA(aq)을, (나)는 0.1 M NaB(aq)을 나타낸 것이다.

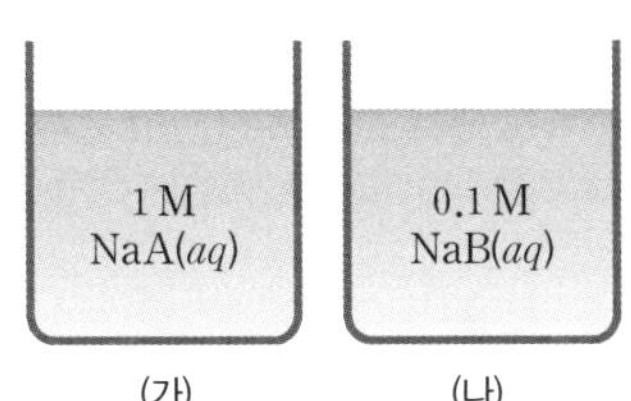

pH는 (가)가 (나)보다 1만큼 크고, 25 ℃에서 약염기 A^-과 B^-의 이온화 상수(K_b)는 모두 1.0×10^{-9}보다 크고 1.0×10^{-5}보다 작다. HA와 HB에 대해 $\frac{1\text{ M HA}(aq)\text{에서 HA의 이온화도}}{0.1\text{ M HB}(aq)\text{에서 HB의 이온화도}}$는? (단, 수용액의 온도는 25 ℃로 일정하고, 25 ℃에서 물의 이온화 상수(K_w)는 1×10^{-14}이다.)

① 0.01 ② 0.1 ③ 1
④ 10 ⑤ 100

수능 기출

10 그림은 0.1 M HA(aq) 10 mL에 xM NaOH(aq)을 5 mL 첨가한 것을 나타낸 것이다.

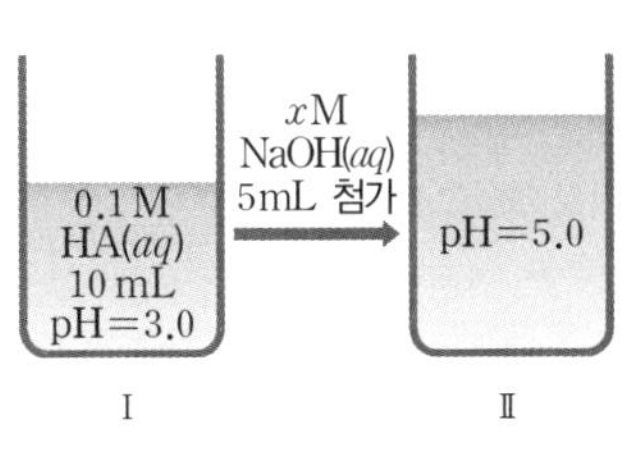

이에 대한 설명으로 옳은 것만을 〈보기〉에서 있는 대로 고른 것은? (단, 수용액의 온도는 일정하다.)

보기
ㄱ. 0.2 M HA(aq)의 $[H_3O^+]$는 2×10^{-3} M보다 작다.
ㄴ. x=0.1이다.
ㄷ. Ⅱ에 x M NaOH(aq) 5 mL를 추가한 수용액은 산성이다.

① ㄱ ② ㄷ ③ ㄱ, ㄴ
④ ㄴ, ㄷ ⑤ ㄱ, ㄴ, ㄷ

11 표는 25 ℃에서 약산 HA(aq)과 NaOH(aq)을 혼합한 용액 (가)와 (나)에 대한 자료이다.

용액	혼합 전 용액의 농도와 부피		pH	$\frac{[A^-]}{[HA]}$
	HA(aq)	**NaOH(aq)**		
(가)	x M 200 mL	0.2 M 50 mL	5	1
(나)	$2x$ M 100 mL	0.2 M 100 mL		y

$x \times y$는? (단, 수용액의 온도는 25 ℃로 일정하고, 25 ℃에서 물의 이온화 상수(K_w)는 1×10^{-14}이다.)

① 10^{-5} ② 10^{-4} ③ 10 ④ 100 ⑤ 10^3

수능 기출

12 그림은 HCl(aq)과 약산 HA(aq)의 혼합 수용액 100 mL에 1 M NaOH(aq)을 넣을 때, 넣은 NaOH(aq)의 부피에 따른 A^-의 양을 나타낸 것이다. P에서 pH는 6.3이다.

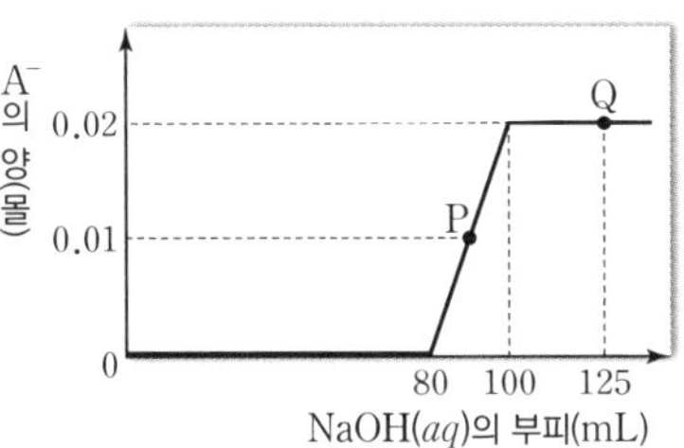

이에 대한 설명으로 옳은 것만을 〈보기〉에서 있는 대로 고른 것은? (단, 온도는 25 ℃로 일정하고, 물의 이온화 상수 K_w는 1×10^{-14}이다.)

보기
ㄱ. 염기 A^-의 이온화 상수(K_b)는 1×10^{-8}보다 크다.
ㄴ. P에서 $\frac{[Cl^-]}{[A^-]}$=8이다.
ㄷ. Q에서 $[OH^-]$=0.2 M이다.

① ㄱ ② ㄷ ③ ㄱ, ㄴ
④ ㄴ, ㄷ ⑤ ㄱ, ㄴ, ㄷ

Ⅱ. 반응엔탈피와 화학 평형

1 반응엔탈피

01 반응엔탈피와 열화학 반응식

1. 발열 반응과 흡열 반응

발열 반응($\Delta H<0$)	흡열 반응($\Delta H>0$)
엔탈피 / 반응물 / 발열 반응 / 엔탈피 감소 / 열에너지 방출 / $\Delta H<0$ / 생성물 / 반응 진행 정도	엔탈피 / 흡열 반응 / 생성물 / $\Delta H>0$ / 엔탈피 증가 / 열에너지 흡수 / 반응물 / 반응 진행 정도
엔탈피: 반응물 > 생성물	엔탈피: 생성물 > 반응물
주위 온도: 올라간다.	주위 온도: 내려간다.

2. 열화학 반응식

엔탈피는 물질의 상태에 따라 달라지므로 물질의 상태를 표시한다. 출입하는 열에너지는 반응하는 물질의 몰수에 비례한다.

3. 반응엔탈피의 종류

생성 엔탈피	물질 1몰이 가장 안정한 성분 원소로부터 생성될 때 $H_2(g)+\frac{1}{2}O_2(g) \longrightarrow H_2O(l)$, $\Delta H=-285.8$ kJ
분해 엔탈피	물질 1몰이 가장 안정한 원소로 분해될 때 $NO(g) \longrightarrow \frac{1}{2}N_2(g)+\frac{1}{2}O_2(g)$, $\Delta H=-90.4$ kJ
연소 엔탈피	물질 1몰이 완전 연소될 때 $C_3H_8(g)+5O_2(g) \longrightarrow 3CO_2(g)+4H_2O(l)$, $\Delta H=-2220.0$ kJ
중화 엔탈피	산과 염기가 중화 반응하여 물 1몰이 생성될 때 $H^+(aq)+OH^-(aq) \longrightarrow H_2O(l)$, $\Delta H=-55.8$ kJ
용해 엔탈피	물질 1몰이 다량의 물에 용해될 때 $NaOH(s) \longrightarrow NaOH(aq)$, $\Delta H=-44.5$ kJ

02 헤스 법칙

1. 결합 에너지와 반응엔탈피

결합 에너지는 기체 상태에서 두 원자 사이의 공유 결합 1몰을 끊는 데 필요한 에너지로 결합의 극성이 클수록, 단일 결합보다 다중 결합일수록 크다. 반응엔탈피 ΔH=(반응물의 결합 에너지 합)−(생성물의 결합 에너지 합)

2. 헤스 법칙 화학 반응 전후의 물질의 종류와 상태가 같으면 화학 반응이 일어난 동안 흡수 또는 방출하는 열량은 반응 경로에 관계없이 일정하다.

$\Delta H_1=\Delta H_2+\Delta H_3=-394$ kJ

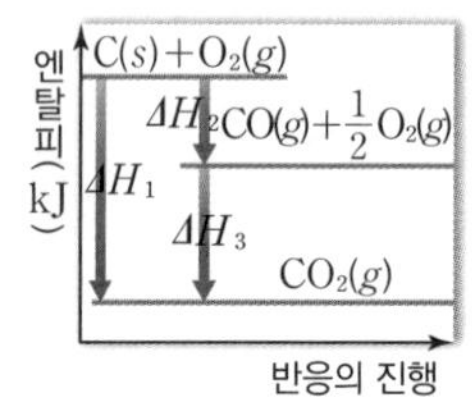

2 화학 평형과 평형 이동

01 화학 평형

1. 가역 반응과 비가역 반응

가역 반응	반응 조건에 따라 정반응과 역반응이 모두 일어날 수 있는 반응 예 $N_2O_4(g) \rightleftharpoons 2NO_2(g)$
비가역 반응	역반응이 거의 일어나지 않는 반응 예 기체 생성 반응, 앙금 생성 반응, 중화 반응, 연소 반응

2. 화학 평형 상태

① 평형 상태가 유지되며 반응물과 생성물이 공존한다.

② 정반응 속도와 역반응 속도가 같다. ➡ 동적 평형

③ 반응물과 생성물의 농도가 일정하게 유지된다.

3. 평형 상수

$$aA(g)+bB(g) \rightleftharpoons cC(g)+dD(g)$$

$$K=\frac{[C]^c[D]^d}{[A]^a[B]^b}$$ ([A], [B], [C], [D]는 평형 농도)

① 일정한 온도에서 일정한 값을 갖는다.

② 역반응의 평형 상수는 정반응의 평형 상수의 역수이다.

③ 같은 반응이라도 계수가 달라지면 평형 상수식이 달라진다.

4. 평형 상수 구하기

Ⅰ. 가역 반응의 화학 반응식을 쓴다.	$N_2O_4(g) \rightleftharpoons 2NO_2(g)$
Ⅱ. 평형 상수식을 쓴다.	$K=\frac{[NO_2]^2}{[N_2O_4]}$
Ⅲ. 계수비를 이용하여 각 물질의 평형 농도를 구한다.	처음 농도 0.4 M 0 반응 농도 −0.2 M +0.4 M 평형 농도 0.2 M +0.4 M
Ⅳ. 평형 상수식에 평형 농도를 대입하여 평형 상수를 구한다.	$K=\frac{[NO_2]^2}{[N_2O_4]}=\frac{0.4^2}{0.2}=0.8$

5. 평형 상수의 의미

K 값이 클 때	평형 상태에서 반응물 농도 < 생성물 농도 ➡ 정반응이 우세하게 일어난 상태
K 값이 작을 때	평형 상태에서 반응물 농도 > 생성물 농도 ➡ 역반응이 우세하게 일어난 상태

6. 반응 진행 방향 예측 반응 지수 Q와 평형 상수 K를 비교

반응 지수 Q < 평형 상수 K	정반응 쪽으로 반응 진행
반응 지수 Q = 평형 상수 K	평형 상태 유지
반응 지수 Q > 평형 상수 K	역반응 쪽으로 반응 진행

2 화학 평형과 평형 이동 〉 3 산 염기 평형

02, 03 화학 평형 이동 (1), (2)

1. 평형 이동 법칙

① **정의:** 가역 반응이 평형 상태에 있을 때 반응 조건을 변화시키면 그 변화를 감소시키는 방향으로 평형이 이동하여 새로운 평형을 이룬다.

② **농도, 압력, 온도 변화와 평형 이동 방향**

농도와 평형 이동	• 반응물 첨가, 생성물 제거 ➡ 생성물이 증가하는 쪽(정반응 쪽)으로 평형 이동 • 반응물 제거, 생성물 첨가 ➡ 반응물이 증가하는 쪽(역반응 쪽)으로 평형 이동
압력과 평형 이동	• 압력을 높임(부피 감소) ➡ 기체의 양(몰)이 감소하는 쪽으로 평형 이동 • 압력을 낮춤(부피 증가) ➡ 기체의 양(몰)이 증가하는 쪽으로 평형 이동
온도와 평형 이동	• 온도를 높임 ➡ 온도가 낮아지는 쪽(흡열 반응 쪽)으로 평형 이동 • 온도를 낮춤 ➡ 온도가 높아지는 쪽(발열 반응 쪽)으로 평형 이동

2. 평형 이동과 수득률

① **수득률:** 반응물로부터 이론적으로 얻을 수 있는 양과 실제로 반응에서 얻을 수 있는 양의 비율

② **암모니아 합성과 수득률**

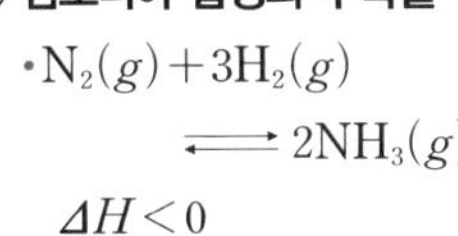

• $N_2(g)+3H_2(g) \rightleftharpoons 2NH_3(g)$ $\Delta H<0$

• 온도가 낮을수록, 압력이 높을수록 수득률이 높다.

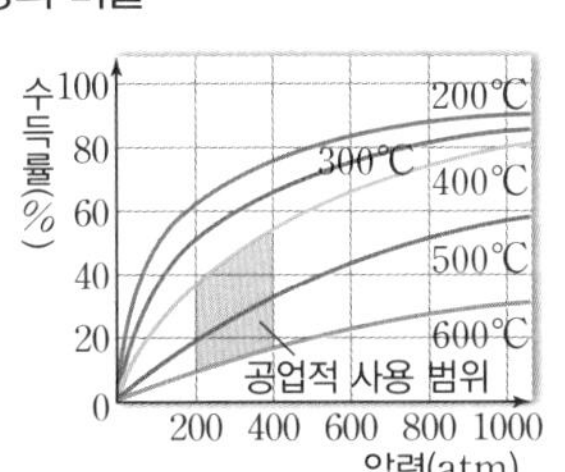

04 상평형 그림

물의 상평형 그림	이산화 탄소의 상평형 그림
압력(atm) 218, 1.0, 0.006 / 융해 곡선, 증기 압력 곡선, 고체(얼음), 액체(물), 승화 곡선, 3중점, 기체(수증기) / 0 0.01 100 374 온도(℃)	압력(atm) 72.8, 5.1, 1.0 / 융해 곡선, 증기 압력 곡선, 고체, 액체, 승화 곡선, 3중점, 기체 / −78.5 −56.6 31 온도(℃)
• 융해 곡선 기울기: 음의 기울기 ➡ 외부 압력↑ ➡ 녹는점↓ • 3중점의 압력보다 낮은 압력에서 승화가 일어난다.	• 융해 곡선 기울기: 양의 기울기 ➡ 외부 압력↑ ➡ 녹는점↑ • 3중점의 압력이 1기압보다 높아 상온에서 승화가 일어난다.

01 산 염기의 세기

1. 산 염기의 정의: 브뢴스테드·로리

① **산:** 양성자(H^+)를 주는 분자나 이온

② **염기:** 양성자(H^+)를 받는 분자나 이온

2. 짝산과 짝염기: H^+의 이동에 따라 산과 염기가 되는 한 쌍

예 NH_3 (염기) + H_2O (산) $\rightleftharpoons$ NH_4^+ (산) + OH^- (염기)
(짝산-짝염기: H_2O – OH^-, 짝산-짝염기: NH_3 – NH_4^+)

3. 양쪽성 물질: 반응에 따라 산이 될 수도 있고 염기가 될 수도 있는 물질 예 H_2O, HCO_3^-, HS^-, HSO_3^- 등

4. 이온화도

① 이온화도 $\alpha=\dfrac{\text{이온화한 전해질의 몰수}}{\text{용해된 전해질의 몰수}}\ (0<\alpha\leq 1)$

② 이온화도가 클수록 산과 염기의 세기가 강하다.

③ 온도가 높을수록, 농도가 묽을수록 이온화도가 커진다.

5. 이온화 상수

① 산의 $K_a=\dfrac{[H_3O^+][A^-]}{[HA]}$, 염기의 $K_b=\dfrac{[HB^+][OH^-]}{[B]}$

② 이온화 상수가 클수록 산과 염기의 세기가 강하다.

③ 농도가 $C(M)$인 약산(또는 약염기)에서 이온화도 α와 이온화 상수 K_a의 관계

$$K_a=C\alpha^2 \Rightarrow \alpha=\sqrt{\frac{K_a}{C}} \Rightarrow [H_3O^+]=C\alpha=\sqrt{C\times K_a}$$

02 염의 가수 분해와 완충 용액

1. 염: 염기의 양이온과 산의 음이온이 결합한 물질

2. 염의 가수 분해와 수용액의 pH

염의 종류	가수 분해 여부	수용액의 pH
(강산+강염기)의 염	가수 분해 안 함	염에 따라 다름
(강산+약염기)의 염	양이온이 가수 분해	7보다 작음
(약산+강염기)의 염	음이온이 가수 분해	7보다 큼
(약산+약염기)의 염	양이온과 음이온이 모두 가수 분해	7에 가까움

3. 공통 이온 효과: 공통 이온을 넣어 줄 때 그 이온의 농도가 감소하는 방향으로 평형이 이동하는 현상

4. 완충 용액: 일반적으로 약산과 그 짝염기, 또는 약염기와 그 짝산을 1 : 1의 몰비로 혼합하여 만든 용액 ➡ 소량의 산이나 염기를 넣어도 pH가 거의 일정하게 유지된다.

한번에 끝내는

대단원 문제

정답과 해설 080쪽

01 그림과 같이 질산 암모늄(NH_4NO_3)이 들어 있는 비커에 물을 부었더니, NH_4NO_3이 담겨져 있는 비커가 차가워졌다.

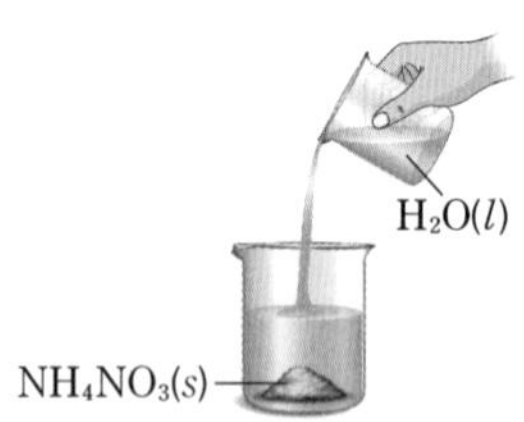

NH_4NO_3의 용해 반응에 대한 설명으로 옳은 것만을 〈보기〉에서 있는 대로 고른 것은?

보기
ㄱ. 흡열 반응이다.
ㄴ. 반응엔탈피는 0보다 크다.
ㄷ. 엔탈피는 $NH_4NO_3(s)$가 $NH_4NO_3(aq)$보다 크다.

① ㄱ ② ㄷ ③ ㄱ, ㄴ
④ ㄴ, ㄷ ⑤ ㄱ, ㄴ, ㄷ

02 그림은 25 ℃, 1기압에서 과산화 수소(H_2O_2)의 분해 반응의 엔탈피 변화를 나타낸 것이다.

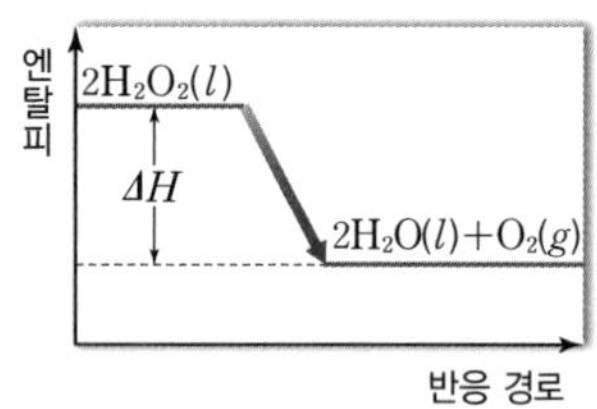

25 ℃, 1기압에서 이에 대한 설명으로 옳은 것을 〈보기〉에서 있는 대로 고른 것은?

보기
ㄱ. $\Delta H>0$이다.
ㄴ. 반응이 일어나면 주위의 온도는 높아진다.
ㄷ. 생성 엔탈피는 $H_2O(l)$이 $H_2O_2(l)$보다 크다.

① ㄱ ② ㄴ ③ ㄱ, ㄷ
④ ㄴ, ㄷ ⑤ ㄱ, ㄴ, ㄷ

03 다음은 25 ℃에서 NaH과 관련된 자료이다.

- H_2의 결합 에너지$=a$ kJ/mol
- $NaH(s)$의 표준 생성 엔탈피$=-b$ kJ/mol
- $H(g)+e^- \longrightarrow H^-(g) \quad \Delta H=-c$ kJ
- $Na(s) \longrightarrow Na^+(g)+e^- \quad \Delta H=d$ kJ

이에 대한 설명으로 옳은 것만을 〈보기〉에서 있는 대로 고른 것은?

보기
ㄱ. $H(g)$의 생성 엔탈피는 $\frac{a}{2}$ kJ/mol이다.
ㄴ. $2Na(s)+H_2(g) \longrightarrow 2NaH(s)$의 반응은 발열 반응이다.
ㄷ. $NaH(s) \longrightarrow Na^+(g)+H^-(g)$의 반응엔탈피는 $-\frac{1}{2}a+b-c+d$ kJ/mol이다.

① ㄱ ② ㄷ ③ ㄱ, ㄴ
④ ㄴ, ㄷ ⑤ ㄱ, ㄴ, ㄷ

고난도

04 그림은 20 ℃의 물 100 g이 들어 있는 간이 열량계를 나타낸 것이고, 표는 1기압에서 열량계에 20 ℃의 용질 A(s)와 B(s)를 각각 녹인 수용액 (가)와 (나)에 대한 자료이다. 화학식량은 A가 B보다 크다.

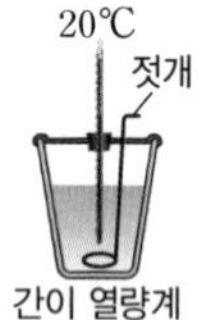

수용액	용질의 질량		최종 온도 (℃)
	A(s)	B(s)	
(가)	1	0	22
(나)	0	1	19

이에 대한 설명으로 옳은 것만을 〈보기〉에서 있는 대로 고른 것은? (단, 열량계와 주위 사이의 열 출입은 없다.)

보기
ㄱ. A(s)의 용해 엔탈피는 0보다 작다.
ㄴ. B(s)의 용해 과정은 발열 반응이다.
ㄷ. |용해 엔탈피|는 A(s)가 B(s)보다 크다.

① ㄱ ② ㄷ ③ ㄱ, ㄴ
④ ㄱ, ㄷ ⑤ ㄴ, ㄷ

05 그림은 t ℃에서 강철 용기에 기체 A와 B를 넣고 반응시켰을 때 시간에 따른 각 기체의 농도를 나타낸 것이다.

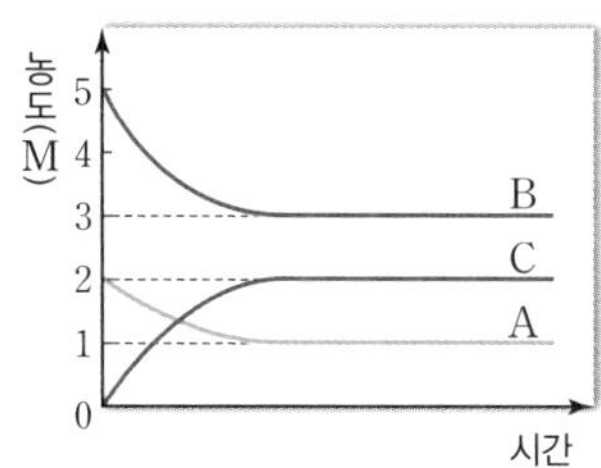

이에 대한 설명으로 옳은 것만을 〈보기〉에서 있는 대로 고른 것은?

보기
ㄱ. 반응 몰비는 A : B=1 : 2이다.
ㄴ. t ℃에서 평형 상수는 0.5보다 작다.
ㄷ. 평형 상태에서 A와 C를 각각 1몰씩 넣으면 정반응이 일어난다.

① ㄱ ② ㄷ ③ ㄱ, ㄴ
④ ㄴ, ㄷ ⑤ ㄱ, ㄴ, ㄷ

06 다음은 밀폐 용기에 기체 A와 B를 넣고 반응시켰을 때 일어나는 열화학 반응식이다. t ℃에서 평형 상수는 K이다.

$$A(g)+2B(g) \rightleftharpoons 2C(g) \quad \Delta H>0$$

t ℃에서 위 반응이 평형 상태에 있을 때, 이에 대한 설명으로 옳은 것만을 〈보기〉에서 있는 대로 고른 것은? (단, 온도는 일정하다.)

보기
ㄱ. t ℃에서 역반응의 평형 상수는 $\frac{1}{K}$이다.
ㄴ. 용기에 $Ar(g)$을 넣으면 정반응이 일어난다.
ㄷ. 용기에 $A(g)$를 넣고 반응시킨 후 평형에 도달했을 때 평형 상수는 K보다 크다.

① ㄱ ② ㄴ ③ ㄱ, ㄷ
④ ㄴ, ㄷ ⑤ ㄱ, ㄴ, ㄷ

고난도

07 그림 (가)는 강철 용기에 1몰의 기체 A를 넣고 반응시켰을 때 온도 T_1에서의 평형 상태를, (나)는 (가)의 온도를 T_2로 변화시켰을 때의 평형 상태를 나타낸 것이다. 표는 평형 상태 (가)와 (나)에서 온도, B의 몰수 및 평형 상수(K)에 대한 자료이다. 이 반응의 반응엔탈피는 0보다 작다.

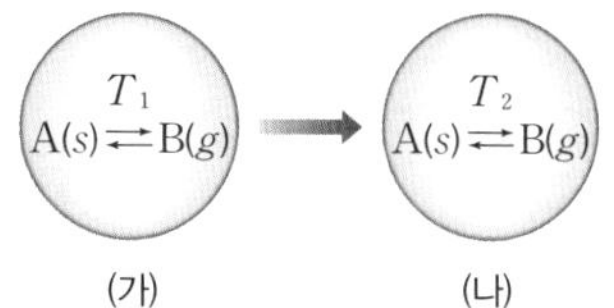

평형 상태	(가)	(나)
온도	T_1	T_2
B의 몰수	x	$2x$
K	a	$6a$

이에 대한 설명으로 옳은 것만을 〈보기〉에서 있는 대로 고른 것은? (단, 온도는 일정하다.)

보기
ㄱ. $T_2>T_1$이다.
ㄴ. $x=0.4$이다.
ㄷ. A의 몰 분율은 (가)에서가 (나)에서의 2배이다.

① ㄱ ② ㄴ ③ ㄱ, ㄷ
④ ㄴ, ㄷ ⑤ ㄱ, ㄴ, ㄷ

08 다음은 질소(N_2)와 수소(H_2)가 반응하여 암모니아(NH_3)를 생성하는 화학 반응식이다.

$$3H_2(g)+N_2(g) \rightleftharpoons 2NH_3(g)$$

그림 (가)는 일정한 온도에서 암모니아 생성 반응이 평형 상태에 있는 것을, (나)와 (다)는 각각 압력 변화를 주었을 때 새로운 평형에 도달한 것을 나타낸 것이다.

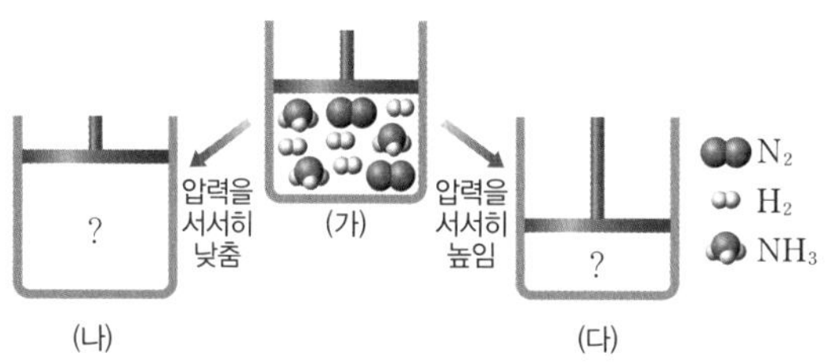

이에 대한 설명으로 옳은 것만을 〈보기〉에서 있는 대로 고른 것은? (단, 온도는 일정하다.)

보기
ㄱ. 평형 상수는 (다)에서가 (나)에서보다 크다.
ㄴ. NH_3의 몰 분율은 (다)에서가 (가)에서보다 크다.
ㄷ. (나)에 아르곤(Ar)을 넣어 주면 역반응 쪽으로 평형이 이동한다.

① ㄱ ② ㄴ ③ ㄱ, ㄴ
④ ㄴ, ㄷ ⑤ ㄱ, ㄴ, ㄷ

09 그림은 물의 상평형 그림을 나타낸 것이다.

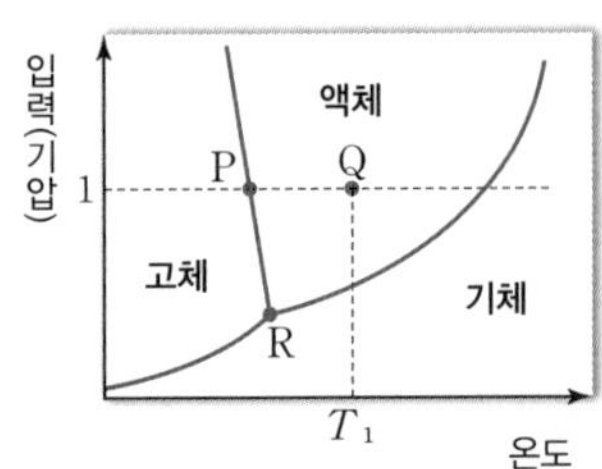

이에 대한 설명으로 옳은 것만을 <보기>에서 있는 대로 고른 것은?

보기
ㄱ. P점의 온도는 기준 어는점이다.
ㄴ. R점에서 고체, 액체, 기체가 동적 평형을 이룬다.
ㄷ. T_1에서 Q점의 압력을 낮추면 기체로 상이 변할 수 있다.

① ㄱ ② ㄷ ③ ㄱ, ㄴ
④ ㄴ, ㄷ ⑤ ㄱ, ㄴ, ㄷ

10 다음은 25 ℃에서 $HA(aq)$에 대한 자료이다.

- 이온화 반응식
  $HA(aq) + H_2O(l) \rightleftharpoons H_3O^+(aq) + A^-(aq)$
- 몰 농도: 0.1 M
- HA의 이온화 상수 $K_a = 1 \times 10^{-5}$

이에 대한 설명으로 옳은 것만을 <보기>에서 있는 대로 고른 것은? (단, 물의 이온화 상수는 $K_w = 1 \times 10^{-14}$이다.)

보기
ㄱ. 이온화도는 0.01이다.
ㄴ. 수용액에 들어 있는 $[H_3O^+]$는 0.001 M이다.
ㄷ. HA와 NaA를 1 : 1의 몰비로 혼합한 수용액의 pH는 3이다.

① ㄱ ② ㄷ ③ ㄱ, ㄴ
④ ㄴ, ㄷ ⑤ ㄱ, ㄴ, ㄷ

11 표는 25 ℃에서 3가지 염을 물에 녹여 만든 0.1 M 수용액의 pH를 나타낸 것이다.

수용액	(가)	(나)	(다)
염	NaCl	$NaHCO_3$	$NaHSO_4$
수용액의 pH	7	x	y

이에 대한 설명으로 옳은 것만을 <보기>에서 있는 대로 고른 것은?

보기
ㄱ. $x > y$이다.
ㄴ. (나)에서 $[Na^+] > [HCO_3^-]$이다.
ㄷ. (가)와 (다)에서 Na^+의 가수 분해가 일어난다.

① ㄱ ② ㄴ ③ ㄱ, ㄴ
④ ㄴ, ㄷ ⑤ ㄱ, ㄴ, ㄷ

12 그림은 25 ℃에서 물질 A~D 수용액의 pH와 각 수용액에 있는 A~D의 이온화도를 나타낸 것이다. A~D는 각각 1가 산 또는 1가 염기이다.

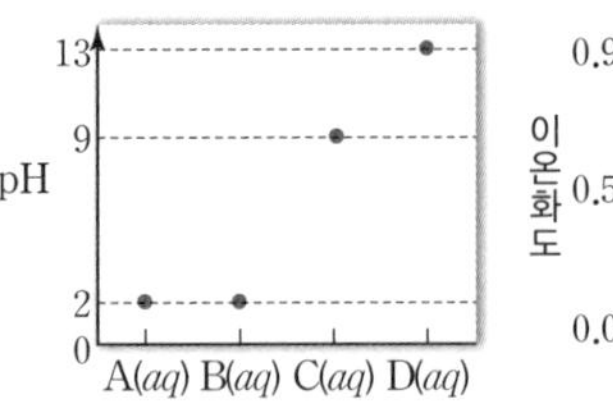

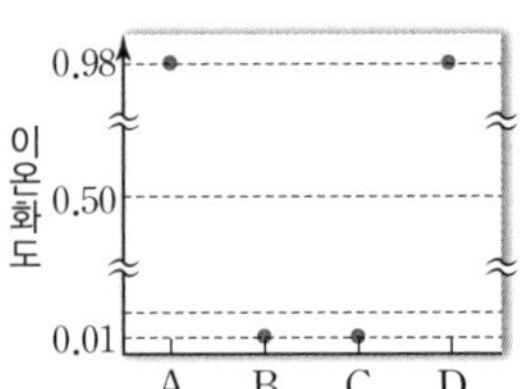

25 ℃에서 이에 대한 설명으로 옳은 것만을 <보기>에서 있는 대로 고른 것은? (단, 25 ℃에서 물의 이온화 상수는 $K_w = 1 \times 10^{-14}$이다.)

보기
ㄱ. 수용액의 농도는 A가 C보다 크다.
ㄴ. 이온화 상수는 C가 B보다 크다.
ㄷ. 몰 농도가 같은 $B(aq)$와 $D(aq)$를 1 : 1의 부피비로 혼합한 용액의 pH는 7보다 크다.

① ㄱ ② ㄴ ③ ㄱ, ㄷ
④ ㄴ, ㄷ ⑤ ㄱ, ㄴ, ㄷ

13 그림은 몇 가지 반응에 대한 엔탈피(H) 변화를 나타낸 것이다.

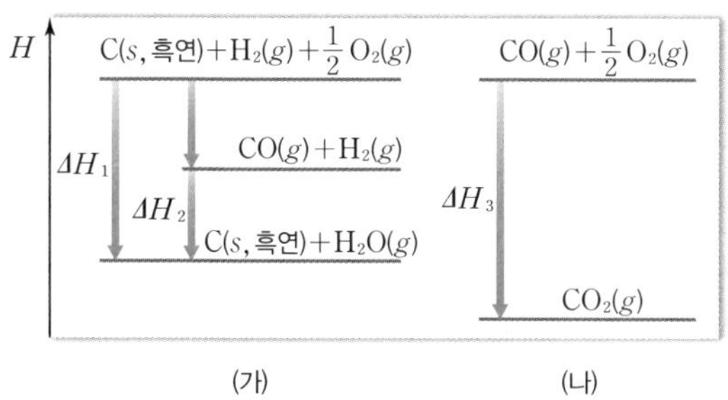

(1) $H_2O(g)$의 생성 엔탈피를 구하시오.

(2) C(s,흑연)의 연소 엔탈피를 구하고, 그 까닭을 서술하시오.

14 다음은 기체 A와 B가 반응하여 기체 C가 생성되는 반응의 화학 반응식이다.

$$2A(g)+B(g) \rightleftharpoons cC(g) \quad (c\text{는 반응 계수})$$

그림은 용기에 $A(g)$와 $B(g)$가 들어 있는 모습을 나타낸 것이다.

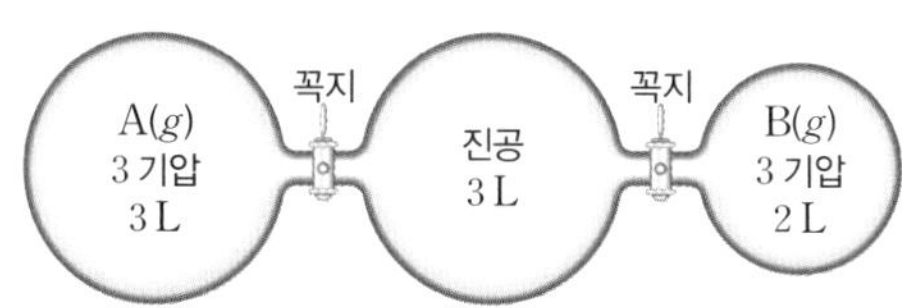

일정한 온도에서 꼭지를 열어 $A(g)$와 $B(g)$를 반응시켜 평형에 도달했을 때 A~C의 양은 각각 $4n$몰, $3n$몰, $3n$몰이었다. 평형 상수 K를 구하시오.

15 다음은 $N_2O(g)$가 분해되어 $N_2(g)$와 $O_2(g)$가 되는 반응의 열화학 반응식이다.

$$2N_2O(g) \rightleftharpoons 2N_2(g)+O_2(g) \quad \Delta H$$

그림 (가)는 부피가 1 L인 용기에 $N_2O(g)$가 들어 있는 모습을, (나)는 (가)의 기체가 반응하여 평형 상태에 도달한 모습을, (다)는 (나)의 온도를 높인 후 평형 상태에 도달한 모습을 나타낸 것이다.

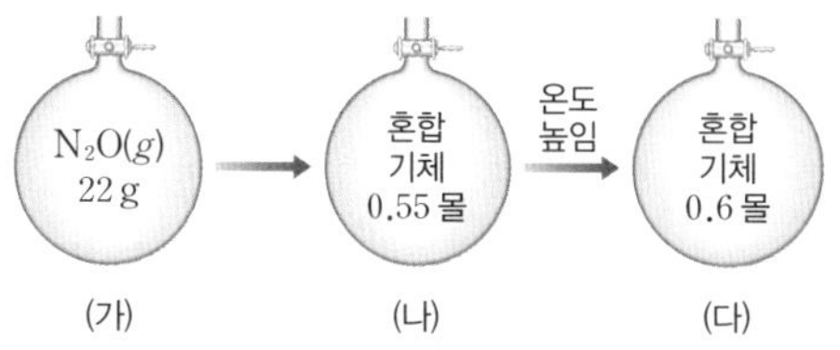

(1) 반응엔탈피 ΔH의 부호를 결정하고 그 까닭을 서술하시오.(단, N, O의 원자량은 각각 14, 16이다.)

(2) (다)에서 평형 상수 K를 구하시오.

16 그림은 25 ℃에서 산 HA와 염기 B의 수용액의 농도에 따른 이온화도를 나타낸 것이다.

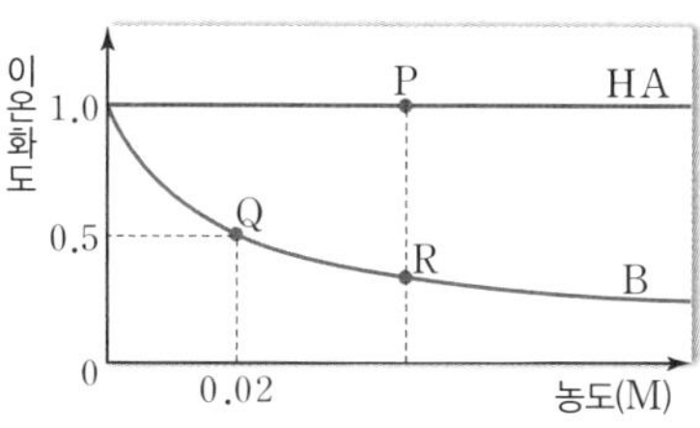

(1) R에서 B의 이온화 상수를 구하시오.

(2) P점의 $HA(aq)$ 10 mL와 R점의 $B(aq)$ 10 mL를 혼합한 용액의 pH를 예측하고 그 까닭을 서술하시오.

Ⅲ 반응 속도와 촉매

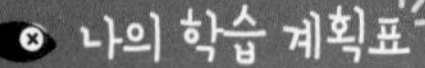
나의 학습 계획표

중단원	소단원	계획일	실천일	성취도
1 반응 속도	01. 반응 속도	/	/	○△×
	02. 활성화 에너지	/	/	○△×
	03. 농도, 온도에 따른 반응 속도	/	/	○△×
	수능 POOL + 실전! 수능 도전하기	/	/	○△×
2 촉매와 우리 생활	01. 촉매와 반응 속도	/	/	○△×
	02. 생활 속의 촉매	/	/	○△×
	수능 POOL + 실전! 수능 도전하기	/	/	○△×
	대단원 정리 + 문제	/	/	○△×

한食왕

스스로 계획하고 실천하면
실력이 올라간다~옹!

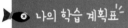

1 반응 속도

배울 내용 살펴보기

01 반응 속도

- A 반응 속도
- B 반응 속도식
- C 1차 반응의 반감기

반응 속도는 일정 시간 동안 반응물이나 생성물의 농도 변화량으로 나타낼 수 있고, 반응물의 농도와 반응 속도 사이의 관계는 반응 속도식으로 나타낼 수 있어.

02 활성화 에너지

- A 화학 반응과 충돌 방향
- B 활성화 에너지
- C 유효 충돌과 비유효 충돌

화학 반응이 일어나기 위해서는 활성화 에너지 이상의 에너지를 가지는 분자들이 생성물이 생성되는 데 적합한 방향으로 충돌해야 해.

03 농도, 온도에 따른 반응 속도

- A 농도와 반응 속도
- B 온도와 반응 속도

농도가 증가하면 충돌 횟수가 증가하여 반응 속도가 빨라지고, 온도가 높아지면 활성화 에너지 이상의 에너지를 가지는 분자 수가 증가하여 반응 속도가 빨라져.

01 반응 속도

핵심 키워드로 흐름잡기

- A 반응 속도, 평균 반응 속도, 순간 반응 속도, 초기 반응 속도
- B 반응 속도식, 반응 차수, 반응 속도 상수
- C 1차 반응, 반감기

A 반응 속도

|출·제·단·서| 농도의 변화량을 이용하여 반응 속도를 구하는 문제가 시험에 나와.

1. •화학 반응의 빠르기 여러 가지 화학 반응들을 상대적 빠르기에 의해 빠른 반응과 느린 반응으로 나눌 수 있다. 빠른 반응과 느린 반응은 비교하는 대상에 따라 달라질 수 있다.

(1) 빠른 반응의 예 메테인의 연소, 불꽃놀이(폭죽) 등

(2) 느린 반응의 예 석회 동굴의 생성 반응, 철의 부식 반응 등

2. 화학 반응의 빠르기 나타내기 화학 반응의 빠르기는 다양한 방법으로 나타낼 수 있다.

기체가 발생하는 경우		앙금이 생성되는 경우
단위 시간 동안 감소한 질량 측정	단위 시간 동안 발생한 기체의 부피 측정	일정량의 앙금이 생성될 때까지 걸리는 시간 측정
예) 느슨하게 막은 솜, ❶ 묽은 염산, 탄산 칼슘	예) ❷ 마그네슘, 묽은 염산	예) 흰 종이 위의 ×표, 묽은 염산, ❸ 싸이오황산 나트륨 수용액
이산화 탄소(CO_2)가 발생하여 빠져나가므로 단위 시간 동안 감소한 전체 물질의 질량을 측정하여 반응의 빠르기를 나타낼 수 있다.	수소(H_2)가 발생하므로 단위 시간 동안 발생한 수소(H_2)의 부피를 측정하여 반응의 빠르기를 나타낼 수 있다.	노란색 앙금인 황(S)이 생성되므로 흰 종이 위의 ×표가 보이지 않을 때까지 걸리는 시간을 측정하여 반응의 빠르기를 나타낼 수 있다.

×표가 보이지 않을 때까지 걸리는 시간이 짧을수록 반응이 빠르게 일어난 것이다.

빈출 탐구 화학 반응의 빠르기 나타내기

목표 단위 시간 동안 발생한 기체의 부피로 화학 반응의 빠르기를 나타낼 수 있다.

과정

① 1.0 M 염산($HCl(aq)$) 50 mL를 삼각 플라스크에 넣는다.

② 과정 ①의 삼각 플라스크에 약 0.1 g의 마그네슘(Mg) 조각을 넣고 반응시켜 10초마다 발생하는 기체의 부피를 측정한다.

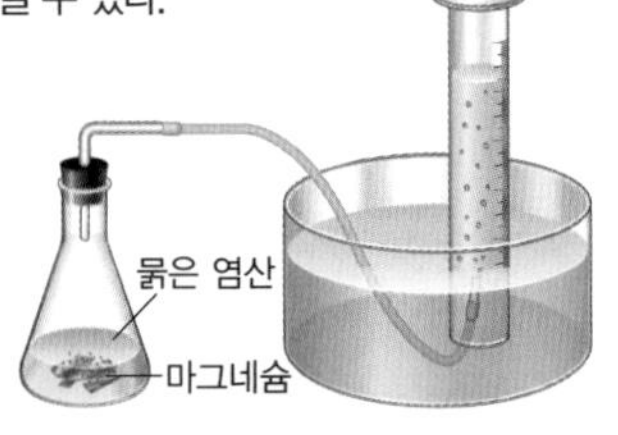

결과

시간(s)	0	10	20	30	40	50	60	70
기체의 부피 (mL)	0	52	95	120	135	145	150	150

수소 기체의 부피(mL): 160, 140, 120, 100, 80, 60, 40, 20
반응 시간(s): 0, 10, 20, 30, 40, 50, 60, 70, 80

정리

❶ 화학 반응식은 다음과 같으며, 수소 기체가 발생한다.

$Mg(s) + 2HCl(aq) \longrightarrow MgCl_2(aq) + H_2(g)$

❷ 기체가 발생하는 반응에서 시간에 따른 화학 반응의 빠르기는 부피를 측정할 수 있는 용기에 발생한 기체를 포집한 후 그 부피를 이용하여 측정할 수 있다.

❸ 0~60초 동안 발생한 기체의 부피는 시간에 따라 변한다.

➡ 시간에 따른 기체의 부피 변화를 이용하여 화학 반응의 빠르기를 나타낼 수 있다.

$$\text{화학 반응의 빠르기} = \frac{\text{발생한 기체의 부피(mL)}}{\text{시간(s)}}$$

❹ 화학 반응의 빠르기는 시간이 지날수록 느려짐을 알 수 있다. 반응이 진행되면서 Mg과 H^+의 양이 감소하므로 화학 반응의 빠르기는 느려진다.

---

❶ 묽은 염산과 탄산 칼슘의 반응

$CaCO_3(s) + 2HCl(aq) \longrightarrow CaCl_2(aq) + CO_2(g) + H_2O(l)$ 반응이 일어나 이산화 탄소(CO_2)가 발생한다.

❷ 묽은 염산과 마그네슘의 반응

$Mg(s) + 2HCl(aq) \longrightarrow MgCl_2(aq) + H_2(g)$ 반응이 일어나 수소(H_2)가 발생한다.

❸ 싸이오황산 나트륨 수용액과 묽은 염산의 반응

$Na_2S_2O_3(aq) + 2HCl(aq) \longrightarrow S(s) + 2NaCl(aq) + H_2O(l) + SO_2(g)$ 반응이 일어나 노란색 앙금인 황(S)이 생성된다. 이때 ×표를 한 흰 종이 위에 반응 용기를 올려놓고 일정량의 앙금이 생성되어 ×표가 보이지 않을 때까지 걸린 시간을 측정하여 반응의 빠르기를 나타낼 수 있다.

용어 알기

• 화학 반응(되다 化, 학문 學, 되돌리다 反, 응하다 應) 어떤 물질이 스스로 또는 다른 물질과 상호작용하여 화학적 성질이 다른 물질로 변하는 현상

3. 반응 속도 화학 반응이 일어나는 빠르기이며, 일정 시간 동안 반응물이나 생성물의 농도 변화량으로 나타낼 수 있다.❹ 반응 속도를 나타낼 때는 물질의 농도 변화량뿐만 아니라 부피, 질량의 변화량으로도 나타낼 수 있다.

$$\text{반응 속도}(v) = \frac{\text{반응물의 농도 감소량}}{\text{반응 시간}} = \frac{\text{생성물의 농도 증가량}}{\text{반응 시간}}$$

(단위: M/s, M/min, mol/L·s 등) M/초, M/분

A와 B가 반응하여 C와 D를 생성하는 화학 반응에서 반응 속도(v)는 다음과 같다.

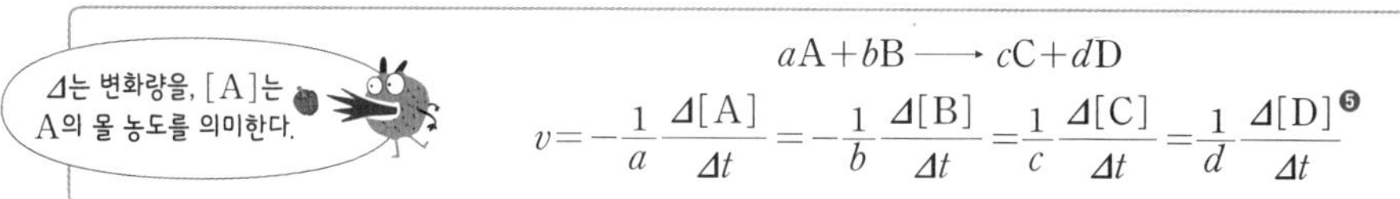

Δ는 변화량을, [A]는 A의 몰 농도를 의미한다.

$$aA + bB \longrightarrow cC + dD$$

$$v = -\frac{1}{a}\frac{\Delta[A]}{\Delta t} = -\frac{1}{b}\frac{\Delta[B]}{\Delta t} = \frac{1}{c}\frac{\Delta[C]}{\Delta t} = \frac{1}{d}\frac{\Delta[D]}{\Delta t}$$❺

└ 반응 속도를 표현할 때 어느 물질을 기준으로 하여도 같은 값을 가지도록 하기 위해 화학 반응식의 각 계수로 나누어 주어야 한다.

빈출 자료 반응 속도 구하기

그림은 $H_2(g) + I_2(g) \longrightarrow 2HI(g)$ 반응에서의 농도 변화를 나타낸 것이다.

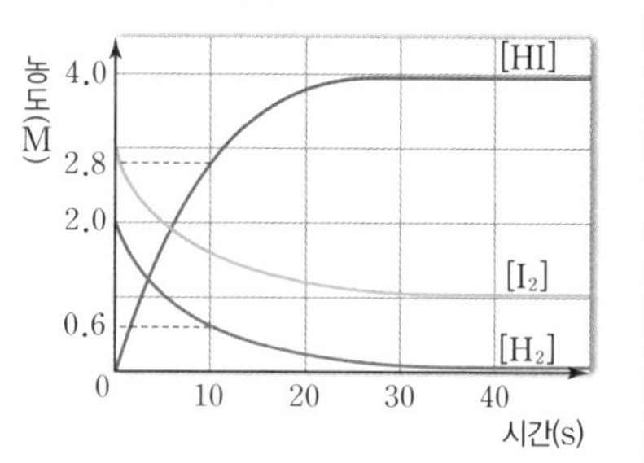

❶ 반응 초기 10초 동안 반응물의 반응 속도

$$\text{반응 속도}(v) = -\frac{\Delta[H_2]}{\Delta t} = -\frac{(0.6-2.0)\,\text{M}}{10\,\text{s}} = 0.14\,\text{M/s}$$

❷ 반응 초기 10초 동안 생성물의 반응 속도

$$\text{반응 속도}(v) = \frac{\Delta[HI]}{\Delta t} = \frac{(2.8-0)\,\text{M}}{10\,\text{s}} = 0.28\,\text{M/s}$$

❸ 일정 시간 동안 생성된 HI의 농도 변화량은 감소한 H_2나 I_2의 농도 변화량의 2배이므로 이 반응의 반응 속도는 다음과 같다.

$$\text{반응 속도}(v) = -\frac{\Delta[H_2]}{\Delta t} = -\frac{\Delta[I_2]}{\Delta t} = \frac{1}{2}\cdot\frac{\Delta[HI]}{\Delta t}$$

4. °평균 반응 속도와 °순간 반응 속도 암기TiP 평균 반응 속도=두 지점을 지나는 직선의 기울기 / 순간 반응 속도=한 점에서의 접선의 기울기

(1) 평균 반응 속도 반응물이나 생성물의 농도 변화량을 반응이 일어난 시간으로 나누어 나타내는 반응 속도로, 시간–농도 그래프에서 두 지점을 지나는 직선의 기울기(절댓값)에 해당한다.
└ 일정한 시간(Δt) 동안의 농도 변화로 나타낸 반응 속도이다.

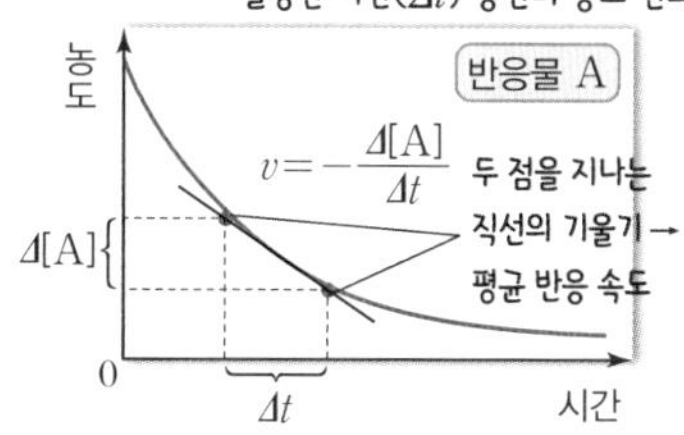

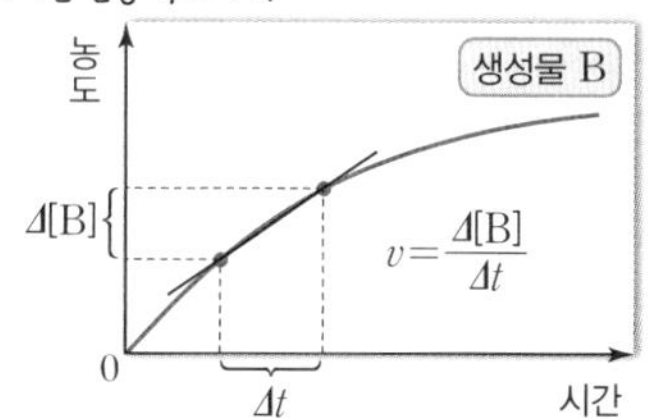

▲ 반응 A → B에서 평균 반응 속도

(2) 순간 반응 속도 특정 시간에서의 반응 속도로, 시간–농도 그래프에서 특정 시간(t)에서의 접선의 기울기(절댓값)에 해당한다. 접선의 기울기의 절댓값을 비교하면 순간 반응 속도의 크기를 비교할 수 있다.

(3) 초기 반응 속도❻ 시간–농도 그래프에서 $t=0$일 때의 순간 반응 속도이다.

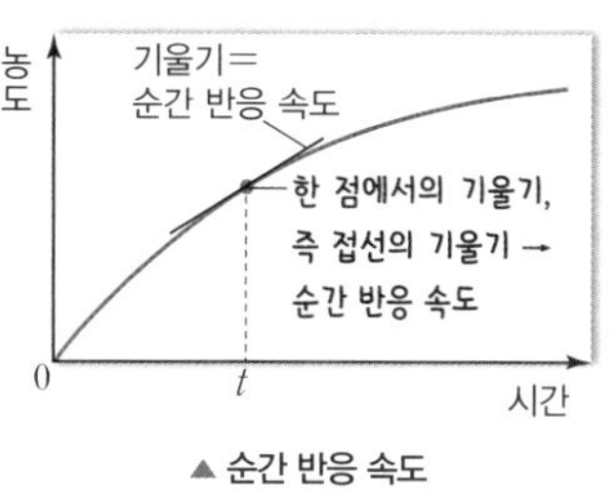

▲ 순간 반응 속도

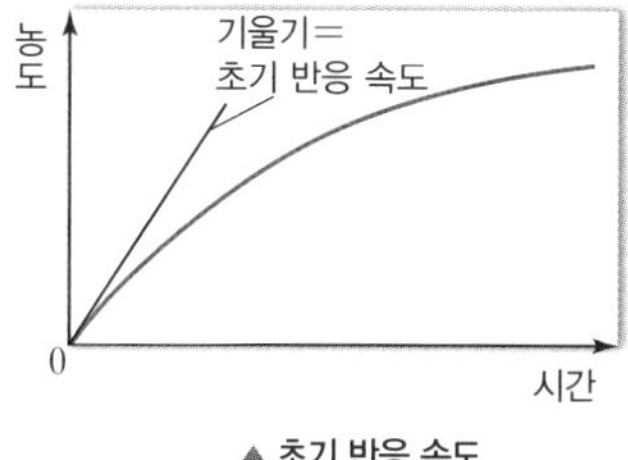

▲ 초기 반응 속도

❹ 화학 반응에서 반응 속도

화학 반응에서 반응물이 줄어들면서 생성물이 생성되는 것이므로 반응 속도는 반응물의 농도 감소량과 생성물의 농도 증가량으로 나타낼 수 있다.

❺ 기호 Δ와 반응 속도의 부호

- Δ: 주어진 양의 변화(나중 값−처음 값)를 나타내며, 증가하면 (+)값을, 감소하면 (−)값을 가진다.
- 반응 속도의 부호: 반응물의 농도 변화는 (−)값을, 생성물의 농도 변화는 (+)값을 가진다. 반응 속도는 항상 (+)값을 나타내므로 반응물의 농도 변화로 나타낼 때는 (−)를 붙인다.

❓ 반응 $H_2(g)+I_2(g) \longrightarrow 2HI(g)$의 반응 속도를 구할 때, 왜 $\frac{\Delta[HI]}{\Delta t}$ 앞에는 $\frac{1}{2}$이 붙을까?

하나의 반응에서 반응 속도는 어느 물질을 기준으로 하여도 같은 값을 가지도록 표현해야 한다. 그런데 생성된 HI의 농도 변화량은 감소한 H_2나 I_2 농도 변화량의 2배이므로 HI의 반응 속도에 $\frac{1}{2}$배를 해야 H_2나 I_2의 반응 속도와 같아지기 때문이다.

❻ 초기 반응 속도

- $t=0$일 때의 순간 반응 속도로, 시간에 따른 농도 변화 그래프에서 $t=0$인 지점에서 접선의 기울기에 해당한다.
- 일반적으로 초기 반응 속도를 비교하여 반응 속도식을 구한다.

용어 알기

- 평균(**평평하다 平, 고르다 均**) 여러 사물의 질이나 양을 통일적으로 고르게 한 것
- 순간(**눈을 깜짝이다 瞬, 사이 間**) 아주 짧은 동안, 잠깐 동안

B 반응 속도식

|출·제·단·서| 자료 해석을 통해 반응 속도식을 구하는 문제가 시험에 나와.

❼ 반응 속도식
대부분의 화학 반응은 반응물의 농도가 감소하면서 반응 속도가 느려진다. 이는 반응 속도가 반응물의 농도에 의해 달라지기 때문이다. 따라서 반응 속도식은 반응물의 초기 농도를 변화시켜 측정한 후 얻는다. 일반적으로 온도가 일정할 때 반응 속도는 반응물의 몰 농도의 곱에 비례한다.

반응 차수는
생성물의 농도가 아니라
항상 반응물의 농도에 의해
결정된다.

❽ 반응 속도 상수와 활성화 에너지
활성화 에너지는 반응물이 충돌하여 화학 반응을 일으키는 데 필요한 최소한의 에너지이다. 반응 속도 상수는 활성화 에너지에 의해 달라지는데, 활성화 에너지가 작을수록 반응 속도 상수가 커진다.
→ 활성화 에너지는 233쪽에서 학습한다.

용어 알기
- **반응 속도 상수(되돌리다 反, 응하다 應, 빠르다 速, 법도 度, 항상 常, 세다 數)** 반응에 따라 특정한 값을 나타내는 상수

1. 반응 속도식❼ 화학 반응에서 반응물의 농도와 반응 속도와의 관계를 나타낸 식 ➡ 반응 속도는 반응물의 농도에 따라 달라지며, 물질 A와 B가 반응하여 물질 C와 D를 생성하는 반응에서 반응 속도식은 다음과 같이 나타낼 수 있다.

> $a\text{A}+b\text{B} \longrightarrow c\text{C}+d\text{D}$ 반응 속도(v)$=k[\text{A}]^m[\text{B}]^n$
> - k: ●반응 속도 상수 • $[\text{A}]$: A의 몰 농도, $[\text{B}]$: B의 몰 농도
> - m: A의 반응 차수, n: B의 반응 차수

(1) 반응 차수(m, n)

① m, n은 반응식의 계수인 a, b와는 관계없고, 실험으로 결정된다.

② 반응 속도식이 $v=k[\text{A}]^m[\text{B}]^n$인 반응은 A의 m차 반응, B의 n차 반응이고, 전체 반응 차수는 $(m+n)$차이다.

예 $2\text{NO}(g)+\text{O}_2(g) \longrightarrow 2\text{NO}_2(g)$ 반응 속도(v)$=k[\text{NO}]^2[\text{O}_2]$

➡ NO의 2차 반응, O_2의 1차 반응이며, 전체 반응 차수는 3차이다.
└ 이 반응의 경우 반응 차수가 화학 반응식의 계수와 같지만 대부분의 경우 다르다.

(2) 반응 속도 상수(k)❽

① 화학 반응의 종류에 따라 달라진다.

② 농도의 영향을 받지 않고, 온도에 의해 달라진다. ➡ 온도가 높을수록 커진다.

③ 전체 반응 차수에 따라 단위가 달라진다.

반응 속도식	전체 반응 차수	k의 단위
$v=k[\text{A}]$	1	s^{-1}
$v=k[\text{A}][\text{B}]$	2	$\text{M}^{-1}\cdot\text{s}^{-1}$
$v=k[\text{A}]^2[\text{B}]$	3	$\text{M}^{-2}\cdot\text{s}^{-1}$

예 반응 속도(v)$=k[\text{NO}]^2[\text{O}_2]$에서 k의 단위는 $\dfrac{\text{M/s}}{\text{M}^2\times\text{M}}=\text{M}^{-2}\cdot\text{s}^{-1}$이다.

2. 반응 속도식 구하기 반응 속도(v)$=k[\text{A}]^m[\text{B}]^n$에서 반응 차수 m과 n은 실험을 통해서 결정된다. ➡ 반응물 중 한 물질의 초기 농도가 같은 상태에서 다른 물질의 초기 농도를 변화시키면서 초기 반응 속도를 측정하고, 그 비율을 비교하여 반응 속도식에서 반응 차수를 구한다.

빈출 계산연습 반응 속도식과 반응 속도 상수 구하기

표는 온도가 일정할 때 $2\text{A}(g)+2\text{B}(g) \longrightarrow \text{C}(g)+2\text{D}(g)$의 반응에서 반응물인 A와 B의 초기 농도를 변화시키면서 초기 반응 속도를 측정한 결과이다.

실험	반응물의 초기 농도(M)		초기 반응 속도
	[A]	[B]	($\times10^{-3}$ M/s)
(가)	0.10	0.10	1.23
(나)	0.10	0.20	2.46
(다)	0.20	0.10	4.92

([A]: (가)→(다) 2배, [B]: (가)→(나) 2배, 초기 반응 속도: (가)→(나) 2배, (가)→(다) 4배)

<u>1단계</u> 반응 속도식을 세운다. ➡ $v=k[\text{A}]^m[\text{B}]^n$

<u>2단계</u> 실험 (가)와 (나)를 비교하면 $[\text{A}]$가 일정하고 $[\text{B}]$가 2배일 때 초기 반응 속도가 2배이다. ➡ $n=1$

<u>3단계</u> 실험 (가)와 (다)를 비교하면 $[\text{B}]$가 일정하고 $[\text{A}]$가 2배일 때 초기 반응 속도가 4배이다. ➡ $m=2$

<u>4단계</u> m과 n 값을 반응 속도식에 대입한다. ➡ $v=k[\text{A}]^2[\text{B}]$

<u>5단계</u> (가)의 반응물의 초기 농도와 초기 반응 속도를 대입하여 반응 속도 상수(k)를 구한다.

➡ $k=\dfrac{1.23\times10^{-3}\text{ M/s}}{(0.10\text{ M})^2\times(0.10\text{ M})}=1.23\text{ M}^{-2}\cdot\text{s}^{-1}$

<u>6단계</u> k 값을 대입하여 반응 속도식을 완성한다. ➡ $v=1.23[\text{A}]^2[\text{B}]$

C 1차 반응의 반감기

|출·제·단·서| 1차 반응을 구별하고, 반감기를 구해 특정 시간에 해당하는 농도를 구하는 문제가 시험에 나와.

1. ●반감기($t_{\frac{1}{2}}$)[9] 반응물의 농도가 원래 농도의 절반으로 줄어드는 데 걸리는 시간으로, 일반적으로 반감기는 반응 차수에 따라 다르다.

2. 1차 반응과 반감기[10] 개념 POOL

(1) 반응 속도식 $aA \longrightarrow bB$ 반응에서 반응 속도(v)$=k[A]$로, 1차 반응은 반응 속도가 반응물의 농도에 비례한다.

(2) 반감기 반응물의 농도가 $4a$에서 $2a$로 절반으로 줄어드는 데 걸리는 시간이 t분이라면, 다음 t분 동안에는 농도가 $2a$에서 a로 줄어들게 된다. ➡ 1차 반응은 반응물의 농도에 관계없이 반감기가 일정하다. 암기TiP 1차 반응 → 반감기가 일정하다.

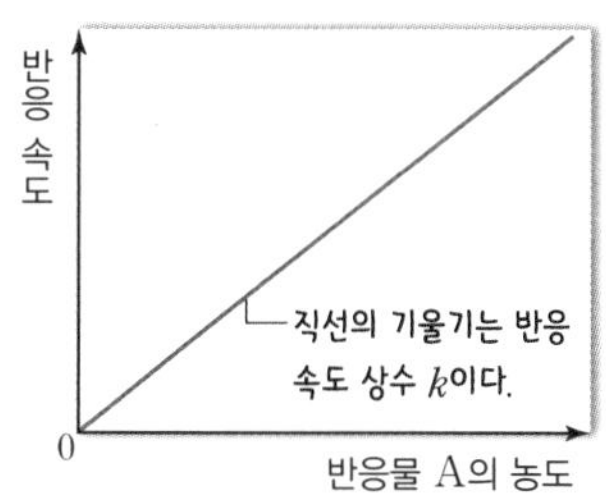

▲ 1차 반응에서 반응물의 농도에 따른 반응 속도

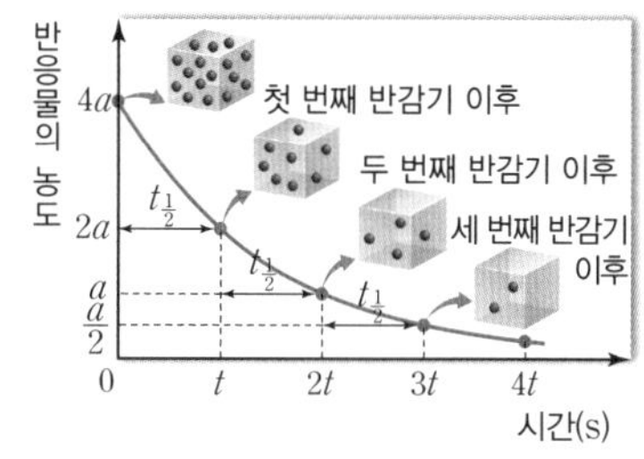

▲ 1차 반응에서 시간에 따른 반응물의 농도 변화

t초가 경과할 때마다 반응물의 농도가 절반이 된다.

A → B 반응이 A의 1차 반응이라면 반감기가 일정하므로, 늘어나는 생성물 B의 농도는 시간이 갈수록 줄어들게 된다.

빈출 자료 1차 반응과 반감기

표는 두 가지 반응물 A와 B 각각의 반응 속도 실험의 결과를 나타낸 것이다. k_1과 k_2는 각각 반응 속도 상수이다.

반응	화학 반응식	반응물의 농도(M)		반응 속도식
		$t=0$	$t=20$초	
(가)	A → P	0.8	0.4	$k_1[A]$
(나)	B → Q	2.0	0.5	$k_2[B]$

❶ 반응 속도식으로 (가)와 (나)는 모두 1차 반응임을 알 수 있다.
❷ (가)에서 $t=20$초일 때, 반응물의 농도가 $t=0$일 때(초기 농도)의 절반이므로 반감기는 20초이다.
❸ (나)에서 $t=20$초일 때, 반응물의 농도가 $t=0$일 때(초기 농도)의 $\frac{1}{4}$이므로 반감기는 10초이다.
❹ (가)는 A의 1차 반응이므로 시간에 따라 반응물의 농도는 감소하고, 이에 따라 반응 속도도 줄어든다. 따라서 $t=10$초일 때 반응물의 농도는 0.6 M보다 작다.

3. 0차 반응과 반감기[11] 교학사, 천재 교과서에만 나온다.

(1) 반응 속도식 $aA \longrightarrow bB$ 반응에서 반응 속도(v)$=k$로, 0차 반응은 반응물의 농도에 관계없이 반응 속도가 일정하다. (0차 반응의 k의 단위: M/s)

(2) 반감기 0차 반응은 반응물의 농도가 일정하게 감소한다. ➡ 0차 반응은 반응물의 농도가 감소할수록 반감기가 짧아진다.

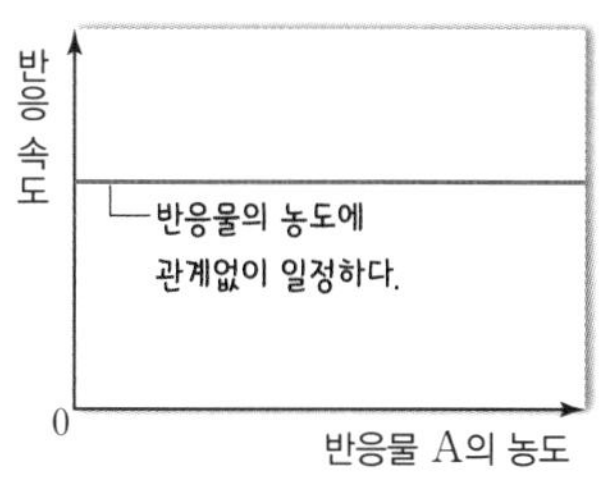

▲ 0차 반응에서 반응물의 농도에 따른 반응 속도

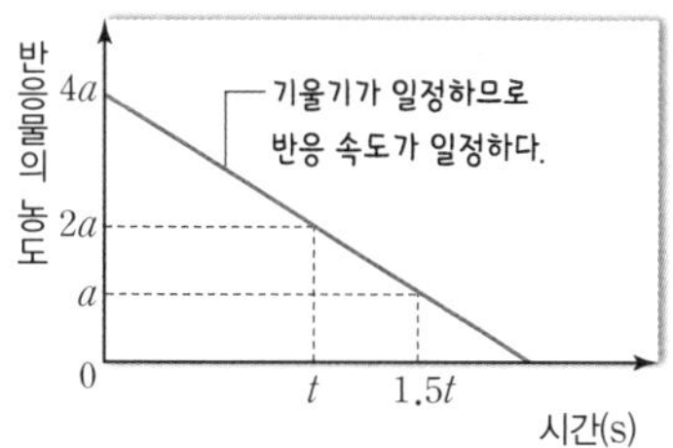

▲ 0차 반응에서 시간에 따른 반응물의 농도 변화

---

⑨ 반감기
원래는 방사능과 관련된 용어로, 방사성 물질에서 전체 원자들의 절반이 붕괴되는 데 걸리는 시간을 말하며, 이를 화학 반응에 적용한 것이다.

⑩ 1차 반응의 예
- 오산화 이질소의 분해 반응
  $2N_2O_5(g) \longrightarrow 4NO_2(g)+O_2(g)$
- 과산화 수소의 분해 반응
  $2H_2O_2(aq) \longrightarrow 2H_2O(l)+O_2(g)$

⑪ 0차 반응의 예
0차 반응은 비교적 드물게 일어나는 반응이다. 백금(Pt) 촉매 하에서 일어나는 NH_3의 분해 반응이 0차 반응이다.
$2NH_3 \xrightarrow{\text{Pt 촉매}} N_2+3H_2$

용어 알기
● 반감기(반 半, 덜다 減, 기약하다 期)(half life) 초기 농도의 절반이 되는 데까지 걸린 시간

1차 반응과 반감기

목표 1차 반응의 반감기, 화학 반응식의 계수를 구할 수 있다.

다음은 $A(g)$가 분해되어 $B(g)$와 $C(g)$를 생성하는 반응의 화학 반응식이다.

$$aA(g) \longrightarrow bB(g)+C(g) \quad (a, b\text{: 반응 계수})$$

표는 온도 T에서 같은 부피의 강철 용기에서 $A(g)$의 농도를 다르게 하여 반응시킨 실험 Ⅰ과 Ⅱ의 자료이다. t는 반응 시간이다.

실험	[A](mM)		[B](mM)		[C](mM)		초기 반응 속도
	$t=0$	$t=3$분	$t=0$	$t=3$분	$t=0$	$t=3$분	
Ⅰ	32	x	0	42	0	7	v ❸
Ⅱ	64	8 ❷	0	y ❹	0	14	$2v$

❶ 반응 차수: [A]의 농도가 2배일 때 초기 반응 속도가 2배이므로 A의 1차 반응이다. 반응 속도(v)$=k$[A]

❷ 반감기: 실험 Ⅱ에서 줄어든 A의 농도가 56 mM이므로 실험 Ⅰ에서는 28 mM이 줄어들어야 한다. 따라서 $x=4$이고, 반감기가 일정한 1차 반응에서 $t=3$분일 때의 농도는 초기 농도의 $\frac{1}{8}$이므로 반감기가 3번 지난 것이다. 따라서 반감기는 1분이다.

❸ 반응 계수: 실험 Ⅰ에서 반응 몰수비가 A : B : C=28 : 42 : 7이므로 계수비는 4 : 6 : 1이다. 따라서 $a=4$, $b=6$이다.

❹ 실험 Ⅱ에서 반응 몰수비가 A : B : C=56 : y : 14인데, 계수비는 4 : 6 : 1이므로 $y=84$이다.

1 반감기 구하기

❶ 반응물의 농도 변화에 따른 초기 반응 속도의 변화를 비교하여 반응물의 반응 차수를 결정한다. ➡ A의 농도가 2배일 때 초기 반응 속도가 2배이므로 A의 1차 반응이다. ➡ $v=k[A]$ (온도는 T로 일정하므로 반응 속도 상수(k)는 실험 Ⅰ과 Ⅱ에서 같다.)

❷ 1차 반응의 반감기는 일정하므로 시간에 따른 농도 변화를 통해 반감기를 구한다. ➡ 실험 Ⅱ의 $t=3$분에서 [A]는 초기 농도의 $\frac{1}{8}$이므로 $t=3$분은 반감기가 3번 지난 지점이다. 따라서 반감기($t_{\frac{1}{2}}$)는 1분이다.

2 화학 반응식 구하기

줄어든 A의 농도와 늘어난 B와 C의 농도비가 화학 반응식의 계수비이므로 시간에 따른 농도 변화로 계수비를 구하여 화학 반응식을 완성한다. ➡ 실험 Ⅰ에서 $t=3$분 동안 [A]는 28 mM 감소하고, [B]는 42 mM 증가하며, [C]는 7 mM 증가하므로 화학 반응식의 계수비는 A : B : C=4 : 6 : 1이다. 따라서 반응 계수 $a=4$, $b=6$이므로 화학 반응식은 $4A(g) \longrightarrow 6B(g)+C(g)$이다.

한·줄·핵심 1차 반응의 반감기는 일정하고, 반응물과 생성물의 농도 변화의 비는 화학 반응식의 계수비와 같다.

확인 문제

정답과 해설 083쪽

01 다음 설명 중 옳은 것은 ○, 옳지 않은 것은 ×로 표시하시오.

(1) 1차 반응에서 반응물의 농도와 반응 속도는 비례한다. ( )

(2) 1차 반응에서 반감기는 반응물의 농도에 비례한다. ( )

(3) 1차 반응에서 초기 농도가 2배가 되면 초기 반응 속도는 2배가 된다. ( )

(4) 1차 반응에서 $t=2$분일 때 반응물의 농도가 초기 농도의 $\frac{1}{4}$이라면 이 반응의 반감기($t_{\frac{1}{2}}$)는 1분이다. ( )

02 그림은 온도가 일정할 때 $A(g)+B(g) \longrightarrow 2C(g)$ 반응에서 B가 충분할 때 반응 시간에 따른 A의 농도를, 표는 반응물의 초기 농도에 따른 초기 반응 속도를 나타낸 것이다.

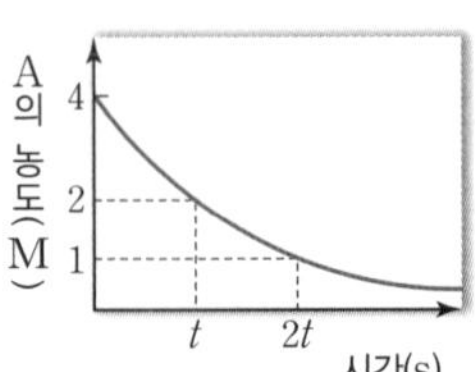

실험	초기 농도(M)		초기 반응 속도(M/s)
	A	B	
Ⅰ	2.0	1.0	0.1
Ⅱ	2.0	3.0	0.3

A와 B의 반응 차수와 반응 속도식을 각각 쓰시오.

콕콕! 개념 확인하기

정답과 해설 083쪽

✔ 잠깐 확인!

1. ☐☐ ☐☐
화학 반응이 일어나는 빠르기로, 일정 시간 동안 반응물이나 생성물의 농도 변화량으로 나타낼 수 있다.

2. ☐☐ ☐☐ ☐☐
시간－농도 그래프에서 두 지점을 지나는 직선의 기울기에 해당하는 반응 속도

3. 반응 속도식 $v=k[\mathrm{A}]^m[\mathrm{B}]^n$에서 k는 ☐☐ ☐☐ ☐☐이고, m과 n은 ☐☐ ☐☐이다.

4. 반응 속도식이 $v=k[\mathrm{A}]^2$인 반응은 A의 ☐차 반응이다.

5. ☐☐☐
반응물의 농도가 원래 농도의 절반으로 줄어드는 데 걸리는 시간

6. 반응물의 농도에 관계없이 반감기가 일정한 반응은 ☐차 반응이다.

A 반응 속도

01 반응 속도에 대한 설명으로 옳은 것은 ○, 옳지 않은 것은 ×로 표시하시오.

(1) 마그네슘과 염산의 반응에서 반응 속도는 단위 시간 동안 발생한 수소 기체의 부피를 측정하여 나타낼 수 있다. (　　)

(2) 반응 속도는 단위 시간 동안 반응물 또는 생성물의 농도 변화량으로 나타낼 수 있다. (　　)

(3) 특정 시간에서의 반응 속도를 평균 반응 속도라고 한다. (　　)

(4) 시간－농도 그래프에서 두 지점을 지나는 직선의 기울기를 순간 반응 속도라고 한다. (　　)

02 다음은 반응 $a\mathrm{A}+b\mathrm{B} \longrightarrow c\mathrm{C}$에서 각 물질의 농도 변화량으로 반응 속도($v$)를 나타낸 것이다. ㉠~㉢에 들어갈 알맞은 기호를 쓰시오.

> 반응 속도$(v)=$(㉠)$\dfrac{\Delta[\mathrm{A}]}{\Delta t}=$(㉡)$\dfrac{\Delta[\mathrm{B}]}{\Delta t}=$(㉢)$\dfrac{\Delta[\mathrm{C}]}{\Delta t}$

B 반응 속도식

03 반응 속도식에 대한 설명으로 옳은 것은 ○, 옳지 않은 것은 ×로 표시하시오.

(1) 반응 속도식 $v=k[\mathrm{A}]^m[\mathrm{B}]^n$에서 m, n은 반응 차수이다. (　　)

(2) 반응 속도 상수(k)는 반응물의 농도에 따라 달라진다. (　　)

(3) 반응 속도식의 반응 차수는 화학 반응식의 계수와 같다. (　　)

(4) 반응 속도식 $v=k[\mathrm{NO}]^2[\mathrm{O_2}]$에서 전체 반응 차수는 3차이다. (　　)

04 반응 속도식 $v=k[\mathrm{H_2O_2}]$에서 반응 속도의 단위가 M/s일 때, 전체 반응 차수와 k의 단위를 순서대로 쓰시오.

C 1차 반응의 반감기

05 다음은 1차 반응에 대한 설명이다. ㉠, ㉡에 들어갈 알맞은 말을 쓰시오.

> 1차 반응은 반응 속도가 반응물의 농도에 (㉠)하고, 반응물의 농도에 관계없이 농도가 원래 농도의 절반으로 줄어드는 데 걸리는 시간인 (㉡)가 일정하다.

탄탄! 내신 다지기

A 반응 속도

01 다음 중 반응 속도가 가장 빠른 반응은?

① 마그네슘이 연소한다.
② 석회 동굴이 생성된다.
③ 기찻길의 철로에 녹이 슨다.
④ 김치가 익어 신 김치가 된다.
⑤ 껍질을 깎아둔 사과가 갈변된다.

[02~03] 표는 마그네슘(Mg) 리본을 충분한 양의 묽은 염산(HCl)과 반응시킬 때 발생하는 수소(H_2) 기체의 부피를 1분 간격으로 측정한 결과이다.

시간(분)	0	1	2	3	4	5	6	7	8
H_2의 부피(mL)	0	40	60	70	75	78	79	80	80

02 이에 대한 설명으로 옳은 것만을 <보기>에서 있는 대로 고른 것은?

보기
ㄱ. 반응이 진행될수록 반응 속도는 느려진다.
ㄴ. 반응 속도의 단위는 mL/분이다.
ㄷ. 7분 이후에도 반응은 계속 일어난다.

① ㄱ ② ㄷ ③ ㄱ, ㄴ
④ ㄴ, ㄷ ⑤ ㄱ, ㄴ, ㄷ

03 1분~3분 동안의 평균 반응 속도는?

① 10 mL/분 ② 12 mL/분
③ 15 mL/분 ④ 20 mL/분
⑤ 30 mL/분

04 그림은 묽은 염산과 마그네슘의 반응에서 반응 속도를 측정하는 장치를 나타낸 것이다. 이 장치를 이용하여 반응 속도를 구하기 위해 시간에 따라 측정해야 하는 것으로 옳은 것은?

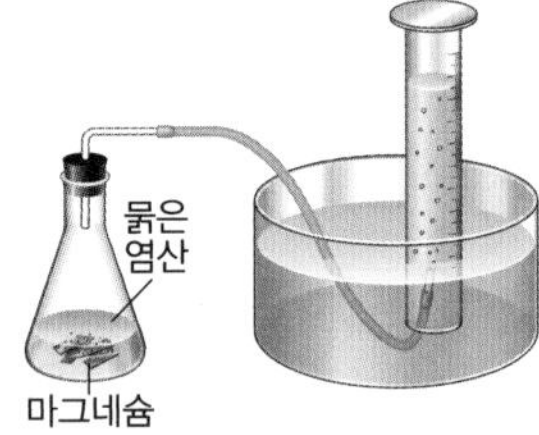

① 기체의 부피
② 마그네슘의 크기
③ 묽은 염산의 부피
④ 감소하는 반응물의 질량
⑤ 일정량의 앙금이 생성되는 데 걸리는 시간

B 반응 속도식

05 다음은 NO와 O_2가 반응하여 NO_2를 생성하는 반응의 반응 속도식이다.

$$반응\ 속도(v)=k[NO]^2[O_2]$$

이에 대한 설명으로 옳은 것은? (단, k는 반응 속도 상수이다.)

① NO의 1차 반응이다.
② O_2의 2차 반응이다.
③ 전체 반응 차수는 3차이다.
④ k의 단위로 $M^{-1}\cdot s^{-1}$을 사용할 수 있다.
⑤ 반응물의 농도가 각각 2배가 되면 반응 속도는 4배가 된다.

단답형

06 표는 $NO_2(g)+CO(g) \longrightarrow NO(g)+CO_2(g)$의 반응에서 반응물의 초기 농도를 변화시키면서 초기 반응 속도를 측정한 결과이다.

실험	NO_2의 초기 농도 (M)	CO의 초기 농도 (M)	초기 반응 속도 (M/s)
1	0.1	0.1	0.0021
2	0.2	0.1	0.0084
3	0.2	0.2	0.0084

이 반응의 반응 속도식과 반응 속도 상수(k)를 순서대로 쓰시오. (단, 온도는 일정하며, 반응 속도식에서 반응 속도 상수는 k로 둔다.)

07 표는 일정한 온도에서 기체 A와 B를 반응시킬 때 반응물의 초기 농도에 따른 초기 반응 속도를 상댓값으로 나타낸 것이다.

실험	반응물의 초기 농도(상댓값)		초기 반응 속도(상댓값)
	[A]	[B]	
(가)	a	b	x
(나)	a	$2b$	$4x$
(다)	$3a$	$2b$	$12x$

이에 대한 설명으로 옳은 것만을 〈보기〉에서 있는 대로 고른 것은? (단, k는 반응 속도 상수이다.)

보기
ㄱ. 반응 속도식은 $v=k[A][B]^2$이다.
ㄴ. 전체 반응 차수는 4차이다.
ㄷ. [A]가 $2a$, [B]가 $2b$일 때 초기 반응 속도는 $8x$이다.

① ㄱ ② ㄴ ③ ㄱ, ㄷ
④ ㄴ, ㄷ ⑤ ㄱ, ㄴ, ㄷ

C 1차 반응의 반감기

08 그림은 $A(g) \longrightarrow B(g)$의 반응에서 A의 농도에 따른 반응 속도를 나타낸 것이다.

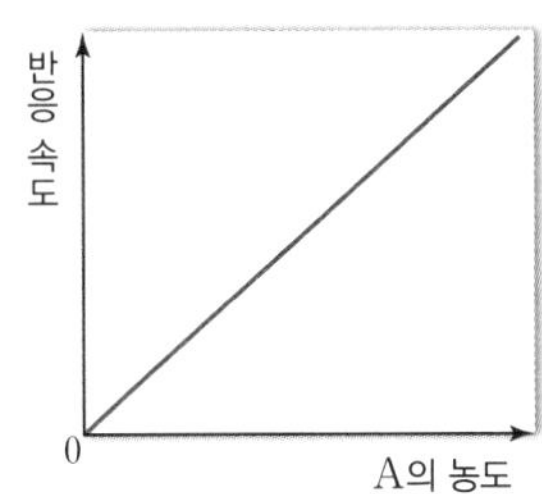

이에 대한 설명으로 옳은 것만을 〈보기〉에서 있는 대로 고른 것은?

보기
ㄱ. A의 1차 반응이다.
ㄴ. A의 반감기는 일정하다.
ㄷ. 그래프의 기울기는 반응 속도 상수(k)이다.

① ㄱ ② ㄴ ③ ㄱ, ㄷ
④ ㄴ, ㄷ ⑤ ㄱ, ㄴ, ㄷ

09 0차 반응에 대한 설명으로 옳은 것만을 〈보기〉에서 있는 대로 고른 것은? (단, k는 반응 속도 상수이다.)

보기
ㄱ. 반응 속도식은 $v=k$이다.
ㄴ. 반감기가 일정하다.
ㄷ. 반응 속도는 반응물의 농도에 비례한다.

① ㄱ ② ㄷ ③ ㄱ, ㄴ
④ ㄴ, ㄷ ⑤ ㄱ, ㄴ, ㄷ

단답형

10 다음은 1차 반응에 대한 설명이다. ㉠, ㉡에 들어갈 알맞은 기호를 쓰시오.

1차 반응에서 반응물의 농도가 $4a$에서 $2a$로 줄어드는 데 걸리는 시간이 t분이라면, 이 반응의 반감기는 (㉠)분이며, 다음 t분 동안에는 반응물의 농도가 $2a$에서 (㉡)로 줄어들게 된다.

11 그림은 $aA(g) \longrightarrow bB(g)$의 반응에서 반응 시간에 따른 A와 B의 농도를 나타낸 것이다.

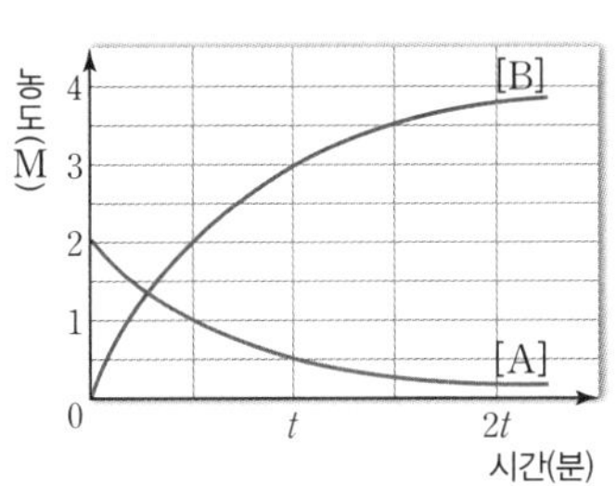

이에 대한 설명으로 옳은 것은? (단, a, b는 반응 계수이고, k는 반응 속도 상수이며, 온도는 일정하다.)

① $a=2$이다.
② $b=1$이다.
③ A의 반감기는 t분이다.
④ 반응 속도식은 $v=k[A]$이다.
⑤ 반응 속도는 A의 농도에 관계없이 일정하다.

도전! 실력 올리기

01 그림은 반응 속도를 측정하기 위한 3가지 실험 장치를 나타낸 것이다.

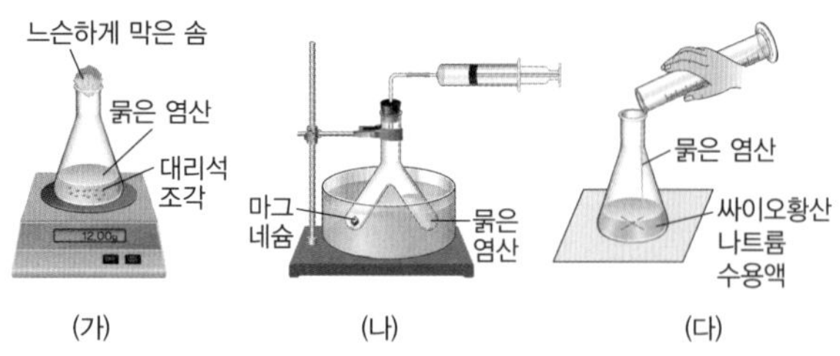

(가)~(다)에서 반응 속도를 구하는 방법에 대한 설명으로 옳은 것만을 <보기>에서 있는 대로 고른 것은?

보기
ㄱ. (가)에서는 시간에 따른 전체 물질의 질량을 측정한다.
ㄴ. (나)에서는 시간에 따른 생성된 수소 기체의 부피를 측정한다.
ㄷ. (다)에서는 앙금이 생성되어 ×표가 보이지 않을 때까지 걸리는 시간을 측정한다.

① ㄱ ② ㄴ ③ ㄱ, ㄷ
④ ㄴ, ㄷ ⑤ ㄱ, ㄴ, ㄷ

02 표는 $aA(g)+bB(g) \longrightarrow 2C(g)$의 반응에서 반응물의 농도에 따른 초기 반응 속도를 측정한 결과이다.

실험	A의 농도(M)	B의 농도(M)	초기 반응 속도 (M/s)
(가)	0.10	0.01	1.2×10^{-3}
(나)	0.10	0.04	4.8×10^{-3}
(다)	0.20	0.01	2.4×10^{-3}

이에 대한 설명으로 옳은 것만을 <보기>에서 있는 대로 고른 것은? (단, 온도는 일정하다.)

보기
ㄱ. 반응 속도식은 $v=k[A][B]$이다.
ㄴ. a와 b를 구할 수 있다.
ㄷ. 반응 속도 상수(k)는 $1.2\ M^{-1}\cdot s^{-1}$이다.

① ㄱ ② ㄴ ③ ㄱ, ㄷ
④ ㄴ, ㄷ ⑤ ㄱ, ㄴ, ㄷ

03 표는 $2NO(g)+O_2(g) \longrightarrow 2NO_2(g)$의 반응에서 $NO(g)$와 $O_2(g)$의 초기 농도에 따른 $NO_2(g)$가 생성되는 초기 반응 속도를 측정한 결과이다. 전체 반응 차수는 3차이다.

실험	NO의 농도(M) ($\times10^{-4}$ M)	O_2의 농도 ($\times10^{-4}$ M)	NO_2의 생성 속도 ($\times10^{-4}$ M/s)
(가)	1.0	1.0	3.0
(나)	1.0	2.0	6.0
(다)	2.0	3.0	x

이에 대한 설명으로 옳은 것만을 <보기>에서 있는 대로 고른 것은? (단, 온도는 일정하다.)

보기
ㄱ. O_2의 1차 반응이다.
ㄴ. $x=36$이다.
ㄷ. 반응 속도 상수(k)는 (나)가 (가)의 2배이다.

① ㄱ ② ㄷ ③ ㄱ, ㄴ
④ ㄱ, ㄷ ⑤ ㄱ, ㄴ, ㄷ

출제예감

04 그림은 기체 A가 분해될 때 시간에 따른 A의 농도를 나타낸 것이다.

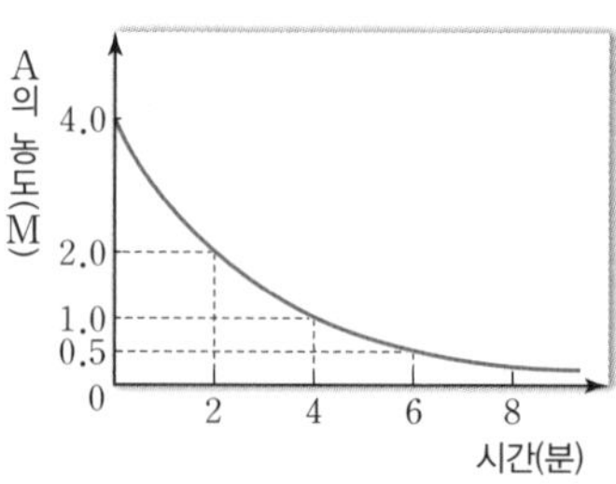

이에 대한 설명으로 옳은 것만을 <보기>에서 있는 대로 고른 것은? (단, k는 반응 속도 상수이고, 온도는 일정하다.)

보기
ㄱ. 반감기는 2분이다.
ㄴ. 반응 속도식은 $v=k[A]^2$이다.
ㄷ. 12분일 때 A의 농도는 0.025 M이다.

① ㄱ ② ㄴ ③ ㄱ, ㄷ
④ ㄴ, ㄷ ⑤ ㄱ, ㄴ, ㄷ

정답과 해설 085쪽

출제예감

05 그림은 $aA(g) \longrightarrow bB(g)+cC(g)$의 반응에서 시간에 따른 각 물질의 농도를 나타낸 것이다. $a \sim c$는 반응 계수이다.

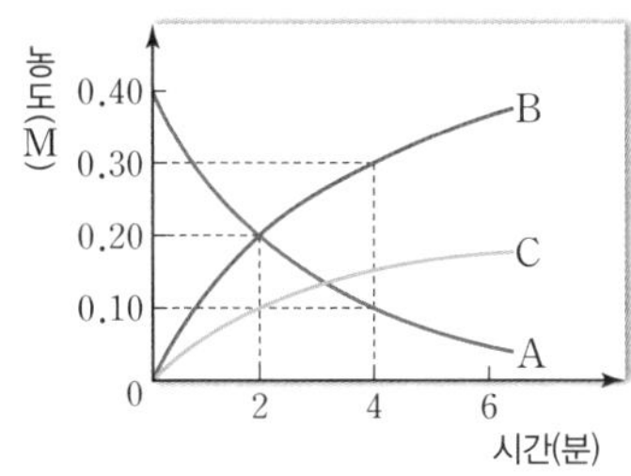

이에 대한 설명으로 옳은 것만을 <보기>에서 있는 대로 고른 것은? (단, k는 반응 속도 상수이고, 온도는 일정하다.)

보기

ㄱ. $a+b+c=5$이다.

ㄴ. 반응 속도식 $v=k[A]$이다.

ㄷ. 6분일 때 $\frac{[C]}{[A]}=35$이다.

① ㄱ ② ㄷ ③ ㄱ, ㄴ
④ ㄴ, ㄷ ⑤ ㄱ, ㄴ, ㄷ

06 그림은 $aA(g) \longrightarrow bB(g)$의 반응에서 강철 용기에 A를 넣고 반응을 진행시킬 때 반응 시간에 따른 용기 내 입자를 모형으로 나타낸 것이다.

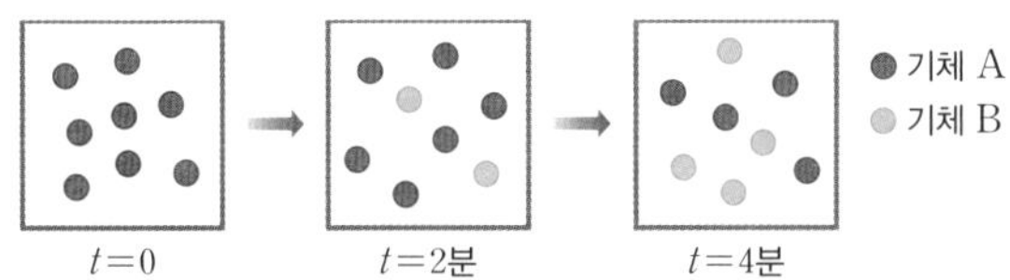

이 반응의 반응 계수의 합 $a+b$와 반응 속도식을 옳게 나타낸 것은? (단, 온도는 일정하다.)

	$a+b$	반응 속도식
①	2	$v=k$
②	2	$v=k[A]$
③	2	$v=k[A]^2$
④	3	$v=k[A]$
⑤	3	$v=k[A]^2$

07 표는 $2A(g) \longrightarrow B(g)$ 반응에서 A의 초기 농도에 따른 초기 반응 속도를 나타낸 것이다.

실험	A의 초기 농도(M)	초기 반응 속도($\times 10^{-4}$ M/s)
(가)	0.01	1.0
(나)	0.02	4.0
(다)	0.03	9.0

이 반응의 반응 속도식을 구하시오. (단, 온도는 일정하며, 반응 속도 상수는 k로 둔다.).

서술형

08 그림은 $aA(g) \longrightarrow bB(g)$의 반응에서 강철 용기에 A를 넣고 반응을 진행시킬 때 반응 시간에 따른 용기 내 입자를 모형으로 나타낸 것이다. 반응 속도식은 $v=k[A]$이다.

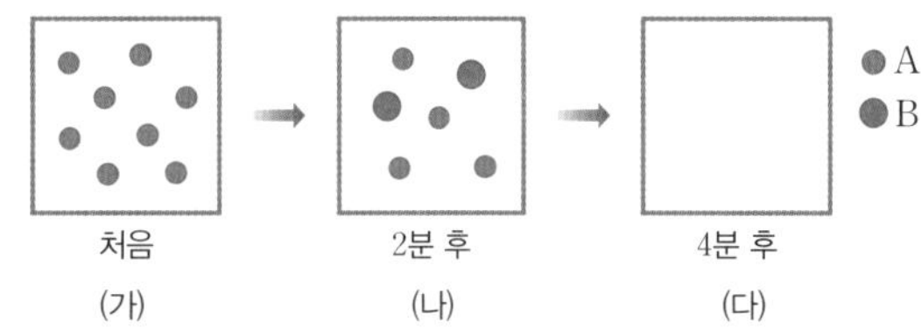

(다)에서 A와 B의 입자 수를 쓰고, 구하는 과정을 반감기를 이용하여 서술하시오. (단, k는 반응 속도 상수이고, 온도는 일정하다.)

서술형

09 표는 $A(g) \longrightarrow 2B(g)$ 반응에서 시간에 따른 A의 농도를 나타낸 것이다. 반응 속도식은 $v=k[A]^m$이다.

시간(초)	0	10	20	30	40
A(M)	8	4	2	1	0.5

m과 40초일 때 B의 농도를 각각 쓰고, 구하는 과정을 서술하시오. (단, k는 반응 속도 상수이다.)

02 활성화 에너지

핵심 키워드로 흐름잡기

- A 화학 반응과 충돌 방향
- B 활성화 에너지, 활성화 상태, 활성화물, 반응엔탈피(ΔH)
- C 유효 충돌, 비유효 충돌

A 화학 반응과 충돌 방향

|출·제·단·서| 충돌 방향이 맞아서 화학 반응이 일어날 수 있는지를 판단하는 문제가 시험에 나와.

1. 화학 반응과 충돌❶ 화학 반응이 일어나기 위해서는 반응물의 입자들이 충돌해야 한다.

예 $NO_2(g)+CO(g) \longrightarrow NO(g)+CO_2(g)$ 반응이 일어나려면 NO_2와 CO 분자가 충돌해야 한다.

2. 화학 반응과 충돌 방향 화학 반응이 일어나기 위해서는 반응물의 입자들이 충돌할 때 입자들의 방향이 새로운 결합을 형성할 수 있는 방향으로 충돌해야 한다.

반응에서 충돌이 일어날 때 분자 방향의 중요성

예 $NO_2(g)+CO(g) \longrightarrow NO(g)+CO_2(g)$

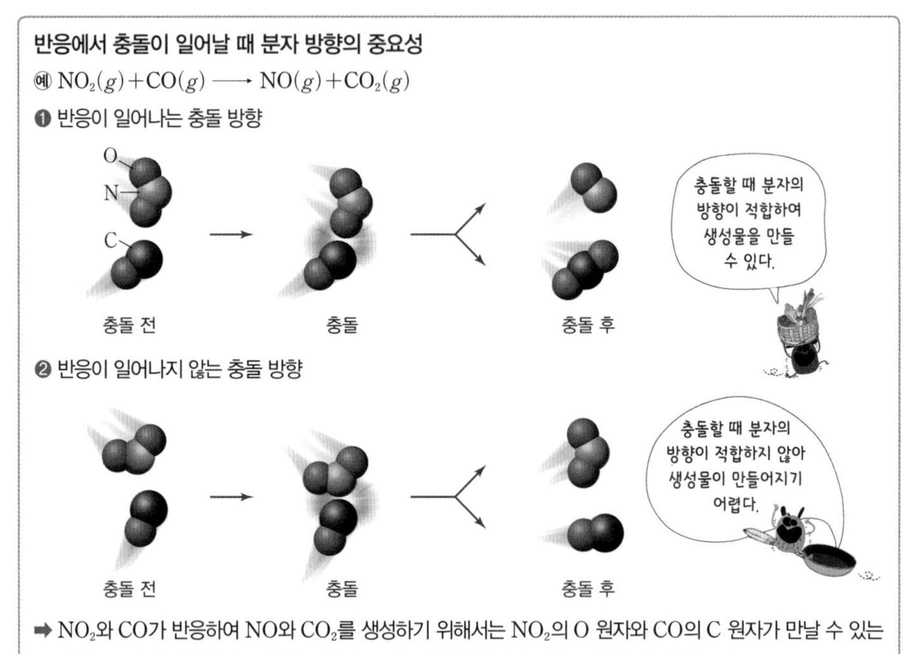

❶ 반응이 일어나는 충돌 방향
O
N
C
충돌 전
충돌
충돌 후
충돌할 때 분자의 방향이 적합하여 생성물을 만들 수 있다.
❷ 반응이 일어나지 않는 충돌 방향
충돌 전
충돌
충돌 후
충돌할 때 분자의 방향이 적합하지 않아 생성물이 만들어지기 어렵다.

➡ NO_2와 CO가 반응하여 NO와 CO_2를 생성하기 위해서는 NO_2의 O 원자와 CO의 C 원자가 만날 수 있는 방향으로 충돌해야 한다. 방향이 적합하지 않으면 충돌하더라도 반응이 일어나지 않는다.

❶ 충돌 이론

서로 친해지려면 자주 만나 부딪쳐 봐야 한다. 화학 반응도 반응이 일어나려면 반응물이 서로 충돌해야 한다는 것이 반응 속도의 특성을 설명하기 위한 충돌 이론의 기본 개념이다.

❷ 충돌이 일어날 때마다 반응이 일어나는 것은 아니라는 것을 어떻게 알 수 있을까?

1기압, 25 ℃에서 기체 분자들의 충돌 횟수는 1초당 약 10억 번 정도이다. 만일 충돌할 때마다 반응이 일어난다면 기체 사이의 반응은 매우 빠르게 완결될 것이다. 그러나 일반적으로 기체 사이의 반응 속도는 그렇게 빠르지 않다. 이것으로 보아 충돌한다고 항상 반응이 일어나는 것은 아니라는 것을 알 수 있다.

빈출 자료 반응이 일어나는 충돌 알아보기

그림은 일산화 질소(NO)와 오존(O_3)의 반응 $NO(g)+O_3(g) \longrightarrow NO_2(g)+O_2(g)$에서 이산화 질소($NO_2$)와 산소($O_2$)가 생성되기 위한 입자들의 몇 가지 충돌 방향을 나타낸 것이다.

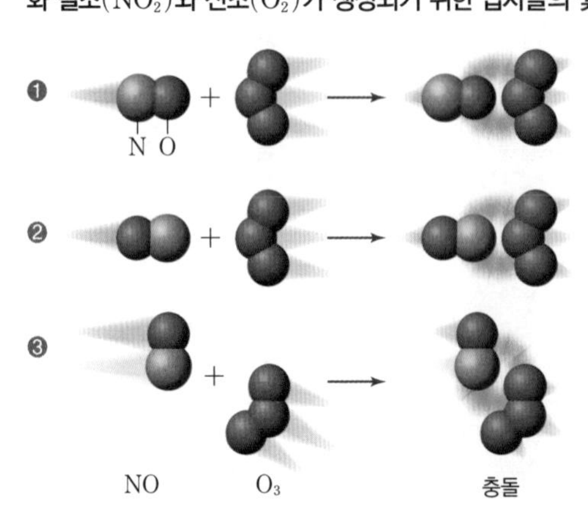

❶
N O
❷
❸
NO
O3
충돌

❶, ❷ 충돌 방향이 적합하지 않으므로 충돌 이후에도 NO_2와 O_2가 생성되지 않는다.

❸ 새로운 결합이 이루어져서 NO_2와 O_2가 생성될 수 있으므로 반응이 일어나기에 적합한 충돌 방향이다. 이때 충돌 방향이 적합하다고 해서 항상 반응이 일어나는 것은 아니며, 반응이 일어나기에 충분한 에너지를 가진 분자가 적합한 충돌 방향으로 충돌하여 화학 반응이 일어나는 데 필요한 에너지 이상의 상태가 되어야 반응이 일어날 수 있다.

용어 알기

- 충돌(부딪치다 衝, 갑자기 突) 상대적으로 운동하는 두 물체나 입자가 근접 또는 접촉해서 짧은 시간 동안 강한 상호 작용을 하는 것

B 활성화 에너지

|출·제·단·서| 반응 속도에서 활성화 에너지의 의미를 묻는 문제와 활성화 에너지로 반응엔탈피를 구하는 문제가 시험에 나와.

1. 활성화 에너지(E_a) 개념 POOL

(1) 활성화 에너지 반응물이 충돌하여 화학 반응을 일으키는 데 필요한 최소한의 에너지❷

(2) 활성화 에너지는 적합한 방향으로 충돌한 반응물이 생성물이 되기 위해서 반드시 넘어가야 하는 에너지 장벽과 같다.❸

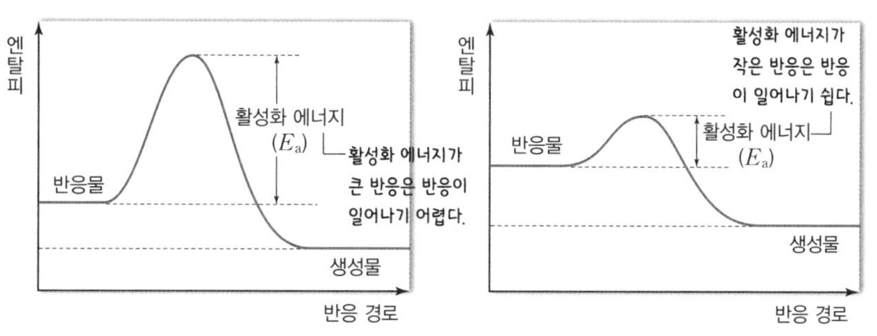

▲ 여러 가지 반응의 활성화 에너지 ─ 활성화 에너지는 화학 반응에 따라 다른 값을 가진다.

(3) 활성화 에너지와 반응 속도❹ 반응의 활성화 에너지가 작을수록 반응 속도가 빠르고, 활성화 에너지가 클수록 반응 속도가 느리다. 암기TIP 언덕이 높으면 넘기 힘들다. → 활성화 에너지가 크면 반응 속도가 느리다.

2. 활성화물

(1) 활성화 상태 반응물이 활성화 에너지 이상의 에너지를 가지고 적합한 방향으로 충돌하여 반응이 일어나기 전에 일시적으로 에너지가 높은 불안정한 상태에 도달한 것

(2) 활성화물 활성화 상태에 있는 불안정한 물질 매우 불안정하여, 활성화 상태에서 다시 반응물이나 생성물로 될 수 있다.

아이오딘화 수소(HI)의 분해 반응에서 반응 경로에 따른 엔탈피 변화

$$2HI(g) \longrightarrow H_2(g)+I_2(g)$$

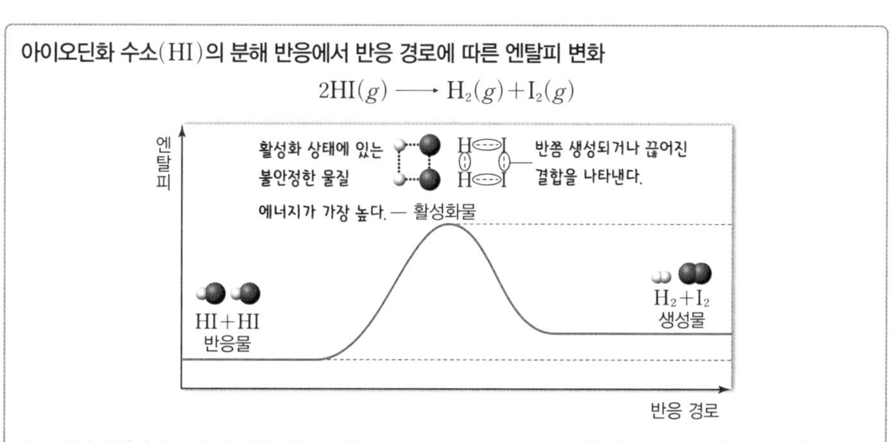

❶ 2개의 HI(g) 분자가 활성화 에너지 이상의 에너지를 가지고 서로 충돌하면 H와 I 사이의 H−I 결합이 끊어지고, 새로운 결합 H−H와 I−I 결합이 점차 형성되어 활성화물이 생성된다. 이때 활성화물을 만들지 못한 분자들은 반응물 상태로 다시 돌아가게 되고 반응에 참여하지 못한다.

❷ 활성화물은 이후 반응이 진행되어 H_2와 I_2의 생성물을 만들게 된다.

3. 화학 반응이 일어나기 위한 조건

이 2가지 조건을 만족하지 못하면 반응은 진행되지 못하고, 반응물 상태에서 에너지 장벽을 극복하지 못한다.

❶ 반응물이 활성화 에너지 이상의 에너지를 가져야 한다. ➡ ❷ 활성화 에너지 이상의 에너지를 가지는 분자들이 생성물이 생성되는 데 적합한 방향으로 충돌해야 한다.

➡ 반응물이 적합한 방향으로 충돌하여 활성화물이 생성되고, 이후 생성물이 생성되면 반응이 일어난 것이다.

---

❷ 활성화 에너지가 화학 반응에 영향을 주는 예

수소와 질소가 반응하여 암모니아가 생성되는 반응은 활성화 에너지가 매우 높다. 따라서 독일의 하버(Haber, F., 1868~1934)가 인공적인 방법으로 암모니아를 합성하기 전까지 자연 상태에서 수소와 질소가 반응하여 암모니아가 되는 반응은 대부분 생물과 번개 등에 의해서 일어났다.

❸ 활성화 에너지의 비유

바윗덩어리를 언덕 너머로 운반하기 위해서 꼭대기까지 밀어 올려야 하듯이 화학 반응에서도 반응이 일어나려면 반응물이 충분한 에너지를 가져야 한다.

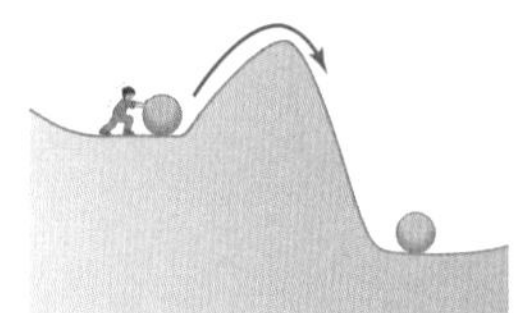

❹ 활성화 에너지와 반응 속도

- 활성화 에너지가 큰 반응: 흡수해야 하는 에너지가 많으므로 반응이 일어나기 어렵다. 따라서 반응 속도가 느리다.
- 활성화 에너지가 작은 반응: 흡수해야 하는 에너지가 적으므로 반응이 일어나기 쉽다. 따라서 반응 속도가 빠르다.

용어 알기

- 활성화(살다 活, 성질 性, 되다 化) 원자, 분자가 에너지를 흡수해서 에너지가 높은 상태가 되고 화학 반응을 일으키기 쉬운 상태로 되는 것
- 장벽(가로막다 障, 벽 壁) 둘 사이의 관계를 순조롭지 못하게 가로막는 장애물

❺ 활성화 에너지와 반응엔탈피

반응엔탈피는 반응물과 생성물의 엔탈피 변화만을 나타낸다. 그러나 활성화 에너지는 반응물이 생성물로 변하는 과정에서 어떠한 경로를 거쳤는지를 나타낸다.

❻ 역반응의 활성화 에너지(E_a')

- 발열 반응: $E_a'=E_a-\Delta H$
  ➡ $\Delta H<0$이므로 $E_a'>E_a$이고, 역반응의 반응 속도는 정반응보다 느리다.
- 흡열 반응: $E_a'=E_a-\Delta H$
  ➡ $\Delta H>0$이므로 $E_a'<E_a$이고, 역반응의 반응 속도는 정반응보다 빠르다.

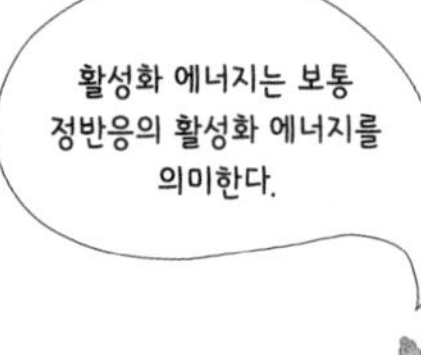

활성화 에너지는 보통
정반응의 활성화 에너지를
의미한다.

용어 알기

● 가역 반응(옳다 可, 거스르다 逆, 돌이키다 反, 응하다 應) 반응 조건에 따라 정반응과 역반응이 모두 일어날 수 있는 반응

4. 활성화 에너지(E_a)와 반응엔탈피(ΔH)

(1) 활성화 에너지(E_a)와 반응엔탈피(ΔH)의 관계❺ 반응엔탈피(ΔH)는 생성물과 반응물의 엔탈피 차에 해당하므로 활성화 에너지의 크기와는 관계가 없다.

(2) ●가역 반응에서 반응엔탈피(ΔH)는 정반응의 활성화 에너지에서 역반응의 활성화 에너지를 빼서 구할 수 있다.❻ 암기TIP 반응엔탈피＝정반응의 활성화 에너지－역반응의 활성화 에너지

$$\Delta H=E_a-E_a'$$

(ΔH: 반응엔탈피, E_a: 정반응의 활성화 에너지, E_a': 역반응의 활성화 에너지)

① **발열 반응**($\Delta H<0$): 압력이 일정할 때 정반응의 활성화 에너지(E_a)가 역반응의 활성화 에너지(E_a')보다 작다.

$$\Delta H=E_a-E_a'<0 \Rightarrow E_a<E_a'$$

② **흡열 반응**($\Delta H>0$): 압력이 일정할 때 정반응의 활성화 에너지(E_a)가 역반응의 활성화 에너지(E_a')보다 크다.

$$\Delta H=E_a-E_a'>0 \Rightarrow E_a>E_a'$$

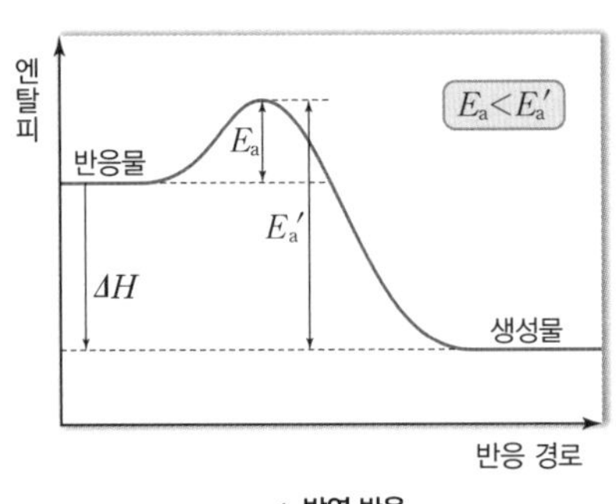

▲ 발열 반응

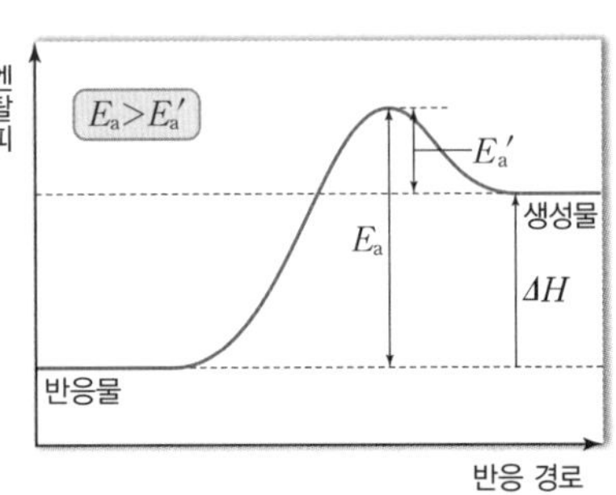

▲ 흡열 반응

빈출 자료 반응 경로에 따른 엔탈피 변화

그림은 일산화 질소(NO)와 오존(O_3)이 반응하여 이산화 질소(NO_2)와 산소(O_2)가 생성되는 반응에서 반응 경로에 따른 엔탈피 변화를 나타낸 것이다.

$$NO(g)+O_3(g) \rightleftharpoons NO_2(g)+O_2(g)$$

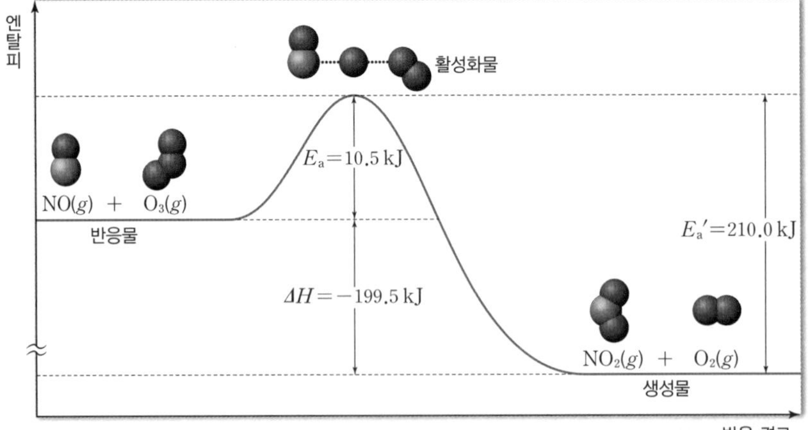

❶ 정반응의 활성화 에너지(E_a)는 10.5 kJ이고, 역반응의 활성화 에너지(E_a')는 210.0 kJ이므로 반응엔탈피 $\Delta H=E_a-E_a'=10.5\text{ kJ}-210.0\text{ kJ}=-199.5\text{ kJ}$이다.

❷ 반응엔탈피(ΔH)가 (－)값을 가지므로 이 반응은 발열 반응이다.

❸ 정반응과 역반응의 활성화 에너지를 알면 반응엔탈피를 구할 수 있다.

C 유효 충돌과 비유효 충돌

|출·제·단·서| 분자의 운동 에너지 분포 그래프에서 반응이 일어나는 분자를 구별하는 문제가 시험에 나와.

1. 유효 충돌❼

(1) 유효 충돌 화학 반응이 일어나기에 적합한 방향으로 활성화 에너지(E_a) 이상의 에너지를 가진 입자들이 충돌하여 화학 반응이 일어나는 충돌

(2) 유효 충돌이 일어나면 반응이 일어난다.

예 일산화 질소(NO)와 오존(O_3)의 반응: $NO(g)+O_3(g) \rightleftharpoons NO_2(g)+O_2(g)$

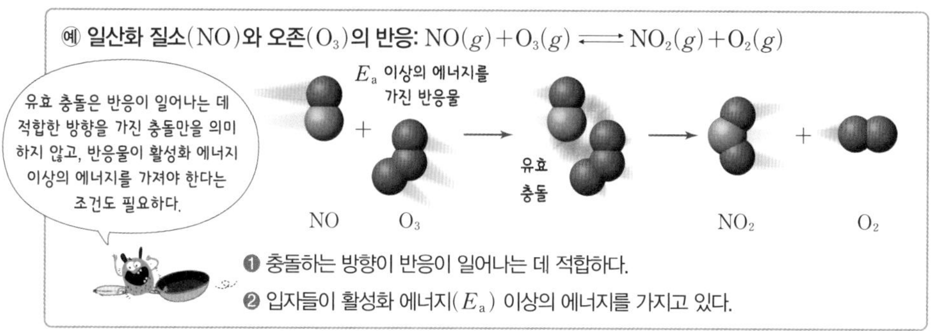

유효 충돌은 반응이 일어나는 데 적합한 방향을 가진 충돌만을 의미하지 않고, 반응물이 활성화 에너지 이상의 에너지를 가져야 한다는 조건도 필요하다.
E_a 이상의 에너지를 가진 반응물
유효 충돌
NO
O_3
NO_2
O_2

❶ 충돌하는 방향이 반응이 일어나는 데 적합하다.
❷ 입자들이 활성화 에너지(E_a) 이상의 에너지를 가지고 있다.

2. 비유효 충돌

충돌 방향이 반응이 일어나는 데 적합하지 않거나 입자의 에너지가 활성화 에너지보다 작을 때 충돌이 일어나더라도 반응이 일어나지 않는다.

예 일산화 질소(NO)와 오존(O_3)의 반응: $NO(g)+O_3(g) \rightleftharpoons NO_2(g)+O_2(g)$

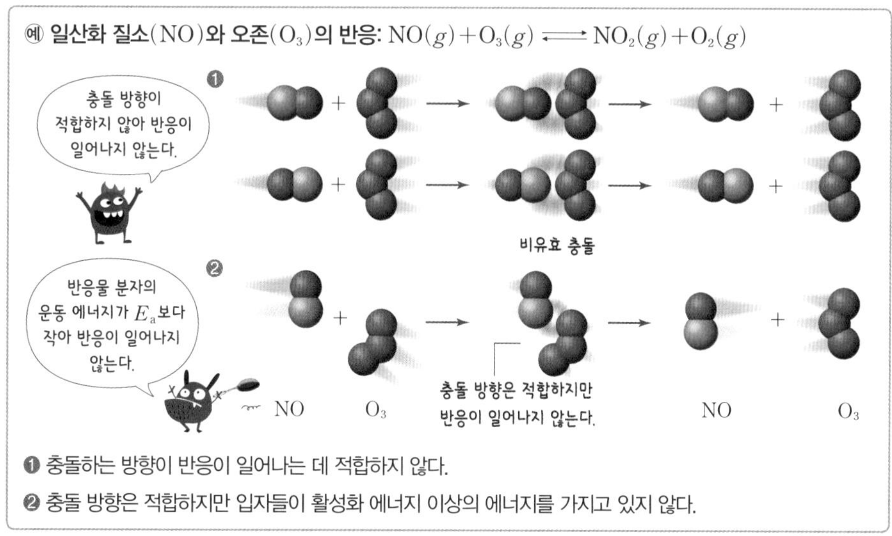

충돌 방향이 적합하지 않아 반응이 일어나지 않는다.
비유효 충돌
반응물 분자의 운동 에너지가 E_a보다 작아 반응이 일어나지 않는다.
충돌 방향은 적합하지만 반응이 일어나지 않는다.
NO
O_3
NO
O_3

❶ 충돌하는 방향이 반응이 일어나는 데 적합하지 않다.
❷ 충돌 방향은 적합하지만 입자들이 활성화 에너지 이상의 에너지를 가지고 있지 않다.

3. 분자 운동 에너지와 유효 충돌

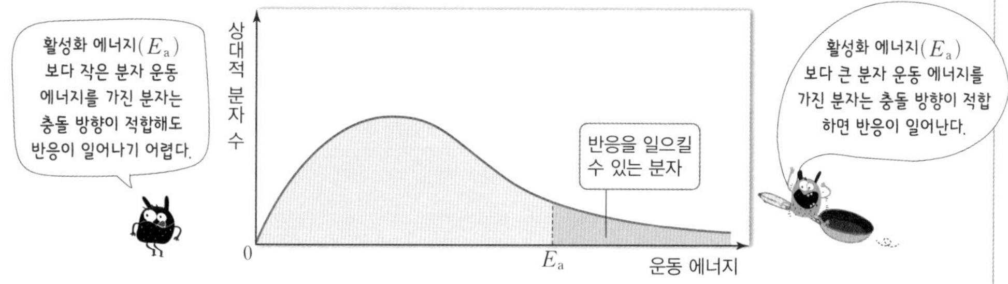

활성화 에너지(E_a)보다 작은 분자 운동 에너지를 가진 분자는 충돌 방향이 적합해도 반응이 일어나기 어렵다.
상대적 분자 수
반응을 일으킬 수 있는 분자
0
E_a
운동 에너지
활성화 에너지(E_a)보다 큰 분자 운동 에너지를 가진 분자는 충돌 방향이 적합하면 반응이 일어난다.

(1) 반응을 일으킬 수 없는 분자 활성화 에너지(E_a)보다 작은 분자 운동 에너지를 가지거나 충돌 방향이 적합하지 않은 분자이다.

(2) 반응을 일으킬 수 있는 분자 활성화 에너지(E_a)보다 큰 분자 운동 에너지를 가지고, 적합한 충돌 방향으로 충돌하여 활성화물을 만들고 생성물을 만들 수 있는 분자이다.

---

❼ 유효 충돌

25 ℃, 1기압에서 기체 분자는 초당 약 10억 번 정도 충돌한다. 그런데 대부분의 반응은 쉽게 일어나지 않는 것으로 보아 충돌만으로는 반응이 일어나는 것을 설명하기 어렵다. 즉, 분자가 활성화물을 만들 수 있을 만큼의 충분한 에너지와 적합한 충돌 방향을 가져야 반응이 일어날 수 있다.

? 반응물 분자들이 운동 에너지가 부족하여 활성화 에너지 이상의 에너지를 가지지 못하면 어떻게 될까?

반응물 분자들은 충돌하더라도 분자 내 결합을 끊지 못하고 그냥 튕겨 나가 원래 분자의 형태를 유지하게 되며, 분자 내에 변화가 없게 된다.

용어 알기

• 유효(있다 有, 본받다 效) 보람이나 효과가 있음

개념을 알기
쉽게 풀어주는
개념
POOL

활성화 에너지와 반응 속도

목표 활성화 에너지와 반응 속도의 관계를 설명할 수 있다.

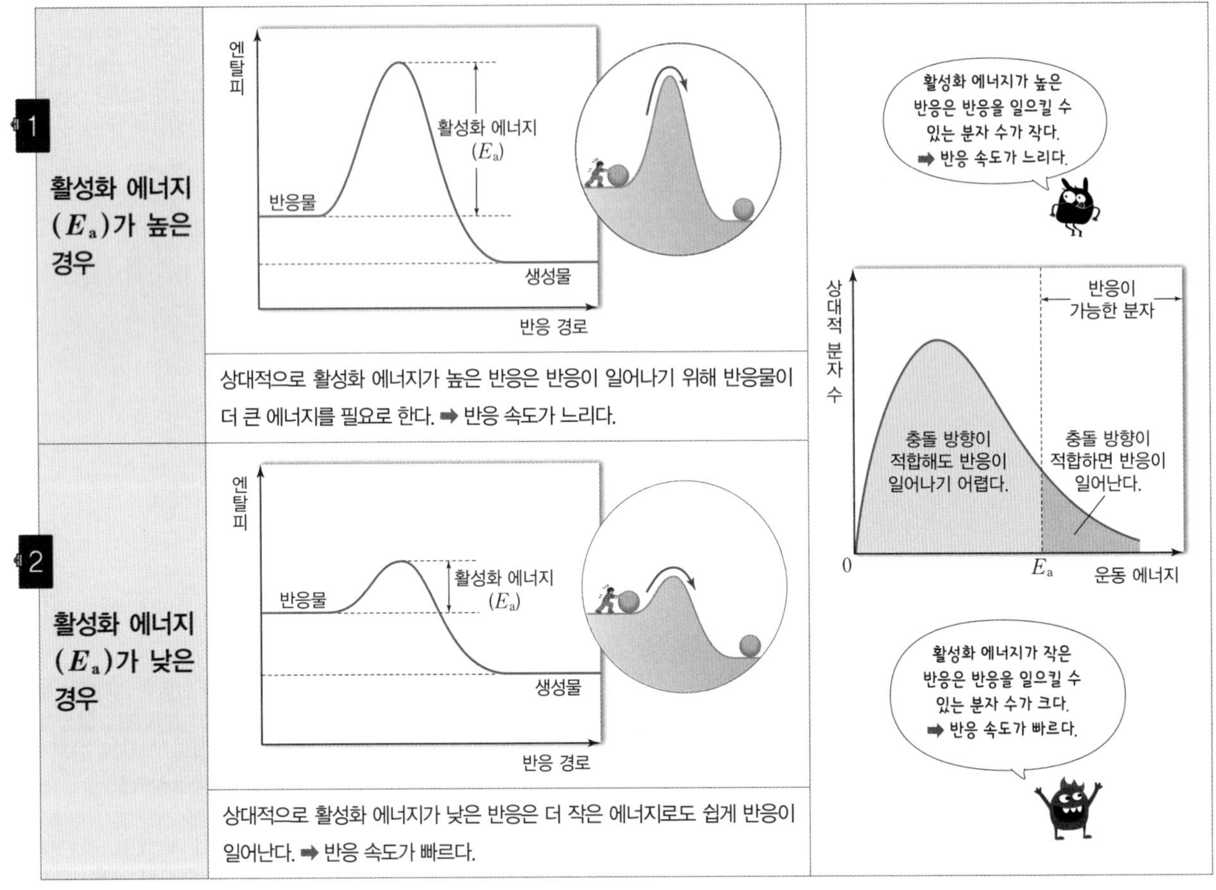

1
활성화 에너지 (E_a)가 높은 경우
엔탈피
반응물
활성화 에너지 (E_a)
생성물
반응 경로
상대적으로 활성화 에너지가 높은 반응은 반응이 일어나기 위해 반응물이 더 큰 에너지를 필요로 한다. ➡ 반응 속도가 느리다.
2
활성화 에너지 (E_a)가 낮은 경우
엔탈피
반응물
활성화 에너지 (E_a)
생성물
반응 경로
상대적으로 활성화 에너지가 낮은 반응은 더 작은 에너지로도 쉽게 반응이 일어난다. ➡ 반응 속도가 빠르다.
활성화 에너지가 높은 반응은 반응을 일으킬 수 있는 분자 수가 작다. ➡ 반응 속도가 느리다.
상대적 분자 수
반응이 가능한 분자
충돌 방향이 적합해도 반응이 일어나기 어렵다.
충돌 방향이 적합하면 반응이 일어난다.
0
E_a
운동 에너지
활성화 에너지가 작은 반응은 반응을 일으킬 수 있는 분자 수가 크다. ➡ 반응 속도가 빠르다.

한·줄·핵심 활성화 에너지가 큰 반응은 반응 속도가 느리고, 활성화 에너지가 작은 반응은 반응 속도가 빠르다.

확인 문제

정답과 해설 087쪽

01 **다음 설명 중 옳은 것은 ○, 옳지 않은 것은 ×로 표시하시오.**

(1) 화학 반응에 따라 활성화 에너지 값이 다르다. ( )

(2) 모든 반응물이 충돌하면 항상 화학 반응이 일어난다. ( )

(3) 활성화 에너지가 큰 반응이 활성화 에너지가 작은 반응보다 반응 속도가 빠르다. ( )

(4) 반응엔탈피(ΔH)는 정반응의 활성화 에너지에서 역반응의 활성화 에너지를 빼서 구할 수 있다. ( )

(5) 반응물이 충돌할 때 충돌 방향이 적합하지 않아도 분자의 운동 에너지가 활성화 에너지보다 크면 반응이 일어난다. ( )

02 **그림은 반응 $A(g) \longrightarrow B(g)$에서 반응물의 분자 운동 에너지 분포를 나타낸 것이다. E_1과 E_2는 활성화 에너지이다.**

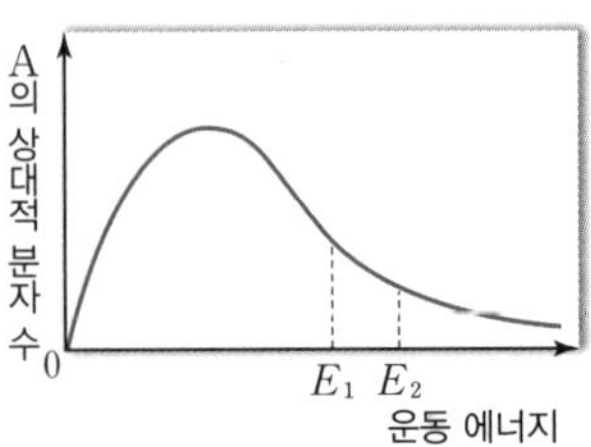

A의 상대적 분자 수
0
E_1 E_2
운동 에너지

활성화 에너지가 E_1과 E_2일 때 다음의 크기를 비교하여 ( ) 안에 >, =, < 중 알맞은 기호를 쓰시오.

(1) 활성화 에너지: E_1( )E_2

(2) 반응을 일으킬 수 있는 분자 수: E_1( )E_2

(3) 반응 속도: E_1( )E_2

콕콕!
개념 확인하기

정답과 해설 087쪽

✔ 잠깐 확인!

1. 화학 반응이 일어나기 위해서는 반응물의 입자들이 새로운 결합을 형성할 수 있는 방향으로 □□해야 한다.

2. □□□ □□□
화학 반응을 일으키는 데 필요한 최소한의 에너지

3. □□□□
활성화 상태에 있는 불안정한 물질

4. 반응엔탈피 = □□□의 활성화 에너지 − □□ □의 활성화 에너지

5. 발열 반응은 정반응의 활성화 에너지가 역반응의 활성화 에너지보다 □다.

6. □□ 충돌
활성화 에너지 이상의 에너지를 가진 입자들이 화학 반응이 일어나기 적합한 방향으로 충돌하는 것

A 화학 반응과 충돌 방향

01 그림은 NO( )와 O_3( )이 반응하여 NO_2( )와 O_2( )가 생성될 때 일어날 수 있는 충돌 방향을 나타낸 것이다. (가)~(다) 중 반응이 일어날 수 있는 충돌 방향을 고르시오.

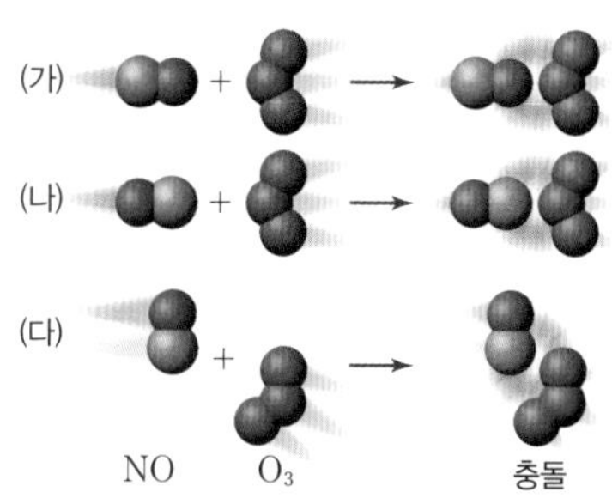

B 활성화 에너지

02 활성화 에너지에 대한 설명으로 옳은 것은 ○, 옳지 않은 것은 ×로 표시하시오.

(1) 활성화 에너지 이상의 에너지를 가진 입자들이 충돌하면 모두 반응이 일어난다. ( )

(2) 발열 반응에서는 정반응의 활성화 에너지가 역반응의 활성화 에너지보다 작다. ( )

(3) 일반적으로 다른 조건이 같다면 활성화 에너지가 작은 반응이 활성화 에너지가 큰 반응보다 반응이 쉽게 일어난다. ( )

03 다음은 기체 A가 기체 B를 생성하는 반응의 열화학 반응식을, 그림은 반응 경로에 따른 엔탈피 변화를 나타낸 것이다.

$$A(g) \longrightarrow B(g) \qquad \Delta H = ?$$

반응엔탈피(ΔH)를 a와 b를 이용하여 나타내시오.

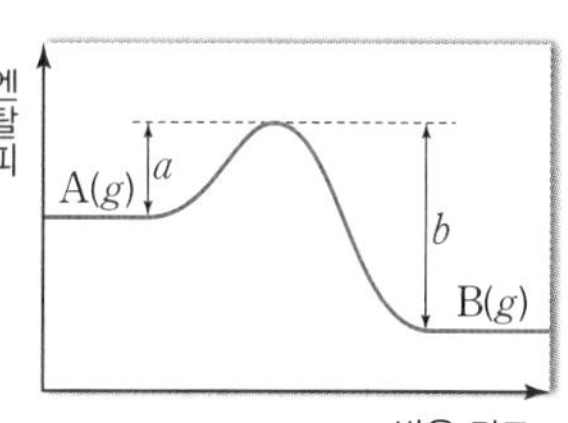

04 다음은 어떤 반응에 대한 설명이다. 이 반응에서 정반응의 활성화 에너지를 구하시오.

> 기체 A가 반응하여 기체 B와 C를 생성하는 반응에서 역반응의 활성화 에너지는 175 kJ이고, 반응엔탈피(ΔH)는 +9.5 kJ이다.

C 유효 충돌과 비유효 충돌

05 다음은 화학 반응이 일어나는 조건에 대한 설명이다. ㉠, ㉡에 들어갈 알맞은 말을 쓰시오.

> 화학 반응이 일어나기 위해서는 (㉠) 이상의 에너지를 갖는 분자들이 생성물이 생성되기 위해 적합한 방향으로 충돌해야 한다. 이와 같은 충돌을 (㉡)이라고 한다.

탄탄! 내신 다지기

A 화학 반응과 충돌 방향

01 화학 반응과 충돌에 대한 설명으로 옳은 것은?

① 반응물이 충돌하지 않아도 반응이 일어난다.
② 모든 반응물의 충돌은 항상 반응을 일으킨다.
③ 반응물의 충돌 방향은 반응이 일어나는 것과 관계가 없다.
④ 반응물의 충돌 방향이 반응을 일으키기에 적합해야 반응이 일어난다.
⑤ 충돌한 반응물이 반응을 일으키지 않으면 다음 충돌에서도 반응이 일어나지 않는다.

02 이산화 질소(NO_2)와 일산화 탄소(CO)가 반응하여 일산화 질소(NO)와 이산화 탄소(CO_2)를 생성하는 반응에서 반응을 일으킬 수 있는 충돌 방향으로 옳은 것은?

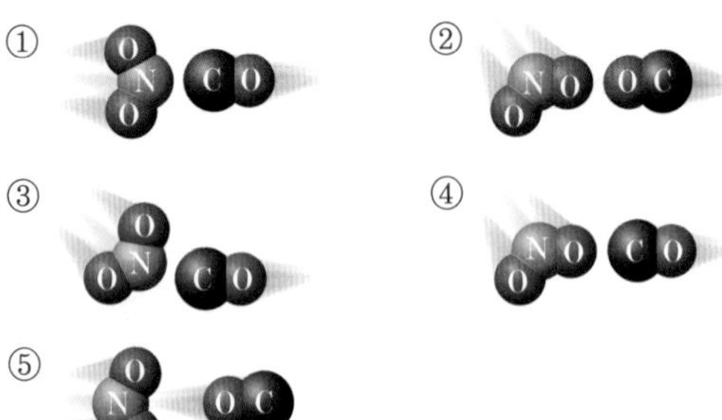

03 그림은 일산화 질소(NO)와 오존(O_3)이 반응할 때 반응이 일어나기 적합한 충돌 방향을 나타낸 것이다.

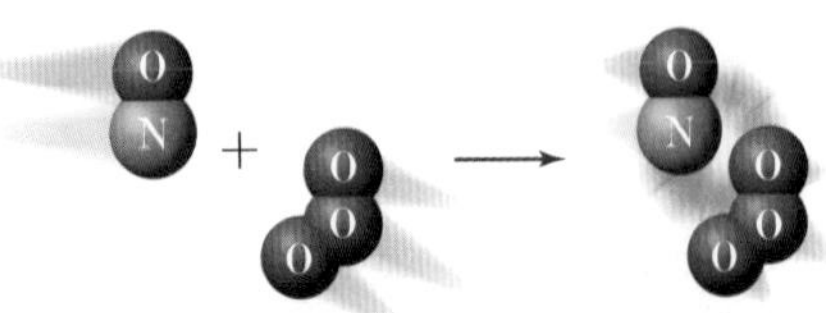

생성물 2가지의 화학식을 옳게 나타낸 것은?

① NO, O_3　② N_2O, O_3　③ NO_2, O_2
④ NO_3, O　⑤ N_2O_2. O_2

B 활성화 에너지

[04~05] 그림은 반응 $aA(g) \rightleftharpoons bB(g)+cC(g)$에 대하여 반응 경로에 따른 엔탈피 변화를 나타낸 것이다.

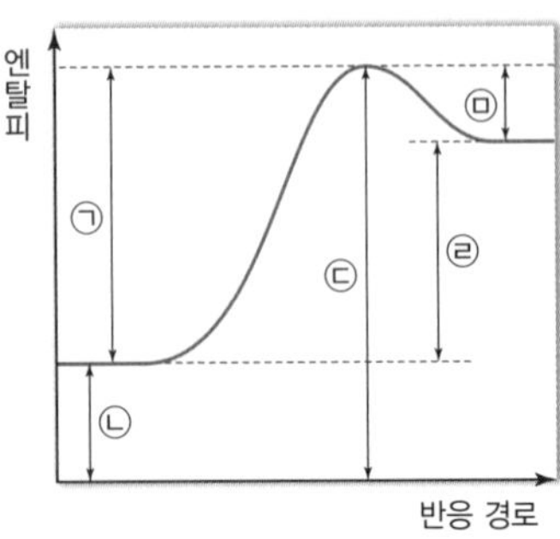

04 ㉠~㉤ 중 정반응의 활성화 에너지는?

① ㉠　② ㉡　③ ㉢
④ ㉣　⑤ ㉤

05 이 반응에 대한 설명으로 옳은 것만을 〈보기〉에서 있는 대로 고른 것은?

보기
ㄱ. 반응엔탈피(ΔH)는 ㉡이다.
ㄴ. 정반응의 활성화 에너지가 역반응의 활성화 에너지보다 크다.
ㄷ. 생성물이 활성화물이 되기 위해 흡수해야 할 에너지는 ㉤이다.

① ㄱ　② ㄷ　③ ㄱ, ㄴ
④ ㄴ, ㄷ　⑤ ㄱ, ㄴ, ㄷ

단답형

06 표는 반응 $X(g) \rightleftharpoons Y(g)$에서 정반응의 활성화 에너지($E_a$)와 반응엔탈피($\Delta H$)를 나타낸 것이다.

정반응의 활성화 에너지(E_a)	반응엔탈피(ΔH)
50 kJ	+20 kJ

이 반응의 역반응의 활성화 에너지를 구하시오.

07 그림은 반응 $2HI(g) \longrightarrow H_2(g)+I_2(g)$에서 반응 경로에 따른 엔탈피 변화를 나타낸 것이다.

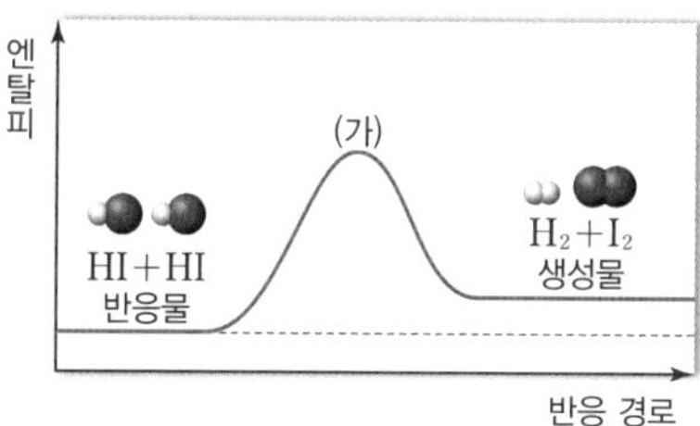

이에 대한 설명으로 옳은 것만을 <보기>에서 있는 대로 고른 것은? (단, 압력은 일정하다.)

> 보기
> ㄱ. 이 반응은 흡열 반응이다.
> ㄴ. (가)의 상태에 있는 물질을 활성화물이라고 한다.
> ㄷ. (가) 상태에 도달하기까지 흡수하는 에너지는 반응물이 생성물보다 크다.

① ㄱ ② ㄴ ③ ㄱ, ㄷ
④ ㄴ, ㄷ ⑤ ㄱ, ㄴ, ㄷ

08 표는 반응 (가), (나)에서 정반응의 활성화 에너지(E_a)와 역반응의 활성화 에너지를(E_a')를 나타낸 것이다.

반응	활성화 에너지	
	정반응(E_a)(kJ)	역반응(E_a')(kJ)
(가)	50	20
(나)	80	90

(가)와 (나) 중 E_a를 고려했을 때 상대적으로 반응이 일어나기 어려운 것과 발열 반응을 옳게 나타낸 것은?

	반응이 일어나기 어려운 것	발열 반응
①	(가)	(가)
②	(가)	(나)
③	(나)	(가)
④	(나)	(나)
⑤	없음	(나)

단답형

09 다음은 기체 A가 기체 B를 생성하는 반응의 열화학 반응식이다.

$$A(g) \rightleftharpoons B(g) \qquad \Delta H=-x\,kJ$$

이 반응에서 정반응의 활성화 에너지를 y kJ, 역반응의 활성화 에너지를 z kJ이라고 할 때, y와 z의 크기를 비교하시오. (단, x~z는 모두 양수이다.)

C 유효 충돌과 비유효 충돌

10 유효 충돌에 대한 설명으로 옳은 것만을 <보기>에서 있는 대로 고른 것은??

> 보기
> ㄱ. 유효 충돌이 일어나면 반응이 일어난다.
> ㄴ. 활성화 에너지보다 작은 에너지를 가진 입자들도 유효 충돌할 수 있다.
> ㄷ. 반응이 일어나기 적합하지 않은 방향이라도 유효 충돌이 일어날 수 있다.

① ㄱ ② ㄴ ③ ㄱ, ㄷ
④ ㄴ, ㄷ ⑤ ㄱ, ㄴ, ㄷ

단답형

11 다음은 화학 반응이 일어나기 위한 조건에 대한 설명이다. ( ) 안에 들어갈 알맞은 말을 쓰시오.

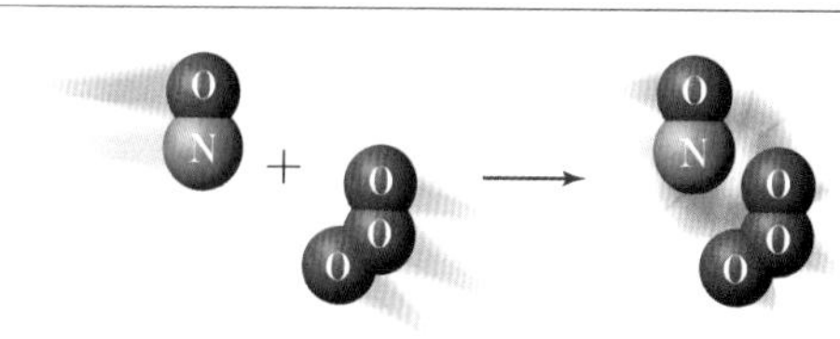

그림과 같이 반응이 일어나기 적합한 방향으로 반응물의 충돌이 일어나더라도 (   )보다 큰 에너지를 가지지 못한 분자는 반응을 일으킬 수 없다.

12 그림은 반응 $A(g) \longrightarrow B(g)$에서 반응물의 분자 운동 에너지 분포를 나타낸 것이다. E_1~E_3은 활성화 에너지이다.

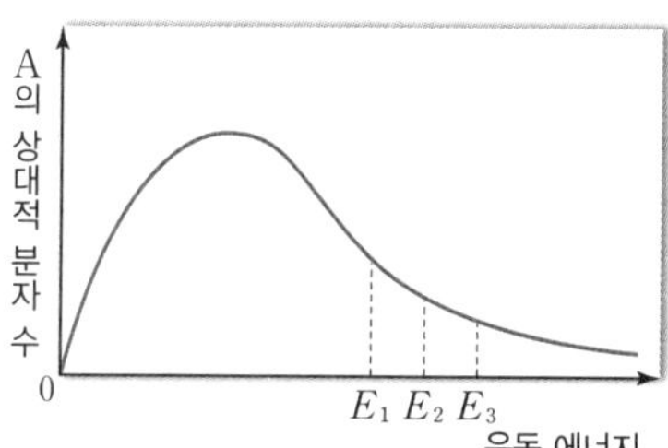

E_1~E_3의 활성화 에너지에서 반응 속도의 크기를 옳게 비교한 것은?

① $E_1>E_2>E_3$ ② $E_1>E_3>E_2$
③ $E_2>E_1>E_3$ ④ $E_2>E_3>E_1$
⑤ $E_3>E_2>E_1$

도전! 실력 올리기

01 그림은 반응 $H_2(g)+I_2(g) \longrightarrow 2HI(g)$가 일어날 때 반응 경로에 따른 엔탈피 변화를 나타낸 것이다.

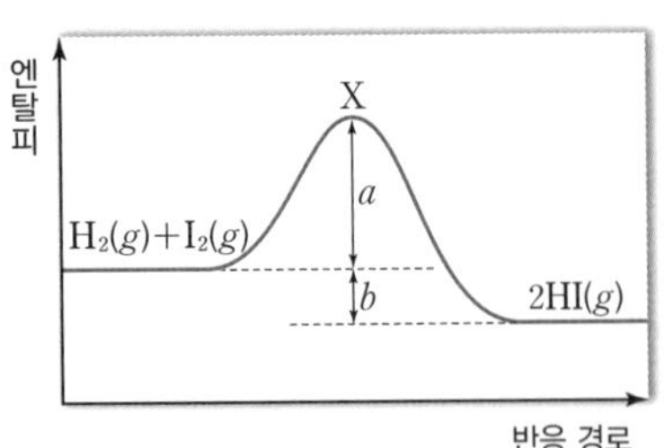

이에 대한 설명으로 옳은 것만을 〈보기〉에서 있는 대로 고른 것은? (단, 온도는 일정하다.)

〈보기〉
ㄱ. X가 형성되지 않아도 반응이 진행될 수 있다.
ㄴ. 역반응의 활성화 에너지는 $(a+b)$이다.
ㄷ. 반응 속도는 반응엔탈피(ΔH)의 크기와 밀접한 관련이 있다.

① ㄱ ② ㄴ ③ ㄱ, ㄷ
④ ㄴ, ㄷ ⑤ ㄱ, ㄴ, ㄷ

출제예감

02 그림은 반응 $A(g) \longrightarrow B(g)$에서 반응 경로에 따른 엔탈피 변화를 나타낸 것이다.

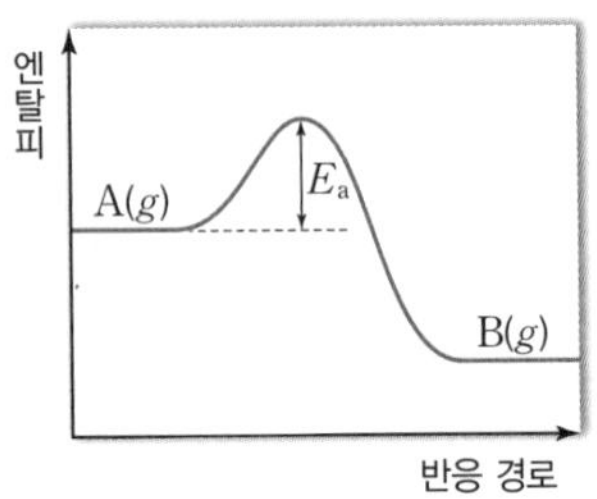

이에 대한 설명으로 옳은 것만을 〈보기〉에서 있는 대로 고른 것은? (단, 온도는 일정하다.)

〈보기〉
ㄱ. 반응엔탈피(ΔH)는 양(+)의 값이다.
ㄴ. 정반응의 활성화 에너지가 역반응의 활성화 에너지보다 크다.
ㄷ. 활성화 에너지가 E_a보다 커지면 반응 속도는 느려진다.

① ㄱ ② ㄷ ③ ㄱ, ㄴ
④ ㄴ, ㄷ ⑤ ㄱ, ㄴ, ㄷ

03 그림은 $N_2O(g)+NO(g) \rightleftharpoons N_2(g)+NO_2(g)$ 반응이 진행할 때 반응 경로에 따른 엔탈피 변화를 나타낸 것이다.

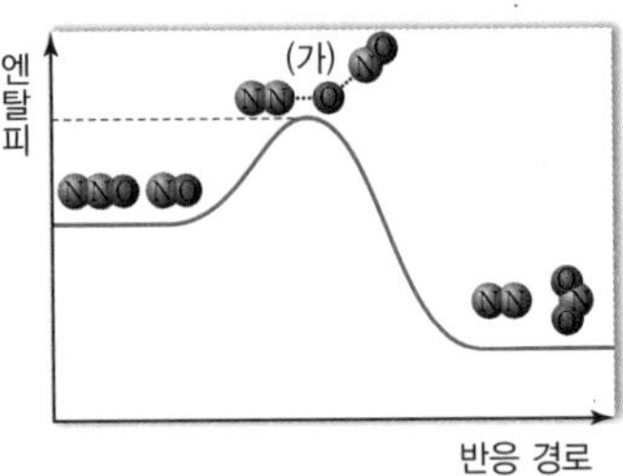

이에 대한 설명으로 옳은 것만을 〈보기〉에서 있는 대로 고른 것은? (단, 온도는 일정하다.)

〈보기〉
ㄱ. (가)는 $[N_2O(g)+NO(g)]$보다 안정한 상태의 물질이다.
ㄴ. 역반응의 활성화 에너지가 정반응의 활성화 에너지보다 크다.
ㄷ. 반응물 $N_2O(g)$와 $NO(g)$가 충돌하면 모두 생성물이 된다.

① ㄱ ② ㄴ ③ ㄱ, ㄷ
④ ㄴ, ㄷ ⑤ ㄱ, ㄴ, ㄷ

04 그림은 반응 $A(g) \rightleftharpoons B(g)$가 서로 다른 조건 Ⅰ과 Ⅱ에서 일어날 때 시간에 따른 A의 농도 변화를 나타낸 것이다. 정반응은 발열 반응이고, Ⅰ과 Ⅱ에서는 활성화 에너지 크기만 다르다.

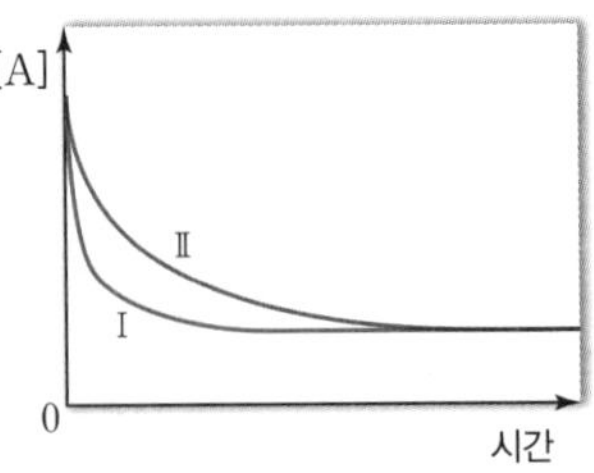

이에 대한 설명으로 옳은 것만을 〈보기〉에서 있는 대로 고른 것은? (단, 온도와 압력은 일정하다.)

〈보기〉
ㄱ. 초기 반응 속도는 Ⅰ에서가 Ⅱ에서보다 크다.
ㄴ. 반응엔탈피(ΔH)는 Ⅰ에서가 Ⅱ에서보다 작다.
ㄷ. 역반응의 활성화 에너지는 Ⅱ에서가 Ⅰ에서보다 크다.

① ㄱ ② ㄴ ③ ㄱ, ㄷ
④ ㄴ, ㄷ ⑤ ㄱ, ㄴ, ㄷ

정답과 해설 088쪽

05 그림 (가)와 (나)는 각각 $A_2(g)+B_2(g) \rightleftarrows 2AB(g)$ 반응의 정반응과 역반응에서 반응 경로에 따른 엔탈피 변화를 나타낸 것이다.

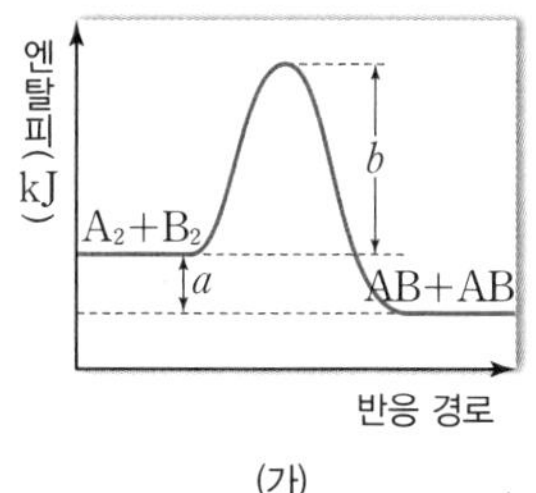

(가)

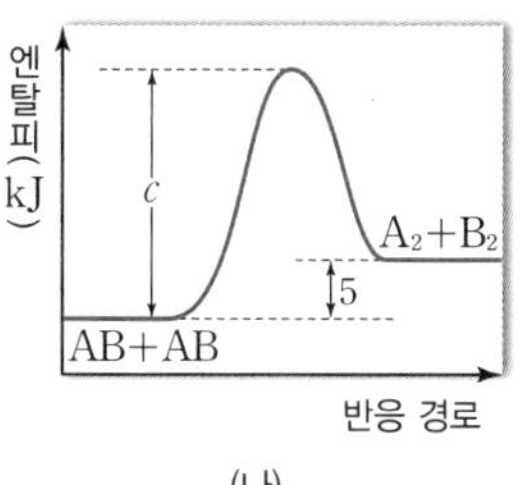

(나)

이에 대한 설명으로 옳은 것만을 〈보기〉에서 있는 대로 고른 것은? (단, 온도는 일정하다.)

보기
ㄱ. 정반응의 활성화 에너지는 b이다.
ㄴ. (가)에서 반응엔탈피(ΔH)는 -5 kJ이다.
ㄷ. $c=a+b$이다.

① ㄴ　② ㄴ　③ ㄱ, ㄷ
④ ㄴ, ㄷ　⑤ ㄱ, ㄴ, ㄷ

출제예감

06 표는 3가지 반응 (가)~(다)에서 정반응의 활성화 에너지와 반응엔탈피(ΔH)를 나타낸 것이다.

반응	정반응의 활성화 에너지(kJ)	반응엔탈피(kJ)
(가)	50	+20
(나)	80	−20
(다)	20	−30

(가)~(다)에서 역반응의 활성화 에너지(kJ)를 옳게 나타낸 것은?

	(가)	(나)	(다)
①	30	80	20
②	30	100	50
③	50	100	30
④	70	60	70
⑤	70	100	50

07 다음은 반응 속도에 대한 설명이다. (　　) 안에 공통으로 들어갈 말을 쓰시오.

반응의 활성화 에너지가 작을수록 (　　　)을 만드는 데 필요한 에너지가 작으므로 반응 속도가 빠르고, 활성화 에너지가 클수록 (　　　)을 만드는 데 필요한 에너지가 크므로 반응 속도가 느리다.

서술형

08 그림 (가)는 반응 경로에 따른 엔탈피를, (나)는 분자 운동 에너지 분포를 나타낸 것이다. E_a는 활성화 에너지이다.

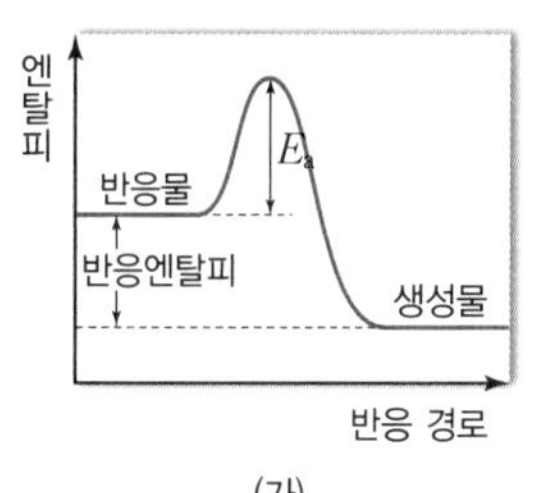

(가)

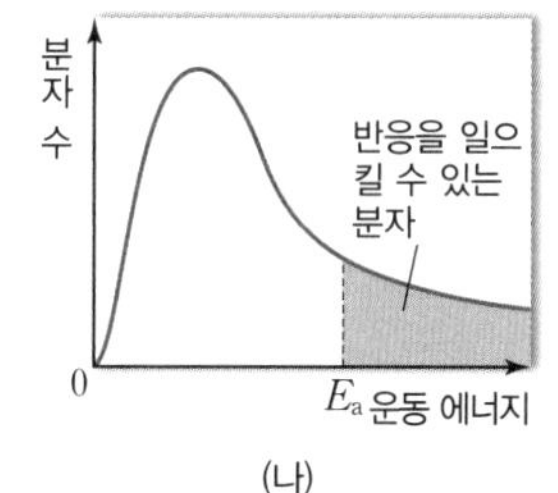

(나)

(가)에서 E_a가 작아졌을 때 반응 속도가 어떻게 변하는지 쓰고, 그 까닭을 (나)를 이용하여 서술하시오.

서술형

09 그림은 반응 $A(g) \longrightarrow B(g)$에서 반응 조건 (가)와 (나)에 따른 A의 분자 운동 에너지 분포를 나타낸 것이다.

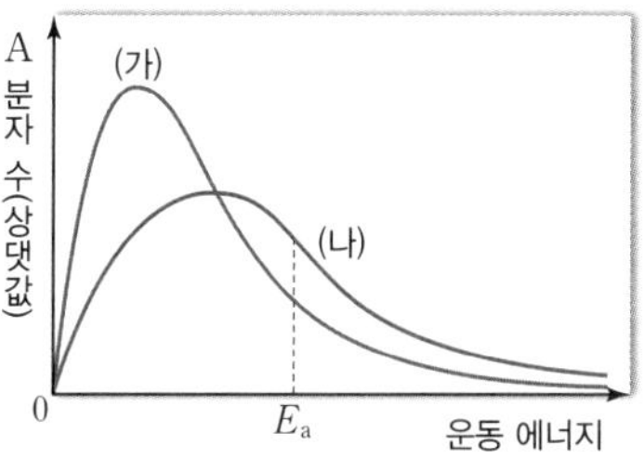

(가)와 (나) 중에서 반응 속도가 빠른 것을 쓰고, 그 까닭을 서술하시오. (단, E_a는 활성화 에너지이다.)

03 농도, 온도에 따른 반응 속도

핵심 키워드로 흐름잡기

- A 농도와 반응 속도, 기체의 압력과 반응 속도, 표면적과 반응 속도
- B 온도와 반응 속도

A 농도와 반응 속도

|출·제·단·서| 실험 결과를 통해 반응 속도에 영향을 주는 요인을 찾는 문제나 실생활에서 농도에 따라 반응 속도가 달라지는 예를 찾는 문제가 시험에 나와.

1. 농도와 반응 속도 탐구 POOL

(1) 농도와 반응 속도

① **농도와 입자의 충돌 횟수:** 일반적으로 반응물의 농도가 증가하면 단위 부피당 입자 수가 증가하여 입자 사이의 거리가 가까워진다. 이때 입자들의 이동 속도가 같다면 입자 사이의 거리가 가까워진 만큼 충돌 횟수가 증가한다.❶

② **농도와 반응 속도:** 반응물의 농도가 증가하면 단위 부피당 입자 수가 증가하여 충돌 횟수가 증가하고, 같은 시간 동안 반응하는 입자 수도 많아지므로 반응 속도가 빨라진다.

암기TiP
농도 증가 →
충돌 횟수 증가 →
반응 속도 증가

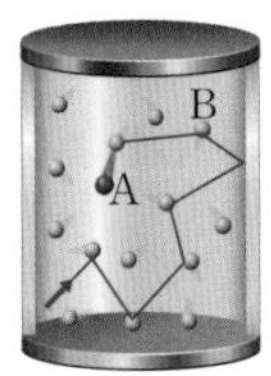

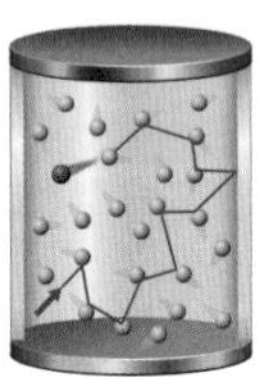

B의 농도가 증가하여 B의 입자 수가 많아지면 A와 B의 충돌 횟수가 증가하므로 반응 속도가 빨라진다.

▲ B의 농도에 따른 A와의 충돌 횟수

빈출 자료 반응물의 농도에 따른 입자의 충돌 횟수

농도 증가 → 충돌 횟수 증가 → 반응 속도 증가

A 2개, B 2개	A 4개, B 2개	A 4개, B 4개
A와 B 사이의 가능한 충돌 횟수: 4	A와 B 사이의 가능한 충돌 횟수: 8	A와 B 사이의 가능한 충돌 횟수: 16

❶ A와 B가 각각 2개씩일 때에는 가능한 충돌 횟수가 4이지만, A가 4개, B가 2개일 때에는 가능한 충돌 횟수가 8이 되고, A가 4개, B가 4개일 때에는 가능한 충돌 횟수가 16이 된다.

❷ 농도가 증가하면 단위 부피 안에 들어 있는 입자 수가 증가하여 충돌 횟수가 증가한다. ➡ 반응 속도가 빨라진다.

(2) 기체의 압력과 반응 속도❷

① **기체의 압력과 농도:** 일정한 온도에서 일정량의 기체에 압력을 가하면 부피가 감소하여 단위 부피당 입자 수가 많아지므로 기체의 농도가 증가한다.

② **기체의 압력과 반응 속도:** 반응물이 기체일 때 압력이 클수록 기체의 농도가 증가하여 충돌 횟수가 증가하므로 반응 속도가 빨라진다.

암기TiP
압력 증가 →
단위 부피당 분자 수 증가 →
충돌 횟수 증가 →
반응 속도 증가

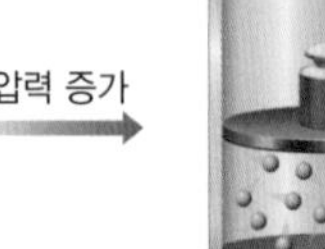

기체에 압력을 가하여 부피가 감소하면 단위 부피당 입자 수가 많아져 충돌 횟수가 증가하므로 반응 속도가 빨라진다.

▲ 기체의 압력에 따른 충돌 횟수

---

❶ 농도와 입자의 충돌 횟수 관계의 비유

같은 장소에 사람이 많을수록 서로 부딪칠 확률이 커진다.

❷ 기체의 압력

$PV=nRT$에서 기체의 압력 $P=\frac{n}{V}RT$이므로 압력이 커질수록 농도($\frac{n}{V}$)가 커지게 된다.

용어 알기

- 농도(짙다 農, 법도 度) 일정한 영역 내에 존재하는 물질의 양, 용액 따위의 진함과 묽음의 정도
- 압력(누르다 壓, 힘 力) 일정한 넓이에 수직으로 작용하는 힘의 크기

2. 표면적과 반응 속도 반응물이 고체일 때 표면적이 넓어 반응물 사이의 접촉 면적이 커지면 충돌 횟수가 증가하므로 반응 속도가 빨라진다. 반응물이 고체인 경우 반응은 고체 표면에서 일어난다.

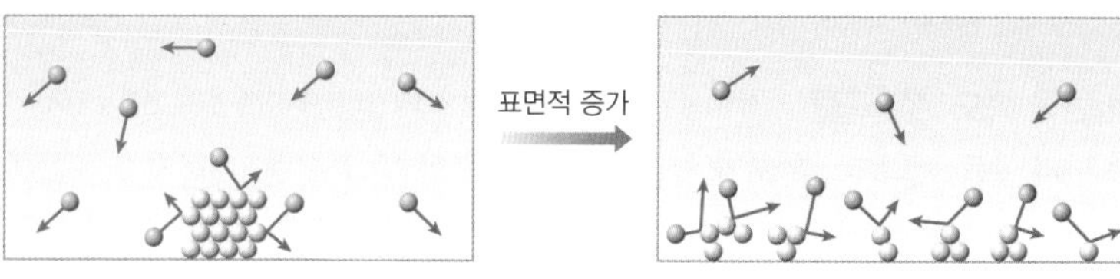

▲ 고체 반응물의 표면적에 따른 충돌 횟수

고체 입자의 크기와 표면적의 관계

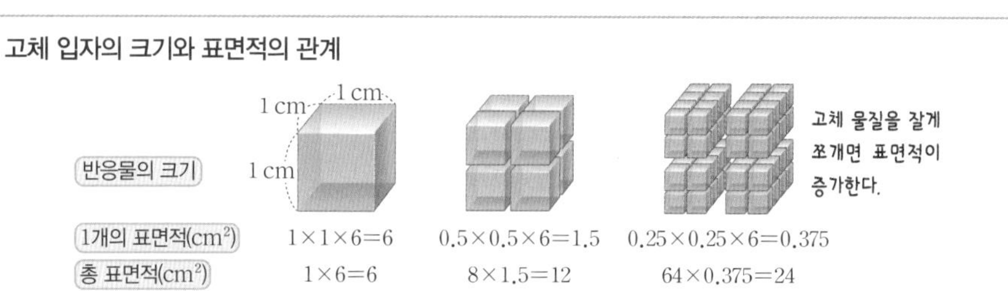

반응물의 크기			
1개의 표면적(cm^2)	$1\times1\times6=6$	$0.5\times0.5\times6=1.5$	$0.25\times0.25\times6=0.375$
총 표면적(cm^2)	$1\times6=6$	$8\times1.5=12$	$64\times0.375=24$

❶ 한 변의 길이가 1 cm인 정육면체의 표면적은 6 cm^2이다.
❷ 8등분하여 쪼개면 표면적은 12 cm^2로 증가한다.
❸ 다시 64등분하여 쪼개면 표면적은 24 cm^2로 증가한다.
➡ 고체 입자의 크기가 작아지면 표면적이 증가한다.

3. 생활 속에서 농도나 표면적을 이용하여 반응 속도를 조절하는 예

(1) 농도에 따라 반응 속도가 달라지는 예

① 강철솜은 공기 중에서보다 산소가 들어 있는 집기병에서 빠르게 연소된다.❸

② 석회석과 묽은 염산의 반응에서 염산의 농도가 커질수록 수소 기체가 발생하는 반응 속도가 빨라진다.

(2) 표면적에 따라 반응 속도가 달라지는 예❹

① 장작이 통나무보다 더 잘 연소한다.

② 미세 먼지가 많은 탄광이나 밀가루 공장에서 폭발 사고가 잘 일어난다.

(3) 생활 속에서 농도나 표면적을 이용하여 반응 속도를 조절하는 예

① 농도를 이용하여 반응 속도를 조절하는 예

산소 용접을 할 때 고압의 산소를 이용한다.

높은 산을 등반할 때 산소통을 이용하여 호흡한다.

밀폐 용기는 산소를 차단하여 음식물을 보관한다.

② 표면적을 이용하여 반응 속도를 조절하는 예

숯을 작은 조각으로 쪼개어 태워서 빠르게 연소되게 한다.

알약보다 가루약이 빠르게 흡수된다.

음식을 조리할 때 재료들을 잘게 썰면 조리 속도가 빨라진다.

암기TiP
표면적 증가
→ 충돌 횟수 증가
→ 반응 속도 증가

❸ 산소가 들어 있는 집기병
공기 중의 산소는 약 21 %이므로 산소가 들어 있는 집기병에는 공기 중보다 산소의 농도가 높다. 따라서 충돌 횟수가 증가하므로 연소 반응이 매우 빠르게 일어난다.

❹ 표면적에 따라 반응 속도가 달라지는 또다른 예
- 가스 교환이 이루어지는 폐의 폐포는 포도송이 모양을 하고 있어 가스 교환이 잘 된다.
- 나무에 불을 붙일 때 굵은 통나무보다 잔가지를 사용하면 불이 잘 붙는다.

용어 알기 

- 표면적(겉 表, 표면 面, 쌓다 積) 3차원 공간상에 형태를 가지고 있는 물체의 겉부분인 표면의 전체 넓이
- 용접(쇠를 녹이다 鎔, 잇다 接) 두 개의 금속, 유리, 플라스틱 따위를 녹이거나 반쯤 녹인 상태에서 서로 이어 붙이는 일

B 온도와 반응 속도

|출·제·단·서| 그래프를 해석하여 온도가 반응 속도에 미치는 영향을 찾는 문제나 실생활에서 온도에 따라 반응 속도가 달라지는 예를 찾는 문제가 시험에 나와.

1. 온도와 반응 속도 탐구 POOL

암기TiP 온도 증가 → 활성화 에너지 이상의 에너지를 가지는 분자 수 증가 → 반응 속도 증가

(1) 온도와 분자 운동 에너지 온도가 높아지면 분자들의 평균 운동 에너지가 증가하고, 활성화 에너지(E_a)보다 큰 운동 에너지를 가진 분자 수가 증가한다.❺

(2) 온도와 반응 속도 온도가 높아질수록 활성화 에너지 이상의 운동 에너지를 가진 분자 수가 많아지므로 반응 속도가 빨라진다.

온도에 따른 기체 분자의 운동 에너지 분포 곡선

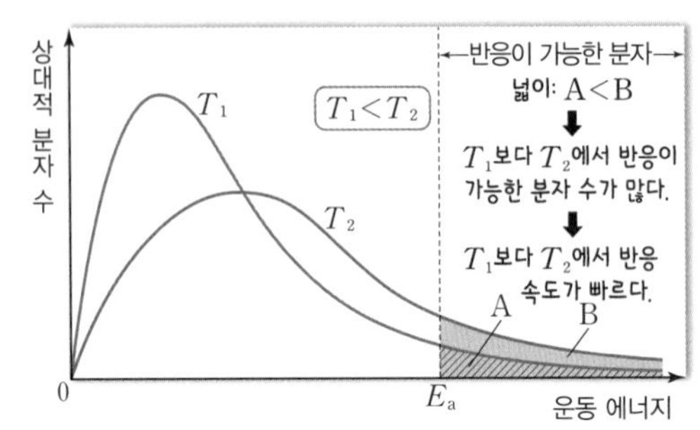

온도	$T_1<T_2$
평균 운동 에너지	$T_1<T_2$
전체 분자 수	$T_1=T_2$
활성화 에너지	$T_1=T_2$
반응 가능한 분자 수	$T_1<T_2$
유효 충돌 횟수	$T_1<T_2$
반응 속도	$T_1<T_2$

❶ T_1과 T_2에서 전체 분자 수는 변하지 않는다.

❷ 온도가 T_1에서 T_2로 증가해도 화학 반응의 활성화 에너지(E_a)는 변하지 않고, E_a보다 큰 운동 에너지를 가진 분자 수가 증가하므로(A → B) 반응 속도는 T_1에서보다 T_2에서 빠르다.

① 반응물이 기체인 경우 온도가 약 10 ℃ 증가할 때 반응 속도가 2~3배 증가한다.❻

② 온도가 높아지면 반응 속도 상수(k)가 증가한다.

③ 온도가 높아지면 정반응 속도와 역반응 속도가 모두 빨라진다.

2. 생활 속에서 온도를 변화시켜 반응 속도가 달라지게 하는 예

	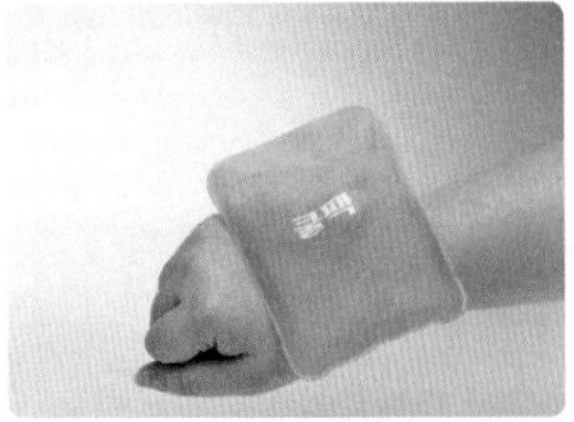	
과일을 온도가 높은 비닐하우스에서 재배하여 빠르게 자라게 한다.	다친 부위에 냉찜질을 하여 통증을 줄인다.	생선이 상하지 않게 얼음에 보관한다.

빈출 자료 서로 다른 온도에서 시간에 따른 생성물의 농도 변화 그래프 해석하기

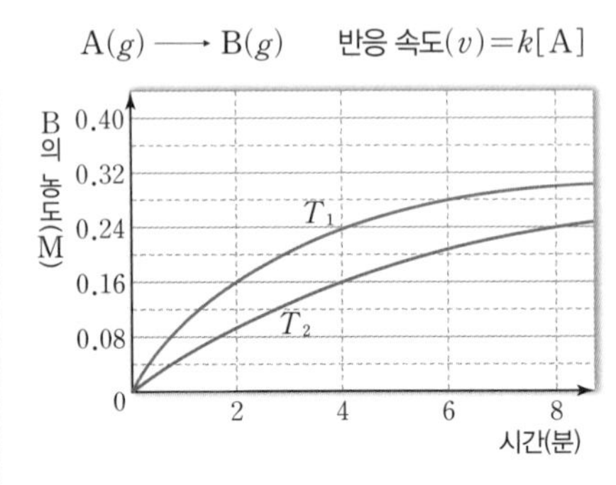

❶ 반응 계수비가 A : B=1 : 1이며, T_1에서 2분 후에 B의 농도가 0.16 M이므로 A도 0.16 M이 반응한 것이다. 이때 T_1에서 반감기가 2분이므로 A의 초기 농도의 절반이 0.16 M인 것이다. 따라서 A의 초기 농도는 0.32 M이다.

❷ T_1에서는 2분 후에 B의 농도가 0.16 M이고, T_2에서는 4분 후에 B의 농도가 0.16 M이므로 반응 속도는 $T_1>T_2$이다. ➡ 온도는 $T_1>T_2$이다.

---

❺ 평균 운동 에너지

- 분자의 운동 에너지는 $\frac{1}{2}mv^2$이며, 이는 $\frac{3}{2}kT$로 나타낼 수 있다. 따라서 분자의 운동 에너지는 •절대 온도에 비례한다.
- 모든 분자가 같은 운동 에너지를 가지는 것이 아니라 다양한 운동 에너지를 가지고 운동하고 있다.

❻ 온도가 증가하면 반응 속도가 빨라지는 주된 까닭

기체 반응물은 온도가 약 10 ℃ 증가할 때 반응 속도가 2~3배 증가한다. 이때 반응물의 충돌 횟수 증가 때문에 반응 속도가 증가하는 영향은 약 2 % 정도이다. 따라서 온도가 높아질 때 반응 속도가 빨라지는 주된 까닭은 분자의 운동 에너지가 증가하여 활성화 에너지보다 큰 운동 에너지를 가진 분자 수가 증가하기 때문이다.

? 온도가 높아지면 정반응 속도가 빨라지므로 역반응 속도는 느려지지 않을까?

온도를 높이면 정반응에서 활성화 에너지 이상의 에너지를 가진 분자 수가 증가하여 반응 속도가 빨라진다. 이때 역반응에서도 활성화 에너지 이상의 에너지를 가진 분자 수가 증가하므로 반응 속도가 빨라진다.

용어 알기

• 절대 온도(absolute temperature) −273 ℃를 0으로 하는 온도로, 단위는 K(kelvin)임

농도와 반응 속도

목표 농도에 따라 반응 속도가 달라짐을 설명할 수 있다.

과정

❶ 아이오딘산 칼륨 수용액 담기

Y자 시험관 4개의 한쪽 가지에 0.05 M 아이오딘산 칼륨(KIO_3) 수용액을 각각 5 mL, 10 mL, 15 mL, 20 mL를 넣고 증류수를 부어 각 수용액의 부피가 20 mL가 되게 한다.

❷ 아황산수소 나트륨 수용액과 녹말 용액 담기

Y자 시험관 4개의 다른 쪽 가지에 0.05 M 아황산수소 나트륨($NaHSO_3$) 수용액을 10 mL씩 넣은 다음, 녹말 용액을 2~3방울 넣는다.

❸ 두 수용액을 섞어 반응시키기

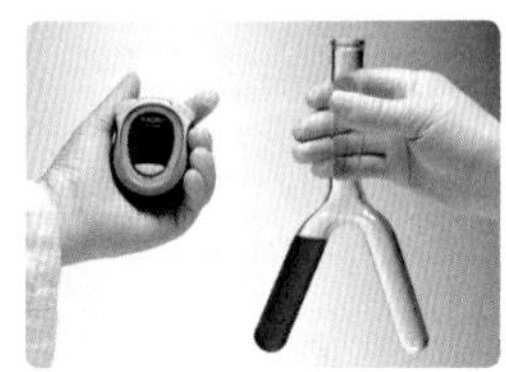

Y자 시험관 4개를 각각 기울여 두 용액을 섞는 순간부터 용액이 청람색으로 변할 때까지 걸린 시간을 측정한다.

유의점

- KIO_3 수용액과 $NaHSO_3$ 수용액이 섞이지 않도록 피펫을 분리하여 사용한다.
- 시약이 옷이나 피부에 묻지 않도록 주의한다.

결과

시험관	1	2	3	4
$KIO_3(aq)$의 농도(M)	0.0125	0.0250	0.0375	0.0500
청람색으로 변할 때까지 걸린 시간(s)	40.5	23	16.6	13.3
반응 속도(s^{-1})	2.47×10^{-2}	4.35×10^{-2}	6.02×10^{-2}	7.52×10^{-2}

└ 반응 속도 $=\dfrac{1}{\text{청람색으로 변할 때까지 걸린 시간(s)}}$

정리 및 해석

❶ 용액의 색깔이 청람색으로 변하는 까닭: 아이오딘산 칼륨(KIO_3) 수용액과 아황산수소 나트륨($NaHSO_3$) 수용액이 반응하여 생성된 아이오딘(I_2)이 녹말 용액과 반응하여 청람색을 나타내기 때문이다.

$$2KIO_3(aq)+5NaHSO_3(aq) \longrightarrow I_2(s)+K_2SO_4(aq)+Na_2SO_4(aq)+3NaHSO_4(aq)+H_2O(l)$$

❷ 용액이 청람색으로 변할 때까지 걸린 시간과 반응 속도의 관계: 걸린 시간이 짧을수록 반응 속도가 빠르다.

❸ 아이오딘산 칼륨(KIO_3) 수용액의 농도와 반응 속도의 관계: 아이오딘산 칼륨(KIO_3) 수용액의 농도가 진할수록 청람색으로 변할 때까지 걸린 시간이 짧으므로 반응 속도가 빠르다. ➡ 반응물의 농도가 진할수록 충돌 횟수가 증가하여 반응 속도가 빠르다.

한·줄·핵심 반응물의 농도가 진할수록 반응 속도가 빠르다.

이런 실험도 있어요!

묽은 염산과 마그네슘의 반응

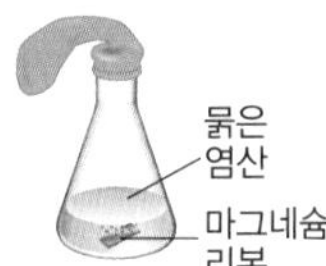

삼각 플라스크에 5 %, 10 %, 15 % 염산 100 mL를 넣고 마그네슘 리본을 각각 1 g씩 넣은 후, 일정 시간 동안 부풀어 오르는 풍선의 부피를 관찰하여 농도에 따른 반응 속도를 비교한다.

확인 문제

정답과 해설 089쪽

01 이 탐구 활동에 대한 설명으로 옳은 것은 ○, 옳지 않은 것은 ×표로 표시하시오.

(1) 온도에 따라 반응 속도가 달라지는 것을 알아보기 위한 실험이다. (　　)

(2) 과정 ❸에서 용액을 청람색으로 변하게 하는 물질은 KIO_3 수용액과 $NaHSO_3$ 수용액이 반응하여 생성된 아이오딘(I_2)이다. (　　)

(3) 용액이 청람색으로 변할 때까지 걸린 시간이 길수록 반응 속도가 빠르다. (　　)

02 다음은 이 탐구 활동 결과로 알 수 있는 사실이다. (　　) 안에 들어갈 알맞은 말을 쓰시오.

반응물의 (　　)가 클수록 반응 속도가 빠르다.

온도와 반응 속도

목표 온도에 따라 반응 속도가 달라짐을 설명할 수 있다.

과정

❶ 3개의 삼각 플라스크를 준비하여 바닥에 각각 ×표를 한 다음 0.1 M 싸이오황산 나트륨($Na_2S_2O_3$) 수용액을 50 mL씩 넣는다.

❷ 비커 3개에 각각 1 M 염산($HCl(aq)$)을 10 mL씩 넣는다.

❸ 3개의 비커에 각각 얼음물, 실온의 물, 더운물을 넣고, 과정 ❶의 3개의 삼각 플라스크를 각각 넣는다.

❹ 과정 ❷의 비커의 염산을 3개의 삼각 플라스크에 각각 붓고, 붓는 순간 초시계를 작동하여 ×표가 보이지 않을 때까지 걸린 시간을 측정한다.

❺ 2회 더 실시하여 평균값을 얻는다.

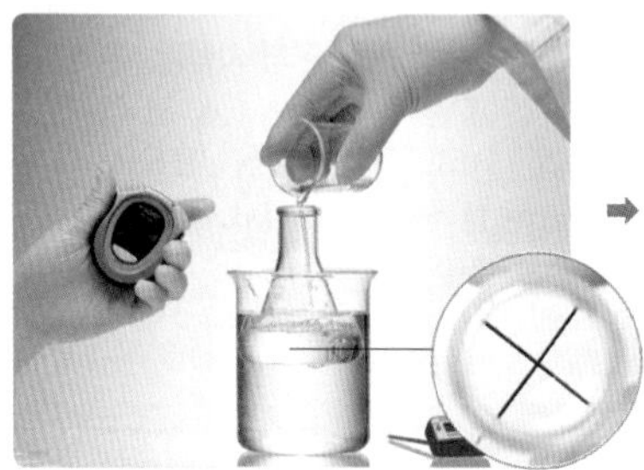

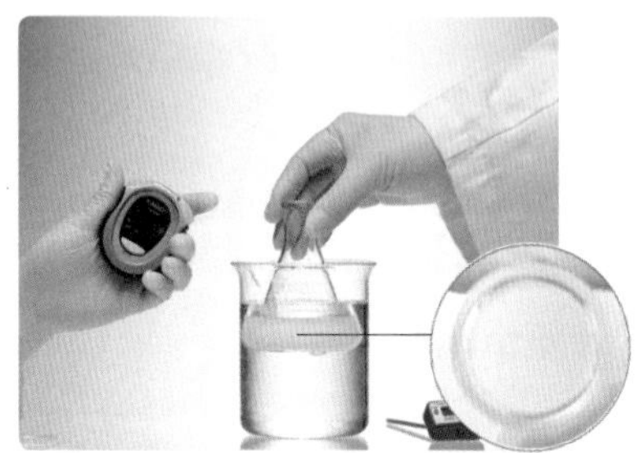

유의점
- 실험은 환기가 잘 되는 곳에서 한다.
- ×표를 관찰하는 위치는 항상 같은 방향이어야 한다.

결과

실험		얼음물(0 ℃)	실온의 물(25 ℃)	더운물
×표가 보이지 않을 때까지 걸린 시간(s)	1회	38	27	12
	2회	39	28	13
	3회	37	29	11
	평균	38	28	12
반응 속도(s^{-1})		$\frac{1}{38}$	$\frac{1}{28}$	$\frac{1}{12}$

반응 속도 $= \frac{1}{\text{×표가 보이지 않을 때까지 걸린 시간(s)}}$

정리 및 해석

❶ 싸이오황산 나트륨($Na_2S_2O_3$) 수용액과 묽은 염산(HCl)이 반응하면 연한 노란색의 황(S) 앙금이 생성되어 ×표가 보이지 않게 된다.

$$Na_2S_2O_3(aq)+2HCl(aq) \longrightarrow S(s)+2NaCl(aq)+SO_2(g)+H_2O(l)$$

❷ ×표가 보이지 않을 때까지 걸린 시간은 얼음물>실온의 물>더운물이므로 반응 속도는 더운물>실온의 물>얼음물이다.

❸ 온도와 반응 속도의 관계: 온도가 높을수록 반응 속도가 빠르다.

❹ 온도가 높을수록 반응 속도가 빠른 까닭: 온도가 높을수록 활성화 에너지(E_a)보다 높은 운동 에너지를 가진 분자 수가 많아지기 때문이다.

한·줄·핵심 온도가 높을수록 반응 속도가 빨라진다.

이런 실험도 있어요!

온도가 다른 물에 발포정 넣기

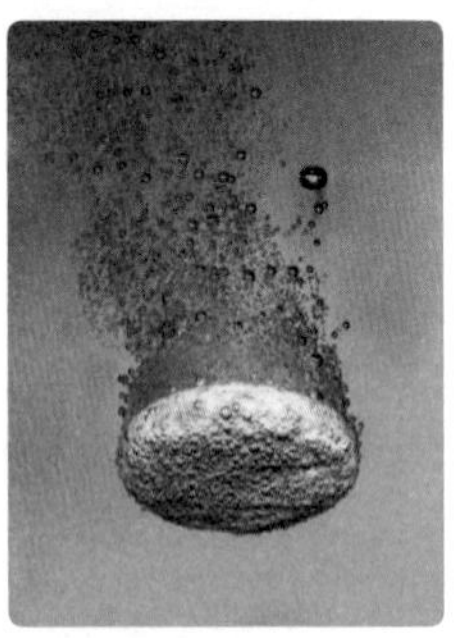

발포정을 서로 다른 온도의 물에 넣고, 발포정이 모두 사라질 때까지 걸린 시간을 측정한다. ➡ 온도가 높은 물에서 발포정이 더 빠르게 반응한다.

발포정은 탄산수소 나트륨($NaHCO_3$)이 포함된 것으로 준비한다.

확인 문제

정답과 해설 089쪽

01 이 탐구 활동에서 삼각 플라스크 바닥의 ×표가 보이지 않게 되는 까닭을 쓰시오.

02 이 탐구 활동에서 삼각 플라스크를 더운물보다 더 높은 온도의 물에 넣고 실험했을 때 ×표가 보이지 않을 때까지 걸린 시간은 어떻게 변하는지 쓰시오.

콕콕! 개념 확인하기

정답과 해설 089쪽

✔ 잠깐 확인!

1. 반응물의 농도가 증가하면 ☐☐ ☐☐가 증가하여 반응 속도가 빨라진다.

2. 기체의 압력이 ☐☐하면 단위 부피당 입자 수가 증가하여 충돌 횟수가 증가하므로 반응 속도가 빨라진다.

3. 반응물이 고체일 때 ☐☐☐이 넓을수록 접촉 면적이 커져서 충돌 횟수가 증가하므로 반응 속도가 빨라진다.

4. 알약보다 가루약이 흡수가 빠른 까닭은 ☐☐☐이 넓기 때문이다.

5. 온도가 높아지면 ☐☐ ☐☐☐☐보다 큰 운동 에너지를 가진 분자 수가 많아져서 반응 속도가 빨라진다.

6. 기체인 경우 온도가 약 10 ℃ 증가할 때 반응 속도가 ☐~☐배 증가한다.

A 농도와 반응 속도

01 농도와 반응 속도에 대한 설명으로 옳은 것은 ○, 옳지 않은 것은 ×로 표시하시오.

(1) 반응물의 농도가 증가하면 입자 사이의 충돌 횟수가 증가하므로 반응 속도가 빨라진다. ( )

(2) 기체의 압력이 증가하면 단위 부피당 입자 수가 감소하여 충돌 횟수가 증가하므로 반응 속도가 빨라진다. ( )

(3) 강철솜이 공기 중에서보다 산소가 든 집기병에서 빠르게 연소되는 것은 산소의 농도가 클수록 연소 반응이 빠르게 일어날 수 있기 때문이다. ( )

02 다음은 표면적과 반응 속도에 대한 설명이다. ㉠, ㉡에 들어갈 알맞은 말을 쓰시오.

> 반응물이 고체인 경우 표면적이 넓을수록 반응물 사이의 접촉 면적이 커지므로 (㉠)가 증가하여 반응 속도가 (㉡)진다.

03 다음은 농도와 표면적에 따라 반응 속도가 달라지는 예들을 나타낸 것이다. 가장 큰 영향을 주는 요인이 무엇인지 쓰시오.

(1) 미세 먼지가 많은 탄광이나 밀가루 공장에서 폭발 사고가 잘 일어난다. ( )

(2) 약을 먹을 때 알약보다 가루로 된 약을 사용하는 경우 흡수가 훨씬 빠르다. ( )

(3) 빗물의 산성도가 커질수록 대리석으로 된 건축물이나 조각품들의 부식 속도가 빨라진다. ( )

B 온도와 반응 속도

04 그림은 서로 다른 온도에서 분자 운동 에너지 분포 곡선을 나타낸 것이다. T_1과 T_2의 크기를 비교하시오. (단, E_a는 활성화 에너지이다.)

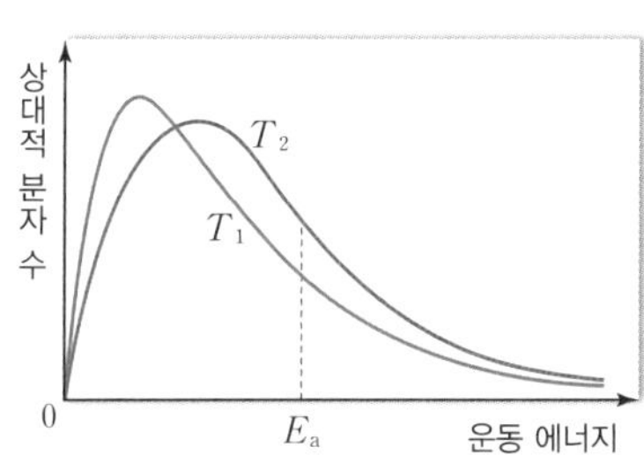

05 다음은 어떤 요인을 변화시켜 반응 속도를 조절하는 예이다. 공통적으로 변화시킨 요인을 쓰시오.

> • 음식물을 냉장고에 넣어 두면 오랫동안 신선함을 유지할 수 있다.
> • 폴라로이드 즉석 사진을 찬 곳에 노출했을 때보다 따뜻하게 보관했을 때 더 빠르게 현상된다.

탄탄! 내신 다지기

A 농도와 반응 속도

01 농도가 증가할수록 반응 속도가 빨라지는 까닭으로 가장 적절한 것은?

① 충돌 횟수 증가 ② 활성화물의 양 감소
③ 활성화 에너지 증가 ④ 활성화 에너지 감소
⑤ 단위 부피당 입자 수 감소

단답형

02 다음은 기체의 압력과 반응 속도에 대한 설명이다. ㉠, ㉡에 들어갈 알맞은 말을 쓰시오.

> 일정한 온도에서 일정량의 기체의 압력이 증가하면 부피가 감소하므로 단위 부피당 입자 수가 (㉠)하여 충돌 횟수가 (㉡)하므로 반응 속도가 빨라진다.

03 그림 (가)와 (나)는 반응 속도에 영향을 주는 요인을 설명하기 위한 모형을 나타낸 것이다.

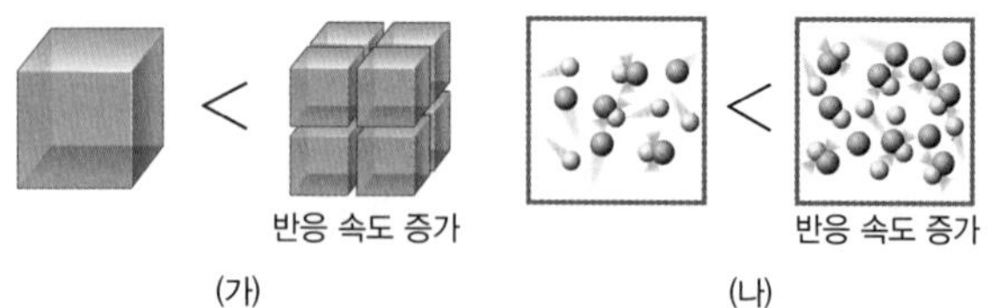

(가) (나)

반응 속도가 증가하는 원인을 (가)와 (나)의 모형으로 설명할 수 있는 것만을 <보기>에서 각각 골라 옳게 짝 지은 것은?

> 보기
> ㄱ. 알약보다 가루약의 흡수가 빠르다.
> ㄴ. 비닐하우스에서 겨울철에 작물을 재배할 수 있다.
> ㄷ. 강철솜은 공기 중에서보다 산소가 든 집기병에서 빠르게 연소한다.

	(가)	(나)		(가)	(나)
①	ㄱ	ㄴ	②	ㄱ	ㄷ
③	ㄴ	ㄱ	④	ㄴ	ㄷ
⑤	ㄷ	ㄴ			

04 다음은 반응 속도에 영향을 미치는 요인을 알아보기 위한 실험이다.

> [실험 과정]
> (가) 4개의 시험관 A~D에 0.05 M $NaHSO_4$ 수용액을 각각 15 mL, 10 mL, 5 mL, 1 mL씩 넣고 전체 부피가 15 mL가 되도록 증류수를 넣는다.
> (나) 다른 4개의 시험관에 각각 0.02 M KIO_3 수용액을 15 mL씩 넣고 녹말 용액을 3~4방울씩 가한다.
> (다) 삼각 플라스크에 과정 (가)와 (나)의 용액을 각각 넣은 순간부터 용액의 색깔이 변할 때까지 걸린 시간을 측정한다.
> [실험 결과]
> 혼합 용액의 색깔이 변하는 데 걸리는 시간은 A<B<C<D 순으로 측정되었다.

이 실험의 결론으로 가장 적절한 것은?

① 온도가 높아질수록 반응 속도가 빠르다.
② 촉매를 사용하면 반응 속도가 빨라진다.
③ 반응물의 농도가 클수록 반응 속도가 빠르다.
④ 반응물의 부피가 클수록 반응 속도가 빠르다.
⑤ 활성화 에너지가 작을수록 반응 속도가 빠르다.

05 그림은 서로 다른 반응 조건 A~C에서 같은 부피의 0.1 M 염산에 아연 조각을 반응시켰을 때 시간에 따른 수소 기체의 부피를 나타낸 것이다.

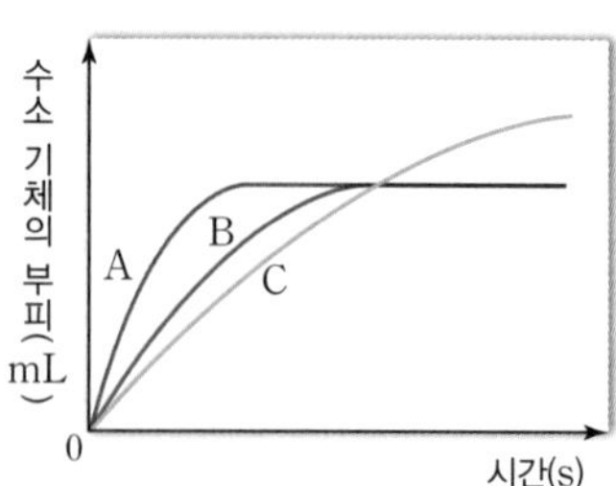

이에 대한 설명으로 옳은 것만을 <보기>에서 있는 대로 고른 것은? (단, 온도는 일정하다.)

> 보기
> ㄱ. 초기 반응 속도는 C>B>A이다.
> ㄴ. 아연 조각의 질량은 A와 C에서 같다.
> ㄷ. 아연 조각의 크기는 A에서가 B에서보다 작다.

① ㄱ ② ㄷ ③ ㄱ, ㄴ
④ ㄴ, ㄷ ⑤ ㄱ, ㄴ, ㄷ

단답형

06 다음은 표면적과 반응 속도에 대한 설명이다. ㉠, ㉡에 들어갈 알맞은 말을 쓰시오.

> 반응물의 표면적이 증가하면 반응물 사이의 접촉 면적이 넓어져 입자 사이의 충돌 횟수가 (㉠)하므로 반응 속도가 (㉡)진다.

07 표면적에 따라 반응 속도가 달라지는 예로 옳은 것만을 〈보기〉에서 있는 대로 고른 것은?

보기
ㄱ. 감자를 잘게 썰어 볶으면 더 빨리 익는다.
ㄴ. 통나무를 쪼개 장작을 만들어 태우면 더 잘 탄다.
ㄷ. 미세 먼지가 많은 탄광에서 폭발 사고가 자주 일어난다.

① ㄱ ② ㄴ ③ ㄱ, ㄷ
④ ㄴ, ㄷ ⑤ ㄱ, ㄴ, ㄷ

B 온도와 반응 속도

08 그림은 반응 $A(g) \longrightarrow B(g)$가 일어날 때 온도 T_1, T_2에서 $A(g)$의 분자 운동 에너지 분포 곡선을 나타낸 것이다.

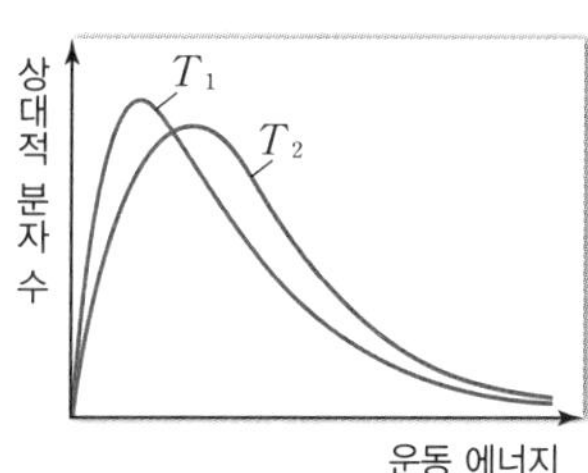

이에 대한 설명으로 옳은 것만을 〈보기〉에서 있는 대로 고른 것은?

보기
ㄱ. $T_2 > T_1$이다.
ㄴ. 반응 속도는 T_1에서가 T_2에서보다 빠르다.
ㄷ. 활성화 에너지보다 큰 에너지를 가지는 분자 수는 T_1에서가 T_2에서보다 크다.

① ㄱ ② ㄴ ③ ㄱ, ㄷ
④ ㄴ, ㄷ ⑤ ㄱ, ㄴ, ㄷ

09 그림은 $X(g)$의 분해 반응이 일어날 때 서로 다른 온도에서 X의 농도를 나타낸 것이다.

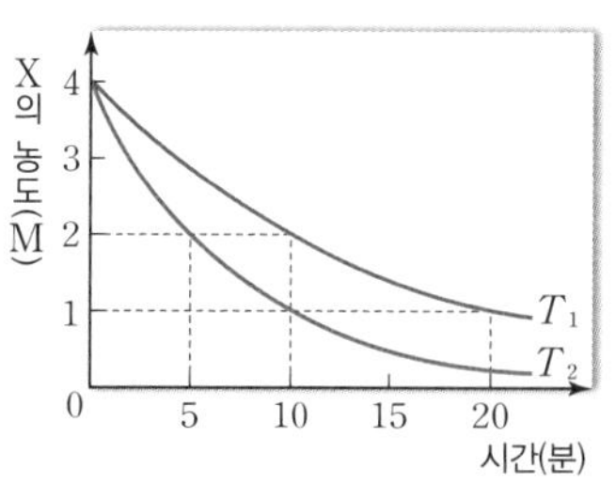

이에 대한 설명으로 옳은 것만을 〈보기〉에서 있는 대로 고른 것은?

보기
ㄱ. 반응 속도식은 $v=k[X]$이다.
ㄴ. 온도는 $T_1 > T_2$이다.
ㄷ. 반응 속도 상수는 T_2에서가 T_1에서보다 크다.

① ㄱ ② ㄴ ③ ㄱ, ㄷ
④ ㄴ, ㄷ ⑤ ㄱ, ㄴ, ㄷ

10 그림은 $A(g)$의 분해 반응이 일어날 때 서로 다른 온도에서 $A(g)$의 초기 농도에 따른 초기 반응 속도를 나타낸 것이다.

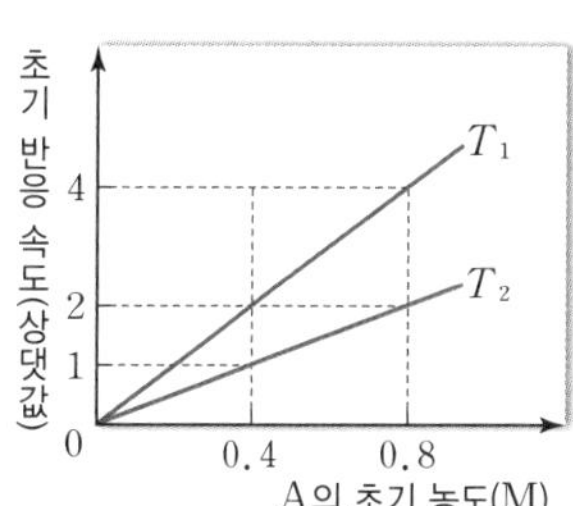

이에 대한 설명으로 옳은 것만을 〈보기〉에서 있는 대로 고른 것은?

보기
ㄱ. A의 1차 반응이다.
ㄴ. 온도는 $T_1 > T_2$이다.
ㄷ. 반감기는 T_1에서가 T_2에서일 때보다 작다.

① ㄱ ② ㄴ ③ ㄱ, ㄷ
④ ㄴ, ㄷ ⑤ ㄱ, ㄴ, ㄷ

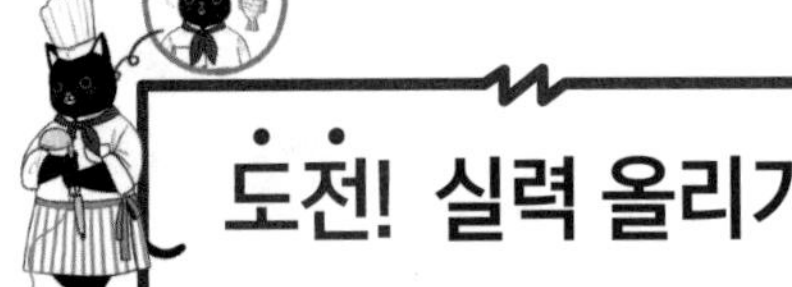

도전! 실력 올리기

01 그림은 A의 분해 반응에 대하여 반응 조건을 달리하였을 때 반응 시간에 따른 A의 농도 변화를 나타낸 것이다.

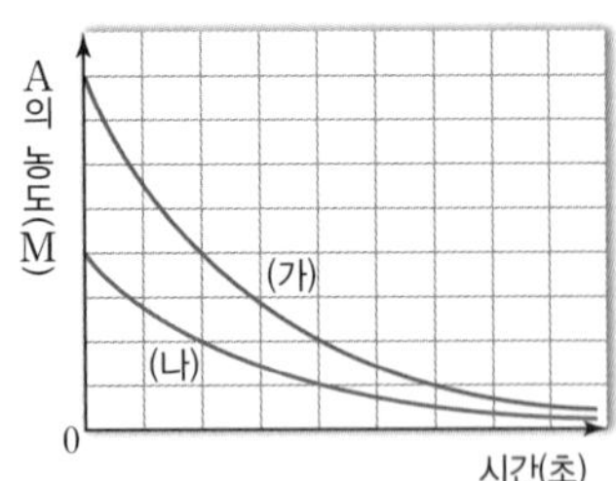

이에 대한 설명으로 옳은 것만을 〈보기〉에서 있는 대로 고른 것은? (단, 온도는 일정하다.)

> 보기
> ㄱ. A의 1차 반응이다.
> ㄴ. 초기 반응 속도는 (가)와 (나)에서 같다.
> ㄷ. 반응 속도 상수는 (가)에서가 (나)에서보다 크다.

① ㄱ ② ㄴ ③ ㄱ, ㄷ
④ ㄴ, ㄷ ⑤ ㄱ, ㄴ, ㄷ

02 표는 묽은 염산과 탄산 칼슘을 반응시킬 때 염산의 농도와 탄산 칼슘의 상태를 달리한 실험 조건 (가)~(다)를 나타낸 것이다. (가)~(다)에서 사용한 묽은 염산의 부피와 탄산 칼슘의 질량과 온도는 같다.

실험	염산의 농도(M)	탄산 칼슘의 상태
(가)	0.05	조각
(나)	0.05	가루
(다)	0.1	가루

(가)~(다)의 초기 반응 속도를 옳게 비교한 것은?

① (가)>(나)>(다) ② (가)>(다)>(나)
③ (나)>(가)>(다) ④ (다)>(가)>(나)
⑤ (다)>(나)>(가)

03 표는 일정한 농도의 염산($HCl(aq)$)에 증류수를 혼합한 용액의 조성을 나타낸 것이다.

용액	염산의 부피(mL)	증류수의 부피(mL)
(가)	10	20
(나)	20	10
(다)	30	0

(가)~(다)의 염산($HCl(aq)$)에 탄산 칼슘($CaCO_3$) 6 g을 각각 반응시킬 때에 대한 설명으로 옳은 것만을 〈보기〉에서 있는 대로 고른 것은? (단, 온도는 일정하고, 염산($HCl(aq)$)의 양은 탄산 칼슘($CaCO_3$)이 모두 반응하기에 충분하다.)

> 보기
> ㄱ. $CO_2(g)$가 발생한다.
> ㄴ. 반응이 완결되었을 때 생성된 기체의 양은 (다)에서 가장 크다.
> ㄷ. (가)~(다)에서의 실험 결과로부터 농도가 반응 속도에 미치는 영향을 알 수 있다.

① ㄱ ② ㄴ ③ ㄱ, ㄷ
④ ㄴ, ㄷ ⑤ ㄱ, ㄴ, ㄷ

04 그림은 온도가 다른 조건에서 기체 X가 분해되는 반응에 대하여 시간에 따른 X의 농도를 나타낸 것이다.

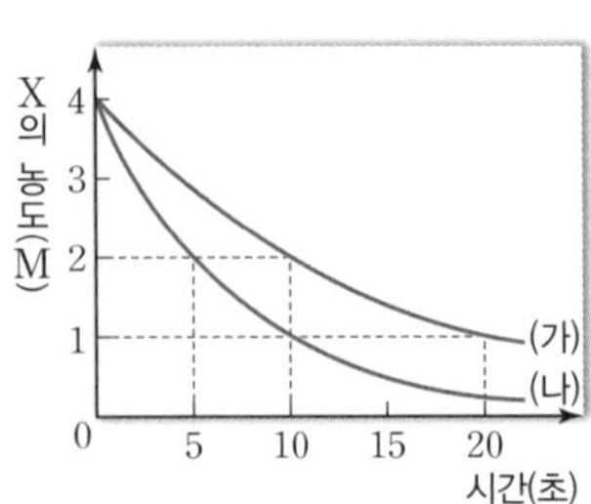

(가)와 (나)를 비교한 것으로 옳은 것만을 〈보기〉에서 있는 대로 고른 것은? (단, (가)와 (나)에서 온도는 각각 일정하다.)

> 보기
> ㄱ. 반응 차수: (나)>(가)
> ㄴ. 온도: (가)>(나)
> ㄷ. 반응 속도 상수: (나)>(가)

① ㄱ ② ㄷ ③ ㄱ, ㄴ
④ ㄴ, ㄷ ⑤ ㄱ, ㄴ, ㄷ

출제예감

05 표는 같은 부피의 강철 용기 (가)~(다)에 넣은 $A(g)$의 초기 농도와 온도를, 그림은 $A(g)$의 분해 반응이 일어날 때 (가)~(다)에서 $A(g)$ 분자의 운동 에너지 분포 곡선을 나타낸 것이다.

용기	초기 농도 (M)	온도(K)
(가)	a	T_1
(나)	b	T_1
(다)	b	T_2

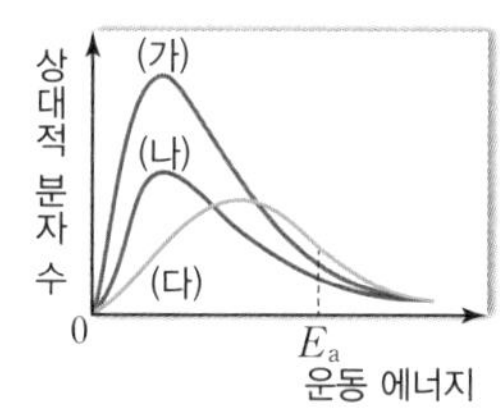

이에 대한 설명으로 옳은 것만을 <보기>에서 있는 대로 고른 것은?

보기
ㄱ. $a>b$이다.
ㄴ. $T_1>T_2$이다.
ㄷ. (가)~(다) 중 초기 반응 속도는 (다)에서 가장 크다.

① ㄱ ② ㄴ ③ ㄱ, ㄷ
④ ㄴ, ㄷ ⑤ ㄱ, ㄴ, ㄷ

06 표는 $X(g)$의 분해 반응에 대한 몇 가지 자료이다. $X(g)$의 분해 반응은 X의 1차 반응이다.

실험	X의 초기 농도(M)	온도	반감기(분)
(가)	4	T_1	1
(나)	1	T_2	2

이에 대한 설명으로 옳은 것만을 <보기>에서 있는 대로 고른 것은?

보기
ㄱ. 온도는 $T_1>T_2$이다.
ㄴ. 반응 속도 상수(k)는 (가)에서가 (나)에서보다 크다.
ㄷ. (가)와 (나)에서 X의 농도가 같아지는 시간은 4분이다.

① ㄱ ② ㄴ ③ ㄱ, ㄷ
④ ㄴ, ㄷ ⑤ ㄱ, ㄴ, ㄷ

07 다음은 반응 속도에 영향을 미치는 요인에 대한 설명이다. ㉠~㉢에 들어갈 알맞은 말을 쓰시오.

반응물의 농도가 (㉠)수록, 반응물의 표면적이 (㉡)수록, 온도가 (㉢)수록 반응 속도가 빠르다.

서술형

08 그림은 0.1 M 염산에 아연 1 g을 넣었을 때 시간에 따라 발생하는 수소 기체의 부피를 나타낸 것이다.

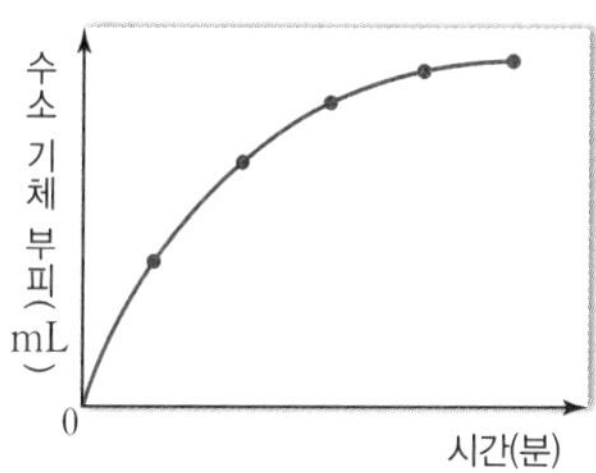

시간에 따른 수소 기체의 부피 증가량은 어떻게 변하는지 쓰고, 그 까닭을 서술하시오. (단, 염산의 양은 아연이 모두 반응하기에 충분하다.)

서술형

09 그림은 아황산수소 나트륨($NaHSO_3$) 수용액과 아이오딘산 칼륨(KIO_3) 수용액을 반응시키는 실험 과정을 나타낸 것이다.

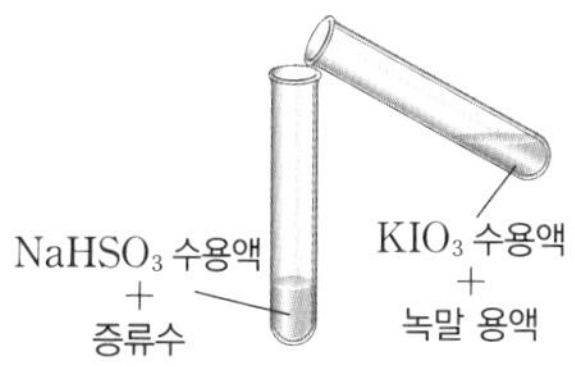

농도에 따른 반응 속도의 영향을 알아보기 위한 실험 방법을 서술하시오. (단, 아이오딘산 칼륨(KIO_3) 수용액의 농도는 일정하다.)

수능을 알기 쉽게 풀어주는 수능 POOL

반응 속도

대표 유형

출제 의도

반응 속도가 반응물의 농도와 관계없이 일정한 반응에서 시간에 따른 몰 분율의 변화를 구하여 특정 반응 시간에서의 몰 분율을 구하는 문제이다.

이것이 함정

반응 속도가 A의 농도와 관계없이 일정한 반응이므로 반감기가 일정하지 않고, 반응물의 농도가 감소함에 따라 반감기도 짧아진다.

다음은 기체 A로부터 기체 B와 C가 생성되는 반응의 화학 반응식이다.

$$aA(g) \longrightarrow bB(g)+C(g) \quad (a,\ b\text{: 반응 계수})$$

반응물이 A 1가지이므로 반응 속도식은 $v=k[A]^m$이다.

부피가 1 L인 강철 용기에 x몰의 $A(g)$를 넣어 반응시킬 때, 그림은 반응 시간에 따른 $A(g)$의 농도($[A]$)를, 표는 반응 시간에 따른 $A(g)$의 몰 분율을 나타낸 것이다.

t분 동안 A가 a몰이 감소하면, B는 b몰이 증가하고, C는 1몰이 증가한다.

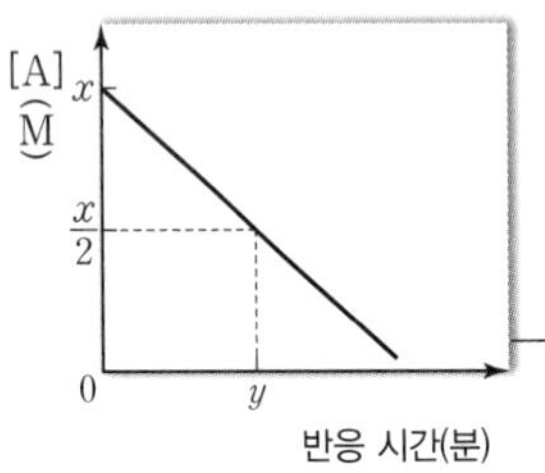

반응 시간(분)	0	t	$2t$
$A(g)$의 몰 분율	1	$\frac{9}{13}$	$\frac{7}{15}$

시간에 따라 A의 농도가 일정하게 감소하므로 반응 속도가 A의 농도에 관계없이 일정하고, 반감기가 일정하지 않다.

반응이 일어날 때 같은 시간 동안 감소한 A의 양은 동일하므로 t분일 때 A가 a몰 감소하였다고 하면 A의 몰 분율은 $\frac{x-a}{x-a+b+1}=\frac{9}{13}$이고, $2t$분일 때 A의 몰 분율은 $\frac{x-2a}{x-2a+2b+2}=\frac{7}{15}$이므로 $b=2a-1$이다.

이에 대한 설명으로 옳은 것만을 <보기>에서 있는 대로 고른 것은? (단, 온도는 일정하다.)

보기

ㄱ. $b=2a-1$이다.

ㄴ. $3t$분에서 $[A]=\frac{5x}{11}$ M이다.

t분에서 A의 몰 분율에 $b=2a-1$를 대입하면 $\frac{x-a}{x+a}=\frac{9}{13}$이고, $a=\frac{2x}{11}$이다. $3t$분에서는 A의 몰수가 $x-3a$이므로 $x-3(\frac{2x}{11})=\frac{5x}{11}$몰이고, 강철 용기는 1 L이므로 $[A]=\frac{5x}{11}$ M이다.

ㄷ. 부피가 2 L인 강철 용기에 x몰의 $A(g)$를 넣어 반응시킬 때, $[A]=\frac{x}{4}$ M가 될 때까지 걸리는 시간은 y분이다. → $\frac{y}{2}$분

$[A]$가 $\frac{x}{2}$ M이며, $[A]$가 x M에서 $\frac{x}{2}$ M로 될 때까지 걸린 시간이 y분이므로 $[A]$가 $\frac{x}{2}$ M에서 $\frac{x}{4}$ M이 될 때까지 걸린 시간은 $\frac{y}{2}$분이다.

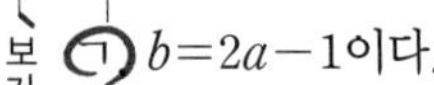

① ㄱ ② ㄷ ③ ㄱ, ㄴ ④ ㄴ, ㄷ ⑤ ㄱ, ㄴ, ㄷ

자료에서 단서 찾기

그래프를 통해 시간에 따른 A의 농도 변화를 확인한다. ⋙ 주어진 화학 반응식과 $A(g)$의 몰 분율을 통해 a와 b의 관계를 찾는다. ⋙ 같은 시간 동안 감소하는 $A(g)$의 몰수는 같음을 이용하여 $A(g)$의 몰 분율에서 a와 b의 관계식을 구한다. ⋙ $3t$분에서 $[A]$를 구한다.

추가 선택지

• $a=\frac{2}{11}x$이다. (○)

⟶ $b=2a-1$이므로 t분에서 A의 몰 분율은 $\frac{x-a}{x-a+b+1}=\frac{x-a}{x-a+(2a-1)+1}=\frac{x-a}{x+a}=\frac{9}{13}$이다. 따라서 $a=\frac{2}{11}x$이다.

• 반감기가 y분으로 일정하다. (×)

⟶ 반응물의 농도가 일정하게 감소하므로 반감기가 일정하지 않으며, 반응물의 농도가 감소할수록 반감기가 짧아지므로 시간이 흐름에 따라 반감기가 짧아진다.

실전! 수능 도전하기

정답과 해설 092쪽

01 표는 반응 $2A(g) \longrightarrow B(g)+C(g)$에 대해 온도 T에서 A의 초기 농도에 따른 반응 속도를 나타낸 것이다.

실험	A의 초기 농도(M)	초기 반응 속도 ($\times 10^{-4}$ M/s)
(가)	0.01	1.0
(나)	0.02	4.0
(다)	0.03	9.0

이에 대한 설명으로 옳은 것만을 〈보기〉에서 있는 대로 고른 것은? (단, k는 반응 속도 상수이다.)

보기
ㄱ. 반응 속도식은 $v=k[A]$이다.
ㄴ. k는 (가)에서와 (나)에서 같다.
ㄷ. 활성화 에너지는 (다)에서가 (나)에서보다 크다.

① ㄱ ② ㄴ ③ ㄱ, ㄷ
④ ㄴ, ㄷ ⑤ ㄱ, ㄴ, ㄷ

02 그림의 (가)와 (나)는 반응 $A(g) \longrightarrow B(g)$에 대하여 A의 초기 농도와 온도가 다른 조건에서 시간에 따른 $\frac{1}{[A]}$을 각각 나타낸 것이다.

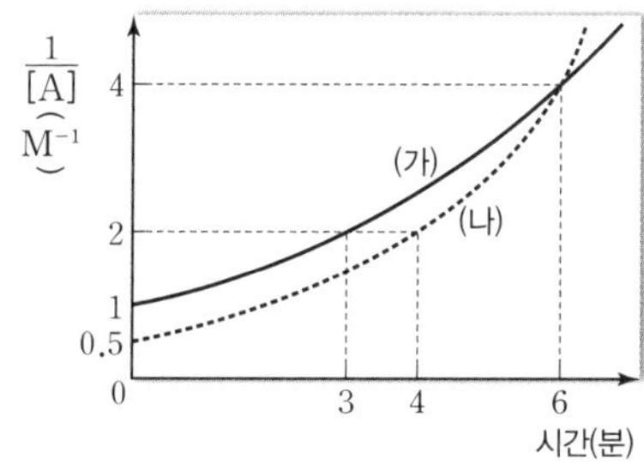

이에 대한 설명으로 옳은 것만을 〈보기〉에서 있는 대로 고른 것은?

보기
ㄱ. A의 1차 반응이다.
ㄴ. 온도는 (가)에서가 (나)에서보다 높다.
ㄷ. 12분일 때 $\frac{(가)에서\ [A]}{(나)에서\ [A]}=2$이다.

① ㄱ ② ㄴ ③ ㄱ, ㄷ
④ ㄴ, ㄷ ⑤ ㄱ, ㄴ, ㄷ

03 다음은 기체 A로부터 기체 B가 생성되는 반응의 화학 반응식과 반응 속도식이다. k는 반응 속도 상수이고, m은 반응 차수이다.

$$A(g) \longrightarrow B(g) \qquad v=k[A]^m$$

그림은 강철 용기에 A를 넣고 반응시켰을 때, 시간에 따른 반응물의 농도 변화를 나타낸 것이다.

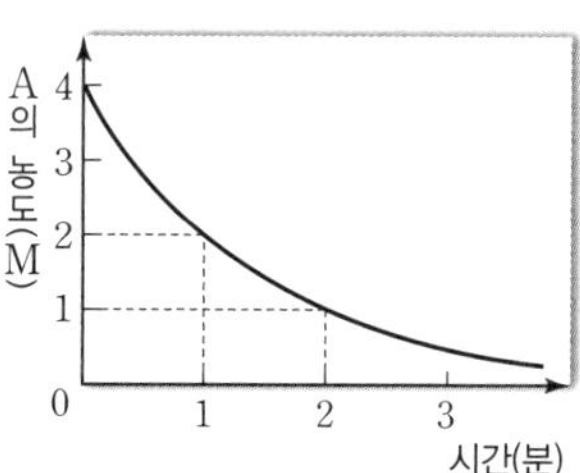

이에 대한 설명으로 옳은 것만을 〈보기〉에서 있는 대로 고른 것은? (단, 온도는 일정하다.)

보기
ㄱ. $m=1$이다.
ㄴ. 평균 반응 속도는 0~1분일 때가 1분~3분일 때의 2배이다.
ㄷ. 3분일 때 A의 몰 분율은 $\frac{1}{4}$이다.

① ㄱ ② ㄷ ③ ㄱ, ㄴ
④ ㄴ, ㄷ ⑤ ㄱ, ㄴ, ㄷ

수능 기출

04 표는 서로 다른 온도의 두 강철 용기에서 반응 $A(g) \longrightarrow 2B(g)$이 일어날 때 시간에 따른 [B]이다.

실험	온도	[B](M)			
		$t=0$	$t=20$분	$t=40$분	$t=60$분
Ⅰ	T_1	0	6.4	9.6	11.2
Ⅱ	T_2	0	4.8	6.0	6.3

이에 대한 설명으로 옳은 것만을 〈보기〉에서 있는 대로 고른 것은?

보기
ㄱ. $T_1 < T_2$이다.
ㄴ. Ⅰ에서 순간 반응 속도는 20분일 때가 60분일 때의 4배이다.
ㄷ. Ⅱ에서 A의 초기 농도는 4.8 M이다.

① ㄱ ② ㄷ ③ ㄱ, ㄴ
④ ㄴ, ㄷ ⑤ ㄱ, ㄴ, ㄷ

05 표는 1차 반응 $X(g) \longrightarrow Y(g)$에 대해 농도와 온도가 다른 조건에서 반감기를 나타낸 것이다.

반응 조건	X의 초기 농도(M)	온도	반감기(초)
(가)	2.0	T_1	20
(나)	1.0	T_2	40

이에 대한 설명으로 옳은 것만을 〈보기〉에서 있는 대로 고른 것은?

보기
ㄱ. $T_1 > T_2$이다.
ㄴ. (가)와 (나)에서 X의 농도가 같아지는 시간은 40초이다.
ㄷ. 반응 속도 상수는 (가) : (나)=3 : 2이다.

① ㄱ ② ㄴ ③ ㄱ, ㄷ
④ ㄴ, ㄷ ⑤ ㄱ, ㄴ, ㄷ

수능 기출

06 다음은 기체 A가 반응하여 기체 B와 C를 생성하는 반응의 화학 반응식과 반응 속도식이다. 반응 차수(m)는 0과 1 중 하나이다.

$$2A(g) \longrightarrow 2B(g) + C(g) \qquad v = k[A]^m$$
(k: 반응 속도 상수)

그림은 T_1 K인 강철 용기 Ⅰ과 T_2 K인 강철 용기 Ⅱ에서 각각 $A(g)$가 반응할 때 시간에 따른 순간 반응 속도(v)를 나타낸 것이다. k는 T_2 K에서가 T_1 K에서의 2배이다.

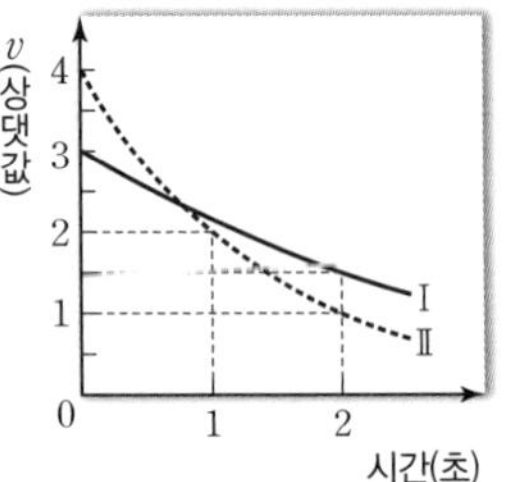

2초일 때 $\dfrac{\text{Ⅱ에서의 [A]}}{\text{Ⅰ에서의 [A]}}$는? (단, 강철 용기의 온도는 일정하게 유지된다.)

① $\frac{1}{3}$ ② $\frac{1}{2}$ ③ $\frac{3}{2}$
④ 2 ⑤ 3

07 다음은 $A(g)$의 분해 반응의 화학 반응식과 반응 속도식이다.

$$A(g) \longrightarrow B(g) + C(g) \qquad v = k[A]^m$$
(k: 반응 속도 상수)

표는 T K에서 그림과 같이 1 L의 강철 용기에 $A(g)$를 0.04몰 넣었을 때, 반응 시간에 따른 $B(g)$의 몰 분율을 나타낸 것이다.

A(g)
1 L
0.04몰

반응 시간(초)	0	t	$2t$	$3t$
B(g)의 몰 분율	0	$\frac{1}{3}$	$\frac{3}{7}$	x

x는?

① $\frac{1}{6}$ ② $\frac{5}{12}$ ③ $\frac{4}{15}$ ④ $\frac{7}{15}$ ⑤ $\frac{13}{27}$

08 다음은 기체 A가 분해되어 기체 B와 C를 생성하는 반응의 화학 반응식이다.

$$2A(g) \longrightarrow 2B(g) + C(g)$$

표는 1 L의 강철 용기에 기체 A를 넣고 반응을 진행시켰을 때 반응 시간에 따른 전체 기체의 농도를 나타낸 것이다. 이 반응은 1차 반응이다.

시간(분) \ 구분	기체의 전체 농도(M)	
	실험 Ⅰ	실험 Ⅱ
0	8	12
2		
4	x	$\frac{33}{2}$
6	$\frac{23}{2}$	y

$x+y$는? (단, 온도는 일정하다.)

① 25 ② 26 ③ $\frac{113}{4}$
④ $\frac{129}{4}$ ⑤ $\frac{113}{2}$

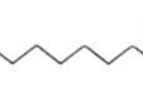

수능 기출

09 다음은 $A(g)$가 분해되어 $B(g)$와 $C(g)$를 생성하는 반응의 화학 반응식이다.

$$aA(g) \longrightarrow bB(g)+C(g) \ (a, b\text{: 반응 계수})$$

표는 온도 T에서 같은 부피의 강철 용기에서 $A(g)$의 농도를 다르게 하여 반응시킨 실험 Ⅰ과 Ⅱ의 자료이다. t는 반응 시간이다.

실험	[A](mM)		[B](mM)		[C](mM)		초기 반응 속도
	$t=0$	$t=3$분	$t=0$	$t=3$분	$t=0$	$t=3$분	
Ⅰ	32	x	0	42	0	7	v
Ⅱ	64	8	0	y	0	14	$2v$

$t=2$분일 때, $\dfrac{\text{Ⅰ에서 [A]}}{\text{Ⅱ에서 [C]}}$는? (단, 온도는 일정하다.)

① $\frac{1}{2}$ ② $\frac{2}{3}$ ③ $\frac{3}{4}$
④ $\frac{4}{5}$ ⑤ $\frac{5}{6}$

10 다음은 기체 A가 분해되는 반응의 화학 반응식이다.

$$2A(g) \longrightarrow 3B(g)+C(g)$$

표는 t ℃에서 일정한 부피의 강철 용기에 기체 A를 넣고 반응시켰을 때 시간에 따른 A의 농도를 나타낸 것이다.

반응 시간(분)	0	1	2	3	4
A의 농도(M)	2.0	x	1.5	1.25	1.0

이에 대한 설명으로 옳은 것만을 〈보기〉에서 있는 대로 고른 것은?

보기
ㄱ. x는 1.75이다.
ㄴ. A의 1차 반응이다.
ㄷ. 4분일 때 A의 몰 분율은 $\frac{1}{3}$이다.

① ㄱ ② ㄴ ③ ㄱ, ㄷ
④ ㄴ, ㄷ ⑤ ㄱ, ㄴ, ㄷ

11 다음은 기체 A와 B가 반응할 때의 반응 속도식이다.

$$v=k[A][B]^2$$

표는 반응물의 초기 농도와 온도를 달리하였을 때 초기 반응 속도를 나타낸 것이다.

실험	반응물의 초기 농도(M)		온도	초기 반응 속도(상댓값)
	A	B		
(가)	0.1	0.1	T_1	v
(나)	0.1	b	T_1	$4v$
(다)	a	0.2	T_1	$8v$
(라)	0.2	0.2	T_2	$16v$

이에 대한 설명으로 옳은 것만을 〈보기〉에서 있는 대로 고른 것은?

보기
ㄱ. $a=b$이다.
ㄴ. $T_2>T_1$이다.
ㄷ. 반응 속도 상수는 (라)에서가 (나)에서의 2배이다.

① ㄱ ② ㄷ ③ ㄱ, ㄴ
④ ㄴ, ㄷ ⑤ ㄱ, ㄴ, ㄷ

12 다음은 기체 A와 B가 반응하여 기체 C를 생성할 때의 열화학 반응식과 반응 경로에 따른 엔탈피 변화를 나타낸 것이다.

$$A(g)+B(g) \rightleftharpoons 2C(g) \qquad \Delta H$$

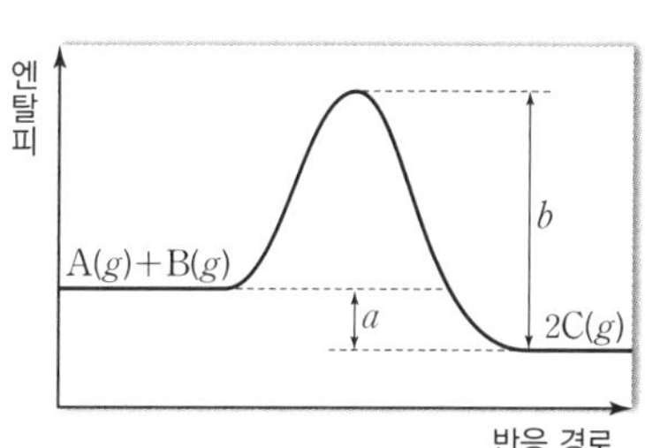

이에 대한 설명으로 옳은 것만을 〈보기〉에서 있는 대로 고른 것은?

보기
ㄱ. 정반응은 발열 반응이다.
ㄴ. 정반응의 활성화 에너지는 $(b-a)$이다.
ㄷ. 온도가 높아지면 역반응의 속도는 느려진다.

① ㄱ ② ㄷ ③ ㄱ, ㄴ
④ ㄴ, ㄷ ⑤ ㄱ, ㄴ, ㄷ

실전! 수능 도전하기

정답과 해설 092쪽

수능 기출

13 다음은 기체 A로부터 기체 B가 생성되는 반응의 화학 반응식이다.

$$A(g) \longrightarrow 2B(g)$$

그림은 온도 T_1과 T_2에서 $A(g)$의 초기 농도($[A]_0$)에 따른 반응 속도를, 표는 T_1에서 강철 용기에 $A(g)$를 넣고 반응시킬 때 반응 시간에 따른 $B(g)$의 농도($[B]$)를 나타낸 것이다.

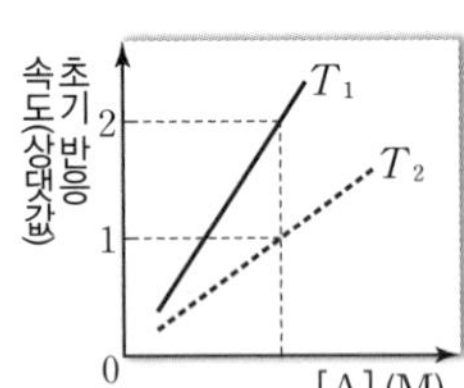

반응 시간(분)	0	t	$2t$	$3t$
[B](M)	0	x	3	$\frac{7}{2}$

T_2에서 부피가 1 L인 강철 용기에 $A(g)$ $2x$몰을 넣고 반응시켜 반응 시간이 $2t$분일 때, $A(g)$의 농도는? (단, 반응이 진행되는 동안 온도는 일정하다.)

① 2 M ② $\frac{7}{3}$ M ③ $\frac{5}{2}$ M
④ $\frac{8}{3}$ M ⑤ 3 M

14 그림은 $X(g)$가 분해되는 반응에서 초기 농도와 온도가 다른 조건에서 X의 농도 변화를 나타낸 것이다.

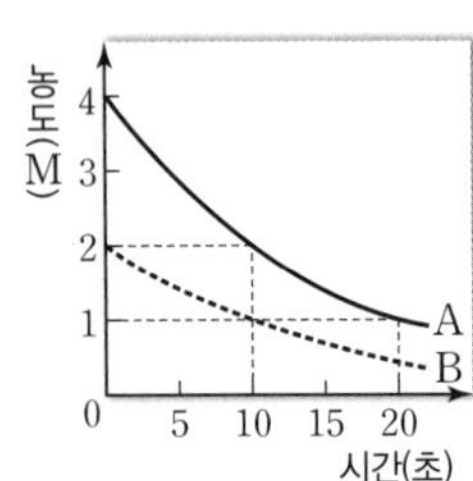

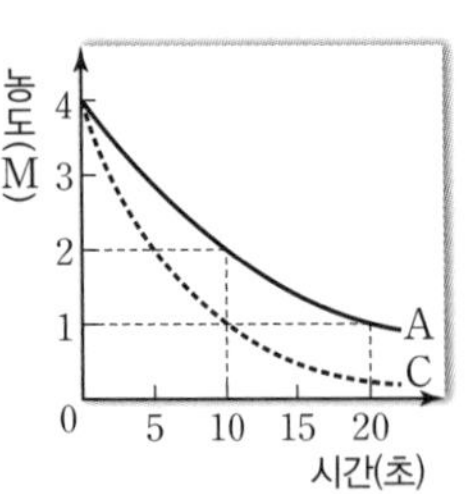

이에 대한 설명으로 옳은 것만을 〈보기〉에서 있는 대로 고른 것은? (단, k는 반응 속도 상수이다.)

〈보기〉
ㄱ. 반응 속도식은 $v=k[X]$이다.
ㄴ. 초기 반응 속도는 C에서가 B에서의 3배이다.
ㄷ. 온도는 C에서가 A에서보다 높다.

① ㄱ ② ㄷ ③ ㄱ, ㄴ
④ ㄴ, ㄷ ⑤ ㄱ, ㄴ, ㄷ

15 그림은 온도만 다른 조건 T_1, T_2에서 $A(g)$의 분자 운동 에너지 분포 곡선을 나타낸 것이다.

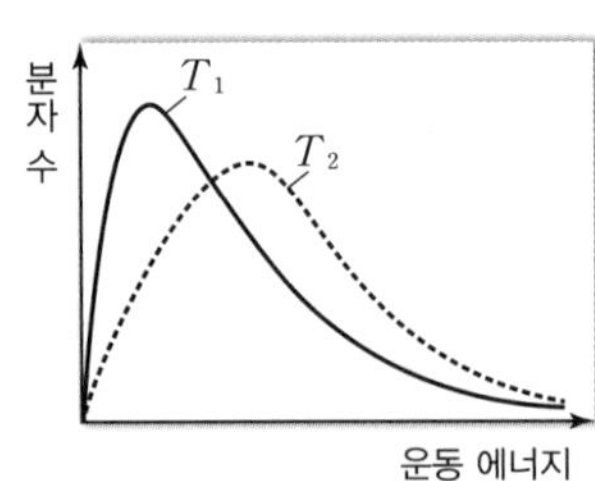

반응 $A(g) \longrightarrow B(g)$이 일어날 때, T_2에서가 T_1에서보다 큰 값을 갖는 것만을 〈보기〉에서 있는 대로 고른 것은?

〈보기〉
ㄱ. 활성화 에너지
ㄴ. 반응 속도 상수
ㄷ. 반응이 완결된 후 B의 농도

① ㄱ ② ㄴ ③ ㄱ, ㄷ
④ ㄴ, ㄷ ⑤ ㄱ, ㄴ, ㄷ

16 그림은 반응 $A(g) \longrightarrow 2B(g)$에 대하여 온도가 T_1, T_2일 때 시간에 따른 $B(g)$의 농도 변화를 나타낸 것이다.

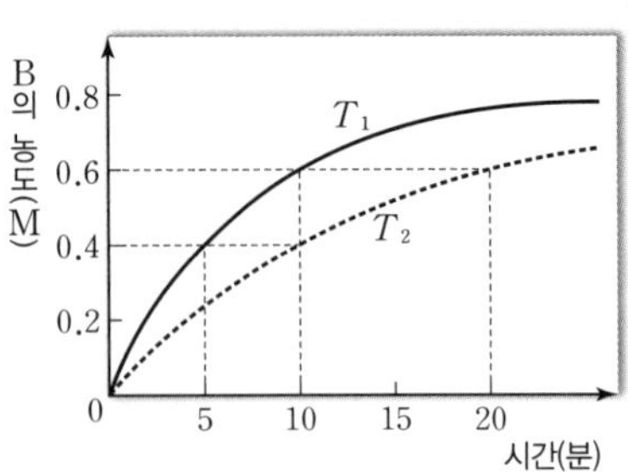

이에 대한 설명으로 옳은 것만을 〈보기〉에서 있는 대로 고른 것은?

〈보기〉
ㄱ. A의 0차 반응이다.
ㄴ. A의 초기 농도는 0.8 M이다.
ㄷ. 반응 속도 상수는 T_1에서가 T_2에서보다 크다.

① ㄱ ② ㄷ ③ ㄱ, ㄴ
④ ㄴ, ㄷ ⑤ ㄱ, ㄴ, ㄷ

2 촉매와 우리 생활

배울 내용 살펴보기

01 촉매와 반응 속도

- **A** 촉매와 촉매의 종류
- **B** 촉매와 반응 속도

촉매는 활성화 에너지를 변화시켜 반응 속도를 변화시키는 물질로, 반응 속도를 빠르게 하는 정촉매와 반응 속도를 느리게 하는 부촉매가 있어.

02 생활 속의 촉매

- **A** 생명 현상에서의 촉매
- **B** 현대 산업과 촉매

효소는 생물체 내에서 촉매 역할을 하고, 산업에서도 표면 촉매, 유기 촉매, 광촉매 등이 이용되고 있어.

01 촉매와 반응 속도

핵심 키워드로 흐름잡기

A 촉매, 정촉매, 부촉매

B 촉매와 반응 속도, 촉매와 활성화 에너지

A 촉매와 촉매의 종류

|출·제·단·서| 정촉매와 부촉매로 작용하는 물질의 예를 묻는 문제가 시험에 나와.

1. 촉매 화학 반응에 참여하지만 자신은 변하지 않고 반응 속도만 변화시키는 물질
└활성화 에너지(E_a)를 변화시켜 반응 속도를 빠르게 또는 느리게 한다.

2. 촉매의 종류

(1) 정촉매 활성화 에너지를 낮추어 반응 속도를 빠르게 하는 물질

예 • 과산화 수소(H_2O_2)를 물과 산소로 분해할 때 이산화 망가니즈(MnO_2)나 아이오딘화 칼륨(KI)을 넣으면 분해 속도가 빨라진다. (정촉매로 작용한다.)

$$2H_2O_2 \xrightarrow{MnO_2} 2H_2O+O_2,\ 2H_2O_2 \xrightarrow{KI} 2H_2O+O_2$$

❶

• 염소산 칼륨($KClO_3$)에 이산화 망가니즈(MnO_2)를 넣고 가열하면 분해 속도가 빨라진다.

$$2KClO_3 \xrightarrow{MnO_2} 2KCl+3O_2$$

(2) 부촉매 활성화 에너지를 높여 반응 속도를 느리게 하는 물질

예 과산화 수소(H_2O_2)를 물과 산소로 분해할 때 인산(H_3PO_4)을 넣으면 분해 속도가 느려진다. (부촉매로 작용한다.) 과산화 수소를 장기간 보관할 때 소량의 묽은 인산을 첨가하기도 한다.

$$2H_2O_2 \xrightarrow{H_3PO_4} 2H_2O+O_2$$

B 촉매와 반응 속도

|출·제·단·서| 반응 속도의 변화를 이용하여 촉매의 종류를 구분하는 과정을 묻는 문제가 시험에 나와.

1. 촉매의 특징 암기TiP 촉매를 사용하면 변하는 것: 반응 경로, 활성화 에너지 크기, 정반응 속도, 역반응 속도

(1) 촉매는 반응 전과 후에 질량이 변하지 않는다.

(2) 촉매를 사용해도 최종 생성물의 양은 변하지 않는다.

(3) 촉매를 사용해도 평형 상수(K)와 반응엔탈피(ΔH)는 변하지 않는다.

(4) 촉매를 사용하면 반응 경로가 변한다.❷

(5) 촉매를 사용하면 활성화 에너지의 크기가 달라져 정반응 속도와 역반응 속도가 모두 변한다.

2. 촉매와 반응 속도 탐구 POOL 화학 반응에서 촉매를 사용하면 반응 경로가 달라지면서 활성화 에너지가 변하여 활성화 에너지보다 큰 에너지를 갖는 분자 수가 달라지므로 반응 속도가 변한다.❸ 정촉매를 이용하여 반응 속도를 증가시키는 것이 온도나 농도를 높이는 것보다 효과적이다.

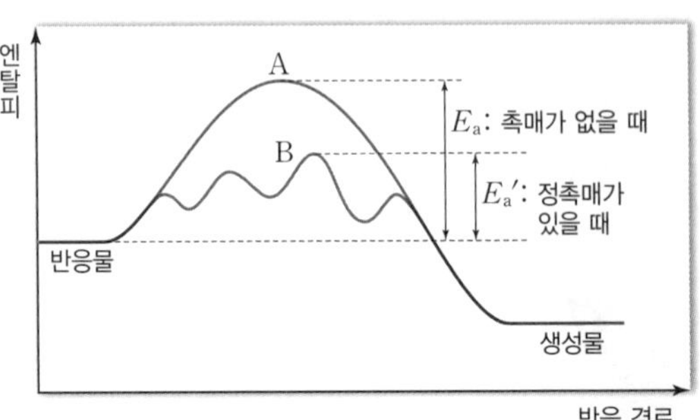

▲ 촉매에 따른 반응 경로의 변화

경로 A는 촉매를 사용하지 않은 반응 경로이고, 경로 B는 정촉매를 사용하였을 때의 반응 경로이다. 이때 반응 경로가 A → B로 바뀌면서 활성화 에너지가 낮아지므로 반응 속도가 빨라진다.

일반적으로 촉매는 정촉매를 의미한다.

❶ **촉매의 표시**
촉매는 화학 반응 전후에 변하지 않으므로 반응물과 생성물에 포함시키지 않고, 화학 반응식의 화살표 위에 표시한다.

❷ **반응 경로**
화학 반응에서 반응물이 생성물로 될 때 여러 개의 작은 반응을 거치게 되는데, 이 반응이 진행할 때마다 각각 거치는 에너지 단계의 경로를 반응 경로라고 한다.

❸ **촉매의 기능**
• 활성화 에너지를 조절하여 반응 속도를 변화시킨다.
• 촉매를 사용하는 것은 마치 넘어야 할 산의 경로를 조절하는 것에 비유할 수 있다.

용어 알기

• 촉매(닿다 觸, 매개하다 媒) 반응 속도를 증가 또는 감소시키는 효과를 나타내고, 반응 후에도 원래의 상태를 유지할 수 있는 물질

(1) **정촉매를 사용할 때** 활성화 에너지를 낮추어 반응이 일어날 수 있는 분자 수가 증가하므로 반응 속도가 빨라진다.[4] 정촉매를 사용하면 반응 속도 상수가 커진다.

정촉매와 활성화 에너지 암기TiP 정촉매 사용 → 활성화 에너지 감소 → 반응할 수 있는 분자 수 증가 → 반응 속도 증가

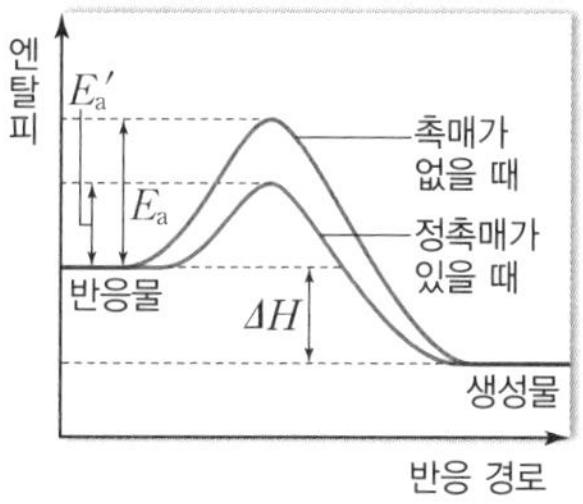

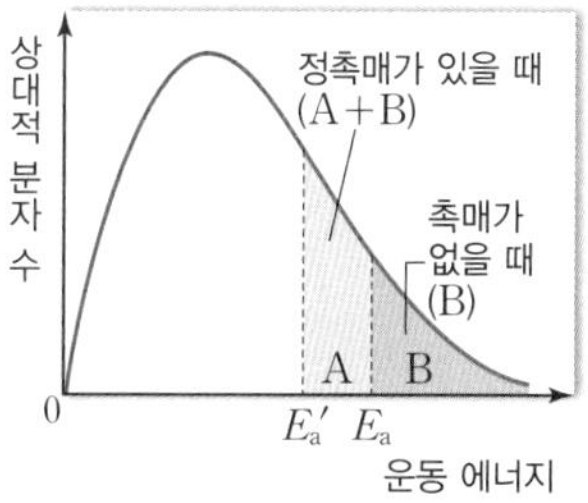

E_a: 촉매가 없을 때의 활성화 에너지
E_a': 정촉매 사용할 때의 활성화 에너지

▲ 정촉매 사용 시 활성화 에너지의 변화 ▲ 정촉매 사용 시 반응 가능한 분자 수의 변화

❶ 촉매가 없을 때(E_a): 반응이 일어날 수 있는 분자 수는 B이다.

❷ 정촉매를 사용할 때: 활성화 에너지 감소(E_a → E_a') ➡ 반응이 일어날 수 있는 분자 수 증가(B → (A+B)) ➡ 반응 속도가 빨라진다.

(2) **부촉매를 사용할 때** 활성화 에너지를 높여 반응이 일어날 수 있는 분자 수가 감소하므로 반응 속도가 느려진다. 부촉매를 사용하면 반응 속도 상수가 작아진다.

부촉매와 활성화 에너지 암기TiP 부촉매 사용 → 활성화 에너지 증가 → 반응할 수 있는 분자 수 감소 → 반응 속도 감소

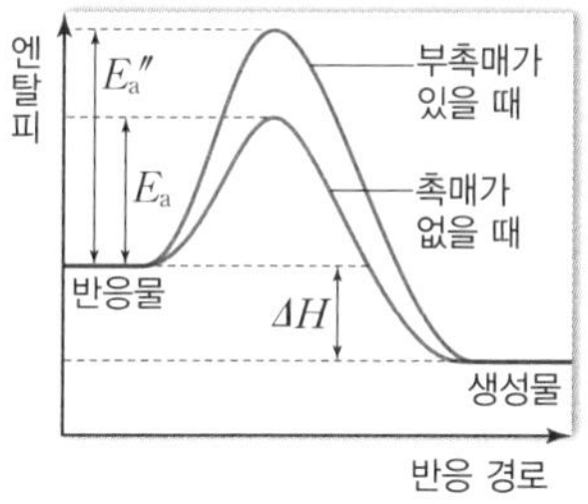

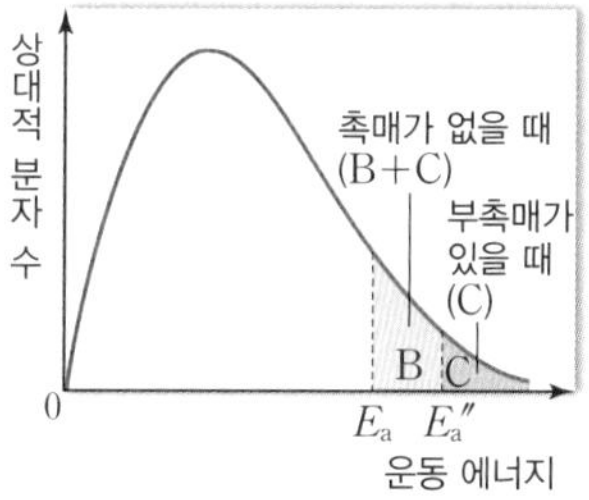

E_a: 촉매가 없을 때의 활성화 에너지
E_a'': 부촉매 사용할 때의 활성화 에너지

▲ 부촉매 사용 시 활성화 에너지의 변화 ▲ 부촉매 사용 시 반응 가능한 분자 수 변화

❶ 촉매가 없을 때(E_a): 반응이 일어날 수 있는 분자 수는 (B+C)이다.

❷ 부촉매를 사용할 때: 활성화 에너지 증가(E_a → E_a'') ➡ 반응이 일어날 수 있는 분자 수 감소((B+C) → C) ➡ 반응 속도가 느려진다.

빈출 자료 촉매에 따른 반응 속도

표는 눈금실린더 A ~ D에 10 % 과산화 수소수 10 mL와 합성 세제 수용액 5 mL를 넣은 후, 눈금실린더 A에는 아무것도 넣지 않고, B에는 이산화 망가니즈, C에는 아이오딘화 칼륨, D에는 묽은 인산을 넣고 거품이 발생하는 정도를 비교한 결과이다.

눈금실린더	A	B	C	D
관찰 결과	아주 적은 양의 거품이 생김	많은 양의 거품이 생김	많은 양의 거품이 생김	거품이 생기지 않음

❶ 과산화 수소 분해 반응의 화학 반응식: $2H_2O_2 \longrightarrow 2H_2O + O_2$ ➡ 과산화 수소가 분해되면 물과 산소가 생성되므로 발생한 산소 때문에 거품이 발생하게 된다.

❷ 이산화 망가니즈와 아이오딘화 칼륨: 아무것도 넣지 않았을 때보다 과산화 수소의 분해 반응 속도를 빠르게 하므로 정촉매이다. ➡ 활성화 에너지를 낮춘다.

❸ 묽은 인산: 아무것도 넣지 않았을 때보다 과산화 수소의 분해 반응 속도를 느리게 하므로 부촉매이다. ➡ 활성화 에너지를 높인다.

❹ 정촉매인 아이오딘화 칼륨 사용 시 변화: 과산화 수소는 실온에서 느리게 분해되는데, 아이오딘화 이온(I^-)이 있으면 반응 속도가 빨라진다. ➡ 아이오딘화 이온이 반응 경로를 바꾸어 활성화 에너지를 낮추기 때문[5]

❹ 촉매의 작용
촉매 사용 → 활성화 에너지 크기 변화 → 반응 속도 변화

❓ 정촉매를 사용하면 정반응 속도가 빨라지므로 역반응 속도는 느려지지 않을까?
정촉매는 정반응의 활성화 에너지를 낮출 뿐만 아니라 역반응의 활성화 에너지도 낮추므로 정반응 속도뿐만 아니라 역반응 속도도 빨라진다.

❺ 과산화 수소 분해 반응에서 활성화 에너지 변화
과산화 수소 분해 반응의 활성화 에너지는 76 kJ인데, 정촉매인 아이오딘화 칼륨을 사용하면 활성화 에너지가 19 kJ로 감소하여 반응 속도가 빨라진다.

촉매와 반응 속도

목표 촉매와 반응 속도 사이의 관계를 설명할 수 있다.

과정

❶ 눈금실린더 4개를 각각 페트리 접시에 올려놓는다.

❷ 과산화 수소수와 주방용 세제 넣기

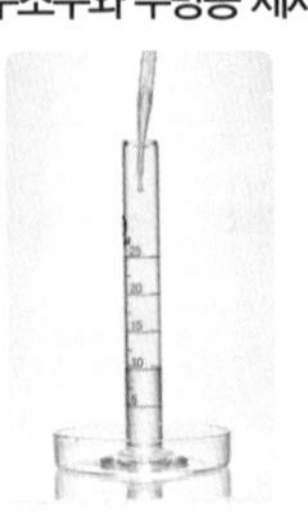

각 눈금실린더에 스포이트로 3% 과산화 수소수(H_2O_2)를 10 mL씩 넣고, 주방용 세제를 3방울 정도 넣는다.

❸ 몇 가지 물질 넣기

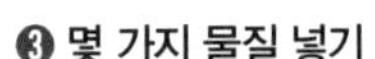

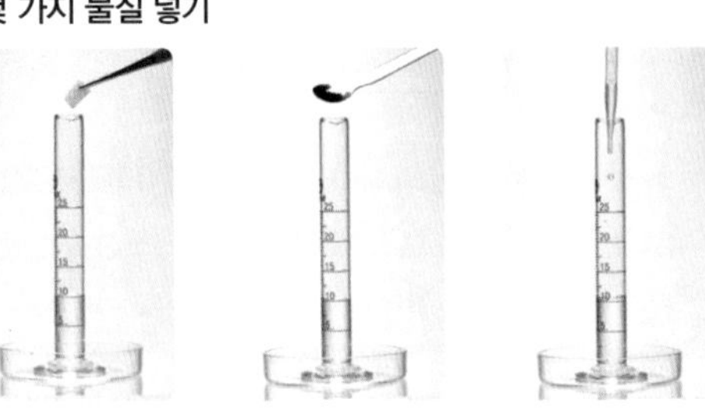

1개의 눈금실린더는 그대로 두고, 다른 3개의 눈금실린더에는 각각 얇게 썬 감자 두 조각, 이산화 망가니즈(MnO_2) 가루 소량, 아이오딘화 칼륨(KI) 수용액 3~4방울을 넣는다.

❹ 각 눈금실린더에서 일어나는 변화를 관찰한다.

유의점
- 실험 중 눈금실린더 밖으로 거품이 넘칠 수 있으므로 페트리 접시 안에서 반응시킨다.
- 발생한 거품에는 시약이 묻어 있으므로 손으로 만지지 않는다.

결과

첨가물	없음	감자	이산화 망가니즈	아이오딘화 칼륨 수용액
관찰 결과	거품이 거의 발생하지 않는다.	거품이 많이 발생한다.	거품이 많이 발생한다.	거품이 많이 발생한다.

❓ 상처가 난 피부에 과산화 수소수를 바르면 왜 거품이 생길까?
혈액 속에 들어 있는 효소가 과산화 수소 분해 반응의 정촉매 역할을 하기 때문이다.

❓ 과산화 수소수를 장기간 안정적으로 보관하기 위해 어떻게 해야 할까?
과산화 수소수는 서서히 분해되므로 장기간 안정적으로 보관하기 위해서는 분해 속도를 느리게 하는 물질을 넣어 준다. 시중에 판매되는 과산화 수소수에는 분해 반응을 느리게 하는 부촉매인 인산이 들어 있다.

정리 및 해석

❶ 과산화 수소가 분해되어 산소 기체가 발생하고 발생한 산소 기체가 세제와 만나 거품이 발생한다. 이때 거품이 많이 발생할수록 과산화 수소의 분해 반응이 빠르게 일어나는 것이다. 즉, 반응 속도가 빠르다.

❷ 감자, 이산화 망가니즈(MnO_2), 아이오딘화 칼륨(KI) 수용액을 넣은 눈금실린더에서의 반응 속도가 아무것도 넣지 않은 눈금실린더에서보다 빠르다.

❸ 감자, 이산화 망가니즈(MnO_2), 아이오딘화 칼륨(KI)은 과산화 수소의 분해 반응을 빠르게 하므로 과산화 수소 분해 반응의 정촉매이다.

$2H_2O_2(aq) \longrightarrow 2H_2O(g) + O_2(g)$ (느림)

$2H_2O_2(aq) \xrightarrow{MnO_2} 2H_2O(g) + O_2(g)$ (빠름)　$2H_2O_2(aq) \xrightarrow{KI} 2H_2O(g) + O_2(g)$ (빠름)

❹ 정촉매를 사용하면 반응의 활성화 에너지가 낮아져 반응이 일어날 수 있는 분자 수가 증가하므로 반응 속도가 빨라진다. 이와 같이 촉매는 반응의 활성화 에너지를 변화시켜 반응 속도를 변하게 한다.

한·줄·핵심 촉매는 반응 속도를 변화시킨다.

확인 문제

정답과 해설 095쪽

01 이 탐구 활동에서 (가) 아무것도 넣지 않은 눈금실린더와 (나) 이산화 망가니즈를 넣은 눈금실린더에서의 과산화 수소 분해 반응의 활성화 에너지 크기를 비교하시오.

02 이 탐구 활동의 결과 정촉매가 반응 속도에 미치는 영향은 무엇인지 쓰시오.

콕콕! 개념 확인하기

정답과 해설 095쪽

✔ 잠깐 확인!

1. □□
화학 반응에 참여하지만 자신은 변하지 않고 반응 속도만 변화시키는 물질

2. □□□는 활성화 에너지를 낮추고, □□□는 활성화 에너지를 높여 반응 속도가 달라지게 한다.

3. 과산화 수소 분해 반응에서 이산화 망가니즈는 반응 속도를 빠르게 하므로 □□□이다.

4. 과산화 수소 분해 반응에서 인산은 부촉매로, 반응 속도를 □□시킨다.

5. 정반응과 역반응 속도를 모두 빠르게 하는 촉매는 □□□이다.

6. 촉매를 사용하면 □□□□가 변하여 활성화 에너지가 달라진다.

7. □□□를 사용하면 활성화 에너지보다 큰 분자 운동 에너지를 가지는 분자 수가 감소한다.

A 촉매와 촉매의 종류

01 촉매에 대한 설명으로 옳은 것은 ○, 옳지 않은 것은 ×로 표시하시오.

(1) 촉매는 반응 속도를 변화시킨다. ( )

(2) 촉매는 화학 반응에서 반응물이다. ( )

(3) 정촉매는 반응 속도를 빠르게 한다. ( )

(4) 부촉매는 활성화 에너지를 낮춘다. ( )

02 다음은 과산화 수소 분해 반응에 첨가한 2가지 물질에 대한 설명이다. ㉠, ㉡에 들어갈 알맞은 말을 쓰시오.

> 과산화 수소의 분해 반응에서 이산화 망가니즈(MnO_2)는 반응 속도를 빠르게 하므로 (㉠)이고, 인산(H_3PO_4)은 반응 속도를 느리게 하므로 (㉡)이다.

B 촉매와 반응 속도

03 촉매와 반응 속도에 대한 설명으로 옳은 것은 ○, 옳지 않은 것은 ×로 표시하시오.

(1) 정촉매를 사용하면 반응엔탈피가 감소한다. ( )

(2) 촉매를 사용하면 반응 경로가 달라진다. ( )

(3) 정촉매를 사용하면 정반응 속도는 빨라지고, 역반응 속도는 느려진다. ( )

(4) 정촉매를 사용하면 활성화 에너지보다 큰 분자 운동 에너지를 가지는 분자 수가 증가한다. ( )

04 그림은 정촉매와 부촉매를 사용한 반응과 촉매를 사용하지 않은 반응에서의 반응 경로에 따른 엔탈피를 나타낸 것이다. ㉠, ㉡에 들어갈 알맞은 말을 쓰시오.

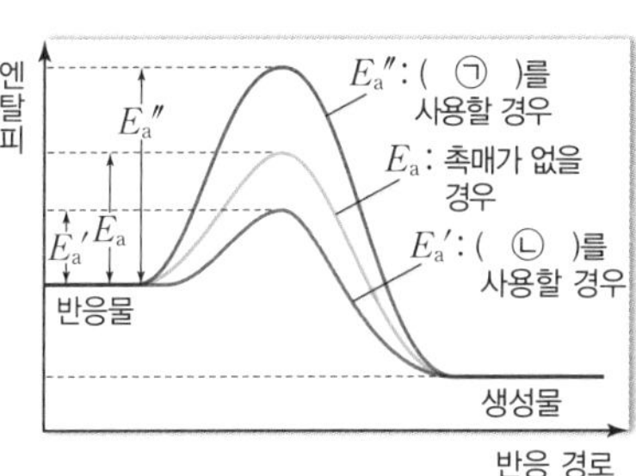

05 그림은 어떤 반응의 분자의 운동 에너지 분포 곡선에 정촉매와 부촉매를 사용한 반응과 촉매를 사용하지 않은 반응의 활성화 에너지를 나타낸 것이다. (가)와 (나)는 어떤 촉매를 사용했을 때의 활성화 에너지인지 쓰시오. (단, E_a는 촉매를 사용하지 않았을 때의 활성화 에너지이다.)

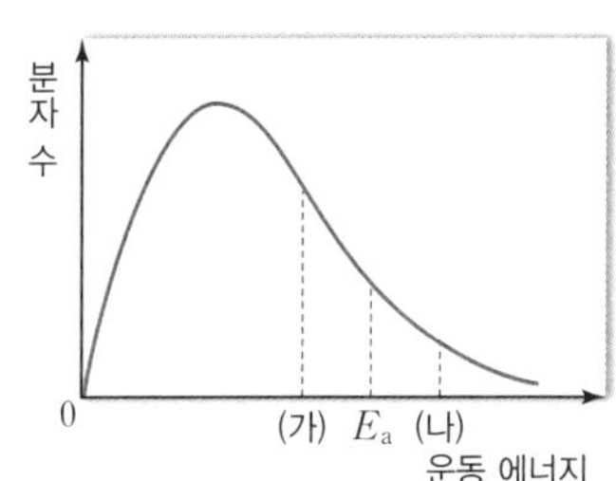

탄탄! 내신 다지기

A 촉매와 촉매의 종류

01 촉매에 대한 설명으로 옳은 것은?

① 생성물의 양을 변화시킨다.
② 활성화 에너지를 변화시킨다.
③ 항상 반응 속도를 빠르게 한다.
④ 반응에 참여하여 양이 줄어든다.
⑤ 정촉매는 정반응의 속도만 빠르게 한다.

02 화학 반응에서 활성화 에너지를 변화시키는 방법으로 옳은 것은?

① 온도를 높인다.
② 촉매를 사용한다.
③ 반응물을 증가시킨다.
④ 반응물의 표면적을 넓힌다.
⑤ 기체 반응물의 압력을 높인다.

B 촉매와 반응 속도

03 정촉매에 대한 설명으로 옳은 것만을 〈보기〉에서 있는 대로 고른 것은?

보기
ㄱ. 반응 경로를 변화시킨다.
ㄴ. 역반응 속도를 느리게 한다.
ㄷ. 활성화 에너지를 감소시킨다.
ㄹ. 반응엔탈피(ΔH)를 증가시킨다.

① ㄱ, ㄷ ② ㄱ, ㄹ ③ ㄴ, ㄷ
④ ㄷ, ㄹ ⑤ ㄴ, ㄷ, ㄹ

04 과산화 수소를 물과 산소로 분해하는 반응에서 이산화 망가니즈를 넣었을 때에 대한 설명으로 옳은 것은?

① 반응 경로가 변하지 않는다.
② 생성된 산소의 양이 증가한다.
③ 산소의 생성 속도가 빨라진다.
④ 반응의 활성화 에너지가 증가한다.
⑤ 이산화 망가니즈의 양이 점점 줄어든다.

05 그림은 (가)와 같은 경로를 가지는 반응에서 물질 X를 넣었을 때 (나)와 같은 반응 경로로 변화되는 것을 나타낸 것이다.

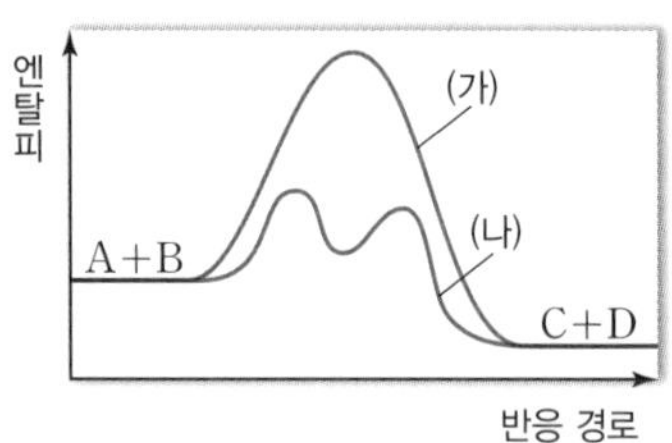

이 반응에서 물질 X는 무엇에 해당하는가?

① 반응물 ② 생성물 ③ 정촉매
④ 부촉매 ⑤ 활성화물

06 표는 촉매 X가 반응 속도에 미치는 영향을 알아보기 위한 실험 결과이다.

실험	온도	첨가한 촉매	초기 반응 속도
Ⅰ	T_1	없음	$4v$
Ⅱ	T_1	X(s)	v

X에 대한 설명으로 옳은 것만을 〈보기〉에서 있는 대로 고른 것은?

보기
ㄱ. 반응 속도를 느리게 한다.
ㄴ. X는 정촉매이다.
ㄷ. 반응의 활성화 에너지를 높인다.

① ㄱ ② ㄴ ③ ㄱ, ㄷ
④ ㄴ, ㄷ ⑤ ㄱ, ㄴ, ㄷ

07 그림은 어떤 화학 반응에서 반응 경로에 따른 엔탈피를 나타낸 것이다.

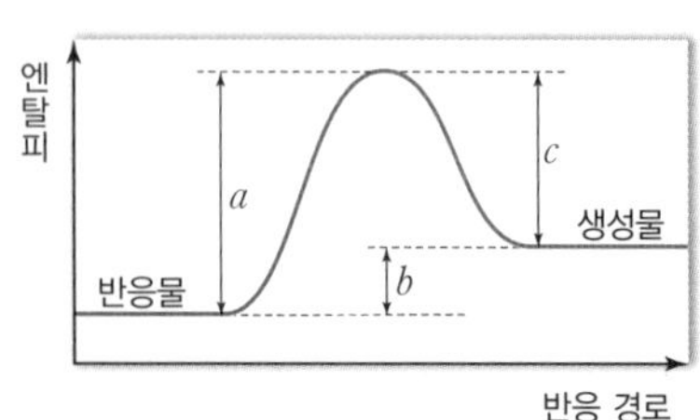

촉매를 사용하였을 때, 그 값이 변하지 않는 것만을 있는 대로 고른 것은?

① a ② b ③ a, c
④ b, c ⑤ a, b, c

08 그림은 일정한 온도의 강철 용기에서 질소(N_2)와 수소(H_2)가 반응하여 암모니아(NH_3)를 생성하는 반응에서 반응 시간에 따른 용기의 압력을 나타낸 것이다. (나)는 (가)와 반응 초기 상태는 같지만 시간 t에서 어떤 반응 조건을 변화시켰을 때의 결과이다.

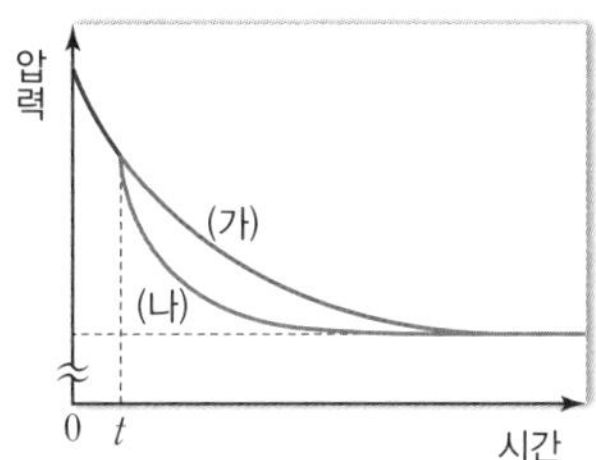

(나)와 같은 결과를 얻기 위해 변화시킨 반응 조건으로 가장 적절한 것은?

① t일 때 정촉매를 넣었다.
② t일 때 부촉매를 넣었다.
③ t일 때 반응물을 추가하였다.
④ t일 때 온도를 높인 후 일정하게 유지하였다.
⑤ t일 때 온도를 낮춘 후 일정하게 유지하였다.

09 그림은 A가 B를 생성하는 반응에서 반응 경로에 따른 엔탈피를 나타낸 것이다. 반응 (가)는 촉매를 사용하지 않은 경우이고, (나)는 촉매 X를 사용한 경우이다. 두 반응은 같은 온도에서 일어난다.

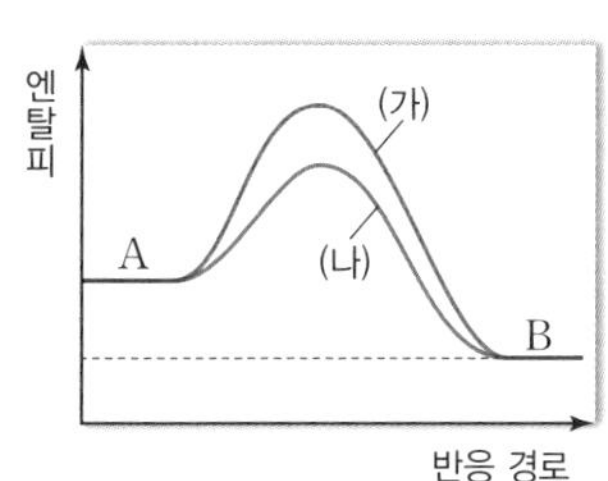

이에 대한 설명으로 옳은 것은?

① X는 부촉매이다.
② 평형 상수는 (가)가 (나)보다 크다.
③ 반응엔탈피는 (나)가 (가)보다 크다.
④ 정반응의 활성화 에너지는 (가)가 (나)보다 크다.
⑤ (가)에서는 정반응의 활성화 에너지가 역반응의 활성화 에너지보다 크다.

단답형

10 그림은 온도 T에서 기체 A의 분자 운동 에너지 분포를, 표는 A(g)의 분해 반응에서 반응 조건과 반응 속도를 나타낸 것이다.

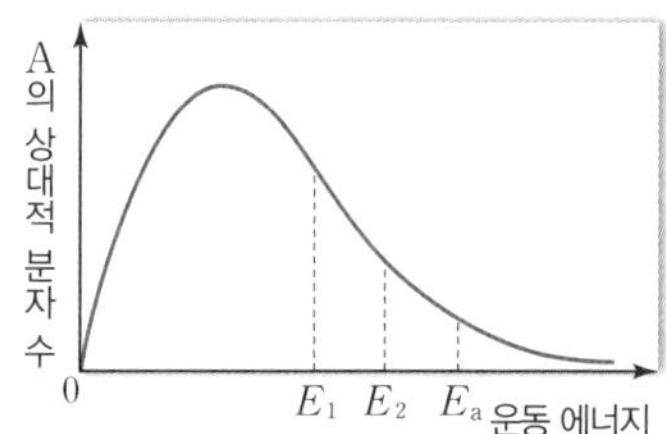

반응	촉매	활성화 에너지	반응 속도
(가)	넣지 않음	E_a	v_1
(나)	X(s)	E_1	v_2
(다)	Y(s)	E_2	v_3

X와 Y가 어떤 종류의 촉매인지 쓰고, $v_1 \sim v_3$의 반응 속도를 비교하시오.

11 1차 반응에서 반응 속도를 빠르게 할 수 있는 방법으로 적절한 것만을 <보기>에서 있는 대로 고른 것은?

보기
ㄱ. 온도를 높인다.
ㄴ. 정촉매를 사용한다.
ㄷ. 반응물의 농도를 증가시킨다.

① ㄱ　② ㄷ　③ ㄱ, ㄴ
④ ㄴ, ㄷ　⑤ ㄱ, ㄴ, ㄷ

단답형

12 표는 4개의 눈금실린더에 과산화 수소와 소량의 세제를 넣고 첨가물을 넣은 후 관찰한 결과를 나타낸 것이다.

첨가물	넣지 않음	감자	이산화 망가니즈	인산
관찰 결과	거품이 매우 소량 발생함	거품이 많이 발생함	거품이 많이 발생함	거품이 거의 발생하지 않음

첨가물을 정촉매와 부촉매로 구분하시오.

도전! 실력 올리기

01 그림 (가)는 반응 $A(g) \longrightarrow B(g)$에서 반응 경로에 따른 엔탈피를, (나)는 $A(g)$의 분자 운동 에너지 분포를 나타낸 것이다. E_a는 반응 $A(g) \longrightarrow B(g)$의 활성화 에너지이다.

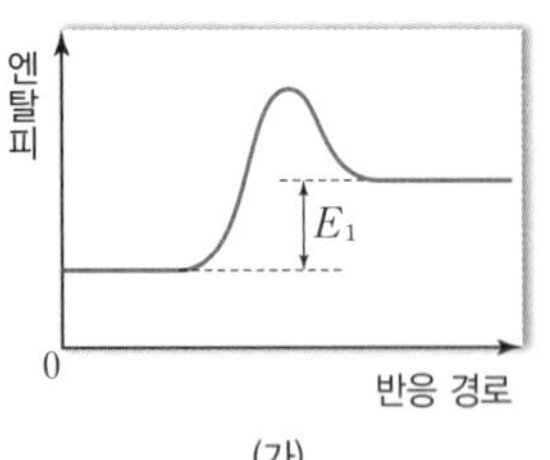

(가)

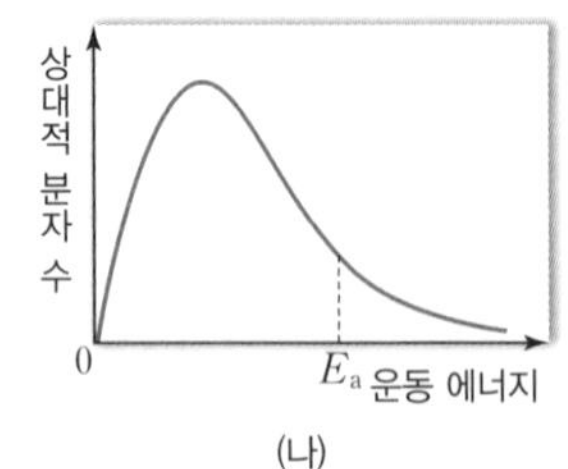

(나)

이 반응에서 정촉매를 사용할 때에 대한 설명으로 옳은 것만을 〈보기〉에서 있는 대로 고른 것은? (단, 온도는 일정하다.)

보기
ㄱ. (가)에서 E_1은 증가한다.
ㄴ. (나)에서 E_a는 감소한다.
ㄷ. (나)에서 활성화 에너지보다 큰 운동 에너지를 가지는 분자 수가 증가한다.

① ㄱ ② ㄷ ③ ㄱ, ㄴ
④ ㄴ, ㄷ ⑤ ㄱ, ㄴ, ㄷ

02 그림은 과산화 수소(H_2O_2)수를 넣은 눈금실린더 (가)와 과산화 수소수에 소량의 A와 B를 넣은 눈금실린더 (나)와 (다)에서 발생하는 산소 기체의 부피를 반응 시간에 따라 나타낸 것이다. 반응 후 A와 B의 질량은 변하지 않았다.

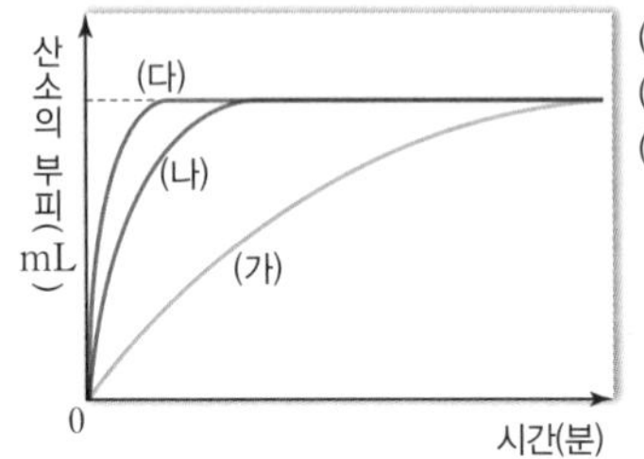

(가): 과산화 수소수
(나): 과산화 수소수+A
(다): 과산화 수소수+B

이에 대한 설명으로 옳은 것만을 〈보기〉에서 있는 대로 고른 것은? (단, 반응 전 과산화 수소수의 농도와 부피는 같다.)

보기
ㄱ. A와 B는 정촉매이다.
ㄴ. 활성화 에너지는 (가)>(나)>(다)이다.
ㄷ. 반응 속도 상수는 (가)>(나)>(다)이다.

① ㄱ ② ㄷ ③ ㄱ, ㄴ
④ ㄴ, ㄷ ⑤ ㄱ, ㄴ, ㄷ

03 그림은 반응 $aA(g) \longrightarrow B(g)$에서 부피가 같은 강철 용기 (가)와 (나)에 같은 부피의 $A(g)$를 넣고 반응시켰을 때 t분 후 용기 내 입자 수를 모형으로 나타낸 것이다. (나)에서는 반응 전 C를 함께 넣어 주었다.

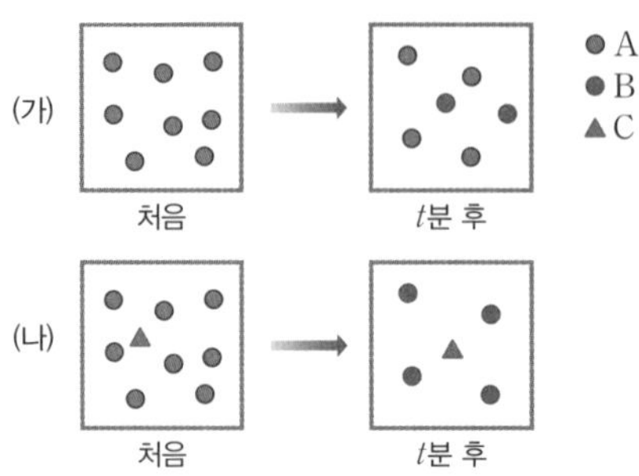

이에 대한 설명으로 옳은 것만을 〈보기〉에서 있는 대로 고른 것은? (단, 온도는 일정하다.)

보기
ㄱ. $a=1$이다.
ㄴ. C는 정촉매이다.
ㄷ. $0 \sim t$분 동안 평균 반응 속도는 (나)가 (가)의 2배이다.

① ㄱ ② ㄷ ③ ㄱ, ㄴ
④ ㄴ, ㄷ ⑤ ㄱ, ㄴ, ㄷ

출제예감

04 그림은 반응 $3A(g) \rightleftarrows 2B(g)$에서 용기에 반응물을 넣고 반응시켰을 때, 반응 시간에 따른 농도를 나타낸 것이다.

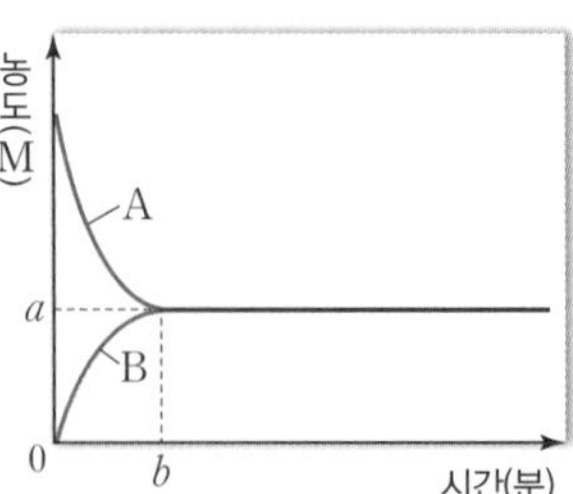

이 반응에서 정촉매를 사용할 때에 대한 설명으로 옳은 것만을 〈보기〉에서 있는 대로 고른 것은? (단, 온도는 일정하다.)

보기
ㄱ. a는 증가한다.
ㄴ. b는 감소한다.
ㄷ. 반응 경로가 변한다.

① ㄱ ② ㄷ ③ ㄱ, ㄴ
④ ㄴ, ㄷ ⑤ ㄱ, ㄴ, ㄷ

출제예감

05 그림은 폼산(HCOOH)이 분해되어 일산화 탄소(CO)와 물(H_2O)을 생성하는 반응에서 반응 경로 (가), (나)에 따른 엔탈피를 나타낸 것이다.

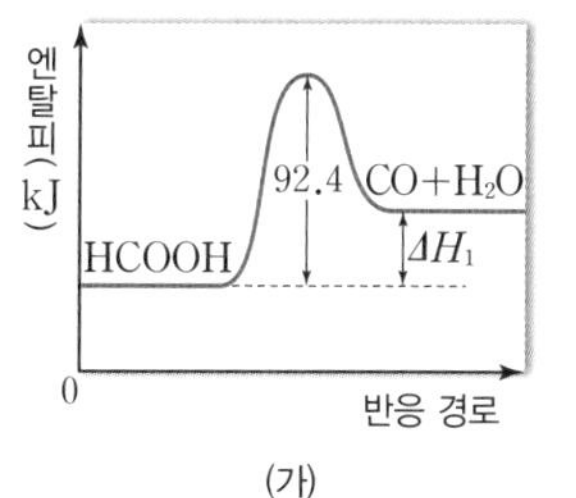

(가)

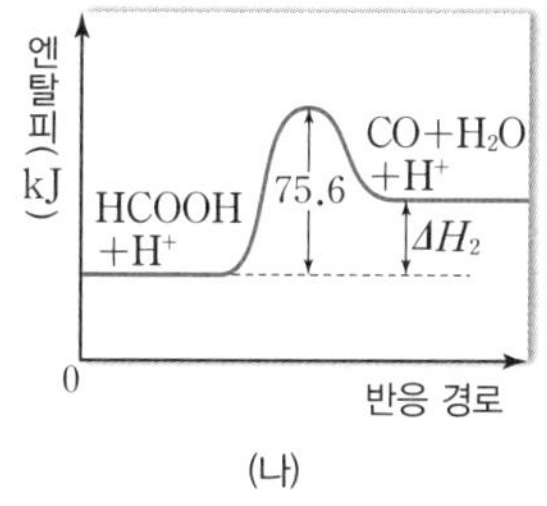

(나)

이에 대한 설명으로 옳은 것만을 〈보기〉에서 있는 대로 고른 것은?

보기
ㄱ. H^+은 정촉매이다.
ㄴ. $\Delta H_1 > \Delta H_2$이다.
ㄷ. 반응 속도는 (가)에서가 (나)에서보다 빠르다.

① ㄱ ② ㄴ ③ ㄱ, ㄷ
④ ㄴ, ㄷ ⑤ ㄱ, ㄴ, ㄷ

06 그림은 반응 $A(g) \rightleftarrows B(g)$ $\Delta H = a$ kJ이 일어날 때 촉매를 사용하지 않을 때와 촉매 X를 사용할 때, 정반응과 역반응의 활성화 에너지를 순서 없이 나타낸 것이다. (다)는 촉매를 사용하지 않을 때 정반응의 활성화 에너지이다.

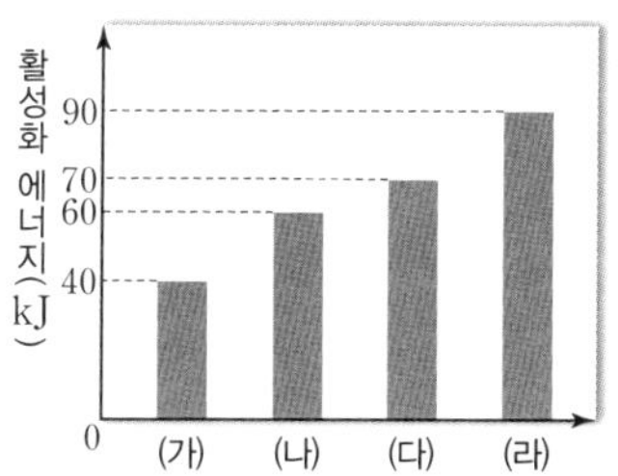

이에 대한 설명으로 옳은 것만을 〈보기〉에서 있는 대로 고른 것은? (단, $a>0$이다.)

보기
ㄱ. $a=30$이다.
ㄴ. X는 부촉매이다.
ㄷ. X를 사용하였을 때 반응 속도는 빨라진다.

① ㄱ ② ㄷ ③ ㄱ, ㄴ
④ ㄴ, ㄷ ⑤ ㄱ, ㄴ, ㄷ

07 다음은 반응 속도에 영향을 미치는 요인에 대한 설명이다. (　　) 안에 들어갈 알맞은 말을 쓰시오.

(　　)는 활성화 에너지를 변화시켜 반응 속도를 변하게 한다.

서술형

08 표는 반응 경로에 따른 정반응의 활성화 에너지(E_a)와 촉매 사용 여부를 나타낸 것이다.

반응 경로	정반응의 E_a(kJ)	촉매 사용 여부
(가)	50	사용하지 않음
(나)	10	촉매 X 사용
(다)	80	촉매 Y 사용

X와 Y의 촉매의 종류와 (가)~(다)의 반응 속도를 비교하고, 그 까닭을 서술하시오.

서술형

09 그림은 반응 $A(g) \longrightarrow B(g)$이 강철 용기에서 일어날 때 반응 시간에 따른 $B(g)$의 농도를 나타낸 것이다. (나)는 용기에 $A(g)$만을 넣었을 때의 결과이고, (가)와 (다)는 t분에서 반응 조건을 변화시킨 결과이다.

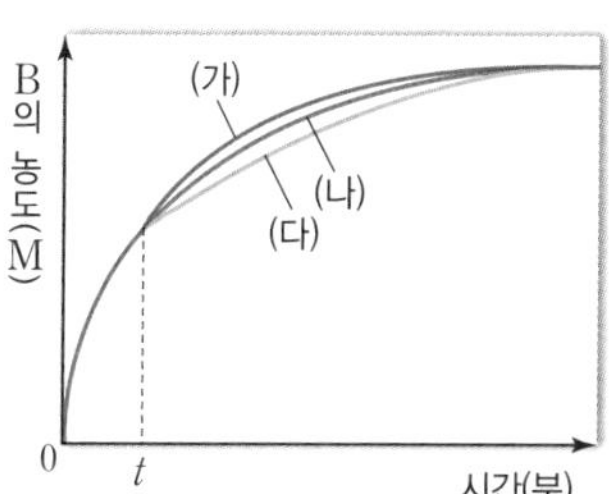

(가)와 (다)의 t분에서 변화시킨 반응 조건을, 그렇게 생각한 까닭과 함께 서술하시오.

02 생활 속의 촉매

핵심 키워드로 흐름잡기

A 효소, 기질 특이성, 효소의 작용 원리
B 표면 촉매, 유기 촉매, 광촉매

A 생명 현상에서의 촉매

|출·제·단·서| 효소의 작용과 특징, 효소의 기질 특이성을 비유하는 과정에 대해 묻는 문제가 시험에 나와.

1. 효소(생체 촉매)

(1) 효소❶ 생물체 내에서 일어나는 화학 반응에서 촉매 역할을 하는 물질

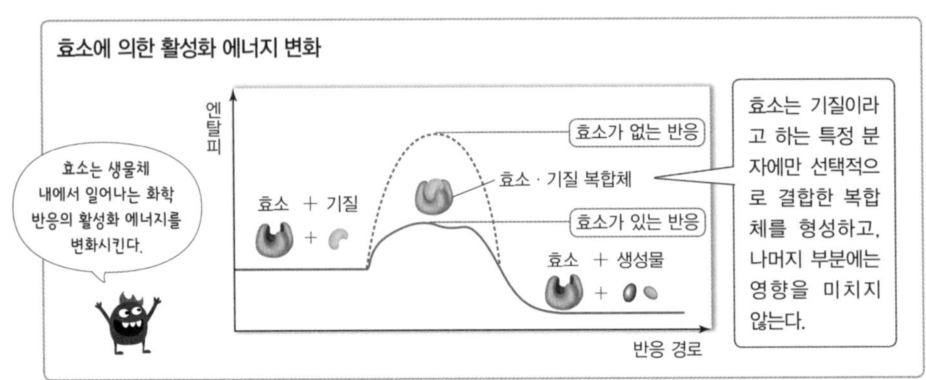

(2) 효소의 기질 특이성 효소가 특정 기질과만 반응하고, 다른 기질과는 반응하지 않는 성질

① 효소에는 특정 기질과 반응할 수 있는 활성 자리가 존재한다.

② 효소의 기질 특이성은 단백질인 효소의 입체 구조 때문에 나타난다.

③ 기질은 효소의 활성 자리에서 촉매 작용으로 생성물로 변한 후 활성 자리에서 분리된다. 화학 반응이 끝난 후 효소는 새로운 기질과 결합하여 촉매 작용을 한다.

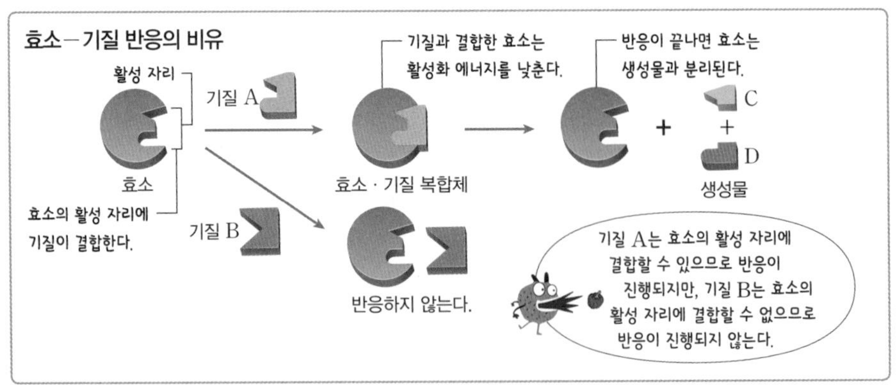

(3) 효소의 특징 암기TiP 효소는 최적 온도와 최적 pH가 존재한다.

① **온도의 영향❷**: 효소는 주로 단백질로 이루어져 있으므로 다른 촉매와는 달리 최적 온도가 존재한다. 온도가 높아질수록 반응 속도가 증가하지만 최적 온도 이상의 온도가 되면 효소가 파괴되어 반응 속도가 현저하게 감소한다.

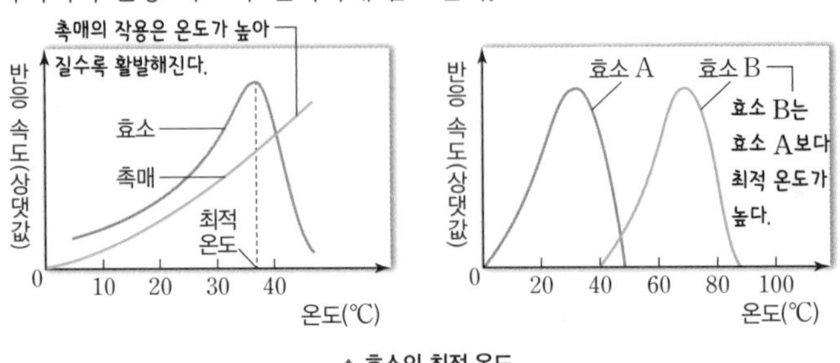

▲ 효소의 최적 온도

❶ 효소
효소는 단백질의 일종으로 금속, 금속 산화물 등으로 이루어진 무기 촉매와는 다른 특징을 나타낸다.

? 아밀레이스는 왜 녹말만 분해할 수 있을까?
입안에서 소화를 돕는 아밀레이스는 녹말은 분해하지만 단백질이나 지방은 분해하지 못한다. 이는 아밀레이스의 입체 구조가 녹말 분자에만 잘 맞기 때문이다. 이 현상은 효소의 기질 특이성의 예가 될 수 있다.

❷ 온도의 영향
효소는 주로 단백질로 이루어져 있으므로 대부분의 효소는 체온 범위(30 ℃~40 ℃)에서 높은 효율의 반응이 일어난다.

용어 알기
- 효소(삭히다 酵, 희다 素) (enzyme) 생명체 내부의 화학 반응을 매개하는 단백질 촉매로, 우리 몸에만 약 7만여 개의 효소가 있음
- 특이성(특별하다 特, 다르다 異, 성질 性) 어떤 물질과 그 결합체와의 반응이 어느 정도 선택적으로 실시되는가를 나타내는 성질

② **pH의 영향**❸: pH가 달라지면 단백질인 효소들의 입체 구조가 변하여 효소의 활성이 변하게 된다. 따라서 온도와 같이 최적 pH가 존재한다.

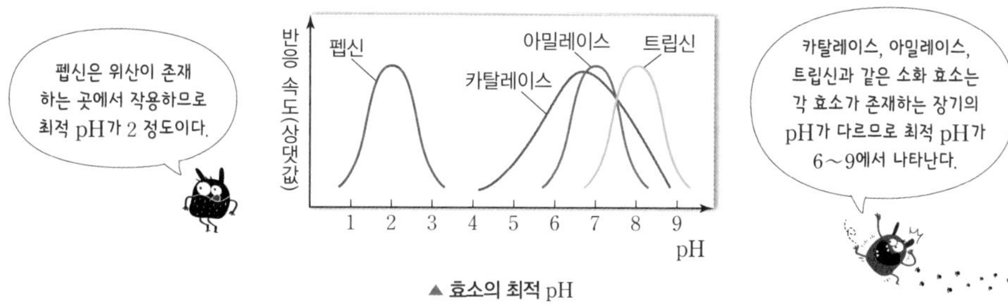

펩신은 위산이 존재하는 곳에서 작용하므로 최적 pH가 2 정도이다.
반응 속도(상댓값)
펩신
아밀레이스
트립신
카탈레이스
1 2 3 4 5 6 7 8 9
pH
카탈레이스, 아밀레이스, 트립신과 같은 소화 효소는 각 효소가 존재하는 장기의 pH가 다르므로 최적 pH가 6~9에서 나타난다.

▲ 효소의 최적 pH

2. 효소의 작용 원리

효소는 기질 특이성이 존재하므로 특정한 물질과만 작용하게 된다.

빈출 자료 효소의 작용 원리 이해하기

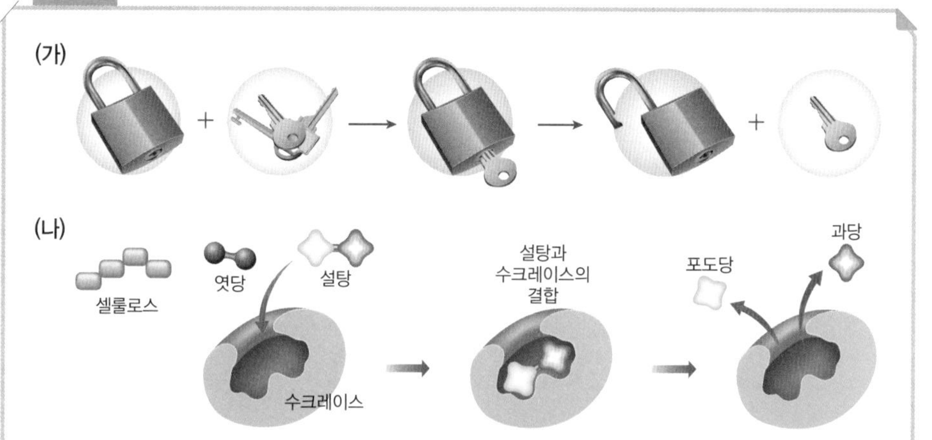

❶ (가)는 자물쇠와 열쇠 모형으로, 자물쇠의 구멍 모양에 맞는 열쇠만 자물쇠를 열 수 있다.❹

❷ (나)는 수크레이스 효소의 작용으로, 설탕과 결합하여 설탕을 포도당과 과당으로 분해할 수 있다. 그러나 다른 물질들은 분해하지 못한다. ➡ 수크레이스는 설탕의 입체 구조와 반응하기에 적합한 활성 자리를 가지고 있다.

❸ 기질 특이성을 갖는 효소의 작용을 자물쇠와 열쇠 모형으로 설명할 수 있다. ➡ 효소는 특정 기질에만 결합하여 작용한다.

3. 효소의 이용

(1) 발효 미생물이 자신이 가지고 있는 효소를 이용해 유기물을 분해시키는 과정

① **발효 식품:** 청국장, 된장, 식혜, 포도주, 치즈, 김치 등은 대표적인 발효 식품이다.

② 새우젓은 발효될 때 프로테이스와 라이페이스가 많아져서 돼지고기의 단백질과 지방의 분해를 촉진한다.❺

(2) 그 밖의 이용

① 질소를 암모니아로 변환시키는 데 질소 고정 효소가 이용된다.

② 지방 분해 효소와 단백질 분해 효소를 이용하면 세제의 양을 줄일 수 있다.

③ 단백질을 제거하기 위해서 단백질 분해 효소를 콘택트 렌즈 세척제에 이용한다.

④ 의약품에 효소를 포함시켜 다양한 반응이 일어날 수 있게 한다. **의약 산업에서는 효소의 활성 자리에 적절한 구조의 분자를 설계하는 분자 모델링 기술을 사용하고 있다.**

㉠ 소화제에 소화 효소(판크레아틴, 다이아스테이스, 라이페이스 등)를 포함시켜 소화 작용이 빨리 일어나게 한다.

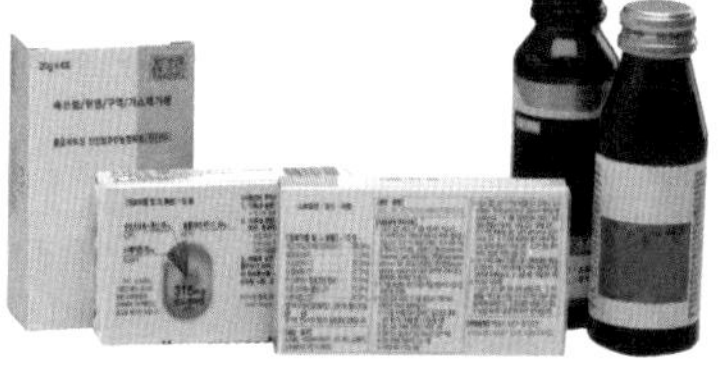
▲ 효소가 사용된 의약품

❸ **pH의 영향**
효소는 대부분 단백질로 이루어져 있으므로 pH가 달라지면 단백질의 수소 결합 정도가 달라지므로 구조가 달라진다.

❹ **자물쇠와 열쇠 모형**
독일의 화학자 피셔(Fischer. E. H)는 당과 퓨린의 합성을 연구하여 1902년 노벨 화학상을 수상하였고, 효소와 기질 사이의 상호 작용을 설명하기 위해 자물쇠와 열쇠 모형을 제안하였다.

❺ **프로테이스와 라이페이스**
- 프로테이스: 단백질의 펩타이드 결합을 가수 분해하는 단백질 분해 효소
- 라이페이스: 중성 지방을 지방산과 모노글리세리드로 분해하는 효소

용어 알기

- **발효**(술을 괴다 醱, 삭히다 酵) 효모나 세균 등의 미생물이 자신이 가지고 있는 효소를 이용해 유기물을 분해시키는 과정
- **소화**(사라지다 消, 되다 化) 동물이 몸 밖에서 섭취한 먹이를 흡수할 수 있는 형태로 분해하는 과정

B 현대 산업과 촉매

|출·제·단·서| 표면 촉매, 유기 촉매, 광촉매의 역할과 작용 원리를 묻는 문제가 시험에 나와.

1. 촉매의 산업적 이용

(1) 촉매를 사용하면 활성화 에너지가 낮아지므로 낮은 온도에서 반응이 빠르게 일어날 수 있어 산업에서 매우 유용하다. 제조 비용, 시간, 생산량 측면에서 매우 유용하다.

(2) 화학 공업 분야에서 이용되는 중요한 촉매 반응 유형 중 하나는 불균일 촉매 반응이다.

① **균일 촉매:** 촉매의 상이 반응물의 상과 같은 촉매 효소가 관여하는 반응은 보통 기질과 효소가 같은 수용액 상에서 존재하는 균일 촉매 반응이다.

② **불균일 촉매:** 촉매의 상과 반응물의 상이 다른 촉매 불균일 촉매 반응은 대부분 기체나 액체 상태의 반응물이 고체 상태의 촉매 표면에 흡착되어 일어난다.

2. 산업에서 이용되는 촉매

(1) 표면 촉매❻ 하나의 금속이나 금속 산화물과 같은 고체 상태의 촉매 ➡ 백금(Pt), 팔라듐(Pd), 니켈(Ni)과 같은 다양한 금속이 포함된 고체 상태의 표면 촉매가 많이 사용된다.

① 기체 상태의 반응물이 고체 상태의 촉매에 •흡착되면 반응물을 이루는 원자 사이의 화학 결합이 약해져 활성화 에너지가 낮아지므로 반응이 쉽게 일어난다.

예) 수소(H_2)와 질소(N_2)가 반응하여 암모니아(NH_3)를 생성하는 반응에서 표면 촉매의 작용 1910년 하버는 암모니아의 수득률을 높이기 위해서 약 500 ℃에서 철, 산화 알루미늄, 산화 칼륨으로 구성된 촉매를 이용하는 방법을 개발하였다.

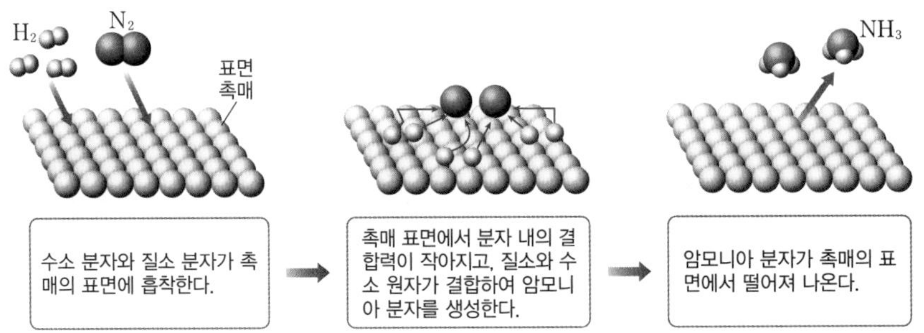

H_2
N_2
표면 촉매
NH_3
수소 분자와 질소 분자가 촉매의 표면에 흡착한다.
촉매 표면에서 분자 내의 결합력이 작아지고, 질소와 수소 원자가 결합하여 암모니아 분자를 생성한다.
암모니아 분자가 촉매의 표면에서 떨어져 나온다.

② 촉매로서의 활성이 높아 널리 사용되지만, 불안정하고 부수적인 반응들에 대한 예측이 어려워 많은 폐기물이 발생하기도 한다.

(2) 유기 촉매❼ 반응을 조절하기 어려운 표면 촉매의 단점을 보완하기 위해 •유기 화합물 형태로 만든 촉매

① 반응의 선택성이 높고, 쉽게 분해될 수 있다.

② 합성 의약품, 농약, 기능성 재료를 합성할 때 이용한다.

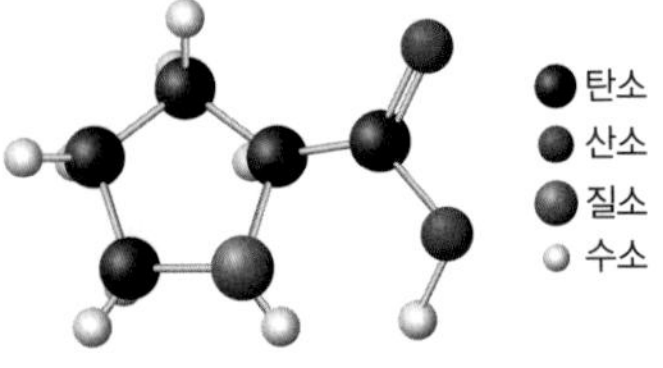
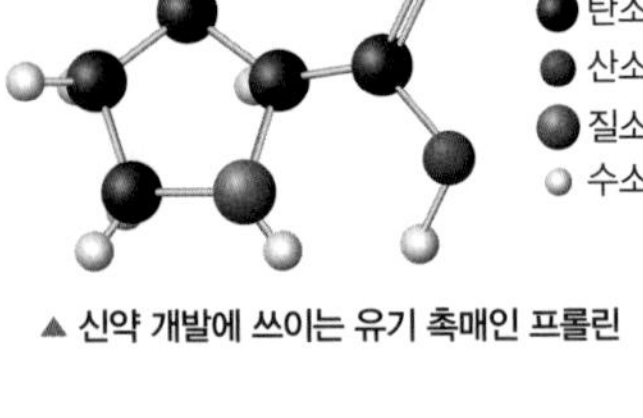

▲ 신약 개발에 쓰이는 유기 촉매인 프롤린

(3) 광촉매❽ 빛에너지를 받으면 촉매 작용을 일으키는 물질

① 이산화 타이타늄(TiO_2)이 가장 널리 사용되며, 빛에너지를 받으면 물을 수소와 산소로 분해하거나 유기물을 분해할 수 있다. ➡ 수소 연료 전지에 활용할 수 있고, 공기 청정기, 타일, 커튼, 벽지 등에 세균 번식을 막을 수 있다.

② 고온에서 가능한 반응을 실온에서 진행할 수 있게 해 준다.

③ 특별한 에너지 없이도 빛만으로 오염 물질을 제거할 수 있다. ➡ 유해 유기물과 대기 오염 물질의 제거에 이용된다.

④ 지속 가능한 차세대 에너지원으로 주목받고 있으므로 환경 문제 해결에 도움이 될 수 있다.

광촉매의 원리 원하는 시점에서 반응을 정지시킬 수 있다.

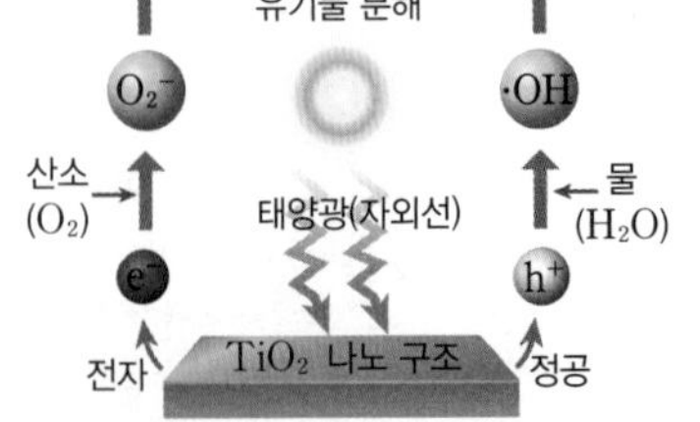

광촉매는 빛을 흡수하면 표면의 전자가 들뜨게 되어 들뜬 전자와 들뜬 전자가 있던 부분(정공)이 흡착 물질과 산화 환원 반응을 일으키게 된다.

❻ 표면 촉매의 이용 – 촉매 변환기

- 자동차의 촉매 변환기 내부에는 백금(Pt), 로듐(Rh), 팔라듐(Pd) 등의 촉매가 산화 알루미늄(Al_2O_3)으로 만든 벌집 모양의 구조물에 입혀져 있다.
- 자동차 배기가스에 포함된 일산화 탄소(CO), 탄화수소(C_xH_y), 질소 산화물(NO_x) 등은 이산화 탄소(CO_2), 물(H_2O), 질소(N_2) 등으로 변환된다.

H_2O CO_2 N_2 C_xH_y CO NO

❼ 유기 촉매

- 효소에 비해 분자량이 작고, 금속을 포함하지 않는다.
- 최근에는 천연 효소를 모방한 분자량이 작은 유기 촉매들이 개발되고 있다.

❽ 광촉매의 활용

- 정수: 유기물 분해
- 항균: 살균 부패 방지
- 물의 광분해: 수소와 산소 생산
- 대기 정화: 폼알데하이드나 질소 산화물 제거

용어 알기

• 흡착(숨 들이쉬다 吸, 붙다 着) 고체 표면의 얇은 층에 기체 분자나 용액 중의 물질 또는 액체의 분자, 원자, 이온이 붙어 있는 현상

• 유기 화합물(organic compound) 탄소 화합물을 뜻하며, 탄소를 중심으로 수소, 산소, 질소, 할로젠 원소 등이 결합한 물질

콕콕! 개념 확인하기

정답과 해설 099쪽

✔ 잠깐 확인!

1. ☐☐
생물체 내에서 일어나는 화학 반응에서 촉매 역할을 하는 물질

2. ☐☐ ☐☐☐
효소가 특정 기질과만 반응하고, 다른 기질과는 반응하지 않는 성질

3. 효소가 작용하기 위해서는 최적 ☐☐와 최적 pH가 존재한다.

4. ☐☐
미생물이 자신이 가진 효소를 이용해 유기물을 분해시키는 과정

5. ☐☐ 촉매
다양한 금속이 포함된 고체 상태의 촉매

6. ☐☐ 촉매
유기 화합물 형태로 만든 촉매

7. ☐촉매
빛에너지를 받으면 촉매 작용을 일으키는 물질

A 생명 현상에서의 촉매

01 효소에 대한 설명으로 옳은 것은 ○, 옳지 않은 것은 ×로 표시하시오.

(1) 효소는 생물체 내에서 촉매 역할을 한다. ( )

(2) 효소는 다양한 물질과 반응할 수 있다. ( )

(3) 효소는 최적 온도와 최적 pH가 있다. ( )

(4) 효소가 작용하면 생명체에서 일어나는 반응의 활성화 에너지가 변한다. ( )

02 다음은 효소의 작용 원리를 비유한 설명이다. ㉠, ㉡에 들어갈 알맞은 말을 쓰시오.

효소는 일반적으로 복잡한 (㉠)로 되어 있는데, 효소는 특정 기질과만 반응할 수 있는 활성 자리가 존재하기 때문에 특정 기질과만 반응하고 다른 기질과는 반응하지 않으며, 이는 그림과 같이 한 개의 열쇠가 특정한 자물쇠만을 열 수 있는 것과 비슷하다. 이를 효소의 (㉡)이라고 한다.

03 다음은 효소의 이용에 대한 설명이다. ( ) 안에 들어갈 알맞은 말을 쓰시오.

미생물이 자신이 가지고 있는 ( )를 이용하여 유기물을 분해하는 과정을 발효라고 하며, 청국장, 된장, 치즈, 김치 등이 대표적인 발효 식품이다.

B 현대 산업과 촉매

04 촉매의 특징과 촉매의 종류를 옳게 연결하시오.

(1) 고체 상태의 촉매에 기체 반응물이 흡착되어 반응이 일어난다. • • ㉠ 유기 촉매

(2) 표면 촉매의 단점을 보완하여 유기 화합물 형태로 만든다. • • ㉡ 광촉매

(3) 빛에너지에 반응하여 특정 반응에서 반응 속도에 영향을 준다. • • ㉢ 표면 촉매

탄탄! 내신 다지기

A 생명 현상에서의 촉매

01 효소에 대한 설명으로 옳지 않은 것은?

① 최적 pH가 있다.
② 최적 온도가 있다.
③ 기질 특이성이 있다.
④ 생물체 내에서 촉매 역할을 한다.
⑤ 탄수화물과 지방으로 이루어져 있다.

단답형

02 그림은 어떤 효소와 기질 A, B의 반응을 모형으로 나타낸 것이다.

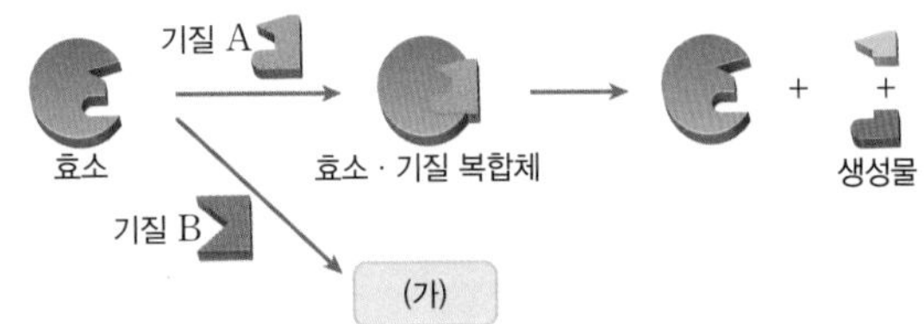

(가)에서의 반응 결과를 쓰시오.

03 그림은 온도에 따른 효소와 촉매의 작용을 나타낸 것이다.

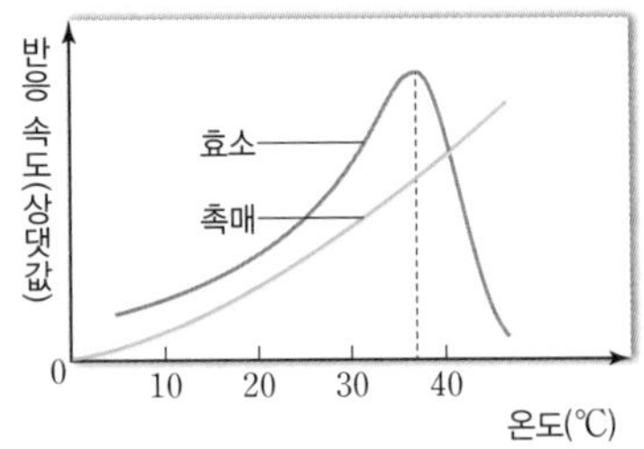

이에 대한 설명으로 가장 적절한 것은?

① 효소는 최적 pH가 있다.
② 효소는 최적 온도가 있다.
③ 촉매는 온도가 높아지면 파괴된다.
④ 효소가 촉매보다 반응 속도를 더 빠르게 한다.
⑤ 효소의 작용은 온도가 높아질수록 활발해진다.

04 그림은 pH에 따른 소화 효소들의 반응 속도를 나타낸 것이다.

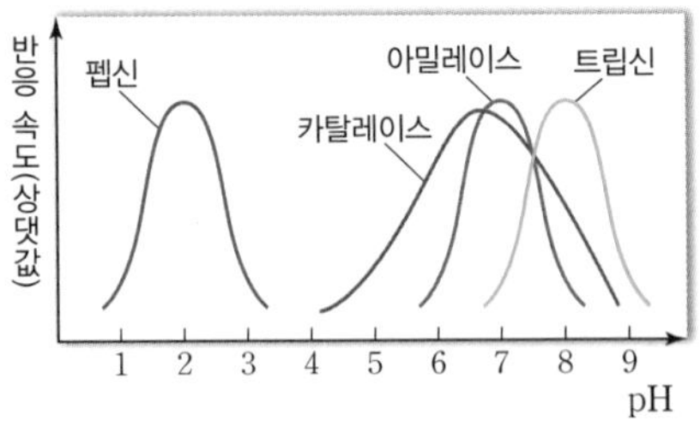

이에 대한 설명으로 가장 적절한 것은?

① 효소는 최적 pH가 있다.
② 효소의 반응 속도는 pH와 관계없다.
③ 효소는 온도가 높아져도 반응할 수 있다.
④ 소화 효소는 pH가 커지면 반응 속도가 증가한다.
⑤ 모든 효소는 같은 pH에서 반응 속도가 가장 빠르다.

05 그림은 효소의 작용을 모형으로 나타낸 것이다.

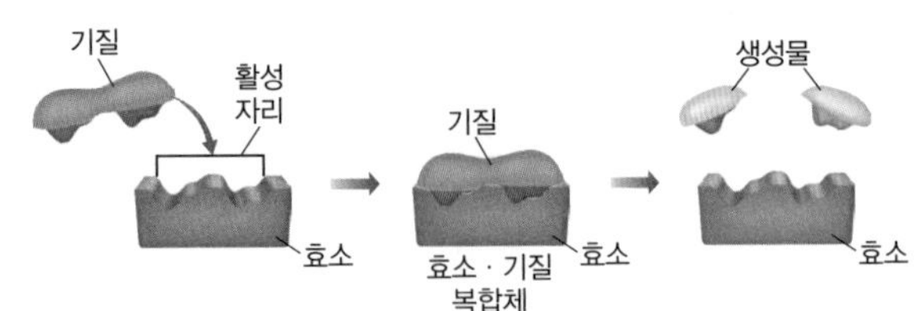

이에 대한 설명으로 옳은 것만을 <보기>에서 있는 대로 고른 것은?

보기
ㄱ. 반응 후에 효소의 질량은 감소한다.
ㄴ. 효소는 다양한 기질과 반응할 수 있다.
ㄷ. 효소는 생성물의 생성 속도를 빠르게 한다.

① ㄱ ② ㄷ ③ ㄱ, ㄴ
④ ㄴ, ㄷ ⑤ ㄱ, ㄴ, ㄷ

06 효소를 이용하는 반응이 아닌 것은?

① 메주를 이용해 된장을 만든다.
② 우유를 이용해 치즈를 만든다.
③ 맥주 보리를 이용해 맥주를 만든다.
④ 새우와 소금을 섞어 새우젓을 만든다.
⑤ 산화 철을 이용해 암모니아를 합성한다.

07 다음은 과산화 수소(H_2O_2) 분해 반응의 열화학 반응식이다.

$$2H_2O_2(aq) \rightleftharpoons 2H_2O(l)+O_2(g) \quad \Delta H<0$$

그림은 일정한 온도에서 두 용기에 $H_2O_2(aq)$를 넣고 분해할 때, 금속 촉매를 사용한 반응 (가)와 효소를 사용한 반응 (나)의 시간에 따른 H_2O_2의 농도를 나타낸 것이다.

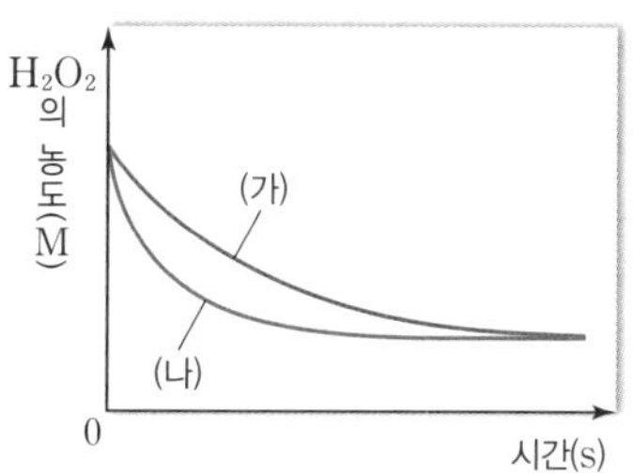

이에 대한 설명으로 옳은 것만을 〈보기〉에서 있는 대로 고른 것은?

보기
ㄱ. 반응 속도는 (나)에서가 (가)에서보다 크다.
ㄴ. 활성화 에너지는 (가)에서가 (나)에서보다 크다.
ㄷ. 반응엔탈피(ΔH)는 (나)에서가 (가)에서보다 크다.

① ㄴ ② ㄱ, ㄴ ③ ㄱ, ㄷ
④ ㄴ, ㄷ ⑤ ㄱ, ㄴ, ㄷ

B 현대 산업과 촉매

08 표면 촉매에 대한 설명으로 옳지 않은 것은?

① 대부분 고체 상태의 촉매이다.
② 반응이 촉매의 표면에서 일어난다.
③ 특정 물질에만 반응하는 성질을 갖는다.
④ 화학 반응의 활성화 에너지를 감소시킨다.
⑤ 촉매의 활성이 높고, 많은 폐기물이 생성될 수 있다.

단답형

09 다음은 자동차의 촉매 변환기 내부의 반응에 대한 설명이다. (   ) 안에 들어갈 알맞은 말을 쓰시오.

자동차 배기가스의 CO, NO_x, C_xH_y 등은 촉매 변환기 내에서 CO_2, N_2, H_2O 등으로 변한다. 촉매 변환기 내부에는 (   ) 촉매가 들어 있어 이러한 반응이 실온에서도 일어나게 해 준다.

10 그림은 촉매 (가)에서 일어나는 반응을 나타낸 것이다.

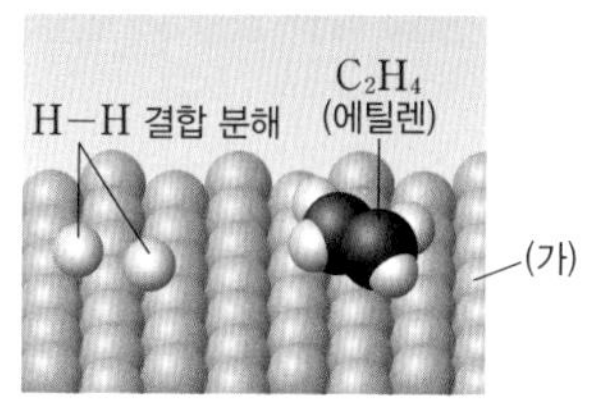

이에 대한 설명으로 옳은 것만을 〈보기〉에서 있는 대로 고른 것은?

보기
ㄱ. (가)는 표면 촉매이다.
ㄴ. 반응 후 C_2H_6이 생성된다.
ㄷ. (가)를 사용하면 활성화 에너지가 낮아진다.

① ㄱ ② ㄱ, ㄴ ③ ㄱ, ㄷ
④ ㄴ, ㄷ ⑤ ㄱ, ㄴ, ㄷ

단답형

11 다음에서 설명하는 촉매를 무엇이라고 하는지 쓰시오.

- 빛에너지를 받으면 촉매 작용을 하는 물질이다.
- 고온에서 가능한 반응을 실온에서 진행할 수 있게 해 준다.
- 특별한 에너지 없이도 빛만으로 오염 물질을 제거할 수 있다.

12 광촉매의 이용으로 적절한 것만을 〈보기〉에서 있는 대로 고른 것은?

보기
ㄱ. 수소 연료 전지
ㄴ. 대기 오염 물질 제거 필터
ㄷ. 탄화수소의 수소 첨가 반응의 촉매

① ㄱ ② ㄱ, ㄴ ③ ㄱ, ㄷ
④ ㄴ, ㄷ ⑤ ㄱ, ㄴ, ㄷ

도전! 실력 올리기

01 그림은 효소가 있을 때와 없을 때 반응 경로에 따른 엔탈피를 나타낸 것이다.

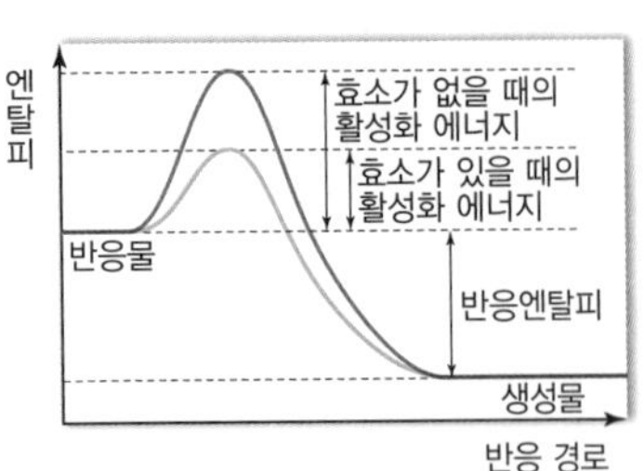

효소를 사용하였을 때에 대한 설명으로 옳은 것만을 <보기>에서 있는 대로 고른 것은?

보기
ㄱ. 반응 속도가 빨라진다.
ㄴ. 생성물의 양이 증가한다.
ㄷ. 반응엔탈피가 감소한다.

① ㄱ ② ㄷ ③ ㄱ, ㄴ
④ ㄴ, ㄷ ⑤ ㄱ, ㄴ, ㄷ

출제예감

02 그림은 농도와 부피가 같은 과산화 수소수에 촉매와 효소를 각각 넣은 반응의 온도에 따른 초기 반응 속도를 나타낸 것이다. (가)와 (나)는 촉매 또는 효소를 넣은 반응 중 하나이다.

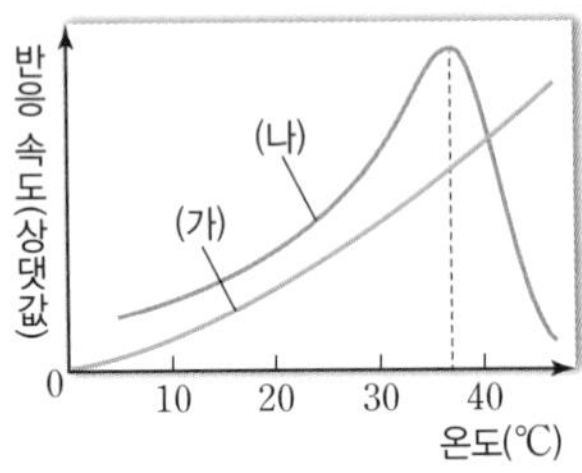

이에 대한 설명으로 옳은 것만을 <보기>에서 있는 대로 고른 것은?

보기
ㄱ. (가)는 효소를 넣은 반응이다.
ㄴ. (가)에서 반응 속도 상수는 40 ℃일 때가 20 ℃일 때보다 크다.
ㄷ. 30 ℃일 때 활성화 에너지는 (가)가 (나)보다 크다.

① ㄱ ② ㄴ ③ ㄱ, ㄷ
④ ㄴ, ㄷ ⑤ ㄱ, ㄴ, ㄷ

03 그림 (가)는 온도 T에서 효소 A에 의해 기질 B가 분해되는 반응을, (나)는 기질 E의 구조를 모형으로 나타낸 것이다.

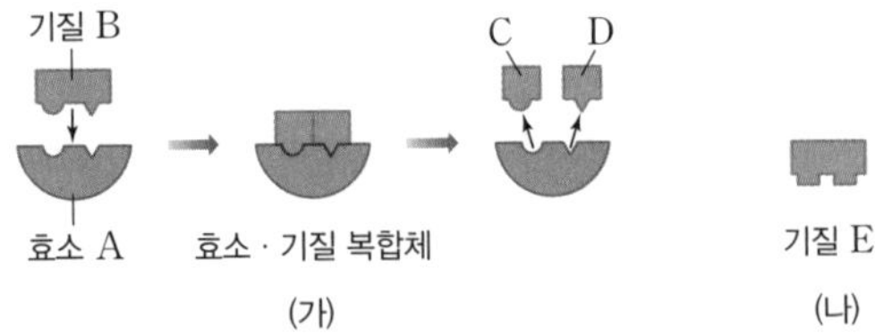

이에 대한 설명으로 옳은 것만을 <보기>에서 있는 대로 고른 것은?

보기
ㄱ. (가)의 반응식은 B $\longrightarrow$ C+D이다.
ㄴ. (가)에서 엔탈피는 효소·기질 복합체가 가장 크다.
ㄷ. 효소 A는 기질 E의 분해 반응의 속도를 증가시킬 수 있다.

① ㄱ ② ㄷ ③ ㄱ, ㄴ
④ ㄴ, ㄷ ⑤ ㄱ, ㄴ, ㄷ

출제예감

04 그림은 $C_2H_4(g)$과 $H_2(g)$의 반응에 백금(Pt) 촉매가 관여하는 과정을 순서대로 나타낸 것이다.

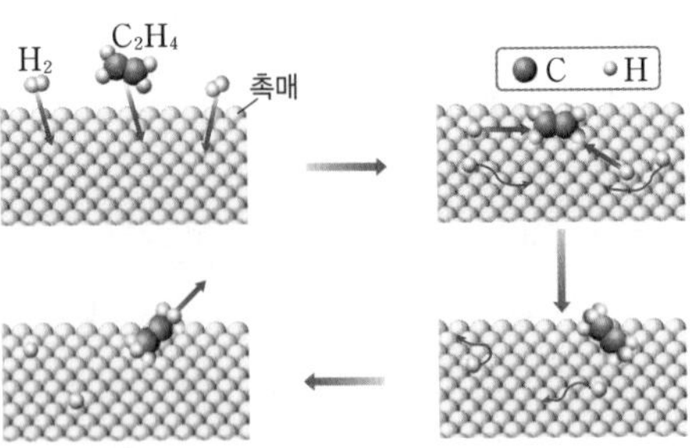

이에 대한 설명으로 옳은 것만을 <보기>에서 있는 대로 고른 것은? (단, 온도는 일정하다.)

보기
ㄱ. 생성물은 C_4H_6이다.
ㄴ. 반응은 백금(Pt) 촉매 표면에서 일어난다.
ㄷ. 반응 후 백금(Pt)의 질량은 감소한다.

① ㄱ ② ㄴ ③ ㄱ, ㄷ
④ ㄴ, ㄷ ⑤ ㄱ, ㄴ, ㄷ

정답과 해설 100쪽

05 그림은 촉매 변환기를 나타낸 것이다.

이에 대한 설명으로 옳은 것만을 〈보기〉에서 있는 대로 고른 것은?

보기
ㄱ. (가)에는 CO_2, H_2O, N_2가 포함된다.
ㄴ. 촉매 변환기 내부에는 유기 촉매를 사용하는 것이 적절하다.
ㄷ. 촉매 변환기 내부에서 사용하는 촉매는 빛만으로 오염 물질을 제거할 수 있다.

① ㄱ ② ㄴ ③ ㄱ, ㄷ
④ ㄴ, ㄷ ⑤ ㄱ, ㄴ, ㄷ

06 그림은 광촉매 전극을 이용한 광분해 장치를 나타낸 것이다.

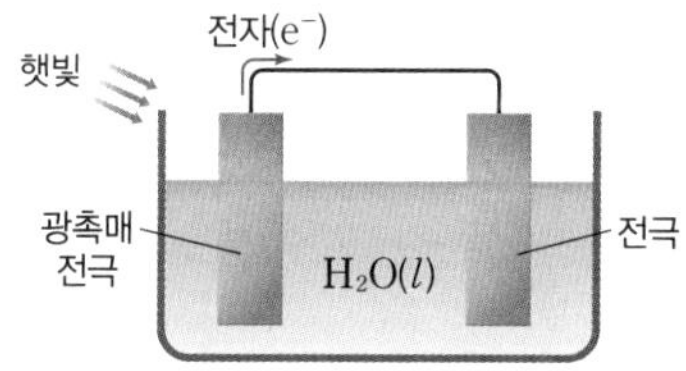

$$2H_2O(l) \longrightarrow 2H_2(g) + O_2(g)$$

이에 대한 설명으로 옳은 것만을 〈보기〉에서 있는 대로 고른 것은?

보기
ㄱ. 광촉매 전극은 빛에너지가 없어도 반응할 수 있다.
ㄴ. 광촉매 전극에 백금(Pt), 로듐(Rh)이 가장 널리 이용된다.
ㄷ. 광촉매 전극에서 반응이 일어나면 기체 분자 수가 증가한다.

① ㄱ ② ㄷ ③ ㄱ, ㄴ
④ ㄴ, ㄷ ⑤ ㄱ, ㄴ, ㄷ

07 그림은 어떤 반응의 경로에 따른 엔탈피를 나타낸 것이다.

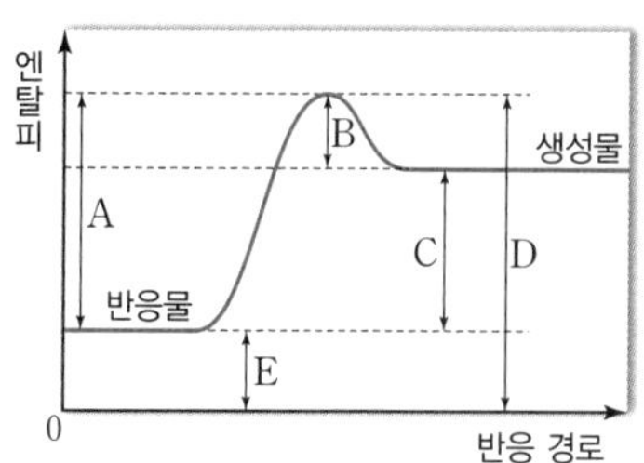

A~D 중 반응에서 효소를 사용하였을 때 변하는 것을 있는 대로 고르시오.

서술형

08 촉매와 효소를 사용하였을 때 화학 반응의 공통점과 차이점을 한 가지씩 서술하시오.

서술형

09 그림 (가)는 수크레이스 작용으로 설탕이 분해되는 과정을, (나)는 효소와 기질의 반응을 자물쇠와 열쇠 모형에 비유하여 나타낸 것이다.

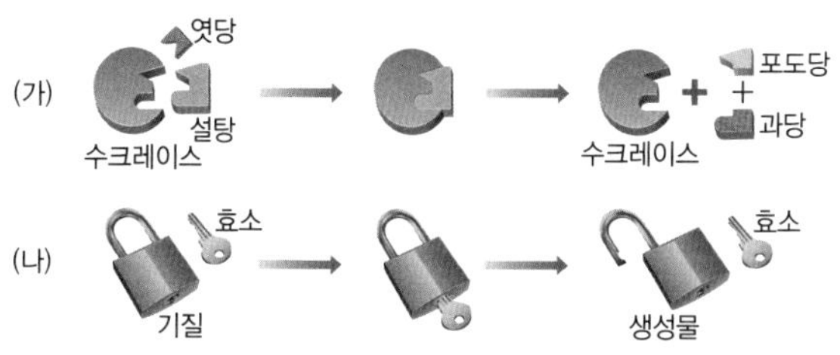

(가)의 반응을 (나)에 비유하여 서술하시오.

촉매와 반응 속도

출제 의도

온도가 같은 상태에서 촉매가 있을 때와 없을 때의 반응 속도를 비교하고, 서로 다른 온도에서 반응 속도를 비교하는 문제이다.

이것이 함정

실험 Ⅱ와 Ⅲ은 실험 Ⅰ보다 반응 속도가 감소하였다.

대표 유형

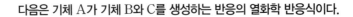

다음은 기체 A가 기체 B와 C를 생성하는 반응의 열화학 반응식이다.

$$2A(g) \longrightarrow 2B(g)+C(g) \quad \Delta H$$

표는 3개의 동일한 강철 용기에 같은 양의 $A(g)$를 각각 넣고 반응시킨 실험 Ⅰ~Ⅲ에 대한 자료이다.

실험	온도	첨가한 촉매	초기 반응 속도
Ⅰ	T_1	없음	$4v$
Ⅱ	T_1	$X(s)$	v
Ⅲ	T_2	없음	$2v$

실험 Ⅰ과 Ⅲ을 비교하면 온도가 T_1에서 T_2로 되었을 때 반응 속도가 감소하였다.

실험 Ⅰ과 Ⅱ를 비교하면 온도가 같고, 실험 Ⅱ에서 촉매 $X(s)$를 넣었을 때 반응 속도가 감소했다.

온도가 높아지면 반응 속도가 빨라지며, 정촉매를 사용하면 반응 속도가 빨라지고, 부촉매를 사용하면 반응 속도가 느려져!

반응엔탈피는 온도와 압력, 물질의 상태, 반응물의 양에 따라 달라져.

이에 대한 설명으로 옳은 것만을 <보기>에서 있는 대로 고른 것은?

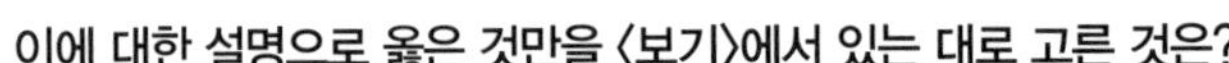

보기

ㄱ. ~~$T_2>T_1$이다.~~ ($T_1>T_2$) → 실험 Ⅰ과 Ⅲ을 비교하면 온도가 T_1에서 T_2로 변했을 때 초기 반응 속도가 감소하였으므로 온도는 $T_1>T_2$이다

ㄴ. ΔH는 Ⅰ과 Ⅱ가 같다. → 실험 Ⅰ과 Ⅱ는 같은 반응이고, 온도가 같으므로 반응엔탈피(ΔH)가 같다.

ㄷ. $X(s)$는 부촉매이다. → 실험 Ⅰ과 Ⅱ를 비교하면 온도는 같고, $X(s)$를 첨가한 실험 Ⅱ에서가 실험 Ⅰ에서보다 반응 속도가 감소하므로 $X(s)$는 부촉매이다.

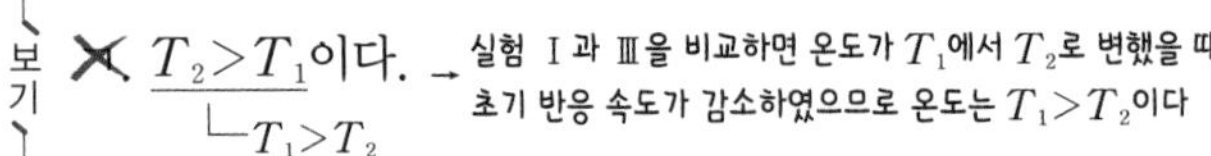

① ㄱ　② ㄴ　③ ㄱ, ㄷ　④ ㄴ, ㄷ (✓)　⑤ ㄱ, ㄴ, ㄷ

자료에서 단서 찾기

실험 Ⅰ과 Ⅱ에서 반응 조건을 비교하여 서로 다른 조건을 찾는다. ⋙ 실험 Ⅰ와 Ⅱ의 반응 속도를 비교하여 $X(s)$의 역할을 이해한다. ⋙ 실험 Ⅰ과 Ⅲ에서 반응 조건을 비교하여 서로 다른 조건을 찾는다. ⋙ 실험 Ⅰ과 Ⅲ의 반응 속도를 비교하여 T_1과 T_2의 크기를 파악한다.

추가 선택지

• 반응의 활성화 에너지(E_a)는 실험 Ⅱ에서가 실험 Ⅰ에서보다 크다. (○)

⋯→ $X(s)$를 첨가한 실험 Ⅱ에서 초기 반응 속도가 감소하였으므로 활성화 에너지는 실험 Ⅱ에서가 실험 Ⅰ에서보다 크다.

• 반응 속도 상수(k)는 실험 Ⅲ에서가 실험 Ⅰ에서의 2배이다. (×)

⋯→ 같은 양의 $A(g)$를 넣고 반응시켰고, 온도가 T_1인 실험 Ⅰ의 반응 속도가 온도가 T_2인 실험 Ⅲ의 2배이므로 반응 속도 상수(k)는 실험 Ⅰ에서가 실험 Ⅲ에서의 2배이다.

실전! 수능 도전하기

정답과 해설 101쪽

01 그림은 A가 B를 생성하는 반응이 강철 용기에서 일어날 때 반응 Ⅰ과 Ⅱ의 반응 경로에 따른 엔탈피를 나타낸 것이다. Ⅰ과 Ⅱ 중 한 가지에는 정촉매를 사용하였다.

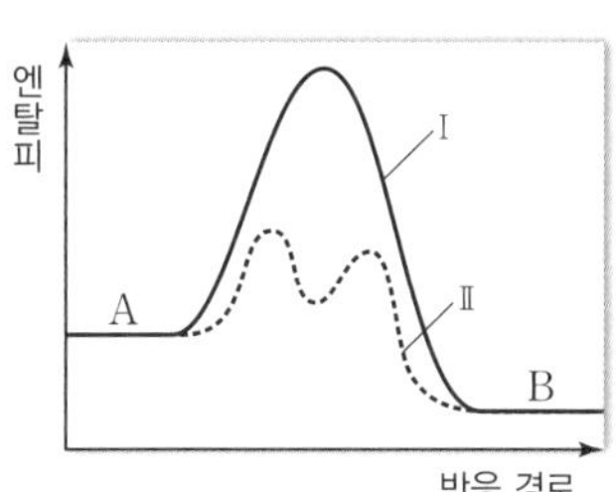

이에 대한 설명으로 옳은 것만을 〈보기〉에서 있는 대로 고른 것은?

보기
ㄱ. Ⅱ에서 정촉매를 사용하였다.
ㄴ. 반응 속도 상수(k)는 Ⅰ에서가 Ⅱ에서보다 크다.
ㄷ. 충분한 시간이 흐른 뒤 B의 농도는 Ⅱ에서가 Ⅰ에서보다 크다.

① ㄱ ② ㄷ ③ ㄱ, ㄴ
④ ㄱ, ㄷ ⑤ ㄴ, ㄷ

02 그림은 A가 B를 생성하는 반응에서 반응 경로에 따른 엔탈피를 나타낸 것이다. 반응 (가)는 촉매를 사용하지 않은 경우, (나)는 촉매 X를 사용한 경우이다.

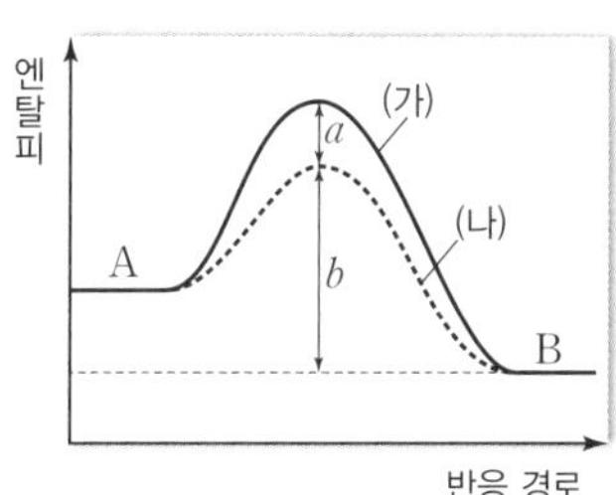

이에 대한 설명으로 옳은 것만을 〈보기〉에서 있는 대로 고른 것은? (단, (가)와 (나)의 온도는 같다.)

보기
ㄱ. X는 정촉매이다.
ㄴ. (가)에서 역반응과 정반응의 활성화 에너지 차는 a이다.
ㄷ. 평형 상수는 (가)에서가 (나)에서보다 크다.

① ㄱ ② ㄷ ③ ㄱ, ㄴ
④ ㄴ, ㄷ ⑤ ㄱ, ㄴ, ㄷ

03 그림 (가)는 촉매가 있을 때와 없을 때의 반응 경로에 따른 엔탈피를, (나)는 촉매가 있을 때와 없을 때의 분자 운동 에너지 분포를 나타낸 것이다.

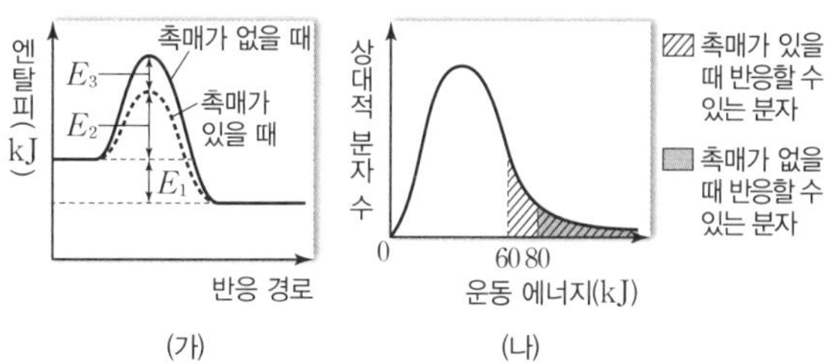

이에 대한 설명으로 옳은 것만을 〈보기〉에서 있는 대로 고른 것은?

보기
ㄱ. $E_1+E_2=60$ kJ이다.
ㄴ. E_3는 20 kJ이다.
ㄷ. 반응 속도는 촉매가 있을 때가 없을 때보다 빠르다.

① ㄱ ② ㄷ ③ ㄱ, ㄴ
④ ㄴ, ㄷ ⑤ ㄱ, ㄴ, ㄷ

수능 기출

04 다음은 A가 B를 생성하는 반응의 열화학 반응식이다.

$$2A(g) \longrightarrow B(g) \quad \Delta H$$

표는 3개의 강철 용기에 각각 $A(g)$를 넣고 반응시킨 실험 Ⅰ~Ⅲ의 조건이다.

실험	A의 초기 농도(M)	온도(K)	첨가한 정촉매
Ⅰ	a	$2T$	없음
Ⅱ	a	$2T$	있음
Ⅲ	$2a$	T	없음

이에 대한 설명으로 옳은 것만을 〈보기〉에서 있는 대로 고른 것은?

보기
ㄱ. ΔH는 Ⅰ과 Ⅱ가 같다.
ㄴ. 반응 속도 상수(k)는 Ⅲ이 Ⅰ보다 크다.
ㄷ. 활성화 에너지(E_a)는 Ⅲ이 Ⅱ보다 크다.

① ㄱ ② ㄴ ③ ㄱ, ㄷ
④ ㄴ, ㄷ ⑤ ㄱ, ㄴ, ㄷ

실전! 수능 도전하기

05 다음은 기체 A가 반응하여 기체 B와 C를 생성하는 반응의 화학 반응식이다.

$$A(g) \longrightarrow B(g)+2C(g)$$

그림은 강철 용기에 $A(g)$를 넣고 반응시킬 때 반응 시간에 따른 A의 농도를 나타낸 것이다. 시간이 t_2일 때 소량의 촉매 $X(s)$를 넣었다. 이에 대한 설명으로 옳은 것만을 〈보기〉에서 있는 대로 고른 것은? (단, 온도는 일정하다.)

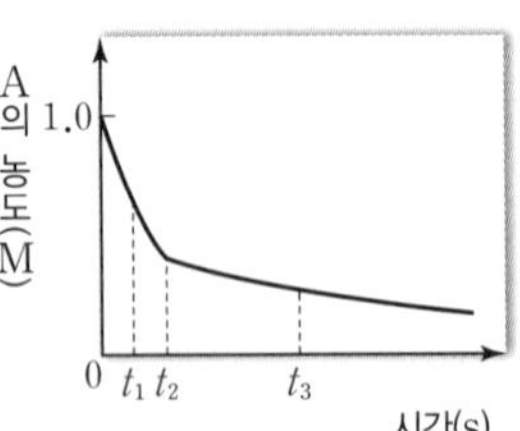

〈보기〉
ㄱ. X는 부촉매이다.
ㄴ. 반응의 활성화 에너지는 t_3일 때가 t_1일 때보다 크다.
ㄷ. $A(g)$의 평균 운동 에너지는 t_3일 때가 t_1일 때보다 작다.

① ㄱ ② ㄷ ③ ㄱ, ㄴ
④ ㄱ, ㄷ ⑤ ㄱ, ㄴ, ㄷ

수능 기출

06 표는 반응 조건 Ⅰ과 Ⅱ에서 일어나는 반응 $A(g) \longrightarrow B(g)$에 대한 자료이고, 그림은 온도 $T_Ⅰ$과 $T_Ⅱ$에서 $A(g)$의 분자 운동 에너지 분포 곡선을 나타낸 것이다.

반응 조건	반응 온도	첨가한 물질	활성화 에너지	초기 반응 속도
Ⅰ	$T_Ⅰ$	없음	$E_Ⅰ$	v_1
Ⅱ	$T_Ⅱ$	C	$E_Ⅱ$	$2v_1$

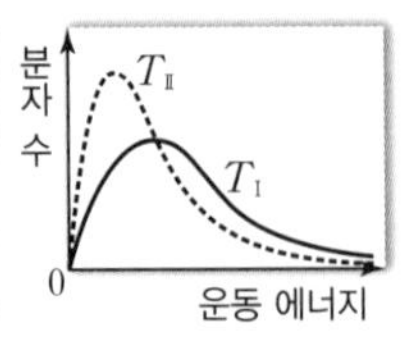

이에 대한 설명으로 옳은 것만을 〈보기〉에서 있는 대로 고른 것은? (단, Ⅰ과 Ⅱ에서 A의 초기 농도는 같다.)

〈보기〉
ㄱ. $T_Ⅰ > T_Ⅱ$이다.
ㄴ. $E_Ⅰ > E_Ⅱ$이다.
ㄷ. Ⅱ에서 C는 정촉매이다.

① ㄱ ② ㄷ ③ ㄱ, ㄴ
④ ㄴ, ㄷ ⑤ ㄱ, ㄴ, ㄷ

수능 기출

07 다음은 기체 X와 Y의 화학 반응식이다.

$$aX(g) \longrightarrow bY(g)\ (a,\ b\text{: 반응 계수})$$

표는 온도 T_1에서 강철 용기에 $X(g)$를 넣고 반응시킬 때, 반응 시간과 온도에 따른 X와 Y의 압력을 나타낸 것이다. 반응 시간 2분이 경과한 직후, 소량의 고체 촉매를 넣고 가열하여 온도를 T_2로 높였다. $T_2 < 2T_1$이다.

반응 시간(분)	온도(K)	X의 압력(기압)	Y의 압력(기압)
0	T_1	3.2	0
1	T_1	1.6	0.8
2	T_1	0.8	1.2
3	T_2	0.8	x

이에 대한 설명으로 옳은 것만을 〈보기〉에서 있는 대로 고른 것은?

〈보기〉
ㄱ. 표에서 x는 1.2보다 크다.
ㄴ. 넣어 준 촉매는 부촉매이다.
ㄷ. 평균 반응 속도는 0~1분에서가 2~3분에서의 4배보다 크다.

① ㄱ ② ㄴ ③ ㄱ, ㄷ
④ ㄴ, ㄷ ⑤ ㄱ, ㄴ, ㄷ

08 다음은 $A(g)$와 관련된 3가지 반응식이고, 그림은 3가지 반응의 시간에 따른 $A(g)$의 농도를 나타낸 것이다. k_1~k_3은 반응 속도 상수이다.

(가) $A(g)+B(g) \xrightarrow{k_1} C(g)$
(나) $A(g)+D(g) \xrightarrow{k_2} E(g)$
(다) $A(g)+B(g)+F(g)$
$\xrightarrow{k_3} C(g)+F(g)$

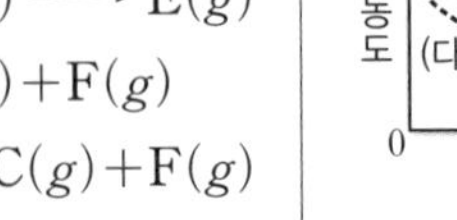

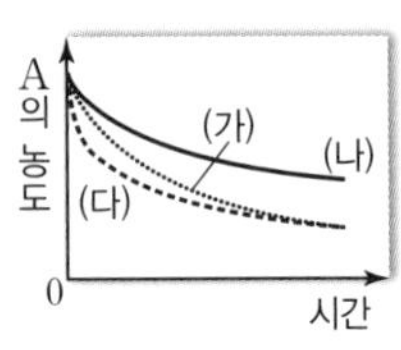

이에 대한 설명으로 옳은 것만을 〈보기〉에서 있는 대로 고른 것은? (단, (가)~(다)의 온도는 같다.)

〈보기〉
ㄱ. $k_3 > k_1$이다.
ㄴ. $D(g)$는 정촉매이다.
ㄷ. 반응엔탈피는 (다)에서가 (가)에서보다 크다.

① ㄱ ② ㄴ ③ ㄱ, ㄷ
④ ㄴ, ㄷ ⑤ ㄱ, ㄴ, ㄷ

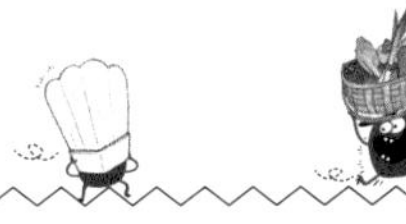
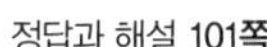

정답과 해설 101쪽

수능 기출

09 다음은 H_2O_2가 분해되는 화학 반응식이다.

$$2H_2O_2(aq) \longrightarrow 2H_2O(l)+O_2(g)$$

표는 서로 다른 반응 조건에서 H_2O_2가 분해되어 생성된 O_2의 양에 대한 자료이다.

실험	초기 반응 조건			0~50초 동안 생성된 O_2의 양(몰)
	a M $H_2O_2(aq)$의 부피(mL)	첨가한 물질	온도	
Ⅰ	25	없음	T_1	n
Ⅱ	25	없음	T_2	$5n$
Ⅲ	25	$MnO_2(s)$	T_1	$100n$

이에 대한 설명으로 옳은 것만을 〈보기〉에서 있는 대로 고른 것은? (단, 각 실험에서 용액의 온도는 일정하고, 부피 변화는 무시한다.)

보기
ㄱ. 반응의 활성화 에너지는 Ⅰ에서가 Ⅱ에서보다 크다.
ㄴ. Ⅱ에서 0~50초의 $-\frac{\Delta[H_2O_2]}{\Delta t}=4n$ 몰/L·초이다.
ㄷ. Ⅲ에서 $MnO_2(s)$는 정촉매이다.

① ㄱ ② ㄷ ③ ㄱ, ㄴ
④ ㄴ, ㄷ ⑤ ㄱ, ㄴ, ㄷ

10 그림은 $N_2(g)$와 $H_2(g)$가 고체 X 표면에 흡착하여 $NH_3(g)$의 생성이 촉진되는 과정을 나타낸 것이다.

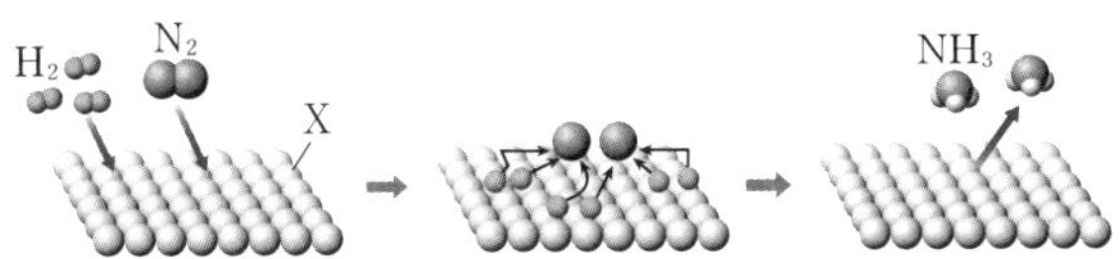

이에 대한 설명으로 옳은 것만을 〈보기〉에서 있는 대로 고른 것은?

보기
ㄱ. X는 표면 촉매이다.
ㄴ. X의 질량은 반응 후가 반응 전보다 크다.
ㄷ. 화학 반응식은 $N_2(g)+3H_2(g) \longrightarrow 2NH_3(g)$이다.

① ㄱ ② ㄴ ③ ㄱ, ㄷ
④ ㄴ, ㄷ ⑤ ㄱ, ㄴ, ㄷ

11 그림은 촉매 변환기를 나타낸 것이다.

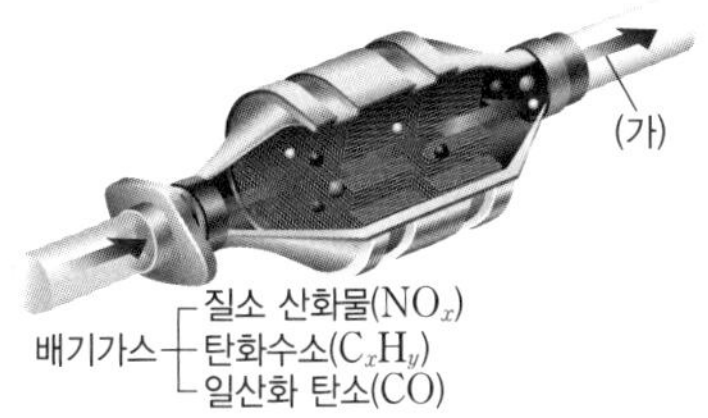

이에 대한 설명으로 옳은 것만을 〈보기〉에서 있는 대로 고른 것은?

보기
ㄱ. (가)에는 N_2, CO_2, H_2O이 적절하다.
ㄴ. 촉매 변환기 내부에는 표면 촉매가 존재한다.
ㄷ. 촉매 변환기 내부에서 일어나는 반응은 실온에서도 쉽게 일어난다.

① ㄱ ② ㄷ ③ ㄱ, ㄴ
④ ㄴ, ㄷ ⑤ ㄱ, ㄴ, ㄷ

12 그림은 효소와 기질 A가 반응하는 과정을 나타낸 것이다.

효소가 기질 A와 반응할 때 온도에 따른 반응 속도의 관계를 나타낸 그래프로 가장 적절한 것은?

①
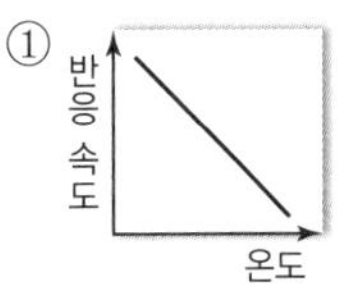

②
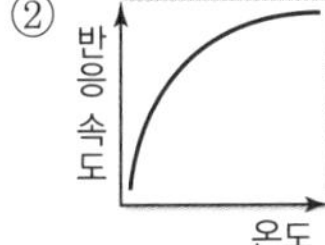

③
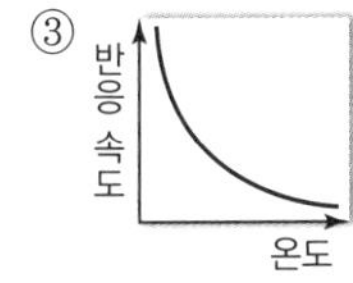

④
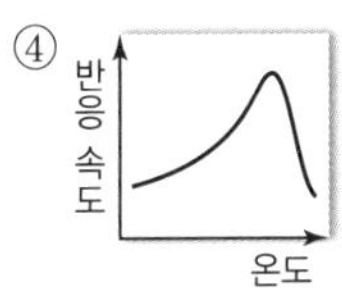

⑤
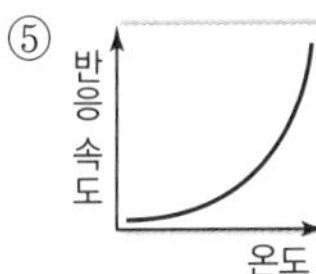

한눈에 보는
대단원 정리

1 반응 속도

01 반응 속도

1. 화학 반응의 빠르기 나타내기

기체가 발생하는 경우		앙금이 생성되는 경우
단위 시간 동안 감소한 질량 측정	단위 시간 동안 발생한 기체의 부피 측정	일정량의 앙금이 생성될 때까지 걸리는 시간 측정

2. 반응 속도

① **반응 속도:** 화학 반응이 일어나는 빠르기로, 일정 시간 동안 반응물이나 생성물의 농도 변화량으로 나타낼 수 있다.

$$\text{반응 속도}(v)=\frac{\text{반응물의 농도 감소량}}{\text{반응 시간}}=\frac{\text{생성물의 농도 증가량}}{\text{반응 시간}}$$

(단위: M/s, M/min, mol/L·s 등)

② **평균 반응 속도:** 반응물이나 생성물의 농도 변화량을 반응이 일어난 시간으로 나누어 나타내는 반응 속도 ➡ 시간 - 농도 그래프에서 두 지점을 지나는 직선의 기울기(절댓값)

③ **순간 반응 속도:** 특정 시간에서의 반응 속도 ➡ 시간-농도 그래프에서 특정 시간에서의 접선의 기울기(절댓값)

3. 반응 속도식

$$a\mathrm{A}+b\mathrm{B}\longrightarrow c\mathrm{C}+d\mathrm{D}$$

반응 속도$(v)=k[\mathrm{A}]^m[\mathrm{B}]^n$ (k: 반응 속도 상수)

• m: A의 반응 차수 • n: B의 반응 차수

① **반응 차수(m, n):** 실험으로 결정된다.

② **반응 속도 상수(k):** 화학 반응의 종류에 따라 달라지며, 반응물의 농도와 관계가 없고, 온도가 높을수록 커진다. k의 단위는 전체 반응 차수에 따라 달라진다.

4. 1차 반응

① 1**차 반응:** 반응 속도식이 $v=k[\mathrm{A}]$로, 반응 속도가 반응물의 농도에 비례한다.

② 1**차 반응의 반감기:** 반감기$(t_{\frac{1}{2}})$는 반응물의 농도가 절반으로 줄어드는 데 걸리는 시간으로, 1차 반응의 경우 반감기가 일정하다.

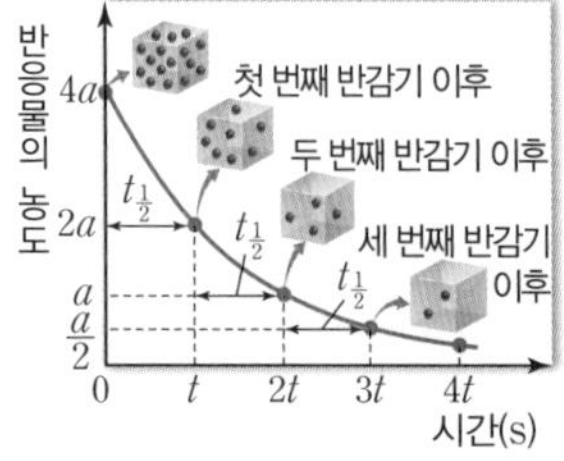

02 활성화 에너지

1. 활성화 에너지(E_a): 반응물이 충돌하여 화학 반응을 일으키는 데 필요한 최소한의 에너지

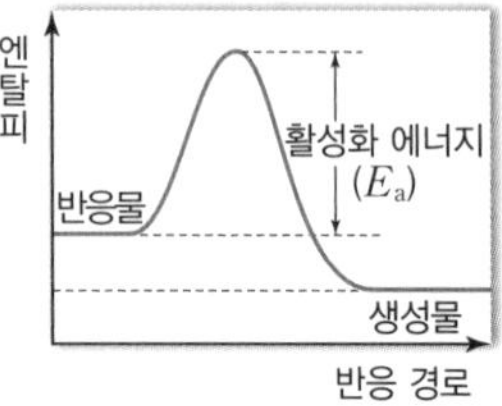

① **활성화 상태:** 반응물이 활성화 에너지 이상의 에너지를 가지고 적합한 방향으로 충돌하여 반응이 일어나기 전에 일시적으로 에너지가 높은 불안정한 상태에 도달한 것

② **활성화물:** 활성화 상태에 있는 불안정한 물질

2. 활성화 에너지와 반응 속도: 활성화 에너지가 작을수록 반응 속도가 빠르고, 활성화 에너지가 클수록 반응 속도가 느리다.

3. 활성화 에너지와 반응엔탈피(ΔH)

$$\Delta H=E_a-E_a'$$

(E_a: 정반응의 활성화 에너지, E_a': 역반응의 활성화 에너지)

4. 유효 충돌: 화학 반응이 일어나기에 적합한 방향으로 활성화 에너지 이상의 에너지를 가진 입자들이 충돌하여 화학 반응이 일어나는 충돌

03 농도, 온도에 따른 반응 속도

1. 농도와 반응 속도

① **농도와 반응 속도**: 농도가 증가하면 단위 부피당 입자 수가 증가하여 충돌 횟수가 증가하므로 반응 속도가 빨라진다.

② **기체의 압력과 반응 속도:** 일정한 온도에서 기체의 압력이 증가하면 단위 부피당 분자 수가 증가하여 충돌 횟수가 증가하므로 반응 속도가 빨라진다.

③ **표면적과 반응 속도:** 반응물이 고체일 때 표면적이 넓어 반응물 사이의 접촉 면적이 커지면 충돌 횟수가 증가하므로 반응 속도가 빨라진다.

2. 온도와 반응 속도: 온도가 높아지면 분자들의 평균 운동 에너지가 증가하여 활성화 에너지(E_a)보다 큰 운동 에너지를 가진 분자 수가 증가(A → B)하므로 반응 속도가 빨라진다.

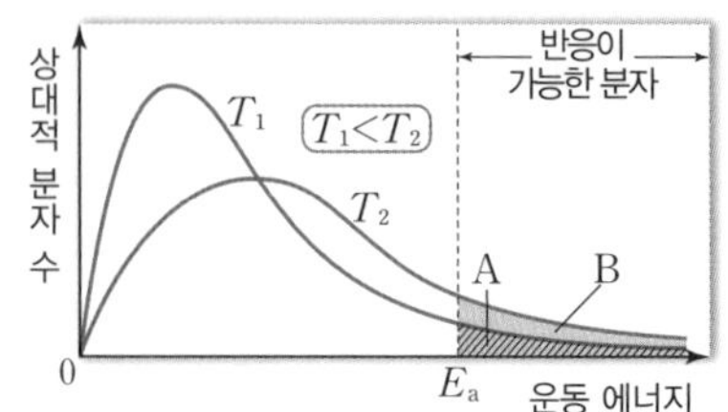

2 촉매와 우리 생활

01 촉매와 반응 속도

1. 촉매: 화학 반응에 참여하지만 자신은 변하지 않고 반응 속도만 변화시키는 물질

① **정촉매:** 활성화 에너지를 낮추어 반응 속도를 빠르게 하는 물질 ㊐ 과산화 수소 분해 반응에서의 이산화 망가니즈

② **부촉매:** 활성화 에너지를 높여 반응 속도를 느리게 하는 물질 ㊐ 과산화 수소 분해 반응에서의 인산

2. 촉매의 특징

① 촉매는 반응 전과 후에 질량이 변하지 않는다.

② 촉매를 사용해도 최종 생성물의 양은 변하지 않는다.

③ 촉매를 사용해도 반응엔탈피(ΔH)는 변하지 않는다.

④ 촉매를 사용하면 반응 경로가 변하면서 활성화 에너지의 크기가 달라져 정반응과 역반응 속도가 모두 변한다.

3. 촉매와 반응 속도: 촉매를 사용하면 반응 경로가 달라지면서 (A → B) 활성화 에너지가 변하여 활성화 에너지보다 큰 에너지를 갖는 분자 수가 달라지므로 반응 속도가 변한다.

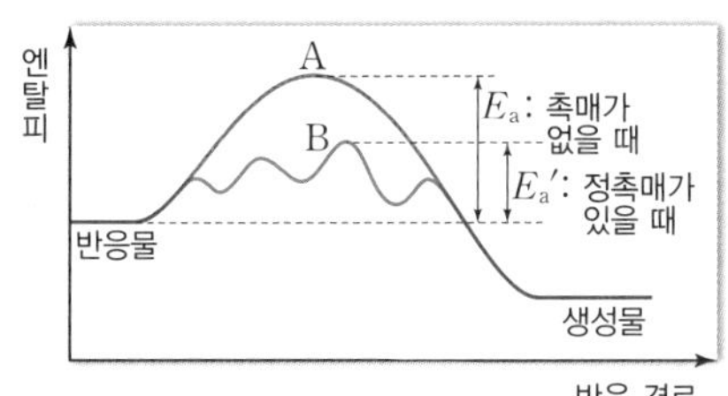

① **정촉매:** 활성화 에너지를 낮추어 반응이 일어날 수 있는 분자 수가 증가(B → (A+B))하므로 반응 속도가 빨라진다.

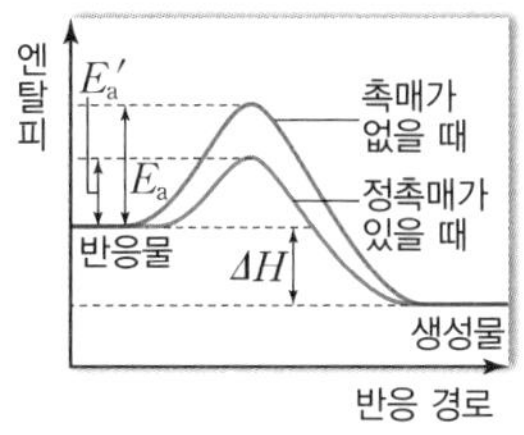

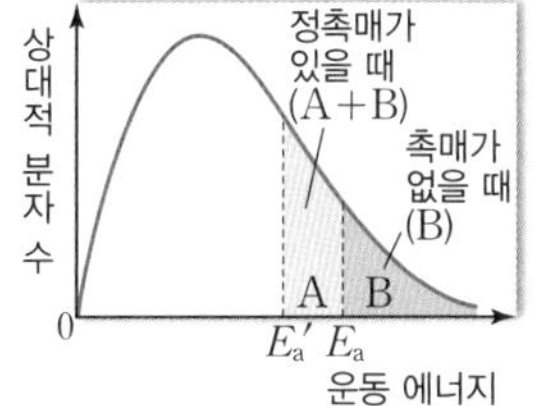

② **부촉매:** 활성화 에너지를 높여 반응이 일어날 수 있는 분자 수가 감소((B+C) → C)하므로 반응 속도가 느려진다.

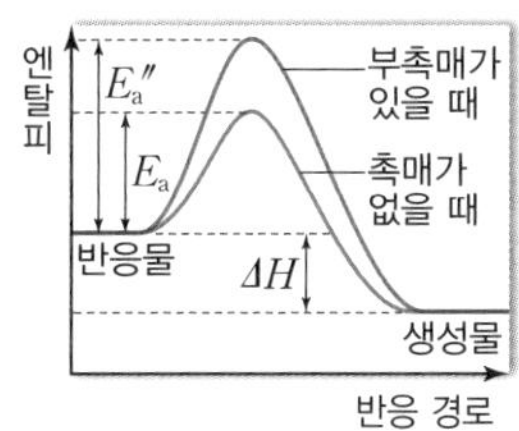

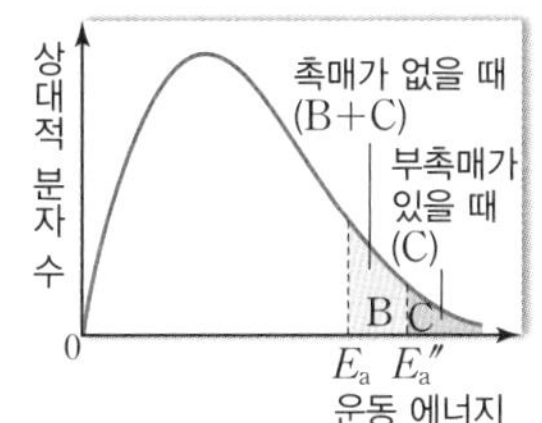

02 생활 속의 촉매

1. 효소: 생물체 내에서 일어나는 화학 반응에서 촉매 역할을 하는 물질

① **효소의 기질 특이성:** 효소에는 특정 기질과 반응할 수 있는 활성 자리가 존재한다. 따라서 효소는 특정 기질과만 반응하고, 다른 기질과는 반응하지 않는 기질 특이성이 있다. ➡ 단백질인 효소의 입체 구조 때문에 나타난다.

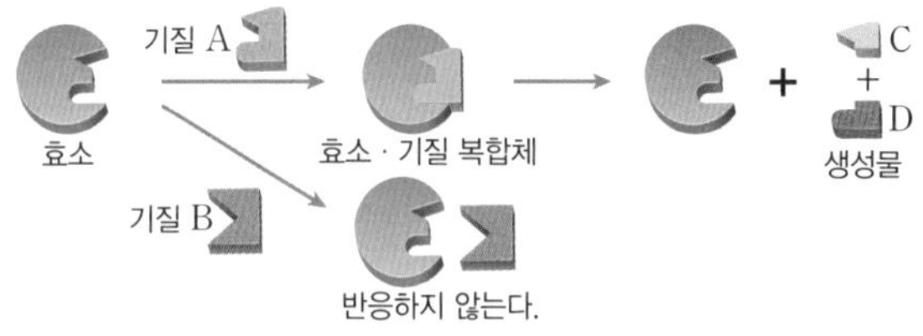

② **효소의 특징:** 효소는 주로 단백질로 이루어져 있으므로 최적 온도와 최적 pH가 존재한다.

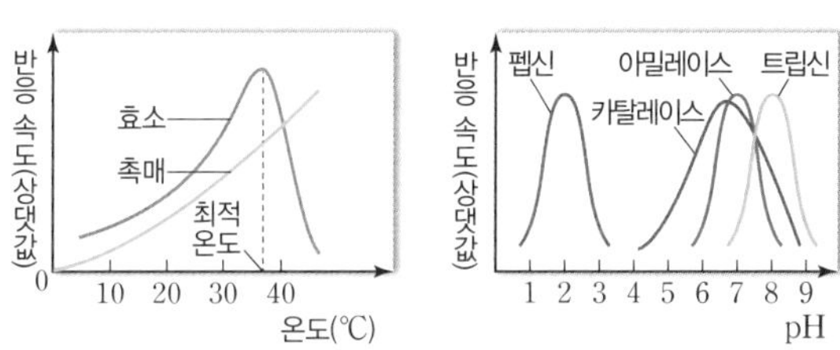

③ **효소의 이용:** 발효 식품(청국장, 된장, 치즈, 김치 등)

2. 산업에서 이용되는 촉매

① **표면 촉매:** 하나의 금속이나 금속 산화물과 같은 고체 상태의 촉매 ➡ 백금(Pt), 팔라듐(Pd), 니켈(Ni)과 같은 다양한 금속이 포함된 고체 상태의 표면 촉매가 많이 사용된다.

㊐ 암모니아(NH_3) 생성 반응에서 표면 촉매의 작용

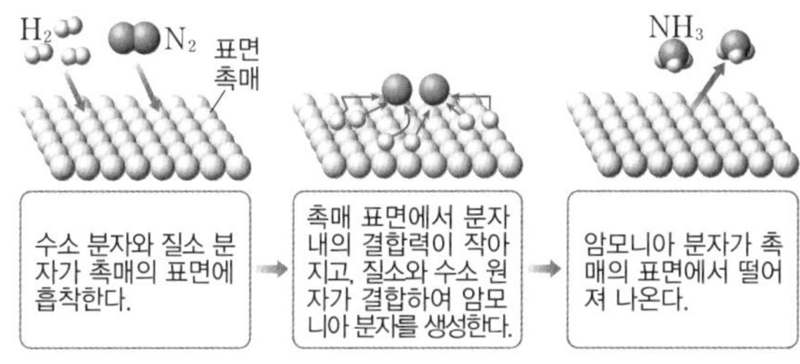

H_2
N_2
표면 촉매
NH_3
수소 분자와 질소 분자가 촉매의 표면에 흡착한다.
촉매 표면에서 분자 내의 결합력이 작아지고, 질소와 수소 원자가 결합하여 암모니아 분자를 생성한다.
암모니아 분자가 촉매의 표면에서 떨어져 나온다.

② **유기 촉매:** 반응을 조절하기 어려운 표면 촉매의 단점을 보완하기 위해 유기 화합물 형태로 만든 촉매

③ **광촉매:** 빛에너지를 받으면 촉매 작용을 일으키는 물질

㊐ 이산화 타이타늄(TiO_2): 수소 연료 전지, 공기 청정기, 벽지 등에 활용된다.

한번에 끝내는 대단원 문제

정답과 해설 103쪽

01 그림은 시간에 따른 용기 내 입자의 모형을 나타낸 것이다.

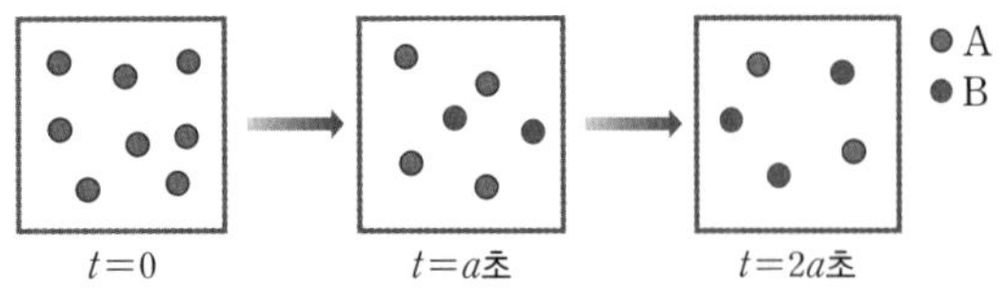

이에 대한 설명으로 옳은 것을 <보기>에서 있는 대로 고른 것은? (단, 온도는 일정하다.)

보기
ㄱ. 화학 반응식은 $A(g) \longrightarrow B(g)$이다.
ㄴ. 반감기는 a초이다.
ㄷ. 반응 속도식은 $v=k[A]$이다.

① ㄱ ② ㄴ ③ ㄱ, ㄴ ④ ㄴ, ㄷ ⑤ ㄱ, ㄴ, ㄷ

02 그림은 기체 A를 넣은 강철 용기에서 반응 $A(g) \longrightarrow B(g)$이 일어날 때 시간에 따른 A의 농도를 나타낸 것이다.
이 반응의 반응 속도식은? (단, k는 반응 속도 상수이다.)

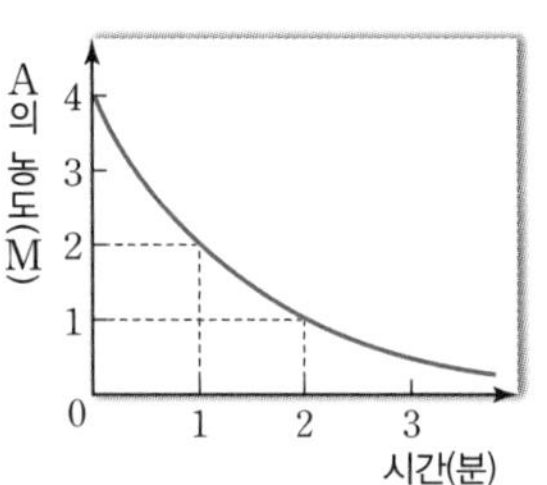

① $v=k$ ② $v=k[A]$ ③ $v=k[A]^2$ ④ $v=k[B]$ ⑤ $v=k[A][B]$

03 그림은 기체 X를 넣은 강철 용기에서 $2X(g) \longrightarrow Y(g)$의 반응이 일어날 때 시간에 따른 X의 농도를 나타낸 것이다.
3분 후 Y의 농도는?

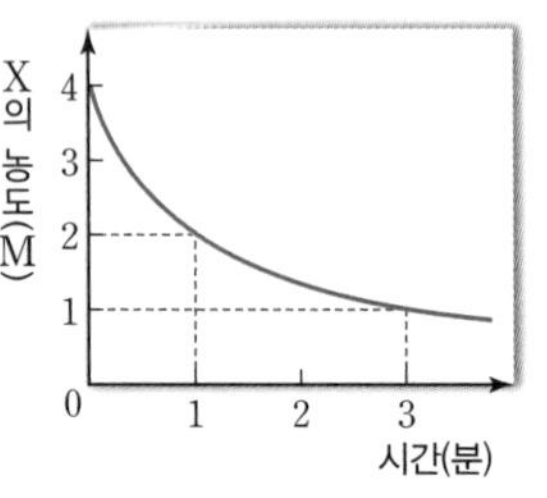

① 1 M ② 1.5 M ③ 2 M ④ 3 M ⑤ 6 M

04 1차 반응에 대한 설명으로 옳은 것을 <보기>에서 있는 대로 고른 것은?

보기
ㄱ. 반응 속도가 반응물의 농도에 비례한다.
ㄴ. 반감기가 일정하다.
ㄷ. 반응 속도 상수(k)의 단위는 s^{-1}을 사용할 수 있다.

① ㄱ ② ㄷ ③ ㄱ, ㄴ ④ ㄴ, ㄷ ⑤ ㄱ, ㄴ, ㄷ

05 그림은 $A(g)$를 넣은 강철 용기에서 반응 $A(g) \longrightarrow B(g)$이 온도 T_1, T_2에서 일어날 때, A의 농도에 따른 초기 반응 속도를 나타낸 것이다.
이에 대한 설명으로 옳은 것을 <보기>에서 있는 대로 고른 것은?

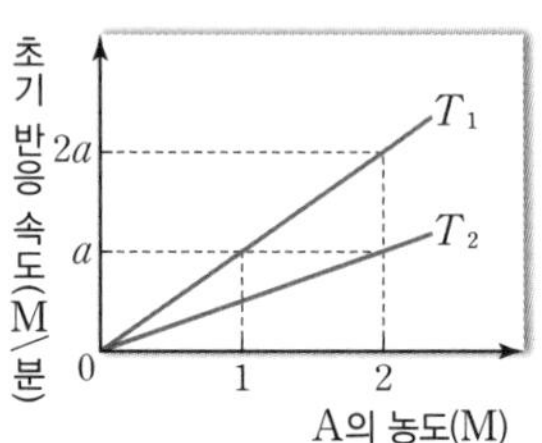

보기
ㄱ. 반응 속도식은 $v=k[A]$이다.
ㄴ. $T_1>T_2$이다.
ㄷ. 반응 속도 상수(k)는 T_1에서가 T_2에서의 2배이다.

① ㄱ ② ㄷ ③ ㄱ, ㄴ ④ ㄴ, ㄷ ⑤ ㄱ, ㄴ, ㄷ

06 표는 반응 $A(g) \longrightarrow B(g)+C(g)$에서 강철 용기에 $A(g)$를 넣고 반응시켰을 때 시간에 따른 A~C의 농도 합([A]+[B]+[C])을 나타낸 것이다.

시간(분)	0	t	$2t$	$3t$	$4t$
[A]+[B]+[C](M)	8	12	14	15	x

이에 대한 설명으로 옳은 것만을 <보기>에서 있는 대로 고른 것은?

보기
ㄱ. 반응 속도식은 $v=k[A]$이다.
ㄴ. t분일 때 A의 몰 분율은 $\frac{1}{3}$이다.
ㄷ. $x=15.5$이다.

① ㄱ ② ㄷ ③ ㄱ, ㄴ ④ ㄴ, ㄷ ⑤ ㄱ, ㄴ, ㄷ

고난도

07 그림은 $A(g) \longrightarrow 2B(g)$ 반응에 대하여 강철 용기에 x M의 $A(g)$를 넣고 반응시켰을 때, 온도 T_1, T_2에서 반응 시간에 따른 B의 농도를 나타낸 것이다.

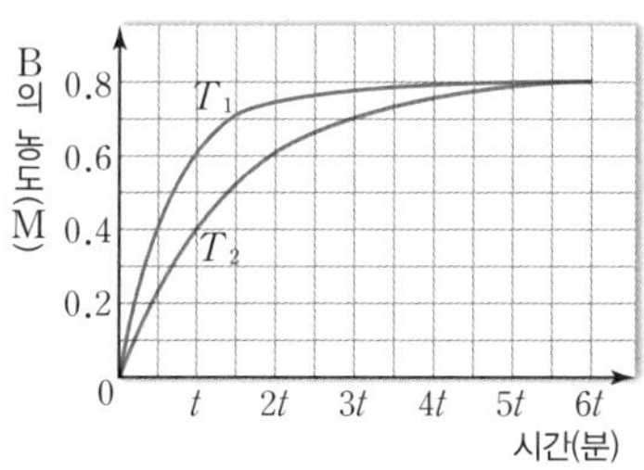

이에 대한 설명으로 옳은 것만을 〈보기〉에서 있는 대로 고른 것은?

> 보기
> ㄱ. $x=0.8$이다.
> ㄴ. $T_1>T_2$이다.
> ㄷ. 반응 속도식은 $v=k[A]$이다.

① ㄱ ② ㄷ ③ ㄱ, ㄴ ④ ㄴ, ㄷ ⑤ ㄱ, ㄴ, ㄷ

고난도

08 다음은 A가 반응하여 B가 생성되는 반응의 화학 반응식과 반응 속도식이다.

> $2A(g) \longrightarrow B(g)$ $v=k[A]$
> (k: 반응 속도 상수)

표는 동일한 강철 용기 2개에 같은 몰수의 $A(g)$를 넣고 온도를 각각 T_1, T_2로 하여 반응시켰을 때 시간에 따른 $A(g)$의 몰 분율을 나타낸 것이다.

실험	온도	$A(g)$의 몰 분율	
		$t=0$	$t=20$초
(가)	T_1	1	$\frac{2}{5}$
(나)	T_2	1	$\frac{2}{3}$

이에 대한 설명으로 옳은 것만을 〈보기〉에서 있는 대로 고른 것은?

> 보기
> ㄱ. (가)에서 반감기는 10초이다.
> ㄴ. $T_1>T_2$이다.
> ㄷ. (나)에서 60초일 때 A의 몰 분율은 $\frac{2}{9}$이다.

① ㄱ ② ㄷ ③ ㄱ, ㄴ ④ ㄴ, ㄷ ⑤ ㄱ, ㄴ, ㄷ

09 그림은 온도 T K에서 반응 $X(g) \rightleftarrows Y(g)$이 일어날 때 반응 경로에 따른 엔탈피를 나타낸 것이다.

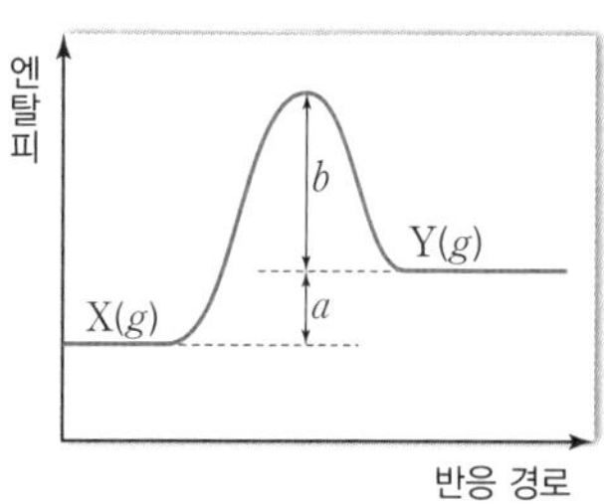

이에 대한 설명으로 옳은 것은?

① 반응엔탈피(ΔH)는 음(−)의 값이다.
② 정반응의 활성화 에너지는 a이다.
③ 역반응의 활성화 에너지는 b이다.
④ 부촉매를 사용하면 역반응의 활성화 에너지는 b보다 감소한다.
⑤ 온도를 높이면 정반응의 활성화 에너지는 $(a+b)$보다 증가한다.

10 그림은 반응 속도가 빨라지는 원리를 모형으로 나타낸 것이다.

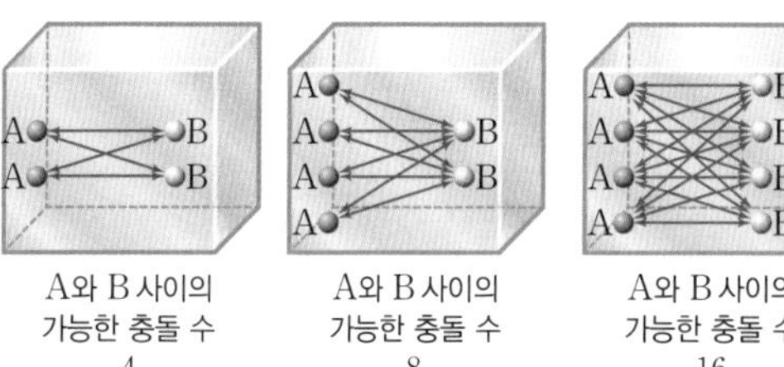

이 모형으로 설명할 수 있는 현상으로 가장 적절한 것은?

① 숯을 작은 조각으로 쪼개 태운다.
② 알약보다 가루약의 흡수가 빠르다.
③ 찬물보다 뜨거운 물에 커피가 잘 용해된다.
④ 강철솜은 공기 중에서보다 산소가 든 집기병에서 빠르게 연소된다.
⑤ 과산화 수소수에 이산화 망가니즈를 넣으면 분해가 빠르게 일어난다.

11 그림은 기체 A와 B가 반응하여 기체 C가 생성되는 반응에서, 촉매를 사용하지 않은 반응 경로 (가)와 촉매를 사용한 반응 경로 (나)의 엔탈피를 나타낸 것이다.

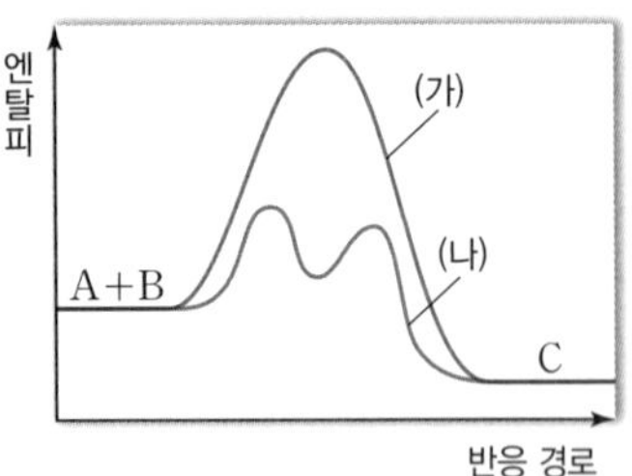

이에 대한 설명으로 옳은 것만을 〈보기〉에서 있는 대로 고른 것은?

> 보기
> ㄱ. 정반응은 발열 반응이다.
> ㄴ. (나)에서 사용한 촉매는 정촉매이다.
> ㄷ. 반응 속도 상수는 (가)에서가 (나)에서보다 크다.

① ㄱ ② ㄷ ③ ㄱ, ㄴ
④ ㄴ, ㄷ ⑤ ㄱ, ㄴ, ㄷ

고난도

12 그림 (가)는 강철 용기에 반응물을 넣고 반응시킬 때, (나)는 강철 용기에 반응물과 촉매를 넣고 반응시킬 때 반응 경로에 따른 엔탈피를 나타낸 것이다. (가)와 (나)에서 반응물의 초기 농도와 온도는 같다.

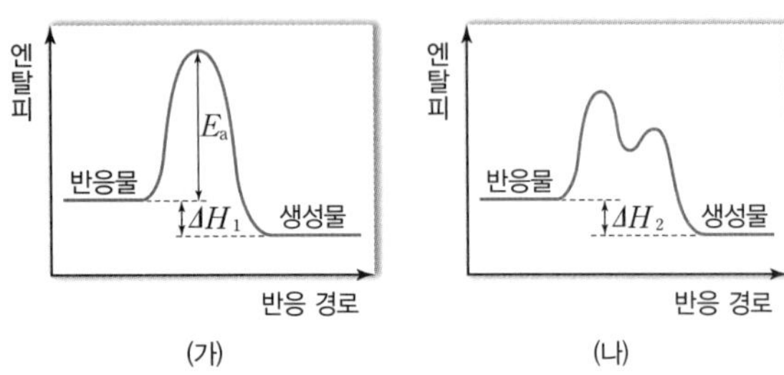

이에 대한 설명으로 옳은 것만을 〈보기〉에서 있는 대로 고른 것은?

> 보기
> ㄱ. $\Delta H_1 > \Delta H_2$이다.
> ㄴ. 반응 속도 상수는 (나)>(가)이다.
> ㄷ. (가)에서 온도를 높이면 E_a는 감소한다.

① ㄱ ② ㄴ ③ ㄱ, ㄷ
④ ㄴ, ㄷ ⑤ ㄱ, ㄴ, ㄷ

13 그림은 반응 $A(g) \longrightarrow B(g)$에서 반응 경로에 따른 엔탈피를 나타낸 것이다.
E_1을 낮추는 방법으로 옳은 것은?

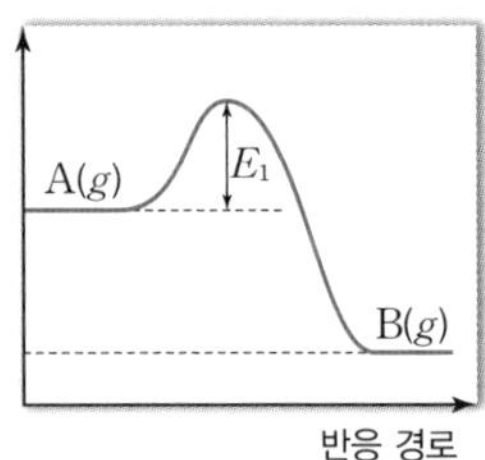

① 온도를 높인다.
② 정촉매를 사용한다.
③ A의 농도를 크게 한다.
④ B의 농도를 크게 한다.
⑤ 반응 용기의 부피를 줄인다.

14 그림은 효소와 기질의 반응을 나타낸 것이다.

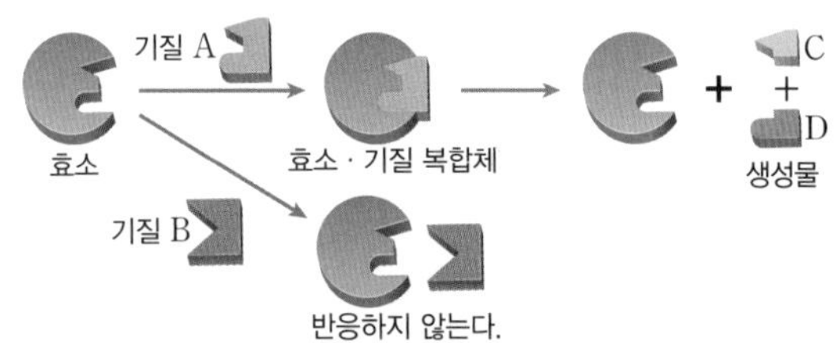

이에 대한 설명으로 옳은 것만을 〈보기〉에서 있는 대로 고른 것은?

> 보기
> ㄱ. 효소는 기질 특이성이 있다.
> ㄴ. 효소는 기질 A와 결합하면 반응의 활성화 에너지를 증가시킨다.
> ㄷ. 효소는 화학 반응에서 정촉매와 같은 역할을 할 수 있다.

① ㄱ ② ㄴ ③ ㄱ, ㄷ
④ ㄴ, ㄷ ⑤ ㄱ, ㄴ, ㄷ

15 그림은 물의 광분해 장치를 나타낸 것이다.
광전극에 사용할 수 있는 촉매로 가장 적절한 것은?

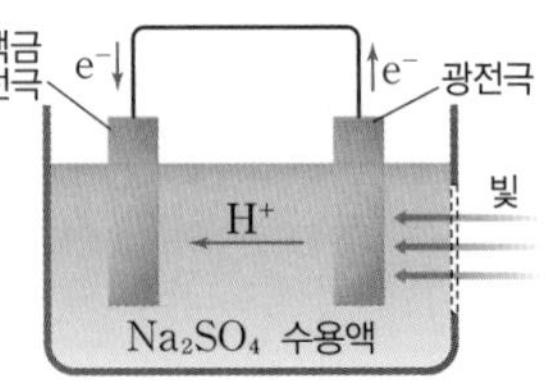

① 효소 ② 광촉매 ③ 유기 촉매
④ 금속 촉매 ⑤ 표면 촉매

16 그림은 $2A(g) \longrightarrow B(g)$의 반응에 대하여 서로 다른 온도에서 반응 시간에 따른 $B(g)$의 농도를 나타낸 것이다.

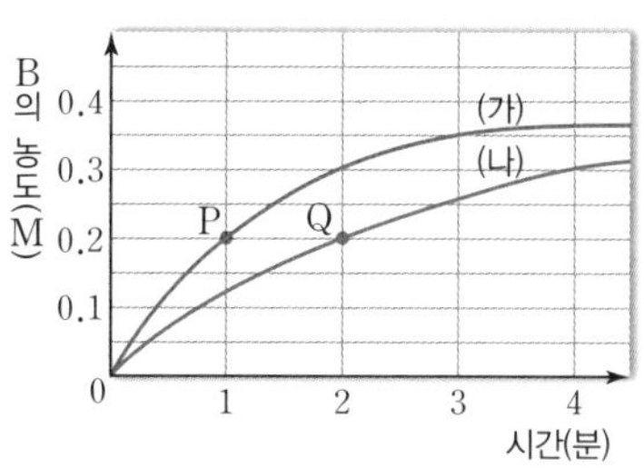

P점과 Q점까지의 평균 반응 속도를 구하고, 그 크기를 비교하여 서술하시오.

[17~18] 표는 $A(g)$와 $B(g)$의 반응에 대하여 일정한 온도에서 반응물의 초기 농도에 따른 초기 반응 속도를 나타낸 것이다.

실험	초기 농도(10^{-6} M)		초기 반응 속도 (10^{-6} M/s)
	A	B	
Ⅰ	6	1.5	18
Ⅱ	8	1.5	24
Ⅲ	8	2	32

17 이 반응의 반응 속도식을 쓰시오. (단, 반응 속도 상수는 k로 나타낸다.)

18 17번에서 구한 반응 속도식을 이용하여 반응 속도 상수(k)를 구하고, 구하는 과정을 서술하시오. (단, 단위도 나타낸다.)

[19~20] 그림 (가)와 (나)는 어떤 반응에서 반응 속도에 영향을 미치는 요인을 나타낸 것이다. E_a, E_a'는 활성화 에너지이다.

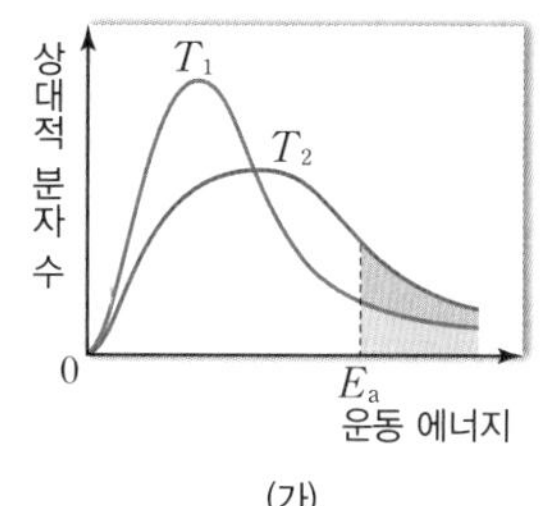

(가)

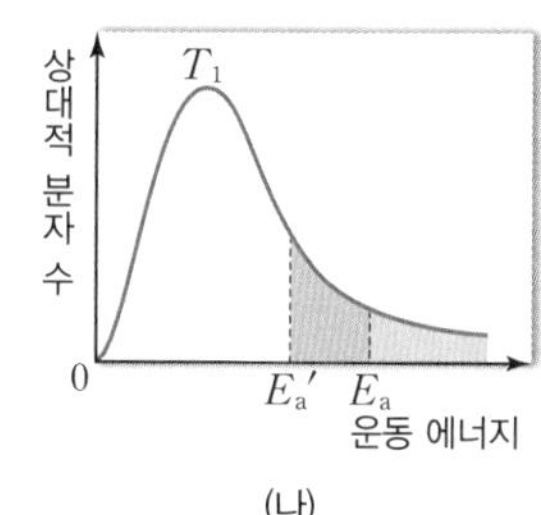

(나)

19 (가)에서 T_1, T_2에서의 반응 속도를 비교하고, 그 까닭을 서술하시오.

20 (나)에서 E_a, E_a'일 때의 반응 속도를 비교하고, 그 까닭을 서술하시오.

21 표면 촉매는 고체 상태의 촉매에 반응 물질이 흡착하면 반응의 활성화 에너지를 낮추어 반응이 잘 일어날 수 있게 한다. 그러나 그 부작용도 있는데, 표면 촉매의 단점과 이를 보완할 수 있는 방법을 각각 서술하시오.

Ⅳ 전기 화학과 이용

한食왕

나의 학습 계획표

중단원	소단원	계획일	실천일	성취도
1 전기 화학의 원리와 수소 연료 전지	01. 화학 전지의 원리	/	/	○△×
	02. 실용 전지와 전지 전위	/	/	○△×
	03. 전기 분해의 원리	/	/	○△×
	수능 POOL + 실전! 수능 도전하기	/	/	○△×
	대단원 정리 + 문제	/	/	○△×

스스로 계획하고 실천하면
실력이 올라간다~옹!

1 전기 화학의 원리와 수소 연료 전지

배울 내용 살펴보기

01 화학 전지의 원리

A 금속의 반응성

B 화학 전지

02 실용 전지와 전지 전위

A 실용 전지

B 전지 전위

03 전기 분해의 원리

A 전기 분해

B 전기 분해의 응용

C 수소 연료 전지

01 화학 전지의 원리

핵심 키워드로 흐름잡기

A 산화와 환원, 금속의 반응성, 금속과 산의 반응, 금속과 금속 이온이 들어 있는 수용액의 반응

B 화학 전지, 볼타 전지, 다니엘 전지

A 금속의 반응성

|출·제·단·서| 시험에는 서로 다른 반응성을 가진 금속끼리의 반응을 통해 반응성 순서를 찾는 문제가 나와.

1. 산화와 환원

구분	의미와 특징
•산화	• 어떤 물질이 산소를 얻거나 전자를 잃는 반응 • 산화수❶가 증가하는 반응
환원	• 어떤 물질이 산소를 잃거나 전자를 얻는 반응 • 산화수가 감소하는 반응
산화와 환원 반응의 동시성	• 산소를 얻는 물질이 있으면 반드시 산소를 잃는 물질이 있고, 전자를 잃는 물질이 있으면 전자를 얻는 물질이 있다. ➡ 산화와 환원은 항상 동시에 일어난다.

(산소 얻음, 산화수 증가) 산화

$$\overset{+3}{Fe_2O_3}(s) + \overset{+2}{3CO}(g) \longrightarrow \overset{0}{2Fe}(s) + \overset{+4}{3CO_2}(g)$$

환원 (산소 잃음, 산화수 감소)

❶ 산화수

어떤 물질에서 각 원자가 어느 정도 산화되었는지를 나타내는 가상적인 전하

2. 금속의 반응성 탐구 POOL

(1) 금속의 반응성 금속이 전자를 잃고 산화되어 양이온이 되려는 경향으로, 공기 중의 산소나 물과 반응하는 정도가 다르므로 그 정도를 비교하여 금속의 반응성의 크기 비교가 가능하다.

(2) 금속의 이온화 경향❷ 금속이 전자를 잃고 양이온이 되려는 경향, 즉 금속이 산화되고 다른 물질은 환원시키려는 경향을 의미한다.

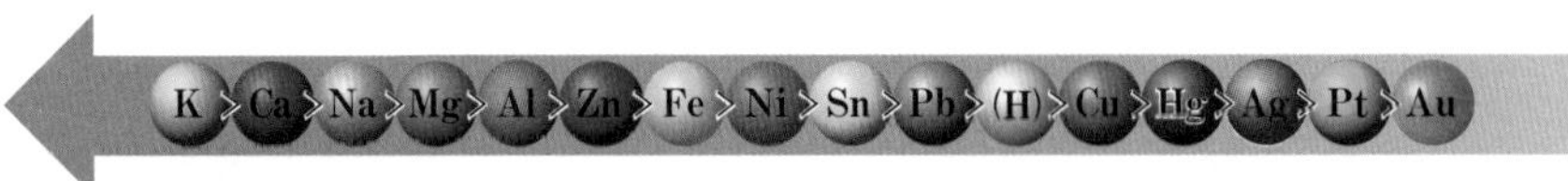

이온화 경향이 크다.
전자를 잃기 쉽다.
산화되기 쉽다.
반응성이 크다.

암기TIP 금속의 이온화 경향 순서: 칼카나마 / 알아철니 / 주납수구 / 수은백금

이온화 경향이 작다.
전자를 잃기 어렵다.
환원되기 쉽다.
반응성이 작다.

❷ 이온화 경향

금속의 이온화 경향이 크다는 것은 전자를 잃고 양이온이 되려는 경향이 큰 것으로, 산화되기 쉽고 반응성이 큼을 의미한다.

금속의 이온화 경향 순서에 비금속인 수소는 왜 있을까?

수소는 금속이 전자를 잃는 정도를 판단할 때 기준이 되는 원소로, 금속과 묽은 산의 수소 이온과의 반응 여부에 따라 금속의 반응성을 비교하는 기준이 되기 때문에 함께 표현한다.

3. 금속과 산의 반응

(1) 수소보다 반응성이 큰 금속을 산 수용액에 넣을 때의 반응 금속이 수소보다 반응성이 크므로 금속이 산과 반응하여 수소 기체를 발생한다. ➡ 금속은 전자를 잃어 산화되고, 산 수용액의 수소 이온(H^+)은 전자를 얻어 환원된다.

예 아연(Zn)과 묽은 염산(HCl)의 반응 → 반응성: Zn>H

$$Zn(s)+2HCl(aq) \longrightarrow ZnCl_2(aq)+H_2(g)$$

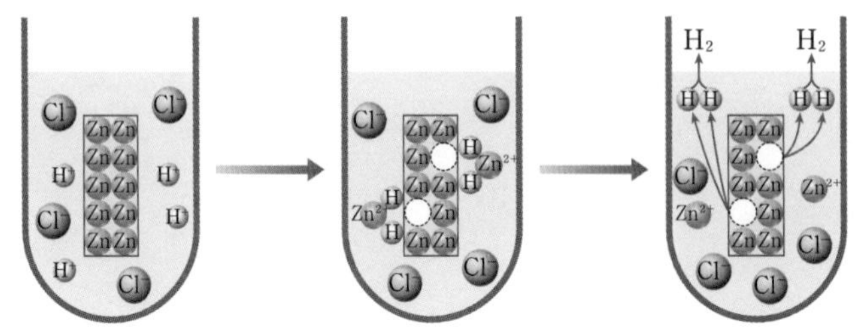

[아연(Zn)의 산화]
$Zn(s) \rightarrow Zn^{2+}(aq)+2e^-$

[수소 이온(H^+)의 환원]
$2H^+(aq)+2e^- \rightarrow H_2(g)$

용어 알기

• 산화(Oxidize) 산소(Oxygen), ~화 되다(~dize), 산소와 결합하는 반응

(2) 수소보다 반응성이 작은 금속을 산 수용액에 넣을 때의 반응 금속이 수소보다 반응성이 작으므로 금속이 산과 반응하지 않는다. → 수소 기체가 발생하지 않는다. ㉠ 금, 은 등

4. 금속과 금속 이온이 들어 있는 수용액의 반응

(1) 이온화 경향이 큰 금속을 이온화 경향이 작은 금속 양이온이 들어 있는 수용액에 넣을 때의 반응 이온화 경향이 큰 금속은 이온화 경향이 작은 금속에 비해 전자를 잃기 쉬우므로 산화 환원 반응이 일어난다. ➡ 이온화 경향이 큰 금속은 전자를 잃어 산화되고, 이온화 경향이 작은 금속 양이온은 전자를 얻어 환원된다.

㉠ 아연(Zn)과 황산 구리(Ⅱ)($CuSO_4$) 수용액과의 반응 → 반응성: Zn>Cu

$Zn(s)+CuSO_4(aq) \longrightarrow ZnSO_4(aq)+Cu(s)$

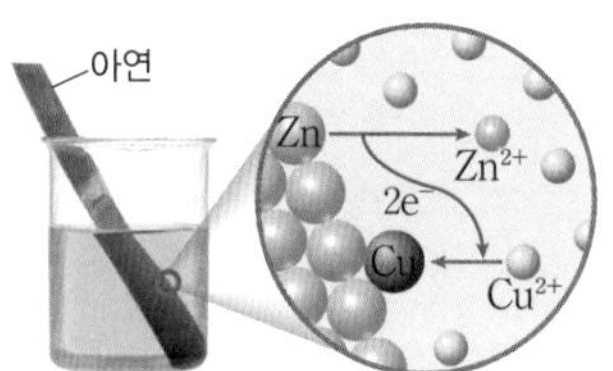

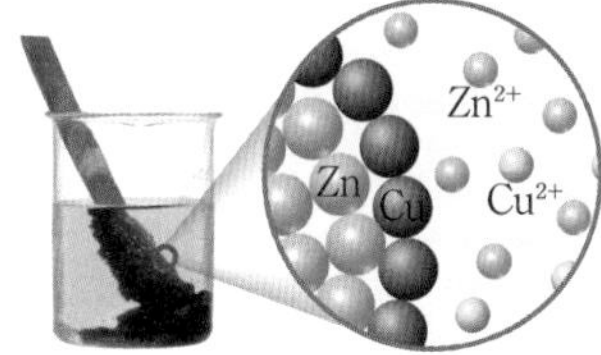

[아연(Zn)의 산화]
$Zn(s) \rightarrow Zn^{2+}(aq)+2e^-$

[구리 이온(Cu^{2+})의 환원]
$Cu^{2+}(aq)+2e^- \rightarrow Cu(s)$

(2) 이온화 경향이 작은 금속을 이온화 경향이 큰 금속 양이온이 들어 있는 수용액에 넣을 때의 반응 이온화 경향이 큰 금속은 이미 양이온으로 존재하기 때문에 산화 환원 반응이 일어나지 않는다. 반응성이 큰 금속이 들어 있는 수용액에 반응성이 작은 금속을 넣으면 반응이 일어나지 않는다.

㉠ 구리(Cu)와 황산 아연($ZnSO_4$) 수용액과의 반응 → 반응성: Zn>Cu

$Cu(s)+ZnSO_4(aq) \not\longrightarrow$ 반응이 일어나지 않는다.

빈출 탐구 금속의 반응성 비교

목표 금속과 금속염❸ 수용액의 반응으로 금속의 반응성을 비교할 수 있다.

과정

① 황산 아연($ZnSO_4$) 수용액이 담긴 시험관에 철(Fe)판과 구리(Cu)판을 각각 넣고 변화를 관찰한다.
② 황산 철(Ⅱ)($FeSO_4$) 수용액이 담긴 시험관에 아연(Zn)판과 구리(Cu)판을 각각 넣고 변화를 관찰한다.
③ 황산 구리(Ⅱ)($CuSO_4$) 수용액이 담긴 시험관에 아연(Zn)판과 철(Fe)판을 각각 넣고 변화를 관찰한다.

결과 및 정리

수용액	$ZnSO_4(aq)$	$FeSO_4(aq)$	$CuSO_4(aq)$
금속판	Fe판	Zn판	Zn판
반응 결과	변화 없음	Fe 석출	Cu 석출
반응성	Zn>Fe	Zn>Fe	Zn>Cu
금속판	Cu판	Cu판	Fe판
반응 결과	변화 없음	변화 없음	Cu 석출
반응성	Zn>Cu	Fe>Cu	Fe>Cu

❶ 이온화 경향이 큰 금속을 이온화 경향이 작은 금속의 양이온이 들어 있는 수용액에 넣으면 이온화 경향이 큰 금속은 전자를 잃고 산화되고, 이온화 경향이 작은 금속 양이온은 전자를 얻어 환원된다.

❷ 금속의 반응성 : Zn>Fe>Cu

? 수소보다 반응성이 작은 금속은 무조건 산과 반응하지 못할까?

수소보다 반응성이 작은 금속이 산과 무조건 반응을 못하는 것이 아니라 묽은 산과 반응하여 수소 기체를 발생시키지 못할 뿐이다. 즉, Cu, Hg, Ag은 보통의 묽은 산과 반응하여 H_2는 발생하지 않지만, 산화력이 있는 산(진한 H_2SO_4, HNO_3)과는 반응하여 SO_2, NO_2 기체를 발생시킨다. 또한 Pt과 Au은 진한 HNO_3과 진한 HCl을 1 : 3의 부피비로 혼합한 왕수에 녹는다.

암기TiP 반응성이 큰 금속이 수용액 속에서 이온으로 존재해!

❸ 금속염

금속 양이온과 비금속 음이온으로 이루어진 화합물로, 수용액 속에 이온화된 금속 양이온과 넣어 준 금속과의 변화를 관찰하여 금속의 반응성을 비교할 수 있다.

⊕ 탐구 속 화학 반응식

- 황산 아연 수용액+철: $ZnSO_4(aq)+Fe(s) \longrightarrow$ 반응이 일어나지 않음
- 황산 아연 수용액+구리: $ZnSO_4(aq)+Cu(s) \longrightarrow$ 반응이 일어나지 않음
- 황산 철 수용액+아연: $FeSO_4(aq)+Zn(s) \longrightarrow ZnSO_4(aq)+Fe(s)$
- 황산 철 수용액+구리: $FeSO_4(aq)+Cu(s) \longrightarrow$ 반응이 일어나지 않음
- 황산 구리 수용액+아연: $CuSO_4(aq)+Zn(s) \longrightarrow ZnSO_4(aq)+Cu(s)$
- 황산 구리 수용액+철: $CuSO_4(aq)+Fe(s) \longrightarrow FeSO_4(aq)+Cu(s)$

B 화학 전지

|출·제·단·서| 화학 전지를 구성하는 원리와 각 전극에서의 화학 반응이 시험에 나와!

1. 화학 전지

암기TIP 화학 전지: 화학 에너지 $\xrightarrow[\text{반응}]{\text{산화 환원}}$ 전기 에너지

(1) 원리 산화 환원 반응을 이용하여 물질이 가진 화학 에너지❹를 전기 에너지❺로 바꾸는 장치 산화 환원 반응이 일어날 때 발생되는 에너지를 전기 에너지로 바꾸는 장치

(2) 구성 반응성이 다른 두 금속을 전해질 수용액에 담그고 도선으로 연결하면 반응성이 큰 금속은 전자를 잃으면서 산화되고, 그 전자는 도선을 따라 반응성이 작은 금속 쪽으로 이동하여 전자를 얻게 되면서 전류가 흐른다. → 금속이 전극으로 작용한다.

구분	(−)극(산화 전극)	(+)극(환원 전극)
금속	반응성이 큰 금속	반응성이 작은 금속
반응	전자를 잃는 산화 반응	전자를 얻는 환원 반응
전자의 이동	(−)극 ——→ (+)극	
전류의 흐름	(−)극 ←—— (+)극	

2. 볼타❻ 전지

(1) 원리 아연(Zn)판과 구리(Cu)판을 묽은 황산(H_2SO_4)에 담그고 도선으로 연결한 화학 전지

(2) 구성 반응성이 큰 Zn판은 산화되어 전자를 잃는 (−)극이 되고, 반응성이 작은 Cu판은 환원되어 전자를 얻는 (+)극이 된다.

구분	화학 반응식	특징
(−)극	$Zn(s) \longrightarrow Zn^{2+}(aq)+2e^-$	산화 반응, 질량 감소
(+)극	$2H^+(aq)+2e^- \longrightarrow H_2(g)$	환원 반응, 질량 변화 없음
전체 반응	$Zn(s)+2H^+(aq) \longrightarrow Zn^{2+}(aq)+H_2(g)$	

① **(−)극(산화 전극)**: 반응성이 큰 Zn판은 전자를 잃고 산화되어 묽은 황산에 Zn^{2+}으로 녹아 들어가고, 전자는 도선을 따라 Cu판 쪽으로 이동한다. ➡ Zn판의 질량은 감소한다.

② **(+)극(환원 전극)**: 반응성이 작은 Cu판에서는 묽은 황산의 수소 이온(H^+)이 전자를 얻어 H_2로 환원된다. ➡ Cu판의 질량은 변하지 않는다.

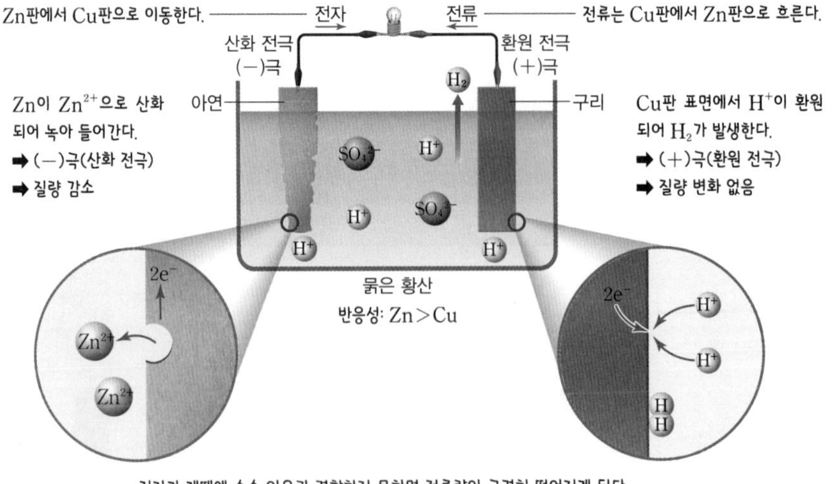

(3) 분극 현상 볼타 전지를 사용할 때 전지의 전압이 급격히 떨어지는 현상 — 전자가 제때에 수소 이온과 결합하지 못하면 전류량이 급격히 떨어지게 된다.

① **원인**: (+)극인 Cu판에서 발생하는 H_2 기체가 Cu판을 둘러싸서 용액 속 수소 이온(H^+)이 전자를 얻는 것(환원 반응)을 방해하기 때문이다.

② **대책**: 분극 현상을 줄이기 위해 수소 기체를 물(H_2O)로 산화시키는 •감극제(소극제)인 강한 산화제(MnO_2, $K_2Cr_2O_7$, H_2O_2 등)를 넣어 준다.

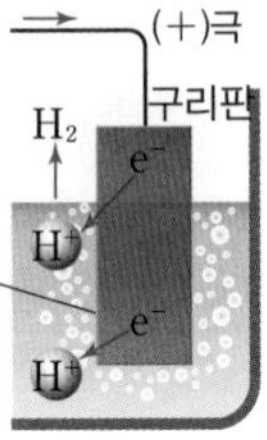

---

❹ 화학 에너지
물질마다 가지는 고유한 에너지로, 화학 반응에 의해 다른 에너지로 전환시킬 수 있다.

❺ 전기 에너지
전류가 흐르면서 일을 하거나 다른 에너지를 발생시킬 수 있는 에너지이다.

❻ 볼타(Volta, A. G. A. A., 1745~1827)
이탈리아의 물리학자로서 화학적 방법으로 전기를 발생시킬 수 있는 볼타 전지를 개발하여 화학 분야의 발전에 크게 기여한 과학자이다.

? (+)극에서 환원 반응이 일어나는 화학종은 왜 수소 이온일까?
(+)극 주변에는 반응성이 작은 구리(Cu)판과 전해질인 묽은 황산의 구성 이온인 수소 이온(H^+)과 황산 이온(SO_4^{2-})이 있다. 이때 (+)극에서는 전자를 얻는 환원 반응이 일어나야 하므로 가장 전자를 얻기 쉬운 화학종인 양이온, 즉 수소 이온(H^+)이 전자를 얻게 된다.

용어 알기
• 감극제(덜다 減, 이르다 極, 약제 劑) 전지에서 일정한 전류를 내게 하기 위해서 분극 작용을 방지할 목적으로 첨가하는 물질로, 과산화 수소(H_2O_2), 이산화 망가니즈(MnO_2), 과망가니즈산 칼륨($KMnO_4$) 등이 있다.

3. 다니엘❼ 전지 탐구 POOL

(1) 원리 아연(Zn)판과 구리(Cu)판을 각각 황산 아연($ZnSO_4$) 수용액과 황산 구리(Ⅱ)($CuSO_4$) 수용액에 담그고 도선으로 연결하여 만든 다음 두 수용액을 염다리로 연결한 화학 전지 수소 기체가 발생하지 않아 분극 현상이 일어나지 않는다.

(2) 구성 반응성이 큰 Zn판은 산화되어 전자를 잃는 (−)극이 되고, 반응성이 작은 Cu판은 전자를 얻는 (+)극이 된다.

구분	화학 반응식	특징
(−)극	$Zn(s) \longrightarrow Zn^{2+}(aq)+2e^-$	산화 반응, 질량 감소
(+)극	$Cu^{2+}(aq)+2e^- \longrightarrow Cu(s)$	환원 반응, 질량 증가
전체 반응	$Zn(s)+Cu^{2+}(aq) \longrightarrow Zn^{2+}(aq)+Cu(s)$	

① **(−)극(산화 전극):** 반응성이 큰 Zn판은 전자를 잃고 산화되어 묽은 황산에 Zn^{2+}으로 녹아 들어가고, 전자는 도선을 따라 Cu판 쪽으로 이동한다. ➡ Zn판의 질량은 감소한다.

② **(+)극(환원 전극):** 반응성이 작은 Cu판에서는 수용액 속 Cu^{2+}이 전자를 얻어 환원되며 Cu로 석출된다. ➡ Cu판의 질량은 증가하고, Cu^{2+}의 수가 감소하므로 용액의 푸른색은 옅어진다. Cu^{2+}은 푸른색을 띤다.

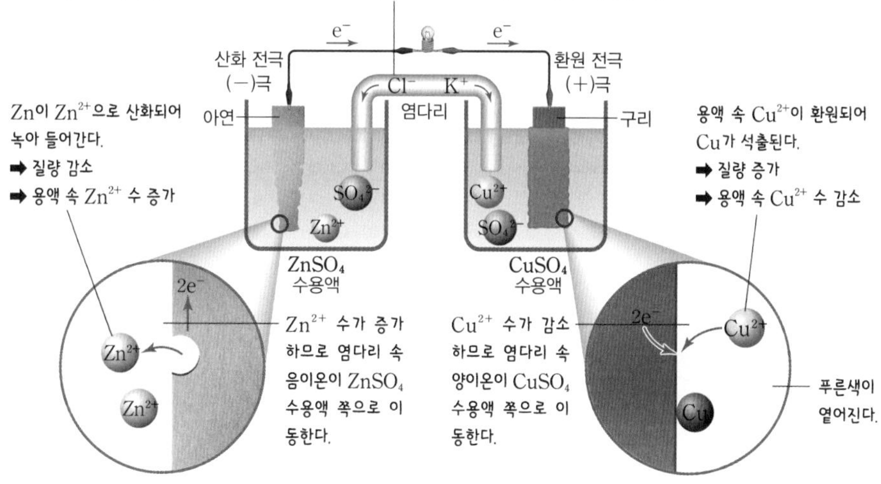

(3) 반쪽 전지 산화 반응과 환원 반응이 일어나는 전극을 구분해 놓은 것이다.

① **의미:** 다니엘 전지에서는 각 전극이 서로 다른 전해질에 담겨 있는데, 이때 한 금속과 그 금속의 양이온이 녹아 있는 수용액을 반쪽 전지라고 한다.

② **다니엘 전지의 구성:** Zn^{2+}이 들어 있는 수용액에 Zn 전극을 담근 반쪽 전지와 Cu^{2+}이 들어 있는 수용액에 Cu 전극을 담근 반쪽 전지가 도선과 염다리로 연결된 장치이다.

(4) 염다리

① 전지에서 산화가 일어나는 전극과 환원이 일어나는 전극이 담겨 있는 두 용액을 연결하는 장치로 한천과 전해질의 포화 수용액을 함께 끓여 U자관에 부어 굳혀 만든다.

② 염다리에 사용되는 전해질은 KCl, NaCl, KNO_3 등으로, 전지에서 사용되는 전해질 수용액과 반응하지 않아야 한다.

③ **역할:** (−)극인 산화 전극에서는 Zn^{2+} 수가 증가하게 되고, (+)극인 환원 전극에서는 Cu^{2+} 수가 감소하게 되어 전하의 불균형이 일어난다. 따라서 염다리로 연결하면 (−)극 쪽으로는 염다리 속 전해질의 음이온이 이동하게 되고, (+)극 쪽으로는 염다리 속 전해질의 양이온이 이동하게 되어 전하의 균형을 맞춰 준다.

전지 반응이 진행되면 양이온과 음이온 사이에 전하의 불균형이 일어나므로, 이를 해소시켜 줄 수 있는 염다리가 없으면 전류가 흐르지 않는다.

❼ **다니엘**(Daniell, J. F., 1790~1845)
영국의 화학자로서 볼타 전지의 분극 현상이 구리판에서 발생한 수소 기체 때문이라는 것을 밝혔고, 분극 현상을 개선한 다니엘 전지를 개발한 과학자이다.

❓ **(+)극에서 환원 반응이 일어나는 화학종은 왜 구리 이온일까?**
(+)극 주변에는 반응성이 작은 구리(Cu)판과 전해질인 황산 구리(Ⅱ) 수용액의 구성 이온인 구리 이온(Cu^{2+})과 황산 이온(SO_4^{2-})이 있다. 이때 (+)극에서는 전자를 얻는 환원 반응이 일어나야 하므로 가장 전자를 얻기 쉬운 화학종인 양이온, 즉 구리 이온(Cu^{2+})이 전자를 얻게 된다.

암기TiP
염다리 전해질의 양이온은 (+)극으로, 음이온은 (−)극으로 이동

용어 알기
- 염다리(Salt Bridge) 전해질인 이온 결합 물질로 이루어진 염으로 구성되어 두 수용액을 연결해 주는 다리와 같은 역할을 하는 장치
- 한천(**차다 寒, 성질 天**) 바다 식물인 우뭇가사리를 끓여서 얻는 물질로 물에 녹아 젤리와 같은 상태로 이용

금속의 반응성

목표 금속과 금속 이온의 반응으로 금속의 반응성을 비교할 수 있다.

과정

유의점
- 홈판에 수용액을 넣을 때 일회용 스포이트를 사용하게 되는데, 각 수용액마다 서로 섞이지 않도록 구별해서 사용한다.
- 시약이 옷이나 피부에 묻지 않도록 주의한다.

❶ 6홈판에 용액 떨어뜨리기

6홈판의 세로줄에 순서대로 황산 아연($ZnSO_4$) 수용액, 황산 구리(Ⅱ)($CuSO_4$) 수용액, 질산 은($AgNO_3$) 수용액을 넣는다.

❷ Zn^{2+}과 Cu, Ag의 변화 관찰하기

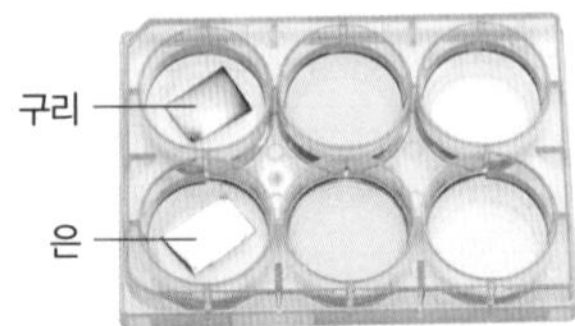

첫 번째 세로줄의 $ZnSO_4$ 수용액에 구리(Cu)와 은(Ag) 조각을 넣고 변화를 관찰한다.

❸ Cu^{2+}과 Zn, Ag의 변화 관찰하기

두 번째 세로줄의 $CuSO_4$ 수용액에 아연(Zn)과 은(Ag) 조각을 넣고 변화를 관찰한다.

❹ Ag^{+}과 Zn, Cu의 변화 관찰하기

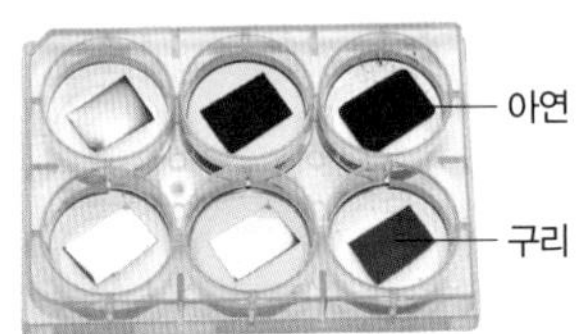

세 번째 세로줄의 $AgNO_3$ 수용액에 아연(Zn)과 구리(Cu) 조각을 넣고 변화를 관찰한다.

결과

수용액의 종류	$ZnSO_4(aq)$	$CuSO_4(aq)$	$AgNO_3(aq)$
반응한 금속	$Cu(s)$	$Zn(s)$	$Zn(s)$
화학 반응식	$ZnSO_4(aq)+Cu(s)$ ⟶̸ 반응이 일어나지 않음	$CuSO_4(aq)+Zn(s) \longrightarrow ZnSO_4(aq)+Cu(s)$	$2AgNO_3(aq)+Zn(s) \longrightarrow Zn(NO_3)_2(aq)+2Ag(s)$
반응성	Zn>Cu	Zn>Cu	Zn>Ag
변화	변화 없음	수용액의 푸른색이 옅어지고 구리가 석출됨	수용액 속 양이온 수가 감소하고 은이 석출됨
반응한 금속	$Ag(s)$	$Ag(s)$	$Cu(s)$
화학 반응식	$ZnSO_4(aq)+2Ag(s)$ ⟶̸ 반응이 일어나지 않음	$CuSO_4(aq)+2Ag(s)$ ⟶̸ 반응이 일어나지 않음	$2AgNO_3(aq)+Cu(s) \longrightarrow Cu(NO_3)_2(aq)+2Ag(s)$
반응성	Zn>Ag	Cu>Ag	Cu>Ag
변화	변화 없음	변화 없음	수용액이 점점 푸른색을 띠고 은이 석출됨

정리 및 해석

반응성이 큰 금속은 산화되고(전자를 잃고), 반응성이 작은 금속은 환원된다(전자를 얻는다). ➡ 금속의 반응성은(전자를 잃고 양이온이 되며 산화되려는 경향) Zn>Cu>Ag 순이다.

한·줄·핵심 반응성이 큰 금속을 반응성이 작은 금속 양이온이 들어 있는 수용액에 넣으면 산화 환원 반응이 일어난다.

확인 문제

정답과 해설 106쪽

01 이 탐구 활동에서 수용액의 푸른색이 옅어지는 반응을 고르고, 그 까닭을 쓰시오.

02 이 탐구 활동의 결과 금속의 이온화 경향이 가장 큰 금속을 쓰시오.

다니엘 전지의 구조와 원리

목표 반응성이 서로 다른 금속을 이용하여 다니엘 전지의 구조와 원리를 설명할 수 있다.

과정

❶ **반쪽 전지 만들기**
황산 아연($ZnSO_4$) 수용액에 아연(Zn)판을, 황산 구리(Ⅱ)($CuSO_4$) 수용액에 구리(Cu)판을 넣는다.

❷ **염다리로 두 반쪽 전지 연결하기**
Zn판과 Cu판이 담긴 각 반쪽 전지를 염다리로 연결한다.

❸ **두 금속판과 전압계의 단자 연결하기**
전압계의 (－)단자에 Zn판을, (＋)단자에 Cu판을 연결한 후 변화를 관찰한다.

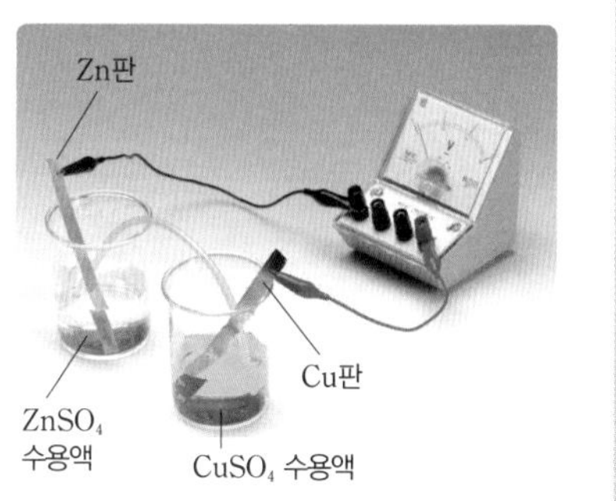

유의점
- 염다리는 실험 전 미리 준비한다.
- 시약이 옷이나 피부에 묻지 않도록 주의한다.

결과

구분	(－)극	(＋)극
금속판 변화	Zn판의 크기가 점점 작아짐 ➡ Zn이 전자를 잃고 산화되어 수용액에 Zn^{2+}으로 녹아 들어가기 때문	Cu판 표면에 Cu가 석출됨 ➡ Cu^{2+}이 전자를 얻고 환원되어 Cu 금속으로 석출되기 때문
용액의 색 변화	변화 없음 ➡ Zn^{2+}은 색을 나타내지 않기 때문	푸른색이 점점 옅어짐 ➡ 푸른색을 띠는 Cu^{2+}의 수가 감소하기 때문
화학 반응식	$Zn(s) \longrightarrow Zn^{2+}(aq)+2e^-$	$Cu^{2+}(aq)+2e^- \longrightarrow Cu(s)$
염다리 역할	염다리 속의 음이온(Cl^-)이 $ZnSO_4(aq)$ 쪽으로 이동 ➡ 상대적으로 부족한 음이온에 의한 전하 균형을 위해	염다리 속의 양이온(K^+)이 $CuSO_4(aq)$ 쪽으로 이동 ➡ 상대적으로 부족한 양이온에 의한 전하 균형을 위해

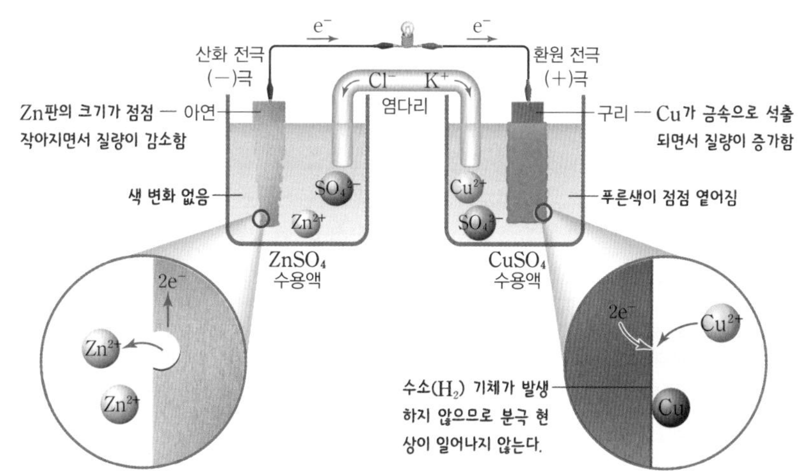

이런 실험도 있어요!
간단한 화학 전지 만들기

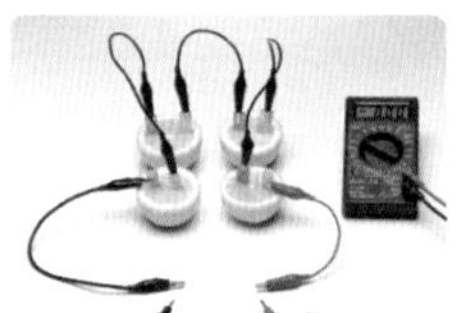

과일에 들어 있는 시트르산이나 타타르산 등은 전해질로 작용하여 전류가 흐르게 되므로 여러 가지 과일을 이용하여 간단한 화학 전지를 만들 수 있다.

정리 및 해석

반응성이 큰 Zn판에서는 산화 반응(Zn이 전자를 잃는 반응)이, 반응성이 작은 Cu판에서는 환원 반응(Cu^{2+}이 전자를 얻는 반응)이 일어난다.

한·줄·핵심 반응성이 서로 다른 두 반쪽 전지를 염다리로 연결하면 전기 에너지가 흐른다.

확인 문제 정답과 해설 106쪽

01 이 탐구 활동의 산화 전극과 환원 전극이 각각 무엇인지 쓰시오.

02 이 탐구 활동의 결과 분극 현상이 일어나지 않는 까닭은 무엇인지 쓰시오.

콕콕! 개념 확인하기

정답과 해설 106쪽

✔ 잠깐 확인!

1. ☐☐ 반응
어떤 물질이 산소를 얻거나 전자를 잃는 반응

2. 산화 환원 반응의 ☐☐☐
어떤 물질이 전자를 잃으면 다른 물질은 전자를 얻으므로 산화와 환원 반응은 항상 동시에 일어난다.

3. 금속의 ☐☐☐ ☐☐
금속이 전자를 잃고 양이온이 되려는 경향

4. ☐☐ ☐☐
산화 환원 반응을 이용하여 물질이 가진 화학 에너지를 전기 에너지로 바꾸는 장치

5. ☐☐ 전지
아연판과 구리판을 묽은 황산에 담그고 도선으로 연결한 전지

6. ☐☐ 현상
볼타 전지를 사용할 때 전지의 전압이 급격히 떨어지는 현상

7. ☐☐☐ 전지
황산 아연 수용액에 아연판을, 황산 구리 수용액에 구리판을 담그고 도선과 염다리로 연결한 전지

A 금속의 반응성

01 금속의 반응성에 대한 설명으로 옳은 것은 ○, 옳지 않은 것은 ×로 표시하시오.

(1) 모든 금속은 묽은 산과 반응하여 수소 기체를 발생한다. ( )
(2) 아연을 황산 구리(Ⅱ) 수용액에 넣으면 아연은 산화된다. ( )
(3) 금속은 이온화 경향이 큰 금속일수록 전자를 얻어 환원된다. ( )

02 다음은 마그네슘(Mg)을 황산 구리(Ⅱ)($CuSO_4$) 수용액에 넣었을 때에 대한 설명이다. ㉠~㉢에 들어갈 알맞은 말을 쓰시오.

> 마그네슘은 구리보다 반응성이 크므로 전자를 잃어 (㉠)되고, (㉡) 이온은 전자를 얻어 (㉢)되어 금속으로 석출된다.

B 화학 전지

03 다음은 화학 전지의 구성에 대한 설명이다. ㉠~㉢에 들어갈 알맞은 말을 쓰시오.

> 반응성이 서로 다른 두 금속을 (㉠) 수용액에 담그고 도선으로 연결하면 반응성이 큰 금속은 (㉡) 전극이 되어 전자를 잃게 되고, 반응성이 작은 금속은 (㉢) 전극이 되어 수용액 속 양이온이 전자를 얻으며 전류가 흐르게 된다.

04 볼타 전지에서 일어나는 반응에 대한 설명으로 옳은 것은 ○, 옳지 않은 것은 ×로 표시하시오.

(1) (+)극에서는 아연이 전자를 잃는다. ( )
(2) 수용액 속 양이온 수는 감소한다. ( )
(3) 아연판의 질량은 감소하고, 구리판의 질량은 증가한다. ( )

05 다니엘 전지의 구성 원리와 관련된 명칭을 옳게 연결하시오.

(1) 아연판에서는 전자를 잃고 아연 이온이 생성 • • ㉠ (+)극
(2) 구리판에서는 전자를 얻고 구리 금속이 석출 • • ㉡ 염다리
(3) 두 반쪽 전지의 전해질 수용액의 전하 균형 • • ㉢ (−)극

탄탄! 내신 다지기

정답과 해설 107쪽

A 금속의 반응성

01 금속의 반응성에 대한 설명으로 옳지 않은 것은?

① 반응성이 큰 금속일수록 산화되기 쉽다.
② 금속의 이온화 경향이 클수록 반응성이 크다.
③ 수소보다 반응성이 작은 금속은 묽은 염산과 반응하지 않는다.
④ 수소보다 반응성이 큰 금속은 묽은 염산과 반응하여 산소 기체를 발생한다.
⑤ 마그네슘 금속을 구리 이온이 들어 있는 수용액에 넣으면 구리가 석출된다.

02 그림은 황산 구리(Ⅱ)($CuSO_4$) 수용액에 아연(Zn) 판을 넣었을 때의 모습을 나타낸 것이다.

이에 대한 설명으로 옳은 것만을 〈보기〉에서 있는 대로 고른 것은?

> 보기
> ㄱ. 수용액 속 양이온 수는 증가한다.
> ㄴ. 구리(Cu)는 전자를 잃고 산화된다.
> ㄷ. 금속의 반응성은 Zn이 Cu보다 크다.

① ㄱ ② ㄷ ③ ㄱ, ㄴ
④ ㄴ, ㄷ ⑤ ㄱ, ㄴ, ㄷ

03 마그네슘(Mg)과 질산 은 수용액 속 은 이온(Ag^+)과의 화학 반응식에 대한 설명으로 옳은 것은?

$$Mg + 2Ag^+ \longrightarrow Mg^{2+} + 2Ag$$

① 마그네슘은 환원된다.
② 은 이온은 전자를 잃는다.
③ 수용액 속 양이온 수는 증가한다.
④ 마그네슘 표면에서 은이 석출된다.
⑤ 금속의 반응성은 마그네슘이 은보다 작다.

04 그림은 구리(Cu)선을 질산 은($AgNO_3$) 수용액에 넣었을 때 변화된 모습을 나타낸 것이다.

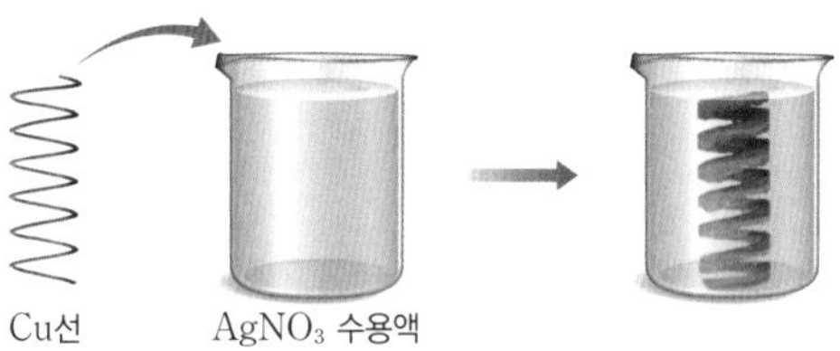

이에 대한 설명으로 옳은 것만을 〈보기〉에서 있는 대로 고른 것은? (단, 원자량은 Ag>Cu이다.)

> 보기
> ㄱ. 수용액의 밀도는 증가한다.
> ㄴ. 수용액은 푸른색으로 변한다.
> ㄷ. 수용액 속 양이온의 수는 감소한다.

① ㄱ ② ㄷ ③ ㄱ, ㄴ
④ ㄴ, ㄷ ⑤ ㄱ, ㄴ, ㄷ

05 그림은 황산 철(Ⅱ)($FeSO_4$) 수용액에 아연(Zn)판과 구리(Cu)판을 넣었을 때의 모습을 나타낸 것이다.

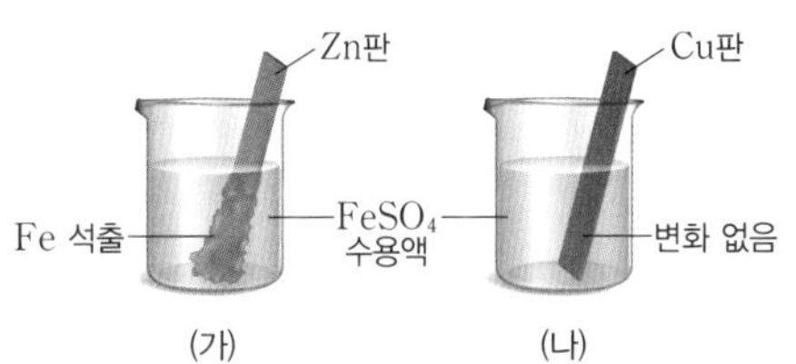

이에 대한 설명으로 옳은 것만을 〈보기〉에서 있는 대로 고른 것은?

> 보기
> ㄱ. (가)에서 수용액 속 Zn^{2+} 수는 증가한다.
> ㄴ. (나)에서 Cu는 전자를 잃는다.
> ㄷ. 금속의 반응성은 Zn>Fe>Cu이다.

① ㄱ ② ㄴ ③ ㄱ, ㄷ
④ ㄴ, ㄷ ⑤ ㄱ, ㄴ, ㄷ

단답형

06 다음은 금속의 이온화 경향에 대한 설명이다. ㉠~㉢에 들어갈 알맞은 말을 쓰시오.

> 금속의 이온화 경향은 전자를 잃고 (㉠)되어 양이온이 되려는 경향으로, 이온화 경향이 클수록 (㉡)되기 쉽고 반응성이 (㉢)다.

07 그림은 농도가 같은 황산 아연($ZnSO_4$) 수용액에 금속 A와 B를 각각 넣은 후 시간에 따른 아연 이온(Zn^{2+})의 개수를 나타낸 것이다.

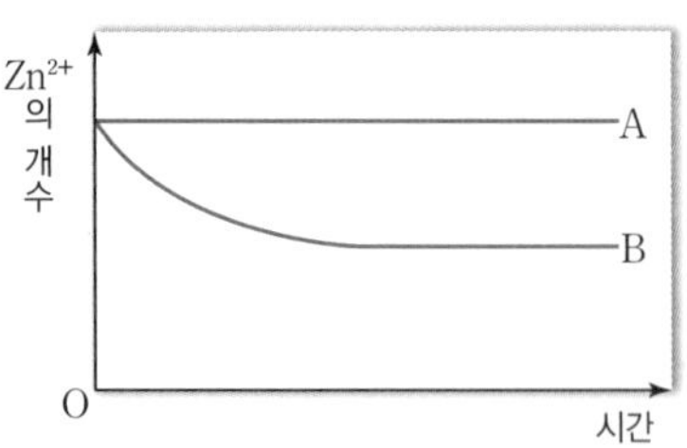

이에 대한 설명으로 옳은 것만을 〈보기〉에서 있는 대로 고른 것은? (단, A와 B의 전하량은 각각 +1과 +3이다.)

보기
ㄱ. A는 Zn보다 반응성이 크다.
ㄴ. A를 넣은 수용액에서는 양이온 수가 증가한다.
ㄷ. B를 A 이온이 들어 있는 수용액에 넣으면 B는 전자를 잃는다.

① ㄱ ② ㄷ ③ ㄱ, ㄴ
④ ㄴ, ㄷ ⑤ ㄱ, ㄴ, ㄷ

08 그림은 금속의 이온화 경향의 크기를 나타낸 것이다.

전자의 이동에 의한 화학 반응이 일어나지 않는 것은?

① 철(Fe)+황산 아연($ZnSO_4$) 수용액
② 구리(Cu)+질산 은($AgNO_3$) 수용액
③ 아연(Zn)+질산 니켈($Ni(NO_3)_2$) 수용액
④ 마그네슘(Mg)+질산 은($AgNO_3$) 수용액
⑤ 알루미늄(Al)+황산 구리(Ⅱ)($CuSO_4$) 수용액

09 그림은 금속 X를 YSO_4 수용액과 ZSO_4 수용액에 각각 넣은 다음, 금속 X 표면에 석출된 금속을 각각 염산에 넣었을 때의 변화를 나타낸 것이다. 이 실험 결과로부터 금속의 반응성을 비교하시오. (단, X, Y, Z는 임의의 금속 원소이다.)

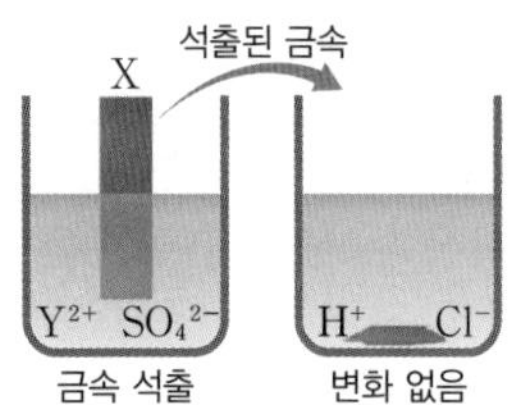

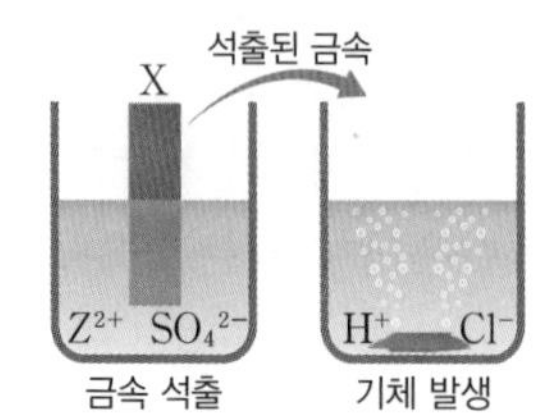

B 화학 전지

10 그림은 아연판과 구리판을 이용한 화학 전지를 모식적으로 나타낸 것이다.

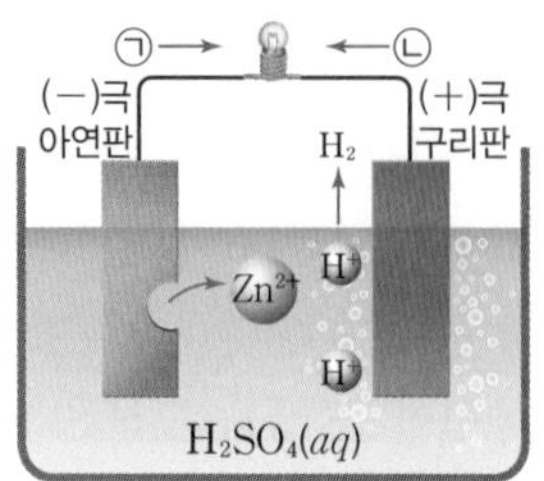

이에 대한 설명으로 옳은 것만을 〈보기〉에서 있는 대로 고른 것은?

보기
ㄱ. 전자의 이동 방향은 ㉠이다.
ㄴ. 아연판은 산화 전극으로 작용한다.
ㄷ. 아연판의 질량은 감소하고, 구리판의 질량은 증가한다.

① ㄱ ② ㄷ ③ ㄱ, ㄴ
④ ㄴ, ㄷ ⑤ ㄱ, ㄴ, ㄷ

단답형

11 다음은 다니엘 전지에 대한 설명이다. ㉠~㉢에 들어갈 알맞은 말을 쓰시오.

(㉠)판을 황산 아연 수용액에, (㉡)판을 황산 구리(Ⅱ) 수용액에 넣고 도선과 (㉢)로 연결한 화학 전지이다.

12 다니엘 전지에서 사용되는 염다리에 대한 설명으로 옳은 것만을 〈보기〉에서 있는 대로 고른 것은?

보기
ㄱ. 두 반쪽 전지의 전하 균형을 맞춘다.
ㄴ. 각 반쪽 전지의 수용액 속 이온들과 반응한다.
ㄷ. 두 반쪽 전지의 용액 사이에 이온이 이동할 수 있게 한다.

① ㄱ ② ㄴ ③ ㄱ, ㄷ
④ ㄴ, ㄷ ⑤ ㄱ, ㄴ, ㄷ

13 그림은 아연(Zn)과 구리(Cu) 전극으로 이루어진 화학 전지의 모습을 나타낸 것이다.

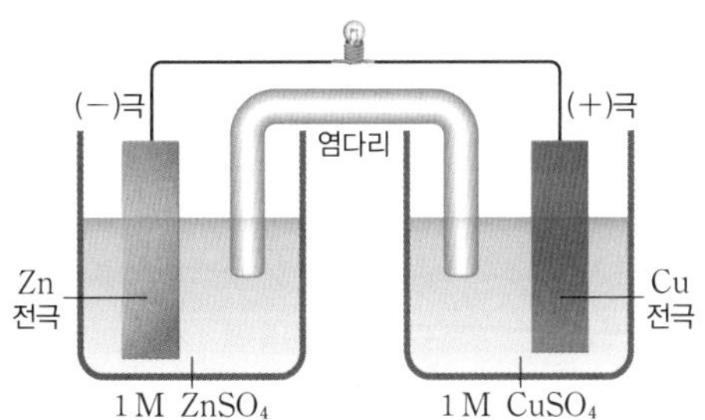

이에 대한 설명으로 옳은 것만을 〈보기〉에서 있는 대로 고른 것은? (단, Zn과 Cu의 원자량은 각각 65와 64이다.)

보기
ㄱ. 전자는 염다리를 통해 이동한다.
ㄴ. 두 전극의 질량의 합은 감소한다.
ㄷ. (−)극에서 산화 반응이 일어난다.

① ㄱ ② ㄷ ③ ㄱ, ㄴ
④ ㄴ, ㄷ ⑤ ㄱ, ㄴ, ㄷ

14 그림은 금속 A와 B, 묽은 황산을 이용하여 화학 전지를 구성한 모습을 나타낸 것이다.

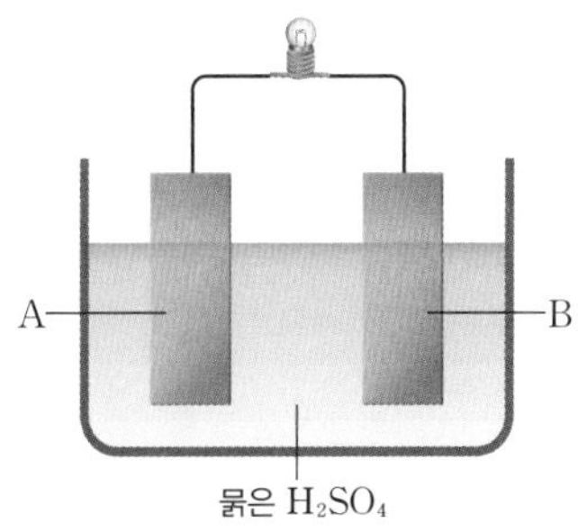

A가 (+)극이 되었을 때, 이에 대한 설명으로 옳은 것만을 〈보기〉에서 있는 대로 고른 것은?

보기
ㄱ. 전자는 A에서 B로 흐른다.
ㄴ. A에서는 수소 기체가 발생한다.
ㄷ. 금속의 반응성은 A가 B보다 크다.

① ㄱ ② ㄴ ③ ㄱ, ㄷ
④ ㄴ, ㄷ ⑤ ㄱ, ㄴ, ㄷ

15 그림은 아연판과 구리판을 이용하여 오렌지 조각에 만든 간단한 화학 전지를 나타낸 것이다.

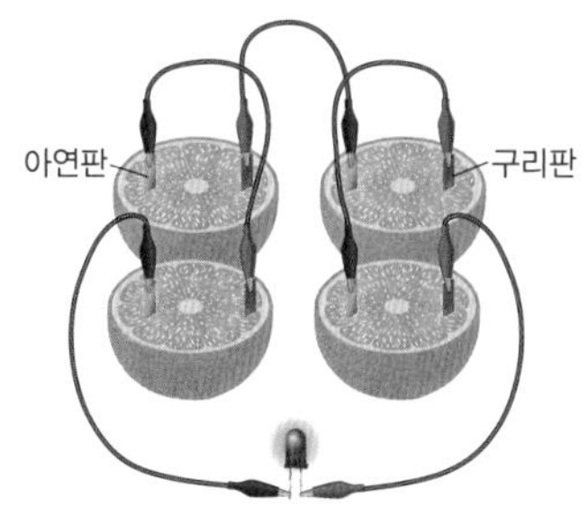

이에 대한 설명으로 옳은 것만을 〈보기〉에서 있는 대로 고른 것은?

보기
ㄱ. 구리판에서는 구리가 석출된다.
ㄴ. 아연판에서는 산화 반응이 일어난다.
ㄷ. 과일 속 산은 전해질이므로 전류가 흐른다.

① ㄱ ② ㄴ ③ ㄱ, ㄷ
④ ㄴ, ㄷ ⑤ ㄱ, ㄴ, ㄷ

단답형

16 그림은 아연(Zn)판과 구리(Cu)판을 각각 황산 아연($ZnSO_4$) 수용액과 황산 구리($CuSO_4$) 수용액에 넣은 후 염다리로 연결한 전지를 나타낸 것이다.

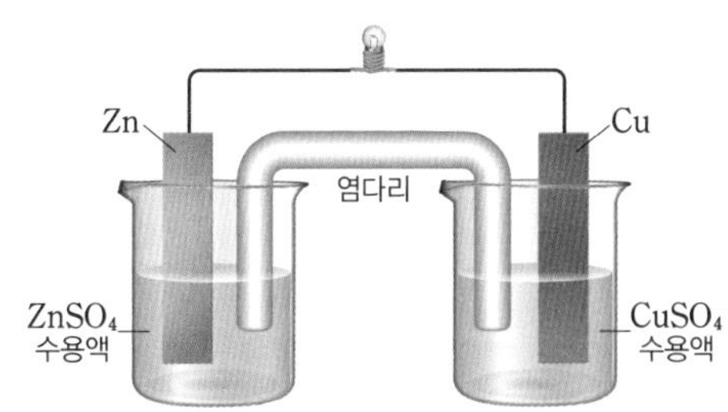

(1) 산화 전극의 금속을 쓰시오.

(2) (−)극과 (+)극에서 일어나는 반쪽 반응을 각각 쓰시오.

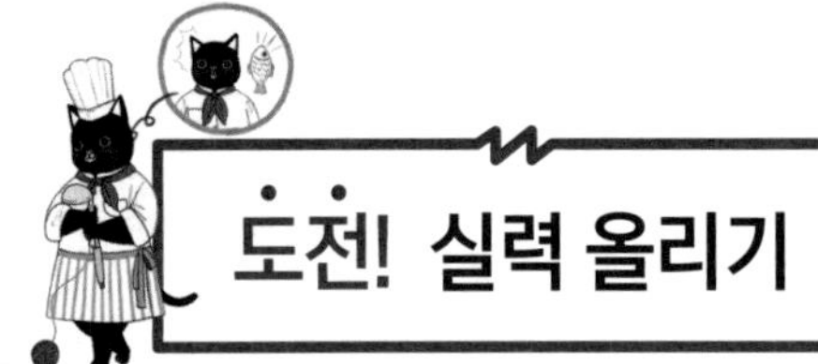

01 그림은 금속 A 이온 수용액에 금속 B를 넣었을 때 금속이 석출되는 반응에서, 시간에 따른 수용액의 양이온 수와 밀도를 나타낸 것이다.

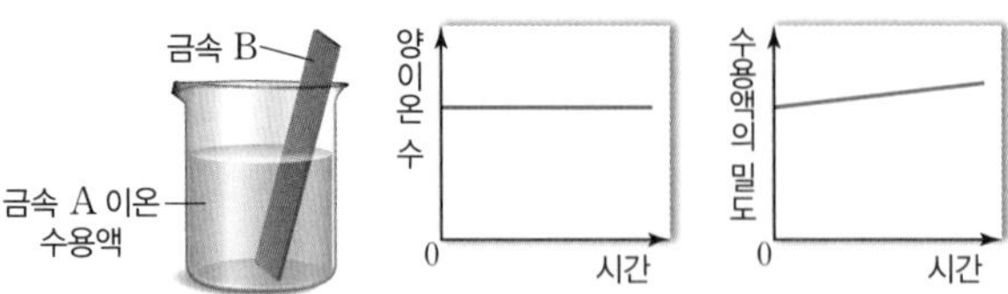

이에 대한 설명으로 옳은 것만을 〈보기〉에서 있는 대로 고른 것은? (단, 금속 B는 물과 반응하지 않는다.)

보기
ㄱ. 원자량은 B가 A보다 크다.
ㄴ. A 이온과 B 이온의 전하는 같다.
ㄷ. 금속의 반응성은 A가 B보다 크다.

① ㄱ ② ㄷ ③ ㄱ, ㄴ
④ ㄴ, ㄷ ⑤ ㄱ, ㄴ, ㄷ

02 그림은 금속 A와 B를 일정량의 금속 C 이온 수용액에 각각 넣었을 때, 용액의 $\frac{\text{양이온 수}}{\text{음이온 수}}$를 넣어 준 금속의 질량에 따라 나타낸 것이다.

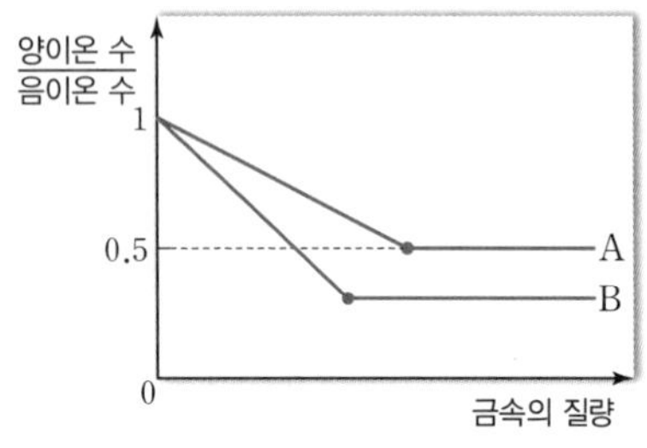

이에 대한 설명으로 옳은 것만을 〈보기〉에서 있는 대로 고른 것은?

보기
ㄱ. 금속 B가 A보다 산화되기 쉽다.
ㄴ. 금속 이온의 전하는 A가 B보다 크다.
ㄷ. 같은 양(몰)의 A와 B를 반응시킬 때 석출되는 C의 양은 B가 A보다 많다.

① ㄱ ② ㄷ ③ ㄱ, ㄴ
④ ㄴ, ㄷ ⑤ ㄱ, ㄴ, ㄷ

03 다음은 임의의 금속 A~C의 반응성을 알아보기 위한 실험이다.

(가) 금속 C를 금속 이온 A^+, B^{3+}이 들어 있는 수용액에 넣었더니 용액의 전체 이온 수가 감소하였다.
(나) 금속 A와 B를 금속 이온 C^{2+}이 들어 있는 수용액에 넣었더니 한쪽 금속에서만 금속이 석출되었다.

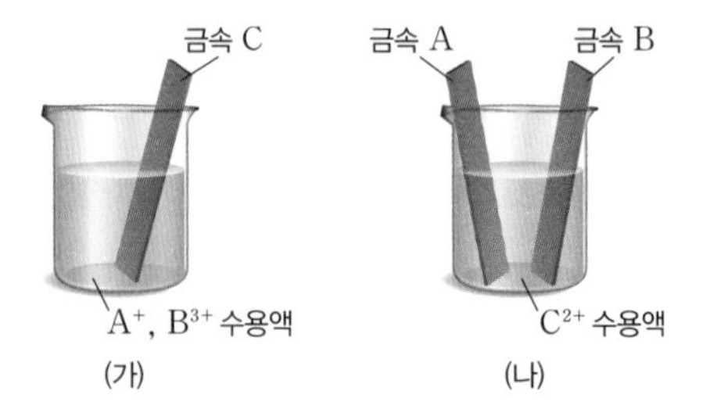

이에 대한 설명으로 옳은 것만을 〈보기〉에서 있는 대로 고른 것은?

보기
ㄱ. 금속 A는 B보다 산화되기 쉽다.
ㄴ. (나)에서는 금속 B에서 금속 C가 석출된다.
ㄷ. (나)에서 수용액 속 전체 이온 수는 증가한다.

① ㄱ ② ㄴ ③ ㄱ, ㄷ
④ ㄴ, ㄷ ⑤ ㄱ, ㄴ, ㄷ

출제예감

04 그림은 카드뮴(Cd)과 은(Ag)으로 구성된 화학 전지 장치를 나타낸 것이다.

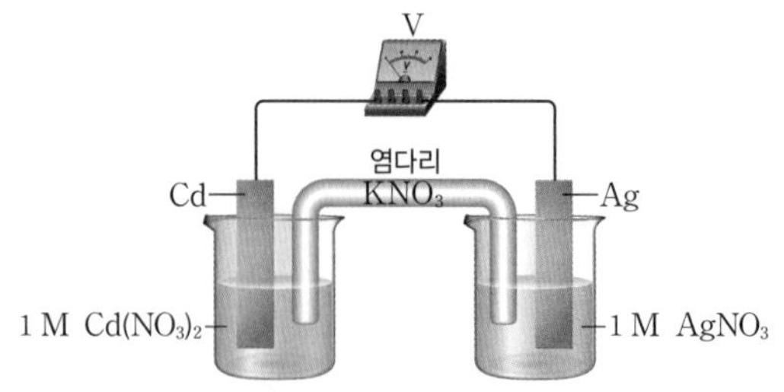

이에 대한 설명으로 옳은 것만을 〈보기〉에서 있는 대로 고른 것은? (단, 금속의 반응성은 Cd > Ag이다.)

보기
ㄱ. 산화 전극은 Cd이다.
ㄴ. 전자는 Cd에서 Ag으로 이동한다.
ㄷ. 전기적 중성을 유지하기 위해 염다리의 칼륨 이온(K^+)은 $AgNO_3$ 수용액 쪽으로 이동한다.

① ㄱ ② ㄴ ③ ㄱ, ㄷ
④ ㄴ, ㄷ ⑤ ㄱ, ㄴ, ㄷ

정답과 해설 109쪽

출제예감

05 그림은 볼타 전지와 관련된 화학 반응의 원리를 모형으로 나타낸 것이다.

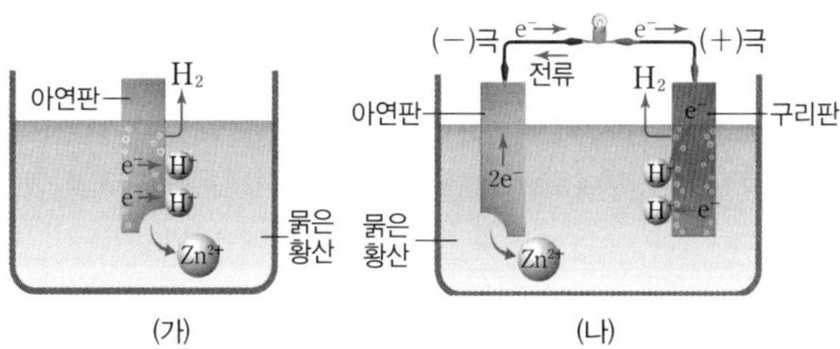

(가) (나)

(가)와 (나)의 공통점으로 옳은 것만을 <보기>에서 있는 대로 고른 것은? (단, 온도는 일정하고, Zn과 H의 원자량은 각각 65, 1이다.)

보기
ㄱ. 수용액의 밀도가 감소한다.
ㄴ. 수용액 속 Zn^{2+}의 수는 증가한다.
ㄷ. 환원 반응은 $2H^+ + 2e^- \longrightarrow H_2$이다.

① ㄱ ② ㄷ ③ ㄱ, ㄴ
④ ㄴ, ㄷ ⑤ ㄱ, ㄴ, ㄷ

06 그림은 구리(Cu)와 은(Ag)을 사용한 화학 전지에서 전지 반응이 일어나고 있는 것을 나타낸 것이다.

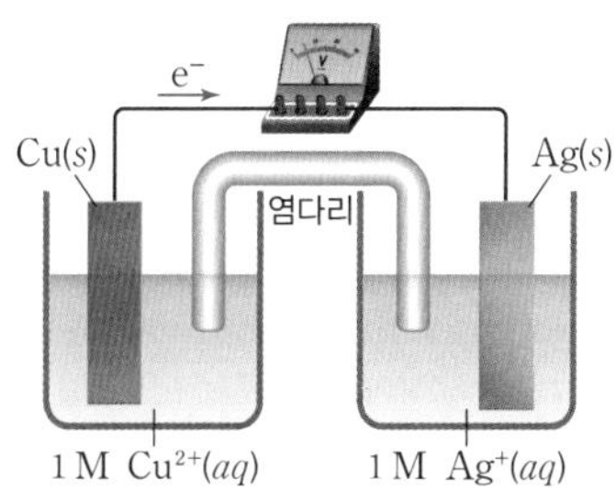

이에 대한 설명으로 옳은 것만을 <보기>에서 있는 대로 고른 것은?

보기
ㄱ. 산화 전극은 Cu(s)이다.
ㄴ. Ag(s)의 질량은 증가한다.
ㄷ. 금속의 반응성은 Cu가 Ag보다 크다.

① ㄱ ② ㄴ ③ ㄱ, ㄷ
④ ㄴ, ㄷ ⑤ ㄱ, ㄴ, ㄷ

07 그림은 금속 X 이온이 들어 있는 수용액에 금속 Y와 Z를 순서대로 넣었을 때 수용액 속에 존재하는 금속 양이온만을 모형으로 나타낸 것이다.

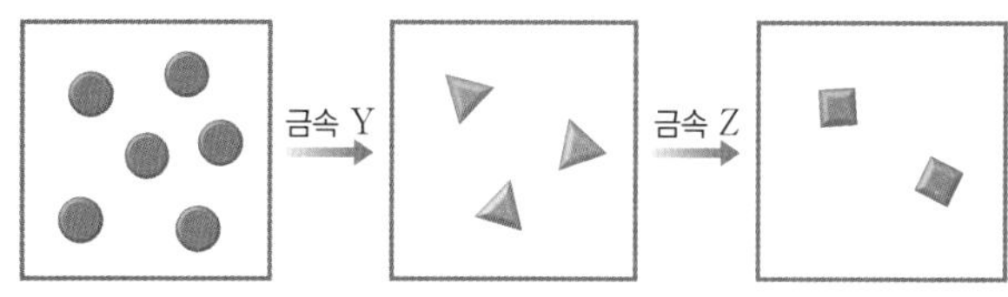

(1) 음이온은 반응에 참여하지 않을 때, X~Z 이온의 전하를 각각 구하시오.

(2) 금속의 반응성 순서를 쓰고, 그렇게 판단한 까닭을 서술하시오.

서술형

08 그림은 아연(Zn)판과 구리(Cu)판을 이용하여 만든 다니엘 전지를 나타낸 것이다.

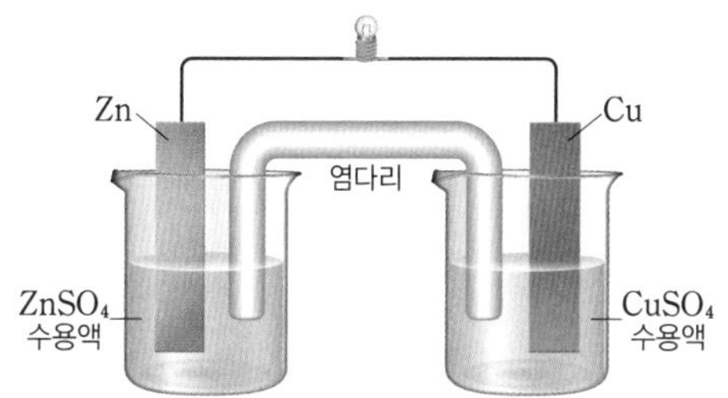

(1) 각 수용액 속 이온의 전하 균형을 맞추기 위해 필요한 실험 장치를 쓰시오.

(2) 전해질로 묽은 황산이 아닌 각 금속 이온이 들어 있는 수용액을 사용하는 까닭에 대해 화학 반응식을 언급하여 서술하시오.

02 실용 전지와 전지 전위

핵심 키워드로 흐름잡기

A 실용 전지, 1차 전지, 2차 전지

B 전극 전위, 전지 전위, 표준 전지 전위

A 실용 전지

|출·제·단·서| 시험에는 실용 전지의 특징과 산화 및 환원 전극에서의 특성이 나와.

1. 실용 전지

암기TiP 1차 전지는 일회용, 2차 전지는 충전 가능

구분	1차 전지	2차 전지
정의	한 번 사용하면 외부에서 전류를 흘려주어도 더 이상 사용할 수 없는 전지(비가역❶ 전지)	충전하여 재사용할 수 있는 전지(가역❷ 전지)
예	망가니즈 건전지, 알칼리 건전지, 수은 전지 등	납축전지, 리튬 이온 전지, 니켈-카드뮴 전지, 리튬-고분자 전지, 산화 은 전지 등

2. 1차 전지

1차 전지는 방전한 후 충전이 불가능한 일회용 전지로, 보통 건전지라고 한다.

(1) 망가니즈 건전지

① 가장 널리 쓰이는 1차 전지로 (−)극은 아연통, (+)극은 탄소 막대, 수분이 거의 없는 전해질(이산화 망가니즈(MnO_2), 염화 암모늄(NH_4Cl), 흑연(C) 가루)로 구성된다. (수분이 거의 없는 형태이므로 휴대하기 쉽다.)

② 전해질이 약한 산성이므로 사용하지 않아도 아연통이 부식되어 전지의 수명이 짧다.

전극		화학 반응식
(−)극	산화 반응	$Zn(s) \longrightarrow Zn^{2+}(aq)+2e^-$
(+)극	환원 반응	$2NH_4^+(aq)+2MnO_2(s)+2e^- \longrightarrow Mn_2O_3(s)+H_2O(l)+2NH_3(aq)$

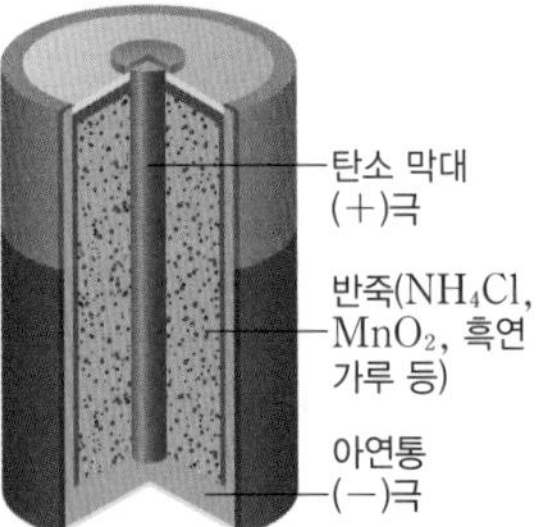

[(−)극(산화 전극)]
아연통 속 Zn이 전자를 잃어 Zn^{2+}으로 산화되고, 아연통의 질량은 감소한다.

[(+)극(환원 전극)]
탄소 막대에서 H^+이 전자를 얻어 H_2로 환원된다. 이때 H_2는 감극제인 MnO_2와 반응하여 H_2O로 산화되므로 분극 현상이 나타나지 않는다.

(2) 알칼리 건전지

망가니즈 건전지와 비슷하지만 염화 암모늄 대신 수산화 칼륨을 전해질로 사용한다는 점이 크게 다르다.

① (−)극은 아연(Zn) 분말과 전해질인 수산화 칼륨(KOH)의 혼합물, (+)극은 이산화 망가니즈(MnO_2)와 탄소(C)의 혼합물로 구성된다.

② 전해질이 염기성이므로 사용하지 않을 때는 아연통이 부식되지 않는다.

③ 망가니즈 건전지에 비해 수명이 길고, 전압이 일정하게 유지된다.

전극		화학 반응식
(−)극	산화 반응	$Zn(s)+2OH^-(aq) \longrightarrow ZnO(s)+H_2O(l)+2e^-$
(+)극	환원 반응	$2MnO_2(s)+H_2O(l)+2e^- \longrightarrow Mn_2O_3(s)+2OH^-(aq)$

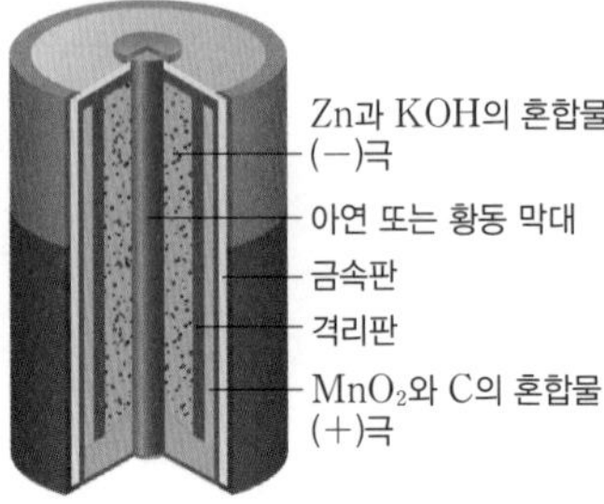

[(−)극(산화 전극)]
전해질인 KOH에 의해 Zn이 ZnO으로 전자를 잃으면서 산화된다. 이때 염기성(알칼리) 전해질을 사용한다.

[(+)극(환원 전극)]
(−)극에서 생성된 H_2O과 전자에 의해 MnO_2는 Mn_2O_3로 환원된다.

---

❶ 비가역
화학 반응에서 정반응이 대부분 일어나고 역반응이 거의 일어나지 않는 상태

❷ 가역
화학 반응에서 정반응과 역반응이 동일하게 일어나는 상태

알칼리 건전지와 망가니즈 건전지의 차이는 무엇일까?
알칼리 건전지는 전해질로 수산화 칼륨 등의 알칼리 전해질을 사용하기 때문에 사용하지 않았을 때보다 아연이 부식되지 않아 전지의 수명이 길고, 이온의 이동이 보다 효율적으로 되어 망가니즈 건전지에 비해 안정한 전류와 전압, 강한 전력을 얻을 수 있다.

용어 알기
• 충전(가득하다 充, 전기 電) 화학 전지가 일정 시간 사용한 후 전지 전위가 떨어졌을 때 외부에서 전원을 공급함으로써 전류를 흘려주어 전지가 재생되는 과정

3. 2차 전지

(1) 납축전지

① 충전이 가능한 2차 전지로, (−)극은 납(Pb)판, (+)극은 이산화 납(PbO_2)판으로 하여 두 극판을 전해질인 묽은 황산(H_2SO_4)에 교대로 세운 전지이다. 전극 사이에는 얇은 •다공성 막이 있어 두 극판이 서로 접촉하지 않는 구조이다.

② 짧은 시간에 비교적 큰 전압을 낼 수 있으며, 전지의 수명이 길어 산업용 전원 장치나 자동차, 선박, 비상등, 통신 회로 등에 사용된다.

전극		화학 반응식
(−)극	산화 반응	$Pb(s)+SO_4^{2-}(aq) \longrightarrow PbSO_4(s)+2e^-$
(+)극	환원 반응	$PbO_2(s)+4H^+(aq)+SO_4^{2-}(aq)+2e^- \longrightarrow PbSO_4(s)+2H_2O(l)$

[(−)극(산화 전극)]
방전 시 Pb판이 산화되면서 $PbSO_4$이 된다. 질량이 증가하고, 황산의 농도가 묽어진다.

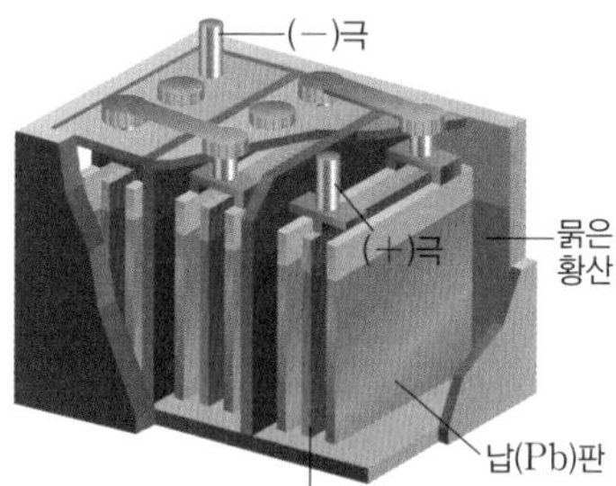

[(+)극(환원 전극)]
방전 시 PbO_2이 환원되면서 $PbSO_4$이 된다. 질량이 증가하고, 황산의 농도가 묽어진다.

충전 시 방전할 때의 역반응이 일어난다. → 두 전극의 질량이 모두 감소하고, 묽은 황산의 농도가 진해진다.

(2) 리튬 이온 전지

① (−)극은 흑연(C), (+)극은 리튬 코발트 산화물($LiCoO_2$)이고, 전해질로는 유기 용매가 사용된다.

② •방전과 충전 시 리튬 이온(Li^+)이 두 전극 사이를 이동하여 작동한다.
(리튬은 금속 중 가장 가벼운 금속이다.)

③ 다른 2차 전지에 비해 가볍고, 단위 질량당 에너지 저장 능력이 매우 커서 휴대용 전자 기기나 소형 전자 기기, 전기 자동차 등에 사용된다.

[충전할 때]
(+)극인 $LiCoO_2$ 속에 있는 Li^+이 빠져나와 (−)극으로 이동한다.
Li^+은 (+)극과 (−)극을 오갈 뿐 산화 환원 반응에 참여하는 것은 코발트 이온이다.

충전 e^- →
← e^- 방전
(+)극 (−)극
분리막
탄소
Li^+
Li^+
Li^+
전해질
$LiCoO_2$
탄소

[방전할 때]
(−)극인 흑연 속에 있는 Li^+이 전해질 속으로 빠져나와 (+)극으로 이동한다.
충전할 때의 역반응이 일어난다.

(3) 그 밖의 실용 전지

전지	특징
니켈−카드뮴 전지	• (−)극은 금속 카드뮴(Cd)이고, (+)극은 금속 니켈(Ni)을 지지체로 하는 산화 니켈(NiO_2)로, 전해질은 수산화 칼륨(KOH) 수용액을 사용한다. • 2차 전지로, 무게에 비해 효율이 좋고 수명이 길며 휴대하기 간편하다. • 휴대용 전자 기기, 계산기, 면도기, 장난감 등에 이용된다.
리튬−고분자 전지	• 리튬 이온 전지에 고분자 중합체(폴리머) 상태의 전해질을 사용한 전지이다. • 휴대용 전자 기기에서 가장 널리 쓰이는 2차 전지로 성능이 뛰어나지만 가격이 비싸다. • 로봇, 무인 비행기 등 고가의 장비에 사용된다.
산화 은 전지	• (−)극은 아연(Zn)이고, (+)극은 산화 은(Ag_2O)이며, 전해질은 수산화 칼륨(KOH) 수용액을 사용한다. • 크기가 작고, 수명이 길지만 은을 포함하기 때문에 비싸다. • 손목시계, 계산기, 심장 박동 보조기 등에 사용된다.

? 납축전지의 수명을 어떻게 알 수 있을까?
납축전지는 너무 크고 무겁다는 단점이 있지만, 짧은 시간에 비교적 큰 전압을 낼 수 있고 전지의 수명이 길다. 납축전지를 사용하면 두 전극의 질량은 점점 증가하고, 전해질 용액의 농도는 감소하므로 황산 용액의 비중을 조사하면 납축전지의 방전 정도를 알아낼 수 있다.

전지의 충전은 전기 분해의 원리를 이용한 거야. 전기 분해는 다음 소단원에서 자세히 알아 보자.

리튬 이온 전지는 방전할 때는 Li^+이 (−)극에서 (+)극으로, 충전할 때는 (+)극에서 (−)극으로 오가는 원리로 작동한다.

⊕ 실용 전지의 발달

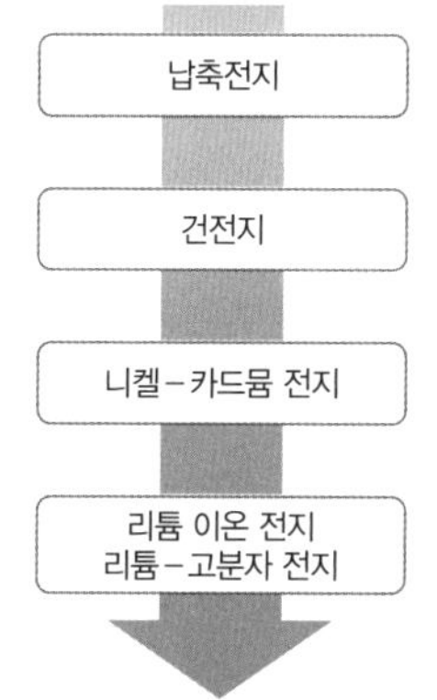

용어 알기
• 다공성(많다 多, 구멍 孔, 성품 性) 물질의 내부나 표면에 작은 구멍이 많이 있는 성질
• 방전(놓다 放, 전기 電) 전지를 사용하여 전지가 소모되는 과정

B 전지 전위 탐구 POOL

|출·제·단·서| 화학 전지를 구성하는 각 전극의 구성에 따라 전지의 전압이 어떻게 달라지는지가 시험에 나와!

1. 전극 전위❸(E) 화학 전지에서 각 반쪽 전지의 전위로, 반쪽 전지의 종류, 전해질 수용액의 농도 및 온도에 따라 달라진다.

(1) 표준 수소 전극 반쪽 전지의 전위를 정하는 기준이 되는 반쪽 전지

① **구성:** 25 ℃에서 수소 이온(H^+)의 농도가 1 M인 수용액에 백금 전극을 꽂고, 그 주변에 1기압의 수소(H_2) 기체를 채워 놓은 구조

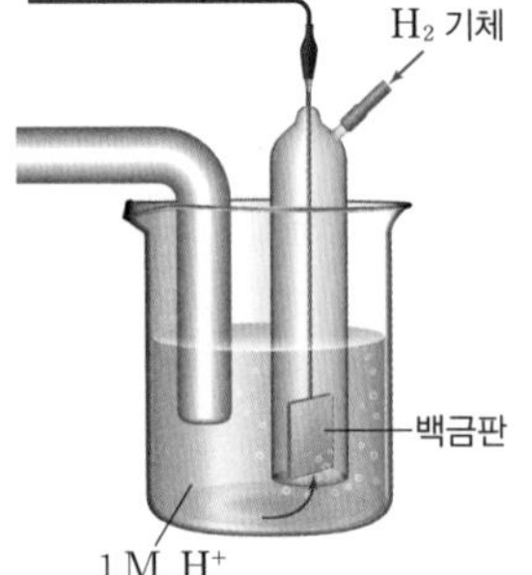

$$2H^+(aq,\ 1\,M,\ 25\,℃)+2e^- \longrightarrow H_2(g,\ 1\,atm,\ 25\,℃)$$
$$E°=0.00\ V$$

➡ 표준 수소 전극의 전위는 0.00 V로 모든 표준 전극 전위의 기준이 된다.

② **이용:** 산화 환원 반응은 동시에 일어나므로 어느 한쪽 전지만 분리하여 전위를 측정할 수 없기 때문에 반쪽 전지의 전위는 표준 수소 전극을 기준으로 한 상댓값으로 결정한다.
반쪽 전지의 전위는 임의의 기준 전극이 필요하며, 그 역할을 하는 것이 표준 수소 전극이다.

(2) 표준 환원 전위(표준 전극 전위, $E°$) 표준 수소 전극과 연결하여 측정한 반쪽 전지의 전위를 환원 반응의 형태로 나타낸 전위

① **구성:** 25 ℃, 1기압에서 전해질의 농도가 1 M인 어떤 반쪽 전지를 (+)극으로 하고, 표준 수소 전극을 (−)극으로 연결하여 만든 전지에서 얻어지는 전지의 •기전력을 그 반쪽 전지의 표준 환원 전위라 한다.

② **표준 환원 전위와 이온화 경향:** 표준 환원 전위가 클수록 환원되기 쉬우므로, 금속인 경우 이온화 경향(반응성)이 작고, 산화되기 어렵다. 표준 환원 전위로 금속의 반응성을 비교할 수 있다.

- $E°>0$: 수소보다 환원되기 쉽다.
- $E°<0$: 수소보다 산화되기 쉽다.

③ $E°$가 클수록 환원되기 쉬우므로 전지의 (+)극이 되고, $E°$가 작을수록 산화되기 쉬우므로 전지의 (−)극이 된다.

④ **구리 반쪽 전지와 아연 반쪽 전지**

구분	구리 반쪽 전지	아연 반쪽 전지
모형	H_2가 Cu보다 반응성(이온화 경향)이 크다. e^- / e^- / 수소 / (−)극 / (+)극 / 구리 / 염다리 / 백금 / H^+ / Cu^{2+} / SO_4^{2-} / 1 M H^+ / 1 M $CuSO_4$	Zn이 H_2보다 반응성(이온화 경향)이 크다. e^- / e^- / 수소 / 아연 / (−)극 / (+)극 / 염다리 / 백금 / Zn^{2+} / SO_4^{2-} / H^+ / 1 M $ZnSO_4$ / 1 M H^+
원리	반응성이 큰 표준 수소 전극이 산화 전극이 되고, 반응성이 작은 구리 반쪽 전지가 환원 전극이 된다.	반응성이 큰 아연 반쪽 전지가 산화 전극이 되고, 반응성이 작은 표준 수소 전극이 환원 전극이 된다.
(−)극	산화 $H_2(g) \longrightarrow 2H^+(aq)+2e^-$	산화 $Zn(s) \longrightarrow Zn^{2+}(aq)+2e^-$
(+)극	환원 $Cu^{2+}(aq)+2e^- \longrightarrow Cu(s)$	환원 $2H^+(aq)+2e^- \longrightarrow H_2(g)$
전압계 눈금	0.34 V ➡ 표준 수소 전극의 전위는 0.00 V이므로 구리 반쪽 전지의 표준 환원 전위는 +0.34 V이다.	0.76 V ➡ 아연은 산화 반응하므로 환원 반응 형태로 바꾸면 아연 반쪽 전지의 표준 환원 전위는 −0.76 V이다.

❸ 전위
전기장 안에서 단위 전하에 대한 전기적 위치 에너지이다. E로 나타내며, 표준 상태를 의미할 경우 윗첨자 °를 붙인다.

⊕ 표준 상태
기체 상태에서의 표준 상태는 0 ℃, 1기압이지만, 산화 환원 반응에서 표준 상태는 전해질 수용액의 농도가 1 M, 기체의 압력이 1기압, 온도가 25 ℃일 때로 정의한다.

? 백금 전극을 사용하는 이유는 무엇일까?
백금은 반응성이 매우 작아 화학 반응에 관여하지 않고 전자를 전달하는 역할만 하므로 비활성 전극으로 사용된다.

⊕ 표준 산화 전위
표준 수소 전극과 연결하여 측정한 반쪽 전지의 전위를 산화 반응으로 표현한 전위로, 표준 환원 전위와 크기는 같고 부호는 반대이다.
➡ 표준 산화 전위 = −(표준 환원 전위)

용어 알기
• 기전력(발생하다 起, 전기 電, 힘 力, Electromotive force) 단위 전하당 한 일

반쪽 반응	표준 환원 전위(V)	환원되는 경향
$F_2(g)+2e^- \longrightarrow 2F^-(aq)$	+2.87	환원되기 쉽다.
$O_2(g)+4H^+(aq)+4e^- \longrightarrow 2H_2O(l)$	+1.23	
$Ag^+(aq)+e^- \longrightarrow Ag(s)$	+0.80	
$Cu^{2+}(aq)+2e^- \longrightarrow Cu(s)$	+0.34	
$\mathbf{2H^+(aq)+2e^- \longrightarrow H_2(g)}$	**0.00**	
$Pb^{2+}(aq)+2e^- \longrightarrow Pb(s)$	−0.13	
$Ni^{2+}(aq)+2e^- \longrightarrow Ni(s)$	−0.26	
$Fe^{2+}(aq)+2e^- \longrightarrow Fe(s)$	−0.45	
$Zn^{2+}(aq)+2e^- \longrightarrow Zn(s)$	−0.76	
$2H_2O(l)+2e^- \longrightarrow H_2(g)+2OH^-(aq)$	−0.83	
$Al^{3+}(aq)+3e^- \longrightarrow Al(s)$	−1.66	
$Mg^{2+}(aq)+2e^- \longrightarrow Mg(s)$	−2.37	
$Na^{2+}(aq)+e^- \longrightarrow Na(s)$	−2.71	

▲ 표준 환원 전위(25 ℃) 표준 환원 전위가 작은 반응의 금속이 (−)극이 된다.

암기TIP
표준 환원 전위가 클수록
➡ 금속의 반응성이 작다.
➡ 이온화 경향이 작다.
➡ 전자를 얻기 쉽다.
➡ 환원되기 쉽다.

전지 전위는 반쪽 전지의 종류, 전해질 수용액의 농도, 온도 등에 따라 달라진다.

2. 전지 전위($E_{전지}$) 화학 반응에서 두 반쪽 전지 사이의 전극 전위차

(1) 표준 전지 전위($E^\circ_{전지}$) 25 ℃에서 전해질 수용액의 농도가 1 M, 기체의 압력이 1기압일 때 두 반쪽 전지를 연결한 화학 전지의 전위 (표준 상태)

① **계산:** 환원 반응이 일어나는 반쪽 전지의 표준 환원 전위(E°)에서 산화 반응이 일어나는 반쪽 전지의 표준 환원 전위(E°)를 빼서 구한다.

$$E^\circ_{전지}=E^\circ_{환원\ 전극}-E^\circ_{산화\ 전극}=E^\circ_{(+)극}-E^\circ_{(-)극}=E^\circ_{큰\ 값}-E^\circ_{작은\ 값}$$

[아연 반쪽 전지와 구리 반쪽 전지로 구성된 전지]
- 아연 반쪽 전지의 환원 반응: $Zn^{2+}(aq)+2e^- \longrightarrow Zn(s)$, $E^\circ=-0.76$ V ➡ (−)극(산화 전극)
- 구리 반쪽 전지의 환원 반응: $Cu^{2+}(aq)+2e^- \longrightarrow Cu(s)$, $E^\circ=+0.34$ V ➡ (+)극(환원 전극)
- 전지 반응: $Zn(s)+Cu^{2+}(aq) \longrightarrow Zn^{2+}(aq)+Cu(s)$

  E°가 작은 쪽이 (−)극(산화 전극)이 되고, E°가 큰 쪽이 (+)극(환원 전극)이 된다.

  $E^\circ_{전지}=E^\circ_{환원\ 전극}-E^\circ_{산화\ 전극}=+0.34\ V-(-0.76\ V)=+1.10\ V$

[아연 반쪽 전지와 은 반쪽 전지로 구성된 전지]
- 아연 반쪽 전지의 환원 반응: $Zn^{2+}(aq)+2e^- \longrightarrow Zn(s)$, $E^\circ=-0.76$ V ➡ (−)극(산화 전극)
- 은 반쪽 전지의 환원 반응: $Ag^+(aq)+e^- \longrightarrow Ag(s)$, $E^\circ=+0.80$ V ➡ (+)극(환원 전극)
- 전지 반응: $Zn(s)+2Ag^+(aq) \longrightarrow Zn^{2+}(aq)+2Ag(s)$❹

  $E^\circ_{전지}=E^\circ_{환원\ 전극}-E^\circ_{산화\ 전극}=+0.80\ V-(-0.76\ V)=+1.56\ V$

❹ **표준 전지 전위 계산에서 화학 반응식의 계수와의 관계**
표준 전극 전위는 세기 성질로, 전극을 구성하는 물질의 종류에 따라 달라지는 상대적인 값이므로 전극의 질량과는 관계가 없다. 따라서 아연과 은의 반쪽 전지에서 반쪽 전지의 반응식 계수가 2배가 되어도 표준 환원 전위(E°)의 값은 변하지 않는다.

② 두 전극 반응의 표준 환원 전위(E°)의 차이가 클수록 $E^\circ_{전지}$가 크다.

③ 두 전극 반응의 금속의 이온화 경향의 차이가 클수록 $E^\circ_{전지}$가 크다.

(2) 화학 반응의 *자발성과 표준 전지 전위($E^\circ_{전지}$)의 관계 산화 환원 반응의 전지 전위가 (+) 값이면 정반응이 자발적으로 일어난다.

금속판은 산화 반응을, 금속 양이온은 환원 반응을 할 수 있다.

황산 구리 수용액에 철판을 넣은 경우		황산 아연 수용액에 철판을 넣은 경우	
화학 반응식(환원 반응)	E°(V)	화학 반응식(환원 반응)	E°(V)
$Cu^{2+}(aq)+2e^- \longrightarrow Cu(s)$	+0.34	$Zn^{2+}(aq)+2e^- \longrightarrow Zn(s)$	−0.76
$Fe^{2+}(aq)+2e^- \longrightarrow Fe(s)$	−0.45	$Fe^{2+}(aq)+2e^- \longrightarrow Fe(s)$	−0.45
$E^\circ_{전지}=E^\circ_{환원\ 전극}-E^\circ_{산화\ 전극}$ $=+0.34\ V-(-0.45\ V)=+0.79\ V$		$E^\circ_{전지}=E^\circ_{환원\ 전극}-E^\circ_{산화\ 전극}$ $=(-0.76\ V)-(-0.45\ V)=-0.31\ V$	
$E^\circ_{전지}>0$이므로 이 반응은 자발적으로 일어난다. → 철은 전자를 잃어 산화되고, 구리 이온은 전자를 얻어 환원된다.		$E^\circ_{전지}<0$이므로 이 반응은 자발적으로 일어나지 않는다. → 산화 환원 반응이 일어나지 않는다.	

용어 알기
* 자발성(스스로 自, 일어나다 發, 성품 性) 외부 영향이나 자극 없이 스스로 발생하는 성질

전극의 종류에 따른 전지 전위

목표 금속의 종류에 따라 전지 전위가 달라지는 것을 설명할 수 있다.

유의점

- 거름종이에 적신 황산 나트륨 수용액은 염다리 역할을 하므로 각 금속 이온의 수용액과 닿을 정도로만 소량 떨어뜨린다.
- 전압 측정이 끝나면 비커에 금속을 넣고 잘 씻은 다음 완전히 건조 후 보관한다.
- 시약이 옷이나 피부에 묻지 않도록 주의한다.

과정

❶ 거름종이에 금속의 이름을 쓰고 페트리 접시 위에 올려놓기

그림과 같이 자른 거름종이에 각 금속의 이름을 쓴 후 페트리 접시 위에 올려놓는다.

- **금속:** 아연(Zn), 구리(Cu), 철(Fe)

❷ 금속을 올려놓고 각 금속의 이온이 들어 있는 수용액 떨어뜨리기

사포로 잘 문지른 아연(Zn), 구리(Cu), 철(Fe) 조각을 거름종이 위에 올려놓고, 각 금속 주위에 그 금속의 이온이 들어 있는 수용액을 1~2방울 떨어뜨린다.

- **금속 이온 수용액:** 황산 아연($ZnSO_4$) 수용액, 황산 구리(Ⅱ)($CuSO_4$) 수용액, 황산 철(Ⅱ)($FeSO_4$) 수용액

❸ 전해질 용액 떨어뜨리기

거름종이 가운데 부분에 황산 나트륨(Na_2SO_4) 수용액을 소량 떨어뜨린다.

❹ 금속의 짝들 사이의 전압 측정하기

멀티미터를 이용하여 금속의 짝들 사이의 전압을 각각 측정하여 비교한다.

결과

금속	Zn−Zn	Zn−Cu	Zn−Fe	Fe−Cu
전압(V)	0.00	1.10	0.31	0.79

정리 및 해석

두 전극의 표준 환원 전위 차이가 클수록 표준 전지 전위가 커.

❶ 가장 큰 전압이 생긴 전지: (−)극에 Zn을, (+)극에 Cu를 연결한 전지이다. ➡ Zn의 반응성이 가장 크고, Cu의 반응성이 가장 작기 때문

- 아연 반쪽 전지의 환원 반응: $Zn^{2+}(aq)+2e^- \longrightarrow Zn(s)$, $E° = -0.76$ V ➡ (−)극(산화 전극)
- 구리 반쪽 전지의 환원 반응: $Cu^{2+}(aq)+2e^- \longrightarrow Cu(s)$, $E° = +0.34$ V ➡ (+)극(환원 전극)
- 전체 반응: $Zn(s)+Cu^{2+}(aq) \longrightarrow Zn^{2+}(aq)+Cu(s)$

$E°_{전지} = E°_{환원\ 전극} - E°_{산화\ 전극} = +0.34\ V - (-0.76\ V) = +1.10\ V$

$E°$가 작은 쪽이 (−)극(산화 전극)이 되고, $E°$가 큰 쪽이 (+)극(환원 전극)이 된다.

❷ 두 전극을 바꿔서 전압을 측정한 경우: 전압의 부호가 바뀌게 된다. ➡ $E°_{전지} < 0$인 반응은 자발적으로 일어나지 않는다.

❸ 서로 다른 금속이 아닌 같은 2개의 금속으로 전압을 측정한 경우: 0.00 V ➡ 같은 금속을 사용할 경우 표준 환원 전위($E°$) 차이가 없기 때문

❹ 금속의 반응성 비교: Zn > Fe > Cu

한·줄·핵심 화학 전지에서는 반응성이 큰 금속에서 산화 반응이 일어나고, 반응성이 작은 금속에서 환원 반응이 일어난다.

확인 문제

정답과 해설 110쪽

01 이 탐구 활동에서 표준 환원 전위($E°$)가 가장 큰 금속을 쓰시오.

02 이 탐구 활동의 결과 Zn판과 Fe판에서 일어나는 반쪽 전지의 화학 반응식을 각각 쓰시오.

콕콕!
개념 확인하기

정답과 해설 110쪽

✔ 잠깐 확인!

1. □□ 전지
한 번 사용하면 외부에서 전류를 흘려주어도 더 이상 사용할 수 없는 비가역 전지

2. □□□□ 건전지
가장 널리 쓰이는 1차 전지로 수분이 거의 없는 전해질 사용으로 휴대하기 쉽다.

3. □□전지
충전이 가능한 2차 전지로 납과 이산화 납, 묽은 황산으로 구성된 전지이다.

4. 표준 □□ □□
반쪽 전지의 전위를 정하는 기준이 되는 반쪽 전지

5. 표준 □□ □□
표준 수소 전극과 연결하여 측정한 반쪽 전지의 전위를 환원 반응의 형태로 나타낸 전위

6. 표준 □□ □□
화학 반응에서 두 반쪽 전지의 전극 전위값의 차이

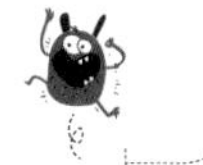

A 실용 전지

01 실용 전지에 대한 설명으로 옳은 것은 ○, 옳지 않은 것은 ×로 표시하시오.

(1) 1차 전지는 충전이 가능한 전지이므로 여러 번 사용할 수 있다. (   )

(2) 알칼리 건전지는 망가니즈 건전지에 비해 수명이 길고 전압이 일정하게 유지된다. (   )

(3) 건전지는 1차 전지이고, 납축전지는 2차 전지이다. (   )

(4) 리튬 이온 전지는 방전과 충전 시 리튬 이온이 산화 환원 반응을 한다. (   )

02 실용 전지의 원리와 명칭을 옳게 연결하시오.

	원리			명칭
(1)	가장 널리 쓰이는 1차 전지로 아연통과 탄소 막대, 수분이 거의 없는 전해질로 구성	•	• ㉠	알칼리 건전지
(2)	일반 건전지에 비해 아연 부식이 일어나지 않아 전지의 수명이 길고 전압이 일정하게 유지	•	• ㉡	납축전지
(3)	납판과 이산화 납, 묽은 황산으로 구성되어 짧은 시간에 비교적 큰 전압을 발생	•	• ㉢	망가니즈 건전지

B 전지 전위

03 표준 수소 전극과 표준 환원 전위에 대한 설명으로 옳은 것은 ○, 옳지 않은 것은 ×로 표시하시오.

(1) 표준 수소 전극의 전위는 1.00 V로서 모든 표준 환원 전위의 기준이 된다. (   )

(2) 표준 환원 전위는 표준 수소 전극과 연결하여 측정한 반쪽 전지의 전위이다. (   )

(3) 구리의 표준 환원 전위는 (+)극으로 표준 수소 전극을, (−)극으로 구리의 반쪽 전지를 장치하여 얻어진 전압계의 값이다. (   )

04 다음은 표준 전지 전위에 대한 설명이다. ㉠~㉣에 들어갈 알맞은 말을 쓰시오.

> 표준 전지 전위는 25 ℃에서 전해질 수용액의 농도가 (㉠), 기체의 압력이 (㉡)일 때 두 반쪽 전지를 연결한 화학 전지의 전위로, (㉢) 반응이 일어나는 반쪽 전지의 표준 환원 전위($E°$)에서 (㉣) 반응이 일어나는 반쪽 전지의 표준 환원 전위($E°$)를 빼서 구한다.

탄탄! 내신 다지기

A 실용 전지

01 실용 전지에 대한 설명으로 옳지 않은 것은?

① 1차 전지는 충전하여 재사용할 수 없다.
② 2차 전지는 방전과 충전 반응이 모두 일어난다.
③ 망가니즈 건전지는 1차 전지이다.
④ 알칼리 건전지는 2차 전지이다.
⑤ 생활에서 가장 널리 쓰이는 1차 전지는 건전지이다.

02 그림은 망가니즈 건전지의 구조를 나타낸 것이다.
이에 대한 설명으로 옳은 것만을 <보기>에서 있는 대로 고른 것은?

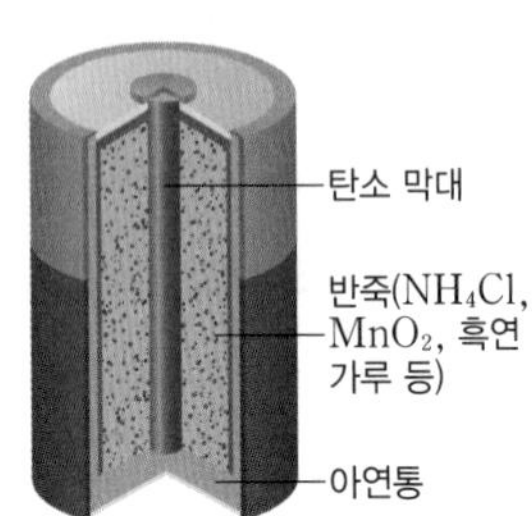

보기
ㄱ. 아연통은 (−)극으로 산화 반응이 일어난다.
ㄴ. 탄소 막대는 (+)극으로 환원 반응이 일어난다.
ㄷ. 수소 이온이 환원되어 분극 현상이 일어난다.

① ㄱ ② ㄷ ③ ㄱ, ㄴ
④ ㄴ, ㄷ ⑤ ㄱ, ㄴ, ㄷ

03 그림은 납축전지의 구조를 나타낸 것이다.

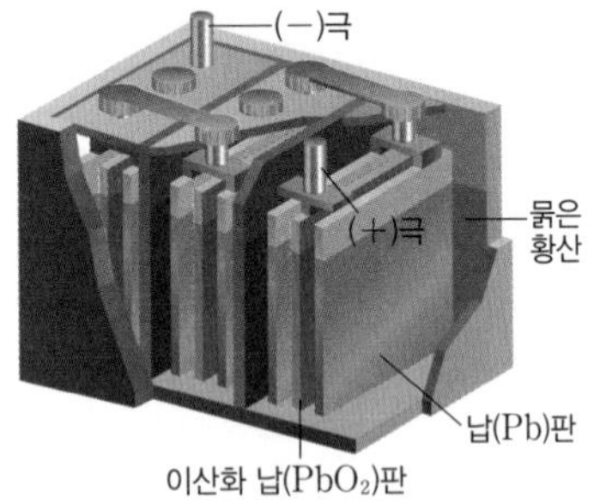

이에 대한 설명으로 옳은 것은?

① 1차 전지이다.
② 방전 시 두 전극의 질량은 감소한다.
③ 방전 시 묽은 황산의 농도가 진해진다.
④ 충전 시 (+)극에서는 PbO_2이 생성된다.
⑤ 충전 시 (−)극에서는 $PbSO_4$이 생성된다.

단답형

04 그림은 리튬 이온 전지에 대한 구조이다.

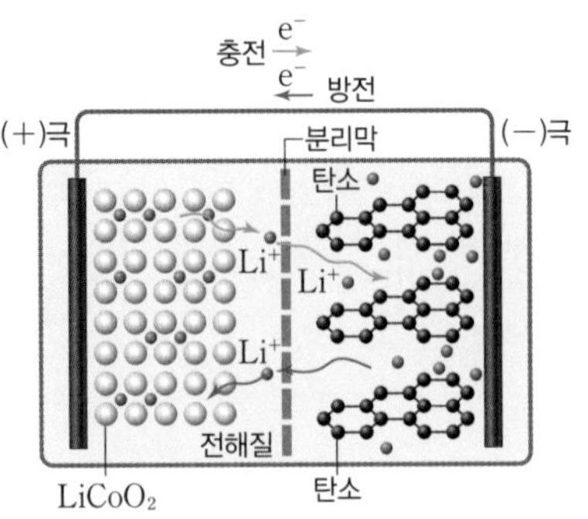

이에 대한 설명으로 ㉠, ㉡에 들어갈 알맞은 말을 쓰시오.

(−)극은 (㉠)이고, (+)극은 리튬 코발트 산화물로, 방전과 충전 시 (㉡)이 (−)극과 (+)극 사이를 이동하여 작동한다.

05 그림은 실용 전지의 발달 과정을 모식적으로 나타낸 것이다.

이에 대한 설명으로 옳은 것만을 <보기>에서 있는 대로 고른 것은?

보기
ㄱ. 2차 전지의 종류가 다양하게 발전하였다.
ㄴ. 전지의 크기가 소형에서 대형화로 발전하였다.
ㄷ. 전지의 발달로 휴대용 전자 기기의 개발이 감소하였다.

① ㄱ ② ㄷ ③ ㄱ, ㄴ
④ ㄴ, ㄷ ⑤ ㄱ, ㄴ, ㄷ

B 전지 전위

06 화학 전지의 전위에 대한 설명으로 옳지 않은 것은?

① 표준 수소 전극의 전위는 0.00 V이다.
② 표준 환원 전위가 클수록 금속의 반응성은 작다.
③ 전지에서 표준 환원 전위가 큰 전극이 (+)극이 된다.
④ 표준 전지 전위는 두 전극의 표준 환원 전위 차가 클수록 크다.
⑤ 표준 전지 전위는 산화 전극의 표준 환원 전위에서 환원 전극의 표준 환원 전위를 뺀 값이다.

07 표는 4가지 금속의 환원 반응에 대한 표준 환원 전위(E°)이다.

- $Al^{3+}(aq)+3e^- \longrightarrow Al(s)$ $E^\circ=-1.66$ V
- $Cr^{3+}(aq)+3e^- \longrightarrow Cr(s)$ $E^\circ=-0.74$ V
- $Cu^{2+}(aq)+2e^- \longrightarrow Cu(s)$ $E^\circ=+0.34$ V
- $Au^{+}(aq)+e^- \longrightarrow Au(s)$ $E^\circ=+1.68$ V

이에 대한 설명으로 옳은 것만을 〈보기〉에서 있는 대로 고른 것은?

보기
ㄱ. 금속의 반응성은 Al이 Cr보다 크다.
ㄴ. Cr과 Cu로 구성된 전지의 표준 전지 전위는 +1.20 V보다 크다.
ㄷ. Al과 Au으로 구성된 화학 전지의 표준 전지 전위가 가장 크다.

① ㄱ　② ㄴ　③ ㄱ, ㄷ　④ ㄴ, ㄷ　⑤ ㄱ, ㄴ, ㄷ

08 다음은 금속 철(Fe)을 전극으로 사용한 화학 전지의 모습과 각 반쪽 반응에 대한 표준 환원 전위(E°)를 나타낸 것이다.

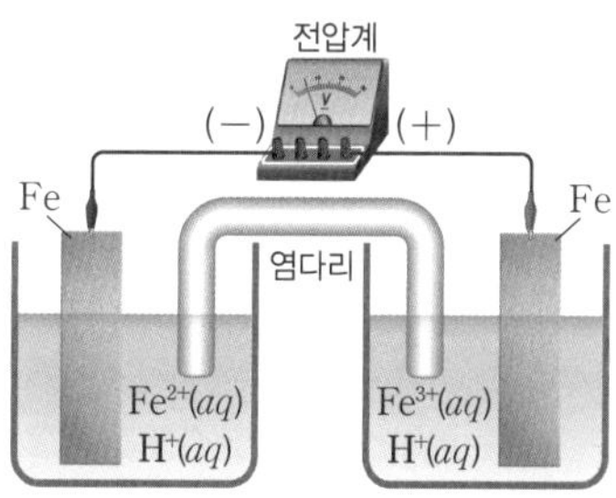

- $Fe^{2+}(aq)+2e^- \longrightarrow Fe(s)$ $E^\circ=-0.45$ V
- $Fe^{3+}(aq)+e^- \longrightarrow Fe^{2+}(aq)$ $E^\circ=+0.77$ V

이에 대한 설명으로 옳은 것만을 〈보기〉에서 있는 대로 고른 것은?

보기
ㄱ. (+)극에서는 pH가 감소한다.
ㄴ. 표준 전지 전위($E^\circ_{전지}$)는 +1.22 V이다.
ㄷ. (−)극과 (+)극에서는 모두 수용액 속 Fe^{2+}의 수가 증가한다.

① ㄱ　② ㄷ　③ ㄱ, ㄴ　④ ㄴ, ㄷ　⑤ ㄱ, ㄴ, ㄷ

09 그림은 카드뮴(Cd)과 은(Ag)을 전극으로 하는 화학 전지를, 표는 이 반응의 표준 환원 전위(E°)를 나타낸 것이다.

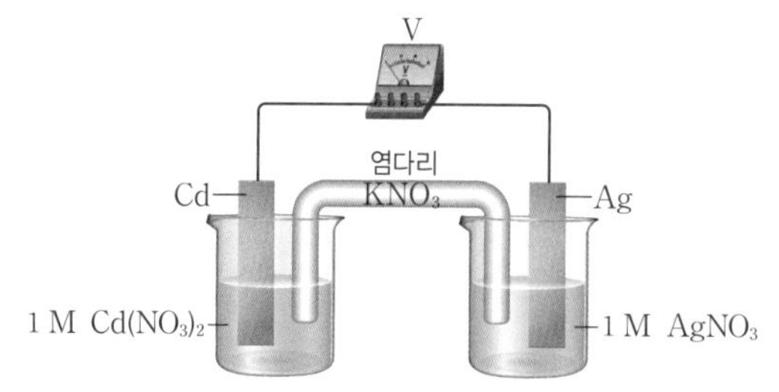

반쪽 반응	E°(V)
$Cd^{2+}(aq)+2e^- \longrightarrow Cd(s)$	−0.40
$Ag^{+}(aq)+e^- \longrightarrow Ag(s)$	+0.80

이에 대한 설명으로 옳은 것만을 〈보기〉에서 있는 대로 고른 것은? (단, 이 장치의 온도는 25 ℃이다.)

보기
ㄱ. 산화 전극은 카드뮴(Cd)이다.
ㄴ. 표준 전지 전위는 +2.00 V이다.
ㄷ. 전기적 중성을 유지하기 위해 염다리의 K^+은 $AgNO_3$ 수용액 쪽으로 이동한다.

① ㄱ　② ㄴ　③ ㄱ, ㄷ　④ ㄴ, ㄷ　⑤ ㄱ, ㄴ, ㄷ

10 다음은 3가지 물질의 표준 환원 전위(E°)를 나타낸 것이다.

- $A^{2+}(aq)+2e^- \longrightarrow A(s)$ $E^\circ=+0.34$ V
- $B^{2+}(aq)+2e^- \longrightarrow B(s)$ $E^\circ=-0.45$ V
- $C^{2+}(aq)+2e^- \longrightarrow C(s)$ $E^\circ=-0.76$ V

자발적인 반응만을 〈보기〉에서 있는 대로 고른 것은? (단, A~C는 임의의 원소 기호이다.)

보기
ㄱ. $A^{2+}(aq)+B(s) \longrightarrow A(s)+B^{2+}(aq)$
ㄴ. $C^{2+}(aq)+B(s) \longrightarrow C(s)+B^{2+}(aq)$
ㄷ. $A^{2+}(aq)+C(s) \longrightarrow A(s)+C^{2+}(aq)$

① ㄱ　② ㄷ　③ ㄱ, ㄷ　④ ㄴ, ㄷ　⑤ ㄱ, ㄴ, ㄷ

도전! 실력 올리기

01 다음은 납축전지가 방전될 때 두 전극에서 일어나는 화학 반응을 나타낸 것이다.

• (−)극: $Pb(s)+SO_4^{2-}(aq) \longrightarrow PbSO_4(s)+2e^-$
• (+)극: $PbO_2(s)+4H^+(aq)+SO_4^{2-}(aq)+2e^- \longrightarrow PbSO_4(s)+2H_2O(l)$

이에 대한 설명으로 옳은 것만을 〈보기〉에서 있는 대로 고른 것은?

〈보기〉
ㄱ. Pb판은 산화 전극으로 작용한다.
ㄴ. 방전 시 두 전극의 질량은 모두 증가한다.
ㄷ. 방전 시 수용액 속 묽은 황산의 농도는 증가한다.

① ㄱ ② ㄷ ③ ㄱ, ㄴ
④ ㄴ, ㄷ ⑤ ㄱ, ㄴ, ㄷ

02 그림은 리튬 이온 전지의 원리를 모형으로 나타낸 것이다.

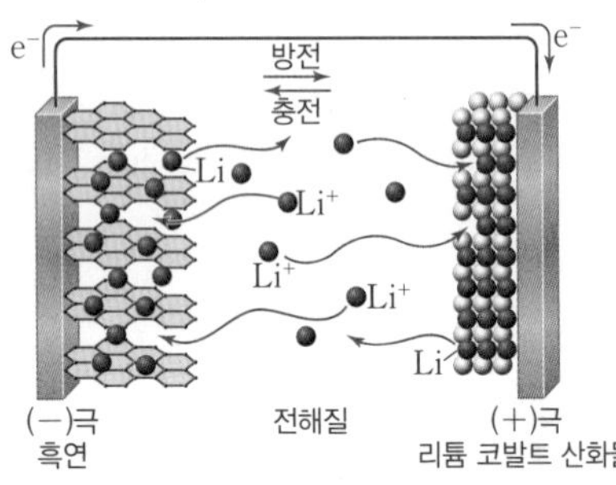

이에 대한 설명으로 옳은 것만을 〈보기〉에서 있는 대로 고른 것은?

〈보기〉
ㄱ. 2차 전지이다.
ㄴ. 리튬 이온은 충전이 일어날 때에만 이동한다.
ㄷ. 유기 용매 대신 고분자 상태의 전해질을 사용할 수 있다.

① ㄱ ② ㄴ ③ ㄱ, ㄷ
④ ㄴ, ㄷ ⑤ ㄱ, ㄴ, ㄷ

03 그림은 금속 A~C를 이용하여 전지 전위를 측정하는 모습을, 표는 각 금속에 따른 전지 전위를 나타낸 것이다.

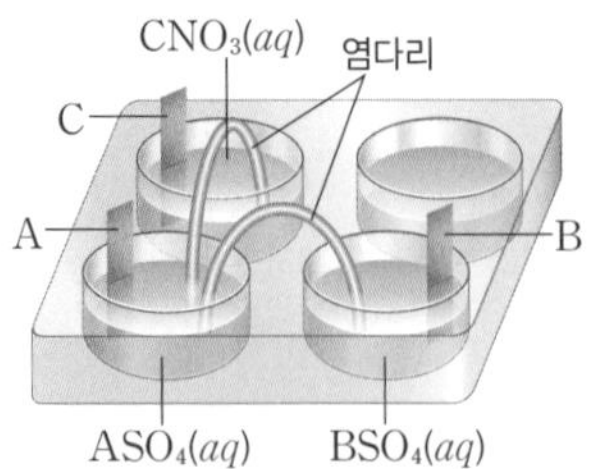

(−)극	A	A
(+)극	B	C
전지 전위(V)	1.10	1.56

이에 대한 설명으로 옳은 것만을 〈보기〉에서 있는 대로 고른 것은? (단, A~C는 임의의 원소 기호이다.)

〈보기〉
ㄱ. 표준 환원 전위($E°$)가 가장 큰 금속은 C이다.
ㄴ. B와 C를 연결한 화학 전지에서 산화 전극은 B이다.
ㄷ. A와 C를 연결한 화학 전지에서 금속판 A의 질량은 감소한다.

① ㄱ ② ㄴ ③ ㄱ, ㄷ
④ ㄴ, ㄷ ⑤ ㄱ, ㄴ, ㄷ

04 다음은 금속 A~C와 관련된 반쪽 반응과 표준 환원 전위($E°$)를 나타낸 것이다.

• $A^{2+}+2e^- \longrightarrow A$ $E°=+1.18$ V
• $B^{2+}+2e^- \longrightarrow B$ $E°=-0.76$ V
• $C^++e^- \longrightarrow C$ $E°=-0.14$ V

이에 대한 설명으로 옳은 것만을 〈보기〉에서 있는 대로 고른 것은? (단, A~C는 임의의 원소 기호이다.)

〈보기〉
ㄱ. 금속의 반응성이 가장 큰 금속은 A이다.
ㄴ. $A^{2+}+2C \longrightarrow A+2C^+$ 반응의 표준 전지 전위($E°_{전지}$)는 +1.32 V이다.
ㄷ. $B^{2+}+2C \longrightarrow B+2C^+$ 반응은 자발적으로 일어난다.

① ㄱ ② ㄴ ③ ㄱ, ㄴ
④ ㄴ, ㄷ ⑤ ㄱ, ㄴ, ㄷ

05 그림은 25 ℃에서 2가지 금속과 그 금속의 1 M 황산염 수용액으로 구성한 화학 전지 Ⅰ과 Ⅱ를 나타낸 것이다.

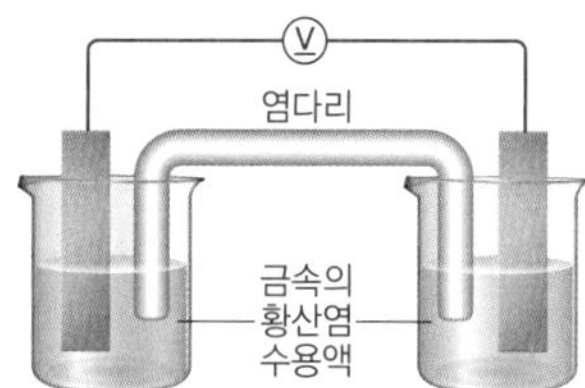

화학 전지	전극
Ⅰ	A, Pb
Ⅱ	B, Zn

각 금속의 반쪽 반응에 대한 표준 환원 전위($E°$)의 크기가 A>Pb>B>Zn일 때, 이에 대한 설명으로 옳은 것만을 〈보기〉에서 있는 대로 고른 것은? (단, A, B는 임의의 금속 원소 기호이다.)

보기
ㄱ. 화학 전지 Ⅰ에서 산화 전극은 Pb이다.
ㄴ. 화학 전지 Ⅱ에서 질량이 증가하는 금속은 B이다.
ㄷ. 화학 전지 Ⅰ의 표준 전지 전위($E°_{전지}$)는 A와 B로 구성된 화학 전지보다 크다.

① ㄴ ② ㄷ ③ ㄱ, ㄴ
④ ㄴ, ㄷ ⑤ ㄱ, ㄴ, ㄷ

06 다음은 25 ℃, 1기압에서 어떤 화학 전지의 모습과 반쪽 반응에 대한 표준 환원 전위($E°$)를 나타낸 것이다.

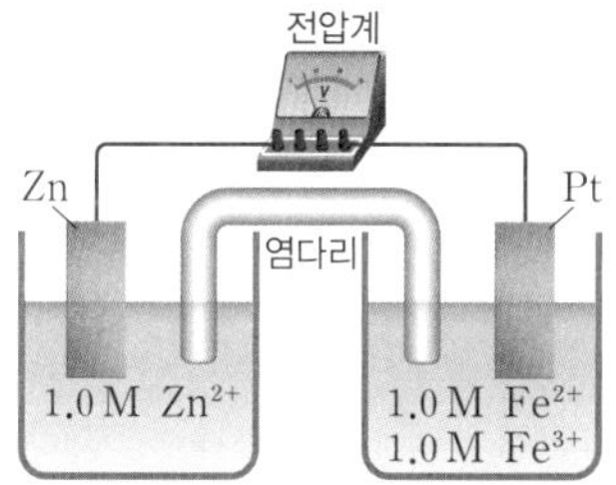

- $Zn^{2+}(aq) + 2e^- \longrightarrow Zn(s)$ $E° = -0.76$ V
- $Fe^{2+}(aq) + 2e^- \longrightarrow Fe(s)$ $E° = -0.45$ V
- $Fe^{3+}(aq) + e^- \longrightarrow Fe^{2+}(aq)$ $E° = +0.77$ V

이에 대한 설명으로 옳은 것만을 〈보기〉에서 있는 대로 고른 것은?

보기
ㄱ. 표준 전지 전위는 +1.53 V이다.
ㄴ. (+)극에서 환원되는 이온은 Fe^{2+}이다.
ㄷ. 전자는 Pt 전극에서 Zn 전극으로 이동한다.

① ㄱ ② ㄴ ③ ㄱ, ㄷ
④ ㄴ, ㄷ ⑤ ㄱ, ㄴ, ㄷ

07 다음은 25 ℃, 1기압에서 금속 A와 B를 전극으로 하는 화학 전지의 모습과 반쪽 반응의 표준 환원 전위($E°$)를 나타낸 것이다. (단, A, B는 임의의 원소 기호이고, 물은 반응하지 않으며 염다리는 KNO_3으로 이루어져 있다.)

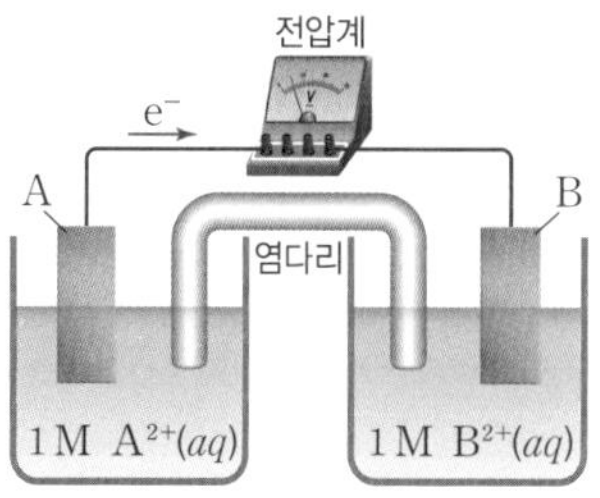

- $A^{2+}(aq) + 2e^- \longrightarrow A(s)$ $E° = a$ V
- $B^{2+}(aq) + 2e^- \longrightarrow B(s)$ $E° = b$ V

(1) 이 화학 전지의 표준 전지 전위($E°$)를 구하시오.

(2) 두 금속의 표준 환원 전위($E°$)인 a와 b의 크기를 비교하고, 그렇게 판단한 까닭을 서술하시오.

서술형

08 다음은 3가지 반쪽 반응의 표준 환원 전위($E°$)를 나타낸 것이다. (단, A~C는 임의의 원소 기호이다.)

- $A^{2+}(aq) + 2e^- \longrightarrow A(s)$ $E° = -0.76$ V
- $B^{2+}(aq) + 2e^- \longrightarrow B(s)$ $E° = +0.34$ V
- $C^{+}(aq) + e^- \longrightarrow C(s)$ $E° = +0.80$ V

(1) A와 B로 이루어진 화학 전지에서 (+)극은 무엇인지 쓰시오.

(2) 금속 A~C를 이용한 화학 전지를 구성할 때, 가장 큰 표준 전지 전위($E°_{전지}$)를 갖는 금속의 조합을 산화 전극과 환원 전극에 해당하는 금속을 언급하여 서술하시오.

03 전기 분해의 원리

핵심 키워드로 흐름잡기

A 전기 분해, 전해질 용융액의 전기 분해, 전해질 수용액의 전기 분해

B 전기 분해의 응용, 전기 도금, 금속의 제련

C 수소 연료 전지

A 전기 분해

|출·제·단·서| 시험에는 전해질 용융액과 전해질 수용액에서의 전기 분해의 차이점과 화학 반응의 원리가 나와.

1. 전기 분해❶

정의	전기 에너지를 이용하여 산화 환원 반응을 일으켜 물질을 분해하는 반응
구성	백금 전극이나 탄소 전극을 이용해 전해질의 수용액이나 •용융액에 담그고 전원 장치와 도선으로 전극을 연결한다.
원리	외부에서 전해질 용액에 직류 전류를 흘려주면, 용액 속의 양이온은 (−)극으로, 음이온은 (+)극으로 끌려가 각각 산화 환원 반응을 통해 전극에서 물질이 생성된다.
	(+)극(산화 전극): 음이온 ⟶ 원소+e^- → 음이온이 (+)극 쪽으로 끌려가 전자를 내놓고 산화된다. (−)극(환원 전극): 양이온+e^- ⟶ 원소 → 양이온이 (−)극 쪽으로 끌려가 전자를 얻고 환원된다.

❶ 화학 전지와 전기 분해의 산화 환원 반응의 원리
화학 전지는 화학 에너지(화학 물질)로 전기 에너지를 생성하는 과정이고, 전기 분해는 전기 에너지로 화학 에너지(화학 물질)를 생성하는 과정이다. 이때 화학 전지의 경우 (−)극에서 산화 반응이, (+)극에서 환원 반응이 일어나고, 전기 분해는 (−)극에서 환원 반응이, (+)극에서 산화 반응이 일어난다.

2. 전해질 용융액의 전기 분해

전해질 용융액에는 전해질의 양이온과 음이온만 존재한다.

(1) 염화 나트륨(NaCl) 용융액의 전기 분해❷ NaCl 용융액에는 나트륨 이온(Na^+)과 염화 이온(Cl^-)만 존재하므로 (+)극에서는 Cl^-이 전자를 내놓고 산화되어 염소(Cl_2) 기체가 발생하고, (−)극에서는 Na^+이 전자를 얻고 환원되어 나트륨(Na)이 생성된다.

전극		화학 반응식		
(+)극	산화 반응	$2Cl^-(l) \longrightarrow Cl_2(g)+2e^-$	전체 반응식	$2NaCl(l) \longrightarrow 2Na(l)+Cl_2(g)$
(−)극	환원 반응	$2Na^+(l)+2e^- \longrightarrow 2Na(l)$		

[(+)극(산화 전극)]
Cl^-이 전자를 잃고 산화되어 Cl_2 기체가 발생한다.
전류를 흘려주면 Cl^-은 (+)극으로 끌려가고, Na^+은 (−)극으로 끌려간다.

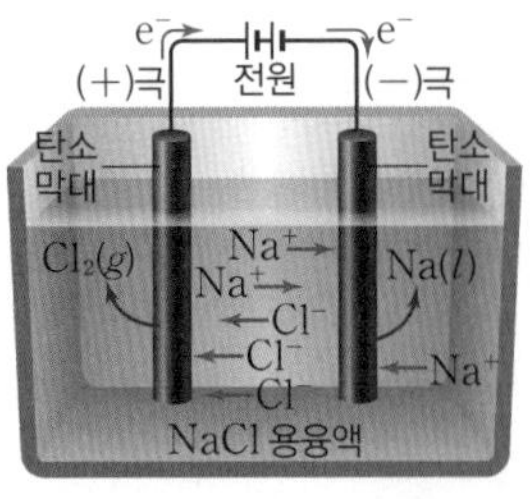

[(−)극(환원 전극)]
Na^+이 전자를 얻고 환원되어 Na이 생성된다.

❷ 백금 전극이나 탄소 막대를 사용하는 이유는 무엇일까?
백금이나 탄소 막대는 반응성이 작아 화학 반응에 관여하지 않고 전자를 전달하는 역할만 하므로 비활성 전극으로 사용된다.

❷ 염화 나트륨 용융액의 전기 분해 장치

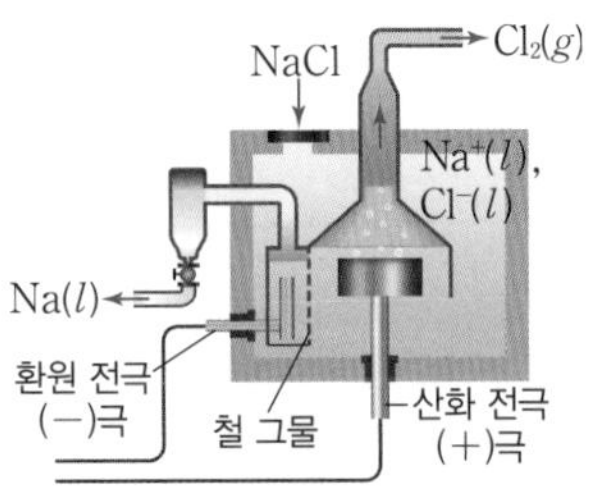

(2) 염화 구리(Ⅱ)($CuCl_2$) 용융액의 전기 분해 $CuCl_2$ 용융액에는 구리 이온(Cu^{2+})과 염화 이온(Cl^-)만 존재하므로 (+)극에서는 Cl^-이 전자를 내놓고 산화되어 염소(Cl_2) 기체가 발생하고, (−)극에서는 Cu^{2+}이 전자를 얻고 환원되어 구리(Cu)가 생성된다.

전극		화학 반응식		
(+)극	산화 반응	$2Cl^-(l) \longrightarrow Cl_2(g)+2e^-$	전체 반응식	$CuCl_2(l) \longrightarrow Cu(s)+Cl_2(g)$
(−)극	환원 반응	$Cu^{2+}(l)+2e^- \longrightarrow Cu(s)$		

[(+)극(산화 전극)]
Cl^-이 전자를 잃고 산화되어 Cl_2 기체가 발생한다.
전류를 흘려주면 Cl^-은 (+)극으로 끌려가고, Cu^{2+}은 (−)극으로 끌려간다.

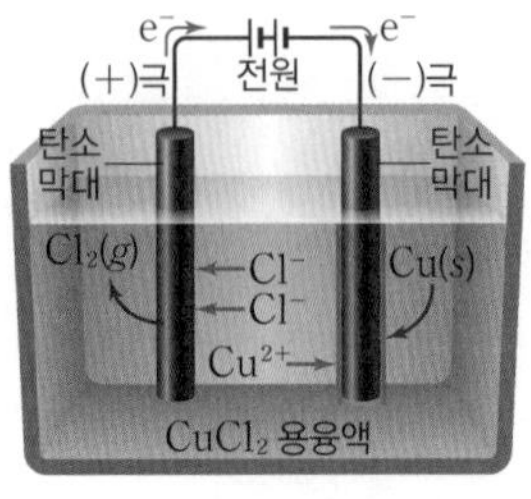

[(−)극(환원 전극)]
Cu^{2+}이 전자를 얻고 환원되어 Cu가 석출된다.

용어 알기
• 용융액(녹이다 鎔, 녹이다 融, 즙 液) 고체 상태인 물질에 열을 가해 녹여서 만든 액체

3. 전해질 수용액의 전기 분해 탐구 POOL 전해질 수용액에는 전해질의 양이온과 음이온 외에도 물이 존재하므로 이온의 종류에 따라 각 전극에서 생성되는 물질이 달라진다.

(1) (+)극(산화 전극)에서 산화되는 물질

① 전해질의 음이온과 물 분자 중 전자를 잃기 쉬운 화학종(표준 환원 전위가 작은 것)이 먼저 산화된다.

② **물 분자가 산화되는 경우:** 전해질의 음이온이 F^-, SO_4^{2-}, CO_3^{2-}, NO_3^-, PO_4^{3-} 등인 경우❸

➡ $2H_2O(l) \longrightarrow 4H^+(aq)+O_2(g)+4e^-$(산소($O_2$) 기체가 발생하고, 수소 이온($H^+$)이 생성되므로 (+)극 주변의 •액성은 산성이 된다.) → pH는 작아진다.

③ **전해질 음이온이 산화되는 경우:** 음이온은 전자를 잃고 산화되어 성분 물질로 생성된다.

(2) (−)극(환원 전극)에서 환원되는 물질

① 전해질의 양이온과 물 분자 중 전자를 얻기 쉬운 화학종(표준 환원 전위가 큰 것)이 먼저 환원된다.

② **물 분자가 환원되는 경우:** 전해질의 양이온이 K^+, Ca^{2+}, Na^+, Ba^{2+}, Al^{3+}(이온화 경향이 큰 금속) 등인 경우❹

➡ $2H_2O(l)+2e^- \longrightarrow H_2(g)+2OH^-(aq)$(수소($H_2$) 기체가 발생하고, OH^-이 생성되어 (−)극 주변의 액성은 염기성이 된다.) → pH는 커진다.

③**전해질 양이온이 환원되는 경우:** 양이온은 전자를 얻고 환원되어 성분 물질로 생성된다.

(3) 염화 나트륨(NaCl) 수용액의 전기 분해 NaCl 수용액에는 나트륨 이온(Na^+)과 염화 이온(Cl^-), 물(H_2O)이 존재하므로 (+)극에서는 Cl^-이 전자를 내놓고 산화되어 염소(Cl_2) 기체가 발생하고, (−)극에서는 Na^+ 대신 H_2O이 전자를 얻고 환원되어 수소(H_2) 기체가 발생한다. 암기TiP 염화 나트륨 수용액의 전기 분해: (+)극 Cl_2 발생, (−)극 H_2 발생

전극		화학 반응식
(+)극	산화 반응	$2Cl^-(aq) \longrightarrow Cl_2(g)+2e^-$
(−)극	환원 반응	$2H_2O(l)+2e^- \longrightarrow H_2(g)+2OH^-(aq)$

[(+)극(산화 전극)]
Cl^-이 전자를 잃고 산화되어 Cl_2 기체가 발생한다.

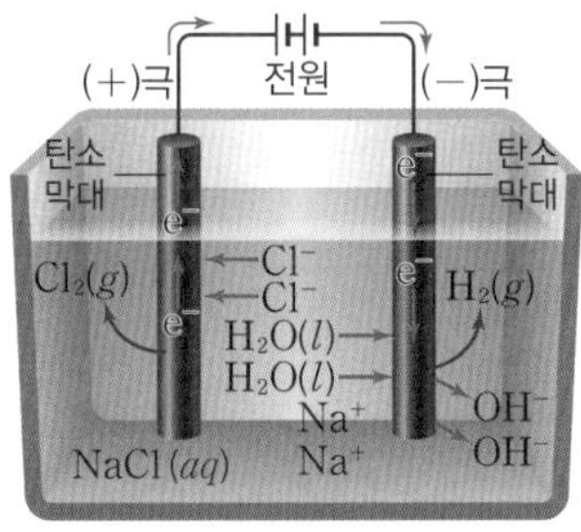

[(−)극(환원 전극)]
Na^+ 대신 H_2O이 전자를 얻고 환원되어 H_2 기체가 발생하고 OH^-이 생성된다(염기성).
→ Na^+보다 H_2O의 표준 환원 전위가 더 크므로 H_2O이 환원된다.

(4) 황산 구리($CuSO_4$) 수용액의 전기 분해 $CuSO_4$ 수용액에는 구리 이온(Cu^{2+})과 황산 이온(SO_4^{2-}), 물(H_2O)이 존재하므로 (+)극에서는 SO_4^{2-} 대신 H_2O이 전자를 내놓고 산화되어 산소(O_2) 기체가 발생하고, (−)극에서는 구리 이온(Cu^{2+})이 전자를 얻고 환원되어 구리(Cu)가 석출된다. 암기TiP 황산 구리 수용액의 전기 분해: (+)극 O_2 발생, (−)극 Cu 석출

전극		화학 반응식
(+)극	산화 반응	$2H_2O(l) \longrightarrow 4H^+(aq)+O_2(g)+4e^-$
(−)극	환원 반응	$2Cu^{2+}(aq)+4e^- \longrightarrow 2Cu(s)$

[(+)극(산화 전극)]
SO_4^{2-} 대신 H_2O이 전자를 잃고 산화되어 O_2 기체가 발생하고 H^+이 생성된다(산성).
→ SO_4^{2-}보다 H_2O의 표준 환원 전위가 더 작으므로 H_2O이 산화된다.

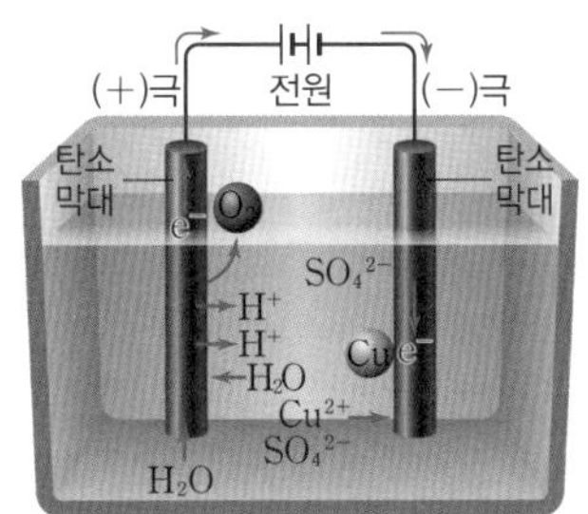

[(−)극(환원 전극)]
Cu^{2+}이 전자를 얻고 환원되어 Cu가 석출된다.

? 왜 전해질의 이온 대신 물 분자가 반응할까?
각 물질의 표준 환원 전위(표준 전극 전위)는 표준 수소 전극과의 전위 차 발생으로 수소 보다 전자를 얻기 쉬운 물질(표준 환원 전위가 큰 경우)과 전자를 잃기 쉬운 물질(표준 환원 전위가 작은 경우)로 구별할 수 있다. 따라서 각 물질마다의 표준 환원 전위를 비교하면 되는데, (−)극에서 전해질의 양이온과 물의 표준 환원 전위를 비교했을 때, 그 값이 큰 화학종이 먼저 환원되게 된다. 예를 들어 염화 나트륨 수용액의 경우 나트륨 이온의 표준 환원 전위는 −2.71 V이고, 물의 표준 환원 전위는 −0.83 V이므로 표준 환원 전위가 큰 물이 나트륨 이온 대신 환원되는 것이다.

❸ 물보다 산화되기 어려운 이온
F^-, SO_4^{2-}, CO_3^{2-}, NO_3^-, PO_4^{3-} 등과 같은 음이온은 수용액에서 산화되기 어려워 물이 대신 산화된다.

❹ 물보다 환원되기 어려운 이온
이온화 경향이 큰 금속의 양이온인 K^+, Ca^{2+}, Li^+, Na^+, Mg^{2+}, Al^{3+} 등은 수용액에서 환원되기 어려워 물이 대신 환원된다.

용어 알기
• 액성(즙 液, 성품 性) 액체의 성질

❓ 염화 구리 (Ⅱ) 수용액에서 물이 반응하지 않는 이유는 무엇일까?
염화 이온의 표준 환원 전위가 물보다 작기 때문에 (－)극에서 염화 이온이 먼저 산화된다. 한편 구리 이온의 표준 환원 전위가 물보다 크기 때문에 (＋)극에서는 구리 이온이 환원된다.

(5) 염화 구리(Ⅱ)($CuCl_2$) 수용액의 전기 분해 $CuCl_2$ 수용액에는 구리 이온(Cu^{2+})과 염화 이온(Cl^-), 물(H_2O)이 존재한다. 이때 (＋)극에서는 Cl^-이 전자를 내놓고 산화되어 염소(Cl_2) 기체가 발생하고, (－)극에서는 Cu^{2+}이 전자를 얻고 환원되어 구리(Cu)가 생성된다. → $CuCl_2$ 용융액의 전기 분해와 생성물이 같다.

구분		화학 반응식
(＋)극	산화 반응	$2Cl^-(aq) \longrightarrow Cl_2(g) + 2e^-$
(－)극	환원 반응	$Cu^{2+}(aq) + 2e^- \longrightarrow Cu(s)$
전체 반응식		$CuCl_2(aq) \longrightarrow Cu(s) + Cl_2(g)$

4. 물의 전기 분해❺ 순수한 물(H_2O)은 전기를 거의 통하지 않으므로 H_2O을 전기 분해하기 위해 질산 칼륨(KNO_3), 황산 나트륨(Na_2SO_4) 등 전해질을 조금 넣어 준다. 이때 (＋)극에서는 H_2O이 전자를 내놓고 산화되어 산소(O_2) 기체가 발생하고, (－)극에서는 H_2O이 전자를 얻고 환원되어 수소(H_2) 기체가 발생한다.

물보다 산화되기 어려운 음이온과 물보다 환원되기 어려운 양이온으로 이루어진 전해질을 사용해야 한다.

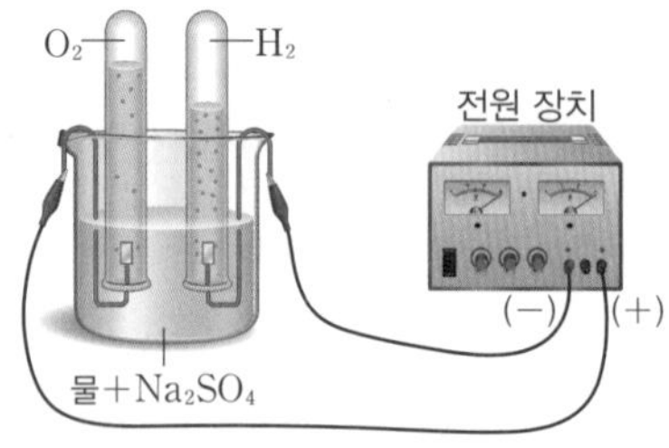

구분		화학 반응식
(＋)극	산화 반응	$2H_2O(l) \longrightarrow 4H^+(aq) + O_2(g) + 4e^-$
(－)극	환원 반응	$4H_2O(l) + 4e^- \longrightarrow 2H_2(g) + 4OH^-(aq)$
전체 반응식		$2H_2O(l) \longrightarrow 2H_2(g) + O_2(g)$

❺ 물의 전기 분해

B 전기 분해의 응용

|출·제·단·서| 전기 분해의 원리를 응용한 전기 도금과 금속의 제련 과정에서 산화 환원 반응이 어떻게 일어나는지가 시험에 나와!

전기 도금은 물질의 표면을 매끄럽게 하고, 쉽게 닳거나 부식되지 않도록 보호한다.

1. 전기 도금 전기 분해의 원리를 이용하여 금속의 표면에 다른 금속 막을 얇게 입히는 기술

(1) 원리 (＋)극에는 물체의 표면에 입히려는 금속을, (－)극에는 도금할 물체를 연결하여 전해질 수용액에 넣고 전류를 흘려준다. 이때 전해질은 표면에 입힐 금속의 양이온이 들어 있는 전해질 수용액을 사용한다.

❓ 전기 도금과 금속의 제련에서는 백금 전극 대신 해당 금속을 사용하는 이유는 무엇일까?
전기 도금이나 금속의 제련에서는 (＋)극에서 해당 금속이 산화되어야 하므로 백금 전극이나 탄소 막대를 사용하지 않고, 해당 금속의 산화 반응이 일어나도록 한다.

(2) 은 도금

구분		화학 반응식
(＋)극	산화 반응	$Ag(s) \longrightarrow Ag^+(aq) + e^-$
(－)극	환원 반응	$Ag^+(aq) + e^- \longrightarrow Ag(s)$

① **(＋)극**: 은(Ag)이 은 이온(Ag^+)으로 산화되어 수용액 속에 녹아 들어간다.

② **(－)극**: Ag^+이 Ag으로 환원되어 도금할 물체의 표면에 도금된다.

③ **전해질❻**: 질산 은($AgNO_3$) 수용액, 다이사이아노은산 칼륨($KAg(CN)_2$) 수용액

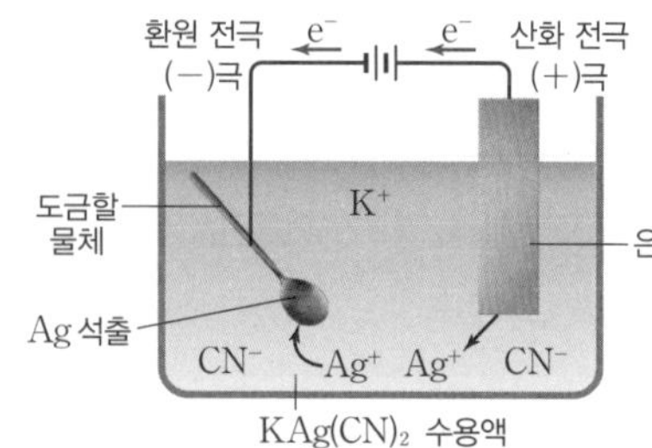

Ag^+이 들어 있는 전해질 수용액을 사용

❻ 은 도금에 사용하는 전해질
전기 도금에서 사용하는 전해질은 해당 양이온이 들어 있는 전해질 수용액을 사용하게 되는데, 은 도금의 경우 질산 은 수용액을 사용하면 표면에 은 이온이 환원될 때 거칠게 도금되어 빛의 난반사로 검게 보일 수 있다. 따라서 질산 은 수용액 대신 다이사이아노은산 칼륨 수용액을 사용하면 천천히 도금이 되면서 촘촘하게 은 이온이 환원된다.

2. 금속의 제련 전기 분해의 원리를 이용하여 불순물이 포함된 금속에서 순수한 금속을 얻는 기술

(1) 원리 (＋)극에는 불순물이 포함된 금속을, (－)극에는 순수한 금속판을 연결하여 전해질 수용액에 넣고 전류를 흘려준다. 이때 전해질은 제련할 금속과 같은 종류의 금속 양이온이 들어 있는 전해질 수용액을 사용한다.

(2) 구리의 제련

전극		화학 반응식
(+)극	산화 반응	$Cu(s) \longrightarrow Cu^{2+}(aq)+2e^-$
(−)극	환원 반응	$Cu^{2+}(aq)+2e^- \longrightarrow Cu(s)$

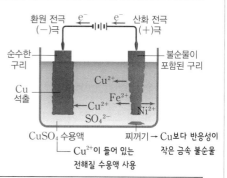

① (+)극: 구리(Cu)보다 반응성이 큰 불순물 금속과 Cu가 전자를 잃고 산화되어 수용액 속에 녹아 들어간다.
(Zn, Fe, Ni 등은 Cu보다 먼저 산화된다.)

② (−)극: 구리 이온(Cu^{2+})이 Cu로 환원되어 순수한 Cu로 석출된다.

③ 전해질: 황산 구리(Ⅱ)($CuSO_4$) 수용액

C 수소 연료 전지

|출·제·단·서| 수소와 산소를 반응시켜 전기 에너지를 얻는 장치인 수소 연료 전지의 화학 반응과 각 전극에서의 특징이 시험에 나와!

1. 수소 연료 전지❼ 수소를 연료로 하여 화학 에너지를 전기 에너지로 변환하는 화학 전지

(1) 원리

① 물에 탄소나 백금 전극을 넣고 전류를 흘려주면 (−)극 표면에는 수소(H_2) 기체가 모이고, (+)극 표면에는 산소(O_2) 기체가 모인다.

② 전원 장치를 떼고 두 전극을 •회로로 연결하면 H_2 기체는 (−)극에 전자를 내놓고 수소 이온(H^+)이 되어 물에 녹아 들어가고, O_2 기체는 (+)극으로부터 전자를 받아 주변의 H^+과 결합하여 물(H_2O) 분자가 되며❽, 이때 •방출되는 열에너지가 전기 에너지로 전환된다.
(최종 생성물인 물이 생성될 때 열에너지를 방출한다.)

구분		화학 반응식	반응 모형
(−)극	산화 반응	$2H_2(g) \longrightarrow 4H^+(aq)+4e^-$ ➡ H_2 기체는 전자를 잃고 H^+이 되어 물에 녹아 들어간다.	(+)극, 4e⁻, 4e⁻, (−)극, 4e⁻, 2e⁻, 2e⁻, 4H⁺, 2H⁺, 2H⁺, 2H₂O, 산소, 수소
(+)극	환원 반응	$O_2(g)+4H^+(aq)+4e^- \longrightarrow 2H_2O(l)$ ➡ O_2 기체는 전자를 받아 주변의 H^+과 결합하여 H_2O 분자가 된다.	
전체 반응식		$2H_2(g)+O_2(g) \longrightarrow 2H_2O(l)$, $\Delta H=-571.6$ kJ	

(2) 구성 각 전극은 백금 촉매가 채워진 다공성 탄소 전극을 사용한다.

① (−)극에는 H_2 기체를 공급하고, (+)극에는 O_2 기체를 공급한다.

② 전해질: H^+을 이동시킬 수 있는 인산, 수산화 칼륨, 용융 탄산염, 고체 산화물, 고체 고분자 등의 고분자 전해질 막을 사용한다.
(O₂ 기체: 산화제로 작용)

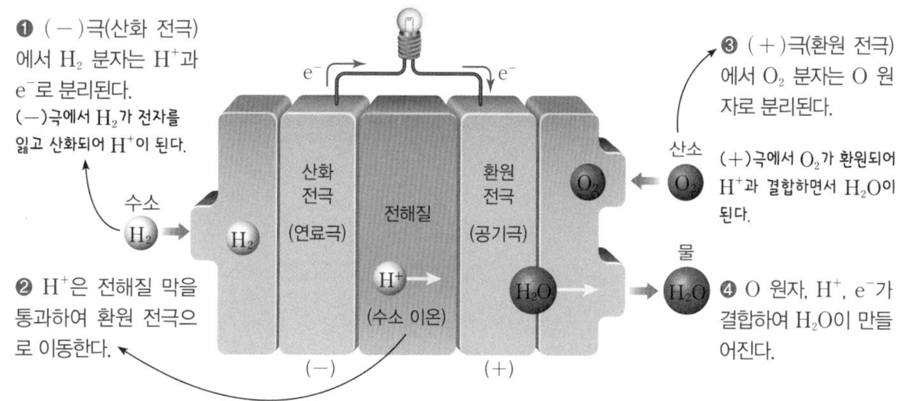

❓ 전기 도금과 금속의 제련에서 전해질 수용액 속 금속 양이온 수의 변화는?
전기 도금의 경우 양이온 수가 일정하지만, 금속의 제련의 경우 해당 금속 양이온 수가 반응이 진행됨에 따라 감소한다.

❼ 연료 전지
공급된 연료를 산화시켜 화학 에너지를 전기 에너지로 바꾸는 장치이다. 반응물이 외부에서 계속 공급되므로 지속적으로 작동한다.

❽ 수소 연료 전지의 생성물
수소 연료 전지는 물만 생성되므로 화석 연료의 사용과는 다르게 이산화 탄소 기체가 발생하지 않는다.

암기TiP
전지: (−)극 산화, (+)극 환원
전기 분해: (+)극 산화, (−)극 환원
전자 이동: 산화 전극 → 환원 전극

용어 알기
• 회로(돌다 回, 길 路) 전류가 흐르는 통로
• 방출(내놓다 放, 나가다 出) 에너지를 내보냄

2. 수소 연료 전지의 특징

(1) 장점

① 최종 생성물이 물이므로 환경오염을 거의 일으키지 않는다.

② 에너지 효율[9]이 40～60 % 정도로 매우 높다.

③ 반응 과정에서 발생하는 열까지 이용하면 효율을 80 %까지 높일 수 있다.

④ 전기를 생산할 때 소음이 거의 발생하지 않는다.

⑤ 일반 전지와는 달리 충전할 필요가 없으며 연료가 공급되는 한 계속해서 전기 에너지를 만들어 낼 수 있다.

(2) 단점

① 수소를 생산하는 데 비용이 많이 든다.

② 수소는 끓는점이 낮아 기체 상태로 존재하므로 저장하는 기술이 필요하다.

③ 수소 자체의 폭발 위험성이 있어 안전성 확보가 필요하다.

❾ 수소 연료 전지의 에너지 효율
수소의 연료 전지 반응에서는 연료의 연소 반응과는 달리 빛에너지로 전환되지 않고 직접 전기 에너지를 얻을 수 있어 에너지 효율이 매우 높다.

3. 수소 연료 전지의 수소를 얻는 방법

수소는 우주에서 가장 풍부한 원소이지만 화합물 형태로 존재하므로 분리 과정을 거쳐야 한다.

(1) 화석 연료와 수증기의 반응

① 메테인 등의 화석 연료와 뜨거운 수증기를 촉매 하에 반응시키면 수소를 얻을 수 있다.

② **화학 반응식:** $CH_4(g)+2H_2O(g) \xrightarrow{\text{촉매}} 4H_2(g)+CO_2(g)$

③ **문제점:** 화석 연료의 반응에 따라 많은 양의 이산화 탄소(CO_2) 기체가 방출되어 지구 온난화 등의 문제를 일으킨다.

(2) 물의 전기 분해 반응

① 물을 전기 분해하면 (－)극에서 수소를 얻을 수 있다.

② **화학 반응식:** $2H_2O(l) \longrightarrow 2H_2(g)+O_2(g)$

③ **문제점:** 물을 전기 분해하는 데 전기 에너지가 많이 소모되므로 비효율적이다.

(3) 물의 광분해 반응

① 식물의 광합성 과정에서 엽록소에 흡수된 빛에너지에 의해 물이 전자와 수소 이온, 산소 기체로 분해되는 반응으로, 인공적으로 이를 모방하여 태양광에서 수소를 얻을 수 있다.

② 광촉매[10]나 반도체성 광전극을 이용하여 태양 에너지를 통해 물을 분해시켜 환경오염 없이 수소를 얻는 방법이다.

❿ 광촉매
식물의 엽록소와 같은 역할을 하는 물질로 광촉매 전극에서 산화 반응이 일어난다.

구분		화학 반응식	특징
(＋)극	산화 반응	$2H_2O(l) \longrightarrow O_2(g)+4H^+(aq)+4e^-$	광촉매 전극에서 물이 전자를 내놓고 산소로 산화된다.
(－)극	환원 반응	$4H^+(aq)+4e^- \longrightarrow 2H_2(g)$	도선을 따라 백금 전극으로 이동한 전자는 수소 이온과 반응하며 수소 기체로 환원된다. 수소(H_2)를 얻을 수 있다.

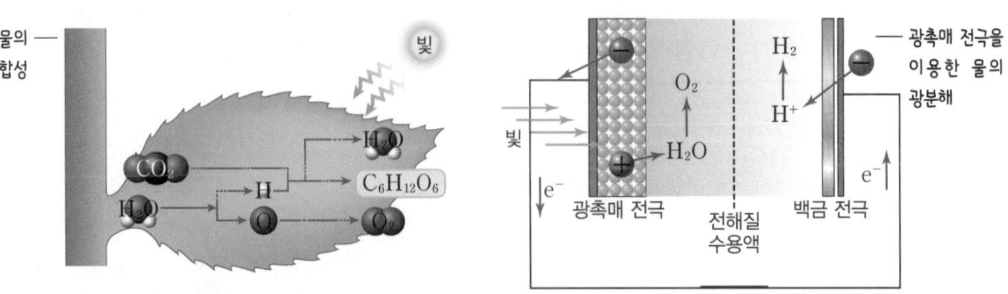

⊕ 수소 연료 전지 버스

⊕ 수소 충전소

4. 수소 연료 전지의 활용

(1) 운송 수단의 동력원 수소 연료 전지는 전기와 열을 동시에 생산할 수 있어 우주 왕복선, 자동차, 자전거, 선박 등의 •동력원으로 활용된다.

(2) 가정 및 산업용 발전 장치 수소 연료 전지는 에너지 효율이 높아 주택의 발전 및 난방, 산업의 대용량 발전 장치로 활용된다.

용어 알기

• 동력원(움직이다 動, 힘 力, 근원 源) 수력, 전력, 화력, 원자력, 풍력 따위와 같이 동력의 근원이 되는 에너지

수용액의 전기 분해

목표 염화 나트륨 수용액과 황산 구리(Ⅱ) 수용액의 전기 분해 원리를 설명할 수 있다.

유의점

- 전압 측정이 끝나면 비커에 금속을 넣고 잘 씻은 다음 완전히 건조 후 보관한다.
- 시약이 옷이나 피부에 묻지 않도록 주의한다.

과정

염화 나트륨 수용액의 전기 분해

❶ 염화 나트륨($NaCl$) 수용액을 비커 2개에 각각 넣은 후 염다리로 연결한다.

❷ 수용액이 담긴 두 비커에 탄소 막대를 꽂고 집게 전선을 이용하여 9 V 건전지에 연결한 후 각 전극에서 일어나는 변화를 관찰한다.

❸ (－)극 수용액에 BTB 용액을 1～2방울 떨어뜨린 후 색 변화를 관찰한다.

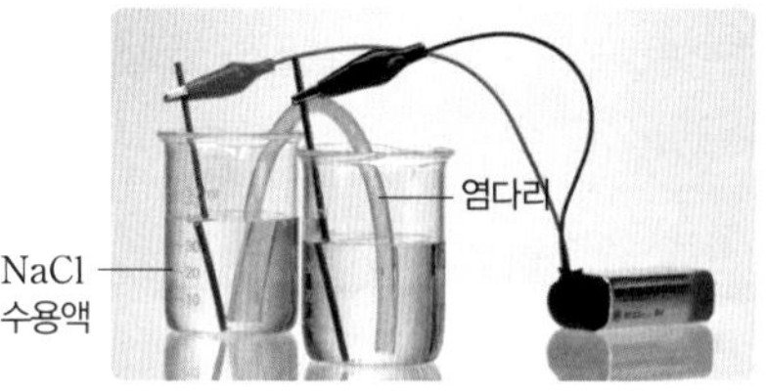

황산 구리(Ⅱ) 수용액의 전기 분해

❶ 황산 구리(Ⅱ)($CuSO_4$) 수용액을 비커 2개에 각각 넣은 후 염다리로 연결한다.

❷ 수용액이 담긴 두 비커에 탄소 막대를 꽂고 집게 전선을 이용하여 9 V 건전지에 연결한 후 각 전극에서 일어나는 변화를 관찰한다.

❸ (＋)극 수용액에 BTB 용액을 1～2방울 떨어뜨린 후 색 변화를 관찰한다.

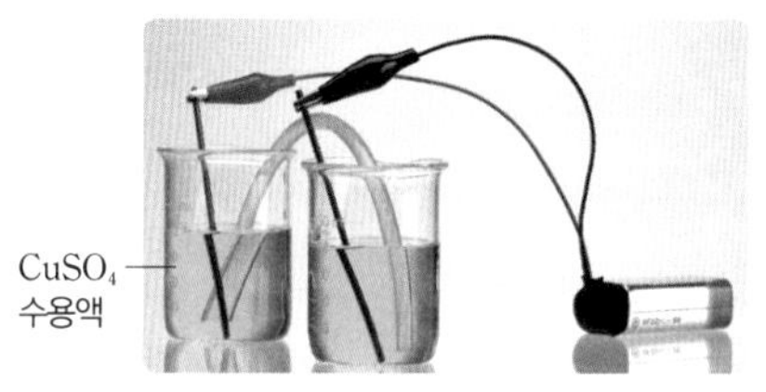

결과

(1) 염화 나트륨 수용액의 전기 분해

구분		각 전극에서의 변화	수용액의 색 변화
(＋)극	산화 반응	기체 발생	－
(－)극	환원 반응	기체 발생	초록색 → 파란색

(2) 황산 구리(Ⅱ) 수용액의 전기 분해

구분		각 전극에서의 변화	수용액의 색 변화
(＋)극	산화 반응	기체 발생	초록색 → 노란색
(－)극	환원 반응	금속 석출	－

정리 및 해석

반응	염화 나트륨($NaCl$) 수용액	황산 구리(Ⅱ)($CuSO_4$) 수용액
(＋)극 (산화)	$2Cl^-(aq) \longrightarrow Cl_2(g)+2e^-$ ➡ 염소 기체가 발생한다.	$2H_2O(l) \longrightarrow 4H^+(aq)+O_2(g)+4e^-$ (물이 SO_4^{2-}보다 산화되기 쉽다.) ➡ 수소 이온(H^+)이 생성되어 산성이 된다. BTB 용액의 색이 노란색으로 변한다.
(－)극 (환원)	$2H_2O(l)+2e^- \longrightarrow H_2(g)+2OH^-(aq)$ (물이 Na^+보다 환원되기 쉽다.) ➡ 수산화 이온(OH^-)이 생성되어 염기성이 된다. BTB 용액의 색이 파란색으로 변한다.	$2Cu^{2+}(aq)+4e^- \longrightarrow 2Cu(s)$ ➡ 구리 금속이 석출된다.

한·줄·핵심 수용액의 전기 분해에서는 전해질의 양이온과 음이온 대신 물의 산화 환원 반응이 일어나 산소 기체 및 수소 기체가 발생하고 해당 수용액의 액성이 변할 수 있다.

확인 문제

정답과 해설 113쪽

01 이 탐구 활동에서 $NaCl$ 수용액의 (－)극에서 나타난 BTB 용액의 색 변화는 무슨 이온 때문인지 쓰시오.

02 이 탐구 활동의 결과 $CuSO_4$ 수용액의 전기 분해 반응에서 (－)극 탄소 막대의 질량 변화를 쓰시오.

콕콕! 개념 확인하기

정답과 해설 113쪽

✓ 잠깐 확인!

1. □□ □□
전기 에너지를 이용하여 산화 환원 반응을 일으켜 물질을 분해하는 과정

2. 염화 나트륨 □□□의 전기 분해
(+)극에서는 염소 기체가, (−)극에서는 나트륨이 생성된다.

3. 전해질 수용액의 전기 분해
(+)극에서는 전해질의 음이온과 □ 분자 중 □□하기 쉬운 것이 먼저 반응한다.

4. □□ □□
전기 분해의 원리를 이용하여 금속의 표면에 얇은 금속 막을 입히는 기술

5. 금속의 □□
전기 분해의 원리를 이용하여 불순물이 포함된 금속에서 순수한 금속을 얻는 기술

6. □□ □□ □□
수소를 연료로 하여 화학 에너지를 전기 에너지로 변환하는 화학 전지

A 전기 분해

01 전기 분해에 대한 설명으로 옳은 것은 ○, 옳지 않은 것은 ×로 표시하시오.

(1) 전기 분해 반응은 산화 환원 반응을 이용하여 화학 에너지를 전기 에너지로 전환하는 과정이다. ( )

(2) 전해질 용융액을 전기 분해하면 (+)극에서는 전해질의 음이온이 전자를 얻고 환원된다. ( )

(3) 염화 나트륨 용융액을 전기 분해하면 (−)극에서 나트륨이 생성된다. ( )

(4) 전해질 수용액을 전기 분해하면 (−)극에서는 모두 금속이 석출된다. ( )

02 수용액을 전기 분해할 때 각 극에서 생성되는 물질을 옳게 연결하시오.

(1) 염화 나트륨($NaCl$) 수용액 (+)극 • • ㉠ 구리($Cu(s)$)

(2) 황산 구리(Ⅱ)($CuSO_4$) 수용액 (−)극 • • ㉡ 산소 기체($O_2(g)$)

(3) 질산 은($AgNO_3$) 수용액 (+)극 • • ㉢ 염소 기체($Cl_2(g)$)

B 전기 분해의 응용

03 전기 도금과 금속의 제련에 대한 설명으로 옳은 것은 ○, 옳지 않은 것은 ×로 표시하시오.

(1) 전기 도금을 할 경우 물체의 표면에 입히려는 금속은 (−)극에, 도금할 물체는 (+)극에 연결하여 전해질 수용액에 넣고 전류를 흘려준다. ( )

(2) 금속의 제련 시 불순물을 포함하는 금속은 (+)극에, 순수한 금속은 (−)극에 각각 연결하여 산화 환원 반응이 일어나도록 한다. ( )

(3) 전기 도금과 금속의 제련 과정은 모두 반응이 일어나는 동안 전해질을 구성하는 양이온의 종류와 수가 일정하다. ( )

C 수소 연료 전지

04 다음은 수소 연료 전지에 대한 설명이다. ㉠~㉣에 들어갈 알맞은 말을 쓰시오.

> 수소 연료 전지의 산화 전극에 있는 백금 촉매가 수소 분자를 (㉠)과 (㉡)로 분리하게 되고, 수소 이온은 전해질 막을 통과하여 환원 전극으로 이동한다. 이때 환원 전극에서 백금 촉매가 (㉢) 분자를 원자로 분리한 후 수소 이온, 전자가 결합하면서 (㉣)이 생성된다.

탄탄! 내신 다지기

정답과 해설 113쪽

A 전기 분해

01 전해질 용융액을 전기 분해하는 과정에 대한 설명으로 옳지 않은 것은?

① (－)극은 환원 전극이다.
② (＋)극에서는 전해질의 음이온이 산화된다.
③ (－)극에서는 전해질의 양이온이 전자를 얻는다.
④ $CuCl_2$ 용융액을 전기 분해하면 (－)극에서 구리가 석출된다.
⑤ 반응이 진행됨에 따라 전해질 용융액의 농도가 점점 증가한다.

02 염화 구리(Ⅱ)($CuCl_2$) 용융액의 전기 분해를 설명한 것으로 옳은 것만을 〈보기〉에서 있는 대로 고른 것은?

보기
ㄱ. (＋)극에서 염소 기체가 발생한다.
ㄴ. (－)극에서 수소 기체가 발생한다.
ㄷ. 전기 분해가 진행되는 동안 용융액의 총 이온 수는 감소한다.

① ㄱ ② ㄴ ③ ㄱ, ㄷ
④ ㄴ, ㄷ ⑤ ㄱ, ㄴ, ㄷ

03 그림은 전해질 수용액의 전기 분해 장치를 나타낸 것이다.

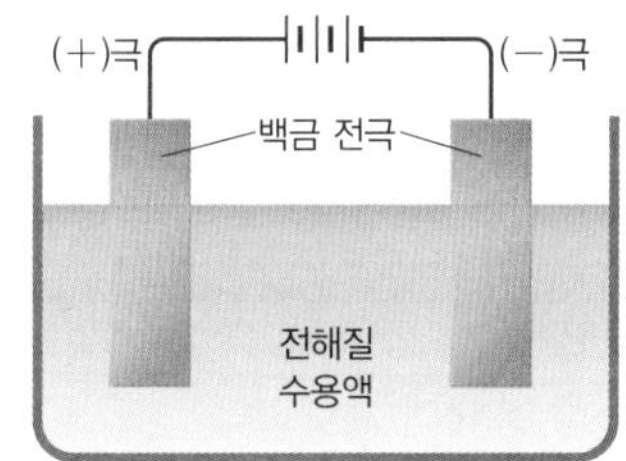

(－)극의 pH가 일정한 수용액으로 옳은 것은?

① $CuSO_4(aq)$ ② $KCl(aq)$
③ $MgCl_2(aq)$ ④ $K_2SO_4(aq)$
⑤ $NaNO_3(aq)$

04 그림은 염화 나트륨(NaCl) 수용액의 전기 분해 장치의 모습이다.

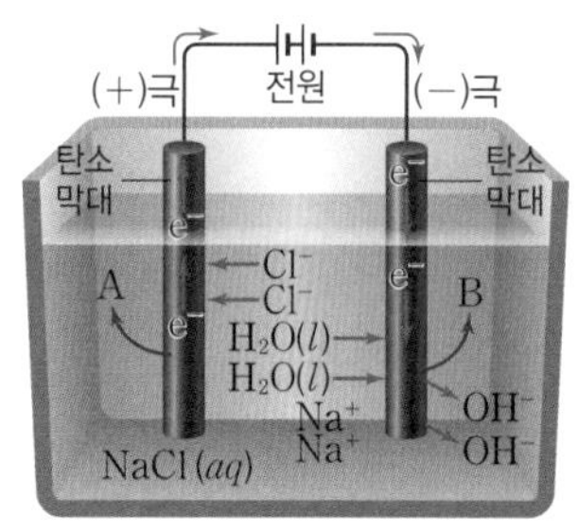

㉠~㉢에 들어갈 알맞은 말로 옳게 짝 지은 것은?

> (＋)극에서 생성되는 A는 (㉠)이고, (－)극에서 생성되는 B는 (㉡)이다. 이때 (－)극 주변의 pH는 (㉢)한다.

	㉠	㉡	㉢
①	염소 기체	나트륨	증가
②	염소 기체	수소 기체	증가
③	염소 기체	수소 기체	감소
④	산소 기체	나트륨	증가
⑤	산소 기체	수소 기체	감소

05 그림은 염화 구리(Ⅱ)($CuCl_2$) 수용액의 전기 분해 장치를 나타낸 것이다.

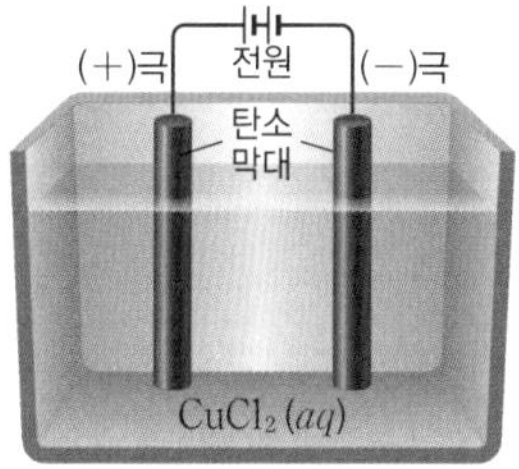

이에 대한 설명으로 옳은 것만을 〈보기〉에서 있는 대로 고른 것은?

보기
ㄱ. (＋)극에서는 염화 이온이 전자를 잃는다.
ㄴ. (－)극의 질량은 증가한다.
ㄷ. $CuCl_2$ 수용액의 농도가 감소한다.

① ㄱ ② ㄷ ③ ㄱ, ㄴ
④ ㄴ, ㄷ ⑤ ㄱ, ㄴ, ㄷ

06 그림은 염화 나트륨(NaCl) 수용액을 전기 분해하는 장치를 나타낸 것이다.

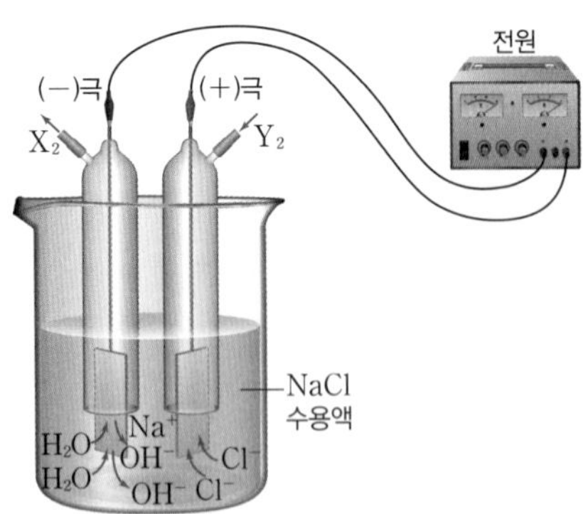

이에 대한 설명으로 옳은 것만을 〈보기〉에서 있는 대로 고른 것은? (단, X와 Y는 임의의 원소 기호이다.)

보기
ㄱ. X_2는 H_2이다.
ㄴ. 전자는 (−)극에서 (+)극으로 흐른다.
ㄷ. 산화 전극에서는 물이 전자를 잃는다.

① ㄱ ② ㄷ ③ ㄱ, ㄴ
④ ㄴ, ㄷ ⑤ ㄱ, ㄴ, ㄷ

07 그림은 황산 나트륨(Na_2SO_4)을 녹인 수용액을 이용하여 물을 전기 분해시키는 모습을 나타낸 것이다.

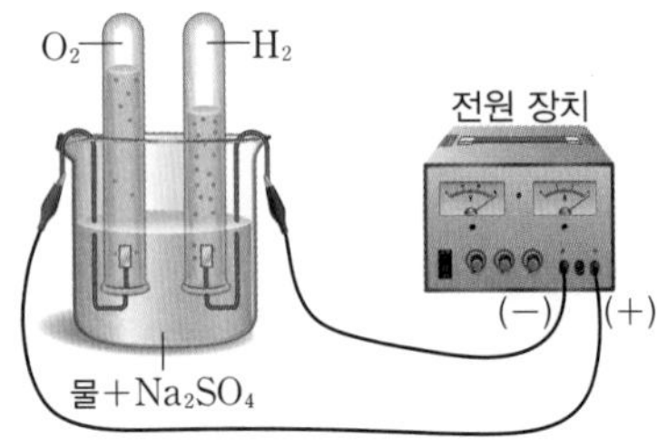

이에 대한 설명으로 옳은 것만을 〈보기〉에서 있는 대로 고른 것은?

보기
ㄱ. 수소 기체가 발생하는 전극은 산화 전극이다.
ㄴ. 수소 기체와 산소 기체는 2 : 1의 부피비로 생성된다.
ㄷ. 황산 나트륨 수용액 대신 황산 구리(Ⅱ) 수용액으로 실험해도 같은 결과가 얻어진다.

① ㄱ ② ㄴ ③ ㄱ, ㄷ
④ ㄴ, ㄷ ⑤ ㄱ, ㄴ, ㄷ

B 전기 분해의 응용

08 그림은 전기 도금 장치에 구리 열쇠와 은판을 연결하고 전류를 흘려주는 모습을 나타낸 것이다.

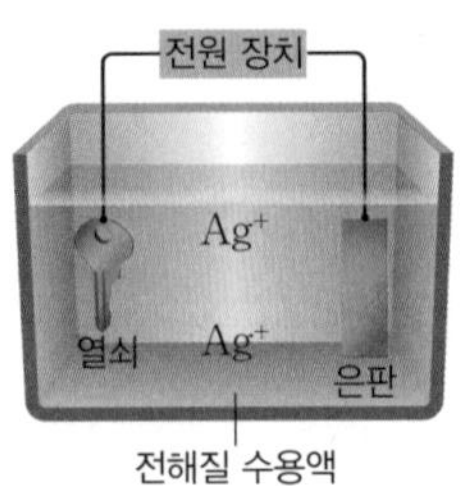

이에 대한 설명으로 옳은 것만을 〈보기〉에서 있는 대로 고른 것은?

보기
ㄱ. 구리 열쇠는 (−)극에 연결한다.
ㄴ. 은판에서는 산화 반응이 일어난다.
ㄷ. 전해질 수용액에는 구리 이온이 들어 있다.

① ㄱ ② ㄷ ③ ㄱ, ㄴ
④ ㄴ, ㄷ ⑤ ㄱ, ㄴ, ㄷ

09 그림은 니켈 이온(Ni^{2+})이 들어 있는 수용액을 이용하여 니켈(Ni) 도금을 하는 모습을 나타낸 것이다.

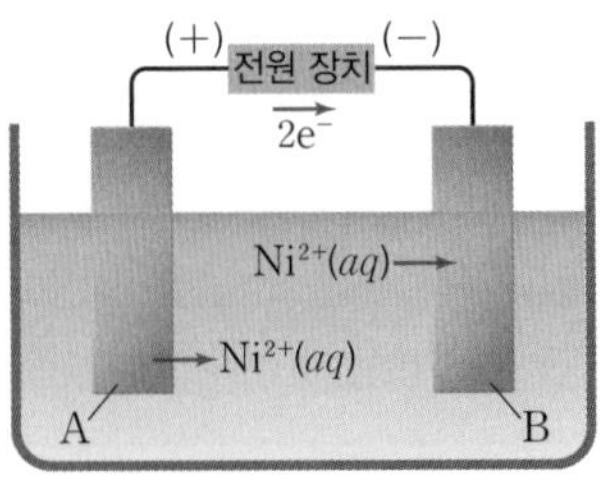

이에 대한 설명으로 옳은 것만을 〈보기〉에서 있는 대로 고른 것은? (단, A와 B는 임의의 금속 원소이다.)

보기
ㄱ. A는 Ni이다.
ㄴ. B는 도금할 물체에 해당한다.
ㄷ. (+)극에서는 산화 반응이, (−)극에서는 환원 반응이 일어난다.

① ㄱ ② ㄴ ③ ㄱ, ㄷ
④ ㄴ, ㄷ ⑤ ㄱ, ㄴ, ㄷ

정답과 해설 113쪽

10 그림은 불순물 금속이 포함된 구리로부터 순수한 구리를 얻는 제련 과정을 나타낸 것이다.

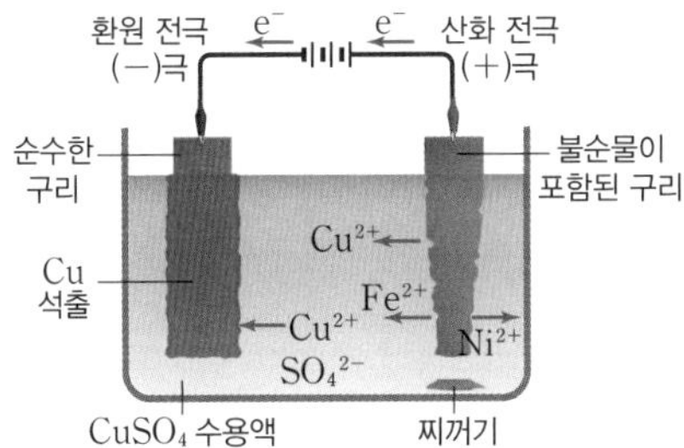

이에 대한 설명으로 옳은 것만을 〈보기〉에서 있는 대로 고른 것은? (단, 전원 장치를 연결하기 전 수용액 속에는 구리 이온(Cu^{2+})만 존재한다.)

보기
ㄱ. 구리보다 반응성이 작은 금속은 찌꺼기로 얻어진다.
ㄴ. 구리보다 반응성이 큰 불순물 금속은 구리보다 먼저 산화된다.
ㄷ. (−)극에서는 구리보다 반응성이 작은 금속 이온이 환원된다.

① ㄱ ② ㄴ ③ ㄱ, ㄴ
④ ㄴ, ㄷ ⑤ ㄱ, ㄴ, ㄷ

C 수소 연료 전지

11 그림은 수소 연료 전지의 구조를 나타낸 것이다.

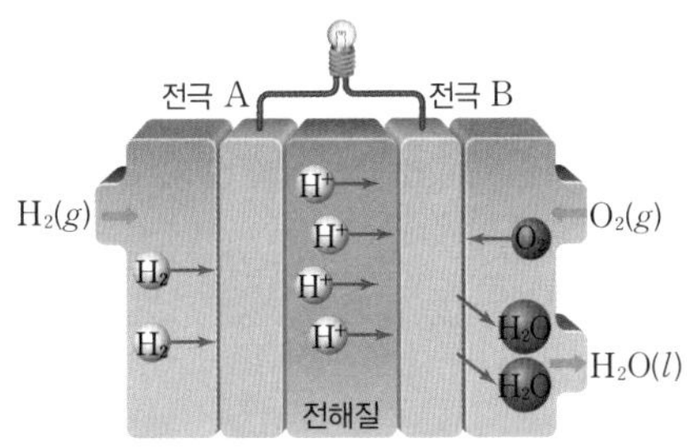

이에 대한 설명으로 옳은 것만을 〈보기〉에서 있는 대로 고른 것은?

보기
ㄱ. 전극 A에서의 화학 반응은
$2H_2(g) \longrightarrow 4H^+(aq)+4e^-$이다.
ㄴ. 전극 B는 (+)극이다.
ㄷ. 전해질을 통해 수소 이온이 (−)극으로 이동한다.

① ㄱ ② ㄷ ③ ㄱ, ㄴ
④ ㄴ, ㄷ ⑤ ㄱ, ㄴ, ㄷ

12 그림은 수소 연료 전지의 반응 원리를 모형으로 나타낸 것이다.

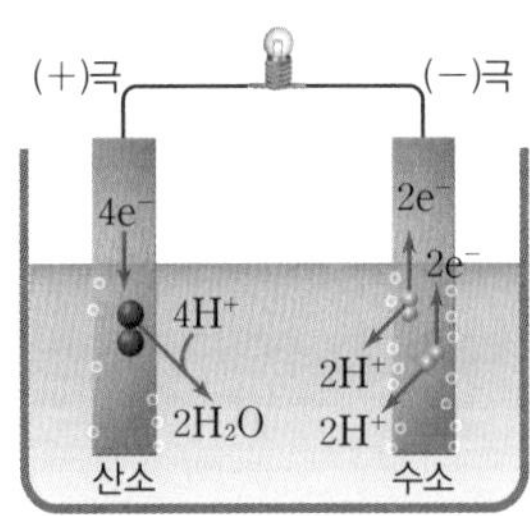

이에 대한 설명으로 옳은 것만을 〈보기〉에서 있는 대로 고른 것은?

보기
ㄱ. (+)극에서는 환원 반응이 일어난다.
ㄴ. 전자는 (+)극에서 (−)극으로 이동한다.
ㄷ. 반응이 진행됨에 따라 수용액의 pH는 증가한다.

① ㄱ ② ㄷ ③ ㄱ, ㄴ
④ ㄴ, ㄷ ⑤ ㄱ, ㄴ, ㄷ

13 수소 연료 전지에 대한 설명으로 옳은 것은?

① 여러 번 충전하여 사용할 수 있다.
② 화석 연료에 비해 에너지 효율이 낮다.
③ 폭발 위험성이 있어 안전성 확보가 필요하다.
④ 전기 에너지를 화학 에너지로 변환하는 화학 전지이다.
⑤ 최종 생성물이 수소이므로 환경오염 물질을 배출하지 않는다.

단답형

14 다음은 수소 연료 전지의 연료인 수소를 얻는 방법에 대한 설명이다. ㉠~㉢에 들어갈 알맞은 말을 쓰시오.

- 화석 연료와 수증기의 반응에 의해 생성되지만, 많은 양의 (㉠)를 배출할 수 있어 지구 온난화의 문제를 일으킬 수 있다.
- 물을 (㉡)하면 얻을 수 있지만 전기 에너지가 많이 소모되어 비효율적이다.
- 식물의 (㉢)에서 엽록소에 흡수된 빛에 의해 물이 분해되는 과정을 인공적으로 모방하여 얻을 수 있다.

도전! 실력 올리기

출제예감

01 그림은 전기 분해 장치이고, 표는 25 ℃에서 1.0 M ACl_2 수용액과 BSO_4 수용액을 전기 분해하였을 때, 각 전극에서의 생성 물질과 전극 주위의 pH 변화를 일부 나타낸 것이다.

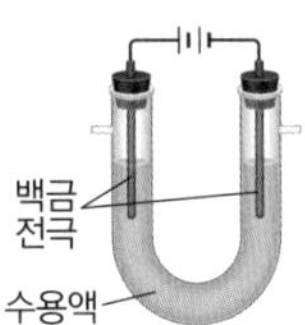

수용액	(+)극		(−)극	
	생성 물질	pH 변화	생성 물질	pH 변화
ACl_2	Cl_2		(가)	일정
BSO_4	(나)	감소	H_2	(다)

이에 대한 설명으로 옳은 것만을 〈보기〉에서 있는 대로 고른 것은? (단, A와 B는 임의의 원소 기호이다.)

보기
ㄱ. (가)에서는 H_2가 발생한다.
ㄴ. (나)에서는 B가 석출된다.
ㄷ. (다)에서는 pH가 증가한다.

① ㄱ ② ㄷ ③ ㄱ, ㄴ
④ ㄴ, ㄷ ⑤ ㄱ, ㄴ, ㄷ

02 그림은 황산 구리(Ⅱ)($CuSO_4$) 수용액과 염화 구리(Ⅱ)($CuCl_2$) 수용액의 전기 분해 장치를 각각 나타낸 것이다.

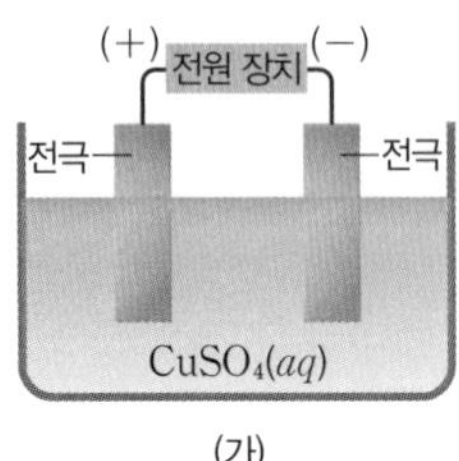

(가)

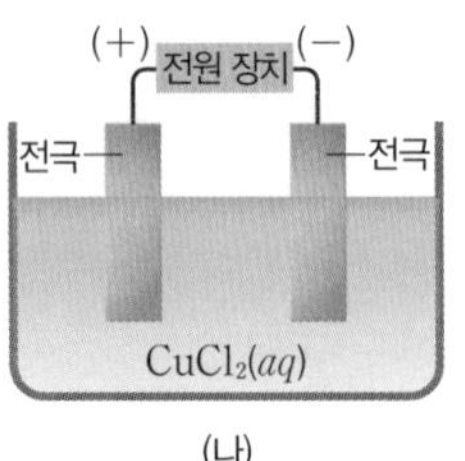

(나)

(가)와 (나)에서 일어나는 공통점으로 옳은 것만을 〈보기〉에서 있는 대로 고른 것은? (단, (+)극에서 생성되는 물질은 모두 물과 반응하지 않는다.)

보기
ㄱ. (+)극에서 생성되는 물질
ㄴ. (−)극에서 생성되는 물질
ㄷ. (−)극에서 생성되는 양이온의 종류

① ㄱ ② ㄴ ③ ㄱ, ㄷ
④ ㄴ, ㄷ ⑤ ㄱ, ㄴ, ㄷ

03 그림은 백금 전극을 이용하여 두 수용액을 전기 분해하는 장치를 나타낸 것이다.

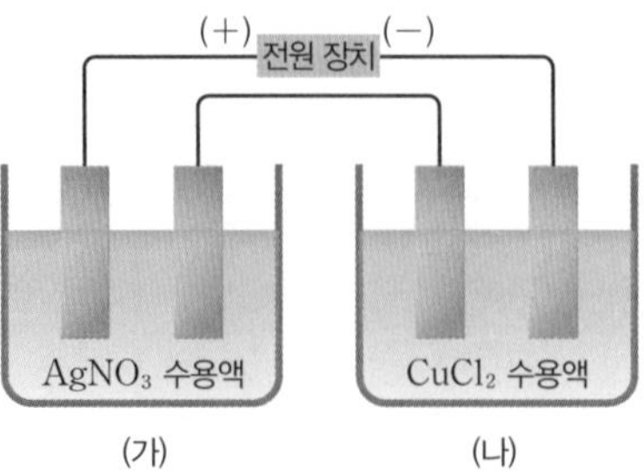

(가) (나)

(나)의 (+)극에서 1몰의 기체가 발생할 때, 이에 대한 설명으로 옳은 것만을 〈보기〉에서 있는 대로 고른 것은?

보기
ㄱ. (가)의 (+)극 주변 용액의 pH는 감소한다.
ㄴ. (나)의 (−)극에서 생성되는 물질의 양은 1몰이다.
ㄷ. (가)와 (나)의 (+)극에서 생성되는 기체의 종류는 같다.

① ㄱ ② ㄷ ③ ㄱ, ㄴ
④ ㄴ, ㄷ ⑤ ㄱ, ㄴ, ㄷ

04 그림은 일정한 온도에서 백금 전극을 사용하여 XSO_4 수용액과 YCl 수용액을 전기 분해하는 장치를 나타낸 것이다.

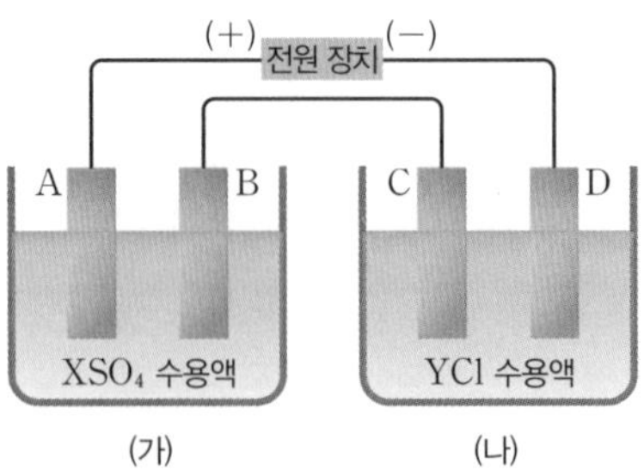

(가) (나)

전류를 흘려주었을 때 전극 B에서는 금속이 석출되었고, 전극 D에서는 기체가 발생되었다면, 이에 대한 설명으로 옳은 것만을 〈보기〉에서 있는 대로 고른 것은? (단, X와 Y는 임의의 금속 원소이다.)

보기
ㄱ. 전극 A에서는 O_2 기체가 발생한다.
ㄴ. 전극 C에서는 Y가 석출된다.
ㄷ. 금속의 반응성은 X가 Y보다 크다.

① ㄱ ② ㄷ ③ ㄱ, ㄴ
④ ㄴ, ㄷ ⑤ ㄱ, ㄴ, ㄷ

정답과 해설 115쪽

05 그림은 25 ℃에서 불순물 X, Y가 포함된 구리에서 순수한 구리를 얻는 전기 분해 장치를 나타낸 것이다.

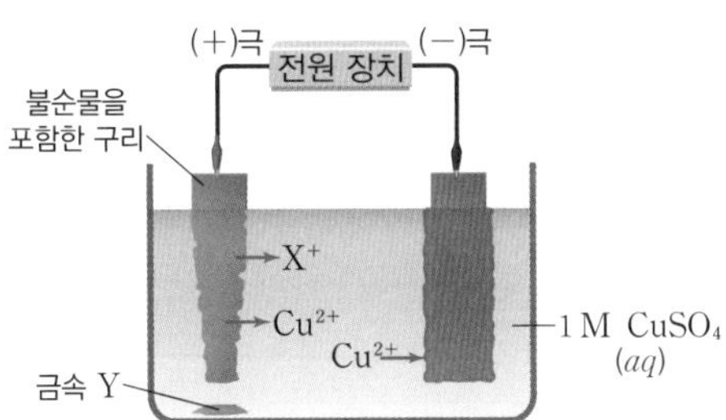

이에 대한 설명으로 옳은 것만을 〈보기〉에서 있는 대로 고른 것은? (단, X와 Y는 임의의 원소 기호이며, 물과 음이온은 반응에 참여하지 않는다.)

보기
ㄱ. 금속의 반응성은 X가 Cu보다 크다.
ㄴ. 금속 Y 이온이 담긴 수용액에 X를 넣으면 Y 이온이 환원된다.
ㄷ. 수용액 속 Cu^{2+}의 농도는 반응 전에 비해 감소한다.

① ㄴ ② ㄷ ③ ㄱ, ㄴ
④ ㄴ, ㄷ ⑤ ㄱ, ㄴ, ㄷ

출제예감

06 그림은 수소 연료 전지의 구조를 모식적으로 나타낸 것이다.

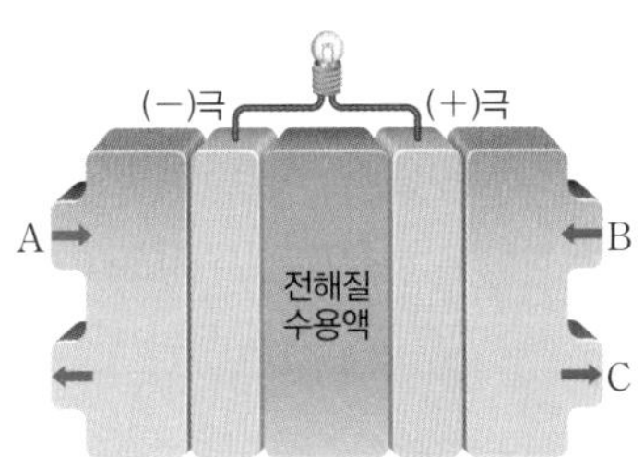

이에 대한 설명으로 옳은 것만을 〈보기〉에서 있는 대로 고른 것은? (단, A~C는 수소 연료 전지의 반응물 또는 생성물 중 하나이다.)

보기
ㄱ. A와 B는 전해질 수용액에서 2 : 1로 반응한다.
ㄴ. B는 전해질을 통해 이동해 온 이온과 전자와 반응하여 C를 생성한다.
ㄷ. 생성물 C는 지구 온난화의 환경 문제를 일으킨다.

① ㄱ ② ㄷ ③ ㄱ, ㄴ
④ ㄴ, ㄷ ⑤ ㄱ, ㄴ, ㄷ

서술형

07 다음은 25 ℃, 1기압에서 어떤 금속 M의 염화물(MCl)의 용융액과 수용액의 전기 분해 장치의 모습 및 표준 환원 전위를 나타낸 것이다.

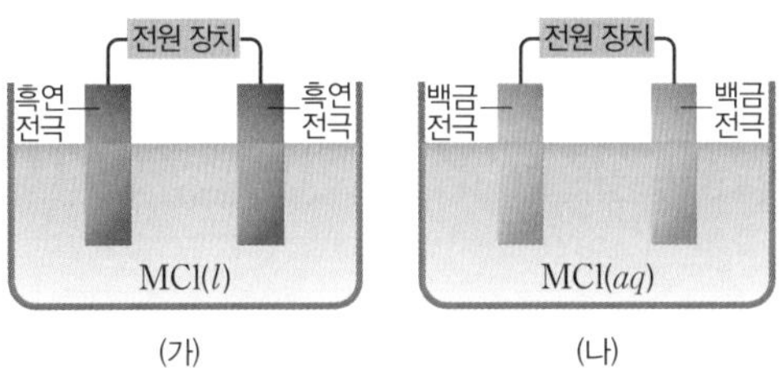

- $M^+(aq)+e^- \longrightarrow M(s)$ $E° = -2.71$ V
- $2H_2O(l)+2e^- \longrightarrow H_2(g)+2OH^-(aq)$ $E° = -0.83$ V
- $Cl_2(g)+2e^- \longrightarrow 2Cl^-(aq)$ $E° = +1.36$ V

(가)와 (나)의 (−)극에서 생성되는 물질을 각각 쓰고, 그렇게 판단한 까닭을 표준 환원 전위를 언급하여 서술하시오.

서술형

08 그림은 철(Fe)과 은(Ag)이 불순물로 포함된 구리(Cu)를 제련하는 모습을 나타낸 것이다. (단, 표준 환원 전위($E°$)의 크기는 Ag>Cu>Fe 순이다.)

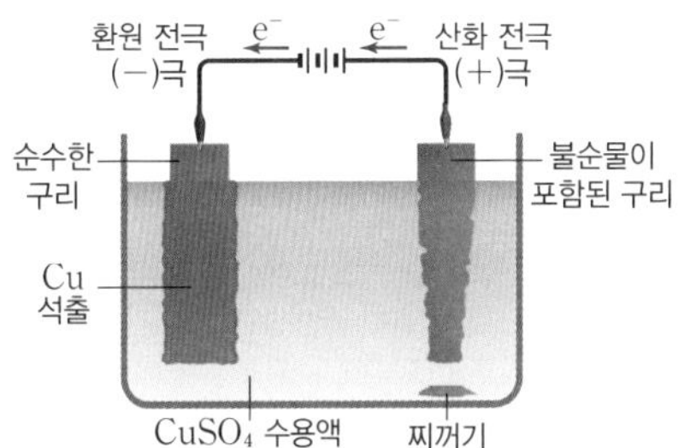

(1) 전원 장치를 연결했을 때 찌꺼기로 바닥에 쌓이는 금속은 무엇인지 쓰시오.

(2) 전원 장치를 연결하여 반응이 진행될 때, 수용액 속 구리 이온(Cu^{2+}) 수의 변화를 반응 초기와 비교하여 서술하고, 그렇게 판단한 까닭을 서술하시오.

화학 전지와 표준 환원 전위($E°$)

대표 유형

출제 의도

반쪽 반응의 표준 환원 전위로부터 화학 전지의 형성 원리를 추론하는 문제이다.

이것이 함정

각 반쪽 전지의 표준 환원 전위를 비교하여 산화 반응과 환원 반응이 일어나는 화학 종을 찾아야 한다.

그림은 25 ℃, 1기압에서 어떤 화학 전지를 나타낸 것이고, 자료는 4가지 반쪽 반응에 대한 25 ℃에서의 표준 환원 전위($E°$)이다.

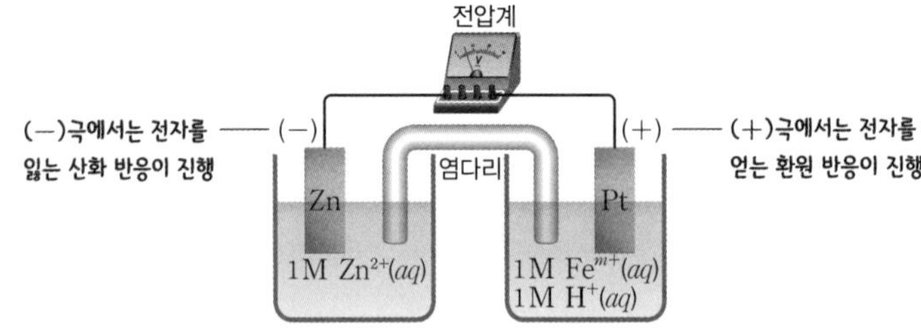

- $Zn^{2+}(aq)+2e^- \longrightarrow Zn(s)$ $E°=-0.76$ V
- $Fe^{2+}(aq)+2e^- \longrightarrow Fe(s)$ $E°=-0.45$ V
- $2H^+(aq)+2e^- \longrightarrow H_2(g)$ $E°=0$ V
- $Fe^{3+}(aq)+e^- \longrightarrow Fe^{2+}(aq)$ $E°=+0.77$ V

$E°$가 클수록 환원되기 쉽고, $E°$가 작을수록 산화되기 쉬움

이에 대한 설명으로 옳은 것만을 <보기>에서 있는 대로 고른 것은? (단, X, Y는 임의의 원소 기호이다.)

보기

ㄱ. (−)극에서 산화 반응이 일어난다.
4가지 반응 중 Zn의 $E°$가 가장 작으므로 (−)극에서는 Zn의 산화 반응이 일어난다.

ㄴ. $m=2$일 때, 표준 전지 전위($E°_{전지}$)는 +0.31 V이다.
$m=2$일 때, (+)극에서는 $E°$가 큰 H^+이 환원된다. 따라서 $E°_{전지}$는 +0.76 V이다.

ㄷ. $m=3$일때, 반응이 진행되면 $\dfrac{(+)\text{극에서 } [Fe^{3+}]}{(-)\text{극에서 } [Zn^{2+}]}<1$이다.
$m=3$일 때, (+)극에서는 $E°$가 큰 Fe^{3+}이 환원되고 Zn은 산화되므로 Fe^{3+}의 수는 감소하고, Zn^{2+}의 수는 증가하게 된다.

① ㄱ　② ㄴ　③ ㄱ, ㄷ　④ ㄴ, ㄷ　⑤ ㄱ, ㄴ, ㄷ

그림과 자료에서 단서 찾기

그림과 자료를 통해 (−)극과 (+)극 반쪽 전지의 화학종을 찾는다.
>>> (+)극의 화학종은 2가지이므로 표준 환원 전위($E°$)를 비교하여 환원 반응의 반쪽 전지를 찾는다.
>>> $m=2$ 또는 3일 때, Fe^{m+}과 H^+의 반쪽 반응에 대한 $E°$를 비교하여 더 큰 값을 갖는 환원 반응을 결정한다.
>>> 표준 전지 전위($E°_{전지}$)는 환원 전극의 반쪽 전지에 대한 $E°$에서 산화 전극의 반쪽 전지에 대한 $E°$를 뺀 값으로 구한다.

추가 선택지

- $m=2$일 때, (+)극의 질량은 증가한다. (×)
  → $m=2$일 때, (+)극에서는 수소 기체가 생성되므로 (+)극의 질량은 변하지 않는다.
- $m=3$일 때, 반응 후 전체 양이온의 수는 증가한다. (○)
  → $m=3$일 때, $3Zn+2Fe^{3+} \longrightarrow 3Zn^{2+}+2Fe$의 반응에 의해 전체 양이온의 수는 증가한다.

실전! 수능 도전하기

정답과 해설 116쪽

01 다음은 금속 A와 B의 반응성을 알아보기 위한 실험이다.

(가) 금속 A를 묽은 염산에 넣었더니 기체가 발생하였다.
(나) 금속 A를 질산 은 수용액에 넣었더니 수용액의 밀도가 감소하였다.
(다) 금속 B를 A 이온 수용액에 넣었더니 수용액 속 양이온 수가 감소하였다.

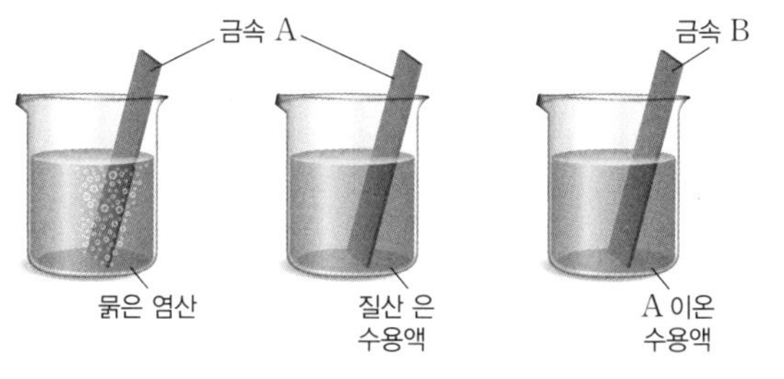

이에 대한 설명으로 옳은 것만을 ⟨보기⟩에서 있는 대로 고른 것은? (단, A, B는 임의의 원소 기호이고, 금속 A의 이온의 전하는 +2이다.)

보기
ㄱ. (가)와 (나)에서 반응 후 용액 속 $\frac{\text{양이온 수}}{\text{음이온 수}}$는 증가한다.
ㄴ. 이온의 전하는 B가 A보다 크다.
ㄷ. (가)에서 금속 A 대신 B를 넣으면 같은 종류의 기체가 발생한다.

① ㄱ ② ㄴ ③ ㄱ, ㄷ ④ ㄴ, ㄷ ⑤ ㄱ, ㄴ, ㄷ

02 그림은 쇠못을 질산 은($AgNO_3$) 수용액에 넣었을 때의 반응을 나타낸 것이다.

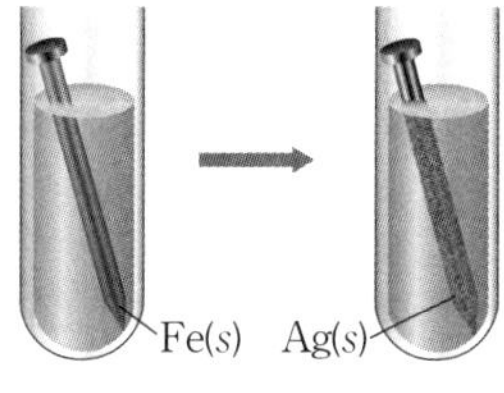

이에 대한 설명으로 옳은 것만을 ⟨보기⟩에서 있는 대로 고른 것은? (단, 원자량은 Ag이 Fe보다 크고, Fe은 Fe^{2+}으로 이온화한다.)

보기
ㄱ. 전자는 Ag에서 Fe로 이동한다.
ㄴ. 수용액 속 양이온의 수는 증가한다.
ㄷ. 쇠못의 질량은 반응 전에 비해 반응 후 증가한다.

① ㄱ ② ㄷ ③ ㄱ, ㄴ ④ ㄴ, ㄷ ⑤ ㄱ, ㄴ, ㄷ

03 그림은 금속 A와 B를 사용한 화학 전지를 나타낸 것이고, 자료는 이와 관련된 반쪽 반응에 대한 표준 환원 전위($E°$)이다.

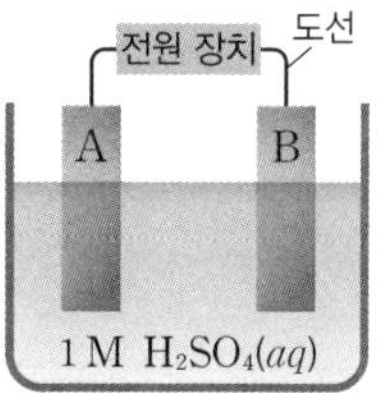

- $A^{2+}(aq)+2e^- \longrightarrow A(s)$ $E°=-0.76$ V
- $B^{+}(aq)+e^- \longrightarrow B(s)$ $E°=+0.80$ V

25 ℃에서 이에 대한 설명으로 옳은 것만을 ⟨보기⟩에서 있는 대로 고른 것은? (단, A, B는 임의의 원소 기호이다.)

보기
ㄱ. A는 산화 전극이다.
ㄴ. 표준 전지 전위($E°_{전지}$)는 +1.56 V이다.
ㄷ. 전지에서 반응이 진행됨에 따라 pH는 증가한다.

① ㄱ ② ㄴ ③ ㄱ, ㄷ ④ ㄴ, ㄷ ⑤ ㄱ, ㄴ, ㄷ

수능 기출

04 그림은 화학 전지를 나타낸 것이고, 자료는 이 전지와 관련된 3가지 금속의 반쪽 반응에 대한 표준 환원 전위($E°$)이다.

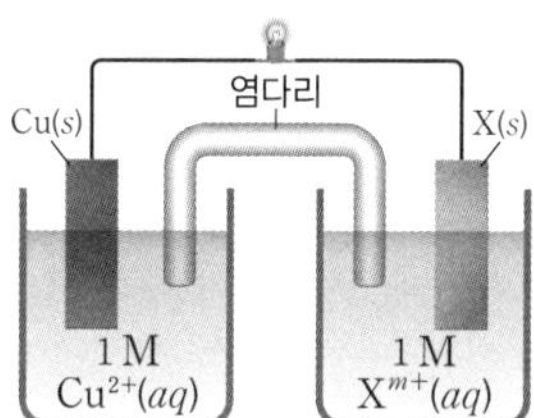

- $A^{+}(aq)+e^- \longrightarrow A(s)$ $E°=+0.80$ V
- $B^{2+}(aq)+2e^- \longrightarrow B(s)$ $E°=-0.76$ V
- $Cu^{2+}(aq)+2e^- \longrightarrow Cu(s)$ $E°=+0.34$ V

25 ℃에서 이에 대한 설명으로 옳은 것만을 ⟨보기⟩에서 있는 대로 고른 것은? (단, A, B는 임의의 원소 기호이고, A^+, B^{2+}, Cu^{2+} 이외의 양이온은 고려하지 않는다. 물의 증발은 무시하고, 음이온은 반응하지 않는다.)

보기
ㄱ. X가 A인 전지의 반응이 진행되면 $[A^+]$는 감소한다.
ㄴ. X가 B인 전지의 반응이 진행되면 전자는 Cu(s)에서 B(s)로 이동한다.
ㄷ. 전지의 표준 전지 전위($E°_{전지}$)는 X가 A일 때가 B일 때보다 크다.

① ㄱ ② ㄴ ③ ㄱ, ㄷ ④ ㄴ, ㄷ ⑤ ㄱ, ㄴ, ㄷ

실전! 수능 도전하기

05 그림은 철(Fe)을 전극으로 사용한 화학 전지를, 자료는 표준 환원 전위를 나타낸 것이다.

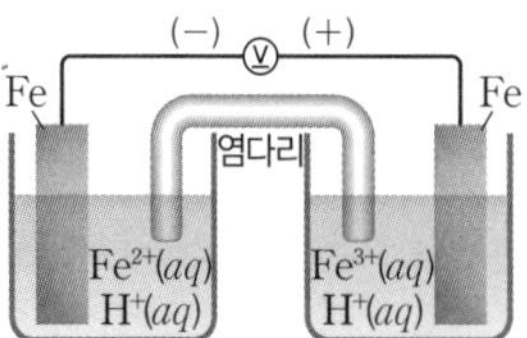

- $Fe^{2+}(aq)+2e^- \longrightarrow Fe(s)$ $E°=-0.45$ V
- $Fe^{3+}(aq)+e^- \longrightarrow Fe^{2+}(aq)$ $E°=+0.77$ V

25 ℃에서 이에 대한 설명으로 옳은 것만을 ⟨보기⟩에서 있는 대로 고른 것은?

보기
ㄱ. (−)극에서 Fe의 질량은 감소한다.
ㄴ. (+)극에서 환원되는 이온은 H^+이다.
ㄷ. 전지의 표준 전지 전위($E°_{전지}$)는 +1.98 V이다.

① ㄱ ② ㄴ ③ ㄱ, ㄴ ④ ㄱ, ㄷ ⑤ ㄴ, ㄷ

수능 기출

06 다음은 25 ℃에서 금속 A와 관련된 표준 환원 전위($E°$)와 금속 B와 관련된 표준 전지 전위($E°_{전지}$)를 나타낸 것이다.

- $A^{2+}(aq)+2e^- \longrightarrow A(s)$ $E°=+0.34$ V
- $B(s)+2H^+(aq) \longrightarrow B^{2+}(aq)+H_2(g)$ $E°_{전지}=+0.76$ V

그림은 25 ℃, 표준 상태에서 금속 A와 C를 사용한 화학 전지 (가)를 나타낸 것이다.
25 ℃, 표준 상태에서 이에 대한 설명으로 옳은 것만을 ⟨보기⟩에서 있는 대로 고른 것은? (단, A~C는 임의의 원소 기호이다.)

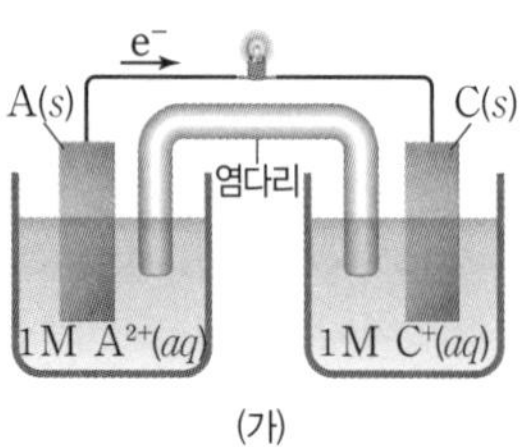

(가)

보기
ㄱ. $A(s)+B^{2+}(aq) \longrightarrow A^{2+}(aq)+B(s)$ 반응은 자발적으로 일어난다.
ㄴ. (가)에서 A(s)는 산화된다.
ㄷ. $B(s)+2C^+(aq) \longrightarrow B^{2+}(aq)+2C(s)$ 반응의 $E°_{전지}$는 +1.10 V보다 작다.

① ㄱ ② ㄴ ③ ㄱ, ㄷ ④ ㄴ, ㄷ ⑤ ㄱ, ㄴ, ㄷ

07 그림은 25 ℃에서 아연(Zn)과 백금(Pt)을 전극으로 사용한 화학 전지를 나타낸 것이고, 자료는 이 전지와 관련된 3가지 금속의 반쪽 반응에 대한 표준 환원 전위($E°$)이다.

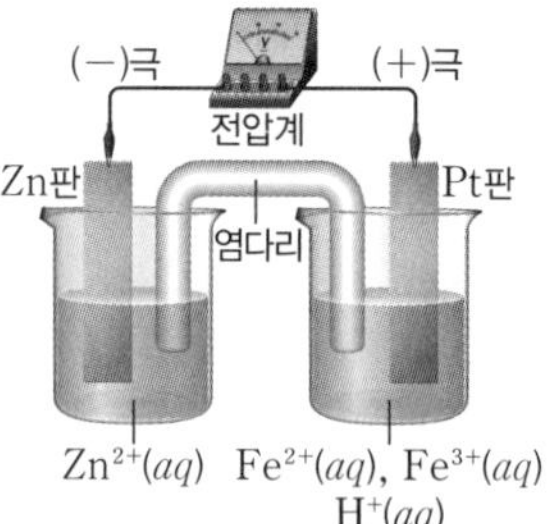

- $Zn^{2+}(aq)+2e^- \longrightarrow Zn(s)$ $E°=-0.76$ V
- $Fe^{3+}(aq)+e^- \longrightarrow Fe^{2+}(aq)$ $E°=+0.77$ V
- $Fe^{2+}(aq)+2e^- \longrightarrow Fe(s)$ $E°=-0.45$ V

이에 대한 설명으로 옳은 것만을 ⟨보기⟩에서 있는 대로 고른 것은?

보기
ㄱ. Zn은 산화되고 Fe^{2+}은 환원된다.
ㄴ. 전자는 염다리를 통해 이동한다.
ㄷ. (+)극에서의 반쪽 반응은 $Fe^{3+}(aq)+e^- \longrightarrow Fe^{2+}(aq)$이다.

① ㄱ ② ㄷ ③ ㄱ, ㄴ ④ ㄴ, ㄷ ⑤ ㄱ, ㄴ, ㄷ

08 25 ℃, 1기압에서 그림과 같이 염화 나트륨(NaCl) 수용액을 전기 분해하기 위한 장치를 하고, (−)극이 연결된 용기에 BTB 용액을 떨어뜨렸더니 용액이 푸르게 변했다.

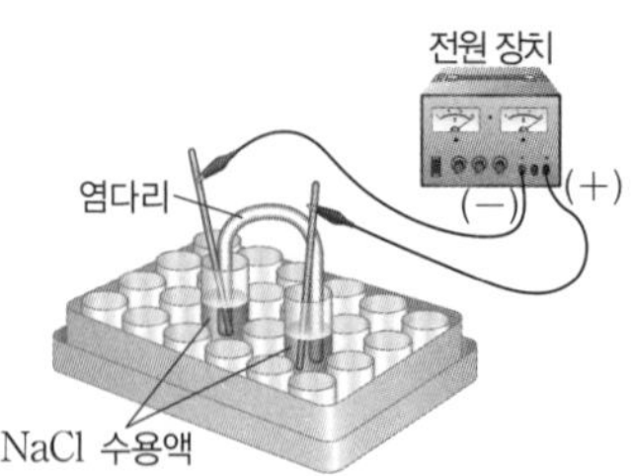

이에 대한 설명으로 옳은 것만을 ⟨보기⟩에서 있는 대로 고른 것은?

보기
ㄱ. (−)극에서는 수소 기체가 발생한다.
ㄴ. (+)극에서는 물이 환원된다.
ㄷ. (−)극과 (+)극에서 발생하는 기체의 몰수는 같다.

① ㄱ ② ㄴ ③ ㄱ, ㄷ ④ ㄴ, ㄷ ⑤ ㄱ, ㄴ, ㄷ

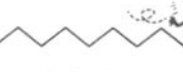

수능 기출

09 그림 (가)와 (나)는 $CuSO_4$ 수용액과 $CuCl_2$ 수용액을 각각 전기 분해하는 장치와 각 전극에서 일어나는 반응의 화학 반응식을 나타낸 것이다.

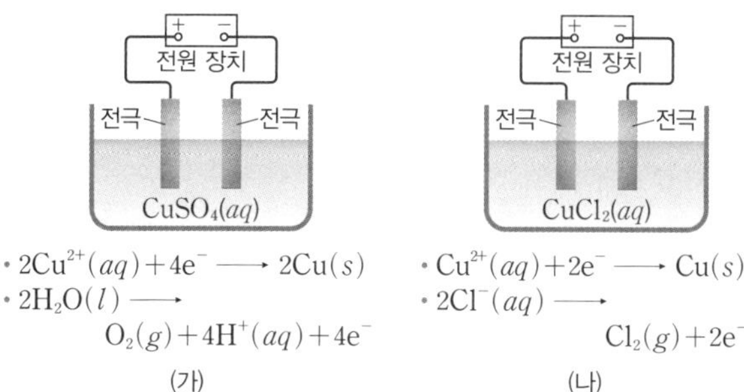

(가)	(나)
• $2Cu^{2+}(aq)+4e^- \longrightarrow 2Cu(s)$	• $Cu^{2+}(aq)+2e^- \longrightarrow Cu(s)$
• $2H_2O(l) \longrightarrow O_2(g)+4H^+(aq)+4e^-$	• $2Cl^-(aq) \longrightarrow Cl_2(g)+2e^-$

(가)와 (나)에 일정량의 전류를 t초 동안 흘려주었더니 각각 0.5몰의 구리가 석출되었을 때, 이에 대한 설명으로 옳은 것만을 〈보기〉에서 있는 대로 고른 것은? (단, 온도와 압력은 일정하다.)

보기
ㄱ. 발생한 기체의 몰수는 Cl_2가 O_2의 2배이다.
ㄴ. (가)에서 수용액의 pH가 감소하였다.
ㄷ. (가)와 (나)에서 이동한 전자의 몰수는 0.5몰이다.

① ㄱ ② ㄷ ③ ㄱ, ㄴ
④ ㄱ, ㄷ ⑤ ㄴ, ㄷ

10 그림 (가)와 (나)는 어떤 금속 M의 염화물(MCl)의 용융액과 수용액을 전기 분해하는 장치를 나타낸 것이다. 전류를 흘려주었더니 (가)와 (나)에서 (−)극에서는 다른 물질이, (+)극에서는 같은 기체가 생성되었다.

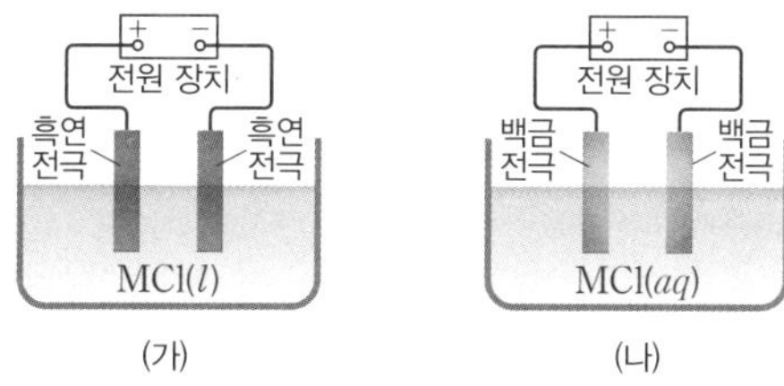

이에 대한 설명으로 옳은 것만을 〈보기〉에서 있는 대로 고른 것은?

보기
ㄱ. (+)극에서 생성되는 기체는 Cl_2이다.
ㄴ. H_2O이 M^+보다 환원되기 쉽다.
ㄷ. (+)극에서 1몰의 기체가 생성될 때 (−)극에서 생성되는 물질의 몰수는 (나)가 (가)의 2배이다.

① ㄱ ② ㄷ ③ ㄱ, ㄴ
④ ㄴ, ㄷ ⑤ ㄱ, ㄴ, ㄷ

11 다음은 25 ℃에서 불순물 X, Y가 포함된 구리에서 순수한 구리를 얻는 전기 분해 장치와 이와 관련된 반쪽 반응의 표준 환원 전위($E°$)이다.

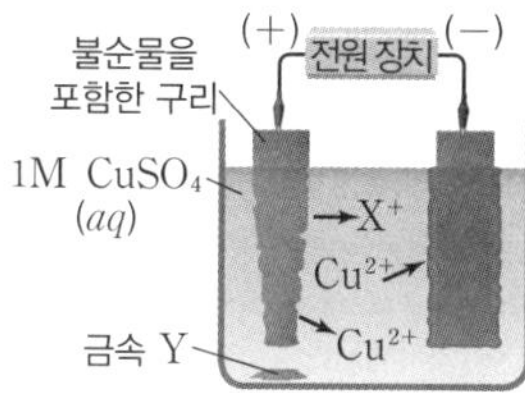

• $Cu^{2+}(aq)+2e^- \longrightarrow Cu(s)$ $E°=+0.34$ V
• $X^+(aq)+e^- \longrightarrow X(s)$ $E°=x$ V

이에 대한 설명으로 옳은 것만을 〈보기〉에서 있는 대로 고른 것은? (단, X와 Y는 임의의 원소 기호이고, 물과 음이온은 반응에 참여하지 않는다.)

보기
ㄱ. $x<+0.34$이다.
ㄴ. Cu 조각을 Y 이온이 녹아 있는 수용액에 넣으면 금속 Y가 석출된다.
ㄷ. 금속 Y를 X 이온이 녹아 있는 수용액에 넣으면 금속 X가 석출된다.

① ㄱ ② ㄴ ③ ㄱ, ㄴ
④ ㄱ, ㄷ ⑤ ㄴ, ㄷ

12 다음은 25 ℃, 1기압에서 수소 연료 전지의 구조와 이와 관련된 반쪽 반응의 표준 환원 전위($E°$)를 나타낸 것이다.

반쪽 반응	$E°$(V)
$O_2(g)+2H_2O(l)+4e^- \longrightarrow 4OH^-(aq)$	+0.40
$2H_2O(l)+2e^- \longrightarrow H_2(g)+2OH^-(aq)$	−0.83
$K^+(aq)+e^- \longrightarrow K(s)$	−2.93

이에 대한 설명으로 옳은 것만을 〈보기〉에서 있는 대로 고른 것은?

보기
ㄱ. 전자는 (가)에서 (나)로 이동한다.
ㄴ. 이 전지의 표준 전지 전위($E°_{전지}$)는 +1.23 V이다.
ㄷ. 25 ℃, 1기압에서 이 전지의 화학 반응식은 $2H_2(g)+O_2(g) \longrightarrow 2H_2O(l)$이다.

① ㄱ ② ㄴ ③ ㄱ, ㄷ
④ ㄴ, ㄷ ⑤ ㄱ, ㄴ, ㄷ

한눈에 보는

대단원 정리

1 전기 화학의 원리와 수소 연료 전지

01 화학 전지의 원리

1. 산화와 환원 반응의 동시성

산화	• 어떤 물질이 산소를 얻거나, 전자를 잃는 반응 • 산화수가 증가하는 반응
환원	• 어떤 물질이 산소를 잃거나, 전자를 얻는 반응 • 산화수가 감소하는 반응
동시성	산화 반응과 환원 반응은 항상 동시에 일어난다.

2. 금속의 반응성

정의	금속이 전자를 잃고 산화되어 양이온이 되려는 경향
금속과 산의 반응	① 수소보다 반응성이 큰 금속: 금속이 산과 반응하여 수소 기체를 발생한다. ➡ 금속은 전자를 잃고 산화되고, 산 수용액의 수소 이온은 환원된다.
	② 수소보다 반응성이 작은 금속: 산화 환원 반응이 일어나지 않는다.
	(아연 조각, H_2, 묽은 염산) [아연(Zn)의 산화] $Zn(s) \longrightarrow Zn^{2+}(aq)+2e^-$ [수소 이온(H^+)의 환원] $2H^+(aq)+2e^- \longrightarrow H_2(g)$
금속과 금속 이온의 반응	① 이온화 경향이 큰 금속을 이온화 경향이 작은 금속 양이온 속에 넣을 때의 반응: 이온화 경향이 큰 금속은 전자를 잃고 수용액 속 이온으로 나오고, 이온화 경향이 작은 금속은 전자를 얻어 금속으로 석출된다. ➡ 이온화 경향이 큰 금속은 전자를 잃어 산화되고, 작은 금속은 전자를 얻어 환원된다.
	② 이온화 경향이 작은 금속을 이온화 경향이 큰 금속 양이온 속에 넣을 때의 반응: 이온화 경향이 큰 금속은 이미 양이온으로 존재하므로 산화 환원 반응이 일어나지 않는다.
	(아연, 황산 구리 수용액) [아연(Zn)의 산화] $Zn(s) \longrightarrow Zn^{2+}(aq)+2e^-$ [구리 이온(Cu^{2+})의 환원] $Cu^{2+}(aq)+2e^- \longrightarrow Cu(s)$

3. 화학 전지

원리	산화 환원 반응을 이용하여 물질이 가진 화학 에너지를 전기 에너지로 바꾸는 장치		
구성	전극	(−)극	(+)극
		산화 전극	환원 전극
	금속	반응성이 큰 금속	반응성이 작은 금속
	반응	전자를 잃는 산화 반응	전자를 얻는 환원 반응
	전자의 이동	(−)극 ⟶ (+)극	
	전류의 흐름	(−)극 ⟵ (+)극	

4. 볼타 전지

원리	아연(Zn)판과 구리(Cu)판을 묽은 황산(H_2SO_4)에 담그고 도선으로 연결한 화학 전지	
전극	(−)극	(+)극
	산화 전극	환원 전극
화학 반응식	$Zn(s) \longrightarrow Zn^{2+}(aq)+2e^-$	$2H^+(aq)+2e^- \longrightarrow H_2(g)$
전체 반응식	$Zn(s)+2H^+(aq) \longrightarrow Zn^{2+}(aq)+H_2(g)$	
특징	분극 현상: (+)극인 Cu판을 수소 기체가 둘러싸서 용액 속 수소 이온이 전자를 받는 반응이 어려워 볼타 전지의 전압이 급격히 떨어지는 현상	

5. 다니엘 전지

원리	아연(Zn)판과 구리(Cu)판을 각각 황산 아연($ZnSO_4$) 수용액과 황산 구리(Ⅱ)($CuSO_4$) 수용액에 담그고 도선으로 연결하여 만든 다음 두 수용액을 염다리로 연결한 화학 전지	
전극	(−)극	(+)극
	산화 전극	환원 전극
화학 반응식	$Zn(s) \longrightarrow Zn^{2+}(aq)+2e^-$	$Cu^{2+}(aq)+2e^- \longrightarrow Cu(s)$
전체 반응식	$Zn(s)+Cu^{2+}(aq) \longrightarrow Zn^{2+}(aq)+Cu(s)$	
특징	• 반쪽 전지: 각 전극에서 구성하는 금속과 그 금속의 양이온이 녹아 있는 수용액 • 염다리: 다니엘 전지에서 전류가 흐르는 동안 염다리를 구성하는 전해질의 음이온은 (−)극 쪽으로 이동하게 되고, 전해질의 양이온은 (+)극 쪽으로 이동하게 되어 양쪽 반쪽 전지의 전하 균형을 맞춰 주는 역할	

1 전기 화학의 원리와 수소 연료 전지

02 실용 전지와 전지 전위

1. 실용 전지

종류	1차 전지	2차 전지
정의	한 번 사용하면 외부에서 전류를 흘려주어도 재생되지 않는 전지(비가역 전지)	충전이 가능한 전지로 충전하여 재사용할 수 있는 전지(가역 전지)
예	망가니즈 건전지, 알칼리 건전지, 수은 전지 등	납축전지, 리튬 이온 전지, 니켈-카드뮴 전지 등

2. 표준 수소 전극

구성	25 ℃에서 H^+의 농도가 1 M인 수용액에 백금 전극을 꽂고, 그 주변에 1기압의 수소(H_2) 기체를 채워 놓은 구조
화학 반응	$2H^+(aq, 1\,M, 25\,℃)+2e^- \longrightarrow H_2(g, 1\,atm)$, $E°=0.00\,V$ ➡ 표준 수소 전극의 전위는 0.00 V로 모든 표준 환원 전위의 기준이 된다.
이용	산화 환원 반응은 동시에 일어나므로 어느 한쪽 전지만 분리하여 전위를 측정할 수 없기 때문에 반쪽 전지의 전위는 표준 수소 전극을 기준으로 한 상댓값으로 결정한다.

3. 표준 환원 전위($E°$)

정의	표준 수소 전극과 연결하여 측정한 반쪽 전지의 전위를 환원 반응의 형태로 나타낸 전위
구성	25 ℃, 1기압에서 전해질의 농도가 1 M인 어떤 반쪽 전지를 (+)극으로 하고, 표준 수소 전극을 (−)극으로 연결하여 만든 전지에서 얻어지는 전지의 기전력을 그 반쪽 전지의 표준 환원 전위라 한다.
해석	• $E°>0$: 수소보다 환원되기 쉽다. • $E°<0$: 수소보다 환원되기 어렵다. • $E°$가 클수록 환원되기 쉬우므로 전지의 (+)극이 된다. • 금속의 이온화 경향(반응성)이 클수록 산화되기 쉬우므로 $E°$는 작다.

4. 표준 전지 전위($E°_{전지}$)

정의	화학 반응에서 두 반쪽 전지의 전극 전위값의 차이로, 반쪽 전지의 종류, 전해질 수용액의 농도, 온도 등에 따라 달라진다.
구성	25 ℃, 1기압에서 전해질의 농도가 1 M, 기체의 압력이 1기압일 때 두 반쪽 전지를 연결한 화학 전지의 전위
해석	표준 전지 전위($E°_{전지}$) $=E°_{환원\ 전극}-E°_{산화\ 전극}$ $=E°_{(+)극}-E°_{(-)극}$ $=$큰 값의 $E°-$작은 값의 $E°$

03 전기 분해의 원리

1. 전기 분해

원리	산화 환원 반응을 이용하여 전기 에너지를 화학 에너지로 바꾸어 물질을 분해하는 과정으로 외부에서 직류 전류를 흘려주면, 용액 속의 양이온은 (−)극으로, 음이온은 (+)극으로 이동하며 각각 산화 환원 반응을 통해 전극에서 물질이 생성된다.	
전극	(+)극	(−)극
	산화 전극	환원 전극
화학 반응식	음이온 ⟶ 원소$+e^-$	양이온$+e^-$ ⟶ 원소

2. 전해질 용융액의 전기 분해

원리	용융액에는 전해질의 양이온과 음이온만 존재하므로 음이온은 (+)극으로 이동하여 전자를 잃고, 양이온은 (−)극으로 이동하여 전자를 얻는다.	
전극	(+)극	(−)극
	산화 전극	환원 전극
예시 ($NaCl(l)$)	$2Cl^-(l) \longrightarrow Cl_2(g)+2e^-$	$2Na^+(l)+2e^- \longrightarrow 2Na(l)$

3. 전해질 수용액의 전기 분해

원리	수용액에는 전해질의 양이온과 음이온 외에도 물이 존재하므로 이온의 종류에 따라 각 전극에서 생성되는 물질이 달라진다.	
전극	(+)극	(−)극
	산화 전극	환원 전극
반응	전해질의 음이온과 물 분자 중 전자를 잃기 쉬운 화학종이 먼저 산화된다.	전해질의 양이온과 물 분자 중 전자를 얻기 쉬운 화학종이 먼저 환원된다.
	① 물 분자가 산화되는 경우: 전해질의 음이온이 SO_4^{2-}, CO_3^{2-}, NO_3^-, PO_4^{3-} 등인 경우 ➡ $2H_2O(l) \longrightarrow 4H^+(aq)+O_2(g)+4e^-$	① 물 분자가 환원되는 경우: 전해질의 양이온이 K^+, Ca^{2+}, Na^+, Ba^{2+}, Al^{3+} 등인 경우 ➡ $4H_2O(l)+4e^- \longrightarrow 2H_2(g)+4OH^-(aq)$
	② 전해질 음이온이 산화되는 경우: 음이온은 전자를 잃고 산화되어 성분 물질로 생성된다.	② 전해질 양이온이 환원되는 경우: 양이온은 전자를 얻고 환원되어 성분 물질로 생성된다.
예시 ($NaCl(aq)$)	$2Cl^-(aq) \longrightarrow Cl_2(g)+2e^-$	$4H_2O(l)+4e^- \longrightarrow 2H_2(g)+4OH^-(aq)$

한번에 끝내는
대단원 문제

정답과 해설 118쪽

01 표는 금속 A~D의 반응성에 대한 실험 결과의 일부이다.

수용액 \ 금속	A	B	C	D
묽은 염산		수소 발생	수소 발생	변화 없음
A 이온		A 석출		(가)
B 이온			(나)	(다)
C 이온	(라)			

이에 대한 설명으로 옳은 것만을 〈보기〉에서 있는 대로 고른 것은? (단, A~D는 임의의 원소 기호이다.)

보기
ㄱ. (다)에서는 금속 B가 석출된다.
ㄴ. 금속 C를 D 이온이 녹아 있는 수용액에 넣으면 금속이 석출된다.
ㄷ. 실험 (나), (라)의 결과만을 통해 금속 A~D의 반응성 순서를 알 수 있다.

① ㄱ ② ㄴ ③ ㄱ, ㄴ
④ ㄴ, ㄷ ⑤ ㄱ, ㄴ, ㄷ

02 그림은 XNO_3 수용액에 금속 Y를 넣어 반응시킨 후, 충분한 양의 금속 Z를 넣어 반응시켰을 때 수용액 속에 존재하는 금속 양이온만을 모형으로 나타낸 것이다. 용액 (나)에는 금속 Z가 남아 있다.

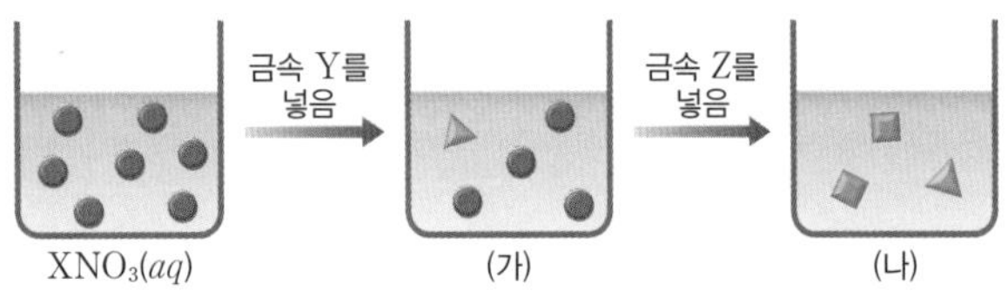

이에 대한 설명으로 옳은 것을 〈보기〉에서 있는 대로 고른 것은? (단, X~Z는 임의의 원소 기호이다.)

보기
ㄱ. 양이온의 전하는 Y 이온이 가장 크다.
ㄴ. (나)에 금속 Y를 넣어도 Y 이온이 생성되지 않는다.
ㄷ. Z 이온이 있는 수용액에 X를 넣으면 금속 Z가 석출된다.

① ㄱ ② ㄴ ③ ㄱ, ㄴ
④ ㄴ, ㄷ ⑤ ㄱ, ㄴ, ㄷ

03 그림은 산화 은 전지의 구조를 나타낸 것이고, 표는 25 ℃에서 전지와 관련된 반쪽 반응의 표준 환원 전위($E°$)이다.

반쪽 반응	$E°$(V)
$Zn(OH)_2(s)+2e^- \longrightarrow Zn(s)+2OH^-(aq)$	−1.25
$Ag_2O(s)+H_2O(l)+2e^- \longrightarrow 2Ag(s)+2OH^-(aq)$	+0.35

이에 대한 설명으로 옳은 것만을 〈보기〉에서 있는 대로 고른 것은?

보기
ㄱ. 아연은 환원 전극이다.
ㄴ. 전지의 표준 전지 전위($E°_{전지}$)는 +1.60 V이다.
ㄷ. 반응이 진행됨에 따라 수산화 이온(OH^-)의 농도는 증가한다.

① ㄱ ② ㄴ ③ ㄱ, ㄴ
④ ㄱ, ㄷ ⑤ ㄴ, ㄷ

04 그림과 같이 거름종이 위에 올려놓은 금속 주위에 그 금속의 이온이 들어 있는 수용액을 1~2방울씩 떨어뜨리고, 거름종이 가운데 부분에 황산 나트륨 수용액을 떨어뜨렸다. 표는 25 ℃에서 4가지 금속의 반쪽 반응과 표준 환원 전위이다.

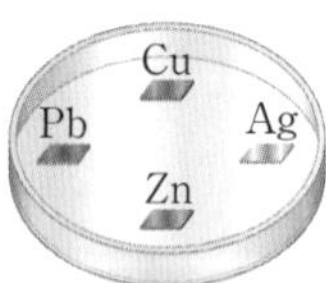

반쪽 반응	표준 환원 전위(V)
$Zn^{2+}+2e^- \longrightarrow Zn$	−0.76
$Pb^{2+}+2e^- \longrightarrow Pb$	−0.13
$Cu^{2+}+2e^- \longrightarrow Cu$	+0.34
$Ag^{+}+e^- \longrightarrow Ag$	+0.80

이에 대한 설명으로 옳은 것만을 〈보기〉에서 있는 대로 고른 것은?

보기
ㄱ. Pb−Cu 금속으로 전압을 측정할 때 산화 전극은 Pb이다.
ㄴ. Zn−Cu 금속으로 전압을 측정할 때 표준 전지 전위는 +1.10 V이다.
ㄷ. 두 금속 사이의 전압을 측정할 때 가장 큰 전압을 나타내는 금속은 Zn−Ag이다.

① ㄱ ② ㄴ ③ ㄱ, ㄴ
④ ㄱ, ㄷ ⑤ ㄱ, ㄴ, ㄷ

05 그림은 25 ℃에서 금속 A와 B를 전극으로 사용한 화학 전지를 나타낸 것이고, 표는 이 전지와 관련된 반쪽 반응의 표준 환원 전위($E°$)이다.

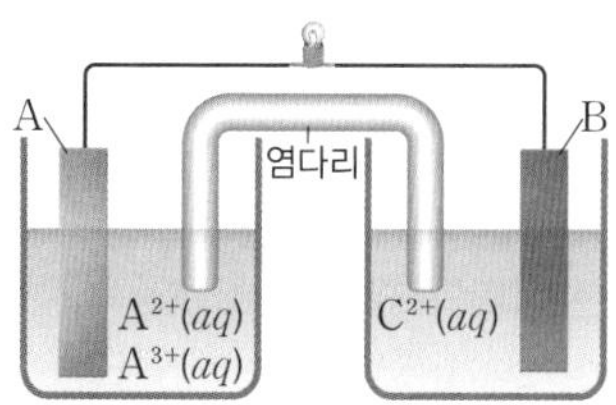

반쪽 반응	$E°$(V)
$A^{2+}(aq)+2e^- \longrightarrow A(s)$	−0.91
$A^{3+}(aq)+3e^- \longrightarrow A(s)$	−0.74
$A^{3+}(aq)+e^- \longrightarrow A^{2+}(aq)$	−0.42
$B^+(aq)+e^- \longrightarrow B(s)$	+0.80
$C^{2+}(aq)+2e^- \longrightarrow C(s)$	+0.34

이에 대한 설명으로 옳은 것만을 〈보기〉에서 있는 대로 고른 것은? (단, A~C는 임의의 원소 기호이다.)

보기
ㄱ. 전류가 흐르면 $[A^{3+}]$는 증가한다.
ㄴ. A는 (+)극이고, B는 (−)극이다.
ㄷ. 표준 전지 전위($E°_{전지}$)는 +1.25 V이다.

① ㄱ ② ㄷ ③ ㄱ, ㄴ
④ ㄴ, ㄷ ⑤ ㄱ, ㄴ, ㄷ

06 그림은 백금 전극을 사용하여 1 M ANO_3 수용액과 1 M BCl 수용액을 전기 분해하는 장치이다.

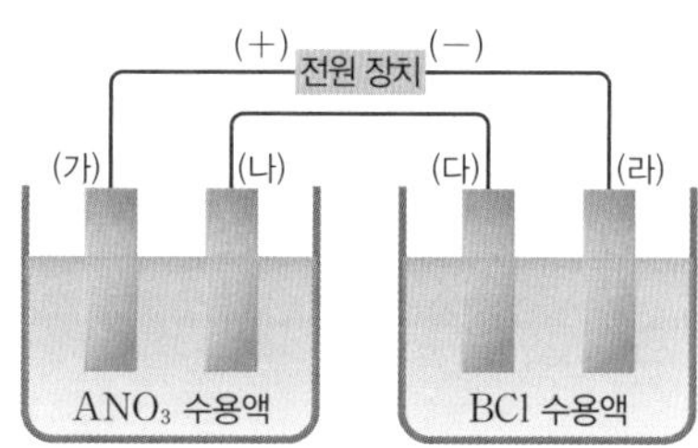

25 ℃에서 (나)에서는 고체가 석출되고 (라)에서는 기체가 발생했을 때, 이에 대한 설명으로 옳은 것만을 〈보기〉에서 있는 대로 고른 것은? (단, A, B는 임의의 원소 기호이다.)

보기
ㄱ. 발생하는 기체의 양은 (가)가 (다)의 2배이다.
ㄴ. (가) 주변에 페놀프탈레인 용액을 떨어뜨리면 붉은색으로 변한다.
ㄷ. 각 금속 이온의 환원 반응에 대한 표준 환원 전위($E°$)는 A가 B보다 크다.

① ㄱ ② ㄷ ③ ㄱ, ㄴ
④ ㄴ, ㄷ ⑤ ㄱ, ㄴ, ㄷ

07 그림은 물을 전기 분해하기 위한 장치를 나타낸 것이다.

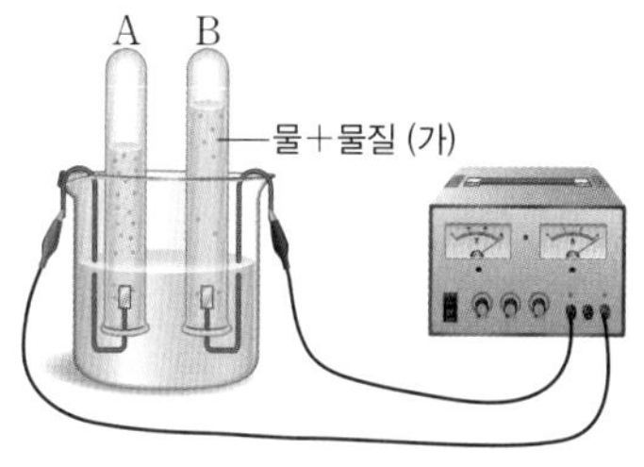

이에 대한 설명으로 옳은 것만을 〈보기〉에서 있는 대로 고른 것은?

보기
ㄱ. A에는 수소 기체가 포집된다.
ㄴ. 물질 (가)로는 염화 나트륨(NaCl)을 사용할 수 있다.
ㄷ. (−)극 주위에 페놀프탈레인 용액을 떨어뜨리면 붉게 변한다.

① ㄱ ② ㄴ ③ ㄱ, ㄷ
④ ㄴ, ㄷ ⑤ ㄱ, ㄴ, ㄷ

08 그림 (가)는 철(Fe)판과 은(Ag)판을 이용한 화학 전지를, (나)는 질산 은($AgNO_3$) 수용액에 각각 Fe판과 Ag판을 연결하여 전기 분해하는 장치를 나타낸 것이다.

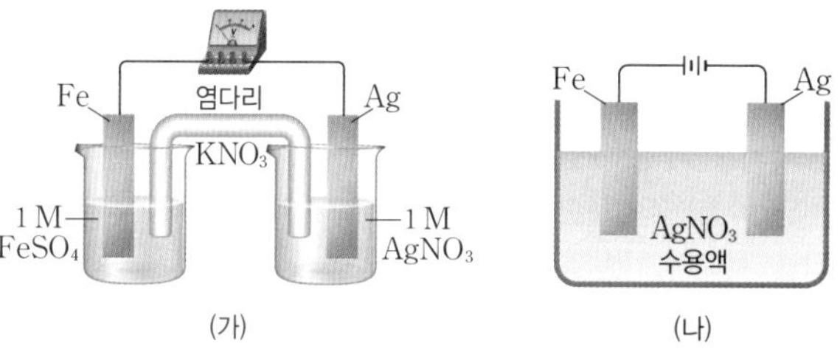

표는 2가지 금속의 반쪽 반응과 표준 환원 전위이다.

반쪽 반응	표준 환원 전위(V)
$Fe^{2+}+2e^- \longrightarrow Fe$	−0.45
$Ag^++e^- \longrightarrow Ag$	+0.80

이에 대한 설명으로 옳은 것만을 〈보기〉에서 있는 대로 고른 것은?

보기
ㄱ. (가)의 표준 전지 전위는 +1.25 V이다.
ㄴ. (가)와 (나)의 Ag판에서는 Ag이 석출된다.
ㄷ. (가)와 (나)의 Fe판은 모두 (−)극이다.

① ㄱ ② ㄷ ③ ㄱ, ㄴ
④ ㄴ, ㄷ ⑤ ㄱ, ㄴ, ㄷ

09 다음은 금속 A~C와 각 금속의 황산염을 이용한 실험이다. (단, A~C는 임의의 금속 원소 기호이다.)

(가) 금속 A와 B를 각 황산염 수용액에 그림과 같이 넣었더니 B의 질량이 증가하였다.
(나) 금속 A와 C를 각 황산염 수용액에 그림과 같이 넣었더니 A의 질량이 증가하였다.

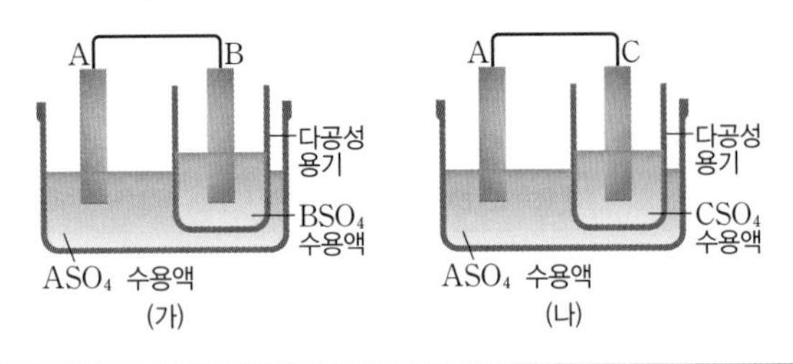

(1) 이 실험 결과로부터 금속 A, B, C로 만든 반쪽 전지의 표준 환원 전위($E°$)의 크기를 비교하시오.

(2) (나)에서 A 대신 연결했을 때 C의 질량이 증가하는 금속의 조건과 그 원리를 산화 환원 반응을 언급하여 서술하시오.

10 다음은 25 ℃에서 ASO_4 수용액의 전기 분해 장치와 이와 관련된 반쪽 반응의 표준 환원 전위를 나타낸 것이다. (단, A는 금속 원소를 나타내는 임의의 원소 기호이다.)

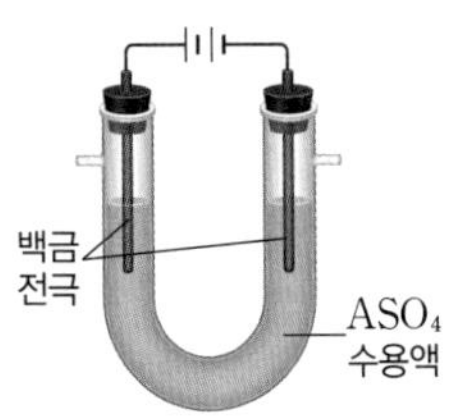

- $A^{2+}(aq)+2e^- \longrightarrow A(s)$ $E°=+0.34$ V
- $2H_2O(l)+2e^- \longrightarrow H_2(g)+2OH^-(aq)$ $E°=-0.83$ V
- $O_2(g)+4H^+(aq)+4e^- \longrightarrow 2H_2O(l)$ $E°=+1.23$ V

(1) 일정량의 전하량을 흘려주었을 때, (+)극과 (−)극에서 생성되는 물질의 몰수비를 구하시오.

(2) (−)극에서 생성되는 물질을 쓰고, 그렇게 판단한 까닭을 표준 환원 전위를 언급하여 서술하시오.

11 그림은 같은 농도의 $ANO_3(aq)$와 $BSO_4(aq)$가 혼합된 수용액을 전기 분해하는 장치를, 표는 25 ℃에서 몇 가지 반쪽 반응의 표준 환원 전위($E°$)를 나타낸 것이다. (단, A, B는 임의의 금속 원소 기호이다.)

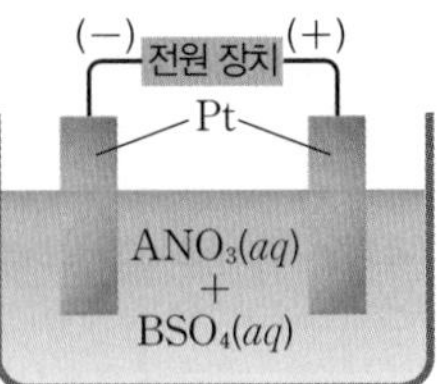

반쪽 반응	$E°$(V)
$O_2(g)+4H^+(aq)+4e^- \longrightarrow 2H_2O(l)$	+1.23
$A^+(aq)+e^- \longrightarrow A(s)$	+0.80
$B^{2+}(aq)+2e^- \longrightarrow B(s)$	+0.34
$2H_2O(l)+2e^- \longrightarrow H_2(g)+2OH^-(aq)$	−0.83

(1) (−)극에서 생성되는 물질의 종류를 순서대로 쓰시오.

(2) (+)극 주변의 pH 변화를 쓰고, 그 까닭을 반쪽 반응의 화학 반응식을 이용하여 서술하시오.

12 다음은 메탄올 연료 전지의 모형과 25 ℃에서 이와 관련된 반쪽 반응의 표준 환원 전위를 나타낸 것이다.

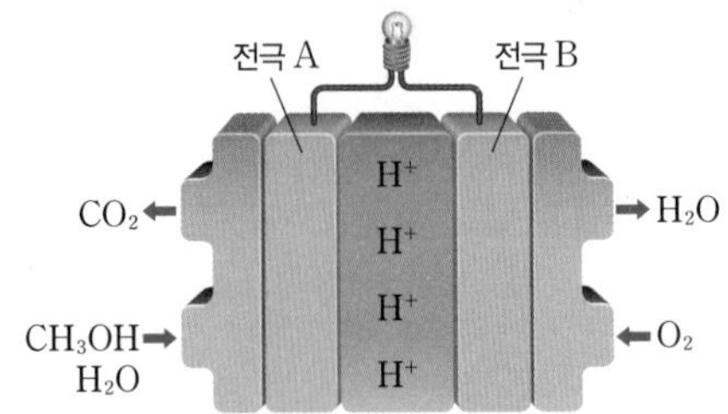

- $CO_2(g)+6H^+(aq)+6e^- \longrightarrow CH_3OH(aq)+H_2O(l)$ $E°_1$
- $O_2(g)+4H^+(aq)+4e^- \longrightarrow 2H_2O(l)$ $E°_2$

(1) 전극 A와 B가 각각 (+)극과 (−)극 중 어떤 극에 해당하는지 쓰시오.

(2) 두 반쪽 반응의 표준 환원 전위의 크기를 비교하고, 그렇게 판단한 까닭을 반쪽 반응의 산화 환원 반응을 언급하여 서술하시오.

하이라이트 지학사

개념 학습과 정리가 한번에 끝나는 기본서

개념풀

화학 Ⅱ

정답과 해설

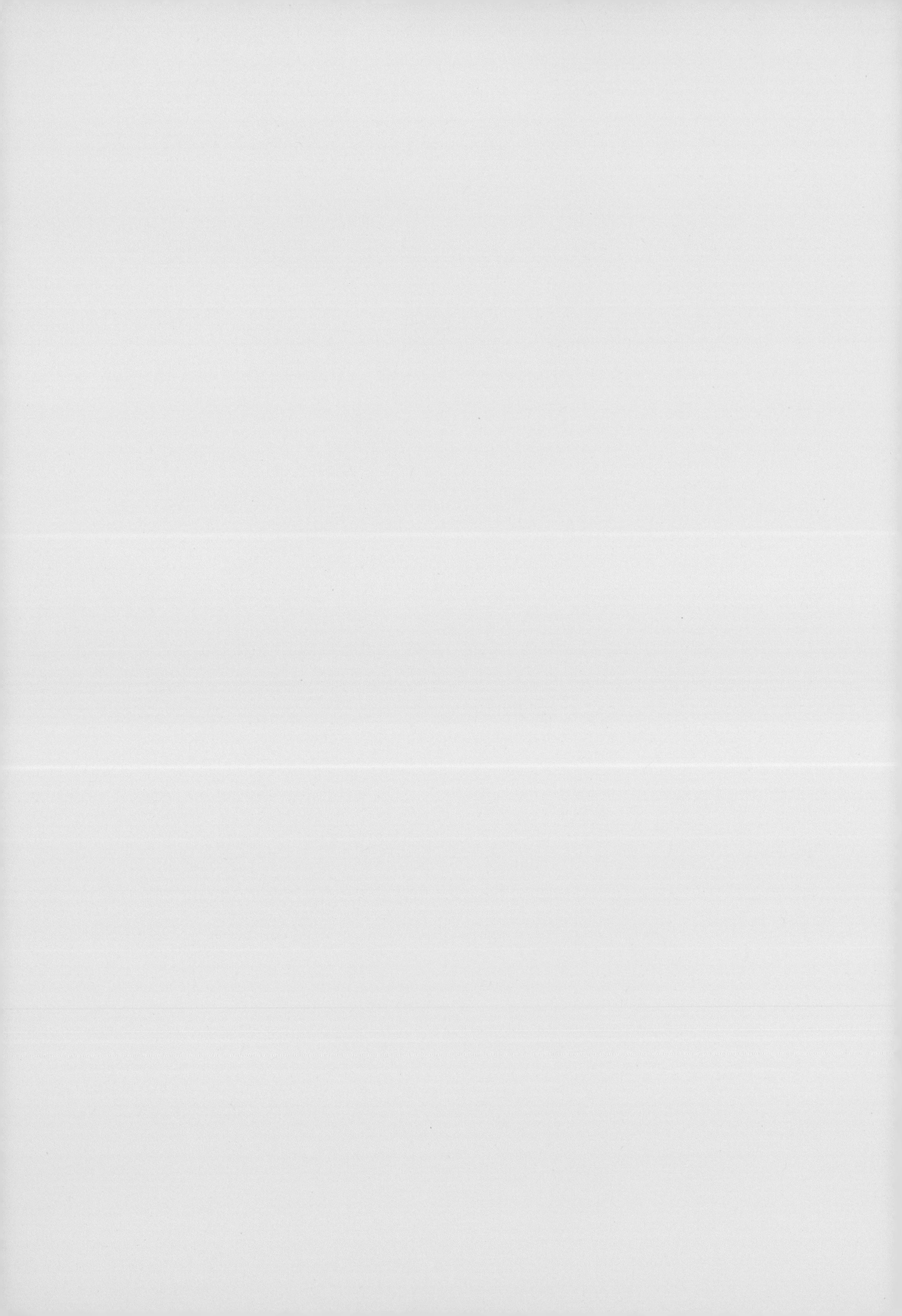

개념 학습과 정리가 한번에 끝나는 기본서

개념풀

화학 Ⅱ

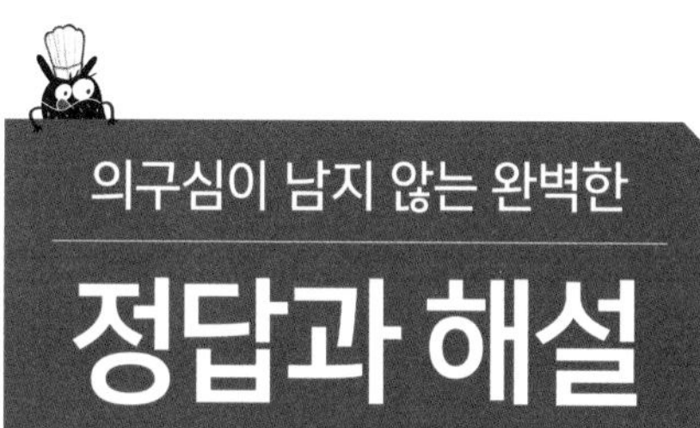

1 ≫ 물질의 세 가지 상태 (1)

01~ 기체 (1)

탐구POOL 014쪽

01 50 mL **02** (1) × (2) ×

01 기체의 압력과 부피의 곱은 압력에 관계없이 일정하므로 용기 내부의 압력이 0.2 atm일 때, 주사기 속 기체의 부피는 $1.0\times10=0.2\times x$, $x=50$(mL)이다.

02 (1) 같은 온도와 압력에서 공기의 양이 2배가 되면 부피도 2배가 된다.

(2) 일정한 온도에서 일정량의 기체의 압력과 부피의 곱이 일정하다.

탐구POOL 015쪽

01 4.0 L **02** (1) × (2) ×

01 샤를 법칙에 의해 일정한 압력에서 $\frac{\text{부피}}{\text{절대 온도}}$는 일정하므로 $\frac{3.0}{300}=\frac{x}{400}$, $x=4.0$(L)이다.

02 (1) 공기의 부피가 0이 되는 온도는 -273 ℃이다.

(2) 일정한 압력에서 일정량의 기체의 부피는 절대 온도에 비례하므로 $\frac{\text{부피}}{\text{절대 온도}}$가 일정한 값을 갖는다.

콕콕! 개념 확인하기 016쪽

✔ 잠깐 확인!

1 압력, 클, 강 **2** 대기압 **3** 보일, 반비례 **4** 절대 온도, K **5** 샤를, 비례 **6** 비례

01 (1) ○ (2) ○ (3) ○ **02** (1) × (2) × (3) ○ **03** (1) ○ (2) ○ (3) × **04** (1) × (2) ○

02 (1) 기체의 양이 일정하므로 부피가 작을수록 단위 부피당 분자 수가 크다. 기체의 양은 A, B, C에서 같고, 부피는 A에서가 B에서보다 크므로 단위 부피당 분자 수는 B에서가 A에서보다 크다.

(3) 단위 시간당 단위 면적에 충돌하는 분자 수가 클수록 압력이 크다.

03 (1) t는 기체의 부피가 0이 되는 온도이므로 -273 ℃이다.

(3) 기체의 부피가 커진 것은 온도가 높아졌기 때문이므로 기체의 양은 1 g으로 같다.

04 (1) 일정한 온도와 압력에서 같은 부피에 들어 있는 기체의 양(mol)은 기체의 종류에 관계없이 같으므로 헬륨과 네온의 양(mol)이 같다.

(2) 일정한 온도와 압력에서 기체의 부피는 기체의 양(mol)에 비례하므로 w g의 부피가 1 L일 때 $10w$ g의 부피는 10 L이다.

탄탄! 내신 다지기 017쪽~019쪽

01 ⑤ **02** ① **03** ④ **04** ③ **05** $T_1 : T_2=3:2$, $x=1.8$ **06** $P_1<P_2<P_3$ **07** ② **08** ① **09** ② **10** ③ **11** ② **12** $V_1=V_2<V_3$ **13** ⑤ **14** ②

01 | 선택지 분석 |

㉠ 단위 시간당 피스톤에 충돌하는 횟수

➡ 기체의 압력은 분자 운동에 의한 충돌에 의해 나타나므로 일정한 온도에서 기체 분자의 충돌 횟수가 클수록 압력이 크다. 압력은 (나)>(가)이므로 단위 시간당 피스톤에 충돌하는 충돌 횟수는 (나)>(가)이다.

㉡ 단위 부피당 분자 수

➡ (가)와 (나)에서 기체의 양(mol)이 같고, 부피는 (나)>(가)이므로 단위 부피당 분자 수는 (나)>(가)이다.

㉢ 단위 부피당 질량

➡ 일정량의 기체의 부피가 작을수록 단위 부피당 질량이 크다.

02 | 선택지 분석 |

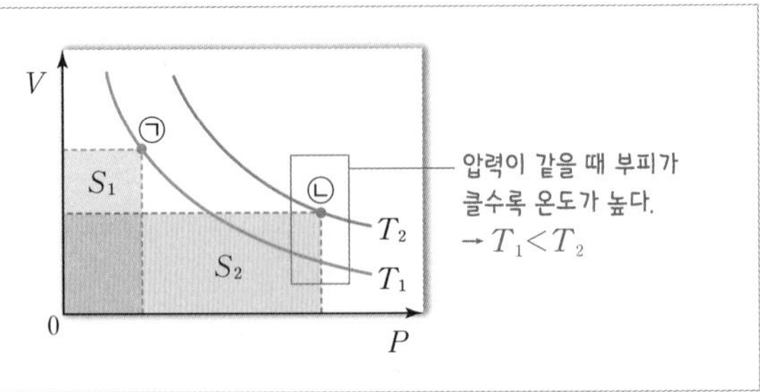

㉠ $T_1<T_2$이다.

➡ 압력이 같을 때 일정량의 기체의 부피가 T_2에서가 T_1에서보다 크므로 온도는 $T_1<T_2$이다.

✗ $S_1=S_2$이다. ($<$)

➡ $PV=nRT$에서 기체의 양(n)이 일정할 때 PV는 T에 비례하고, 온도는 $T_1<T_2$이므로 PV 값은 T_2일 때가 T_1일 때보다 크다. 따라서 $S_1<S_2$이다.

✗ 분자 사이의 충돌 횟수는 ㉠ > ㉡이다. ($<$)

➡ 압력은 ㉡에서가 ㉠에서보다 크므로 분자 사이의 충돌 횟수는 ㉠<㉡이다.

03 | 선택지 분석 |

✕ 기체의 부피는 a~~<~~b이다. (>)

➡ (나)에서 $\frac{1}{V}$은 a < b이므로 부피는 a > b이다.

ㄴ. (가)에서 A의 면적과 B의 면적이 같다.

➡ (가)에서 일정한 온도에서 일정량의 기체의 압력과 부피의 곱은 같으므로 A의 면적과 B의 면적이 같다.

ㄷ. Ne(g) 2 g으로 실험하면 (가)에서 A 부분의 면적은 2배가 된다.

➡ 일정한 온도와 압력에서 기체의 부피는 기체의 양에 비례하므로 기체의 양이 2배가 되면 기체의 압력과 부피의 곱이 처음의 2배가 된다.

04

페트병을 누르면 페트병 속 물에 가해지는 압력이 커지므로 물속에 들어 있는 시험관 속 공기에 가해지는 압력이 커진다.

| 선택지 분석 |

ㄱ. 공기의 밀도가 증가한다.

➡ 페트병 속 물의 압력이 커져 시험관의 수면이 높아지고, 시험관 속 공기의 부피가 감소하므로 밀도가 증가한다.

✕ 공기 분자 수가 ~~감소한다~~. (일정하다)

➡ 시험관 속 공기 분자 수는 일정하다.

ㄷ. 공기 분자들 사이의 충돌 횟수가 증가한다.

➡ 시험관 속 공기의 부피가 감소하여 압력이 커지므로 분자 사이의 충돌 횟수가 증가한다.

05

일정한 압력에서 일정량의 기체의 부피는 절대 온도에 비례하고, 일정한 온도에서 일정량의 기체의 부피는 압력에 반비례한다. (가)와 (나)에서 압력과 기체의 양이 같으므로 기체의 부피비는 절대 온도비와 같다. 따라서 $T_1 : T_2 = 3 : 2$이다. (가)와 (다)에서 절대 온도와 기체의 양이 같으므로 기체의 부피와 압력의 곱은 같다. $1.2\times3.0=x\times2.0$이므로 $x=1.8$(atm)이다.

06

일정한 온도에서 일정량의 기체의 부피는 압력에 반비례한다. 어느 한 온도에서 일정량의 기체 X의 양의 부피를 비교하면 P_1일 때가 가장 크고, P_3일 때가 가장 작으므로 압력은 $P_1<P_2<P_3$이다.

07

(가)에서 수은 기둥의 높이 차가 0이므로 헬륨의 압력은 대기압과 같다. 또 (나)에서 수은 기둥이 대기 쪽으로 들어 올려졌으므로 헬륨의 압력은 대기압보다 수은 기둥 높이 차에 의한 압력만큼 크다. 즉 헬륨의 압력은 $(76+h)$cmHg이다. 일정한 온도에서 일정량의 기체의 부피는 압력에 반비례하므로 기체의 압력은 (나)에서가 (가)에서의 $\frac{57}{38}$배, 즉 1.5배이므로 h는 0.5기압에 해당하는 수은 기둥의 높이 차이다. 즉 h는 38 cm이다.

08 | 자료 분석 |

- 대기압이 1 atm이므로 추 1개가 피스톤에 작용하는 압력은 0.5 atm이다.
- 질소 기체의 압력은 대기압(76 cmHg)+수은 기둥의 높이 차에 의한 압력(38 cmHg)이다. ➡ 1.5 atm

ㄱ. 질소 기체의 부피는 1.5 L가 된다.

➡ 추 1개가 피스톤에 작용하는 압력이 0.5기압이므로 추 1개를 더 올리면 질소 기체의 압력이 1.5기압에서 2기압으로 된다. 따라서 부피는 $1.5\times2=2\times x$, $x=1.5$(L)가 된다.

✕ J자관의 수은 기둥의 높이 차는 ~~19~~ cm가 된다. (76)

➡ 압력이 2기압으로 되고, 대기압은 76 cmHg이므로 수은 기둥의 높이 차는 76 cm가 된다.

✕ 단위 부피당 분자의 충돌 횟수는 추를 올리기 전의 ~~1.5~~배가 된다. ($\frac{4}{3}$)

➡ 압력이 1.5기압에서 2기압으로 $\frac{4}{3}$배가 되므로 충돌 횟수도 $\frac{4}{3}$배가 된다.

09 | 자료 분석 |

- 대기압이 1기압이고, (가)에서 기체의 압력은 외부 압력과 같은 1.5기압이다. → 추 1개가 피스톤에 작용하는 압력은 0.5기압이다.
- (나)와 (다)에서 기체의 압력은 2기압이다.

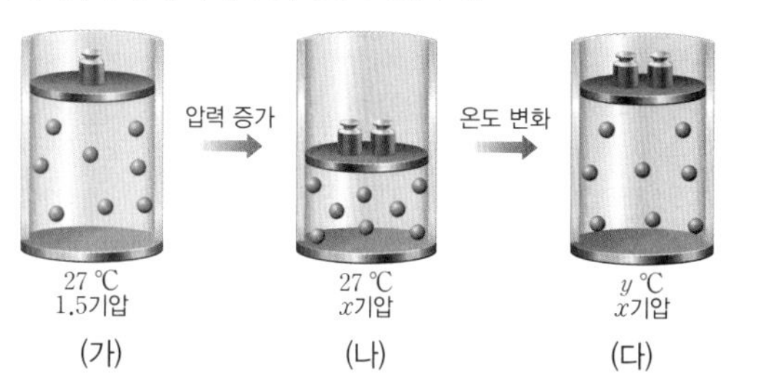

✕ x는 ~~3~~이다. (2)

➡ 추 1개가 피스톤에 작용하는 압력이 0.5기압이므로 (나)에서 기체의 압력은 2기압이다.

✕ y는 ~~54~~이다. (327)

➡ (나)와 (다)에서 기체의 양과 압력이 같으므로 부피는 절대 온도에 비례한다. (나)의 절대 온도는 (27+273)K이므로 (다)의 절대 온도는 600 K이다. 따라서 $y=600-273=327$이다.

ㄷ. (다)에 추1개를 더 올려놓으면 기체의 부피는 (가)의 $\frac{6}{5}$배가 된다.

➡ (다)에 추를 1개 더 올려놓으면 압력은 2.5기압이고, 온도는 600 K이므로 부피는 (가)의 부피의 $\frac{1.5}{2.5}\times2=\frac{6}{5}$배가 된다.

10 일정한 압력에서 일정량의 기체의 부피는 온도가 1 ℃ 높아질 때마다 0 ℃일 때 부피의 $\frac{1}{273}$씩 증가하므로 273 ℃에서의 부피는 0 ℃일 때 부피의 2배가 된다. 따라서 273 ℃에서 기체 A의 부피는 4.0 L가 되고, 기체 B의 부피는 2.0 L가 되어 부피 차는 2 L가 된다.

11 | 자료 분석 |

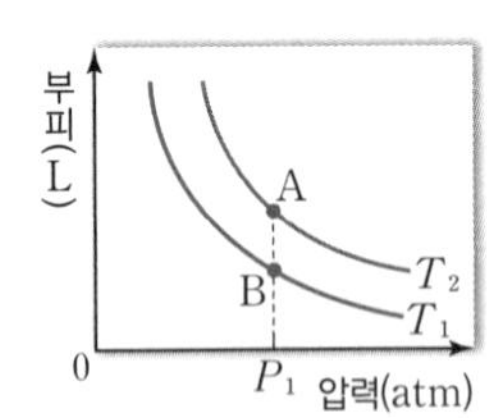

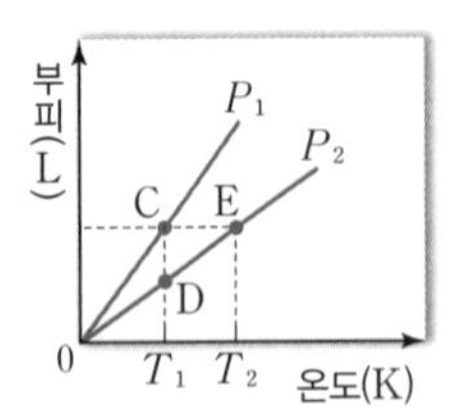

- A: 기체의 압력은 P_1이고, 온도는 T_2이다.
  B: 기체의 압력은 P_1이고, 온도는 T_1이다.
  C: 기체의 압력은 P_1이고, 온도는 T_1이다.
  D: 기체의 압력은 P_2이고, 온도는 T_1이다.
  E: 기체의 압력은 P_2이고, 온도는 T_2이다.
- 온도는 같은 압력에서 부피가 큰 T_2가 T_1보다 높다.
- 압력은 같은 온도에서 부피가 작은 P_2가 P_1보다 크다.

| 선택지 분석 |

✗ 압력은 A가 D보다 ~~크~~(작)다.

➡ $P_1 < P_2$이므로 압력은 A가 D보다 작다.

✗ $N_2(g)$의 밀도는 ~~C가 B보다 크다~~(B와 C가 같다).

➡ B와 C는 기체의 양이 같고, 온도와 압력이 같으므로 부피가 같다. 즉 밀도는 B와 C가 같다.

ㄷ 기체 분자 사이의 평균 거리는 A가 E보다 크다.

➡ A와 E는 온도가 같고, 압력은 E가 A보다 크므로 부피는 A가 E보다 크다. 따라서 분자 사이의 평균 거리는 A가 E보다 크다.

12 기체의 부피는 절대 온도와 양(mol)에 비례하고, 압력에 반비례한다.

V_1을 $\frac{1\times273}{1}$이라고 할 때 V_2는 $\frac{1\times273\times2}{2}$이고, V_3은 $\frac{2\times273}{1.5}$이다. 따라서 $V_1=V_2<V_3$이다.

13 기체의 부피는 절대 온도와 양(mol)에 비례하고, 압력에 반비례한다. (가)에서 $He(g)$의 양(mol)을 $6k$몰이라고 하면 (나)에서는 $2k$몰, (다)에서는 $9k$몰이다. (가)와 (나)에서 부피가 같으므로 압력 P_1은 $\frac{1}{3}$기압이다. (다)는 (가)보다 기체의 양(mol)이 $\frac{3}{2}$배이고 절대 온도가 2배이므로, 압력이 같다면 부피는 3배가 되어야 하는데 2배이므로 압력 P_2는 (가)의 $\frac{3}{2}$배가 되어 $\frac{3}{2}$기압이다. 따라서 $\frac{P_2}{P_1}=\frac{9}{2}$이다.

14 | 자료 분석 |

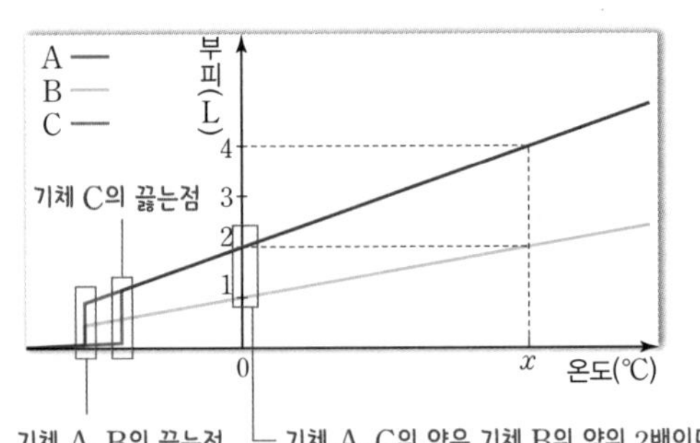

- 끓는점에서 부피가 크게 증가하므로 기체 상태에서는 샤를 법칙이 적용된다. 부피가 크게 증가하는 온도가 끓는점이다.
  → 끓는점 A와 B가 같다.

| 선택지 분석 |

ㄱ x는 273이다.

➡ x에서 기체의 부피가 0 ℃일 때의 2배가 되므로 x는 273이다.

ㄴ 0 ℃에서 기체의 양(mol)은 A가 B의 2배이다.

➡ 온도와 압력이 같을 때 기체의 부피는 기체의 양(mol)에 비례하므로 기체의 양(mol)은 A가 B의 2배이다.

✗ A와 C는 ~~같은~~(다른) 물질이다.

➡ A와 C는 끓는점이 다르므로 다른 물질이다.

도전! 실력 올리기 020쪽~021쪽

01 ② **02** ④ **03** ① **04** ② **05** ③ **06** ③

07 A < B

08 | 모범 답안 | (1) 기체 X에 대해 일정한 압력에서 기체의 부피비를 비교하면 T_a에서 V이고, T_b에서 $3V$이므로 $T_a : T_b = 1 : 3$이다. (2) 같은 온도에서 같은 질량의 기체의 부피비는 X : Y = 2 : 1이다. 즉 기체의 양(mol)의 비는 X : Y = 2 : 1이므로 분자량비는 X : Y = 1 : 2이다.

09 | 모범 답안 | (가)에서 기체의 압력은 대기압과 같은 1기압이고, (나)에서 기체의 압력은 대기압+수은 기둥의 높이 차에 의한 압력이므로 1.5기압이다. (가)와 (나)에서 기체의 양(mol)이 같고, 부피는 압력에 반비례하며, 절대 온도에 비례하므로 (나)에서의 부피 $V=30\times\frac{1}{1.5}\times\frac{4}{3}=\frac{80}{3}$(mL)이다.

01 | 자료 분석 |

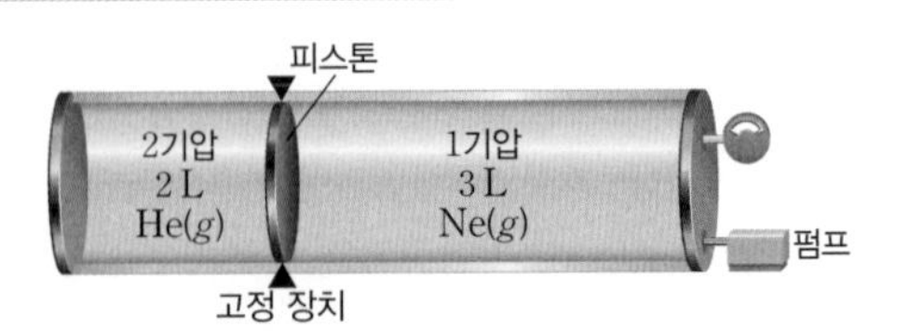

고정 장치를 풀면 피스톤을 경계로 두 기체의 압력이 같아질 때까지 피스톤이 이동한다. → $He(g)$의 압력이 $Ne(g)$의 압력보다 크므로 피스톤은 오른쪽으로 이동하다가 멈춘다.

| 선택지 분석 |

✕ (나)에서 P는 ~~1.5~~기압이다. (1.4)

➡ 이동한 부피를 x, 평형을 이룬 압력을 P라고 하면 $2\times2=P(2+x)$, $1\times3=P(3-x)$이 성립한다.

이 두 식을 풀면 $x=\frac{6}{7}$, $P=1.4$이다.

ㄴ (다)에서 V는 4 L이다.

➡ Ne의 압력이 1기압이 되면 피스톤은 양쪽 기체의 압력이 같아질 때까지 오른쪽으로 이동하므로 $2\times2=1\times V$이 성립한다.

이 식을 풀면 V는 4 L이다. Ne의 부피는 1 L이다.

✕ Ne(g)의 양(mol)은 (나)에서가 (다)에서의 ~~4~~배이다. (3)

➡ 일정한 온도에서 기체의 양(mol)은 압력과 부피의 곱에 비례한다. (나)에서는 (가)에서와 양(mol)이 같으므로 (나)에서 Ne의 양(mol)을 $3k$몰이라고 할 때 (다)에서 Ne의 양(mol)은 k몰이다. 따라서 Ne의 양(mol)은 (나)에서가 (다)에서의 3배이다.

02 Ar(g) w g을 추가하면 입자 수가 2배가 되므로 Ar(g)의 압력은 처음의 2배인 4기압이 된다. 고정 장치를 풀어 Ar(g)의 압력이 4기압에서 1기압이 되면 부피는 처음 부피의 4배인 2.4 L가 된다. 또 일정한 압력에서 일정량의 기체의 부피는 절대 온도에 비례하므로 온도를 300 K에서 400 K로 높여주면 부피는 $\frac{4}{3}$배가 된다. 따라서 부피는 $2.4\times\frac{4}{3}=3.2$(L)가 된다.

03 | 자료 분석 |

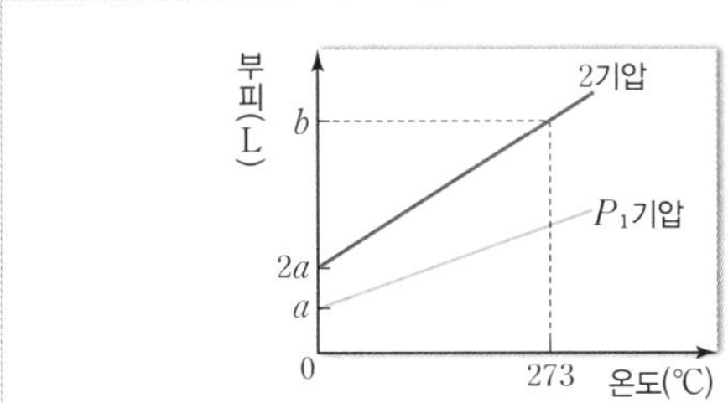

일정한 온도에서 일정량의 기체의 부피는 압력에 반비례한다.

→ 온도가 0 ℃로 같을 때, 일정량의 He(g)의 부피는 P_1기압에서 a, 2기압에서 $2a$이므로 P_1기압은 2×2기압이다.

ㄱ b는 $4a$이다.

➡ 일정한 압력에서 일정량의 기체의 부피는 온도가 1 ℃ 높아질 때마다 0 ℃일 때 부피의 $\frac{1}{273}$씩 증가하므로 273 ℃에서의 부피는 0 ℃일 때 부피의 2배이다. 따라서 $b=4a$이다.

✕ P_1기압은 ~~1~~기압이다. (4)

➡ 0 ℃에서 P_1기압일 때의 부피는 a, 2기압일 때의 부피는 $2a$이므로 압력은 2배이다. 즉 P_1기압은 4기압이다.

✕ P_1기압, 546 ℃일 때 He(g)의 부피는 ~~b~~ L가 된다. ($\frac{3}{4}b$)

➡ P_1기압, 0 ℃에서 He(g)의 부피는 a이므로 P_1기압, 546 ℃일 때 He(g)의 부피는 0 ℃일 때 3배($3a$)이므로 b L보다 작다.

04 | 자료 분석 |

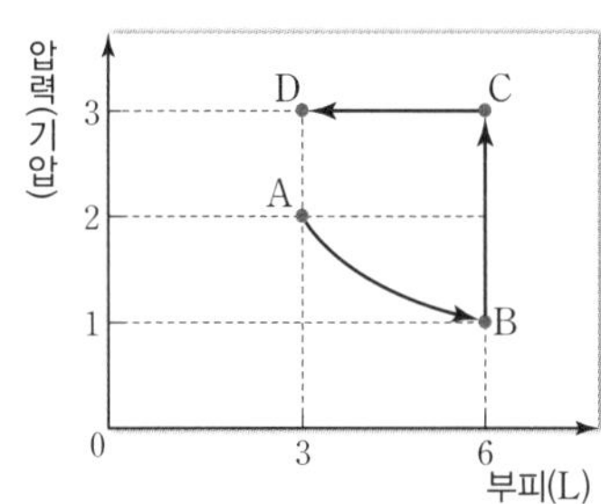

• A → B: 압력과 부피가 반비례하므로 일정한 온도에서 A의 부피를 변화시켜 압력이 변한 경우이다.
• B → C: 부피가 일정할 때 압력이 증가하므로 일정한 부피에서 절대 온도를 증가시킨 경우이다. B의 온도가 300 K이므로 C의 절대 온도는 900 K이다.
• C → D: 압력이 일정할 때 부피가 감소하므로 온도를 낮춘 경우이다. 부피가 절반이 되므로 D의 온도는 450 K이다.

✕ A에서 X(g)의 온도는 ~~600~~ K이다. (300)

➡ A의 온도는 B와 같으므로 300 K이다.

✕ B → C 과정은 샤를 법칙으로 설명할 수 ~~있~~다. (없)

➡ B → C 과정은 부피가 일정할 때 압력이 증가하는 경우이므로 샤를 법칙으로 설명할 수 없다.

ㄷ 절대 온도는 C가 D의 2배이다.

➡ C → D 과정은 일정한 압력에서 부피가 감소하는 과정이고, 부피가 $\frac{1}{2}$이 되므로 절대 온도도 $\frac{1}{2}$이 된다.

05 | 자료 분석 |

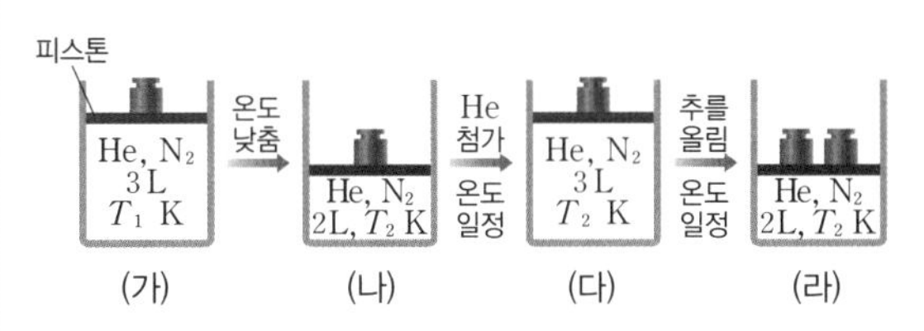

• (가) → (나): 일정한 압력에서 기체의 온도가 낮아져 부피가 감소한다. ➡ 부피비는 절대 온도비 ➡ $T_1:T_2=3:2$
• (나) → (다): 일정한 압력과 온도에서 기체를 첨가하여 부피가 증가한다. ➡ 기체의 몰비는 (나) : (다)$=2:3$
• (다) → (라): 일정한 온도에서 압력이 증가하여 부피가 감소한다. ➡ 압력비는 (다) : (라)$=2:3$
• 추 1개가 피스톤에 작용하는 압력을 x라고 하면 $(1+x):(1+2x)=2:3$이므로 $x=1$(기압)이다.

ㄱ He(g)의 양은 (다)에서가 (나)에서의 2배이다.

➡ (나)에서 He과 Ne의 양이 같고 부피가 2 L이므로 각 기체는 1 L만큼 들어 있다. 이때 He의 첨가에 의해 부피가 1 L 증가하므로 첨가한 He의 양은 1 L이다. 따라서 He의 양은 (다)에서가 (나)에서의 2배이다.

✕ (라)에 추를 1개 더 올려놓으면 기체의 부피는 ~~1~~ L가 된다. (1.5)

➡ 추 1개가 피스톤에 작용하는 압력이 1기압이므로 (라)에 추 1개를 더 올려놓으면 기체의 압력이 3기압에서 4기압이 된다.

따라서 기체의 부피는 $3\times2=4\times x$, $x=1.5(\text{L})$이다.

ㄷ. (라)의 온도를 T_1 K로 유지하면 부피는 3 L가 된다.

➡ $T_1 : T_2=3:2$이므로 (라)의 온도를 T_1 K로 유지하면 부피는 $\frac{x}{T_1}=\frac{2}{T_2}$, $\frac{x}{3}=\frac{2}{2}$, $x=3(\text{L})$이다.

06 | 자료 분석 |

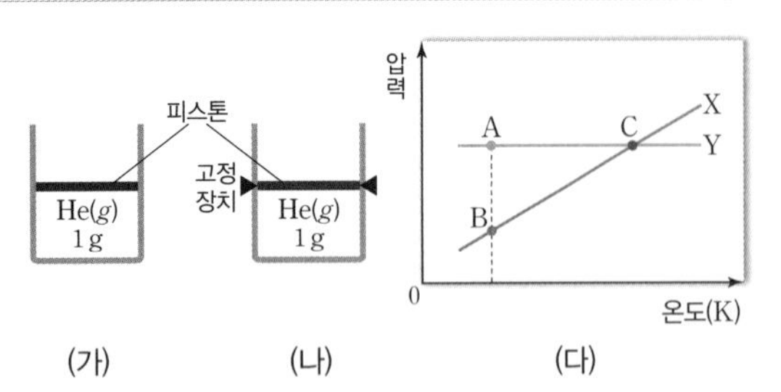

• (가)는 기체의 압력이 대기압과 같으므로 온도를 높이면 압력은 일정하고 부피가 증가한다.

• (나)는 고정 장치로 고정하여 부피가 일정하므로 온도를 높이면 분자 사이의 충돌 횟수가 증가하고, 분자들 간의 충돌 세기도 커지므로 압력이 증가한다.

| 선택지 분석 |

ㄱ. X는 (나)에 해당한다.

➡ X는 온도가 높아질수록 압력이 증가하므로 (나)에 해당한다.

ㄴ. 기체의 부피는 A에서가 B에서보다 크다. (작)

➡ A와 B에서 He(g)의 온도와 양(mol)이 같고, 압력은 A가 B보다 크므로 부피는 A에서가 B에서보다 작다.

ㄷ. C에서 (가)와 (나)에 들어 있는 He(g)의 밀도는 같다.

➡ C에서 He(g)의 양, 온도, 압력이 같으므로 부피가 같다. 따라서 밀도가 같다.

07 일정한 온도와 압력에서 기체의 부피는 양(mol)에 비례한다. 같은 질량의 양(mol)이 A>B이므로 분자량은 A<B이다.

08 (1) 일정한 압력에서 기체의 부피는 절대 온도에 비례하므로, '부피비=절대 온도비'이다.

채점 기준	배점
제시된 조건에서 온도비가 부피비와 같다고 설명하고, 온도비를 옳게 구한 경우	100 %
답만 옳게 쓴 경우	30 %

(2) 일정한 온도와 압력에서 기체의 부피는 기체의 종류에 관계없이 기체의 양(mol)에 비례한다. 따라서 같은 질량의 기체의 부피는 기체 X가 기체 Y의 2배이므로 기체의 양(mol)도 기체 X가 기체 Y의 2배이며, 분자량은 기체 Y가 기체 X의 2배이다.

채점 기준	배점
부피비와 몰비를 옳게 비교하여 분자량을 비교하고, 분자량비를 옳게 구한 경우	100 %
답만 옳게 쓴 경우	30 %

09 (가)에서는 양쪽 수은 기둥의 높이가 같으므로 기체의 압력은 대기압과 같다. (나)에서는 기체의 압력이 대기압보다 커서 수은 기둥이 380 mm만큼 들어 올려졌으므로 기체의 압력은 1.5기압이다. 일정량의 기체의 부피는 절대 온도에 비례하고 압력에 반비례한다.

채점 기준	배점
압력과 절대 온도의 관계를 제시하여 풀이 과정을 옳게 제시하고 답을 옳게 구한 경우	100 %
답만 옳게 쓴 경우	40 %

02 기체 (2)

탐구POOL 026쪽

01 ㄷ

01 $M=\frac{wRT}{PV}$에서 M이 작게 측정되는 경우는 w, T가 작게 측정되거나 P, V가 크게 측정되는 경우이다.

ㄱ. 산소의 온도에 비해 실험실의 온도가 높게 측정되었다면 M은 크게 측정된다.

ㄴ. 산소통으로부터 산소를 모을 때 실제 모아진 산소의 기체가 빠져나가면 w값은 실제 값도 크고, V가 작아지므로 분자량이 크게 측정된다.

탐구POOL 027쪽

01 (1) ○ (2) × (3) ○ (4) ○

01 (1) 에탄올을 플라스크에 넣기 전 플라스크에는 공기가 들어 있으므로 w_1은 플라스크와 플라스크 속 공기의 질량의 합과 같다.

(2) w_2는 플라스크와 플라스크 속 공기, 에탄올의 질량의 합과 같다.

콕콕! 개념 확인하기 028쪽

✔ 잠깐 확인!

1 이상 기체 방정식 **2** 기체 분자 운동론 **3** 절대 온도 **4** 부분 압력 **5** 부분 압력 **6** 몰 분율

01 (1) ○ (2) ○ (3) × **02** 약 31.74 **03** (1) × (2) ○ (3) × **04** (1) ○ (2) × (3) ○

01 (3) $PV=nRT$에서 일정한 압력과 온도에서 기체의 부피(V)는 기체의 양(n)에 비례하므로 이상 기체 방정식으로 아보가드로 법칙을 설명할 수 있다.

02 $M=\dfrac{wRT}{PV}=\dfrac{1.6\,\text{g}\times 0.082\,\text{atm}\cdot\text{L}/(\text{mol}\cdot\text{K})\times 300\,\text{K}}{1\,\text{atm}\times 1.24\,\text{L}}$

≒31.74이다.

03 (1) 온도가 높을수록 기체 분자의 평균 운동 속력이 커지므로 온도는 $T_1<T_2$이다.

(3) 온도는 $T_2<T_3$이고, 일정량의 기체의 부피가 같을 때 압력은 절대 온도에 비례하므로 압력은 T_3에서가 T_2에서보다 크다.

04 (1) 온도와 부피가 같으므로 기체의 압력은 기체의 양(mol)에 비례한다. (가)와 (나)에서 기체의 양(mol)이 같으므로 기체의 압력은 (가)와 (나)에서 같다.

(2) (다)에서 전체 양(mol)을 6몰이라고 할 때 Y의 양(mol)은 2몰이므로 Y의 몰 분율은 $\dfrac{1}{3}$이다.

(3) 성분 기체의 부분 압력은 몰 분율에 비례하므로 (다)에서 X의 부분 압력은 Y의 2배이다.

탄탄! 내신 다지기 029쪽~031쪽

01 ② 02 $\dfrac{T_2}{x}=\dfrac{T_1}{y}$ 03 ② 04 ③ 05 ③ 06 ② 07 ③
08 ② 09 ② 10 ④ 11 ② 12 ⑤

01 | 선택지 분석 |

① A와 B의 평균 운동 에너지는 같다.

➡ A와 B의 절대 온도가 같으므로 평균 운동 에너지는 같다.

② 기체의 양은 C가 B보다 크다.

➡ 기체의 양(n)은 $\dfrac{PV}{T}$에 비례하므로 C의 양은 $\dfrac{b}{a}$이고, B의 양도 $\dfrac{b}{a}$이다.

③ 분자량은 B가 A의 2배이다.

➡ 기체의 양은 A가 $\dfrac{2b}{a}$이고, B가 $\dfrac{b}{a}$이다. 즉 같은 질량의 기체의 양은 A가 B의 2배이므로 분자량은 B가 A의 2배이다.

④ 0 ℃, 1기압에서 밀도는 C가 A의 2배이다.

➡ 같은 질량의 기체의 양은 A가 C의 2배이므로 분자량은 C가 A의 2배이고, 같은 온도와 압력에서 기체의 밀도는 분자량에 비례하므로 밀도도 C가 A의 2배이다.

⑤ 같은 온도에서 기체 분자의 평균 운동 속력은 A가 C보다 크다.

➡ 분자량은 C가 A의 2배이므로 같은 온도에서 평균 운동 속력은 분자량이 작은 A가 C보다 크다.

02 (가)~(다)에서 기체의 양(n)이 일정하므로 $n=\dfrac{PV}{RT}$는 모두 같다. 이때 (나)와 (다)에서 부피가 같으므로 (나)에서 $\dfrac{x}{T_2}$와 (다)에서 $\dfrac{y}{T_1}$는 서로 같다.

03 | 자료 분석 |

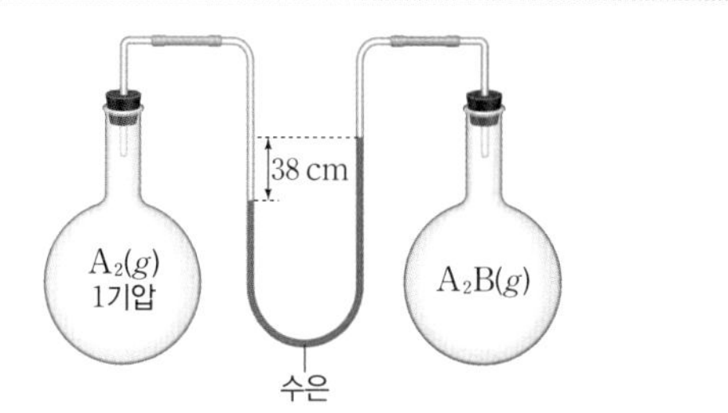

• A_2의 압력이 A_2B보다 0.5기압만큼 크다.
→ A_2B의 압력은 0.5기압이다.

• $PV=nRT$에서 온도가 같을 때 같은 부피에 들어 있는 기체의 압력은 양(mol)에 비례한다. → 몰비는 $A_2 : A_2B=2:1$이다.

| 선택지 분석 |

ㄱ. 기체의 양(mol)은 A_2가 A_2B의 1.5배이다.

➡ A_2의 압력이 1기압이고, A_2B의 압력은 0.5기압이다. 일정한 온도에서 같은 부피에 들어 있는 기체의 양(mol)은 압력에 비례하므로 기체의 양(mol)은 A_2가 A_2B의 2배이다.

ㄴ. 기체의 평균 운동 에너지는 A_2가 A_2B보다 크다.

➡ 기체의 온도가 같으므로 평균 운동 에너지는 같다.

ㄷ. $\dfrac{\text{B의 원자량}}{\text{A의 원자량}}=2$이다.

➡ 같은 질량의 기체의 양(mol)은 A_2가 A_2B의 2배이므로 분자량은 A_2B가 A_2의 2배이다. A와 B의 원자량을 각각 a, b라고 하면 2a+b=4a이므로 b=2a이다.

04 | 자료 분석 |

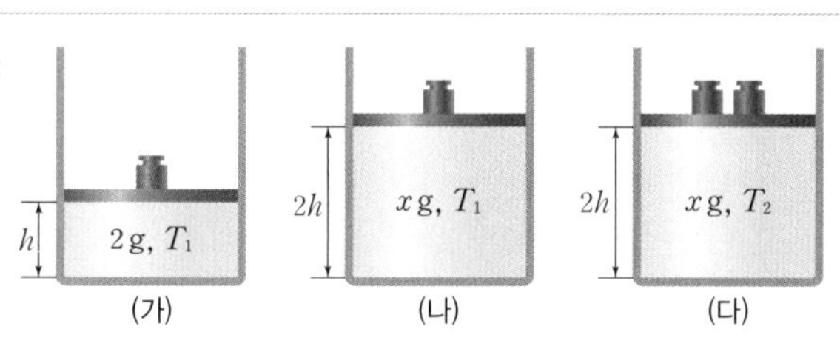

• (가)와 (나)는 온도와 압력이 같고 부피는 (나)가 (가)의 2배이다.
→ 기체의 양(n)은 (나)가 (가)의 2배이다.

• (나)와 (다)는 기체의 양과 부피가 같고, 온도와 압력이 다르다.
→ 압력비는 절대 온도비와 같다.

• (가)와 (나)에서 기체의 압력은 2기압이고, (다)에서는 3기압이다. → $T=\dfrac{PV}{nR}$이므로 T는 $\dfrac{PV}{n}$에 비례한다.

| 선택지 분석 |

ㄱ. $Ne(g)$의 양은 (나)에서가 (가)에서의 2배이다.

➡ 같은 온도와 압력에서 부피는 (나)가 (가)의 2배이므로 기체의 양(n)은 (나)에서가 (가)에서의 2배이다.

✕ $Ne(g)$의 평균 운동 에너지는 (다)에서가 (가)에서의 ~~2~~ 1.5 배이다.

➡ 기체의 절대 온도는 $\frac{PV}{n}$에 비례하고, (가)에서 $\frac{PV}{n}$를 $\frac{2\times h}{2}$라고 하면 (다)에서는 $\frac{3\times 2h}{2\times 2}$이다. 따라서 절대 온도는 (다)에서가 (가)에서의 1.5배이므로 평균 운동 에너지는 (다)에서가 (가)에서의 1.5배이다.

ㄷ. $Ne(g)$의 분자 간 평균 거리는 (가)와 (다)에서 같다.

➡ 기체 분자 간 평균 거리는 $\frac{V}{n}$에 비례하므로 분자 간 평균 거리는 (가)와 (다)에서 같다.

05 | 선택지 분석 |

ㄱ. 분자량은 B가 A의 2배이다.

➡ (가)에서 일정한 압력에서 같은 질량의 기체의 부피는 A가 B의 2배이므로 기체의 분자량은 B가 A의 2배이다.

✕ $\frac{y}{x}$는 ~~2~~ $\frac{1}{2}$이다.

➡ (나)에서 기체 A의 압력이 P_1일 때 부피가 (가)에서의 $\frac{1}{2}$이므로 A의 양(mol)은 (가)에서가 (나)에서의 2배이다. 즉 $x=2y$이므로 $\frac{y}{x}=\frac{1}{2}$이다.

ㄷ. $\frac{P_1}{P_2}$은 2이다.

➡ (나)에서 일정한 온도에서 같은 양의 기체의 부피가 P_2에서가 P_1에서의 2배이다. 즉 P_1은 P_2의 2배이므로 $\frac{P_1}{P_2}=2$이다.

06 | 선택지 분석 |

✕ (나)에서 기체의 양(mol)은 ~~1몰~~ 0.5이다.

➡ 기체의 양(mol)은 $\frac{PV}{T}$에 비례한다. (가)와 (나)에서 기체의 부피와 압력이 같고, 절대 온도는 (나)가 (가)의 2배이므로 기체의 양(mol)은 (나)가 (가)의 $\frac{1}{2}$이다.

ㄴ. (다)에서 기체의 온도는 0 ℃이다.

➡ (다)에서 기체의 양(mol)이 (가)의 2배이고, 압력도 2배이므로 온도가 같다. 따라서 (다)에서 기체의 온도는 0 ℃이다.

✕ 고정 장치를 풀면 부피는 (다)에서가 (가)에서의 ~~4~~ 2 배가 된다.

➡ (가)와 (다)에서 온도가 같고, 고정 장치를 풀면 (가)와 (다)의 압력은 모두 1기압이 된다. 즉 일정한 온도와 압력에서 기체의 부피는 기체의 양(mol)에 비례하므로 부피는 (다)에서가 (가)에서의 2배가 된다.

07 | 선택지 분석 |

ㄱ. $T_1<T_2$이다.

➡ 기체 B에 대해 분자의 평균 운동 속력은 T_2에서가 T_1에서보다 크므로 온도는 $T_1<T_2$이다.

✕ T_1에서 평균 운동 에너지는 B가 A보다 ~~크~~(같)다.

➡ 기체의 평균 운동 에너지는 절대 온도에 비례하므로 T_1에서 평균 운동 에너지는 A와 B가 같다.

ㄷ. 분자량은 A>B이다.

➡ 같은 온도에서 기체의 평균 운동 속력은 B가 A보다 크므로 분자량은 A>B이다.

08 | 선택지 분석 |

✕ 밀도는 $Ne(g)$이 $He(g)$의 ~~5~~ $\frac{15}{4}$배이다.

➡ 기체의 양(n)은 $\frac{PV}{T}$에 비례하므로 (가)에서 He의 양이 $\frac{1\times 1}{300}$일 때 (나)에서 Ne의 양은 $\frac{1\times 1}{400}$이다. 이로부터 기체의 몰비는 He : Ne=4 : 3이고, 기체의 부피가 같으므로 밀도비는 질량비와 같다. 따라서 밀도비는
He : Ne= 4×4 : 3×20=4 : 15이다.

ㄴ. 기체의 평균 운동 에너지는 $Ne(g)$이 $He(g)$보다 크다.

➡ 기체의 평균 운동 에너지는 절대 온도에 비례하므로 $Ne(g)$이 $He(g)$보다 평균 운동 에너지가 크다.

✕ (가)에서 기체의 평균 운동 속력은 $He(g)$이 $N_2(g)$의 3배보다 ~~크~~(작)다.

➡ 같은 온도에서 기체의 평균 운동 에너지는 같고, 기체의 평균 운동 에너지는 $\frac{1}{2}Mv^2$이므로 평균 운동 속력은 분자량의 제곱근에 반비례한다. 기체 분자량은 $N_2(g)$가 $He(g)$의 7배이므로 평균 운동 속력은 $He(g)$이 $N_2(g)$의 $\sqrt{7}$배이다. 따라서 (가)에서 기체의 평균 운동 속력은 $He(g)$이 $N_2(g)$의 3배보다 작다.

09 | 선택지 분석 |

✕ x는 ~~3~~ $\frac{1}{6}$이다.

➡ 일정한 온도에서 기체의 양(n)은 PV에 비례하고, (가)와 (나)에서 기체의 양(n)은 변하지 않으므로 $2\times 1+x\times 3=1\times 2.5$이다. 따라서 $x=\frac{1}{6}$이다.

ㄴ. (가)에서 기체의 양(mol)은 $He(g)$이 $Ne(g)$의 4배이다.

➡ 기체의 양(n)은 $He(g)$이 2×1일 때 $Ne(g)$은 $\frac{1}{6}\times 3$이므로 $He(g)$이 $Ne(g)$의 4배이다.

✕ (나)에서 $He(g)$의 부분 압력은 ~~0.6~~ 0.8기압이다.

➡ 기체의 몰비는 He : Ne=4 : 1이므로 $He(g)$의 몰 분율은 $\frac{4}{5}$이다. (나)에서 기체의 전체 압력이 대기압과 같은 1기압이므로 $He(g)$의 부분 압력은 0.8기압이다.

10 | 선택지 분석 |

✕ 혼합 기체의 전체 압력은 ~~3~~ 1.6기압이다.

➡ 꼭지를 열어 기체가 혼합되어도 각 성분 기체의 양은 변하지

않으므로 혼합 후 전체 기체의 압력을 x기압이라고 하면 $1\times2+2\times3=x\times5$이고, $x=1.6$이다.

ㄴ. $Ne(g)$의 몰 분율은 $\frac{3}{4}$이다.

➡ 기체의 몰비는 He : Ne=1 : 3이므로 혼합 기체에서 $Ne(g)$의 몰 분율은 $\frac{3}{4}$이다.

ㄷ. $He(g)$의 부분 압력은 0.4기압이다.

➡ $He(g)$의 몰 분율은 $\frac{1}{4}$이고, 기체의 전체 압력은 1.6기압이므로 $He(g)$의 부분 압력은 0.4기압이다.

11 혼합 기체에서 각 성분 기체의 부분 압력은 각 성분 기체의 몰 분율에 비례하므로 반응 전 C_3H_8의 양(mol)을 1몰이라고 하면 O_2의 양(mol)은 9몰이다. 따라서 반응의 양적 관계는 다음과 같다.

	$C_3H_8(g)$	$+5O_2(g)$	$\longrightarrow 3CO_2(g)$	$+4H_2O(g)$
반응 전(몰)	1	9	0	0
반응 (몰)	−1	−5	+3	+4
반응 후(몰)	0	4	3	4

CO_2의 몰 분율은 $\frac{3}{11}$이고, 반응 후 혼합 기체의 압력은 대기압과 같은 1기압이므로 CO_2의 부분 압력은 $\frac{3}{11}$기압이다.

12 | 자료 분석 |

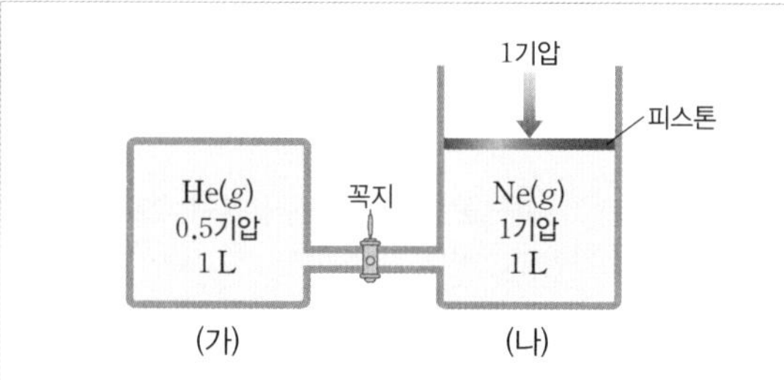

• 꼭지를 열기 전후 기체의 양은 변하지 않고, 꼭지를 연 후 혼합 기체의 압력은 대기압과 같은 1기압이다.
→ 혼합 전 $He(g)$의 양을 0.5×1이라고 하면 $Ne(g)$의 양은 1×1이다.
• 일정한 온도에서 기체의 양은 압력과 부피 곱에 비례한다.

| 선택지 분석 |

ㄱ. $He(g)$의 몰 분율은 $\frac{1}{3}$이다.

➡ 일정한 온도에서 기체의 양(mol)은 압력과 부피의 곱에 비례하므로 기체의 몰비는 He : Ne$=0.5\times1:1\times1=1:2$이다. 따라서 $He(g)$의 몰 분율은 $\frac{1}{3}$이다.

ㄴ. $Ne(g)$의 부분 압력은 $\frac{2}{3}$기압이다.

➡ $Ne(g)$의 몰 분율은 $\frac{2}{3}$이고, 혼합 기체의 전체 압력은 1기압이므로 $Ne(g)$의 부분 압력은 $\frac{2}{3}$기압이다.

ㄷ. 실린더의 부피는 0.5 L이다.

➡ 꼭지를 연 후 실린더의 부피를 x라고 하면 $0.5\times1+1\times1=1\times(1+x)$이므로 $x=0.5$(L)이다.

도전! 실력 올리기 032쪽~033쪽

01 ② **02** ⑤ **03** ⑤ **04** ④ **05** ② **06** ②

07 $H_2=He=CH_4$

08 | 모범 답안 | 일정한 온도에서 기체의 몰비는 압력과 부피의 곱에 비례하므로 기체의 몰비는 X : Y=3기압×2 L : 2기압×3 L=1 : 1이다. 즉 같은 양의 질량비가 X : Y=1 : 4이므로 분자량비도 X : Y=1 : 4이다.

09 | 모범 답안 | 일정한 온도에서 기체의 압력과 부피의 곱이 X와 Y에서 같으므로 반응 전 X와 Y의 양(mol)을 각각 $2k$몰이라고 하면 반응 후 Z의 양은 $2k$몰이고, 부피는 2 L이므로 Z의 부분 압력은 1기압이다.

01 | 자료 분석 |

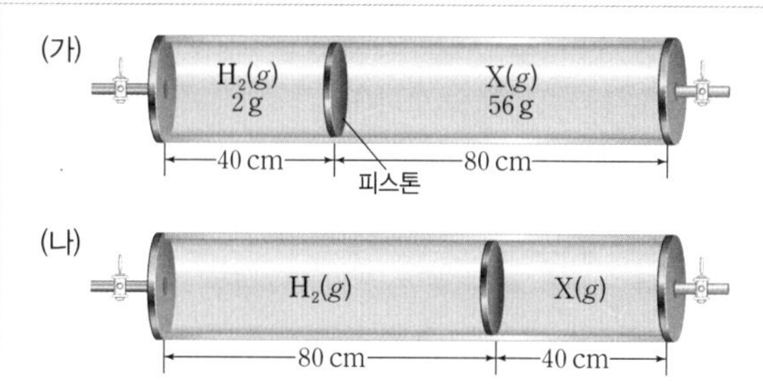

• (가)에서 두 기체의 온도와 압력이 같으므로 부피비는 기체의 몰비와 같다.
→ $H_2(g)$의 양(mol)이 1몰이므로 $X(g)$의 양(mol)은 2몰이다.
• (나)에서 $H_2(g)$의 양(mol)은 1몰이므로 $X(g)$의 양(mol)은 0.5몰이다.

| 선택지 분석 |

✗ X의 분자량은 ~~56~~ 28이다.

➡ (가)에서 $X(g)$ 56 g의 양(mol)이 2몰이므로 1몰의 질량은 28 g이다.

ㄴ. 빠져나간 $X(g)$의 양(mol)은 1.5몰이다.

➡ (나)에서 $X(g)$의 양(mol)이 0.5몰이므로 빠져나간 $X(g)$의 양(mol)은 1.5몰이다.

✗ (나)에서 기체 분자의 평균 운동 속력은 $H_2(g)$가 $X(g)$의 ~~2배이다~~ 2배보다 크다.

➡ 기체의 분자량비는 H_2 : X=2 : 28=1 : 14이다. 즉 분자량은 $X(g)$가 $H_2(g)$의 4배보다 크므로 같은 온도에서 기체 분자의 평균 운동 속력은 $H_2(g)$가 $X(g)$의 2배보다 크다.

02 $M=\frac{wRT}{PV}$에서 기체의 질량 $w=w_1-w_2$(g)이고, 기체의 압력 $P=P_1-P_2$(기압)이다. 따라서 실험으로 구한 X의 분자량은 $\frac{(w_1-w_2)RT}{(P_1-P_2)V}$이다.

03 | 자료 분석 |

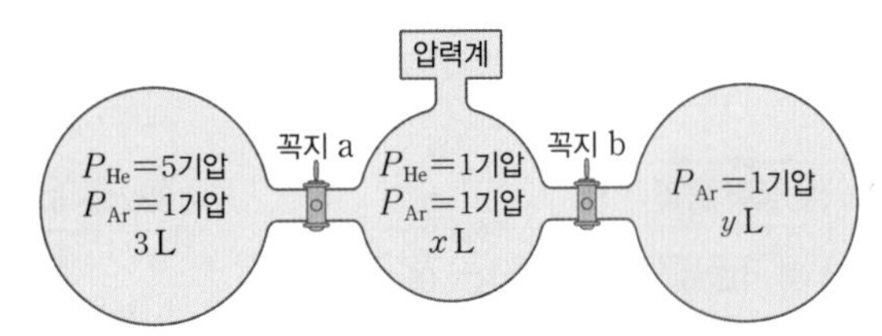

- 일정한 온도에서 꼭지 a을 열어 두어도 각 성분 기체의 양은 변하지 않는다. → $6\times3+2\times x=5\times(3+x)$, $x=1$
- 꼭지 b를 열었을 때 전체 압력이 3기압이다. → $5\times4+1\times y=3\times(4+y)$, $y=4$

| 선택지 분석 |

ㄱ. x는 1이다.

➡ 꼭지 a를 열어두어도 전체 기체의 양(mol)은 변하지 않고, 일정한 온도에서 기체의 양(mol)은 압력과 부피의 곱에 비례하므로 $6\times3+2\times x=5\times(3+x)$에서 $x=1$이다.

ㄴ. y는 4이다.

➡ 꼭지 b를 열어 두어도 전체 기체의 양(mol)은 변하지 않으므로 $5\times4+1\times y=3\times(4+y)$에서 $y=4$이다.

ㄷ. (다)에서 P_{Ar}은 1기압이다.

➡ (다)에서 He(g)의 양(mol)은 $5\times3+1\times1=16$이고, Ar(g)의 양(mol)은 $1\times3+1\times1+1\times4=8$이다.

따라서 Ar(g)의 몰 분율은 $\frac{1}{3}$이고, 전체 압력이 3기압이므로 P_{Ar}은 1기압이다.

04 제시된 조건에서 O_2 30기압의 양(n)은 다음과 같다.

$$n=\frac{30\text{ atm}\times0.82\text{ L}}{0.082\text{ atm}\cdot\text{L/(mol}\cdot\text{K)}\times300\text{ K}}=1\text{ mol}이다.$$

포도당($C_6H_{12}O_6$)의 연소 반응식은 다음과 같다.

	$C_6H_{12}O_6(s)$	$+6O_2(g)$	$\rightarrow 6CO_2(g)$	$+6H_2O(l)$
반응 전(몰)	0.1	1.0	0	0
반응 (몰)	−0.1	−0.6	+0.6	+0.6
반응 후(몰)	0	0.4	0.6	0.6

반응 후 CO_2의 양(mol)은 0.6몰, 부피는 0.82 L, 온도는 300 K이므로 CO_2의 압력은

$$P=\frac{0.6\text{ mol}\times0.082\text{ atm}\cdot\text{L/(mol}\cdot\text{K)}\times300\text{ K}}{0.82\text{ L}}=18\text{atm}이다.$$

05 | 선택지 분석 |

ㄱ. Ne(g)의 몰 분율은 $\frac{1}{2}$이다.

➡ 꼭지를 열기 전 Ne(g)의 압력은 0.5기압이고, Ar(g)의 압력은 1.5기압이다. 일정한 온도와 부피에서 기체의 압력은 양(mol)에 비례하므로 Ar(g)의 양(mol)은 Ne(g)의 양(mol)의 3배이다. 따라서 Ne(g)의 몰 분율은 $\frac{1}{4}$이다.

ㄴ. 오른쪽 수은 기둥의 높이 차는 19 cm이다.

➡ 혼합 기체에서 Ne(g)의 부분 압력을 P_{Ne}, Ar(g)의 부분 압력을 P_{Ar}이라고 하면 다음 관계식이 성립한다.

$0.5\times1=P_{Ne}\times2$, $P_{Ne}=\frac{1}{4}$ $1.5\times1=P_{Ar}\times2$, $P_{Ar}=\frac{3}{4}$

전체 압력은 $P_{Ne}+P_{Ar}=\frac{1}{4}+\frac{3}{4}=1$이다.

기체의 전체 압력은 대기압과 같으므로 양쪽 수은 기둥의 높이 차는 0이다.

ㄷ. Ar(g)의 부분 압력은 0.75기압이다.

➡ 성분 기체의 부분 압력은 몰 분율에 비례하므로 Ar(g)의 부분 압력은 $\frac{3}{4}$기압, 즉 0.75기압이다.

06 | 자료 분석 |

물질	부분 압력	
	반응 전	반응 후
$C_2H_n(g)$	$\frac{1}{5}$	0
$H_2O(g)$	0	$\frac{2}{5}$

- 반응 전 혼합 기체의 전체 압력은 대기압과 같은 1기압이다.
  → C_2H_n의 부분 압력은 0.2기압이고, O_2의 부분 압력은 0.8기압이다.
- 부분 압력비는 몰비와 같고, C_2H_n는 모두 반응하고 반응한 C_2H_n와 생성된 CO_2와 H_2O의 몰비는 $1:2:\frac{n}{2}$이다.
  → $1:\frac{n}{2}=1:2$이므로 $n=4$이다.
- C_2H_4의 연소 반응식은 다음과 같다.
  $C_2H_4+3O_2\rightarrow2CO_2+2H_2O$

| 선택지 분석 |

ㄱ. 실린더에는 $O_2(g)$가 남아 있지 않다.

➡ 반응 전 $C_2H_n(g)$와 $O_2(g)$의 몰비는 1 : 4이고, 반응 몰비는 $C_2H_n:O_2=1:3$이므로 반응 후 실린더에는 $O_2(g)$가 남아 있다.

ㄴ. $CO_2(g)$의 부분 압력은 $\frac{1}{5}$기압이다.

➡ 부분 압력비는 몰비와 같으므로 반응 전 C_2H_4의 양(mol)을 0.2몰이라고 하면 O_2의 양(mol)은 0.8몰이고, 화학 반응의 양적 관계는 다음과 같다.

	C_2H_4	$+\ 3O_2$	$\longrightarrow 2CO_2$	$+\ 2H_2O$
반응 전(몰)	0.2	0.8	0	0
반응(몰)	−0.2	−0.6	+0.4	+0.4
반응 후(몰)	0	0.2	0.4	0.4

반응 후 CO_2의 몰 분율은 $\frac{2}{5}$이고, 전체 압력은 1기압이므로 부분 압력은 $\frac{2}{5}$기압이다.

ㄷ. 전체 기체의 부피는 10 L이다.

➡ 반응 전후 기체의 전체 양(mol)이 같으므로 반응 후 전체 기체의 부피는 반응 전과 같은 10 L이다.

07 (가)에서 $H_2(g)$와 He(g)의 온도, 압력, 부피가 같으므로 두 기체의 양이 같다. (나)에서 일정한 온도와 압력에서 기체의 부피비가 H_2 : (He+CH_4)=1 : 2이므로 (나)에서 넣어 준 $CH_4(g)$의 양(mol)은 He(g)의 양(mol)과 같다. 따라서 (나)에서 $H_2(g)$, He(g), $CH_4(g)$의 양(mol)은 모두 같다.

08 추 1개가 피스톤에 작용하는 압력이 1기압이므로 (가)에서

$X(g)$의 압력은 3기압이고, (나)에서 $Y(g)$의 압력은 2기압이다. 일정한 온도에서 기체의 몰비는 압력과 부피의 곱에 비례하므로 기체의 몰비는 X : Y=3기압×2 L : 2기압×3 L=1 : 1이다. 이때 질량비는 X : Y=1 : 4이다.

채점 기준	배점
제시된 조건에서 기체의 양이 같고, 질량비가 1 : 4이기 때문에 분자량비 X : Y가 1 : 4라고 서술한 경우	100 %
분자량비가 1 : 4라고만 쓴 경우	40 %

09 일정한 온도에서 기체의 압력과 부피의 곱이 X와 Y에서 같으므로 반응 전 두 기체의 양(mol)은 같다. 이로부터 X와 B의 양(mol)을 각각 $2k$몰이라고 하면 반응의 양적 관계는 다음과 같다.

	$X(g)$ +	$2Y(g)$ ⟶	$2Z(g)$
반응 전(몰)	$2k$	$2k$	0
반응(몰)	$-k$	$-2k$	$+2k$
반응 후(몰)	k	0	$2k$

반응 후 Z의 양(mol)이 $2k$몰이고, 부피가 2 L이므로 Z의 부분 압력은 1기압이다.

채점 기준	배점
반응 후 기체의 양을 옳게 구한 후 Z의 부분 압력을 1기압이라고 서술한 경우	100 %
Z의 부분 압력만이 1기압이라고만 쓴 경우	40 %

실전! 수능 도전하기

035쪽~038쪽

01 ⑤ 02 ⑤ 03 ① 04 ④ 05 ③ 06 ⑤ 07 ② 08 ③
09 ② 10 ① 11 ① 12 ⑤ 13 ① 14 ② 15 ① 16 ③

01 | 선택지 분석 |

ㄱ. (가)에서 전체 기체의 압력 P=1.5기압이다.

➡ (나)에서 전체 기체의 압력이 3기압이므로 전체 기체의 양(mol)은 3몰이다. 이로부터 (나)에서 B의 양(mol)은 1몰이고, (가)에서도 B의 양(mol)은 1몰이다. 이때 $X_B=\frac{2}{3}$이므로 전체 기체의 양(mol)은 1.5몰이다. 따라서 전체 기체의 압력은 1.5기압이다.

ㄴ. 첨가한 C의 양(mol)은 1.5몰이다.

➡ 전체 기체의 양(mol)은 (가)에서가 1.5몰이고, (나)에서가 3몰이므로 첨가한 C의 양(mol)은 1.5몰이다.

ㄷ. A의 몰 분율은 (가)에서가 (나)에서의 2배이다.

➡ (가)와 (나)에서 A의 양(mol)은 같고, 전체 기체의 양(mol)은 (나)에서가 (가)에서의 2배이므로 A의 몰 분율은 (가)에서가 (나)에서의 2배이다.

02 일정한 온도에서 기체의 양(mol)은 압력과 부피의 곱에 비례한다. 반응 전 A~C의 양(mol)을 각각 $2n$, Pn, n이라고 하면 반응 후 혼합 기체의 부피가 4 L이므로 실린더 속 기체의 부피는 2 L가 되고, 꼭지 a를 열어 A와 B 중 어느 한 기체가 모두 반응한 후 꼭지 b를 열면 반응이 일어나지 않으므로 꼭지 a을 열었을 때 혼합 기체의 부피는 1기압에서 3 L가 되어야 한다.

꼭지 a를 열어 반응이 완결되었을 때 A, B 중 어느 것을 모두 소모하였는지는 두 가지 경우로 나누어 생각할 수 있다. A가 모두 반응한 경우 다음과 같은 양적 관계가 성립한다.

	$A(g)$ +	$2B(g)$ ⟶	$2C(g)$
반응 전(몰)	$2n$	Pn	n
반응(몰)	$-2n$	$-4n$	$+4n$
반응 후(몰)	0	$(P-4)n$	$5n$

A가 모두 반응한 경우 $(P+1)n=4n$이 되어 $P=3$이고, 반응 후 남은 B의 양이 음수가 되므로 A가 모두 반응하는 것은 모순이다.

B가 모두 반응한 경우 다음과 같은 양적 관계가 성립한다.

	$A(g)$ +	$2B(g)$ ⟶	$2C(g)$
반응 전(몰)	$2n$	Pn	n
반응(몰)	$-\frac{P}{2}n$	$-Pn$	$+Pn$
반응 후(몰)	$\left(2-\frac{P}{2}\right)n$	0	$(1+P)n$

반응 후 전체 기체의 양(mol)은 $\left(3+\frac{P}{2}\right)n=4n$이므로 $P=2$이다. 반응 후 전체 기체의 양(mol)을 $4n$몰이라고 할 때, C의 양(mol)은 $3n$몰이므로 C의 몰 분율(x)은 $\frac{3}{4}$이다.

03 | 자료 분석 |

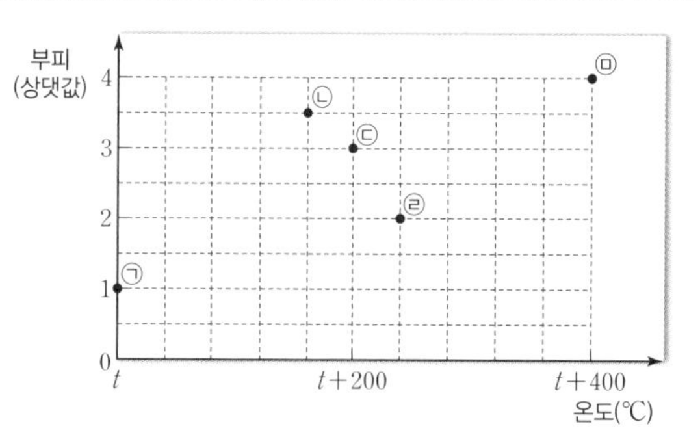

• 이상 기체 방정식 $PV=nRT=\frac{w}{M}RT$에서 P와 w가 일정하므로 $V\propto\frac{T}{M}$가 성립한다. 기체의 부피는 ㅁ에서가 ㄱ에서의 4배이고, 분자량은 ㄱ이 $2M$, ㅁ이 M이므로 ㄱ에서의 절대 온도를 T라고 하면 ㅁ에서의 절대 온도 x는 다음과 같다.

$1:4=\frac{T}{2M}:\frac{x}{M}$, $x=2T$이다. 즉 절대 온도는 ㅁ에서가 ㄱ에서의 2배이다.

• 기체의 양(n)은 $n=\frac{PV}{RT}$이므로 제시된 조건에서 기체의 양(n)은 $\frac{V}{T}$에 비례한다.

| 선택지 분석 |

ㄱ. t는 127이다.

➡ $2(t+273)=(t+400+273)$이므로 $t=127$이다.

ㄴ. 기체의 양(n)이 가장 큰 기체는 ㉤에 해당하는 기체이다. (㉤ → ㉡)

➡ ㉠~㉤에서 기체의 $\frac{V}{T}$는 다음과 같다.

기체	㉠	㉡	㉢	㉣	㉤
$\frac{V}{T}$	$\frac{1}{400}$	$\frac{3.5}{560}$	$\frac{3}{600}$	$\frac{2}{640}$	$\frac{4}{800}$

기체의 양(n)은 $\frac{V}{T}$에 비례하므로 기체의 양(n)이 가장 큰 기체는 ㉡에 해당하는 기체이다.

ㄷ. 분자량이 M보다 큰 기체는 3가지이다. (3 → 2)

➡ ㉤에 해당하는 분자의 분자량이 M이고, 각 기체의 질량이 같으므로 분자량이 M보다 큰 기체의 양은 ㉤보다 작다. ㉠, ㉣에 해당하는 기체의 분자량은 M보다 크다.

04 기체의 부피는 절대 온도에 비례하고, 압력에 반비례한다. 또한 기체의 밀도는 부피에 반비례하므로 A~D의 조건을 200 K, 2기압으로 해주었을 때 밀도의 상댓값은 다음과 같다.

기체	온도(K)	압력(기압)	밀도(상댓값)
A	100 → 200	1 → 2	3 → 3
B	200	1 → 2	2 → 4
C	100 → 200	2	2 → 1
D	200	2	1

따라서 200 K, 2기압에서 A~D의 밀도는 C=D<A<B이다.

05 용기 Ⅰ에서 기체 A의 압력은 기체 B의 압력과 같은 1기압이다. 용기 Ⅱ에서 부피가 10 L인 A 16 g의 압력이 2기압이므로 같은 온도에서 압력이 1기압인 A의 질량 $x=8$ g이다.

일정한 온도에서 A와 B의 압력과 부피가 같으므로 기체의 양(mol)이 같고, A와 B의 양(mol)을 각각 $10n$몰이라고 하면 용기 Ⅰ의 피스톤을 제거하여 반응시킬 때 반응의 양적 관계는 다음과 같다.

	$2A(g)$	+ $B(g)$	⟶ $C(g)$
반응 전(몰)	$10n$	$10n$	0
반응(몰)	$-10n$	$-5n$	$+5n$
반응 후(몰)	0	$5n$	$5n$

반응 후 전체 기체의 양(mol)이 $10n$몰이고 부피가 피스톤을 제거하기 전의 2배이므로, 압력 P_1은 $\frac{1}{2}$기압이다.

꼭지를 열어 반응시킬 때 반응의 양적 관계는 다음과 같다.

	$2A(g)$	+ $B(g)$	⟶ $C(g)$
반응 전(몰)	$20n$	$5n$	$5n$
반응 (몰)	$-10n$	$-5n$	$+5n$
반응 후(몰)	$10n$	0	$10n$

반응 후 전체 기체의 양(mol)이 $20n$몰이고 부피가 30 L이므로, 압력 P_2는 $\frac{2}{3}$기압이다.

따라서 $\frac{P_1}{P_2}\times x=\frac{\frac{1}{2}}{\frac{2}{3}}\times 8=6$이다.

06 분자량은 B가 A의 2배이고, (가)에서 A와 B의 질량이 같으므로 기체의 양(mol)은 A가 B의 2배이다. (가)에서 A의 양(mol)을 $2n$몰이라고 하면 B의 양(mol)은 n몰이고, 반응의 양적 관계는 다음과 같다.

	$A(g)$	+ $3B(g)$	⟶ $xC(g)$
반응 전(몰)	$2n$	n	0
반응(몰)	$-\frac{n}{3}$	$-n$	$+\frac{xn}{3}$
반응 후(몰)	$\frac{5n}{3}$	0	$\frac{xn}{3}$

이로부터 (나)에서 C의 몰 분율은 $\frac{x}{5+x}=\frac{2}{7}$이므로 $x=2$이다. A의 분자량을 M이라고 하면 B의 분자량은 $2M$이고, 화학 반응 전후 질량은 보존되므로 다음 관계식이 성립한다.

$M+3\times 2M=2\times$C의 분자량

이로부터 C의 분자량은 $3.5M$이다.

따라서 $\frac{\text{C의 분자량}}{\text{B의 분자량}}\times x=\frac{3.5M}{2M}\times 2=\frac{7}{2}$이다.

07 (나) 과정 후 A가 남아 있지 않으므로 A는 모두 반응하였고, 반응 후 부분 압력은 B와 He이 같으므로 반응 후 남은 B의 양은 He의 양과 같다. 또한 (나) 과정 후 혼합 기체의 온도와 부피가 400 K, 10 L이므로 이를 300 K로 환산하면 7.5 L이고, 전체 기체의 압력은 1기압이므로 혼합 기체의 전체 양(mol)은 $7.5x$몰이라고 할 수 있다. 기체의 양은 압력과 부피의 곱에 비례하므로 (가)에서 A의 양(mol)은 $2.5x$몰, He의 양(mol)은 $2x$몰이라고 할 수 있다. (나)에서 A가 모두 소모되었으므로 반응의 양적 관계는 다음과 같다.

	$aA(g)$	+ $B(g)$	⟶ $3C(g)$	+ $4D(g)$
반응 전(몰)	$2.5x$	n_B	0	0
반응(몰)	$-2.5x$	$-\frac{2.5x}{a}$	$+\frac{7.5x}{a}$	$+\frac{10x}{a}$
반응 후(몰)	0	$n_B-\frac{2.5x}{a}$	$\frac{7.5x}{a}$	$\frac{10x}{a}$

반응 후 남은 B의 양(mol)은 He의 양(mol)과 같은 $2x$몰이고, 반응 후 전체 기체의 양(mol)은 He을 포함하여 $7.5x$몰이므로 $n_B-\frac{2.5x}{a}=2x$, $2x+2x+\frac{17.5x}{a}=7.5x$이 성립한다. $a=5$, $n_B=2.5x$이므로 $\frac{n_A}{n_B}=1$이다.

08 | 선택지 분석 |

ㄱ. 용기 속 기체의 양(mol)은 C가 A의 $\frac{9}{4}$배이다.

➡ $n=\frac{PV}{RT}$이므로 A~C의 양의 상댓값은 각각 $\frac{4}{273}$, $\frac{2}{546}$, $\frac{9}{273}$이다. 따라서 기체의 몰비는 A : C=4 : 9이다.

ㄴ. 용기 속 기체의 질량은 B가 C의 $\frac{9}{11}$배이다. → $\frac{11}{9}$

➡ 기체의 질량비는 B : C$=\frac{2}{546}\times44:\frac{9}{273}\times4=11:9$이다.

ㄷ. $\frac{\text{B의 밀도}}{\text{A의 밀도}}=1.1$이다.

➡ A와 B의 몰비는 4 : 1이므로 질량비는 A : B=4×20 : 1×44이다. 이때 부피비는 A : B=2 : 1이므로 밀도비는 A : B=40 : 44이다.

09

(가)와 (나)에서 각 성분 기체의 양은 같고, 절대 온도는 (나)가 (가)의 2배이므로 (나)의 온도를 T K로 유지하면 혼합 기체의 부피는 2.5 L가 된다. A에 대해 압력과 부피의 곱은 일정하므로 $x\times2=\frac{1}{5}\times2.5$이고, $x=\frac{1}{4}$이다. 또한 (나)에서 B의 부분 압력을 P_B라고 하면 B에 대해서는 $\frac{1}{2}\times2=P_B\times2.5$, $P_B=\frac{2}{5}$이고, 전체 기체의 압력이 1기압이므로 $P_C=\frac{2}{5}$이다. 따라서 $\frac{x}{y}=\frac{5}{8}$이다.

10 | 자료 분석 |

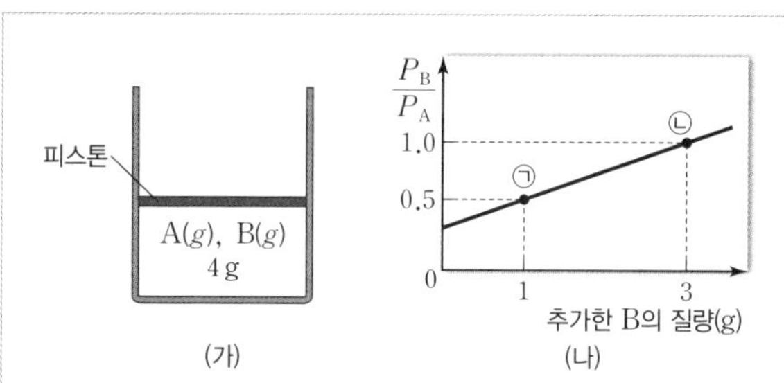

(가) (나)

- 실린더 속 혼합 기체의 전체 압력은 1기압으로 유지된다.
- 일정한 온도에서 부분 압력비는 몰비와 같다.
  → B 1 g을 추가한 ㄱ에서 실린더 속 기체의 몰비는 A : B=2 : 1이고, ㄴ에서 기체의 몰비는 A : B=1 : 1이다.
- A의 몰 분율은 ㄱ에서 $\frac{2}{3}$이고, ㄴ에서 $\frac{1}{2}$이다.

| 선택지 분석 |

ㄱ. (가)에서 실린더에 들어 있는 A의 질량은 3 g이다.

➡ ㄱ에서 A의 양(mol)을 $2n$몰이라고 하면 B의 양(mol)은 n몰이고, ㄴ에서 A의 양(mol)은 변하지 않으므로 A의 양(mol)은 $2n$몰, B의 양(mol)도 $2n$몰이다. 따라서 B 2 g은 n몰이고, B 1 g은 $\frac{n}{2}$몰이다. (가)에다 B 1 g$\left(=\frac{n}{2}\text{몰}\right)$을 추가했을 때 B의 양(mol)이 n몰이 되었으므로 (가)에서 B의 양(mol)은 $\frac{n}{2}$몰$(=1\text{ g})$이다. 따라서 A의 질량은 3 g이다.

ㄴ. A의 몰 분율은 ㄱ에서가 ㄴ에서의 $\frac{5}{2}$배이다. → $\frac{4}{3}$

➡ A의 몰 분율은 ㄱ에서 $\frac{2}{3}$, ㄴ에서 $\frac{1}{2}$이므로 ㄱ에서가 ㄴ에서의 $\frac{4}{3}$배이다.

ㄷ. $\frac{\text{A의 분자량}}{\text{B의 분자량}}=\frac{3}{2}$이다. → $\frac{3}{4}$

➡ A 3 g의 양(mol)이 $2n$몰일 때 B 1 g의 양(mol)이 $\frac{n}{2}$몰이므로 같은 양의 질량비는 A : B=3 : 4이다.

11 | 자료 분석 |

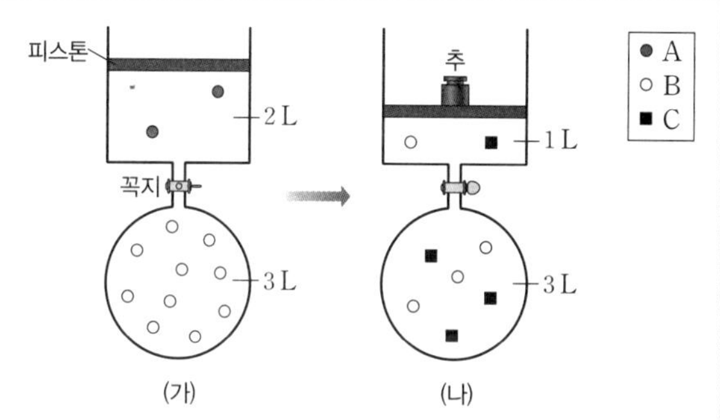

(가) (나)

- 일정한 온도에서 A 2개의 부피가 2 L이고, 이때 압력이 1기압이다.
  → (가)에서 부피가 3 L인 용기에 들어 있는 B가 10개이므로 압력은 $\frac{10}{3}$기압이다.
- 반응 후 A는 존재하지 않고 B가 4개, C가 4개이므로 반응 분자 수비는 A : B : C=2 : 6 : 4=1 : 3 : 2이다.

| 선택지 분석 |

ㄱ. 분자량은 C가 B보다 크다.

➡ 반응 분자 수비로부터 화학 반응식을 완성하면 다음과 같다.

$$A(g)+3B(g) \longrightarrow 2C(g)$$

화학 반응 전후에 질량이 보존되므로 각 기체의 분자량 사이에는 다음 관계식이 성립한다.

A의 분자량+3×B의 분자량=2×C의 분자량

따라서 분자량은 C가 B보다 크다.

ㄴ. (가)에서 용기 속 B의 압력은 5기압이다. → $\frac{10}{3}$

➡ (가)에서 용기 속 B의 압력은 $\frac{10}{3}$기압이다.

ㄷ. (나)에서 추를 제거하면 실린더의 부피는 2 L가 된다. → 5

➡ (가)와 (나)에서 실린더 속 기체 분자 수가 같고 부피는 (나)가 (가)의 $\frac{1}{2}$이므로 압력은 (나)에서가 (가)에서의 2배이다.

추 1개가 피스톤에 작용하는 압력은 대기압과 같은 1기압이므로 (나)에서 추를 제거하면 기체의 압력이 1기압이 되어 기체의 부피는 8 L가 된다. 이때 용기의 부피가 3 L이므로 실린더의 부피는 5 L가 된다.

12 $PV=nRT$에서 부피가 일정한 용기에 들어 있는 기체의 압력(P)은 절대 온도(T)와 기체의 양(n)에 비례한다. 가장 왼쪽부터 차례로 각 기체의 압력을 P_1기압, P_2기압, P_3기압이라고 하면 다음 관계식이 성립한다.

$P_1=P_2+0.5$, $P_3=P_2+0.5$ 따라서 $P_1=P_3$이다.

이때 $n=\frac{PV}{RT}$이므로 기체의 양(n)은 A : B=4 : 3이다.

$\frac{4w}{\text{A의 분자량}} : \frac{2w}{\text{B의 분자량}}=4:3$이므로

$\frac{\text{A의 분자량}}{\text{B의 분자량}}=\frac{3}{2}$이다.

13 (가)에서 B가 모두 반응하고, 반응 후 혼합 기체의 전체 압력이 1기압이므로 A의 부분 압력은 0.6기압이다. 이때 B w g의 양(mol)을 $2n$몰이라고 하면 생성된 C의 양(mol)은 $2n$몰이고, $2n$몰이 나타내는 압력은 0.4기압이므로 반응 후 0.6기압을 나타내는 A의 양(mol)은 $3n$몰이다. 따라서 반응의 양적 관계는 다음과 같다.

	$A(g)$ +	$2B(g)$ ⟶	$2C(g)$
반응 전(몰)	$4n$	$2n$	0
반응(몰)	$-n$	$-2n$	$+2n$
반응 후(몰)	$3n$	0	$2n$

(가) 과정 후 전체 기체의 양(mol)은 $5n$몰이다.

(나)에서 B w g, 즉 $2n$몰을 추가할 때 반응의 양적 관계는 다음과 같다.

	$A(g)$ +	$2B(g)$ ⟶	$2C(g)$
반응 전(몰)	$3n$	$2n$	$2n$
반응(몰)	$-n$	$-2n$	$+2n$
반응 후(몰)	$2n$	0	$4n$

(나) 과정 후 전체 기체의 양(mol)이 $6n$몰이고, C의 몰 분율이 $\frac{2}{3}$이므로 부분 압력은 $\frac{2}{3}$기압이다.

따라서 $\frac{V_1}{V_2}\times x=\frac{5}{6}\times\frac{2}{3}=\frac{5}{9}$이다.

14 $n=\frac{PV}{RT}$이므로 반응 전 CH_4, O_2, He의 양(mol)은 각각 $\frac{2}{33}$몰, $\frac{6}{33}$몰, $\frac{2}{33}$몰이며, $CH_4(g)$의 연소 반응식과 양적 관계는 다음과 같다.

	$CH_4(g)$ +	$2O_2(g)$ ⟶	$CO_2(g)$ +	$2H_2O(g)$
반응 전(몰)	$\frac{2}{33}$	$\frac{6}{33}$	0	0
반응(몰)	$-\frac{2}{33}$	$-\frac{4}{33}$	$+\frac{2}{33}$	$+\frac{4}{33}$
반응 후(몰)	0	$\frac{2}{33}$	$\frac{2}{33}$	$\frac{4}{33}$

이로부터 반응 후 O_2, CO_2, H_2O, He의 양(mol)은 각각 $\frac{2}{33}$몰, $\frac{2}{33}$몰, $\frac{4}{33}$몰, $\frac{2}{33}$몰이므로 전체 기체의 양(mol)은 $\frac{10}{33}$몰이고, 혼합 기체의 전체 압력이 1기압이므로 부피는 10 L이다. 즉 실린더의 부피가 6 L가 되므로 $CO_2(g)$ $\frac{2}{33}$몰 중 $\frac{3}{5}$에 해당하는 양이 실린더에 들어 있다. 따라서 $\frac{2}{55}$몰이 실린더 속에 존재한다.

15 | 자료 분석 |

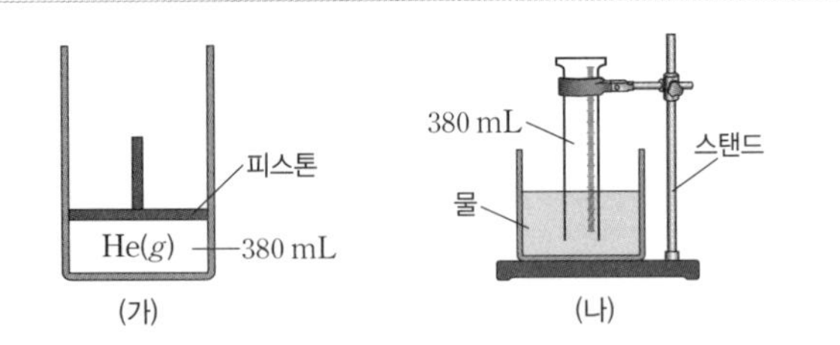

- (가)와 (나)에서 기체의 압력은 대기압과 같다.
- $n=\frac{PV}{RT}$이고, (가)와 (나)에서 기체의 온도, 압력, 부피가 같으므로 기체의 양은 (가)와 (나)에서 같다.

ㄱ. 기체의 양(mol)은 ~~(나)에서가 (가)에서보다 크다~~. (가)와 (나)에서 같다

➡ (가)와 (나)에서 온도, 압력, 부피가 같으므로 기체의 양은 서로 같다.

ㄴ. $He(g)$의 부분 압력은 (가)에서가 (나)에서보다 크다.

➡ (나)에서 실린더 속에 들어 있는 수증기의 부분 압력이 30 mmHg이므로 $He(g)$의 부분 압력은 730 mmHg이다. 따라서 $He(g)$의 부분 압력은 (가)에서가 (나)에서보다 크다.

ㄷ. (나)에서 온도를 높이면 $He(g)$의 부분 압력은 ~~커진다~~. 작아

➡ (나)에서 온도를 높이면 물의 증기 압력이 커지므로 $He(g)$의 부분 압력은 작아진다.

16 실험에서 측정한 기체의 질량(w)은 0.09 g이고, 기체의 부피는 0.05 L, 온도는 300 K, 기체의 압력은 0.96 atm이므로 이 값들을 식에 대입하여 분자량(M)을 구하면

$$M=\frac{wRT}{PV}=\frac{0.09\text{ g}\times0.08\text{ atm}\cdot\text{L}/(\text{mol}\cdot\text{K})\times300\text{ K}}{0.96\text{ atm}\times0.05\text{ L}}$$

$=45$ g/mol이다.

2 »» 물질의 세 가지 상태 (2)

01 분자 간 상호 작용

개념POOL 043쪽

01 (1) × (2) ○ (3) ○ **02** O_2 < NO

01 (1) HF가 HCl보다 기준 끓는점이 높은 주된 요인은 수소 결합이다.

02 O_2와 NO는 분자량이 비슷하지만, O_2는 무극성 분자, NO는 극성 분자이므로 NO가 O_2보다 기준 끓는점이 높다.

콕콕! 개념 확인하기 044쪽

✔ 잠깐 확인!

1 쌍극자 **2** 극성, 쌍극자 모멘트 **3** 편극 **4** 분산력 **5** 분자량, 표면적 **6** 수소 결합, H

01 (1) × (2) × (3) ○ **02** NH_3, SO_2, PH_3 **03** (1) ○ (2) ○ (3) × **04** SnH_4 > GeH_4 > SiH_4 > CH_4 **05** (1) × (2) ○ **06** ④

01 (1) 쌍극자·쌍극자 힘은 분자 내에 쌍극자를 가진 분자, 즉 극성 분자 사이에 존재하는 분자 간 힘이다.
(2) 분자량이 클수록 분산력이 크다.

02 극성 분자에는 쌍극자·쌍극자 힘이 존재한다.

03 (3) 분산력은 분자 내에서 편극에 의해 생성된 순간 쌍극자 사이에 작용하는 힘으로, 모든 분자에 존재하는 분자 간 힘이다.

04 14족 원소의 수소 화합물은 무극성 분자로, 분산력만 작용하므로 분자량이 클수록 분자 간 힘이 크고, 끓는점이 높다.

05 (1) 수소 결합은 H 원자가 전기 음성도가 큰 F, O, N 원자에 결합하고 있는 분자에서 작용한다.

탄탄! 내신 다지기 045쪽~047쪽

01 ④ **02** ③ **03** ① **04** ③ **05** ⑤ **06** ⑤ **07** ① **08** ① **09** ④ **10** ① **11** ④ **12** ① **13** ③

01 | 선택지 분석 |

제시된 모형은 쌍극자·쌍극자 힘이다.

① 편극이 클수록 크다.
➡ 쌍극자·쌍극자 힘은 분자의 쌍극자 모멘트가 클수록 크다.

② 모든 분자 사이에 작용한다.
➡ 쌍극자·쌍극자 힘은 극성 분자 사이에 작용하는 힘이다.

③ 분자 간 힘 중 세기가 가장 큰 힘이다.
➡ 분자량이 비슷할 경우 분자 간 힘 중 세기가 가장 큰 힘은 수소 결합이다.

④ 분자의 쌍극자 모멘트가 클수록 크다.
➡ 분자의 쌍극자 모멘트가 클수록 결합의 극성이 커서 쌍극자·쌍극자 힘이 크다.

⑤ 결합하는 두 원자의 원자량 차가 클수록 크다.
➡ 쌍극자·쌍극자 힘은 결합하는 두 원자의 전기 음성도 차가 커서 결합의 극성이 클수록 크다.

02 | 선택지 분석 |

ㄱ (가)의 쌍극자 모멘트는 0이다.
➡ (가)는 전자의 치우침이 없는 무극성 분자이므로 쌍극자 모멘트는 0이다.

✕ A는 ~~쌍극자·쌍극자 힘~~ 분산력이다.
➡ 분자 간 힘 A는 순간 쌍극자 사이의 힘인 분산력이다.

ㄷ 분자량이 클수록 A의 크기는 크다.
➡ 분자량이 클수록 편극이 일어나기 쉬우므로 분산력이 커진다.

03 | 자료 분석 |

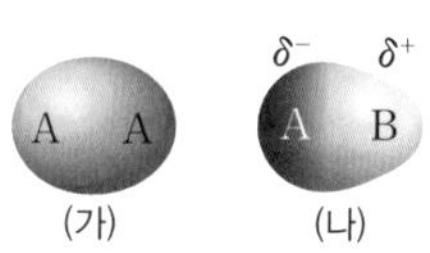

(가)는 무극성 분자이다. → 분산력만 존재한다.
(나)는 극성 분자이다. → 분산력과 쌍극자·쌍극자 힘이 작용한다.

| 선택지 분석 |

✕ 분산력은 (가)에서만 작용한다.
➡ 분산력은 모든 분자에 존재하는 힘이다.

ㄴ 끓는점은 (나)가 (가)보다 높다.
➡ (가)와 (나)의 분자량이 비슷하므로 분산력의 크기는 비슷하고, (나)에는 쌍극자·쌍극자 힘이 작용하므로 분자 간 힘은 (나)가 (가)보다 크다. 따라서 끓는점은 (나)가 (가)보다 높다.

✕ ~~(가)~~와 (나)에서 모두 쌍극자·쌍극자 힘이 작용한다.
➡ 쌍극자·쌍극자 힘은 극성 분자인 (나)에서만 작용한다.

04 | 자료 분석 |

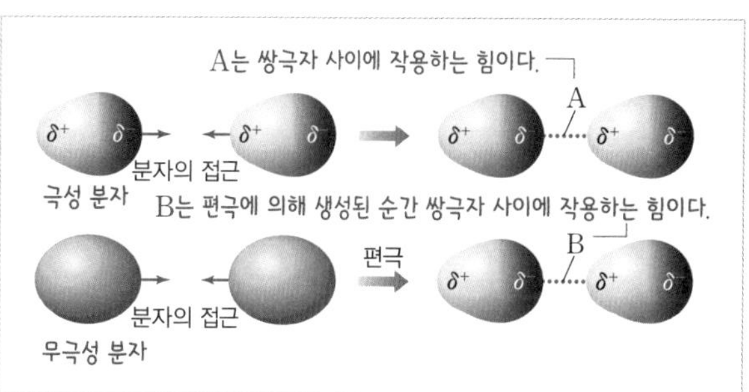

| 선택지 분석 |

ㄱ 분자 간 힘 A의 세기는 HCl이 C_2H_6보다 크다.
➡ A는 극성 분자 사이에 작용하는 쌍극자·쌍극자 힘이므로 쌍

극자·쌍극자 힘의 세기는 극성 분자인 HCl이 무극성 분자인 C_2H_6보다 크다.

㉡ 분자 간 힘 B의 세기는 C_2H_6이 CH_4보다 크다.

➡ B는 분산력이므로 분자량이 큰 C_2H_6이 CH_4보다 크다.

✗ 분자 간 힘 B가 작용하는 물질은 ~~2~~3가지이다.

➡ 분산력은 모든 분자에 존재하는 힘이다.

05 | 선택지 분석 |

㉠ 분자 간 힘은 Br_2이 가장 크다.

➡ 물질의 분자 간 힘이 클수록 기준 끓는점이 높다.

㉡ Cl_2는 N_2보다 편극이 일어나기 쉽다.

➡ Cl_2는 N_2보다 분자량이 크므로 편극이 일어나기 쉽다.

㉢ 3가지 물질 모두 분산력이 작용한다.

➡ 분산력은 모든 분자에 존재하는 힘이다.

06 | 자료 분석 |

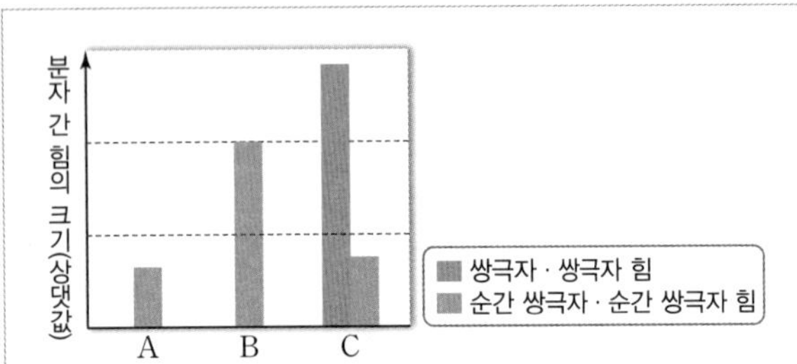

- A, B에는 순간 쌍극자·순간 쌍극자 힘만 존재한다.
  → A, B는 무극성 분자이다.
- 분자 간 힘이 B > A이다. → 분자량은 B > A이다.
- C에는 쌍극자·쌍극자 힘이 존재한다. → C는 극성 분자이다.

㉠ 분자량은 B가 A보다 크다.

➡ 순간 쌍극자·순간 쌍극자 힘이 큰 B가 A보다 분자량이 크다.

㉡ 끓는점은 C가 B보다 높다.

➡ 분자 간 힘은 C가 B보다 크므로 끓는점은 C가 B보다 높다.

㉢ 분자의 쌍극자 모멘트는 C가 B보다 크다.

➡ B는 무극성 분자이고, C는 극성 분자이므로 분자의 쌍극자 모멘트는 C가 B보다 크다.

07 | 자료 분석 |

화합물	(가)	(나)	(다)	(라)
끓는점(℃)	−161	−112	−88	−33

- CH_4과 SiH_4은 14족 수소 화합물이다.
  → 무극성 물질이므로 분산력만 작용하고, 분자량이 클수록 분자 간 힘이 크고 끓는점이 높다. → 끓는점: $SiH_4 > CH_4$
- NH_3와 PH_3은 15족 수소 화합물이다. → 극성 분자이다.
  NH_3는 매우 강한 분자 간 힘인 수소 결합이 작용한다.
  → 끓는점: $NH_3 > PH_3$
- 분자량이 비슷한 SiH_4과 PH_3에서 쌍극자·쌍극자 힘이 작용하는 PH_3이 분산력만 작용하는 SiH_4보다 끓는점이 높다.
  → 끓는점: $PH_3 > SiH_4$
- 끓는점은 $NH_3 > PH_3 > SiH_4 > CH_4$이다.

㉠ (가)는 무극성 분자이다.

➡ 끓는점이 가장 낮은 (가)는 CH_4으로 무극성 분자이다.

✗ (다)가 (나)보다 끓는점이 높은 주된 요인은 ~~분산력~~쌍극자·쌍극자 힘이다.

➡ (나)는 SiH_4이다. (나)와 (다)는 분자량이 비슷하여 분산력도 비슷하지만, 극성 분자인 (다)에서는 쌍극자·쌍극자 힘이 작용하므로 (다)가 (나)보다 끓는점이 높다. 즉 (다)가 (나)보다 끓는점이 높은 주된 요인은 쌍극자·쌍극자 힘이다.

✗ 분자량은 (라)가 (다)보다 ~~크~~작다.

➡ (라)는 NH_3이고, (다)는 PH_3으로 분자량은 (다) > (라)이다.

08 | 선택지 분석 |

㉠ 분자 간 힘은 (가)가 가장 크다.

➡ 분자 간 힘은 기준 끓는점이 가장 높은 (가)가 가장 크다.

✗ 액체 상태의 (나)에는 수소 결합이 ~~존재한~~존재하지 않는다.

➡ (나)에서 수소 원자가 탄소 원자에 결합하고 있으므로 수소 결합이 존재하지 않는다.

✗ (나)가 (다)보다 기준 끓는점이 높은 주된 요인은 ~~분산력~~쌍극자·쌍극자 힘이다.

➡ (나)와 (다)는 분자량이 같지만, (나)는 극성 분자, (다)는 무극성 분자이므로 (나)가 (다)보다 기준 끓는점이 높은 주된 요인은 쌍극자·쌍극자 힘이다.

09 | 자료 분석 |

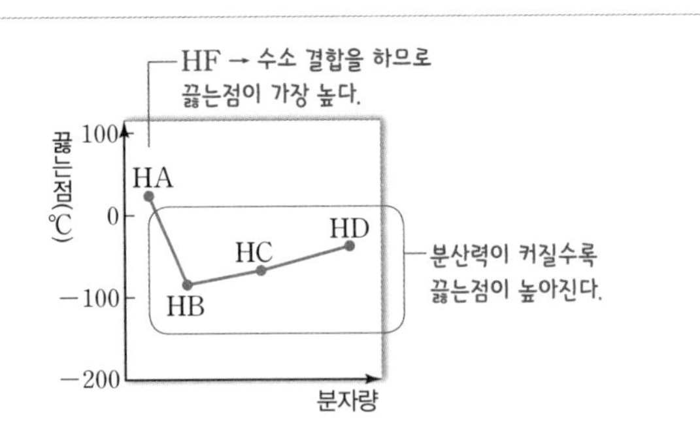

- 17족 원소에서 분자량이 HA < HB < HC < HD이므로 원자량은 A < B < C < D이다.
  → A ~ D는 차례로 F, Cl, Br, I이다.

✗ HC가 HB보다 기준 끓는점이 높은 주된 요인은 ~~쌍극자·쌍극자 힘~~분산력이다.

➡ 분자의 쌍극자 모멘트는 두 원자의 전기 음성도 차가 큰 HB가 HC보다 크다. 즉 쌍극자·쌍극자 힘은 HB가 HC보다 큼에도 기준 끓는점이 HC가 HB보다 높은 까닭은 분산력 때문이다.

㉡ 액체 상태에서 수소 결합이 존재하는 것은 1가지이다.

➡ 수소 결합이 존재하는 것은 HA(HF) 1가지이다.

㉢ 분산력이 가장 큰 것은 HD이다.

➡ 분산력은 분자량이 가장 큰 HD(HI)가 가장 크다.

10 | 선택지 분석 |

㉠ 분자 간 힘은 PH_3이 가장 작다.

➡ 분자 간 힘은 기준 끓는점이 가장 낮은 PH_3이 가장 작다.

✕ 수소 결합이 존재하는 것은 ~~2~~가지이다. (1)

➡ 수소 결합은 전기 음성도가 큰 F, O, N 원자와 H 원자가 결합한 분자 사이에 작용하는 힘이다. 따라서 수소 결합이 존재하는 것은 NH_3 1가지이다.

✕ SbH_3가 AsH_3보다 끓는점이 높은 주된 요인은 ~~쌍극자-쌍극자 힘~~이다. (분산력)

➡ 같은 족에서 원자 번호가 클수록 전기 음성도가 작다. 따라서 분자의 쌍극자 모멘트는 AsH_3이 SbH_3보다 크다. 그런데 기준 끓는점은 SbH_3가 AsH_3보다 높으므로 분산력이 더 큰 영향을 미침을 알 수 있다.

11 | 선택지 분석 |

✕ x ~~<~~ -112이다. (>)

➡ SiH_4과 PH_3은 분자량이 비슷하므로 분산력의 크기도 비슷하다. SiH_4은 무극성 분자이므로 분산력만 존재하고, PH_3은 극성 분자이므로 쌍극자·쌍극자 힘이 존재한다. 따라서 PH_3이 SiH_4보다 분자 간 힘이 크고, 끓는점도 높다.

㉡ 분산력은 SiH_4이 CH_4보다 크다.

➡ 분산력은 분자량이 큰 SiH_4이 CH_4보다 크다.

㉢ (가)~(라) 중 수소 결합이 존재하는 것은 1가지이다.

➡ (가)~(라) 중 수소 결합이 존재하는 것은 H_2O 1가지이다.

12 | 자료 분석 |

- A_2, B_2, C_2 중 기준 끓는점은 A_2가 가장 낮다.
- 기준 끓는점은 AB가 AC보다 높다.

- H_2, F_2, Cl_2는 무극성 분자로 분산력만 존재하고, 분자량이 클수록 분산력이 커서 끓는점이 높다. → A는 H이다.
- AB와 AC는 각각 HF와 HCl 중 하나이고, 기준 끓는점은 수소 결합이 작용하는 HF가 더 높다. → B는 F, C는 Cl이다.

㉠ 기준 끓는점은 C_2가 B_2보다 높다.

➡ 분자량은 $C_2>B_2$이므로 분산력도 $C_2>B_2$이다. 따라서 기준 끓는점은 $C_2>B_2$이다.

✕ 분산력은 AB가 AC보다 ~~크~~다. (작)

➡ 분자량은 AC가 AB보다 크므로 분산력도 AC가 AB보다 크다.

✕ 액체 상태의 AC에는 수소 결합이 ~~존재한다~~. (하지 않는)

➡ AC는 HCl이므로 수소 결합이 존재하지 않는다.

13 | 선택지 분석 |

㉠ 분자 간 힘은 D_2가 가장 크다.

➡ 분자 간 힘은 기준 끓는점이 가장 높은 D_2가 가장 크다.

㉡ HA에는 수소 결합이 존재한다.

➡ HA는 수소 결합을 하므로 분자량이 작음에도 끓는점이 높다.

✕ B_2와 HB의 끓는점 차이는 ~~쌍극자-쌍극자 힘~~으로 설명할 수 있다. (분산력)

➡ 무극성 물질인 B_2가 극성 물질인 HB보다 끓는점이 높은 요인은 분산력이다.

도전! 실력 올리기

048쪽~049쪽

01 ② 02 ③ 03 ② 04 ④ 05 ③ 06 ③

07 | **모범 답안** | (1) 영역 Ⅰ과 영역 Ⅱ의 물질은 모두 무극성 물질이므로 분산력만 작용한다. 분산력은 분자량이 클수록 크므로 기준 끓는점이 높은 영역 Ⅰ의 물질이 영역 Ⅱ의 물질보다 분자량이 크다.

(2) 분자의 쌍극자 모멘트는 영역 Ⅲ의 물질이 영역 Ⅳ의 물질보다 작음에도 기준 끓는점이 높은 것으로 보아 분자 간 힘이 크다. 이로부터 영역 Ⅲ의 물질에는 수소 결합이 존재한다고 추론할 수 있다.

08 | **모범 답안** | 분자량이 같은 경우 분자의 모양이 분산력에 영향을 준다. 분자의 표면적이 클수록 분자 간 상호 작용이 커지므로 분산력이 크다. 분산력은 (나)가 (가)보다 크므로 기준 끓는점은 (나)가 (가)보다 높다.

01 | 선택지 분석 |

✕ ㉡은 ~~H_2S~~이다. (CH_3OH)

➡ 제시된 물질 중 액체 상태에서 수소 결합이 존재하는 것은 CH_3OH이므로 ㉠은 CH_3OH이고, ㉡은 H_2S이다.

㉡ 기준 끓는점은 ㉠이 ㉡보다 높다.

➡ ㉠과 ㉡은 분자량이 비슷하고 ㉠에만 수소 결합이 작용하므로 기준 끓는점은 ㉠이 ㉡보다 높다.

✕ A로 '분산력이 작용하는가?'가 ~~적절하다~~. (하지 않다)

➡ 분산력은 모든 분자 사이에 작용하는 힘이므로 두 물질을 분류하는 기준으로 '분산력이 작용하는가?'는 적절하지 않다.

02 | 자료 분석 |

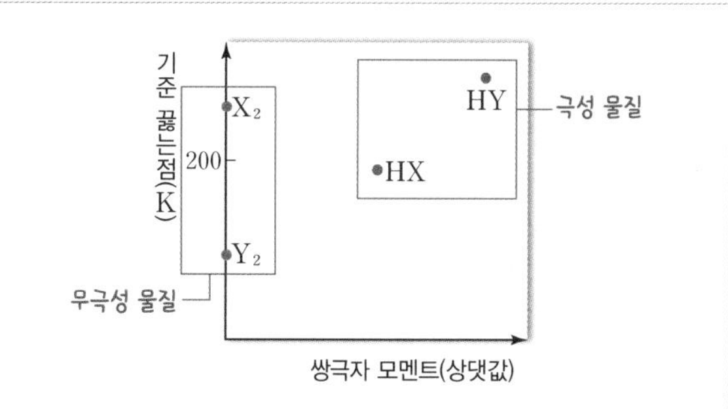

- 분자의 쌍극자 모멘트가 0인 물질은 무극성이다.
  → 분산력만 작용하고, 분자량이 클수록 분산력이 크다.
- 분자의 쌍극자 모멘트가 0보다 큰 물질은 극성이다.
  → 분산력과 쌍극자·쌍극자 힘이 존재한다.

㉠ 분산력은 X_2가 Y_2보다 높다.

➡ 무극성 물질은 분산력이 클수록 기준 끓는점이 높다.

ㄴ. 분자 간 힘은 X_2가 HX보다 크다.

➡ 기준 끓는점이 높을수록 분자 간 힘이 크다.

✕ HY가 X_2보다 기준 끓는점이 높은 주된 요인은 ~~분산력~~ 수소 결합이다.

➡ Y는 F이므로 HY는 HF이고, X_2는 Cl_2이다. 따라서 HY가 X_2보다 기준 끓는점이 높은 주된 요인은 수소 결합이다.

03 | 자료 분석 |

✕ 분자의 쌍극자 모멘트가 0이 아니다.

➡ 3가지 물질 중 분자의 쌍극자 모멘트가 0인 분자는 무극성 분자인 C_2H_6뿐이다.

✕ 수소 결합이 존재한다.

➡ 3가지 물질 중 수소 결합이 존재하는 것은 CH_3NH_2뿐이다.

ㄷ. 분산력이 작용한다.

➡ 분산력은 모든 분자에서 작용하는 힘이다.

04 | 자료 분석 |

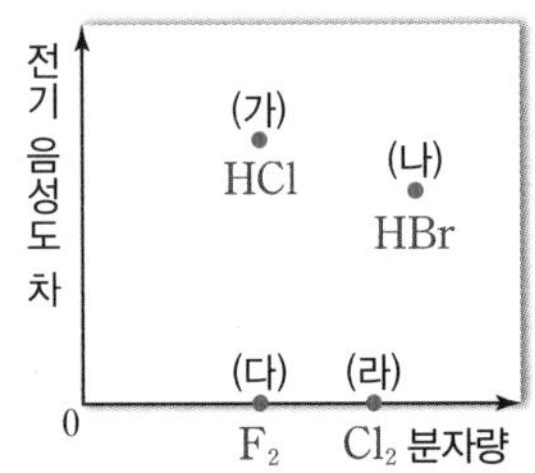

- F_2, Cl_2은 두 원자 사이의 전기 음성도 차가 0이므로 무극성 분자이고, 분자량은 $F_2 < Cl_2$이다. → (다)는 F_2, (라)는 Cl_2이다.
- 전기 음성도는 Cl > Br이다. → (가)는 HCl, (나)는 HBr이다.

✕ 액체 상태에서 (가)에는 수소 결합이 ~~존재한다~~ 존재하지 않는다.

➡ (가)는 HCl이므로 액체 상태에서 HCl 분자에는 수소 결합이 존재하지 않는다.

ㄴ. 분자의 쌍극자 모멘트는 (나)가 (라)보다 크다.

➡ (나)는 극성 분자, (라)는 무극성 분자이므로 쌍극자 모멘트는 (나)가 (라)보다 크다.

ㄷ. 기준 끓는점은 (라)가 (다)보다 높다.

➡ 무극성 분자에 작용하는 분산력은 분자량이 클수록 크므로 기준 끓는점은 (라) > (다)이다.

05 | 선택지 분석 |

ㄱ. 분자의 쌍극자 모멘트는 A가 B보다 크다.

➡ A와 B는 모두 극성 분자이고, 분자량은 A가 B보다 작음에도 불구하고 기준 끓는점이 높은 것으로 보아 쌍극자·쌍극자 힘이 크다. 따라서 분자의 쌍극자 모멘트는 A가 B보다 크다.

ㄴ. 분자 간 힘은 D가 B보다 크다.

➡ 기준 끓는점은 D가 B보다 높으므로 분자 간 힘은 D가 B보다 크다.

✕ 분산력은 A가 D보다 ~~크다~~ 작다.

➡ 분자량은 D가 A보다 크므로 분산력은 A가 D보다 작다.

06 | 자료 분석 |

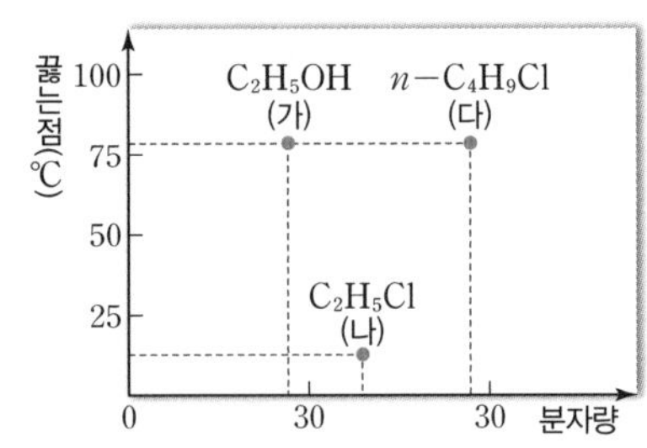

- 분산력은 모든 분자에 작용하고 분자량이 클수록 크다.
  → 분산력의 크기: (가) < (나) < (다)
- 분자에 −OH를 가진 분자는 수소 결합을 한다.

| 선택지 분석 |

ㄱ. 액체 상태의 (가)에는 수소 결합이 존재한다.

➡ (가)에는 −OH가 있어 액체 상태에서 수소 결합이 존재한다.

✕ 분산력은 (가)가 (나)보다 ~~크다~~ 작다.

➡ 분자량은 (나) > (가)이므로 분산력은 (가)가 (나)보다 작다.

ㄷ. 분자 간 힘은 (다)가 (나)보다 크다.

➡ 분자 간 힘은 기준 끓는점이 높은 (다)가 (나)보다 크다.

07 (1) 영역 Ⅰ과 영역 Ⅱ의 물질은 쌍극자 모멘트가 0이므로 모두 무극성 분자이다. 따라서 분자 간 힘에 영향을 미치는 요인은 분산력 뿐이며, 분자량이 클수록 분산력이 크다.

(2) 분자량이 비슷한 경우 수소 결합은 분산력이나 쌍극자·쌍극자 힘보다 훨씬 강하다. 영역 Ⅲ과 영역 Ⅳ의 물질은 분자량이 비슷하고, 쌍극자 모멘트는 영역 Ⅳ의 물질이 더 큼에도 끓는점은 영역 Ⅲ의 물질이 더 높으므로 영역 Ⅲ의 물질에는 수소 결합이 존재한다고 추론할 수 있다.

	채점 기준	배점
(1)	Ⅰ과 Ⅱ의 물질이 모두 무극성 물질이고, 분산력은 분자량이 클수록 크다고 서술한 경우	50 %
	Ⅰ과 Ⅱ의 분자량만 옳게 비교한 경우	20 %
(2)	Ⅲ과 Ⅳ의 쌍극자 모멘트를 비교하고, 수소 결합을 주된 요인으로 서술한 경우	50 %
	수소 결합을 한다고만 쓴 경우	20 %

08 분자량이 비슷한 경우 분자의 모양이 넓게 퍼진 것일수록 분자의 표면적이 커서 편극이 쉽게 일어난다. (가) 네오펜테인과 (나) 노말펜테인은 분자식이 같으므로 분자량이 같지만, 긴 사슬 모양의 (나) 노말펜테인이 둥근 모양인 (가) 네오펜테인보다 편극이 일어나기 쉬우므로 분산력이 크다.

채점 기준	배점
분자의 모양을 비교하고, 분산력을 분자의 모양과 관련지어 옳게 서술한 경우	100 %
(나)가 (가)보다 분산력이 커서 기준 끓는점이 높다고만 서술한 경우	40 %

02 액체

개념POOL 054쪽

01 (1) 다이에틸 에테르 (2) 아세트산 (3) 다이에틸 에테르=아세트산 02 (1) × (2) ×

01 (1) 같은 온도에서 증기 압력이 큰 물질일수록 증발되기 쉽다.
(3) 기준 끓는점에서 증기 압력은 모두 외부 압력과 같은 760 mmHg이다.

02 (1) 분자 간 힘이 작을수록 증발하기 쉬우므로 같은 온도에서 증기 압력이 크다.
(2) 같은 온도에서 증기 압력이 클수록 분자 간 힘이 작으므로 기준 끓는점이 낮다.

콕콕! 개념 확인하기 055쪽

✔ 잠깐 확인!

1 수소 결합, 작 2 열용량, 열용량 3 표면 장력 4 증기 압력 5 크, 크

01 (1) × (2) ○ (3) ○ 02 ㉠ 수소 결합, ㉡ 공유 결합, ㉢ B, ㉣ A, ㉤ A 03 (1) ○ (2) × (3) × 04 (1) A (2) C (3) C

01 (3) 모세관 현상은 액체에 가는 관을 넣을 때 액체가 관을 따라 올라가는 현상으로, 액체 분자 사이에 작용하는 응집력과 액체와 다른 입자 사이에 작용하는 부착력에 의해 나타난다. 물은 수소 결합을 하므로 응집력이 크다. 또한 극성 물질이므로 극성인 유리와의 인력도 커서 모세관 현상이 잘 일어난다.

02 결합 A는 분자 간 힘인 수소 결합이고, B는 물 분자를 구성하는 H 원자와 O 원자 사이의 공유 결합이다. 물을 전기 분해하면 수소와 산소 사이의 공유 결합인 결합 B가 끊어지고, 물이 수증기로 기화할 때는 물 분자의 배열이 달라지므로 결합 B는 끊어지지 않고 결합 A가 끊어진다.

03 (2) 온도가 높을수록 분자 운동이 활발해져 평균 운동 에너지가 커지므로 증발하기 쉽다.
(3) 분자 간 힘이 작을수록 증발이 잘 일어나므로 같은 온도에서 증기 압력이 크다.

04 (1) 20 ℃에서 증기 압력이 가장 큰 A의 증발 속도가 가장 빠르다.
(2) 증기 압력이 작은 액체일수록 분자 간 힘이 크다.
(3) 기준 끓는점은 액체의 증기 압력이 1기압(760mmHg)일 때의 온도이므로 C가 가장 높다.

탄탄! 내신 다지기 056쪽~057쪽

01 ④ 02 ⑤ 03 ③ 04 ⑤ 05 ④ 06 ① 07 ③ 08 ③ 09 ②

01 | 선택지 분석 |

① 물이 얼면 부피가 증가한다.
➡ 물이 얼 때 수소 결합에 의해 빈 공간이 많은 육각형 구조를 이루기 때문에 액체 상태인 물보다 부피가 커진다.

② 해안 지방은 내륙 지방보다 일교차가 작다.
➡ 물은 수소 결합을 하여 분자 간 힘이 커서 열용량이 크므로 온도 변화가 크지 않다. 따라서 바닷물은 천천히 데워지고, 천천히 식으므로 해안 지방은 내륙 지방보다 일교차가 작다.

③ 풀잎에 맺힌 이슬 방울의 모양이 동그랗다.
➡ 물은 수소 결합을 하므로 다른 물질에 비해 표면 장력이 크다.

④ 물은 소금과 같은 이온 결합 물질을 잘 녹인다.
➡ 물이 소금과 같은 이온 결합 물질을 잘 녹이는 까닭은 물이 극성을 띠기 때문이다.

⑤ 나무 뿌리에서 흡수된 물이 나무 꼭대기까지 올라간다.
➡ 물은 수소 결합에 의해 응집력과 모세관과의 부착력이 커서 모세관 현상이 잘 일어난다.

02 | 선택지 분석 |

ㄱ. 얼음이 녹으면 결합 a의 평균 수는 감소한다.
➡ 얼음이 녹으면 분자 간 힘인 수소 결합의 일부가 끊어진다.

ㄴ. 물이 전기 분해될 때 결합 b가 끊어진다.
➡ 물이 전기 분해될 때 물 분자를 형성하는 수소 원자와 산소 원자의 결합이 끊어지므로 공유 결합인 결합 b가 끊어진다.

ㄷ. 얼음이 물에 뜨는 까닭은 물이 얼 때 결합 a를 최대로 하기 위해 결정 내에 빈 공간이 생기기 때문이다.
➡ 물이 얼 때 수소 결합(결합 a)을 최대로 하기 위해 결정 내에 빈 공간이 생겨 부피가 증가하므로 밀도가 감소한다.

03 | 자료 분석 |

• 액체 방울의 모양이 둥글수록 표면 장력이 크다.
→ 표면 장력은 A>B>C이다.
• 표면 장력은 분자 간 힘이 클수록 크다.
→ 분자 간 힘은 A>B>C이다.

| 선택지 분석 |

ㄱ. A는 B보다 표면 장력이 크다.
➡ 같은 온도에서 액체 방울의 모양이 더 둥근 A의 표면 장력이 B보다 크다.

ㄴ. 액체 상태에서 분자 간 힘은 B가 C보다 크다.
➡ 표면 장력은 B>C이므로 분자 간 힘도 B가 C보다 크다.

~~✕~~ 50 ℃에서 A로 실험하면 액체 방울의 모양이 더 ~~둥글~~(납작하다) ~~랗다~~.

➡ 온도가 높을수록 분자 간 힘이 작아지므로 50 ℃에서 실험하면 액체 방울의 모양이 납작해진다.

04 | 선택지 분석 |

① 얼음의 온도가 높아지면 부피가 ~~감소~~(증가)한다.

➡ −4 ℃~0 ℃에서 온도가 높아질 때 밀도가 감소하는 것으로 보아 부피가 증가한다.

② a → b로 될 때 결합 A의 평균 수가 ~~감소한~~(변하지 않는)다.

➡ 얼음이 녹아 물로 상태가 변해도 물 분자를 형성하는 공유 결합인 결합 A의 수는 변하지 않는다.

③ a → b로 될 때 물 분자 배열의 규칙성이 ~~증가~~(감소)한다.

➡ a → b로 될 때 얼음이 녹아 물로 되므로 물 분자의 배열이 다소 불규칙하게 된다.

④ b → c로 될 때 1 g의 부피는 ~~증가~~(감소)한다.

➡ b → c로 될 때 물의 밀도가 증가하므로 1 g의 부피는 감소한다.

⑤ b → c로 될 때 결합 B의 평균 수가 감소한다.

➡ b → c로 될 때 수소 결합의 일부가 끊어지면서 부피가 감소하는 효과가 온도 증가에 따른 물의 부피 증가 효과보다 크므로 밀도가 증가한다.

05 물보다 밀도가 큰 금속 바늘을 물 위에 띄울 수 있는 까닭은 물의 표면 장력이 크기 때문이다. 물은 수소 결합을 하므로 다른 액체 물질에 비해 표면 장력이 크다.

06 | 자료 분석 |

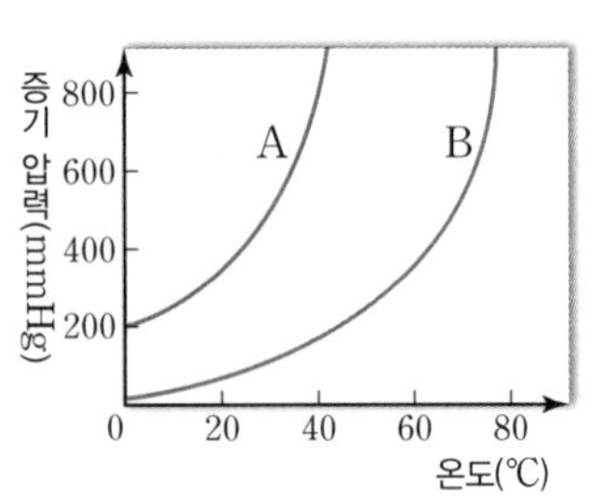

- 같은 온도에서 증기 압력의 크기: A>B
  → 동적 평형 상태에서 증기 분자 수는 A>B이다.
  → 증발 속도는 A>B이다.
- 증기 압력이 클수록 증발하기 쉽다.
  → 분자 간 힘이 작다. → 기준 끓는점이 낮다.

| 선택지 분석 |

ㄱ 20 ℃에서 증발 속도

➡ 20 ℃에서 증기 압력이 큰 A가 B보다 증발 속도가 빠르다.

~~✕~~ 분자 간 힘

➡ 증기 압력이 작은 B가 A보다 분자 간 힘이 크다.

~~✕~~ 기준 끓는점

➡ 분자 간 힘이 큰 B가 A보다 기준 끓는점이 높다.

07 | 자료 분석 |

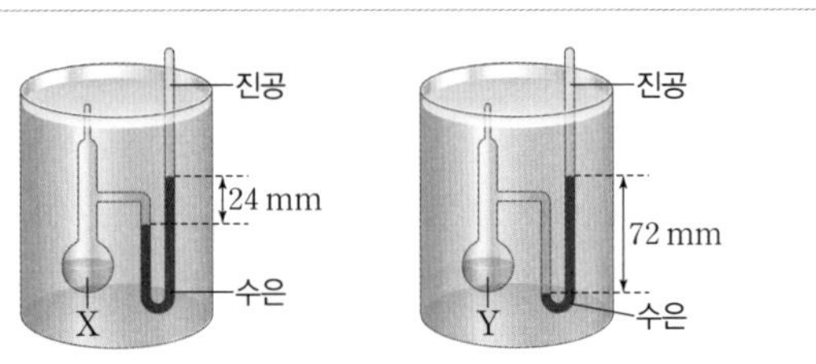

- 25 ℃에서 X의 증기 압력은 24 mmHg이고, Y의 증기 압력은 72 mmHg이다.
- 액체의 증기 압력이 외부 압력과 같을 때 액체 내부에서도 기화가 일어나 끓는다.

| 선택지 분석 |

ㄱ 25 ℃에서 X의 증기 압력은 24 mmHg이다.

➡ 25 ℃에서 동적 평형에 도달했을 때 X의 증기가 나타내는 압력은 X의 증기 압력이므로 X의 증기 압력은 24 mmHg이다.

ㄴ 외부 압력이 72 mmHg일 때 Y의 끓는점은 25 ℃이다.

➡ 25 ℃에서 Y의 증기 압력이 72 mmHg이므로 외부 압력이 72 mmHg일 때 25 ℃에서 Y가 끓는다.

~~✕~~ 기준 끓는점은 Y가 X보다 ~~높~~(낮)다.

➡ 증기 압력은 Y가 X보다 크므로 분자 간 힘은 X가 Y보다 크고, 기준 끓는점도 X가 Y보다 높다.

08 | 자료 분석 |

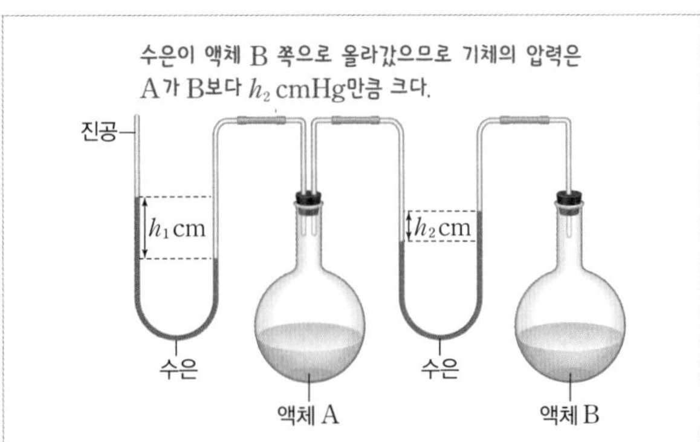

- t ℃에서 A의 증기 압력은 h_1 cmHg이다.
- A의 증기 압력=B의 증기 압력+h_2 cmHg

| 선택지 분석 |

ㄱ t ℃에서 B의 증기 압력은 (h_1-h_2) cmHg이다.

➡ B의 증기 압력=A의 증기 압력−h_2 cmHg이고, A의 증기 압력은 h_1 cmHg이므로 B의 증기 압력은 (h_1-h_2) cmHg이다.

ㄴ 증발 속도는 A가 B보다 빠르다.

➡ 증기 압력은 A가 B보다 크므로 동적 평형 상태에서 용기 내에 더 많은 A의 증기 분자가 있다. 따라서 증발 속도는 A가 B보다 빠르다.

~~✕~~ 기준 끓는점은 A가 B보다 ~~높~~(낮)다.

➡ 증기 압력은 A가 B보다 크므로 기준 끓는점은 A가 B보다 낮다.

09 | 선택지 분석 |

✕ 기준 끓는점은 A가 B보다 높다. (→ 낮)

➡ 증기 압력 측정 장치에서 수은 기둥의 높이 h가 클수록 증기 압력이 크다. 즉 증기 압력은 A가 B보다 크므로 분자 간 힘은 B가 A보다 크고, 기준 끓는점은 B가 A보다 높다.

✕ A(g)의 응축 속도는 ~~t_1에서와 t_2에서 같다~~. (→ t_1에서 더 작)

➡ 일정한 온도에서 증발 속도는 일정하고, 응축 속도는 증기 분자 수에 비례한다. 따라서 응축 속도는 t_1에서가 t_2에서보다 느리다.

ㄷ A 30 mL를 넣고 실험해도 t_2에서 측정되는 h는 a이다.

➡ 액체의 증기 압력은 액체의 양에 관계없이 온도에 의해서만 결정되므로 A 30 mL를 넣고 실험해도 측정되는 h는 a이다.

도전! 실력 올리기 058쪽~059쪽

01 ⑤ **02** ③ **03** ④ **04** ② **05** ① **06** ②

07 (1) (가) 물, (나) 얼음

(2) | **모범 답안** | 0 ℃ 얼음에서는 물 분자들이 수소 결합에 의해 빈 공간이 있는 육각형으로 배열한다. 얼음이 녹아 0 ℃의 물이 될 때 수소 결합의 일부가 끊어지면서 빈 공간을 채우므로 부피가 감소하여 밀도가 증가한다.

08 | **모범 답안** | B > A, A의 증기 압력 + h_1 cmHg = 76 cmHg, B의 증기 압력 + h_2 cmHg = 76 cmHg이다. 이때 $h_1 < h_2$이므로 증기 압력은 A가 B보다 크다. 증기 압력이 클수록 분자 간 힘이 작으므로 기준 끓는점이 낮다.

01 | 자료 분석 |

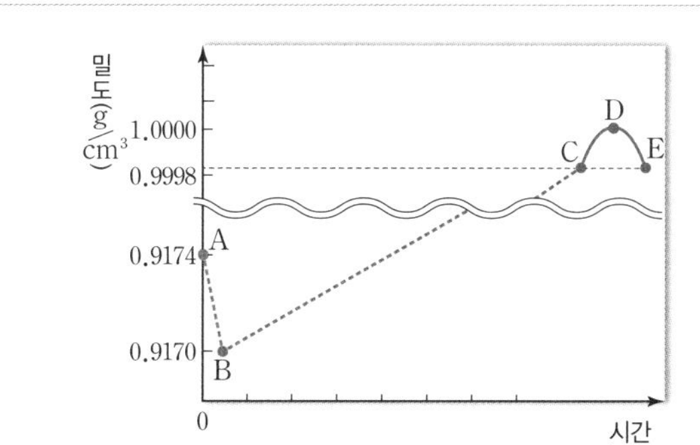

- A → B에서는 온도가 증가하므로 부피가 증가한다.
- B → C에서는 얼음이 녹으면서 수소 결합의 일부가 끊어지고 이에 따라 부피가 감소한다.
- C → D에서는 수소 결합이 끊어지면서 부피가 감소하는 효과가 온도 증가에 따른 부피 증가 효과보다 크므로 밀도가 증가한다.
- D → E에서는 온도가 증가하여 부피가 증가한다.

| 선택지 분석 |

ㄱ 분자당 평균 수소 결합 수는 B > C이다.

➡ B는 0 ℃ 얼음이고, C는 0 ℃ 물이므로 분자당 수소 결합 수는 B > C이다.

ㄴ 1 g의 부피는 A > D이다.

➡ 밀도는 부피에 반비례하므로 1 g의 부피는 A > D이다.

ㄷ 표면 장력은 D > E이다.

➡ 표면 장력은 분자 간 힘에 의해 나타나는 성질이다. 온도가 높을수록 분자 간 힘이 작아지므로 표면 장력은 D > E이다.

02 | 선택지 분석 |

ㄱ 부피가 증가한다.

➡ 물이 얼면 수소 결합에 의해 육각형 모양으로 분자들이 배열하여 결정 내에 빈 공간이 커지므로 부피가 증가한다.

✕ 결합 A의 수가 ~~감소한다~~. (→ 일정하다)

➡ 물이 얼어도 물 분자 수는 일정하므로 물 분자를 형성하는 공유 결합인 결합 A의 수는 일정하다.

ㄷ 결합 B의 수가 증가한다.

➡ 물이 얼면 분자 당 수소 결합 수가 증가한다.

03 | 자료 분석 |

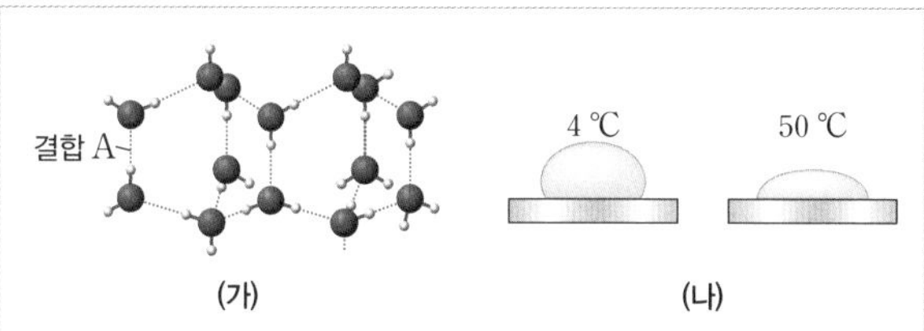

- 결합 A는 분자 간 힘인 수소 결합이다.
- 물 방울의 모양이 둥글수록 표면 장력이 크다.
  → 표면 장력은 4 ℃ 물이 50 ℃ 물보다 크다.

| 선택지 분석 |

✕ 얼음이 녹을 때 결합 A~~가 모두~~ 끊어진다. (→ 일부가)

➡ 얼음이 녹을 때 수소 결합의 일부가 끊어진다. 물이 기화할 때 수소 결합이 모두 끊어진다.

ㄴ 1 g의 부피는 0 ℃ 얼음이 4 ℃ 물보다 크다.

➡ 밀도는 얼음이 물보다 작으므로 1 g의 부피는 0 ℃ 얼음이 4 ℃ 물보다 크다.

ㄷ 표면 장력은 4 ℃ 물이 50 ℃ 물보다 크다.

➡ 물방울이 모양이 더 둥근 4 ℃ 물이 50 ℃ 물보다 표면 장력이 크다.

04 | 선택지 분석 |

✕ A는 얼음이다. (→ 물)

➡ 일정한 질량의 물의 부피는 기체 > 고체 > 액체이다. A는 물, B는 얼음, C는 수증기이다.

✕ 밀도는 B가 가장 크다. (→ A)

➡ 밀도는 단위 질량의 부피가 가장 작은 A가 가장 크다.

ㄷ A → B 과정에서 분자당 수소 결합의 평균 수가 증가한다.

➡ A → B는 물이 얼어 얼음이 되는 과정이므로 분자당 수소 결합 수가 증가한다.

05 | 자료 분석 |

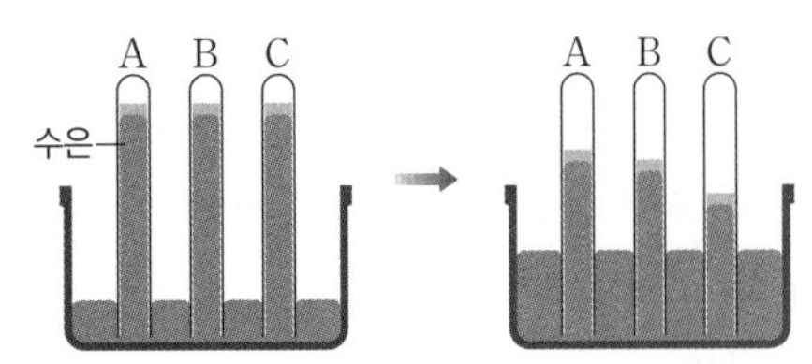

- 수은이 가득 들어 있는 유리관에 액체를 소량 넣으면 액체가 수은 기둥 위로 올라간다.
  → 액체의 밀도가 수은보다 작기 때문이다.
- 각 액체가 증발하고 충분한 시간이 지난 후 동적 평형에 도달하여 일정한 증기 압력을 갖는다.
- 대기압이 일정하므로 각 유리관에서는 '증기 압력+수은 기둥의 높이 차에 의한 압력=대기압'이다. → 증기 압력의 크기: C>B>A

| 선택지 분석 |

✕ 25 ℃에서 증기 압력은 ~~A~~(C)가 가장 크다.
➡ 증기 압력은 수은 기둥이 가장 많이 밀려난 C가 가장 크다.

ㄴ 분자 간 힘은 B가 C보다 크다.
➡ 증기 압력은 B<C이므로 분자 간 힘은 B가 C보다 크다.

✕ 기준 끓는점은 ~~C~~(A)가 가장 높다.
➡ 기준 끓는점은 증기 압력이 가장 작은 A가 가장 높다.

06 | 선택지 분석 |

✕ (가)에서 물의 증기 압력은 1기압~~이다~~(이 아니다).
➡ (가)는 열린 용기에 물이 들어 있으므로 동적 평형에 도달하지 않는다. 따라서 물의 증기 압력을 측정할 수 없다.

✕ (나)에서 물의 증기 압력은 1기압보다 ~~크~~(작)다.
➡ (나)에서 H_2O의 온도는 90 ℃이고, 90 ℃에서 끓고 있으므로 물의 증기 압력은 1기압보다 작다.

ㄷ (나)에서 H_2O의 증발 속도와 응축 속도는 같다.
➡ (나)에서는 물이 끓고 있으므로 증발과 응축이 동적 평형을 이루고 있다. 따라서 H_2O의 증발 속도와 응축 속도는 같다.

07 (1) 물 분자의 배열이 규칙적인 (나)는 고체 상태인 얼음이고, (가)는 액체 상태인 물이다.

(2) 얼음은 수소 결합에 의해 빈 공간이 많은 육각형 구조를 이루므로 부피가 크다. 얼음이 녹아 물로 될 때는 수소 결합의 일부가 끊어져 빈 공간을 채우므로 부피가 감소한다.

채점 기준	배점
0 ℃ 얼음에서는 물 분자가 수소 결합에 의해 빈 공간이 있는 육각형으로 배열하고, 0 ℃ 물이 될 때 수소 결합의 일부가 끊어져 부피가 감소한다고 서술한 경우	100 %
0 ℃ 얼음에서 0 ℃ 물이 될 때 부피가 감소한다고 서술한 경우	50 %

08 각 측정 장치에서 대기압은 1기압으로 같으므로 유리관 속 압력은 대기압과 같다. 따라서 '대기압=수은 기둥의 높이 차에 의한 압력+증기 압력'이므로 수은 기둥의 높이 차가 클수록 증기 압력이 작다. 증기 압력이 작을수록 분자 간 힘이 크고, 기준 끓는점이 높다.

채점 기준	배점
기준 끓는점을 옳게 비교하고, 각 실험에서 A와 B의 증기 압력 식을 써서 증기 압력이 A가 B보다 크고, 이로부터 분자 간 힘이 A가 B보다 작다고 서술한 경우	100 %
기준 끓는점이 B가 A보다 크다고만 쓴 경우	50 %

03 고체

개념POOL 062쪽

01 (1) × (2) ○ (3) ○

01 (1) A는 체심 입방 구조이다.

콕콕! 개념 확인하기 063쪽

✔ 잠깐 확인!

1 결정성 **2** 이온, 높 **3** 분자, 낮 **4** 공유(원자), 높 **5** 금속, 있 **6** 단순 입방, 1 **7** 체심 입방, 2 **8** 면심 입방, 4

01 (1) ○ (2) ○ (3) × **02** (1) ○ (2) ○ (3) ○ (4) ×
03 (1) (다) (2) (가) (3) (나) **04** (1) 체심 입방 구조 (2) 2

01 (3) 결정성 고체는 입자 간 힘이 균일하므로 녹는점이 일정하고, 비결정성 고체는 입자 간 힘이 균일하지 않으므로 녹는점이 일정하지 않다.

02 (1) (가)와 (나)의 구성 원소는 같으므로 화학식은 SiO_2로 같다.

(2) (가)는 구성 입자의 배열이 규칙적이므로 결정성 고체이고, (나)는 구성 입자의 배열이 불규칙적이므로 비결정성 고체이다.

(3) (가)는 구성 입자의 배열이 규칙적이므로 입자 간 거리가 모두 같다.

(4) (가)는 구성 입자 간 결합력이 일정하므로 녹는점이 일정하고, (나)는 구성 입자 간 결합력이 다르므로 녹는점이 일정하지 않다.

03 (가)~(다)는 순서대로 금속 결정, 공유(원자) 결정, 이온 결정이다.

(1) 각 결정에 힘을 가하면 (가)는 전성이 있어 변형되고, (나)는 원자 사이의 결합력이 매우 커서 부서지지 않는다. 반면 (다)는 이온 결정으로 힘을 받은 이온 층이 밀려 같은 전하를 띤 이온 사이의 반발력이 작용하여 부서진다.

(2) 고체 상태에서 전기 전도성이 있는 것은 금속 결정인 (가)이다.

(3) 공유(원자) 결정은 입자 간 결합력이 (가)~(다) 중 가장 커서 녹는점이 가장 높다.

04 (2) $\frac{1}{8}$ 입자가 8개의 꼭짓점에 있고, 중심에 입자 1개가 있다.

탄탄! 내신 다지기 064쪽

01 ⑤ 02 ② 03 ⑤ 04 ③

01 | 선택지 분석 |

① 석영 유리는 ~~결정성~~ 고체이다. (비결정성)

➡ 석영 유리는 구성 입자의 배열이 불규칙하므로 비결정성 고체이다.

② 석영 유리는 ~~공유 결정이다~~. (결정이 아니다)

➡ 석영 유리는 결정이 아니다.

③ 다이아몬드는 ~~분자~~ 결정이다. (공유)

➡ 다이아몬드는 구성 입자가 원자이므로 공유 결정이다.

④ 얼음은 ~~공유~~ 결정이다. (분자)

➡ 얼음은 분자로 이루어진 분자 결정이다.

⑤ 녹는점은 다이아몬드가 얼음보다 높다.

➡ 공유 결정이 분자 결정보다 입자 간 힘이 더 크므로 녹는점은 다이아몬드가 얼음보다 높다.

02 | 자료 분석 |

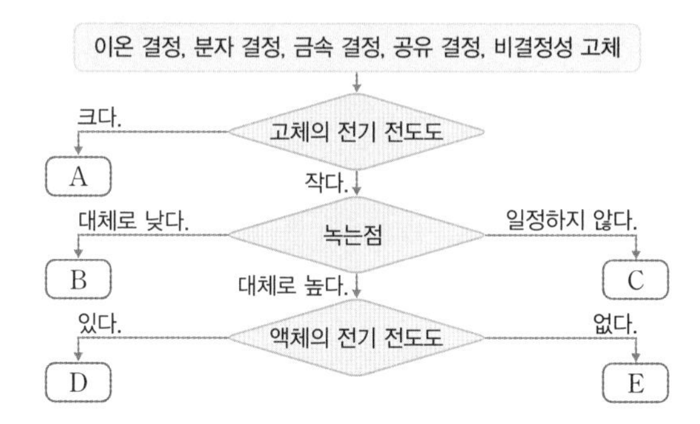

• 고체의 전기 전도도가 큰 고체는 금속 결정이다. → A는 금속 결정
• 녹는점이 일정하지 않는 것은 비결정성 고체이고, 녹는점이 대체로 낮은 것은 분자 결정이다.
→ B는 분자 결정, C는 비결정성 고체
• 액체의 전기 전기 전도도가 있는 것은 이온 결정이다.
→ D는 이온 결정, E는 공유 결정

| 선택지 분석 |

① A에는 자유 전자가 있다.

➡ A는 금속 결정으로 자유 전자가 있다.

② C는 입자 사이의 거리가 ~~일정하다~~. (일정하지 않다)

➡ C는 비결정성 고체이므로 입자 사이의 거리가 일정하지 않다.

③ D는 양이온과 음이온으로 구성된다.

➡ D는 이온 결정으로 양이온과 음이온으로 구성된다.

④ 외부에서 힘을 가하면 D는 A보다 부서지기 쉽다.

➡ 이온 결정인 D에 힘을 가하면 힘을 받는 이온 층이 밀려 같은 전하를 띤 이온 사이에 반발력이 작용하므로 쉽게 부서진다. 금속 결정인 A에 힘을 가하면 변형만 일어나고 부서지지 않는다.

⑤ B와 E의 화학 결합의 종류는 같다.

➡ B와 E는 모두 공유 결합 물질이다.

03 | 선택지 분석 |

ㄱ. (가)는 단순 입방 구조이다.

➡ (가)는 입자가 정육면체의 꼭짓점에 위치하므로 단순 입방 구조이다.

ㄴ. (나)에서 단위 세포에 포함된 입자 수는 2이다.

➡ (나)에서 각 꼭짓점에 위치한 입자 수는 $\frac{1}{8}\times8$이고, 중심에 입자 1개가 위치하므로 단위 세포에 포함된 입자 수는 2이다.

ㄷ. 단위 세포에 포함된 입자 수는 (다)가 (가)의 4배이다.

➡ (다)는 면심 입방 구조로 단위 세포에 포함된 입자 수는 $\frac{1}{8}\times8+\frac{1}{2}\times6=4$이다. 또한 (가)의 단위 세포에 포함된 입자 수는 $\frac{1}{8}\times8=1$이다.

04 | 선택지 분석 |

ㄱ. (가)는 이온 결정이다.

➡ (가)는 양이온과 음이온으로 이루어진 이온 결정이다.

ㄴ. (나)는 공유(원자) 결정이다.

➡ (나)는 구성 입자가 원자인 공유(원자) 결정이다.

~~ㄷ~~. 힘을 가하면 ~~(가)와~~ (나)는 ~~모두~~ 잘 부서지지 않는다.

➡ (가)는 힘을 받으면 쉽게 부서지지만, (나)는 매우 단단하여 잘 부서지지 않는다.

도전! 실력 올리기 065쪽

01 ⑤ 02 ① 03 ③

04 | 모범 답안 | (가)는 결정성 고체이고, (나)는 비결정성 고체이다. 결정성 고체는 녹는점이 일정하고, 비결정성 고체는 녹는점이 일정하지 않다. (다)에서 고체를 가열하면 녹는점에서 부피가 증가하여 밀도가 감소하는데, A의 경우 밀도가 감소하는 온도가 일정하고 B의 경우는 일정하지 않다. 따라서 A는 결정성 고체인 (가)이고, B는 비결정성 고체인 (나)이다.

01 | 자료 분석 |

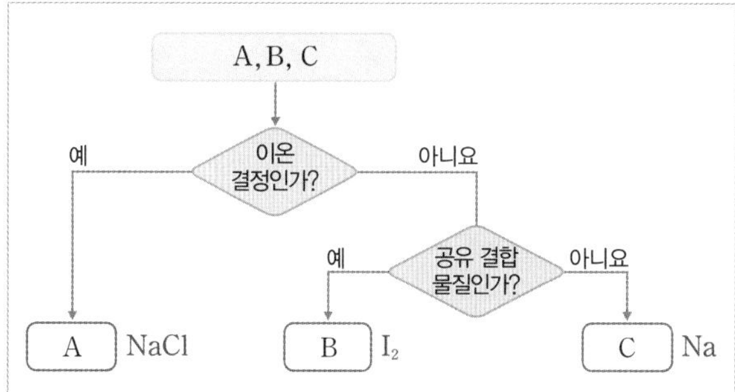

• 제시된 물질 중 이온 결정은 염화 나트륨(NaCl)이고, 공유 결합 물질은 아이오딘(I_2)이다.
→ A는 염화 나트륨, B는 아이오딘, C는 나트륨이다.
• 아이오딘(I_2)은 분산력에 의해 형성되는 분자 결정이다.

| 선택지 분석 |

ㄱ. 녹는점은 A가 B보다 높다.

➡ 녹는점은 이온 결정인 A가 분자 결정인 B보다 높다.

ㄴ. 연성이 있는 것은 C이다.

➡ 금속인 C는 연성이 있다.

ㄷ. 전기 전도도는 C가 A보다 크다.

➡ 전기 전도도는 금속 결정인 C가 이온 결정인 A보다 크다.

02 | 자료 분석 |

원자	A	B
단위 세포의 질량 (상댓값)	1	8
단위 세포	x	y

• A는 단순 입방 구조이다.

→ 단위 세포에 포함된 원자 수는 $\frac{1}{8}\times 8=1$이다. 한 원자에 가장 인접한 원자 수는 6이다.

• B는 면심 입방 구조이다.

→ 단위 세포에 포함된 원자 수는 $\frac{1}{8}\times 8+\frac{1}{2}\times 6=4$이다. 한 원자에 가장 인접한 원자 수는 12이다.

| 선택지 분석 |

ㄱ. B의 단위 세포에서 한 원자에 가장 인접한 원자 수는 12이다.

➡ B에서 각 원자 1개에 가장 인접한 원자 수는 12이다.

✕ 단위 세포에 포함된 원자 수는 B가 A의 ~~2~~(4)배이다.

➡ 단위 세포에 포함된 원자 수는 B가 4이고, A가 1이다.

✕ 원자량은 B가 A의 ~~4~~(2)배이다.

➡ 단위 세포에 포함된 A 원자 수는 1이고, B 원자 수는 4이며, 단위 세포의 질량이 A에서 1일 때 B에서 8이다. 각 원자 1개의 질량의 상댓값은 A가 1일 때 B가 2이므로 원자량은 B가 A의 2배이다.

03 | 자료 분석 |

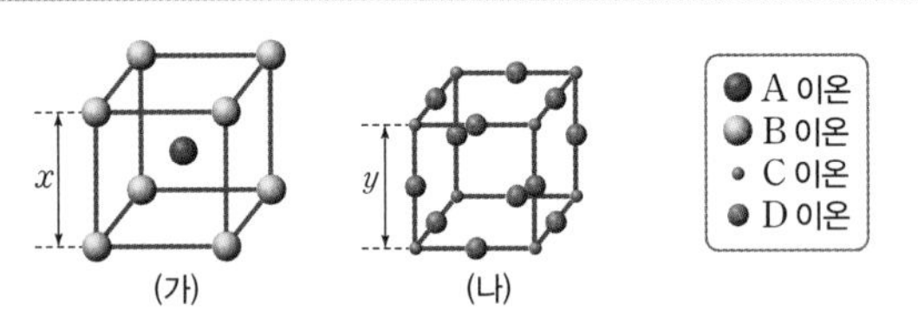

• (가)에서 단위 세포에 포함된 A 이온 수는 1이고, B 이온 수는 $\frac{1}{8}\times 8=1$이다.

• (나)에서 C 이온은 정육면체의 각 꼭짓점에 위치하므로 단위 세포에 포함된 이온 수는 $\frac{1}{8}\times 8=1$이다. D 이온은 정육면체의 각 모서리에 위치하므로 단위 세포에 포함된 이온 수는 $\frac{1}{4}\times 12=3$이다.

| 선택지 분석 |

ㄱ. (가)의 단위 세포에 포함된 이온 수는 2이다.

➡ (가)의 단위 세포에 포함된 이온 수는 2이다.

ㄴ. (가)에서 양이온의 전하의 절댓값은 음이온의 전하의 절댓값과 같다.

➡ (가)에서 양이온인 A 이온과 음이온인 B 이온이 1 : 1의 개수비로 포함되어 있으므로 각 이온의 전하량은 같다.

✕ (나)의 화학식은 ~~CD_2~~(CD_3)이다.

➡ (나)에서 양이온인 C 이온 수는 1이고, 음이온인 D 이온 수는 3이므로 화학식은 CD_3이다.

04

(가)는 구성 입자들의 배열이 규칙적인 결정성 고체, (나)는 구성 입자들의 배열이 불규칙적인 비결정성 고체이다. 결정성 고체는 구성 입자 간 결합력이 일정하므로 녹는점이 일정하고, 비결정성 고체는 구성 입자 간 결합력이 다르므로 녹는점이 일정하지 않다. 녹는점에서는 가열하여도 온도가 일정하게 유지된다.

채점 기준	배점
온도에 따른 밀도 변화와 고체의 녹는점을 언급하고 A, B를 각각 (가)와 (나)로 옳게 연결하여 서술한 경우	100 %
A, B를 각각 (가)와 (나)로 연결하였으나 녹는점에 대한 서술이 누락된 경우	40 %

실전! 수능 도전하기 067쪽~070쪽

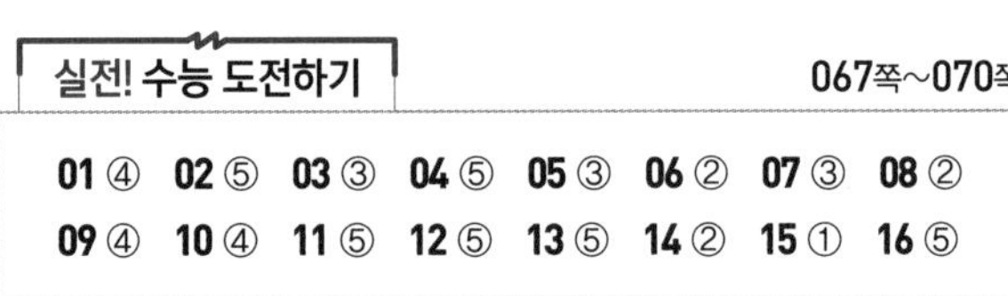

01 ④	02 ⑤	03 ③	04 ⑤	05 ③	06 ②	07 ③	08 ②
09 ④	10 ④	11 ⑤	12 ⑤	13 ⑤	14 ②	15 ①	16 ⑤

01 | 자료 분석 |

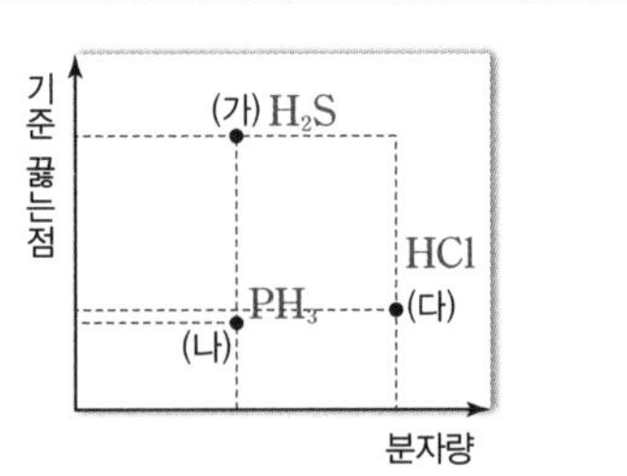

• P, S, Cl의 수소 화합물의 분자식은 각각 PH_3, H_2S, HCl이다.

→ 각 화합물의 분자량은 $PH_3=H_2S<HCl$이다.

• 전기 음성도는 같은 주기에서 원자 번호가 클수록 크므로 P<S이고, 분자의 쌍극자 모멘트는 $H_2S>PH_3$이다.

• (가)와 (나)는 분자량이 같으므로 기준 끓는점 차이는 쌍극자·쌍극자 힘으로 설명할 수 있다. → (가)는 H_2S, (나)는 PH_3이다.

| 선택지 분석 |

✕ 분자 사이의 힘은 ~~(다)~~((가))가 가장 크다.

➡ 분자 사이의 힘은 기준 끓는점이 가장 높은 (가)가 가장 크다.

ㄴ. HF의 기준 끓는점은 (다)보다 높다.

➡ (다)는 HCl이다. HF는 수소 결합이 존재하므로 기준 끓는점은 (다)보다 높다.

ㄷ. 쌍극자·쌍극자 힘은 (가)가 (나)보다 크다.

➡ (가)와 (나)는 극성 분자이고 분자량이 같아 분산력은 비슷한데, 기준 끓는점은 (가)가 (나)보다 높으므로 쌍극자·쌍극자 힘은 (가)가 (나)보다 크다.

02 | 선택지 분석 |

ㄱ X는 F이다.

➡ HF와 HCl 중 분자 간 힘은 수소 결합이 존재하는 HF가 HCl보다 더 크므로 기준 끓는점이 높은 HX가 HF이다.

ㄴ $a < -34$이다.

➡ 분자량은 $X_2 < Y_2$이므로 분자 간 힘은 $X_2 < Y_2$이다. 따라서 $a < -34$이다.

ㄷ 액체 상태에서 HX 분자 사이에 분산력이 존재한다.

➡ 분산력은 모든 분자에 작용하는 힘이므로 HX에도 분산력이 존재한다.

03 | 선택지 분석 |

ㄱ $t < 16.6$이다.

➡ (가)는 (다)보다 분자량이 작으므로 분산력은 (다)가 (가)보다 크다. 또한 (다)는 분자 간 수소 결합이 작용하므로 (가)의 기준 끓는점은 (다)보다 낮다.

✕ 액체 분자 사이의 분산력은 (가)가 (라)보다 ~~크다~~. (작)

➡ 분자량은 (라)가 (가)보다 크므로 분산력은 (가)가 (라)보다 작다.

ㄷ 액체 분자 사이의 인력은 (다)가 (나)보다 크다.

➡ 액체 분자 사이의 인력은 기준 끓는점이 높은 (다)가 (나)보다 크다.

04 C, N, O, Si, P의 수소 화합물의 분자식은 각각 CH_4, NH_3, H_2O, SiH_4, PH_3이다. 분자를 구성하는 수소 원자 수가 가장 작은 것은 H_2O이다. 분자당 원자 수는 (CH_4, SiH_4)이 (NH_3, PH_3)보다 크다. (나)인 H_2O과 중심 원자가 같은 주기 원소인 것은 CH_4, NH_3이다. 따라서 (가)는 SiH_4, (나)는 H_2O, (다)는 CH_4, (라)는 NH_3, (마)는 PH_3이다.

| 선택지 분석 |

ㄱ 액체 상태에서 (나)는 수소 결합을 한다.

➡ (나)는 H_2O이므로 수소 결합을 한다.

ㄴ 분산력은 (가)가 (다)보다 크다.

➡ 분자량은 SiH_4이 CH_4보다 크므로 분산력은 (가)가 (다)보다 크다.

ㄷ 기준 끓는점은 (라)가 (마)보다 높다.

➡ NH_3는 수소 결합이 존재하므로 PH_3보다 기준 끓는점이 높다.

05 | 선택지 분석 |

ㄱ $x > -42$이다.

➡ (가)와 (나)는 분자량이 비슷하므로 분산력의 크기도 비슷하다. 그러나 (가)는 무극성 분자로 분산력만 존재하고, (나)는 극성 분자로 분산력과 쌍극자·쌍극자 힘이 존재한다. 따라서 분자 간 힘은 (나)가 (가)보다 크므로 기준 끓는점은 (나)가 (가)보다 높다.

✕ 분산력이 작용하는 것은 ~~1~~가지이다. (3)

➡ 분산력이 작용하는 것은 (가)~(다) 3가지이다.

ㄷ 액체 상태에서 (다)는 수소 결합이 존재한다.

➡ (다)에는 $-OH$ 부분이 있으므로 수소 결합이 존재한다.

06 | 자료 분석 |

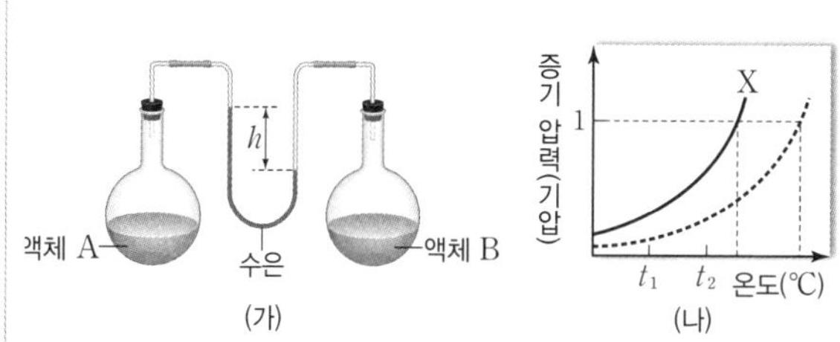

• (가)에서 증기 압력은 B > A이므로 (나)에서 X는 B의 증기 압력 곡선이다.
• 액체의 증기 압력이 외부 압력과 같을 때 액체가 끓는다.
• (나)에서 온도가 높을수록 두 액체의 증기 압력 차가 크다.

| 선택지 분석 |

✕ X는 ~~A~~(B)의 증기 압력 곡선이다.

➡ (나)에서 X는 B의 증기 압력 곡선이다.

✕ B의 기준 끓는점은 t_2 ℃~~이다~~(보다 높다).

➡ B의 기준 끓는점은 B의 증기 압력이 1기압일 때의 온도이므로 t_2 ℃보다 높다.

ㄷ (가)에서 t_1 ℃ 대신 t_2 ℃에서 실험하면 h가 증가한다.

➡ 온도가 높을수록 두 액체의 증기 압력 차가 크므로 t_1 ℃ 대신 t_2 ℃에서 실험하면 h가 증가한다.

07 | 자료 분석 |

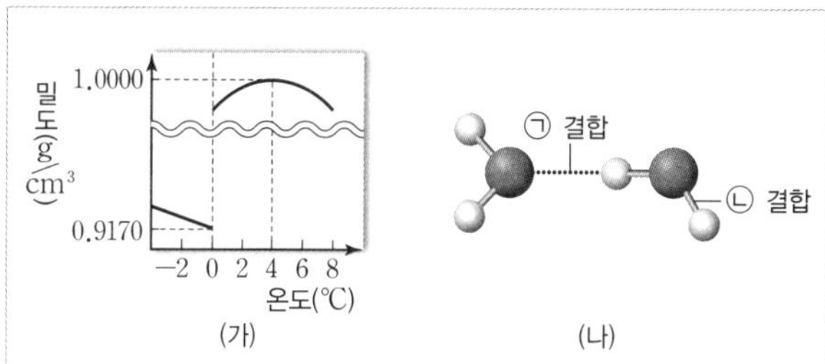

㉠ 결합은 물 분자 간 수소 결합이고, ㉡ 결합은 물 분자 내 공유 결합이다. 물이 얼 때 수소 결합에 의해 결정 내 빈 공간이 많아지므로 얼음의 밀도가 물의 밀도보다 작다.

| 선택지 분석 |

ㄱ 0 ℃에서 $H_2O(s)$의 밀도가 $H_2O(l)$의 밀도보다 작은 것은 ㉠ 결합과 관련있다.

➡ 0 ℃에서 얼음의 부피가 물보다 큰 것은 수소 결합, 즉 ㉠ 결합과 관련있다.

✕ 0 ℃에서 ㉡ 결합 수는 $H_2O(l)$ 1 g에서가 $H_2O(s)$ 1 g에서~~보다 크다~~(와 같다).

➡ 물의 상태가 변해도 공유 결합 수는 변하지 않는다.

ㄷ $H_2O(l)$ 1 g의 부피는 0 ℃에서가 4 ℃에서보다 크다.

➡ 밀도가 클수록 같은 질량의 부피가 작다. (가)에서 밀도는 4 ℃에서가 0 ℃에서보다 크므로 1 g의 부피는 0 ℃에서가 4 ℃에서보다 크다.

08 | 선택지 분석 |

✕ (나)에서 얼음이 물 위에 떠 있는 것은 (가)의 결합 ~~a~~(b)와 관련있다.

➡ (나)에서 얼음이 물 위에 떠 있는 것은 물이 얼 때 수소 결합에 의해 부피가 팽창하기 때문이다. 즉 결합 b와 관련있다.

ㄴ (다)에서 물이 끓어 수증기로 될 때 결합 b가 끊어진다.

➡ 물이 기화하여 수증기로 될 때 분자 간 결합인 결합 b가 끊어진다.

✕ 0 ℃, 1기압에서 단위 부피당 H_2O 분자 수는 고체에서가 액체에서보다 ~~크~~(작)다.

➡ 밀도는 0 ℃ 얼음이 0 ℃ 물보다 작으므로 단위 부피당 질량은 0 ℃ 얼음이 0 ℃ 물보다 작다.

09 | 자료 분석 |

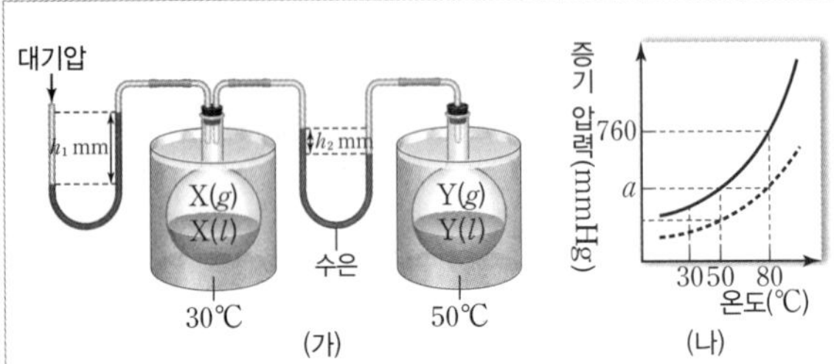

• 30 ℃에서 X의 증기 압력은 대기압보다 수은 기둥의 높이 차에 해당하는 압력만큼 작다.
→ 30 ℃에서 X의 증기 압력$=(760-h_1)$mmHg이다.

• 50 ℃에서 Y의 증기 압력은 X보다 수은 기둥의 높이 차에 해당하는 압력만큼 크다.
→ 50 ℃에서 Y의 증기 압력$=$30 ℃ X의 증기 압력$+h_2$ mmHg
$=760-h_1+h_2$ mmHg

• (가)에서 30 ℃에서 X의 증기 압력이 50 ℃에서 Y의 증기 압력보다 작다. → (나)에서 위쪽 그래프는 Y의 증기 압력 곡선이다.

✕ 30 ℃에서 X의 증기 압력은 ~~h_1~~($(760-h_1)$) mmHg이다.

➡ 30 ℃에서 X의 증기 압력은 $(760-h_1)$mmHg이다.

ㄴ (나)에서 $a=760-h_1+h_2$이다.

➡ (나)에서 위쪽 그래프는 Y의 증기 압력 곡선이다. a는 50 ℃에서 Y의 증기 압력이므로 $a=760-h_1+h_2$이다.

ㄷ Y의 기준 끓는점은 80 ℃이다.

➡ Y의 증기 압력이 760 mmHg일 때의 온도가 Y의 기준 끓는점이다.

10 | 선택지 분석 |

✕ 분자 간 힘은 ~~A~~(C)가 가장 크다.

➡ 분자 간 힘은 같은 온도에서 증기 압력이 가장 작은 C가 가장 크다.

ㄴ 기준 끓는점은 C가 가장 높다.

➡ 액체의 증기 압력이 1기압일 때의 온도가 기준 끓는점이므로 기준 끓는점은 C가 가장 높다.

ㄷ ㉠의 온도와 압력에서 액체 상태로 존재하는 것은 2가지이다.

➡ 증기 압력은 일정한 온도에서 액체의 증발 속도와 증기의 응축 속도가 동적 평형을 이룰 때 증기가 나타내는 압력이므로, 증기 압력 곡선 상에서는 액체와 기체가 함께 존재하고 증기 압력보다 낮은 압력에서는 기체 상태로, 증기 압력보다 높은 압력에서는 액체 상태로 존재한다.

11 | 자료 분석 |

물질	NH_3	N_2	NO
분자량	17	28	30
분자 극성	극성	무극성	극성

증기 압력(기압) / 1 / 0 / 온도(℃) / A / NO / B / N_2 / NH_3

• NH_3는 수소 결합이 존재하고 N_2는 무극성 분자이므로 분자 간 힘은 NH_3가 N_2보다 크다. → 기준 끓는점이 높은 B가 NH_3이다.

| 선택지 분석 |

ㄱ A는 N_2이다.

➡ A의 기준 끓는점이 B보다 낮으므로 A는 N_2이다.

ㄴ 액체 상태에서 NO 분자 사이에 쌍극자·쌍극자 힘이 존재한다.

➡ NO는 극성 분자이므로 분자 사이에 쌍극자·쌍극자 힘이 존재한다.

ㄷ 액체 상태에서 B 분자 사이에 분산력이 존재한다.

➡ 분산력은 모든 분자에 존재하므로 B 분자 사이에도 분산력이 존재한다.

12 제시된 3가지 고체 물질 중 양이온이 존재하는 고체는 이온 결정인 염화 나트륨이고, 구성 입자가 분자인 것은 분자 결정인 아이오딘이다. 따라서 (가)는 염화 나트륨, (나)는 아이오딘, (다)는 흑연이다.

| 선택지 분석 |

ㄱ (가)는 힘을 받으면 부서지기 쉽다.

➡ (가)는 이온 결정으로, 힘을 받으면 부서지기 쉽다.

ㄴ (다)의 구성 입자는 원자이다.

➡ (다)는 공유(원자) 결정이므로, 구성 입자는 원자이다.

ㄷ 녹는점은 (다)가 (나)보다 높다.

➡ 구성 입자 간 인력은 (나)가 분산력, (다)가 공유 결합력이므로 녹는점은 (다)가 (나)보다 높다.

13 | 선택지 분석 |

ㄱ A는 공유 결합 물질이다.

➡ 분자 결정인 A의 구성 입자는 공유 결합으로 이루어진 분자이다.

ㄴ 녹는점은 B가 A보다 크다.

➡ 분자 결정을 제외한 공유 결합 물질은 구성 원자가 공유 결합으로 형성된 공유(원자) 결정이다. 따라서 녹는점은 공유(원자) 결정인 B가 분자 결정인 A보다 높다.

ㄷ '구리'는 C로 적절하다.

➡ C는 원자 결정과 분자 결정을 제외한 이온 결정, 금속 결정 등의 결정성 고체이므로 '구리'가 적절하다.

14 | 선택지 분석 |

✕ (다)는 ~~(가)~~((나))의 단면이다.

➡ (다)는 단위 세포의 중심을 지나는 면이고, 면의 가운데에 원자가 존재하지 않으므로 (나)에 해당한다.

ㄴ. 단위 세포에 포함된 원자 수는 (나)가 (가)의 2배이다.

➡ (가)는 체심 입방 구조이므로 단위 세포에 포함된 원자 수는 $\frac{1}{8}\times8+1=2$이다. 또한 (나)는 면심 입방 구조이므로 단위 세포에 포함된 원자 수는 $\frac{1}{8}\times8+\frac{1}{2}\times6=4$이다.

✕ 한 원자에 가장 인접한 원자 수는 (나)에서가 (가)에서의 ~~2~~배이다. (1.5)

➡ 한 원자에 가장 인접한 원자 수는 (가)에서 8이고, (나)에서 12이다.

15 | 자료 분석 |

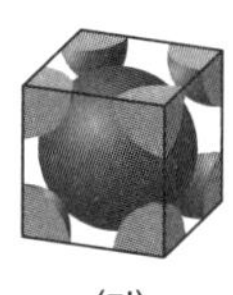
(가)

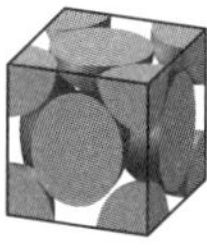
(나)

금속	원자량 (상댓값)	단위 세포에 포함된 원자 수
A	4	x
B	5	2

- (가)에서 원자는 정육면체의 꼭짓점과 중심에 위치한다.
  → 체심 입방 구조
- (나)에서 원자는 정육면체의 꼭짓점과 면에 위치한다.
  → 면심 입방 구조
- 단위 세포에 포함된 원자 수는 (가)에서 $\frac{1}{8}\times8+1=2$이고, (나)에서 $\frac{1}{8}\times8+\frac{1}{2}\times6=4$이다.
  → A는 (나)이고, B는 (가)이다.

| 선택지 분석 |

ㄱ. x는 4이다.

➡ A의 결정 구조는 (나)에 해당하므로 $x=4$이다.

✕ B 결정에서 한 원자에 가장 인접한 원자 수는 ~~12~~이다. (8)

➡ B의 결정 구조는 (가)에 해당하므로 한 원자에 가장 인접한 원자 수는 8이다.

✕ 단위 세포의 질량비는 A : B=~~5 : 8~~이다. (8 : 5)

➡ 단위 세포에 포함된 원자 수는 A가 4, B가 2이므로 단위 세포의 질량비는 A : B=4×4 : 2×5=8 : 5이다.

16 | 선택지 분석 |

ㄱ. (나)에서 Cl^-은 단순 입방 구조를 이룬다.

➡ (나)에서 A 이온과 Cl^-은 각각 단순 입방 구조를 이룬다.

ㄴ. (나)에서 A 이온의 전하는 +1이다.

➡ (나)에서 단위 세포에 포함된 A 이온과 Cl^-의 개수비가 1 : 1이고, 화합물은 전기적으로 중성이므로 A 이온의 전하는 +1이다.

ㄷ. $\frac{\text{(나)의 단위 세포에 포함된 A 이온 수}}{\text{(가)의 단위 세포에 포함된 A 원자 수}}=\frac{1}{2}$이다.

➡ (가)에서 A의 결정 구조는 체심 입방 구조이므로 단위 세포에 포함된 A 원자 수는 2이다. 또한 (나)의 단위 세포에서 A 이온은 정육면체의 꼭짓점에 위치하므로 단위 세포에 포함된 A 이온 수는 $\frac{1}{8}\times8=1$이다.

3 ››› 용액

01 용액의 농도

개념POOL 076쪽

01 ㉠ 1.84, ㉡ 1840, ㉢ 1803.2, ㉣ 18.4 **02** ㄱ, ㄷ

01 용액 1 L의 질량은 용액의 부피 1000 mL에 용액의 밀도를 곱하여 구한다. 즉 용액 1 L의 질량은 1000 mL×1.84 g/mL=1840 g이다.
용액의 퍼센트 농도가 98 %이고, 이는 용액 100 속에 용질이 98 g이 녹아 있는 용액이므로 용액 1840 g 속에 녹아 있는 용질의 질량은 $1840\times\frac{98}{100}=1803.2$(g)이다. 황산의 분자량이 98이므로 용액 속 용질의 양(mol)은 $\frac{1803.2}{98}=18.4$(몰)이다.

02 몰 농도는 용액 1 L 속에 녹아 있는 용질의 양(mol)을 나타낸 것이고, 몰랄 농도는 용매 1 kg에 녹아 있는 용질의 양(mol)을 나타낸 것이다. 즉 용액 1 L가 있다고 가정하고 용액 1 L 속 용매의 질량을 알아야 하므로 용액의 질량에서 용질의 질량을 빼서 용매의 질량을 구한다. 이때 용액의 질량을 구하기 위해 용액의 밀도가 필요하고, 용질의 질량을 구하기 위해 용질의 화학식량이 필요하다.

탐구POOL 077쪽

01 (1) ○ (2) ○ (3) ×

01 (1) 1 M 요소 수용액 0.5 L에 들어 있는 용질의 양(mol)은 0.5몰이다. 요소의 몰 질량은 60 g/mol이므로 0.5몰의 질량은 30 g이다.
(2) 0.5 m 수용액은 용매 1 kg에 용질 0.5몰이 녹아 있는 용액이다.
(3) 0.5 m 요소 수용액은 물 1 kg에 요소 0.5몰, 즉 요소 30 g이 녹아 있는 용액이므로 0.5 m 요소 수용액 500 g에 들어 있는 요소의 질량(x)은 다음과 같은 비례식으로 구할 수 있다.
$1030 : 30 = 500 : x$, $x=\frac{1500}{103}$(g)이다.
따라서 이 수용액에 물 500 g을 첨가했을 때 수용액 중 용매의 질량이 물을 첨가하기 전의 2배보다 커지므로 용액의 몰랄 농도는 0.25 m보다 작다.

콕콕! 개념 확인하기 078쪽

✔ 잠깐 확인!

1 용해 **2** 용액 **3** 퍼센트 **4** ppm **5** 몰, M **6** 몰랄, m

01 (1) × (2) ○ (3) ○ (4) ○ **02** (1) × (2) × (3) ○

03 (1) $\frac{10}{3}$ % (2) 1 M (3) 0.862 m

04 (1) 6 (2) $\frac{1}{30}$ (3) 0.094 (4) $\frac{50}{141}$

01 (1) 용액은 용매와 용질이 균일하게 섞인 균일한 혼합물이므로 오랫동안 두어도 분리되지 않는다.

(3) 액체와 고체가 용액을 형성할 때 액체가 용매, 고체가 용질이 된다.

02 (1) 용질의 양(mol)을 알려면 화학식량을 알아야 한다.

(2) 용액의 온도가 변하면 부피가 변하기 때문에 용액의 몰 농도는 변한다.

03 (1) 용액의 밀도가 1.2 g/mL이므로 용액 500 mL의 질량은 500 mL × 1.2 g/mL = 600 g이다.

따라서 퍼센트 농도 $= \frac{20}{600} \times 100 = \frac{10}{3}$(%)이다.

(2) NaOH의 화학식량이 40이므로 20 g은 0.5몰이다.

따라서 용액의 몰 농도는 $\frac{0.5\text{ mol}}{0.5\text{ L}} = 1$ M이다.

(3) 용액 600 g 속 용질의 질량이 20 g이므로 용매의 질량은 580 g이다.

따라서 용액의 몰랄 농도는 $\frac{0.5}{0.58} = 0.862(m)$이다.

04 (1) 6 % 포도당 수용액 100 g 속에 녹아 있는 포도당의 질량은 6 g이다.

(2) 포도당의 분자량이 180이므로 6 g의 양(mol)은 $\frac{1}{30}$ 몰이다.

(3) 용액 100 g 속 용질의 질량이 6 g이므로 물의 질량은 94 g, 0.094 kg이다.

(4) 몰랄 농도는 $\frac{\frac{1}{30}}{0.094} = \frac{50}{141}(m)$이다.

탄탄! 내신 다지기 079쪽~081쪽

01 ① **02** ④ **03** ② **04** ① **05** ㉠ a, ㉡ b, ㉢ c **06** ②
07 ① **08** ② **09** ④ **10** ① **11** ③ **12** ④ **13** ③ **14** ②

01 | 선택지 분석 |

㉠ A는 이온 결합 물질이다.

➡ 용액에서 물 분자가 양이온과 음이온을 둘러싸고 있으므로 A는 이온 결합 물질이다.

✕ B는 ~~무극성~~ 극성 물질이다.

➡ B는 극성 물질인 물과 잘 섞이므로 극성 물질이다.

✕ 용액의 몰 농도는 A 수용액이 B 수용액보다 ~~크다~~ 작다.

➡ 이온 결합 물질은 용액에서 양이온과 음이온으로 나누어지므로 A 수용액에서 녹인 용질의 양이 3일 때 B 수용액에서는 4이다.

02 이온 결합 물질인 수산화 나트륨(NaOH)과 극성 물질인 포도당($C_6H_{12}O_6$), 메탄올(CH_3OH)은 물에 녹아 용액을 형성한다. 그러나 무극성 물질인 벤젠(C_6H_6)은 물에 녹지 않고 물과 층을 이루므로 용액을 형성하지 않는다.

03 10 % 수용액은 용액 100 g에 용질 10 g이 녹아 있는 용액이므로 용질 5 g이 녹아 있을 때 용액의 질량은 50 g이어야 한다. 따라서 증류수의 질량 x=45(g)이다.
0.1 M 수용액은 용액 1 L에 용질이 0.1몰 녹아 있는 용액이고, 포도당 9 g의 양은 0.05몰이므로 용액의 부피가 0.5 L가 되어야 한다. 따라서 y는 500(mL)이다.

04 | 선택지 분석 |

㉠ 퍼센트 농도는 (가)와 (나)가 같다.

➡ (가)~(다)에서 용매의 질량과 용질의 질량이 같으므로 퍼센트 농도는 (가)~(다)에서 같다.

✕ 몰랄 농도는 (나)가 (가)의 ~~1.5~~ 1.2배이다.

➡ 용질의 양은 (나)가 (가)의 $\frac{6}{5}$배이므로 몰랄 농도는 (나)가 (가)의 $\frac{6}{5}$배이다.

✕ 화학식량은 B~~>~~<C이다.

➡ 같은 질량의 용질의 양은 B>C이므로 화학식량은 B<C이다.

05 수용액의 부피를 정확하게 측정할 때 사용하는 실험 기구는 피펫이고, 피펫은 a이다. 용액을 담거나 용액을 만들 때 사용하는 실험 기구는 비커이고, 비커는 b이다. 일정한 몰 농도의 용액을 만들 때 사용하는 실험 기구는 부피 플라스크이고, 부피 플라스크는 c이다.

06 | 선택지 분석 |

✕ (가)에 녹아 있는 A의 질량은 10 g~~이다~~보다 작다.

➡ (가)의 몰랄 농도가 1 m이고, A의 화학식량이 100이므로 용매 1000 g에 녹아 있는 용질의 질량은 100 g이다. 용액 100 g에 녹아 있는 용질 A의 질량을 x라고 하면 1100 : 100 = 100 : x이므로 x≒9.1이다.

㉡ (나)에 녹아 있는 A의 양(mol)은 0.1몰이다.

➡ 1 M 용액은 용액 1 L에 녹아 있는 용질의 양(mol)이 1몰이므로 용액 0.1 L에 녹아 있는 용질 A의 양(mol)은 0.1몰이다.

✕ (나)의 퍼센트 농도는 10 %~~이다~~보다 작다.

➡ (나)의 밀도가 1.05 g/mL이므로 용액의 질량은 100 mL × 1.05 g/mL = 105 g이다.

따라서 (나)의 퍼센트 농도는 $\frac{10}{105} \times 100$≒9.52(%)이다.

07 NaOH의 화학식량이 40이므로 4 g의 양(mol)은 0.1몰이다. NaOH 0.1몰이 용액 1 L에 녹아 있으므로 (나)에서 만든 NaOH 수용액의 몰 농도 x는 0.1(M)이다.

0.1 M NaOH 수용액 200 mL에 들어 있는 NaOH의 양(mol)은 0.02몰이므로 500 mL에 0.02몰이 녹아 있는 수용액의 몰 농도는 0.04 M이다.

08 10 % 수용액은 용액 100 g에 용질이 10 g 녹아 있는 용액이므로 NaOH 10 g을 물 90(w_1) g에 넣어 녹여야 한다. 20 % NaOH 수용액은 용액 100 g에 용질 20 g이 녹아 있는 용액이므로 10 %로 만들려면 용액의 질량을 200 g으로 만들어 주어야 한다. 따라서 w_2는 100(g)이다.

5 % NaOH 수용액 100 g에는 용질이 5 g 녹아 있으므로 NaOH w_3 g을 더 넣어 주었을 때 $\frac{5+w_3}{100+w_3}\times 100=10$이 성립한다. 이식을 풀면 $w_3=\frac{50}{9}$(g)이다.

따라서 $\frac{w_1\times w_3}{w_2}=5$이다.

09 | 선택지 분석 |

✕ 몰 농도

➡ (가)와 (나)에서 같은 질량의 용액에 녹아 있는 용질의 질량이 같다. 그러나 두 수용액의 온도가 달라 부피가 다르므로 두 수용액의 몰 농도는 같지 않다.

ㄴ 몰랄 농도

➡ (가)와 (나)에서 물 100 g에 녹아 있는 같은 종류의 용질의 질량이 같으므로 두 수용액의 몰랄 농도는 같다.

ㄷ 물의 몰 분율

➡ 물 100 g에 녹아 있는 같은 종류의 용질의 질량이 같으므로 두 수용액에서 용매와 용질의 몰 분율이 같다.

10 (가)의 퍼센트 농도가 10 %이므로 용액에 녹아 있는 용질의 질량은 18 g이고, 용액의 질량은 180 g이다. A의 화학식량이 180이므로 A 18 g은 0.1몰이다. (나)의 몰랄 농도가 1 m이므로 A 18 g이 용매 100 g에 녹아 있다. 따라서 (나)의 질량은 118 g이다.

또한 (다)의 몰 농도가 1 M이고, 용액에 녹아 있는 A의 양(mol)이 0.1몰이므로 용액의 부피는 0.1 L, 즉 100 mL이다. 이때 (다)의 밀도가 1.05 g/mL이므로 (다) 100 mL의 질량은 105 g(=100 mL × 1.05 g/mL)이다. 따라서 용액의 질량은 (가) > (나) > (다)이다.

11 | 선택지 분석 |

ㄱ (나)의 퍼센트 농도는 2 %보다 작다.

➡ 0.2 m 수용액은 용매 1000 g에 용질 0.2몰이 녹아 있는 용액이고, NaOH 0.2몰의 질량이 8 g이므로 용액 1008 g에 들어 있는 용질의 질량은 8 g이다. (나)의 퍼센트 농도(%)는 $\frac{8\text{ g}}{1008\text{ g}}\times 100 ≒ 0.79$ %이므로 2 %보다 작다.

✕ (나)에 물 100 g을 추가하면 용액의 몰랄 농도는 0.1 m ~~이다~~ 보다 작다.

➡ (나)에서 용매인 물의 질량이 100 g보다 작으므로 (나)에 물 100 g을 추가하면 용매의 질량이 넣기 전의 2배보다 커진다. 따라서 물 100 g을 추가하면 용액의 몰랄 농도는 0.1 m보다 작다.

ㄷ 용액 속 용질의 양(mol)은 (가)에서가 (나)에서보다 크다.

➡ (나)의 퍼센트 농도는 2 %보다 작고, 용액의 질량이 (가)와 (나)가 같으므로 용액 속 용질의 질량은 (가)에서가 (나)에서보다 크다. 따라서 용액 속 용질의 양은 (가)에서가 (나)에서보다 크다.

12 | 자료 분석 |

수용액	(가)	(나)	(다)
용질	A	B	A
용질의 질량(g)	w_1	w_3	9
물의 질량(g)	w_2	100	25
농도	10 %	1 m	2 m

• (가)의 퍼센트 농도가 10 %이므로 용액 100 g 속에 용질 A 10 g이 녹아 있다.

→ 물의 질량이 90 g일 때 용질 A의 질량은 10 g이다.

• A의 분자량을 a라고 하면 물 25 g에 A 9 g이 녹아 있는 용액의 몰랄 농도가 2 m이므로 $\frac{\frac{9}{a}}{0.025}=2$이다. 따라서 $a=180$이다.

| 선택지 분석 |

✕ $\frac{w_2}{w_1}=$ ~~10~~ 9이다.

➡ (가)의 퍼센트 농도가 10 %이므로 물 90 g에 A 10 g의 비율로 섞여 있다. 따라서 $\frac{w_2}{w_1}=9$이다.

ㄴ A의 분자량은 180이다.

➡ (다)의 몰랄 농도가 2 m이므로 A의 분자량은 180이다.

ㄷ $w_3=6$이다.

➡ B의 분자량은 60이고, (나)의 몰랄 농도가 1 m이므로 물 100 g에 녹아 있는 B의 양(mol)은 0.1몰, 즉 6 g이다.

13 | 선택지 분석 |

ㄱ $x=2.4$이다.

➡ (가)의 밀도가 1.2 g/mL이므로 200 mL의 질량은 1.2 g/mL × 200 mL = 240 g이다. 또한 20 % 수용액 240 g에 녹아 있는 NaOH의 질량은 240 × 0.2 = 48(g)이다. (나)에서 용액의 부피는 500 mL이고, 용질의 양(mol)은 $\frac{48}{40}=1.2$(몰)이므로 (나)의 몰 농도는 2.4 M이다. 따라서 $x=2.4$이다.

ㄴ (가)의 몰랄 농도는 6.25 m이다.

➡ (가)에서 용액 240 g에 녹아 있는 용질의 질량이 48 g이므로 용매의 질량은 192 g이다.

따라서 몰랄 농도는 $\frac{1.2\text{ mol}}{0.192\text{ kg}}=6.25$ m이다.

✕ (나)의 퍼센트 농도는 8 % ~~이다~~ 보다 크다.

➡ (나)의 밀도가 1.05 g/mL이므로 500 mL의 질량은 525 g이다. 여기에 녹아 있는 용질의 질량이 48 g이므로 퍼센트 농도는 $\frac{48}{525}\times 100 ≒ 9.14$(%)이다.

14 | 자료 분석 |

- 몰랄 농도는 (가)가 (나)의 2배이다.
  → 용매 1 kg에 녹아 있는 용질의 질량은 (가)에서가 (나)에서의 2배이다.
- (가)와 (나)에서 용질의 질량비가 (가) : (나) = 2 : 3이므로 용질의 몰비도 (가) : (나)=2 : 3이다. (가)와 (나)에서 용매의 질량을 각각 x, y라고 하면 다음 관계식이 성립한다.

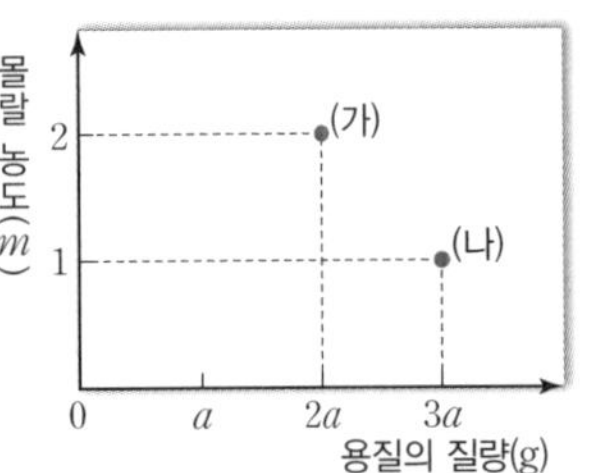

$\frac{2}{x} : \frac{3}{y} = 2 : 1 \rightarrow x : y = 1 : 3$

| 선택지 분석 |

ㄱ. ✗ 퍼센트 농도는 (가)가 (나)의 2배~~이~~다. (가 아니)

➡ 용매 1000 g에 녹아 있는 용질의 몰비가 (가) : (나)=2 : 1이므로 퍼센트 농도는 (가)가 (나)의 2배가 되지 않는다.

ㄴ. ✗ 용액의 질량은 (나)가 (가)의 1.5배~~이~~다. (가 아니)

➡ (가)와 (나)에 녹아 있는 용질의 질량비가 (가) : (나)=2 : 3이고, 용매의 질량비는 (가) : (나)=1 : 3이므로 용액의 질량은 (나)가 (가)의 1.5배가 아니다.

ㄷ. (가)와 (나)를 혼합한 용액의 몰랄 농도는 1.5 m이다.

➡ (가)는 용매 1 kg에 녹아 있는 용질의 양(mol)이 2몰이고, (나)는 용매 1 kg에 녹아 있는 용질의 양(mol)이 1몰이다. 두 수용액을 혼합하면 용매 2 kg에 녹아 있는 용질의 양(mol)이 3몰이므로 몰랄 농도는 1.5 m이다.

도전! 실력 올리기 082쪽~083쪽

01 ① **02** ③ **03** ③ **04** ② **05** ⑤ **06** ⑤

07 | 모범 답안 | (가)에서 용액 속 용질의 질량은 $\frac{100 \times 20}{100} = 20(\text{g})$이므로 (나)에 녹아 있는 용질의 질량도 20 g이다. 용액의 부피가 1 L이므로 몰 농도는 $\frac{\frac{20}{100}\text{ mol}}{1\text{ L}} = 0.2\text{ M}$이다. 또한 (나)에서 용액 1 L의 질량은 1000 g이고, 용질의 질량이 20 g이므로 퍼센트 농도는 $\frac{20}{1000} \times 100 = 2(\%)$이다.

08 | 모범 답안 | (1) (가)에서 용매의 질량이 45 g, 용질의 질량이 5 g이다. (나)에서 용매의 질량이 45 g, 용질의 질량이 10 g이다. 즉 용매의 질량은 같고, 용질의 질량은 (나)에서가 (가)에서의 2배이므로 몰랄 농도는 (나)가 (가)의 2배이다.
(2) (가) 20 g에 들어 있는 용질 NaOH의 질량은 2 g이고, 증류수를 가한 전체 부피가 100 mL가 되었으므로 (다)의 몰 농도는 $\frac{\frac{2}{40}}{0.1} = 0.5(\text{M})$이다.

01 | 선택지 분석 |

ㄱ. (가)의 퍼센트 농도는 $\frac{50}{3}$ %이다.

➡ 1 m 수용액 (가)는 용매 1000 g에 용질이 1몰 녹아 있는 용액이고, A의 화학식량이 200이므로 용액 1200 g에 용질이 200 g 녹아 있는 용액이다.

따라서 (가)의 퍼센트 농도는 $\frac{200}{1200} \times 100 = \frac{50}{3}(\%)$이다.

ㄴ. ✗ x는 0.5~~이~~다. (가 아니)

➡ 1 m A 수용액은 용액 1200 g에 용질이 200 g 녹아 있으므로 용액 60 g에 녹아 있는 용질의 질량은 10 g이다. (가)에 물을 추가하여 용액의 질량이 120 g이 되었으므로 (나)에서 물의 질량은 110 g이고, 용질의 질량은 10 g이다. 따라서 (나)의 몰랄 농도는 $\frac{\frac{1}{20}}{0.11} = \frac{5}{11}(m)$이다.

ㄷ. ✗ 물의 몰 분율은 (나)에서가 (가)에서의 2배~~이~~다. (가 아니)

➡ (가)와 (나)에서 용질의 양(mol)은 같고, 물의 질량은 (가)에서 50 g이고 (나)에서 110 g이므로, 물의 몰 분율은 (나)에서가 (가)에서의 2배가 아니다.

02 | 선택지 분석 |

ㄱ. (가)의 퍼센트 농도는 25 %이다.

➡ (가)의 질량은 96 g이고, 용액 96 g 속 용질의 질량이 24 g이므로 퍼센트 농도는 $\frac{24\text{ g}}{96\text{ g}} \times 100 = 25\ \%$이다.

ㄴ. ✗ (나)의 몰랄 농도는 3 m~~이~~다. (보다 크)

➡ (나)에서 용매의 질량은 90 g이고, B 20 g의 양(mol)은 $\frac{1}{3}$몰이므로 (나)의 몰랄 농도는 3 m보다 크다.

ㄷ. 몰 농도는 (가)>(나)이다.

➡ (나)의 밀도가 1.1 g/mL이므로 (나)의 부피는 100 mL이다. 수용액 속 용질의 양(mol)은 (가)에서 $\frac{1}{2}$보다 크고, (나)에서 $\frac{1}{3}$이므로 몰 농도는 (가)>(나)이다.

03 일정 몰 농도의 용액을 만들 때 사용하는 실험 기구는 부피 플라스크(ㄴ)이다.
(라)에서 만든 황산의 몰 농도는 0.1 M이고, 용액의 부피가 1 L이므로 용액 속 황산의 양은 0.1몰, 즉 9.8 g이다. 50 % 황산 수용액의 밀도가 1.4 g/mL이므로 50 % 황산 x mL의 질량은 1.4x g이다. 농도가 50 % 인 용액 100 g에는 용질이 50 g이 녹아 있으므로 100 : 50=1.4x : 9.8이다. 따라서 x=14이다.

04 (가)와 (나)의 질량은 각각 $(50+a)$ g, $(200+2a)$ g이고, (가)와 (나)의 밀도가 1 g/mL이므로 수용액의 부피는 각각 $(50+a)$ mL, $(200+2a)$ mL이다. 이때 A의 화학식량을 x라고 하면 두 수용액의 몰 농도비가 (가) : (나)=5 : 3이므로 $\frac{\frac{a}{x}}{(50+a)} : \frac{\frac{2a}{x}}{(200+2a)} = 5 : 3$이다.
따라서 a=25이다.

05 | 선택지 분석 |

ㄱ 첨가한 물의 질량은 (가) 속 A의 질량과 같다.

➡ (가)의 질량을 100 g이라고 하면 용액 100 g에 녹아 있는 용질 A의 질량이 25 g이다. 여기에 첨가한 물의 질량을 x g이라고 하면 (나)의 퍼센트 농도가 20 %이므로

$\frac{25}{100+x}\times100=20$이고, $x=25$이다.

따라서 첨가한 물의 질량은 (가) 속 A의 질량과 같다.

ㄴ (나)의 몰 농도는 $\frac{200d}{x}$ M이다.

➡ (나)의 질량을 100 g이라고 하면 부피는 $\frac{1}{10d}$ L이다. 또한 용액 속 용질의 질량은 20 g이고, 이 양(mol)은 $\frac{20}{x}$ 몰이다.

따라서 (나)의 몰 농도는 $\frac{200d}{x}$ M이다.

ㄷ 몰랄 농도는 (가)가 (나)의 $\frac{4}{3}$배이다.

➡ 용질의 양은 (가)와 (나)에서 같고 용매의 질량비는 (가) : (나)=3 : 4이므로 몰랄 농도는 (가)가 (나)의 $\frac{4}{3}$배이다.

06 | 선택지 분석 |

ㄱ $a=2b$이다.

➡ (가)와 (나)에서 용질의 종류가 같고, 용매 1 kg에 녹아 있는 용질의 질량은 (가)에서가 (나)에서의 2배이므로 몰랄 농도는 (가)가 (나)의 2배이다. 따라서 $a=2b$이다.

ㄴ 퍼센트 농도는 (가)와 (다)가 같다.

➡ (가)와 (다)에서 용액의 질량과 용액 속 용질의 질량이 같으므로 퍼센트 농도는 같다.

ㄷ 용질의 몰 분율은 (나)와 (다)에서 같다.

➡ (나)와 (다)의 몰랄 농도가 같으므로 용매 1 kg에 녹아 있는 용질의 양(mol)이 같고, 용매의 종류가 물로 같으므로 (나)와 (다)에서 용질의 몰 분율은 같다.

07 (가)에서 수용액의 질량이 100 g이고, 퍼센트 농도가 20 %이므로 용액 속 용질의 질량은 20 g이다. (나)에 녹아 있는 용질의 질량도 20 g이고, 용질 Y의 분자량이 100이므로 20 g의 양(mol)은 0.2몰이며, 용액의 부피가 1 L이므로 몰 농도는 0.2 M이다. 또한 (나)의 밀도가 1 g/mL이므로 1 L의 질량은 1000 g이고, 용질의 질량이 20 g이므로 퍼센트 농도는 $\frac{20}{1000}\times100=2(\%)$이다.

채점 기준	배점
㉠과 ㉡의 풀이 과정과 답을 모두 옳게 서술한 경우	100 %
㉠과 ㉡ 중 한 가지의 풀이 과정과 답을 옳게 서술한 경우	50 %

08 (1) (가)와 (나)에서 용매의 질량이 같고, 용질의 질량이 (나)에서가 (가)에서의 2배이므로 몰랄 농도는 (나)가 (가)의 2배이다.

(2) (가) 50 g 속 NaOH의 질량이 5 g이므로 20 g에 들어 있는 NaOH의 질량은 2 g이다. 따라서 (다)에 들어 있는 NaOH의 양(mol)은 $\frac{2}{40}\left(=\frac{1}{20}\right)$몰이다.

따라서 (다)의 몰 농도는 $\frac{\frac{2}{40}}{0.1}=0.5(\text{M})$이다.

	채점 기준	배점
(1)	(가)와 (나)의 용질과 용매의 질량을 옳게 비교하여 몰랄 농도비를 옳게 비교한 경우	100 %
	몰랄 농도비만을 옳게 비교한 경우	30 %
(2)	(다) 용액 속 용질의 양을 구하여 몰 농도를 옳게 구한 경우	100 %
	몰 농도 값만을 옳게 쓴 경우	20 %

02 묽은 용액의 성질 (1)

탐구POOL 088쪽

01 100.255 ℃ **02** (1) × (2) ○

01 용액의 몰랄 농도가 0.5 m이므로 끓는점 오름은 0.255 ℃이다.

02 (2) 물 100 g에 A 9 g을 녹인 용액의 어는점 내림이 0.93 ℃이므로 A 18 g을 녹인 용액의 어는점 내림은 1.86 ℃이다.

콕콕! 개념 확인하기 089쪽

✔ 잠깐 확인!

1 증기 압력 내림 **2** 라울, 용매 **3** 끓는점 오름, 높 **4** 어는점 내림, 낮 **5** 몰랄 농도

01 (1) × (2) × (3) × **02** (1) ○ (2) × (3) ○ **03** (1) × (2) ○ (3) × **04** ㄴ－ㄱ－ㄷ **05** 60

01 (1) 용액의 표면에는 증발하는 용매 분자 수가 순수한 용매에 비해 작다. 따라서 순수한 용매보다 증발 속도가 느리다.

(3) 용액의 증기 압력 내림은 용매의 종류가 같으면 용질의 종류에 관계없이 용질의 몰 분율에 비례한다.

02 (1) 수은 방울이 설탕물 B 쪽으로 이동하므로 증기 압력은 설탕물 A가 설탕물 B보다 크다.

(2) 용액의 농도가 클수록 증기 압력 내림이 커지므로 B의 몰랄 농도는 0.1 m보다 크다.

03 (2) 용매의 종류가 같으면 용질의 종류에 관계없이 용액의 어는점 내림은 용액의 몰랄 농도에 비례하므로 0.1 m 포도당 수용액과 0.1 m 요소 수용액의 어는점은 같다.

(3) 용액의 몰랄 농도가 같더라도 용매의 종류가 다르면 용매의 특성인 몰랄 내림 상수가 다르므로 어는점 내림이 다르다.

04 용매가 모두 물로 같으므로 끓는점 오름은 용액의 몰랄 농도에 비례한다. 6 % 요소 수용액 100 g이 있다고 가정하면 물 94 g에 요소 6 g이 녹아 있다. 요소의 분자량이 60이므로 요소 6 g의 양(mol)은 0.1몰이고, 6 % 요소 수용액의 몰랄 농도는 1 m보다 크다. 또한 설탕의 분자량이 342이므로 30 g의 양(mol)은 1몰보다 작다. 물 100 g에 설탕 30 g을 녹인 용액의 몰랄 농도는 1 m보다 작으므로 용액의 끓는점은 ㄴ－ㄱ－ㄷ 순으로 높다.

05 용액의 어는점 내림이 －0.93 ℃이므로 용액의 몰랄 농도는 0.5 m이다. 이때 용매의 질량이 100 g이므로 용액에 녹인 용질의 양(mol)은 0.05몰이고, 용질의 질량이 3 g이므로 용질 1몰의 질량은 60 g이다.

탄탄! 내신 다지기 090쪽~091쪽

01 ④ **02** ㉠ 크, ㉡ 설탕물, ㉢ 위 **03** ③ **04** ② **05** ③ **06** ② **07** ② **08** ③

01 | 자료 분석 |

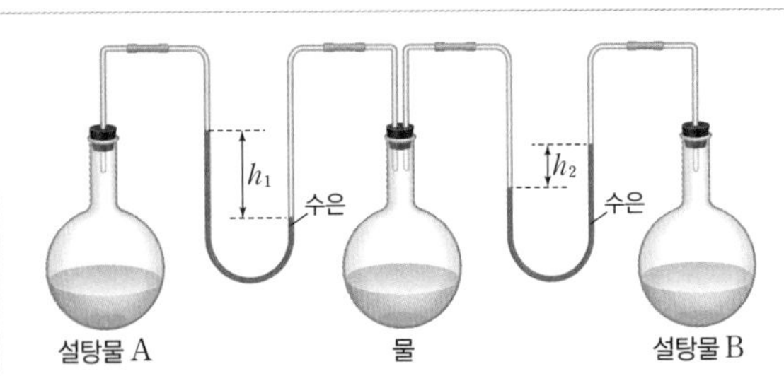

• 25 ℃에서 설탕물 A의 증기 압력은 '물의 증기 압력－h_1'이고, 설탕물 B의 증기 압력은 '물의 증기 압력－h_2'이다.
→ $h_1 > h_2$이므로 증기 압력은 B＞A이다.

| 선택지 분석 |

① A의 증기 압력은 h_1이다.
➡ A의 증기 압력은 '물의 증기 압력－h_1'이다.

② B의 증기 압력은 h_2이다.
➡ B의 증기 압력은 '물의 증기 압력－h_2'이다.

③ 물의 몰 분율은 A가 B보다 크다.
➡ 증기 압력은 A＜B이므로 용매의 몰 분율은 B＞A이다.

④ 설탕물의 몰랄 농도는 A가 B보다 크다.
➡ 증기 압력은 A＜B이므로 용매의 몰 분율은 B＞A이고, 설탕물의 몰랄 농도는 A가 B보다 크다.

⑤ 용매의 증발 속도는 A에서가 B에서보다 빠르다.
➡ 증기 압력은 A＜B이므로 용매의 증발 속도는 B에서가 A에서보다 빠르다.

02 3 % 요소 수용액 100 g이 있다고 가정하면 용매 97 g에 요소 3 g이 녹아 있는 용액이다. 요소 3 g의 양(mol)은 $\frac{3}{60}=\frac{1}{20}$(몰)이므로 요소 수용액의 몰랄 농도는 0.5 m보다 크다. 즉 요소 수용액의 몰랄 농도는 설탕물의 몰랄 농도보다 크므로 증기 압력은 설탕물이 더 크다. 따라서 시간이 지나면 X점이 위쪽으로 이동한다.

03 | 자료 분석 |

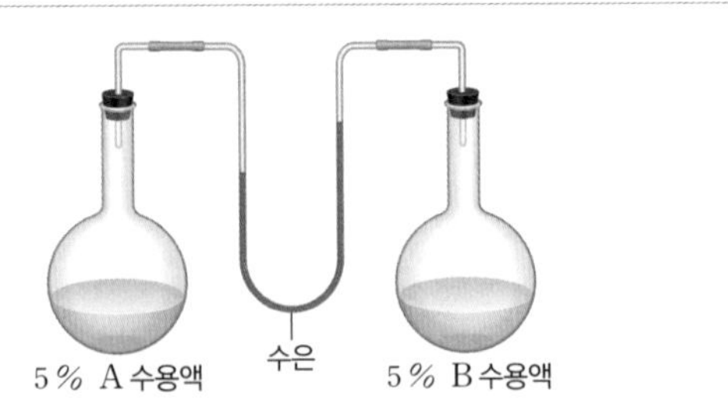

• 증기 압력의 크기: A 수용액＞B 수용액
→ 용매의 몰 분율: A 수용액＞B 수용액
• 같은 질량의 용질의 양(mol): B＞A → 분자량: A＞B

| 선택지 분석 |

㉠ 증기 압력은 A 수용액이 B 수용액보다 크다.
➡ 수은 기둥이 B 수용액 쪽으로 들어 올려졌으므로 증기 압력은 A 수용액이 B 수용액보다 크다.

㉡ 용질의 몰 분율은 A 수용액이 B 수용액보다 크다. (작)
➡ 용질의 몰 분율은 증기 압력이 큰 A 수용액이 B 수용액보다 작다.

㉢ 분자량은 A가 B보다 크다.
➡ 동일한 질량의 용질의 양(mol)은 B가 A보다 크므로 분자량은 A가 B보다 크다.

04 t_1 ℃에서 물의 증기 압력이 30 mmHg이고, A 수용액의 증기 압력이 27 mmHg이므로 용액의 증기 압력 내림은 (30－27) mmHg이다. 이로부터 $3=30\times X_{용질}$이므로

$X_{용질}=\frac{1}{10}$이고, $X_{용매}=\frac{9}{10}$이다.

t_2 ℃에서 $X_{용매}=\frac{9}{10}$인 용액의 증기 압력이 30 mmHg이고, $P_{용액}=P^{\circ}_{용매}\times X_{용매}$이므로

$P^{\circ}_{용매}=30\times\frac{10}{9}=\frac{100}{3}$이다.

05 | 선택지 분석 |

㉠ 실온에서 증기 압력은 (가)가 (나)보다 크다.
➡ 용액의 몰랄 농도가 작은 (가)가 (나)보다 증기 압력이 크다.

㉡ X의 분자량은 $100w$이다.
➡ 물의 몰랄 오름 상수가 0.5 ℃/m이고, (가)의 끓는점 오름이 0.05 ℃이므로 (가)의 몰랄 농도는 0.1 m이다. (가)에서 용매의 질량이 100 g이므로 (가)에 녹아 있는 X의 양(mol)은 0.01몰이고, 이때 질량이 w g이므로 1몰의 질량은 $100w$ g이다.

✕ 용액의 어는점은 (나)가 (가)보다 ~~높~~다.
낮

➡ 용액의 몰랄 농도는 (가)<(나)이므로 어는점 내림은 (가)<(나)이다. 따라서 용액의 어는점은 (가)가 (나)보다 높다.

06 | 자료 분석 |

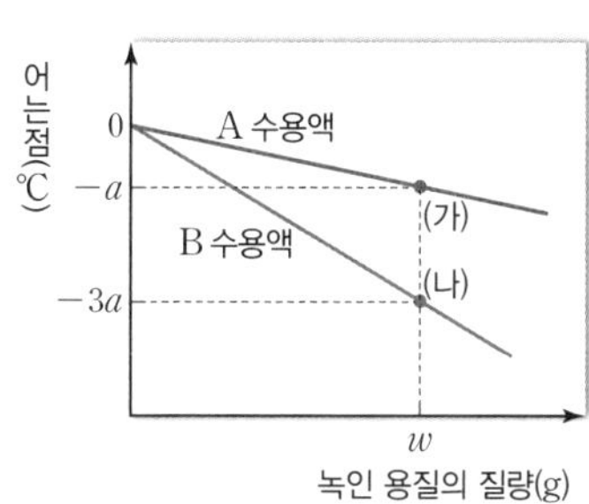

- (가)의 어는점 내림은 a ℃이고, (나)의 어는점 내림은 $3a$ ℃이다.
  ➡ 몰랄 농도는 (나)가 (가)의 3배이다.
  → 같은 질량의 양(mol)은 B가 A의 3배이므로 분자량은 A가 B의 3배이다.
- A의 분자량이 $10w$이므로 w g은 A 0.1몰이다.
  → 물 100 g에 A 0.1몰이 녹아 있는 (가)의 몰랄 농도는 1 m이다.

| 선택지 분석 |

✕ (가)의 몰랄 농도는 ~~0.1~~ m이다.
1

➡ A의 분자량이 $10w$이므로 $10w$ g은 A 0.1몰이다. 따라서 (가)의 몰랄 농도는 1 m이다.

✕ B의 분자량은 ~~$30w$~~이다.
$\frac{10}{3}$

➡ B의 분자량은 A의 $\frac{1}{3}$이므로 $\frac{10}{3}w$이다.

ㄷ 물의 몰랄 내림 상수는 a ℃/m이다.

➡ 몰랄 농도가 1 m 인 수용액의 어는점 내림이 a ℃이므로 물의 몰랄 내림 상수는 a ℃/m이다.

07 | 선택지 분석 |

✕ A의 분자량은 ~~$10w$~~이다.
$20w$

➡ A 수용액의 끓는점 오름은 0.25 ℃이므로 A 수용액의 몰랄 농도는 0.5 m이다. A 수용액의 몰랄 농도가 0.5 m이고, 용매의 질량이 100 g이므로 A w g의 양(mol)은 0.05몰이다. 따라서 분자량은 $20w$이다.

✕ 수용액의 증기 압력은 t_1일 때가 t_2일 때~~보다 크~~다.
와 같

➡ t_1일 때와 t_2일 때 모두 끓고 있으므로 수용액의 증기 압력은 모두 외부 압력과 같은 1기압이다.

ㄷ 용액의 몰랄 농도는 t_2일 때가 t_1일 때의 3배이다.

➡ t_2일 때의 끓는점 오름은 0.75 ℃이므로 끓는점 오름은 t_2일 때가 t_1일 때의 3배이다. 따라서 용액의 몰랄 농도는 t_2일 때가 t_1일 때의 3배이다.

08 (가)의 끓는점 오름은 0.5 ℃이므로 (가)의 몰랄 농도는 1 m이고, (나)의 끓는점 오름은 0.25 ℃이므로 (나)의 몰랄 농도는 0.5 m이다. 이때 (가)에서 용매의 질량이 100 g이므로 용액 속 A의 양(mol)은 0.1몰이고, 분자량은 60이다. (나)에서 용매의 질량이 200 g이므로 용액 속 B의 양(mol)은 0.1몰이다. B의 분자량이 180이므로 $w=18$이다.

따라서 $\frac{a}{w}=\frac{60}{18}=\frac{10}{3}$이다.

도전! 실력 올리기

092쪽~093쪽

01 ③ **02** ④ **03** ④ **04** ③ **05** ⑤ **06** ②

07 | 모범 답안 | 용액의 증기 압력은 몰랄 농도가 작을수록 크다. 용매의 증발 속도는 농도가 작은 용액이 농도가 큰 용액보다 크므로 농도가 작은 용액의 질량은 감소하고, 농도가 큰 용액의 질량은 증가한다. 따라서 (가)에는 농도가 큰 0.2 m 포도당 수용액이 들어 있다.

08 | 모범 답안 | (1) 용매의 증기 압력은 P_B가 P_A보다 $5h$만큼 크고, X 용액의 증기 압력은 용매 B보다 $2h$만큼 작다. X 용액이 용매 A에 용질 X를 녹인 용액이라고 하면 X 용액의 증기 압력은 순수한 용매의 증기 압력보다 작아야 하므로 $5h$보다 커야 한다. 따라서 X 용액은 용매 B에 용질 X를 녹인 용액이다.

(2) X 용액에서 용질 X의 몰 분율이 $\frac{1}{20}$이며, X 용액의 증기 압력 내림이 $2h$이므로 $\Delta P=P_B\times X_{용질}$, $2h=P_B\times\frac{1}{20}$, $P_B=40h$이고, $P_B=P_A+5h$이므로 $P_A=35h$이다.
따라서 $P_A : P_B=35h : 40h=7 : 8$이다.

01 | 선택지 분석 |

ㄱ $x>0.1$이다.

➡ 몰랄 오름 상수가 0.5 ℃/m이고, 용액이 끓기 시작하는 온도가 100.05 ℃보다 높으므로 X 수용액의 몰랄 농도는 0.1 m보다 크다.

✕ t_1일 때 수용액의 증기 압력은 1기압~~보다 작~~다.
이

➡ t_1일 때 수용액이 끓고 있으므로 증기 압력은 대기압과 같은 1기압이다.

ㄷ X의 몰 분율은 t_2일 때가 t_1일 때보다 크다.

➡ 수용액의 끓는점은 t_2일 때가 t_1일 때보다 높으므로 몰랄 농도는 t_2일 때가 t_1일 때보다 크다.

02 | 선택지 분석 |

✕ 용매의 기준 끓는점은 A가 B보다 ~~높~~다.
낮

➡ 몰랄 농도가 0일 때의 증기 압력은 용매의 증기 압력이다. 25 ℃에서 증기 압력은 A가 B보다 크므로 분자 간 힘은 B가 A보다 크고, 기준 끓는점도 B가 A보다 높다.

ㄴ 외부 압력이 P_1일 때 몰랄 농도가 m_2인 용액 (가)의 끓는점은 25 ℃이다.

➡ 몰랄 농도가 m_2인 용액 (가)의 증기 압력이 25 ℃에서 P_1이므로 외부 압력이 P_1일 때 끓는점은 25 ℃이다.

ㄷ 외부 압력이 1기압일 때, 몰랄 농도가 m_1인 두 용액의 끓는점에서 증기 압력은 (가)와 (나)가 같다.

➡ 끓는점에서 증기 압력은 외부 압력과 같다.

03 | 선택지 분석 |

✗ 기준 끓는점은 A가 B보다 ~~높~~낮다.

➡ 용매의 증기 압력은 A>B이므로 분자 간 힘은 A<B이고, 기준 끓는점은 B가 A보다 높다.

ㄴ A의 증기 압력은 Y의 증기 압력보다 크다.

➡ A의 증기 압력은 B의 증기 압력보다 크고, B에 용질 C를 녹인 용액 Y의 증기 압력은 B의 증기 압력보다 작다. 따라서 A의 증기 압력은 Y의 증기 압력보다 크다.

ㄷ $\frac{h_1}{h_2}>1$이다.

➡ h_1은 용매 A와 B의 증기 압력 차이고, h_2는 각 용매에 같은 종류의 용질을 녹인 용액의 증기 압력 차이다. 이때 용매의 분자량이 같고 녹인 용질의 질량이 같으므로 용액의 증기 압력 내림 정도는 각 용액에서 같다. h_2는 h_1보다 작으므로 $\frac{h_1}{h_2}>1$이다.

04 | 자료 분석 |

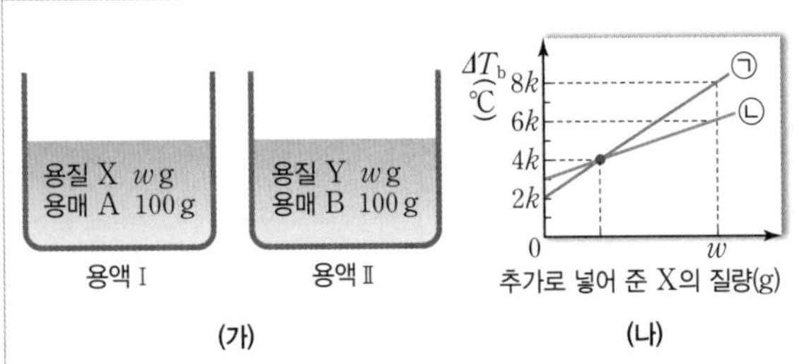

- 용액 Ⅰ은 용매 A 100 g에 X w g이 녹아 있는 용액이고, 여기에 X w g을 추가하면 몰랄 농도가 2배가 된다.
  → 끓는점 오름이 2배가 된다. ΔT_b가 $3k$에서 $6k$로 되는 ㉡이 용액 Ⅰ이므로 ㉠은 용액 Ⅱ이다.
- (나)에서 넣어 준 용질 X의 질량에 따라 몰랄 농도가 증가하므로 그래프의 기울기비는 용매의 몰랄 오름 상수비와 같다.
  → 기울기비는 ㉠(용액 Ⅱ) : ㉡(용액 Ⅰ)=2 : 1이다. 즉 용액 Ⅰ의 용매는 A이고, 용액 Ⅱ의 용매는 B이므로 용매의 몰랄 오름 상수비는 A : B=1 : 2이다.
- (나)에서 X를 추가하기 전 용액 Ⅰ(㉡)의 ΔT_b가 $3k$이고, 용액 Ⅱ(㉠)의 ΔT_b가 $2k$이다. 용매의 몰랄 오름 상수비는 A와 B가 1 : 2이므로 용액의 몰랄 농도비는 Ⅰ : Ⅱ=3 : 1이다.

| 선택지 분석 |

ㄱ ㉠은 용액 Ⅱ이다.

➡ ㉠은 용액 Ⅱ이다.

ㄴ 용매의 몰랄 오름 상수는 B가 A의 2배이다.

➡ 용매의 몰랄 오름 상수는 B가 A의 2배이다.

✗ 용질의 분자량은 Y가 X의 ~~1.5~~3배이다.

➡ 용액의 몰랄 농도비는 Ⅰ : Ⅱ=3 : 1이고, 용매의 질량이 같으므로 용액 속 용질의 양(mol)은 X가 Y의 3배이다. 이때 용질의 질량이 같으므로 분자량은 Y가 X의 3배이다.

05 | 선택지 분석 |

ㄱ 25 ℃에서 증기 압력은 (나)가 (가)보다 크다.

➡ 용액의 끓는점 오름은 용액의 몰랄 농도에 비례하므로 몰랄 농도는 (가)가 (나)보다 크다. 즉 용매의 몰 분율은 (나)>(가)이므로 25 ℃에서 증기 압력은 (나)가 (가)보다 크다.

ㄴ 물의 몰랄 오름 상수(K_b)는 k ℃/m이다.

➡ (나)에서 용매 0.1 kg에 녹아 있는 용질의 양(mol)이 0.1몰이므로 몰랄 농도는 1 m이다. 이때 (나)의 끓는점 오름이 k ℃이므로 물의 몰랄 오름 상수는 k ℃/m이다.

ㄷ A의 분자량은 180이다.

➡ (나)의 몰랄 농도가 1 m이므로 (가)의 몰랄 농도는 5 m이다. 따라서 물 50 g에 녹아 있는 용질 A 45 g의 양(mol)은 0.25몰이다. 1몰의 질량이 180 g이므로 A의 분자량은 180이다.

06 | 자료 분석 |

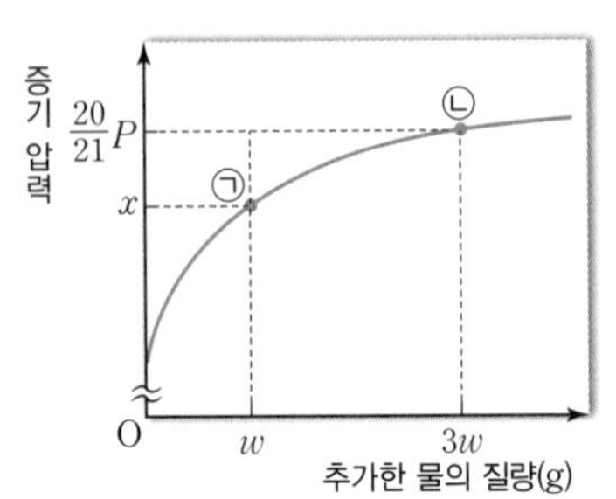

- ㉡은 물 $4w$ g에 용질 A가 a g 녹아 있는 용액이고, 이때 용액의 증기 압력 내림이 $\frac{1}{21}P$이다.
  → $\Delta P=P\times X_{용질}$이므로 $X_{용질}=\frac{1}{21}$이다.
- ㉡에서 용매 $4w$ g의 양(mol)을 20몰이라고 하면 용질 A의 양(mol)은 1몰이다.
- ㉠에서 용매의 질량이 $2w$ g이다.
  → 용매의 양(mol)은 10몰, 용질 A의 양(mol)은 1몰이다.

| 선택지 분석 |

✗ A의 몰 분율은 ㉠에서가 ㉡에서의 2배~~이~~가 아니다.

➡ A의 몰 분율은 ㉠에서 $\frac{1}{11}$이고, ㉡에서 $\frac{1}{21}$이므로 2배가 되지 않는다.

ㄴ $x=\frac{10}{11}P$이다.

➡ ㉠에서 용매의 몰 분율이 $\frac{10}{11}$이므로 용액의 증기 압력은 $\frac{10}{11}P$이다.

✗ 용액의 끓는점 오름은 ㉠에서가 ㉡에서의 ~~3~~2배이다.

➡ ㉠과 ㉡에서 용질의 양은 같고, 용매의 양은 ㉡에서가 ㉠에서의 2배이므로 몰랄 농도는 ㉠이 ㉡의 2배이다. 따라서 용액의 끓는점 오름은 ㉠에서가 ㉡에서의 2배이다.

07 일정한 온도에서 농도가 다른 포도당 수용액이 각각 담긴 플라스크를 유리관으로 연결하고 일정 시간 동안 놓아두면 농도가 작은 포도당 수용액에서 증발이 더 활발하게 일어나므로 두 용액의 농도가 같아질 때까지 농도가 작은 용액 쪽의 물 분자가 농도가 큰 포도당 수용액 쪽으로 이동한다. 따라서 농도가 큰 포도당 수용액의 질량이 증가한다.

채점 기준	배점
용액의 농도에 따른 증기 압력(용매의 증발 속도)을 비교하여 서술한 경우	100 %
(가)에 농도가 큰 용액이 들어 있다고만 쓴 경우	40 %

08 (1) 증기 압력은 $P_B > X > P_A$이며, A에 X를 녹인 용액의 증기 압력은 P_A보다 작아야 하므로 X 용액은 용매 B에 용질 X를 녹인 용액이다.

(2) 용액의 증기 압력 내림(ΔP)은 순수한 용매의 증기 압력에 용질의 몰 분율을 곱한 값과 같다. 또한 B와 X의 수은 기둥의 높이 차가 용액 X의 증기 압력 내림이다.

	채점 기준	배점
(1)	두 용매의 증기 압력과 B와 X 용액의 증기 압력 크기를 비교하여 서술한 경우	50 %
	용매 B라고만 쓴 경우	20 %
(2)	X 용액에서 용질의 몰 분율으로부터 B의 증기 압력을 구하고, A와 B의 증기 압력 차로 A의 증기 압력을 구하여 그 비를 옳게 비교한 경우	50 %
	A와 B의 증기 압력비만을 옳게 쓴 경우	20 %

03 묽은 용액의 성질 (2)

탐구POOL

096쪽

01 1 M보다 작다. **02** (1) ○ (2) × (3) ○

01 무의 질량이 감소한 것으로 보아 무의 세포액의 물이 빠져나갔다. 반투막을 경계로 저농도 용액의 용매가 고농도 용액 쪽으로 이동하므로 세포액의 농도는 소금물의 농도인 1 M보다 작다.

02 (3) 채소의 세포액의 농도는 일정하다. 따라서 고농도 용액인 소금물의 농도가 클수록 삼투 현상이 잘 일어나므로 채소에서 빠져나간 물의 질량이 크다.

콕콕! 개념 확인하기

097쪽

✔ 잠깐 확인!

1 반투막 **2** 삼투 **3** 삼투압 **4** 반트호프, 몰 **5** 총괄성, 양(mol)

01 (1) × (2) ○ (3) × **02** (1) (다) (2) (가) $30R$, (나) $60R$, (다) $90R$ (3) 커진다. **03** A<B **04** (1) × (2) ○ (3) ○

01 (3) 수화된 이온에서 이온 주위를 물 분자가 둘러싸고 있어 물 분자보다 크기가 크다. 따라서 소금물에서 수화된 이온은 반투막을 통과하지 못하므로 삼투 현상이 일어난다.

02 (2) (가)의 몰 농도가 0.1 M이고, 절대 온도가 300 K이므로
(가)의 삼투압은 $\pi = CRT = 0.1 \times R \times 300 = 30R$(atm),
(나)의 삼투압은 $\pi = 0.2 \times R \times 300 = 60R$(atm),
(다)의 삼투압은 $\pi = 0.3 \times R \times 300 = 90R$(atm)이다.

(3) 삼투압은 용액의 절대 온도에 비례하므로 온도를 50 ℃로 높이면 삼투압이 커진다.

03 반투막을 경계로 저농도 용액의 용매가 고농도 용액 쪽으로 이동하므로 수용액의 농도는 A<B이다.

04 (1) 끓는점 오름 등과 같은 묽은 용액의 성질은 같은 용매에서 용질의 종류에 관계없이 용질의 양에만 관련되므로 0.1 m 포도당 수용액과 0.1 m 요소 수용액에서 같다.

탄탄! 내신 다지기

098쪽~099쪽

01 ⑤ **02** ④ **03** ④ **04** ④ **05** 0.24 atm **06** ③ **07** ③ **08** ②

01 | 선택지 분석 |

① 셀로판 종이는 A로 사용할 수 있다.
➡ 셀로판 종이는 반투막이므로 A로 사용할 수 있다.

② 충분한 시간이 지나면 (가) 쪽의 액면이 높아진다.
➡ 반투막을 통해 물 분자가 용액 쪽으로 이동하므로 (가) 쪽의 액면이 높아진다.

③ A막의 미세한 구멍의 크기는 설탕 분자의 크기보다 작다.
➡ A는 반투막으로 용매 입자는 통과할 수 있지만 용질 입자는 통과하지 못하는 미세한 크기의 구멍을 갖는 막이다.

④ A로 물 분자는 통과하지만 설탕 분자는 통과하지 못한다.
➡ A는 반투막으로 물 분자는 통과할 수 있지만 설탕 분자는 통과하지 못한다.

⑤ 충분한 시간이 지나면 설탕물의 농도는 처음보다 커진다. (작아)
➡ 설탕물 쪽으로 물 분자가 이동하므로 설탕물의 농도는 작아진다.

02 | 선택지 분석 |

① (가)에서 온도를 높이면 h는 커진다.
➡ (가)에서 포도당 수용액의 삼투압은 액면의 높이 차에 해당하는 압력과 같다. 온도를 높이면 삼투압이 증가하므로 h가 커진다.

② (나)에서 가해 준 압력은 $300R$기압이다.
➡ 0.1 M 포도당 수용액의 삼투압
$\pi = CRT = 1 \times R \times 300 = 300R$기압이다. 따라서 (나)에서 삼투 현상이 일어나지 않도록 가해준 압력은 $300R$기압이다.

③ 포도당 수용액의 농도는 (나)에서가 (가)에서보다 크다.
➡ 반투막으로 용매만 이동하므로 포도당 수용액 속 용매의 양은 (가)에서가 (나)에서보다 많다. 따라서 포도당 수용액의 농도는 (나)에서가 (가)에서보다 크다.

✗ (나)에서 반투막을 통해 ~~포도당 분자~~(용매 입자)가 물 쪽으로 이동한다.

➡ (나)에서 반투막을 통해 용질 입자는 통과하지 못하고, 용매 입자만 통과한다.

⑤ 1 M 포도당 수용액 대신 0.5 M 포도당 수용액으로 실험하면 h는 작아진다.

➡ 일정한 온도에 묽은 용액의 삼투압은 용액의 몰 농도에 비례하므로 수용액의 농도가 작아지면 h는 작아진다.

03 | 선택지 분석 |

✗ 반투막으로 B 입자~~는 통과하고~~(와), A 입자는 통과하지 못한다.

➡ 용질 A, B는 모두 반투막을 통과하지 못한다.

ㄴ 수용액의 몰 농도는 (나)가 (가)의 2배이다.

➡ 온도가 같으므로 삼투압은 몰 농도에 비례한다. 삼투압은 수용액 (나)가 (가)의 2배이므로 몰 농도는 (나)가 (가)의 2배이다.

ㄷ 물질의 화학식량은 B가 A의 2배이다.

➡ 수용액의 부피가 같고, 수용액의 몰 농도는 (나)가 (가)의 2배이므로 용액 속 용질의 양은 (나)가 (가)의 2배이다. A와 B의 화학식량을 각각 a, b라고 하면 $\frac{0.1}{a} : \frac{0.4}{b} = 1 : 2$이므로 $a : b = 1 : 2$이다.

04 | 자료 분석 |

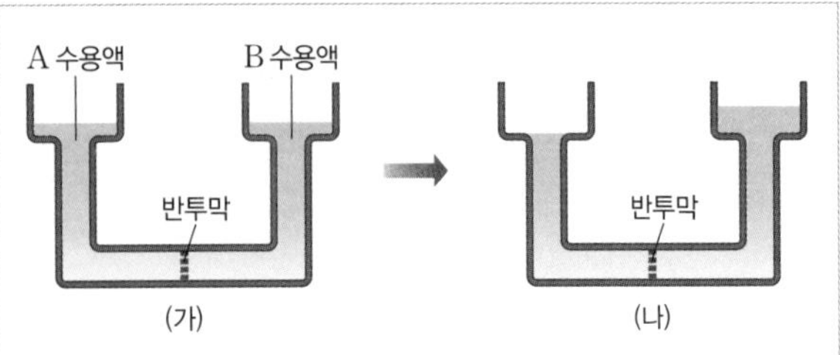

- 용매의 이동 방향: A 수용액 → B 수용액
- 용액의 농도: A<B
- 용액의 삼투압: A 수용액<B 수용액

| 선택지 분석 |

✗ (가)에서 몰 농도는 A 수용액이 B 수용액보다 ~~크~~(작)다.

➡ 용매 입자는 농도가 묽은 용액 쪽에서 농도가 진한 용액 쪽으로 이동하므로 수면의 높이가 낮아진 A 수용액의 농도가 B 수용액보다 작다.

ㄴ B 수용액의 몰 농도는 (가)에서가 (나)에서보다 크다.

➡ (가)와 (나)에서 용액 속 용질 B의 양은 같고, 용매의 양은 (나)에서가 (가)에서보다 크므로 B 수용액의 몰 농도는 (가)>(나)이다.

ㄷ 온도를 높여 50 ℃에서 실험하면 (나)에서 수용액의 높이 차가 커진다.

➡ 용액의 삼투압은 절대 온도에 비례하므로, 온도가 높아지면 두 수용액의 삼투압 차는 커진다. 따라서 (나)에서 수용액의 높이 차가 커진다.

05

분자량이 40000이므로 40 g의 양(mol)은 0.001몰이고, 수용액의 부피가 100 mL이므로 수용액의 몰 농도는 0.01 M이다. 또한 온도가 27+273=300(K)이므로 이 수용액의 삼투압(π)은 다음과 같다.

$\pi = CRT = 0.01 \text{ mol/L} \times 0.08 \text{ atm·L/(mol·K)} \times 300 \text{ K} = 0.24 \text{ atm}$

06 | 선택지 분석 |

ㄱ A 수용액의 몰 농도는 0.02 M이다.

➡ 실험 결과 각 수용액의 밀도가 같으므로 액면의 높이 차는 삼투압에 비례한다. 일정한 온도에서 0.01 M 설탕 수용액의 삼투압이 h일 때 A 수용액의 삼투압이 $2h$이므로 A 수용액의 몰 농도는 0.02 M이다.

ㄴ B 수용액의 삼투압은 설탕 수용액보다 크다.

➡ 실험 결과 B 수용액의 액면의 높이가 설탕물보다 높으므로 B 수용액의 삼투압은 설탕 수용액보다 크다.

✗ 분자량은 ~~B~~(A)가 ~~A~~(B)의 1.5배이다.

➡ 수용액의 삼투압은 B 수용액이 A 수용액의 1.5배이므로 수용액의 몰 농도도 B 수용액이 A 수용액의 1.5배이다. 따라서 A 수용액과 B 수용액 속 용질의 양(mol)은 B 수용액이 A 수용액의 1.5배이고, 이때 용질의 질량이 같으므로 분자량은 A가 B의 1.5배이다.

07 | 선택지 분석 |

ㄱ 분자량은 A가 B보다 크다.

➡ 수용액의 농도는 B(aq)가 A(aq)보다 크고, 같은 부피의 용액에 녹아 있는 용질의 질량이 같으므로 분자량은 A가 B보다 크다.

✗ 몰 농도는 A(aq)가 B(aq)보다 ~~크~~(작)다.

➡ (나)에서 B(aq) 쪽 액면이 높아진 것으로 보아 반투막을 통해 용매가 A(aq)에서 B(aq) 쪽으로 이동한다. 따라서 몰 농도는 B(aq)가 A(aq)보다 크다.

ㄷ (나)에서 수용액의 삼투압은 B(aq)가 A(aq)보다 크다.

➡ (나)에서 수용액의 삼투압은 B(aq)이 액면의 높이 차에 해당하는 압력만큼 A(aq)보다 더 크다.

08 | 자료 분석 |

수용액	(가)	(나)	(다)
물의 질량(g)	100	50	150
용질의 종류와 양	요소 6 g	포도당 9 g	포도당 18 g

- 용질의 양(mol): (가) 0.1몰, (나) 0.05몰, (다) 0.1몰
- 수용액의 몰랄 농도: (가) 1 m, (나) 1 m, (다) 약 0.67 m
- 묽은 용액의 증기 압력 내림, 끓는점 오름, 어는점 내림은 용질의 종류에 관계없이 용질의 양에만 관련있다.

| 선택지 분석 |

✗ 끓는점: (가)~~>~~(=)(나)

➡ (가)와 (나)는 몰랄 농도가 같으므로 끓는점이 같다.

ㄴ 증기 압력: (가)<(다)

➡ 몰랄 농도는 (가)>(다)이므로 용매의 몰 분율은 (다)>(가)이다. 따라서 용액의 증기 압력은 (가)<(다)이다.

✗ 어는점 : (나)>(다) [<]

➡ 몰랄 농도가 (나)>(다)이므로 어는점 내림은 (나)>(다)이다. 따라서 어는점은 (나)<(다)이다.

도전! 실력 올리기 100쪽~101쪽

01 ② **02** ② **03** ③ **04** ② **05** ③

06 | **모범 답안** | Ⅰ에서 0.01 M 설탕물의 삼투압은 P이고, X 수용액의 삼투압은 설탕물의 삼투압의 2배이므로 X 수용액의 몰 농도는 0.02 M이다. X 수용액은 X 100 g을 녹여 1 L로 만든 용액이므로 X 100 g의 양(mol)은 0.02몰이고, 1몰의 질량은 5000 g이다.

07 | **모범 답안** | 분자량은 '요소<포도당<설탕'이므로 몰 농도는 '요소 수용액>포도당 수용액>설탕 수용액'이다. 일정한 온도에서 용액의 삼투압은 용액의 몰 농도에 비례하므로 삼투압은 '요소 수용액>포도당 수용액>설탕 수용액'이다. 따라서 깔때기관 수용액과 수면의 높이 차는 '요소 수용액>포도당 수용액>설탕 수용액' 순으로 높다.

01 | **선택지 분석** |

✗ (가)의 유리관 A에는 ~~0.2~~ [0.1] M 포도당 수용액이 들어 있다.

➡ 용액의 삼투압은 B에 들어 있는 용액이 더 크므로 B에는 0.2 M 포도당 수용액이, A에는 0.1 M 포도당 수용액이 들어 있다.

ㄴ (나)에서 삼투압은 B에 들어 있는 수용액이 A에 들어 있는 수용액보다 크다.

➡ (나)에서 삼투압은 액면의 높이 차에 해당하는 압력만큼 B에서가 A에서보다 크다.

✗ 온도를 50 ℃로 높이면 (h_2-h_1)은 2배가 ~~된다~~ [되지 않는다].

➡ 삼투압은 0.2 M 포도당 수용액이 0.1 M 포도당 수용액의 2배이므로 (h_2-h_1)이 2배가 되려면 절대 온도가 2배가 되어야 한다.

02 | **선택지 분석** |

✗ a>b이다. [<]

➡ 용매가 오른쪽으로 이동하므로 설탕물의 농도는 $a<b$이다.

✗ (나)에서 양쪽 수용액의 몰 농도는 ~~같~~[같지 않]다.

➡ (나)에서 두 수용액의 삼투압 차는 수면의 높이 차와 같다. 즉 두 수용액의 삼투압 차만큼의 농도 차가 있다.

ㄷ (나)에서 온도를 높이면 h는 커진다.

➡ 삼투압은 절대 온도에 비례하여 커지므로 온도를 높이면 h는 커진다.

03 | **선택지 분석** |

ㄱ (가)에서 삼투압은 A(aq)가 B(aq)보다 크다.

➡ (가)에서 삼투압은 수면의 높이가 더 높은 A(aq)가 B(aq)보다 크다.

✗ (나)에서 반투막을 통해 이동하는 물 분자 수는 0~~이다~~[이 아니다].

➡ (나)에서 두 수용액에서 반투막을 통해 이동하는 물 분자 수가 같다.

ㄷ $\dfrac{\text{B의 분자량}}{\text{A의 분자량}}=2$이다.

➡ (나)에서 두 수용액의 삼투압이 같으므로 각 수용액 100 mL에 A 1 g이 녹아 있을 때와 B 2 g이 녹아 있을 때 용질의 입자 수가 같다. 따라서 분자량은 B가 A의 2배이다.

04 | **선택지 분석** |

✗ (가)에서 설탕물의 몰 농도는 A가 B보다 ~~크~~[작]다.

➡ 용매가 오른쪽으로 이동하므로 (가)에서 몰 농도는 B가 A보다 크다.

ㄴ (나)에서 두 수용액의 삼투압은 같다.

➡ (나)에서 용매는 반투막을 경계로 두 수용액의 몰 농도가 같아질 때까지 이동하므로 두 수용액의 삼투압은 같다.

✗ (나)에서 온도를 높이면 B의 몰 농도는 ~~커진~~[작아진]다.

➡ (나)에서 온도를 높여도 두 수용액의 몰 농도가 같아 용매의 알짜 이동은 일어나지 않는다. 이때 용액의 부피가 증가하므로 몰 농도는 감소한다.

05 | **선택지 분석** |

ㄱ x>0.2이다.

➡ 실험 결과 채소의 질량이 감소하므로 용매는 채소의 세포액에서 설탕물 쪽으로 이동한다. 이때 설탕물의 농도가 클수록 삼투 현상이 잘 일어나므로 x>0.2이다.

✗ y<0.2이다. [>]

➡ 당근에서 2 M 설탕물의 삼투압이 1 M 설탕물의 2배이므로 x=0.4이다. 설탕물의 농도가 2 M로 같을 때 감자에서의 질량 변화가 0.6 g이므로 y는 0.2보다 크다.

ㄷ 채소의 체포액의 농도는 당근이 감자보다 크다.

➡ 질량 변화량이 감자에서가 당근에서보다 더 크므로 세포액의 농도는 감자에서가 당근에서보다 더 작다.

06 Ⅰ에서 0.01 M 설탕물에서 삼투 현상이 일어나지 않도록 용액에 가해준 압력이 P이므로 0.01 M 설탕물의 삼투압이 P이다. 또한 X 수용액에 가해 준 압력이 $2P$이므로 X 수용액의 삼투압은 설탕물의 삼투압의 2배이다. 일정한 온도에서 삼투압은 몰 농도에 비례하므로 X 수용액의 몰 농도는 설탕물의 2배이다.

채점 기준	배점
Ⅰ에서 설탕물의 삼투압을 구하고, 설탕물과 X 수용액의 삼투압을 비교하여 X 수용액의 몰 농도를 구하여 분자량을 구한 경우	100 %
삼투압의 비교 과정이 없이 X 수용액의 몰 농도가 설탕물의 2배라고 설명하여 분자량을 구한 경우	40 %

07 같은 질량을 녹여 만든 부피가 같은 수용액에서 몰 농도는 분자량이 작을수록 크다. 농도가 다른 용액이 각각 들어 있는 깔때기관 속 수면은 용액의 농도가 클수록 높다.

이는 농도가 클수록 삼투압이 커지기 때문이다.

채점 기준	배점
용질의 분자량과 용질의 양을 비교하여 용액의 몰 농도가 클수록 삼투압이 크다고 설명하여 수면의 높이 차를 비교하여 서술한 경우	100 %
몰 농도가 요소가 가장 크다고 설명하여 수면의 높이 차를 비교하여 서술한 경우	50 %

실전! 수능 도전하기

103쪽~105쪽

01 ② 02 ① 03 ② 04 ② 05 ② 06 ① 07 ③ 08 ①
09 ① 10 ⑤ 11 ④ 12 ③

01 | 선택지 분석 |

✕ (가)의 퍼센트 농도는 ~~40~~ 20 %이다.

➡ (가)에서 용액 200 g 속에 녹아 있는 용질의 질량이 40 g이므로 퍼센트 농도는 20 %이다.

ㄴ (나)의 몰 농도는 0.04 M이다.

➡ (가)의 퍼센트 농도가 20 %이므로 (가) 20 g에 녹아 있는 용질의 질량은 4 g이다. A의 화학식량이 100이므로 4 g의 양(mol)은 0.04몰이다. 따라서 (나)의 몰 농도는 0.04 M이다.

✕ (다)에 녹아 있는 A의 양(mol)은 ~~0.20~~ 0.108몰이다.

➡ (가) 50 g에 녹아 있는 용질의 질량은 10 g이고, A 10 g의 양(mol)은 0.1몰이다. (나)의 몰 농도가 0.04 M이므로 0.2 L에 들어 있는 용질의 양(mol)은 0.008몰이다. 따라서 (다)에 녹아 있는 A의 양(mol)은 0.108몰이다.

02 | 자료 분석 |

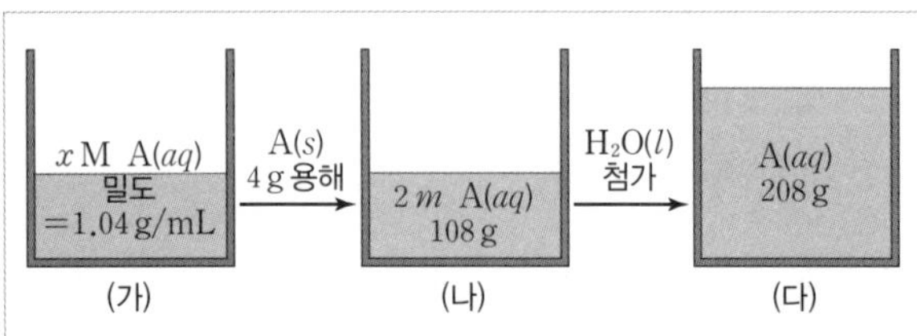

• (나)의 몰랄 농도는 2 m이다.

→ 물 1000 g에 A 2몰(=80 g)이 녹아 있다. 용액 1080 g에 녹아 있는 A의 질량이 80 g이므로 용액 108 g에 녹아 있는 A의 질량은 8 g이다.

• (나)의 조성은 물 100 g, A 8 g이다.

→ (가)에 녹아 있는 A의 질량은 4 g이다.

• (가)에 A 4 g을 넣어 (나) 108 g이 되므로 (가)의 질량은 104 g이다.

→ 밀도가 1.04 g/mL이므로 부피는 100 mL이다.

→ 용액 100 mL에 A 4 g, 즉 0.1몰이 녹아 있다.

| 선택지 분석 |

ㄱ x는 1이다.

➡ (가)의 부피가 100 mL이고, 용액 속 A의 양(mol)이 0.1몰이므로 몰 농도는 1 M이다.

✕ (나)의 퍼센트 농도는 8 %~~이~~다. (보다 작)

➡ (나)에 녹아 있는 A의 질량이 8 g이고, 용액의 질량이 100 g보다 크므로 퍼센트 농도는 8 %보다 작다.

✕ (다)의 몰 농도는 x M~~보다 작~~다. (이다)

➡ (나)와 (다)의 A의 질량이 같으므로 (다)의 조성은 물 200 g, A 8 g이다. (가)의 조성은 물 100 g, A 4 g이므로 (가)와 (다)는 용액 속 용질의 비율과 밀도가 같다. 따라서 같은 부피의 용액에 녹아 있는 용질의 양(mol)이 같으므로 몰 농도는 (가)와 (다)가 같다.

03 | 선택지 분석 |

✕ 퍼센트 농도는 (가)가 (나)보다 ~~크~~다. (작)

➡ (가)는 용액 1100 g에 녹아 있는 용질의 질량이 100 g이므로 퍼센트 농도는 $\frac{100}{1100}\times100=\frac{100}{11}$(%)이다. 또한 (나)에 녹아 있는 용질의 양(mol)은 0.1몰, 10 g이고, 용액의 밀도가 1.1 g/mL보다 작으므로 용액의 질량은 110 g보다 작다. 즉 (나)의 퍼센트 농도는 $\frac{10}{110}\times100=\frac{100}{11}$(%)보다 크다. 따라서 퍼센트 농도는 (나)가 (가)보다 크다.

✕ 용질의 질량은 (나)가 (다)~~보다 크~~다. (와 같)

➡ (나)에 녹아 있는 A의 질량은 10 g이다. (다)의 퍼센트 농도가 10 %이고, 용액의 질량이 100 g이므로 용액 속 A의 질량은 10 g이다.

ㄷ 용매의 몰 분율은 (가)가 (다)보다 크다.

➡ (가)의 조성은 용액 100 g에 녹아 있는 A의 질량이 10 g보다 작다. (다)는 용액 100 g에 녹아 있는 A의 질량이 10 g이므로 용매의 몰 분율은 (가)가 (다)보다 크다.

04 | 자료 분석 |

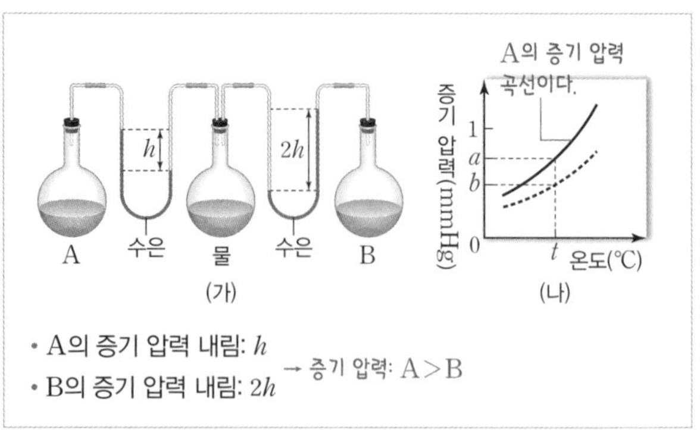

• A의 증기 압력 내림: h
• B의 증기 압력 내림: $2h$
→ 증기 압력: A>B

| 선택지 분석 |

✕ t ℃에서 A의 증기 압력은 ~~b~~ a mmHg이다.

➡ t ℃에서 A의 증기 압력은 a mmHg이다.

✕ ~~$\frac{\text{B에서 설탕의 몰 분율}}{\text{A에서 설탕의 몰 분율}}$~~ $=\frac{a}{b}$이다. ($\frac{1-\text{A에서 설탕의 몰 분율}}{1-\text{B에서 설탕의 몰 분율}}$)

➡ 용액의 증기 압력은 용매의 몰 분율에 비례한다.

물의 증기 압력을 P, A와 B에서 설탕의 몰 분율을 각각 X_A, X_B라고 하면 $a=P(1-X_A)$, $b=P(1-X_B)$이다.

따라서 $\frac{a}{b}=\frac{1-X_A}{1-X_B}$이다.

ㄷ. 기준 끓는점은 B가 A보다 높다.

➡ 증기 압력은 A가 B보다 크므로 기준 끓는점은 B가 A보다 높다.

05 | 자료 분석 |

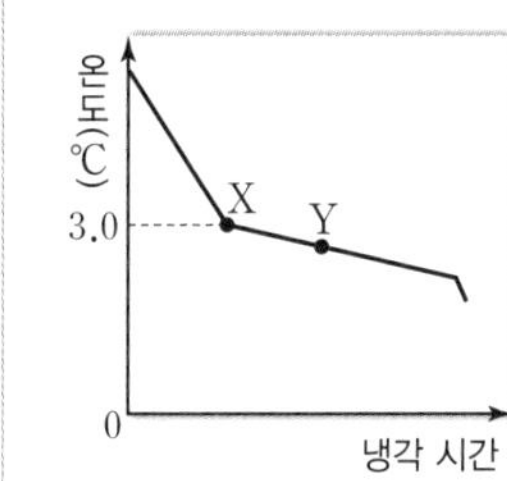

- X: 용액에서 처음으로 용매가 얼기 시작
- Y: 계속 얼고 있는 용액
  → 용액의 몰랄 농도 : Y > X
- 어는점 내림: $(5.5-3.0)$℃ $=2.5$ ℃

| 선택지 분석 |

ㄱ. A의 분자량은 254이다.

➡ 용액의 어는점 내림이 2.5 ℃이고, 용매의 몰랄 내림 상수가 5.0 ℃/m이므로 용액의 몰랄 농도는 0.5 m이다. 용매 100 g에 용질 A 6.35 g을 녹인 용액의 몰랄 농도가 0.5 m이므로 A의 분자량 M은 $\frac{\frac{6.35}{M}}{0.1}=0.5$에서 $M=127$이다.

ㄴ. A의 몰 분율은 Y에서가 X에서보다 크다.

➡ 용액에서 용매만 얼어 결정으로 되므로 용액 속 용질의 양은 일정하고 용매의 양은 X에서가 Y에서보다 크다. 따라서 A의 몰 분율은 Y에서가 X에서보다 크다.

ㄷ. Y에서 B는 모두 고체로 존재한다.

➡ Y에서 용매가 모두 응고되지 않았으므로 B는 액체와 고체가 함께 존재한다.

06 | 선택지 분석 |

ㄱ. $t_1<t_2$이다.

➡ 분자량은 설탕이 포도당보다 크므로 같은 질량의 양(mol)은 포도당이 설탕보다 크다. 따라서 용액의 어는점 내림은 몰랄 농도가 큰 포도당 수용액이 설탕 수용액보다 크므로 어는점은 설탕 수용액이 포도당 수용액보다 높다.

ㄴ. (나)에서 수용액 10 mL를 사용하면 어는점은 t_1 ℃보다 낮아진다.

➡ 수용액의 어는점 내림은 용액의 몰랄 농도에 비례하고, 용액의 양에는 관계없으므로 수용액 10 mL를 사용해도 어는점은 t_1 ℃이다.

ㄷ. (다)에서 수용액이 어는 동안 온도는 일정하게 유지된다.

➡ (다)에서 수용액이 어는 동안 물만 냉각되어 용액의 농도가 커지므로 어는 동안 온도는 낮아진다.

07 | 자료 분석 |

온도(℃)		t_1	t_2
증기 압력 (mmHg)	물	P_1	P_2
	a m 포도당 수용액	P_2	P_3

- 같은 온도에서 용액의 증기 압력은 순수한 용매의 증기 압력보다 작다. → $P_1>P_2$이다.
- 액체의 증기 압력은 온도가 높을수록 크다.
  → 온도는 $t_1>t_2$ 이다. → $P_2>P_3$이다.

| 선택지 분석 |

ㄱ. $t_1>t_2$이다.

➡ 온도가 높을수록 증기 압력이 커지고, 용액의 증기 압력은 순수한 용매의 증기 압력보다 낮다. 온도 t_1에서 a m 포도당 수용액의 증기 압력이 온도 t_2에서 순수한 물의 증기 압력과 같으므로 물의 증기 압력은 $t_1>t_2$이고, 온도는 $t_1>t_2$이다.

ㄴ. $P_1>P_3$이다.

➡ 라울 법칙에 따르면 비휘발성, 비전해질 용질이 녹아 있는 용액의 증기 압력은 순수한 용매보다 낮아지므로 온도 t_1에서 $P_1>P_2$이고, 온도 t_2에서 $P_2>P_3$이므로 $P_1>P_3$이다.

ㄷ. $\frac{P_2}{P_1}>\frac{P_3}{P_2}$이다.

➡ $P_2=P_1\times X_{용매}$, $P_3=P_2\times X_{용매}$이고, 용액의 몰랄 농도가 일정하므로 용질의 몰 분율과 용매의 몰 분율은 t_1과 t_2에서 같다.

따라서 $\frac{P_2}{P_1}=\frac{P_3}{P_2}$이다.

08 | 선택지 분석 |

ㄱ. 농도는 A가 B보다 크다.

➡ 용액의 증기 압력은 B가 A보다 크므로 농도는 A가 B보다 크다.

ㄴ. 온도를 50 ℃로 높이면 h가 작아진다.

➡ 용액 속 용질의 몰 분율은 일정하고, 온도를 높이면 용매의 증기 압력이 증가하므로 두 수용액의 증기 압력 차는 커진다.

ㄷ. B에 포도당을 첨가하여 녹이면 h가 커진다.

➡ B에 포도당을 녹이면 용매의 몰 분율이 감소하여 증기 압력이 더 작아지므로 h가 작아진다.

09 | 선택지 분석 |

ㄱ. (가)에서 농도는 A가 B보다 크다.

➡ (가)에서 (나)로 될 때 용매의 알짜 이동은 B에서 A로 일어나므로 농도는 A가 B보다 크다.

ㄴ. (나)에서 단위 부피당 용질 입자 수는 A가 B보다 크다.

➡ 반투막을 경계로 양쪽 수용액의 농도가 같아질 때까지 용매가 이동하므로 (나)에서 두 수용액의 몰 농도는 같다. 따라서 단위 부피당 용질 입자 수는 A와 B에서 같다.

ㄷ. (가)의 온도를 높여 주어도 (나)의 l은 일정하다.

➡ (가)의 온도를 높여 주면 삼투압 차가 더 커지므로 (나)의 l은 증가한다.

10 (가)에서 물의 양(mol)은 9.5몰이고, 용질인 요소의 양(mol)은 0.5몰이므로 수용액에서 용매의 몰 분율은 $\frac{19}{20}$이고, 용질의 몰 분율은 $\frac{1}{20}$이다. 용액의 증기 압력이 외부 압력과 같을 때 끓음이 일어나므로 용액의 증기 압력이 760 mmHg가 되는 용매의 증기 압력을 P라고 하면

$760\ \text{mmHg} = P \times \frac{19}{20}$이고, $P = 800\ \text{mmHg}$이다. 따라서 대기압이 760 mmHg일 때 (가)의 끓는점은 t_3 ℃이다.

11 | **선택지 분석** |

✕ 분자량은 A가 B보다 ~~크다~~(작).

➡ $\Delta P_1 = P_A - P_B > 0$이므로 삼투압은 A($aq$)가 B($aq$)보다 크다. 따라서 수용액의 몰 농도는 A(aq) > B(aq)이고, 용액에 녹인 용질의 질량이 같으므로 분자량은 A < B이다.

ㄴ. $T_2 > T_1$이다.

➡ 삼투압은 온도가 높을수록 크고, $\Delta P_2 > \Delta P_1$이므로 온도는 $T_2 > T_1$이다.

ㄷ. T_1에서 용해된 A와 B가 각각 $2w$ g일 때 ΔP는 $2\Delta P_1$이다.

➡ A와 B의 질량이 2배가 되면 용액 속 용질의 양(mol)도 2배가 되므로 A(aq)와 B(aq)의 몰 농도는 각각 2배가 된다. 삼투압도 각각 2배가 되므로 ΔP는 $2\Delta P_1$이다.

12 용액의 끓는점 오름은 용액의 몰랄 농도에 비례하고, 어는점 내림도 몰랄 농도에 비례하므로 (가)~(다)의 몰랄 농도비는 2 : 3 : 4이다.

(가)에서 용액의 조성은 다음과 같다.

수용액	(가)	(나)	(다)
용매의 질량(g)	90	80	60
용질의 질량(g)	10	20	40

$\frac{\frac{10}{a}}{90} : \frac{\frac{20}{b}}{80} : \frac{\frac{40}{c}}{60} = 2 : 3 : 4$이므로

$a : b : c = 2 : 3 : 6$이다.

a를 $2k$라고 하면 b, c는 각각 $3k$, $6k$이므로

$\frac{a+b}{c} = \frac{2k+3k}{6k} = \frac{5}{6}$이다.

한번에 끝내는 대단원 문제 108쪽~111쪽

01 ② **02** ③ **03** ⑤ **04** ③ **05** ⑤ **06** ⑤ **07** ② **08** ②
09 ③ **10** ② **11** ⑤ **12** ④ **13** ② **14** ②

15 | **모범 답안** | 일정한 온도에서 기체의 양(mol)은 압력과 부피의 곱에 비례하므로 A~C의 몰비는 A : B : C = 6 : 8 : 12 = 3 : 4 : 6이다. 이때 실린더 속 기체의 질량이 같으므로 A~C의 분자량을 각각 a, b, c라고 하면 $\frac{1}{a} : \frac{1}{b} : \frac{1}{c} = 3 : 4 : 6$이다. 따라서 A~C의 분자량비는 A : B : C = 4 : 3 : 2이다.

16 (1) (가) > (나)

(2) | **모범 답안** | 분자량은 (가)와 (나)가 같지만, 분자의 표면적은 (가)가 (나)보다 크므로 분산력은 (가) > (나)이다. 따라서 끓는점은 (가) > (나)이다.

17 | **모범 답안** | 용매의 종류가 같고, 어는점 내림이 A 수용액이 B 수용액의 2배이므로 몰랄 농도는 A 수용액이 B 수용액의 2배이다. A와 B의 분자량을 각각 M_A, M_B라고 하면

$\frac{114}{M_A} = 2 \times \frac{10}{M_B}$이므로 $\frac{M_A}{M_B} = \frac{114}{20} = 5.7$이다.

18 | **모범 답안** | 단위 세포에서 A 이온은 정육면체의 중심에 4개가 포함된다. B 이온은 정육면체의 꼭짓점과 모서리, 각 면과 중심에 1개가 위치하므로 입자 수는

$\frac{1}{8} \times 8 + \frac{1}{4} \times 12 + \frac{1}{2} \times 6 + 1 = 8$이다. X를 구성하는 이온 수비는 A : B = 1 : 2이므로 화학식은 AB_2이다.

19 (1) X: 금속 결정, Y: 이온 결정

(2) | **모범 답안** | X는 변형되고, Y는 부서진다.

X에 힘을 가하면 힘을 받은 금속 원자 층이 밀리고, 이때 자유 전자가 빠르게 이동하여 금속 결합을 유지하므로 부서지지 않고 변형된다. Y에 힘을 가하면 힘을 받은 이온 층이 밀리고, 같은 전하를 띤 이온들이 인접하여 반발력이 작용하므로 부서진다.

01 | **선택지 분석** |

✕ (가)에서 He(g)의 압력은 ~~0.25~~(1.25)기압이다.

➡ (가)에서 He(g)의 압력은 '대기압+수은 기둥의 높이 차에 의한 압력'이므로 1기압 + $\frac{19}{76}$기압 = 1.25기압이다.

ㄴ. He(g)의 부피는 (나)에서가 (가)에서의 $\frac{5}{4}$배이다.

➡ 일정한 온도에서 일정량의 기체의 부피는 압력에 반비례한다. 압력은 (가)에서가 (나)에서의 $\frac{5}{4}$배이므로 부피는 (나)에서가 (가)에서의 $\frac{5}{4}$배이다.

✕ (나)에 He(g) w g을 추가하면 수은 기둥의 높이 차는 ~~38 cm가 된다~~(0이다).

➡ He(g)을 추가해도 온도와 압력이 일정하게 유지되므로 수은 기둥의 높이 차는 생기지 않고 부피가 2배가 된다.

02 꼭지를 열기 전 $A(g)$의 압력은 1.5기압이고, $B(g)$의 압력은 0.5기압이다.
일정한 온도에서 기체의 양은 압력과 부피 곱에 비례하므로 $A(g)$의 양(mol)을 $1.5\times2=3k$(몰)이라고 하면 $B(g)$의 양(mol)은 $0.5\times3=1.5k$(몰)이다. 꼭지를 열어 반응을 완결시킬 때 반응의 양적 관계는 다음과 같다.

	$A(g)$	+ $B(g)$	$\longrightarrow$ $C(g)$
반응 전(몰)	$3k$	$1.5k$	0
반응(몰)	$-1.5k$	$-1.5k$	$+1.5k$
반응 후(몰)	$1.5k$	0	$1.5k$

반응이 완결된 후 반응하지 않고 남은 $A(g)$의 양(mol)과 생성물의 양(mol)이 같으므로 $A(g)$의 몰 분율은 $\frac{1}{2}$이다.

03 일정한 온도와 압력에서 기체의 부피비는 몰비와 같다.
또 기체의 양(mol)은 기체의 질량을 몰 질량으로 나누어 구하므로 (가)와 (나)에 들어 있는 각 기체의 질량 사이에는 $\frac{w_1}{16} : \frac{w_2}{32}=2:3$이 성립한다. 따라서 $w_1 : w_2=1:3$이고, $\frac{w_2}{w_1}=3$이다.

04 $C_2H_4(g)$의 연소 반응식은 다음과 같다.

$$C_2H_4(g)+3O_2(g) \longrightarrow 2CO_2(g)+2H_2O(g)$$

꼭지를 열기 전 $C_2H_4(g)$의 양(mol)은 1.5몰이고, 꼭지를 열어 $C_2H_4(g)$이 모두 반응하므로 반응 후 남은 $O_2(g)$의 양(mol)을 x몰이라고 하면 반응의 양적 관계는 다음과 같다.

	$C_2H_4(g)$	$+3O_2(g)$	$\longrightarrow 2CO_2(g)$	$+2H_2O(g)$
반응 전(몰)	1.5	$x+4.5$	0	0
반응(몰)	-1.5	-4.5	$+3.0$	$+3.0$
반응 후(몰)	0	x	3.0	3.0

반응 후 $H_2O(g)$의 몰 분율이 $\frac{2}{5}$이므로 $\frac{3}{6+x}=\frac{2}{5}$이다.
이 식을 풀면 $x=1.5$이고, 반응 전 $O_2(g)$의 양(mol)은 6몰이다. 용기의 부피를 V라고 하면 400 K에서 V에 들어 있는 기체 6몰의 압력이 3기압이므로 반응 후 400 K, $2V$에 들어 있는 기체 7.5몰의 압력은
$3\times\frac{7.5}{6}\times\frac{V}{2V}=\frac{15}{8}$(기압)이다. 성분 기체의 부분 압력은 전체 압력과 성분 기체의 몰 분율의 곱과 같으므로 $CO_2(g)$의 부분 압력은 $\frac{15}{8}\times\frac{2}{5}=\frac{3}{4}$(기압)이다.

05 (가) 분자 사이에 수소 결합이 존재하는 분자는 전기 음성도가 큰 F, O, N 원자와 H 원자가 결합하고 있는 부분이 있는 CH_3OH, H_2O_2로 2가지가 해당된다.
(나) 분산력은 모든 분자 사이에 작용하는 힘이므로 제시된 분자 4가지가 모두 해당된다.
(다) 쌍극자·쌍극자 힘은 분자 내에 쌍극자가 있는 극성 분자 사이에 작용하는 힘이므로 무극성 분자인 CCl_4를 제외한 3가지가 해당된다.

06 | 자료 분석 |

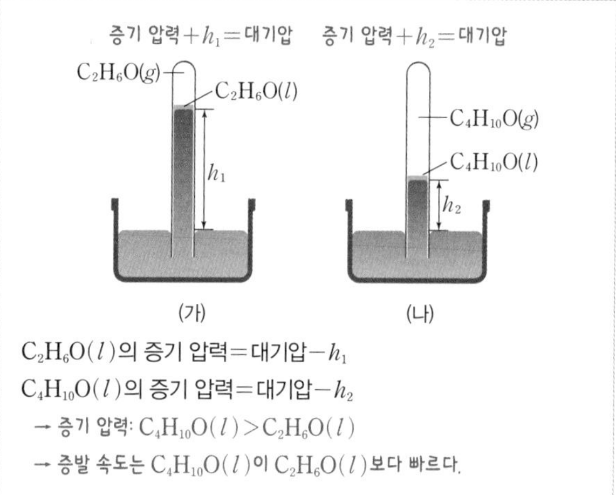

$C_2H_6O(l)$의 증기 압력=대기압$-h_1$
$C_4H_{10}O(l)$의 증기 압력=대기압$-h_2$
→ 증기 압력: $C_4H_{10}O(l)>C_2H_6O(l)$
→ 증발 속도는 $C_4H_{10}O(l)$이 $C_2H_6O(l)$보다 빠르다.

| 선택지 분석 |

ㄱ. 증발 속도는 (나)에서가 (가)에서보다 빠르다.
➡ 증발 속도는 증기 압력이 큰 (나)에서가 (가)에서보다 빠르다.

ㄴ. 기준 끓는점은 $C_2H_6O(l)$이 $C_4H_{10}O(l)$보다 높다.
➡ 기준 끓는점은 증기 압력이 작은 C_2H_6O이 $C_4H_{10}O$보다 높다.

ㄷ. $C_4H_{10}O(l)$와 $C_2H_6O(l)$의 증기 압력 차는 h_1-h_2이다.
➡ $C_4H_{10}O(l)$와 $C_2H_6O(l)$의 증기 압력 차는 (대기압$-h_2$)$-$(대기압$-h_1$)$=h_1-h_2$이다.

07 | 자료 분석 |

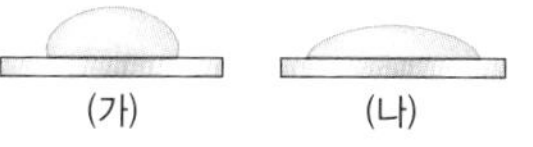

• 액체 방울의 모양이 (가)에서가 (나)에서보다 둥글다.
→ 표면 장력: (가)>(나)
• 액체 입자 사이의 응집력이 클수록, 판을 이루는 입자와 액체 사이의 부착력이 작을수록 액체 방울의 모양이 둥글다.

| 선택지 분석 |

~~ㄱ.~~ 25 ℃ 대신 10 ℃에서 과정 (가)를 반복한다.
➡ 온도가 낮을수록 액체 분자 사이의 응집력이 크므로 모양이 더 둥글게 된다.

ㄴ. 물 대신 에탄올을 사용하여 과정 (가)를 반복한다.
➡ 에탄올은 물보다 분자 간 힘인 응집력이 작다.

~~ㄷ.~~ 유리판 대신 양초를 균일하게 바른 유리판을 이용하여 과정 (가)를 반복한다.
➡ 극성 물질로 이루어진 유리판 위에 무극성 물질인 양초를 바르면 물과 판 사이의 부착력이 작아져 물방울의 모양이 더 둥글게 된다.

08 | 선택지 분석 |

ㄱ. ✕ 밀도

➡ 물이 얼면 부피가 증가하므로 밀도는 감소한다.

ㄴ. ✕ 질량

➡ 상태가 변해도 물질을 이루는 입자 수가 일정하므로 질량은 일정하다.

ㄷ. ◯ 분자당 평균 수소 결합 수

➡ 물이 얼 때 분자 간 힘인 수소 결합 수가 증가하여 분자 간 힘이 커진다.

09 (가)의 단위 세포에 들어 있는 A 이온은 8개이다. 또한 B 이온은 정육면체의 꼭짓점과 면에 위치하므로 이온 수는 $\frac{1}{8}\times8+\frac{1}{2}\times6=4$이다. 이로부터 (가)에서 양이온 A 수와 음이온 B 수의 비가 2 : 1이므로 화학식은 A_2B이다.
(나)의 단위 세포에 들어 있는 A 이온은 정육면체의 모서리와 중심에 위치하므로 이온 수는 $\frac{1}{4}\times12+1=4$이다.
또한 C 이온은 정육면체의 꼭짓점과 면에 위치하므로 이온 수는 $\frac{1}{8}\times8+\frac{1}{2}\times6=4$이다. 따라서 (나)에서 A 이온 수와 C 이온 수비가 1 : 1이므로 화학식은 AC이다.

10 | 자료 분석 |

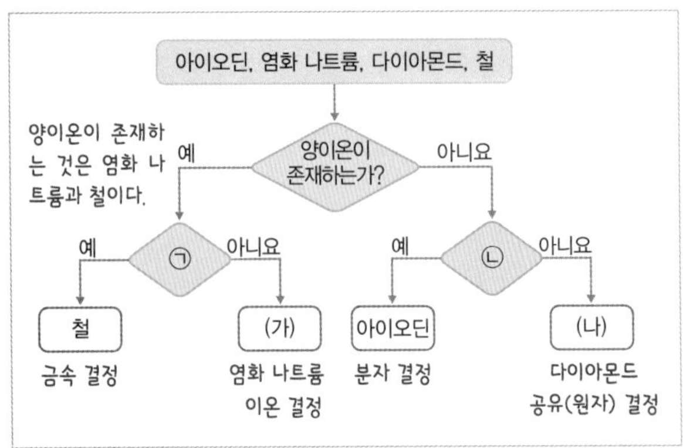

| 선택지 분석 |

ㄱ. ✕ '액체 상태에서 전기 전도성이 있는가?'는 ㉠으로 적절~~하다~~. (하지 않)

➡ 금속 결정인 철과 이온 결정인 염화 나트륨은 모두 액체 상태에서 전기 전도성이 있으므로 두 물질을 구분하는 기준으로 적절하지 않다.

ㄴ. ✕ '공유 결합 물질인가?'는 ㉡으로 적절~~하다~~. (하지 않)

➡ 아이오딘과 다이아몬드는 모두 공유 결합 물질이므로 두 물질을 구분하는 기준으로 적절하지 않다.

ㄷ. ◯ 녹는점은 (나) > (가)이다.

➡ 녹는점은 공유(원자) 결정인 (나)가 이온 결정인 (가)보다 높다.

11 | 선택지 분석 |

ㄱ. ◯ x는 2이다.

➡ (가)에서 만든 A 수용액의 몰 농도가 0.1 M이고, 용액의 부피가 500 mL이므로 용액 속 용질의 양(mol)은 0.05몰이다. A의 화학식량이 40이므로 0.05몰의 질량은 2 g이다.

ㄴ. ◯ y는 25이다.

➡ (다)에서 만든 A 수용액의 몰 농도가 0.01 M, 250 mL이므로 용액 속 용질의 양(mol)은 0.025몰이다. 0.025몰을 포함한 0.1 M 수용액의 부피는 25 mL이다.

ㄷ. ◯ (다)에서 만든 0.01 M A 수용액의 퍼센트 농도는 0.04 %이다.

➡ (다)의 부피가 250 mL이고, 밀도가 1.0 g/mL이므로 용액의 질량은 250 g이다. 이 속에 녹아 있는 용질의 양(mol)은 0.0025몰, 즉 0.1 g이므로 퍼센트 농도는 $\frac{0.1}{250}\times100=0.04(\%)$이다.

12 | 자료 분석 |

수용액	물의 질량(g)	용질의 질량(g)		어는점(℃)
		A	B	
(가)	100	48		$-4k$
(나)	200		72	$-k$
(다)	300	36	36	x

• 어는점 내림은 용액의 몰랄 농도에 비례한다.
→ 몰랄 농도는 (가)가 (나)의 4배이다.

• A와 B의 분자량을 각각 a, b라고 하면 $\frac{\frac{48}{a}}{0.1} : \frac{\frac{72}{b}}{0.2}=4:1$이다.
→ $a : b=1 : 3$

| 선택지 분석 |

ㄱ. ✕ 분자량은 A가 B의 ~~1.5~~배이다. ($\frac{1}{3}$)

➡ 분자량은 A가 B의 $\frac{1}{3}$이다.

ㄴ. ◯ x는 $-\frac{4}{3}k$이다.

➡ 용매 100 g에 A 48 g이 녹아 있을 때 어는점 내림이 $4k$이므로 용매 300 g에 A 36 g이 녹아 있을 때 어는점 내림은 k이다. 마찬가지로 용매 200 g에 B 72 g이 녹아 있을 때 어는점 내림이 k이므로 물 300 g에 B 36 g이 녹아 있을 때 어는점 내림은 $\frac{1}{3}k$이다. (다)에서 어는점 내림이 $\frac{4}{3}k$이므로 x는 $-\frac{4}{3}k$이다.

ㄷ. ◯ (가)와 (나)를 혼합한 용액의 어는점은 $\frac{3}{2}x$ ℃이다.

➡ (가)와 (나)를 혼합한 용액은 용매의 질량이 300 g이고, A의 질량이 48 g, B의 질량이 72 g이다. 이로부터 A에 의한 어는점 내림은 $\frac{4}{3}k$이고, B에 의한 어는점 내림은 $\frac{2}{3}k$이므로 어는점 내림은 $2k$이다. 어는점 내림이 $\frac{4}{3}k$일 때가 x ℃이므로 어는점 내림이 $2k$일 때는 $\frac{3}{2}x$ ℃이다.

13 | 자료 분석 |

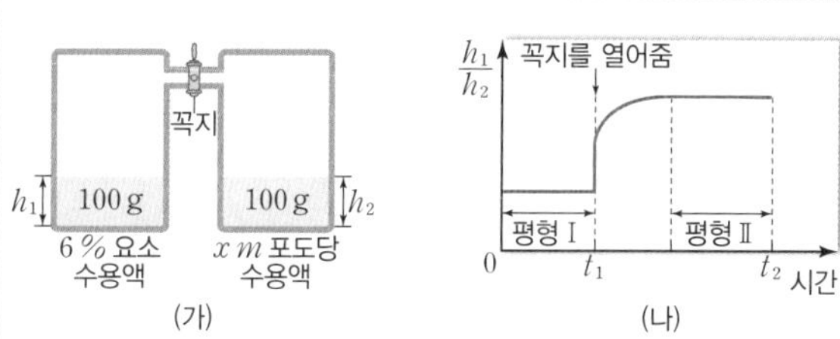

- 꼭지를 열면 h_1은 증가하고, h_2는 감소한다.
  → 증기 압력은 포도당 수용액이 요소 수용액보다 크다.
- 몰랄 농도는 6 % 요소 수용액이 x m 포도당 수용액보다 크다.
- 6 % 요소 수용액은 용액 100 g에 요소가 6 g이 녹아 있는 용액이다.

→ 용매 94 g에 용질 0.1몰이 녹아 있으므로 몰랄 농도는 $\frac{0.1}{\frac{94}{1000}}=\frac{100}{94}(m)$이다.

| 선택지 분석 |

ㄱ. ~~$x > 1.07$~~이다. (< 1.064)

➡ (가)에서 요소의 몰랄 농도가 $\frac{100}{94} \fallingdotseq 1.064$이므로 포도당 수용액의 몰랄 농도는 이보다 작다.

ㄴ. (가)에서 증발 속도는 요소 수용액이 포도당 수용액보다 ~~빠르~~다. (느리)

➡ 수용액의 증기 압력은 포도당 수용액이 요소 수용액보다 크므로 용액에서 용매의 증발 속도는 포도당 수용액이 요소 수용액보다 빠르다.

ㄷ. 요소의 몰 분율은 Ⅰ에서가 Ⅱ에서보다 크다.

➡ 꼭지를 열면 요소 수용액의 부피가 증가하므로 요소 수용액의 농도가 감소한다. 따라서 요소의 몰 분율은 Ⅰ에서가 Ⅱ에서보다 크다.

14 | 자료 분석 |

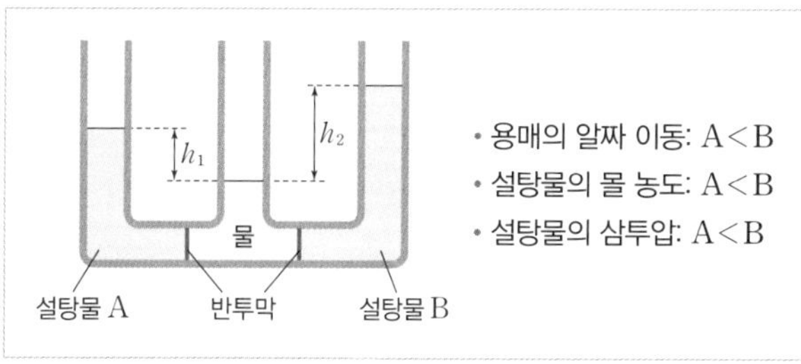

- 용매의 알짜 이동: A < B
- 설탕물의 몰 농도: A < B
- 설탕물의 삼투압: A < B

| 선택지 분석 |

ㄱ. 기준 끓는점은 A가 B보다 ~~높~~다. (낮)

➡ 용액의 농도는 A < B이므로 기준 끓는점은 B가 A보다 높다.

ㄴ. 25 ℃에서 증기 압력은 B가 A보다 ~~크~~다. (작)

➡ 용매의 몰 분율은 농도가 작은 A가 B보다 크므로 증기 압력은 A가 B보다 크다.

ㄷ. 온도를 50 ℃로 높이면 (h_2-h_1)은 증가한다.

➡ 온도를 높이면 온도에 비례하여 각 수용액의 삼투압이 커지므로 두 수용액의 삼투압 차인 (h_2-h_1)은 증가한다.

15 대기압을 x기압이라고 하면 기체 A의 압력은 $2x$기압이고, 기체 B와 C의 압력은 각각 $2x$기압, $3x$기압이다. 각 기체가 들어 있는 실린더가 동일하므로 실린더에서 피스톤까지의 높이비는 부피비와 같다. 이상 기체 방정식 $PV=nRT$로부터 일정한 온도에서 기체의 양(mol)은 압력과 부피의 곱에 비례하며, 물질의 양(mol)은 물질의 질량을 몰 질량으로 나누어 구할 수 있다.

채점 기준	배점
각 기체의 압력과 부피로부터 기체의 양을 비교하여 분자량비를 옳게 구한 경우	100 %
기체의 양과 분자량 관계만을 쓴 경우	50 %

16 (2) 분자량이 같아도 분자의 모양이 다르면 끓는점이 달라진다. 분자의 모양이 넓게 퍼진 것일수록 분자의 표면적이 커서 편극이 쉽게 일어나므로 분산력이 크고, 물질의 끓는점이 높다.

채점 기준	배점
분자의 표면적이 크기 때문에 분산력이 크다고 서술한 경우	100 %
분산력이 크다고만 쓴 경우	50 %

17 비휘발성, 비전해질 용질이 녹아 있는 묽은 용액의 어는점 내림은 용질의 종류에 관계없이 일정량의 용매에 녹아 있는 용질의 양(mol), 즉 몰랄 농도(m)에 비례한다.

채점 기준	배점
용액의 어는점 내림과 몰랄 농도의 관계를 제시하여 분자량을 옳게 구한 경우	100 %
몰랄 농도비로 분자량을 옳게 구한 경우	80 %

18 단위 세포 속의 입자 수는 단위 세포 속에 존재하는 실제 입자의 총수를 의미하며, 꼭짓점에 있는 입자는 $\frac{1}{8}$입자가, 모서리에 있는 입자는 $\frac{1}{4}$입자가, 면의 중심에 있는 입자는 $\frac{1}{2}$입자가 단위 세포에 속한다.

채점 기준	배점
단위 세포 속 A 이온 수와 B 이온 수를 옳게 구하여 구성 이온 수비로 화학식을 옳게 구한 경우	100 %
화학식만을 옳게 구한 경우	50 %

19 (1) X는 금속 양이온과 자유 전자 사이의 금속 결합으로 이루어진 금속 결정이다. Y는 양이온과 음이온 사이의 이온 결합으로 이루어진 이온 결정이다.

(2) 금속 결정의 특징은 자유 전자에 의해 나타나는데, 자유 전자는 한 원자에 속해 있지 않고, 수많은 금속 양이온 사이를 이동하여 여러 가지 금속의 특징이 나타난다.

채점 기준	배점
힘을 받은 후 금속 결합은 유지되지만 이온 결정에서는 반발력이 작용하여 이온 결합을 유지할 수 없다고 서술한 경우	100 %
힘을 받은 후의 결과만을 옳게 쓴 경우	40 %

1 »» 반응엔탈피

01 반응엔탈피와 열화학 반응식

탐구POOL 119쪽

01 물 **02** (1) ○ (2) × (3) ○

01 간이 열량계로 열량을 측정하는 경우 외부 공기나 플라스크를 데우는 데 열이 소모되므로 에탄올이 연소될 때 발생한 열량은 모두 물이 흡수한다고 가정하고 실험한다.

02 (1) 에탄올이 연소할 때 발생한 열량은 모두 물이 흡수하므로 발생한 열량만큼 물의 온도가 증가한다.
(2) 연소 후 알코올램프의 질량은 연소 전 온도와 같아질 때까지 식힌 후 측정해야 한다.
(3) 연소 엔탈피는 1몰에 대한 값이므로 에탄올의 분자량을 알아야 구할 수 있다.

콕콕! 개념 확인하기 120쪽

✔ 잠깐 확인!
1 엔탈피 **2** 반응엔탈피 **3** 화학, 열 **4** 흡열 **5** 열화학 **6** 표준 생성 **7** 열량계

01 (1) ○ (2) × (3) ○ (4) × **02** ㉠ 발열, ㉡ 흡열 **03** (1) × (2) ○ (3) ○ **04** $N_2(g)+3H_2(g) \longrightarrow 2NH_3(g)$ $\Delta H=-92\,kJ$ **05** (1) 연소 (2) 분해 (3) 용해

01 (1) 일정한 압력에서 어떤 물질이 가지는 고유한 에너지가 엔탈피이다.
(2) 엔탈피는 물질의 상태에 따라 달라지므로 엔탈피를 나타낼 때에는 물질의 상태를 반드시 표시해야 한다.
(3) 화학 반응이 일어날 때 반응물과 생성물의 엔탈피 차이만큼 에너지를 방출하거나 흡수한다.
(4) 발열 반응은 반응물의 엔탈피 합이 생성물의 엔탈피 합보다 커 열을 방출하는 반응으로, 화학 반응이 일어날 때 엔탈피가 감소하므로 $\Delta H<0$이다.

02 화학 반응이 일어날 때 반응엔탈피(ΔH)가 0보다 작은 반응을 발열 반응, 반응엔탈피(ΔH)가 0보다 큰 반응을 흡열 반응이라고 한다.

03 물이 수증기로 기화될 때 엔탈피가 증가했으므로 이 반응은 흡열 반응이다. 흡열 반응은 생성물의 엔탈피 합이 반응물의 엔탈피 합보다 크므로, 반응이 일어날 때 열을 흡수하여 주위의 온도가 내려간다.

04 암모니아가 생성될 때 열에너지를 방출하였으므로 반응이 일어날 때 엔탈피가 감소하며, 반응엔탈피는 (−)로 표시한다. 열화학 반응식에서 출입하는 열에너지는 반응하는 물질의 몰수에 비례한다.

05 연소 반응은 발열 반응이므로 $\Delta H<0$이고, 분해 엔탈피는 생성 엔탈피와 크기는 같고 부호만 다르다.

탄탄! 내신 다지기 121쪽~123쪽

01 ② **02** ③ **03** ⑤ **04** ⑤ **05** ④
06 $C(s, 흑연)+O_2(g) \longrightarrow CO_2(g)$ $\Delta H=-394\,kJ$
07 ② **08** ④ **09** ③ **10** ⑤ **11** ①
12 $-286\,kJ/mol$, $-286\,kJ/mol$ **13** ① **14** ③ **15** ②
16 ⑤

01 | 선택지 분석 |
✕ 발열 반응의 반응엔탈피(ΔH)는 0보다 ~~크다~~ 작다.
➡ 발열 반응은 반응물의 엔탈피 합이 생성물의 엔탈피 합보다 커 열을 방출하는 반응으로 반응이 일어날 때 엔탈피가 낮아지므로 반응엔탈피는 0보다 작다.
㉡ 흡열 반응이 일어나면 주위의 온도가 내려간다.
➡ 흡열 반응이 일어나면 주위의 열을 흡수하므로 주위의 온도가 내려간다.
㉢ 발열 반응이 일어나면 화학 에너지가 열에너지 형태로 방출된다.
➡ 발열 반응이 일어나면 엔탈피가 낮아지므로 화학 에너지가 열에너지로 변환되어 방출된다.
✕ 흡열 반응에서 반응물의 엔탈피 합이 생성물의 엔탈피 합보다 ~~크다~~ 작다.
➡ 흡열 반응은 반응물의 엔탈피 합이 생성물의 엔탈피 합보다 작아 열을 흡수하는 반응이다.

02 발열 반응은 반응물의 엔탈피 합이 생성물의 엔탈피 합보다 크므로 반응엔탈피는 0보다 작다.

03 | 선택지 분석 |
✕ 물을 가열하였더니 수증기가 되었다.
➡ 물이 열을 흡수하면 수증기가 되므로 물의 엔탈피는 수증기의 엔탈피보다 작다.
㉡ 마그네슘이 산화되어 산화 마그네슘이 되었다.
➡ 마그네슘이 산화될 때 에너지를 방출한다.
㉢ 메테인이 완전 연소되면서 이산화 탄소와 물이 생성되었다.
➡ 메테인이 연소될 때 에너지를 방출한다.

04 | 선택지 분석 |

ㄱ 발열 반응이다.

➡ 반응 (가)가 일어날 때 엔탈피가 감소하였으므로 이 반응은 발열 반응이다.

ㄴ 반응엔탈피(ΔH)는 0보다 작다.

➡ 발열 반응의 반응엔탈피는 0보다 작다.

ㄷ 반응이 일어날 때 주위의 온도는 올라간다.

➡ 반응물의 엔탈피가 생성물의 엔탈피보다 크므로 반응이 일어날 때 엔탈피 차만큼 열을 방출한다. 따라서 반응이 일어날 때 주위의 온도는 높아진다.

05 열화학 반응식에서 반응물과 생성물의 화학식 옆에 표시된 기호(s, l, g, aq)로부터 반응물과 생성물의 상태를 알 수 있다. 또한 반응엔탈피로부터 반응물과 생성물의 엔탈피 차를 알 수 있다. 그러나 물질이 가지는 엔탈피의 절대량은 알 수 없다.

06 C 6 g은 0.5몰이고 C(흑연) 6 g을 완전 연소시켰을 때 197 kJ의 열에너지가 방출되었으므로, C(흑연) 1몰을 완전 연소시켰을 때 방출되는 열에너지는 394 kJ이다.
따라서 연소 반응의 열화학 반응식은
$C(s, \text{흑연}) + O_2(g) \longrightarrow CO_2(g)$ $\Delta H = -394$ kJ이다.

07 발열 반응은 반응이 일어날 때 열을 방출하므로 $\Delta H < 0$인 반응이고, 흡열 반응은 반응이 일어날 때 열을 흡수하므로 $\Delta H > 0$인 반응이다. ②에서 $H_2(g)$가 분해되어 $2H(g)$가 될 때 열을 흡수하므로 반응엔탈피가 0보다 크다. 따라서 이 반응은 흡열 반응이다.

08 | 선택지 분석 |

✕ 엔탈피는 ~~증가~~ 감소한다.

➡ $SO_2(g)$과 $O_2(g)$의 반응은 발열 반응이므로 반응이 일어날 때 열에너지를 방출하며 엔탈피는 낮아진다.

ㄴ 기체의 양(몰)은 감소한다.

➡ 반응물의 계수 합이 생성물보다 크므로 반응이 일어날 때 기체의 양은 감소한다.

ㄷ $SO_2(g)$ 1몰이 반응할 때 98 kJ의 열에너지를 방출한다.

➡ $SO_2(g)$ 2몰이 반응할 때 196 kJ의 열에너지를 방출하므로 $SO_2(g)$ 1몰이 반응할 때는 98 kJ의 열에너지를 방출한다.

09 | 선택지 분석 |

메테인의 완전 연소 반응의 열화학 반응식은 다음과 같다.

$$CH_4(g) + 2O_2(g) \longrightarrow CO_2(g) + 2H_2O(l) \quad \Delta H = -890 \text{ kJ}$$

ㄱ 반응한 $O_2(g)$의 양은 1몰이다.

➡ 반응 몰비는 $O_2 : H_2O = 1 : 1$이므로 반응한 $O_2(g)$의 양은 1몰이다.

ㄴ 생성된 $CO_2(g)$의 질량은 22 g이다.

➡ 반응 몰비는 $CO_2 : H_2O = 1 : 2$이므로 생성된 $CO_2(g)$의 양은 0.5몰이다. 따라서 생성된 $CO_2(g)$의 질량은 0.5몰 × 44 g/몰 = 22 g이다.

✕ 25 ℃, 1기압에서 $CH_4(g)$ 1몰이 완전 연소할 때의 반응엔탈피는 ~~445~~ −890 kJ이다.

➡ $CH_4(g)$ 0.5몰이 완전 연소할 때 방출되는 에너지가 445 kJ이므로 $CH_4(g)$ 1몰이 완전 연소할 때의 반응엔탈피는 −890 kJ이다.

10 | 선택지 분석 |

ㄱ 연소 엔탈피는 물질 1몰이 완전 연소할 때의 반응엔탈피이다.

➡ 연소 엔탈피는 어떤 물질 1몰이 완전 연소할 때의 반응엔탈피이다.

ㄴ 생성 엔탈피는 분해 엔탈피와 크기는 같지만 부호는 다르다.

➡ 생성 엔탈피는 어떤 물질 1몰이 가장 안정한 성분 원소 물질로부터 생성될 때의 반응엔탈피이다.

ㄷ 중화 엔탈피는 산의 H^+과 염기의 OH^-이 반응하여 물 1몰이 생성될 때의 반응엔탈피이다.

➡ $H^+(aq) + OH^-(aq) \rightarrow H_2O(l)$의 반응에서 물 1몰이 생성될 때의 반응엔탈피이므로 산과 염기의 종류와 관계없이 일정하다.

11 | 선택지 분석 |

ㄱ (가)와 (나)는 모두 발열 반응이다.

➡ (가)와 (나)는 반응엔탈피가 모두 0보다 작으므로 발열 반응이다.

✕ $CO_2(g)$의 생성 엔탈피는 −283.9 kJ/mol이다.

➡ 생성 엔탈피는 어떤 물질 1몰이 가장 안정한 원소로부터 생성될 때의 에너지이므로 $CO_2(g)$의 생성 엔탈피는 −283.9 kJ/mol이 아니다.

✕ $NO(g)$의 분해 엔탈피는 ~~−180.6~~ −90.3 kJ/mol이다.

➡ 분해 엔탈피는 어떤 물질 1몰이 가장 안정한 성분 원소로 분해될 때의 에너지이므로 −90.3 kJ/mol이다.

12 $H_2(g)$의 연소 엔탈피는 $H_2(g)$ 1몰이 연소되어 $H_2O(l)$이 될 때의 반응엔탈피이므로
$\Delta H = -\frac{572}{2} = -286$ kJ/mol이다. 또한 $H_2O(l)$의 표준 생성 엔탈피는 $H_2(g)$의 연소 엔탈피와 같으므로 −286 kJ/mol이다.

13 | 선택지 분석 |

ㄱ 물에 녹였을 때 수용액의 온도가 올라가는 물질은 2가지이다.

➡ $\Delta H < 0$인 반응은 발열 반응이므로 용해가 일어날 때 열을 방출한다. 따라서 물에 녹였을 때 수용액의 온도가 올라가는 물질은 $NaOH(s)$과 $HCl(g)$의 2가지이다.

✕ 1몰을 물에 녹였을 때 열 출입이 가장 많은 물질은 ~~(나)~~ (다)이다.

➡ 1몰을 물에 녹였을 때 열 출입이 가장 많은 물질은 $|\Delta H|$가 가장 큰 물질이므로 (다) $HCl(g)$이다.

✕ $H_2(g) + Cl_2(g) \longrightarrow 2HCl(aq)$의 반응엔탈피는 −150.6 kJ이다.

➡ $HCl(g)$의 용해 엔탈피는 $HCl(g) \longrightarrow HCl(aq)$의 반응엔탈피이며, $H_2(g)+Cl_2(g) \longrightarrow 2HCl(aq)$의 반응엔탈피를 구하려면 $HCl(g)$의 생성 엔탈피를 알아야 한다.

14 | 자료 분석 |

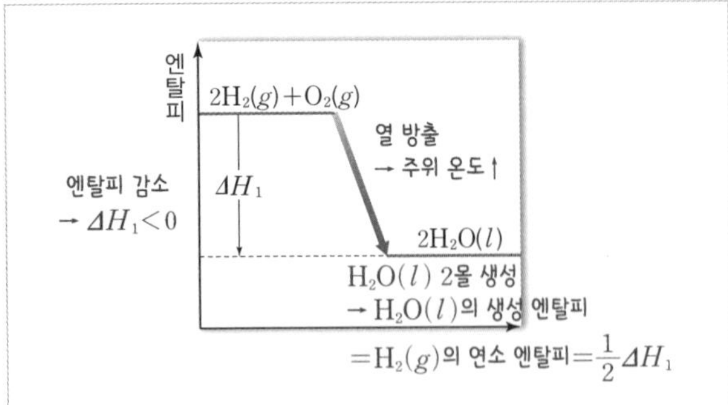

| 선택지 분석 |

ㄱ. 반응이 일어날 때 주위의 온도는 높아진다.

➡ 발열 반응이 일어날 때 주위의 온도는 높아진다.

✕ $H_2(g)$의 연소 엔탈피는 ~~$2\Delta H_1$~~ ($\frac{1}{2}\Delta H_1$)이다.

➡ 연소 엔탈피는 물질 1몰이 완전 연소될 때 방출하는 에너지이므로 $H_2(g)$의 연소 엔탈피는 $\frac{1}{2}\Delta H_1$이다.

ㄷ. $H_2O(l)$의 분해 엔탈피는 $-\frac{1}{2}\Delta H_1$이다.

➡ $H_2O(l)$의 분해 엔탈피는 생성 엔탈피와 크기는 같고 부호만 다르다. $H_2O(l)$의 생성 엔탈피는 $\frac{1}{2}\Delta H_1$이므로 분해 엔탈피는 $-\frac{1}{2}\Delta H_1$이다.

15 | 자료 분석 |

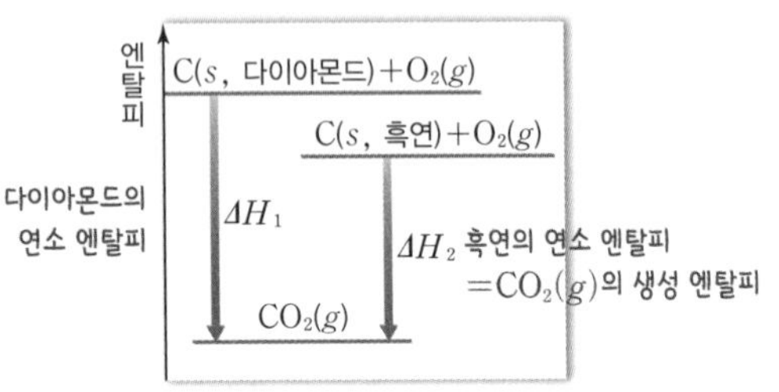

| 선택지 분석 |

✕ $\Delta H_1>\Delta H_2$이다.

➡ $CO_2(g)$의 생성 반응은 발열 반응이므로 $\Delta H_1<0$, $\Delta H_2<0$이다. 따라서 $\Delta H_2>\Delta H_1$이다.

ㄴ. C(s, 흑연)이 C(s, 다이아몬드)보다 안정하다.

➡ 엔탈피는 C(s, 흑연)이 C(s, 다이아몬드)보다 작으므로 C(s, 흑연)이 C(s, 다이아몬드)보다 안정하다.

✕ $CO_2(g)$의 생성 엔탈피는 ΔH_1이다.

➡ 생성 엔탈피는 성분 원소의 동소체 중 가장 안정한 물질로부터 생성될 때의 에너지이다. 따라서 $CO_2(g)$의 생성 엔탈피는 ΔH_2이다.

16 | 자료 분석 |

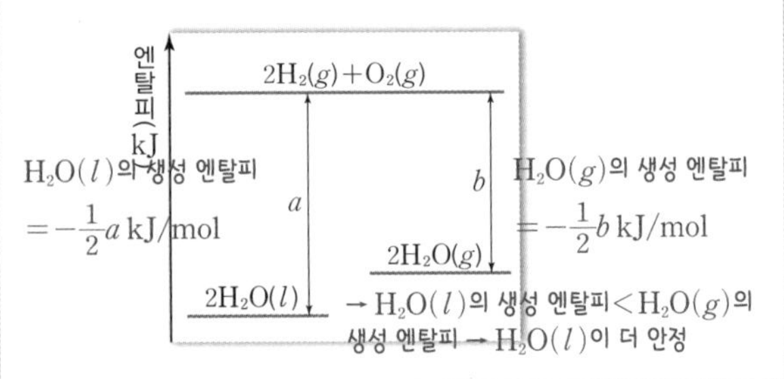

| 선택지 분석 |

ㄱ. $H_2(g)$의 연소 엔탈피

➡ $2H_2(g)+O_2(g) \longrightarrow 2H_2O(l)$ $\Delta H=-a$ kJ이므로 $H_2(g)$의 연소 엔탈피는 $-\frac{1}{2}a$ kJ/mol이다.

ㄴ. $H_2O(g)$의 분해 엔탈피

➡ $2H_2O(g) \longrightarrow 2H_2(g)+O_2(g)$ $\Delta H=+b$ kJ이므로 $H_2O(g)$의 분해 엔탈피는 $\frac{1}{2}b$ kJ/mol이다.

ㄷ. $H_2O(l)$의 기화 엔탈피

➡ $H_2O(l)$의 기화 엔탈피는 $H_2O(g)$의 생성 엔탈피에서 $H_2O(l)$의 생성 엔탈피를 뺀 값과 같다.

도전! 실력 올리기

124쪽~125쪽

01 ③ **02** ③ **03** ③ **04** ① **05** ② **06** ①

07 ㉠ 생성 엔탈피 ㉡ $H_2O(g)$ ㉢ $H_2O(l)$

08 | **모범 답안** | 제시된 반응의 열화학 반응식은 $CO(g)+3H_2(g) \longrightarrow CH_4(g)+H_2O(l)$ ΔH이고, $\Delta H=$($CH_4(g)$의 생성 엔탈피$+H_2O(l)$의 생성 엔탈피$-CO(g)$의 생성 엔탈피)$+H_2(g)$의 생성 엔탈피인데, $H_2(g)$의 생성 엔탈피는 0이고, $H_2O(l)$의 생성 엔탈피는 $H_2(g)$의 연소 엔탈피와 같으므로 $\Delta H=(b+a-d)$ kJ/mol이다.

09 | **모범 답안** | 1 % 수용액에는 용질 1 g이 들어 있다. 1 % 수용액에 들어 있는 용질의 양(몰)은 $HCl(g)$가 $NaOH(s)$보다 크므로 1 % 수용액 100 g을 만들 때 방출하는 에너지는 $HCl(g)$를 녹일 때가 더 크다.

01 | 선택지 분석 |

ㄱ. 반응엔탈피(ΔH)는 0보다 작다.

➡ 반응물의 엔탈피가 생성물의 엔탈피보다 크므로 반응이 진행될 때 에너지를 방출하고 엔탈피는 낮아진다. 따라서 반응 (가)는 발열 반응이며, 반응엔탈피는 0보다 작다.

✕ 반응이 진행될 때 주위의 온도는 ~~낮아진다~~ (높아진다).

➡ 발열 반응이 진행될 때 주위의 온도는 높아진다.

ㄷ. (가)는 염산과 수산화 나트륨의 반응과 에너지 출입 방향이 같다.

➡ 염산과 수산화 나트륨의 반응에서 중화열을 방출하므로 (가)는 염산과 수산화 나트륨의 반응과 에너지 출입 방향이 같다.

02 | 선택지 분석 |

ㄱ. 반응이 일어나면 주위의 온도는 높아진다.

➡ 반응이 일어날 때 엔탈피 차이만큼 에너지를 방출하므로 주위의 온도는 높아진다.

✕ $NO(g)$의 생성 엔탈피(ΔH)는 ~~180.6~~ 90.3 kJ/mol이다.

➡ 생성 엔탈피는 물질 1몰이 가장 안정한 성분 원소로부터 생성될 때의 에너지이다. $NO(g)$ 2몰이 생성될 때 반응엔탈피는 180.6 kJ이므로 $NO(g)$의 생성 엔탈피는 90.3 kJ/mol이다.

ㄷ. 15 g의 $NO(g)$가 반응할 때 방출하는 에너지는 45.15 kJ이다.

➡ NO의 분자량은 30이므로 15 g은 0.5몰이다. $NO(g)$ 2몰이 분해될 때 180.6 kJ의 에너지가 방출되므로 0.5몰이 분해될 때에는 45.15 kJ의 에너지를 방출한다.

03 | 선택지 분석 |

ㄱ. $CO_2(g)$의 생성 엔탈피는 ΔH_1이다.

➡ 생성 엔탈피는 물질 1몰이 가장 안정한 성분 원소로부터 생성될 때의 에너지이다. 따라서 ΔH_1이다.

✕ $H_2(g)$의 연소 엔탈피는 ~~ΔH_2~~ $\frac{1}{2}\Delta H_2$이다.

➡ $H_2(g)$의 연소 엔탈피는 $H_2O(l)$의 생성 엔탈피와 같으며, $\frac{1}{2}\Delta H_2$이다.

ㄷ. ΔH_3를 구하기 위해 $C_3H_8(g)$의 생성 엔탈피를 알아야 한다.

➡ 반응엔탈피는 반응물과 생성물의 생성 엔탈피를 이용하여 구한다. $\Delta H_3 = 3\times CO_2(g)$의 생성 엔탈피$+4\times H_2O(l)$의 생성 엔탈피$-$($C_3H_8(g)$의 생성 엔탈피)이므로 ΔH_3를 구하려면 $C_3H_8(g)$의 생성 엔탈피가 필요하다.

04 | 선택지 분석 |

ㄱ. $C_2H_6(g)$가 $C_2H_2(g)$보다 안정하다.

➡ ㄱ. 성분 원소의 종류가 같은 경우 생성 엔탈피가 작을수록 에너지가 낮고 안정하다.

✕ $C_2H_6(g)$의 분해 엔탈피는 ~~-84~~ 84 kJ/mol이다.

➡ 분해 엔탈피는 생성 엔탈피와 크기는 같고 부호는 반대이므로 $C_2H_6(g)$의 분해 엔탈피는 84 kJ/mol이다.

✕ $C_2H_2(g)+2H_2(g) \longrightarrow C_2H_6(g)$의 반응엔탈피는 ~~312~~ -312 kJ/mol이다.

➡ $C_2H_2(g)$와 $H_2(g)$가 반응하여 $C_2H_6(g)$가 생성될 때 에너지를 방출하며 이 반응의 반응엔탈피는 -312 kJ/mol이다.

05 | 선택지 분석 |

✕ $H_2(g)$의 ~~연소 엔탈피~~ 생성 엔탈피는 -242 kJ/mol이다.

➡ 연소 엔탈피는 어떤 물질 1몰이 완전 연소될 때의 에너지로 생성물은 가장 안정한 상태여야 한다. 따라서 $H_2(g)$의 연소 엔탈피는 $H_2(g)+\frac{1}{2}O_2(g) \longrightarrow H_2O(l)$의 반응엔탈피이므로 -242 kJ/mol이 아니다.

ㄴ. $CH_3OH(l)$의 분해 엔탈피는 239 kJ/mol이다.

➡ $CH_3OH(l)$의 분해 엔탈피는 생성 엔탈피와 크기가 같고 부호는 반대이므로 239 kJ/mol이다.

✕ $N_2(g)+O_2(g) \longrightarrow 2NO(g)$의 반응엔탈피는 90 kJ/mol이다.

➡ 이 반응의 반응엔탈피는 $NO(g)$의 생성 엔탈피의 2배이므로 180 kJ/mol이다.

06 | 선택지 분석 |

ㄱ. $H_2(g)$의 연소 엔탈피는 -286 kJ/mol이다.

➡ $H_2O(l)$의 생성 반응은 다음과 같다.

$H_2(g)+\frac{1}{2}O_2(g) \longrightarrow H_2O(l)$ $\Delta H=-286$ kJ

따라서 $H_2(g)$의 연소 엔탈피는 -286 kJ/mol이다.

✕ C(s, 다이아몬드)의 연소 엔탈피는 -394 kJ/mol이다.

➡ 표준 상태에서 탄소 동소체 중 가장 안정한 물질은 흑연이므로 $CO_2(g)$의 생성 반응은 다음과 같다.

C(s, 흑연)$+O_2(g) \longrightarrow CO_2(g)$ $\Delta H=-394$ kJ

따라서 C(s, 다이아몬드)의 연소 엔탈피는 -394 kJ/mol이 아니다.

✕ $C_2H_2(g)$의 연소 엔탈피는 ~~-846~~ 1301 kJ/mol이다.

➡ $C_2H_2(g)$의 연소 반응은 다음과 같다.

$C_2H_2(g)+\frac{5}{2}O_2(g) \longrightarrow 2CO_2(g)+H_2O(l)$ ΔH

따라서 $C_2H_2(g)$의 연소 엔탈피는 $2\times(-394)+(-286)-227=-1301$ kJ/mol이다.

07

생성 엔탈피는 물질 1몰이 성분 원소로 분해될 때 출입하는 에너지로, 같은 원소로 구성된 물질의 경우 생성 엔탈피가 작을수록 상대적으로 안정하다.

08 | 자료 분석 |

물질	생성 엔탈피(kJ/mol)	연소 엔탈피(kJ/mol)
$H_2(g)$	0	a = $H_2O(l)$의 생성 엔탈피
$CH_4(g)$	b	c
$CO(g)$	d	
C(s, 흑연)		e = $CO_2(g)$의 생성 엔탈피

C(s, 흑연)$+2H_2(g) \longrightarrow CH_4(g)$ $\Delta H=b$

$CH_4(g)+2O_2(g) \longrightarrow CO_2(g)+2H_2O(l)$ $\Delta H=c$

C(s, 흑연)$+\frac{1}{2}O_2(g) \longrightarrow CO(g)$ $\Delta H=d$

제시된 반응의 열화학 반응식은 다음과 같다.

$CO(g)+3H_2(g) \longrightarrow CH_4(g)+H_2O(l)$ ΔH

반응엔탈피는 반응물과 생성물의 표준 생성 엔탈피로 구할 수 있다. ΔH=($CH_4(g)$의 생성 엔탈피$+H_2O(l)$의 생성 엔탈피$-CO(g)$의 생성 엔탈피)$+H_2(g)$의 생성 엔탈피인데, $H_2(g)$의 생성 엔탈피는 0이고, $H_2O(l)$의 생성 엔탈피는 $H_2(g)$의 연소 엔탈피와 같으므로 $\Delta H=(b+a-d)$ kJ/mol이다.

채점 기준	배점
제시된 반응을 열화학 반응식으로 나타내고 각 물질의 생성 엔탈피로부터 반응엔탈피를 구하는 과정을 옳게 서술한 경우	100 %
열화학 반응식만 옳게 제시하였거나 각 물질의 생성 엔탈피로부터 반응엔탈피만 옳게 구한 경우	50 %

09 1 % 수용액 100 g에는 용질 1 g이 들어 있다. 1 % 수용액에 들어 있는 용질의 양(몰)은 화학식량이 작은 $HCl(g)$가 $NaOH(s)$보다 크므로 1 % 수용액 100 g을 만들 때 방출하는 에너지는 $HCl(g)$를 녹일 때가 더 크다.

채점 기준	배점
녹아 있는 용질의 양(몰)을 비교한 후 방출하는 에너지의 크기를 옳게 비교하여 서술한 경우	100 %
$HCl(g)$를 녹일 때가 $NaOH(s)$을 녹일 때보다 크다고만 서술한 경우	40 %

02 헤스 법칙

개념POOL 130쪽

01 (1) $2a$ kJ/mol (2) b kJ/mol (3) $-(c+d)$ kJ/mol
02 (1) ○ (2) ○ (3) × (4) × (5) ×

01 (1) $O_2(g)$의 결합 에너지는
$O_2(g) \longrightarrow 2O(g)$의 반응엔탈피와 같다.
(2) $H_2(g)$의 결합 에너지는
$H_2(g) \longrightarrow 2H(g)$의 반응엔탈피와 같다.
(3) $H_2O(l)$의 생성 엔탈피는
$H_2(g)+\frac{1}{2}O_2(g) \longrightarrow H_2O(l)$의 반응엔탈피와 같다.

02 (1) 결합이 끊어지는 반응은 흡열 반응이다.
(2) 결합이 생성될 때 에너지를 방출한다.
(3) $H_2(g)+\frac{1}{2}O_2(g) \longrightarrow H_2O(g)$의 반응엔탈피($\Delta H$)는 ($H_2(g)$의 결합 에너지$+\frac{1}{2}\times O_2(g)$의 결합 에너지) $-(2\times$H$-$O의 결합 에너지)이므로
H$-$O의 결합 에너지는 $\frac{(a+b+c)}{2}$ kJ/mol이다.
(4) $H_2O(g)$의 해리 에너지는
$H_2O(g) \longrightarrow 2H(g)+O(g)$의 반응엔탈피와 같으므로 $\Delta H=(a+b+c)$ kJ/mol이다.
(5) $H_2O(l)$은 액체 상태이므로 결합 에너지를 구할 수 없다.

탐구POOL 131쪽

01 반응 경로 **02** (1) ○ (2) ○ (3) ○

01 실험1의 반응엔탈피는 실험 2와 3의 반응엔탈피의 합과 같으므로 헤스 법칙이 성립함을 알 수 있다.

02 (1) $NaOH(s)$의 용해 반응은 온도가 올라가므로 발열 반응이다.
(2) $NaOH(s)$의 용해 엔탈피는 $\Delta H_2=35.1$ kJ/mol이다.
(3) 묽은 염산과 수산화 나트륨 수용액의 반응엔탈피는 중화 엔탈피이다.

콕콕! 개념 확인하기 132쪽

✔ 잠깐 확인!
1 결합 에너지 **2** 반응물, 생성물 **3** 흡수, 방출 **4** 작다
5 반응 경로 **6** 종류, 상태 **7** 헤스 법칙

01 (1) × (2) ○ (3) ○ (4) ○ **02** (다)>(나)>(가)
03 -470 kJ/mol **04** ㉠ 상태, ㉡ 반응 경로
05 55 kJ/mol

01 (1) 결합 에너지는 공유 결합을 이루는 기체 상태의 분자에서 원자 사이의 공유 결합을 끊는 데 필요한 에너지이다.
(3) 같은 원자 사이의 결합에서 결합수가 많을수록 결합 에너지가 크다.
(4) 결합 에너지는 원자 사이의 결합을 끊는 데 필요한 에너지이므로 항상 0보다 크다.

02 두 원자 사이의 공유 결합수가 많을수록 결합을 끊기 어려우므로 결합 에너지가 크다.

03 반응엔탈피는 반응물의 결합 에너지 합에서 생성물의 결합 에너지 합을 뺀 값과 같다.
$\Delta H=$(반응물의 결합 에너지 합)$-$(생성물의 결합 에너지 합)
$=(2\times$H$-$H의 결합 에너지$+$O$=$O의 결합 에너지)
$-(2\times2\times$H$-$O의 결합 에너지)$=-470$ kJ/mol

04 물질의 엔탈피는 일정 압력에서 물질이 가지는 에너지이므로 온도와 압력이 일정한 반응에서 반응 경로에 관계없이 반응 전후 물질의 종류와 상태가 같으면 엔탈피 변화는 같다.

05 헤스 법칙에 따라 첫 번째 열화학 반응식에 2를 곱하고 두 번째 열화학 반응식을 뺀 후 세 번째 열화학 반응식에 3을 곱하여 더하면 제시된 반응의 반응엔탈피를 구할 수 있다.
$\Delta H=2\times20-(-45)+3\times(-10)=55$ kJ/mol

탄탄! 내신 다지기 133쪽~135쪽

01 ③ **02** ④ **03** -99 kJ/mol **04** ③ **05** ③ **06** ④
07 ④ **08** ② **09** ③ **10** $(a-b)$ kJ **11** ③ **12** ①
13 ⑤ **14** ①

01 | 선택지 분석 |

① 결합 에너지는 항상 0보다 크다.

➡ 결합 에너지는 기체 상태의 물질을 구성하는 두 원자 사이의 공유 결합 1몰을 끊어 기체 상태의 원자로 만드는 데 필요한 에너지이므로 항상 0보다 크다.

② 결합의 세기가 클수록 결합 에너지가 크다.

➡ 결합의 세기가 클수록 결합을 끊기 어려우므로, 원자 사이의 결합이 강할수록 결합 에너지가 크다.

③ 분자 1몰의 모든 결합을 끊을 때 필요한 에너지이다.

➡ 결합 에너지는 원자와 원자 사이의 결합 1몰을 끊을 때 필요한 에너지이므로 분자를 구성하는 원자 사이의 결합이 2개 이상인 경우 각 결합의 결합 에너지가 필요하다.

④ C=C의 결합 에너지는 C−C의 결합 에너지보다 크다.

➡ 다중 결합일수록 결합의 세기가 강하므로 결합 에너지가 크다.

⑤ $N_2(g)+O_2(g) \longrightarrow 2NO(g)$의 반응은 결합 에너지를 이용하여 반응엔탈피를 구할 수 있다.

➡ 기체 반응의 경우 결합 에너지를 이용하여 반응엔탈피를 구할 수 있다.

02 | 선택지 분석 |

ㄱ. 결합의 세기는 O−O가 H−Cl보다 작다.

➡ 결합의 세기가 클수록 결합을 끊기 어려우므로 결합 에너지가 크다.

ㄴ. 두 원자 사이의 전기 음성도 차가 클수록 결합 에너지가 크다.

➡ 전기 음성도 차이는 H−Cl가 H−Br보다 크므로 전기 음성도 차가 클수록 결합 에너지가 크다는 것을 알 수 있다.

ㄷ. 같은 원자 사이의 결합에서 공유 전자쌍 수가 많을수록 결합 에너지가 크다.

➡ 같은 원자 사이의 결합이라도 결합 수가 증가할수록 결합을 끊기 어려우므로 결합 에너지가 크다.

03 기체 반응에서 반응엔탈피 ΔH=(반응물의 결합 에너지 합−생성물의 결합 에너지 합)으로 구할 수 있다.

ΔH=(N≡N의 결합 에너지)+3×(H−H의 결합 에너지) −2×3×(N−H의 결합 에너지)

$=945+3\times436-6\times392=-99$ kJ/mol

04 | 선택지 분석 |

ㄱ. 결합이 끊어질 때 에너지를 흡수한다.

➡ $HCl(g) \longrightarrow H(g)+Cl(g)$은 흡열 반응이므로 결합이 끊어질 때 에너지를 흡수한다.

ㄴ. $HCl(g)$의 결합 에너지는 432 kJ/mol이다.

➡ $HCl(g) \longrightarrow H(g)+Cl(g)$의 반응엔탈피와 같다.

ㄷ. $HCl(g)$의 생성 엔탈피는 −432 kJ/mol이다.

➡ $HCl(g)$의 생성 반응은

$\frac{1}{2}H_2(g)+\frac{1}{2}Cl_2(g) \longrightarrow HCl(g)$이므로

$HCl(g)$의 생성 엔탈피는 −432 kJ/mol이 아니다.

05 | 선택지 분석 |

반응엔탈피(ΔH)=반응물의 결합 에너지 합− 생성물의 결합 에너지 합이므로

$A_2(g)+B_2(g) \longrightarrow 2AB(g)$의 반응엔탈피

ΔH=(A−A의 결합 에너지+B−B의 결합 에너지) −2×(A−B의 결합 에너지)

$=436+243-2\times432=-185$ kJ/mol

ㄱ. $AB(g)$의 분해 엔탈피는 92.5 kJ/mol이다.

➡ $AB(g)$의 분해 엔탈피는 92.5 kJ/mol이다.

ㄴ. 반응이 일어나면 주위의 온도는 낮아진다.

➡ 이 반응의 반응엔탈피는 0보다 작으므로 발열 반응이다. 따라서 반응이 일어날 때 열을 방출하므로 주위의 온도는 높아진다.

ㄷ. 생성물의 결합 에너지 합은 반응물의 결합 에너지 합보다 크다.

➡ 발열 반응에서 생성물의 결합 에너지 합은 반응물의 결합 에너지 합보다 크다.

06 | 선택지 분석 |

ㄱ. $CO(g)$의 연소 엔탈피는 $-a$ kJ/mol이다.

ㄴ. $CO_2(g)$는 $CO(g)$보다 안정한 화합물이다.

➡ $CO(g)$의 연소 엔탈피는 $CO_2(g)$의 생성 엔탈피에서 $CO(g)$의 생성 엔탈피를 뺀 값과 같다. 따라서 $CO(g)$의 연소 반응은 발열 반응이므로 생성 엔탈피는 $CO(g)$가 $CO_2(g)$보다 크고, $CO_2(g)$가 $CO(g)$보다 안정한 화합물이다.

ㄷ. 반응물의 결합 에너지 합은 생성물의 결합 에너지 합보다 작다.

➡ 발열 반응에서 반응물의 결합 에너지 합은 생성물의 결합 에너지 합보다 작다.

07 | 자료 분석 |

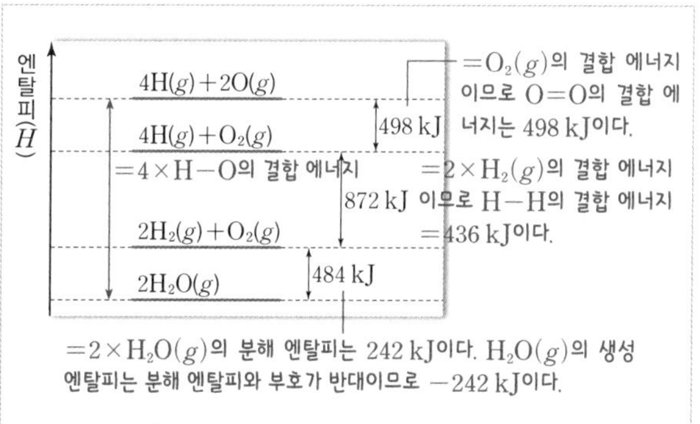

$2H_2O(g) \longrightarrow 4H(g)+2O(g)$ $\Delta H=(498+872+484)$ kJ의 반응에서 H−O의 결합 에너지는 $\frac{\Delta H}{4}$와 같으므로 463.5 kJ/mol이다. 연소 엔탈피는 물질 1몰을 완전 연소시킬 때, 즉 가장 안정한 상태의 물질이 생성될 때 방출하는 에너지이다. H_2O은 25 ℃에서 가장 안정한 상태가 액체인 물 $H_2O(l)$이므로 $H_2(g)$의 연소 엔탈피는 −242 kJ/mol에 액화 엔탈피를 더한 값과 같다.

08 | 선택지 분석 |

ㄱ. (가)는 발열 반응이다.

➡ (가)의 반응엔탈피는 0보다 크므로 흡열 반응이다.

ㄴ. (나)에서 결합 에너지의 합은 반응물이 생성물보다 작다.

➡ (나)는 발열 반응이므로 결합 에너지 합은 생성물이 반응물보다 크다.

ㄷ. $NO_2(g)$의 생성 엔탈피는 -66.4 kJ/mol이다.

➡ $NO_2(g)$의 생성 엔탈피는 (가)와 (나)의 반응을 더하여 구한 반응엔탈피의 $\frac{1}{2}$과 같다. 따라서 $NO_2(g)$의 생성 엔탈피는 33.2 kJ/mol이다.

09 | 자료 분석 |

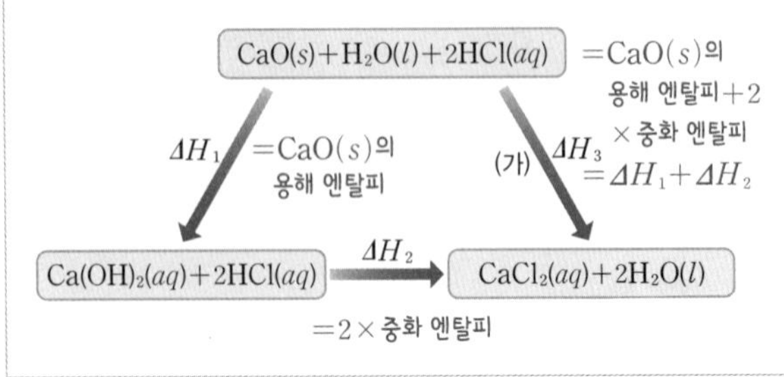

| 선택지 분석 |

① $\Delta H_2<0$이다.

➡ 중화 반응은 발열 반응이므로 $\Delta H_2<0$이다.

② $\Delta H_3=\Delta H_1+\Delta H_2$이다.

➡ 헤스 법칙에 따라 반응물과 생성물의 종류와 상태가 같다면 경로에 상관없이 반응엔탈피는 같으므로 $\Delta H_3=\Delta H_1+\Delta H_2$이다.

③ 중화 엔탈피는 ΔH_2이다.

➡ 중화 엔탈피는 산과 염기가 반응하여 물 1몰이 생성될 때의 반응 엔탈피이므로 $\frac{1}{2}\Delta H_2$이다.

④ $CaO(s)$의 용해 엔탈피는 ΔH_1이다.

➡ 용해 엔탈피는 물질 1몰이 물에 용해될 때 출입하는 열량이다.

⑤ (가) 반응이 일어날 때 주위의 온도는 높아진다.

➡ (가)에서 $CaO(s)$의 용해 반응(발열 반응)과 중화 반응(발열 반응)이 일어나므로 반응이 일어날 때 주위의 온도는 높아진다.

10 헤스 법칙에 의해 첫 번째 열화학 반응식에서 세 번째 열화학 반응식을 빼면 ΔH_1을 구할 수 있다.

$$\begin{array}{rl} & A(g)+2B(g) \longrightarrow C(g)+D(g) \quad \Delta H=a\,\text{kJ} \\ - & \qquad\quad 2E(g) \longrightarrow C(g)+D(g) \quad \Delta H=b\,\text{kJ} \\ \hline & A(g)+2B(g) \longrightarrow 2E(g) \qquad\quad \Delta H_1 \end{array}$$

$$\Delta H_1=(a-b)\text{kJ}$$

11 | 선택지 분석 |

ㄱ. (가) 반응이 일어나면 주위의 온도는 높아진다.

➡ (가)는 발열 반응이므로 (가) 반응이 일어나면 주위의 온도는 높아진다.

ㄴ. $B(g)$의 표준 생성 엔탈피는 -134 kJ/mol이다.

➡ $B(g)$의 표준 생성 엔탈피는 (가)와 (다)의 열화학 반응식을 더하여 구할 수 있다.

ㄷ. 결합 에너지 합은 $A(g)$가 $B(g)$보다 크다.

➡ (다)는 발열 반응이므로 결합 에너지 합은 생성물인 $B(g)$가 반응물인 $A(g)$보다 크다.

12 | 자료 분석 |

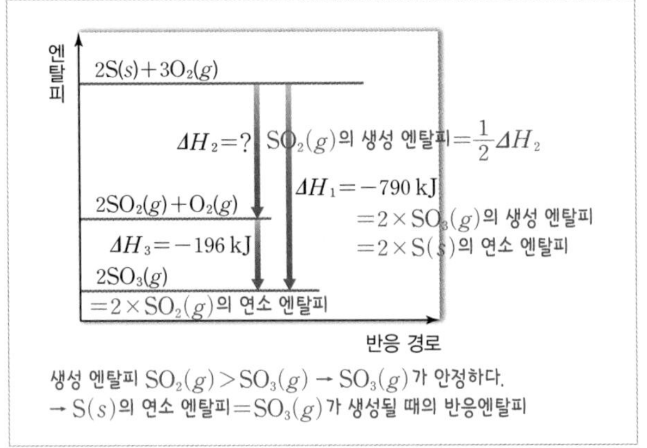

| 선택지 분석 |

ㄱ. $\Delta H_2=-594$ kJ이다.

➡ $\Delta H_1=\Delta H_2+\Delta H_3$이므로 $\Delta H_2=\Delta H_1-\Delta H_3=-594$ kJ이다.

ㄴ. $SO_2(g)$은 $SO_3(g)$보다 더 안정한 물질이다.

➡ 생성 엔탈피는 $SO_2(g)>SO_3(g)$이므로 $SO_3(g)$가 더 안정한 물질이다.

ㄷ. $[2SO_2(g)+O_2(g)]$의 결합 에너지 합은 $[2SO_3(g)]$의 결합 에너지 합보다 크다.

➡ $2SO_2(g)+O_2(g) \longrightarrow 2SO_3(g)$ 반응은 발열 반응이므로 생성물의 결합 에너지 합이 반응물의 결합 에너지 합보다 크다.

13 | 선택지 분석 |

ㄱ. $\Delta H_1=\Delta H_2+\Delta H_3$이다.

➡ 헤스 법칙에 의해 경로와 상관없이 출입하는 총 열량은 같다.

ㄴ. $NaOH(s)$의 용해가 일어날 때 주위의 온도는 높아진다.

➡ $NaOH(s)$의 용해가 일어날 때 엔탈피가 감소하므로 $\Delta H_2<0$이고 발열 반응이다. 따라서 주위의 온도는 높아진다.

ㄷ. $NaOH(s)$ 대신 $KOH(s)$을 이용하여 실험해도 ΔH_3는 같다.

➡ 중화 엔탈피는 산과 염기의 종류에 관계없이 항상 같은 값이므로 $NaOH(s)$ 대신 $KOH(s)$을 이용하여 실험해도 중화 엔탈피인 ΔH_3는 같다.

14 | 선택지 분석 |

ㄱ. $\Delta H_1>0$이다.

➡ (가)는 $O_2(g)$의 결합이 끊어지는 반응이므로 흡열 반응이다. 따라서 $\Delta H_1>0$이다.

ㄴ. $O_3(g)$의 생성 엔탈피는 ΔH_2이다.

➡ 생성 엔탈피는 물질 1몰이 성분 원소로부터 생성될 때의 반응 엔탈피이므로 $O_3(g)$의 생성 엔탈피는 $\frac{1}{2}\Delta H_2$이다.

ㄷ. $O_3(g)$ 1몰의 결합을 모두 끊기 위해 필요한 에너지는 $\frac{\Delta H_1+3\Delta H_2}{2}$이다.

➡ $O_3(g)$ 1몰의 결합을 모두 끊는 반응의 열화학 반응식은 $O_3(g) \longrightarrow 3O(g)$ ΔH_3이다. 이 열화학 반응식은 $\frac{3\times(가)-(나)}{2}$의 반응과 같으므로 반응엔탈피 $\Delta H_3=\frac{3\Delta H_1-\Delta H_2}{2}$이다.

도전! 실력 올리기 136쪽~137쪽

01 ⑤ **02** ③ **03** ③ **04** ② **05** ④ **06** ③

07 843 kJ/mol

08 (1) ΔH_2

(2) | 모범 답안 | $CH_3OH(l)$ 연소 반응의 열화학 반응식은 $CH_3OH(l)+\frac{3}{2}O_2(g) \longrightarrow CO_2(g)+2H_2O(l)$ ΔH이고, ΔH=(생성물의 생성 엔탈피 합)−(반응물의 생성 엔탈피 합) $=\Delta H_2+2\Delta H_1-\Delta H_3$이다.

09 (1) H−H > H−Cl > Cl−Cl

(2) | 모범 답안 | $2HCl(g) \longrightarrow H_2(g)+Cl_2(g)$의 반응엔탈피 $\Delta H=2\times$(H−Cl의 결합 에너지) −((H−H+Cl−Cl)의 결합 에너지) $=864-(243+436)=185$ kJ/mol

$HCl(g)$의 분해 엔탈피$=\frac{1}{2}\Delta H=92.5$ kJ/mol

01 | 선택지 분석 |

ㄱ. $H_2(g)$의 연소 엔탈피는 −285 kJ/mol이다.

➡ $H_2(g)$의 연소 반응은 $H_2(g)+\frac{1}{2}O_2(g) \longrightarrow H_2O(l)$이므로 $H_2(g)$의 연소 엔탈피는 $H_2O(l)$의 생성 엔탈피와 같다.

ㄴ. $H_2O(g)$의 생성 엔탈피는 −235 kJ/mol이다.

➡ $H_2O(g)$의 생성 엔탈피는 $H_2O(l)$의 생성 엔탈피에 $H_2O(l)$의 기화 엔탈피를 더한 값과 같다.

ㄷ. H−O의 결합 에너지는 460 kJ/mol이다.

➡ 결합 에너지는 기체 상태의 분자에서 두 원자 사이의 공유 결합 1몰을 끊는 데 필요한 에너지이므로 $H_2(g)+\frac{1}{2}O_2(g) \longrightarrow H_2O(g)$ $\Delta H=-235$에서 ΔH=반응물의 결합 에너지 합−생성물의 결합 에너지 합=440 $+\frac{1}{2}\times490-2\times$(H−O의 결합 에너지)=−235에서 H−O의 결합 에너지는 460 kJ/mol이다.

02 | 선택지 분석 |

ㄱ. 결합 세기는 H−Cl이 C−Cl보다 크다.

➡ 결합 에너지가 클수록 결합을 끊기 어려우므로 결합의 세기가 크다. 따라서 결합 세기는 H−Cl이 C−Cl보다 크다.

✗ $CH_4(g)$ 1몰의 결합을 모두 끊는 데 필요한 에너지는 ~~410~~ 1640 kJ/mol이다.

➡ $CH_4(g)$ 1몰에는 C−H 결합 4몰이 있으므로 $CH_4(g)$ 1몰의 결합을 모두 끊는 데 필요한 에너지는 1640 kJ/mol이다.

ㄷ. $CH_4(g)+Cl_2(g) \longrightarrow CH_3Cl(g)+HCl(g)$의 반응엔탈피는 −110 kJ/mol이다.

➡ 반응엔탈피는 (4×C−H+Cl−Cl)의 결합 에너지−(3×C−H+C−Cl+H−Cl)의 결합 에너지이므로 −110 kJ/mol이다.

03 H_2O_2, N_2H_4, H_2O의 구조식은 다음과 같다.

H−O−O−H, H−N−N−H (각 N에 H 결합), H−O−H

반응엔탈피는 반응물의 결합 에너지 합에서 생성물의 결합 에너지 합을 뺀 값과 같으므로

$\Delta H=(4\times H-O+2\times O-O+4\times N-H+N-N)$
$-(8\times H-O+N\equiv N)$이다.

H−O의 결합수는 반응물에서 4, 생성물에서 8이므로 반응엔탈피를 구하기 위해 H−O의 결합 에너지가 필요하다. 또한 N_2H_4에는 N−N 결합이 있으므로 반응엔탈피를 구하기 위해 N−N의 결합 에너지가 필요하다.

04 | 자료 분석 |

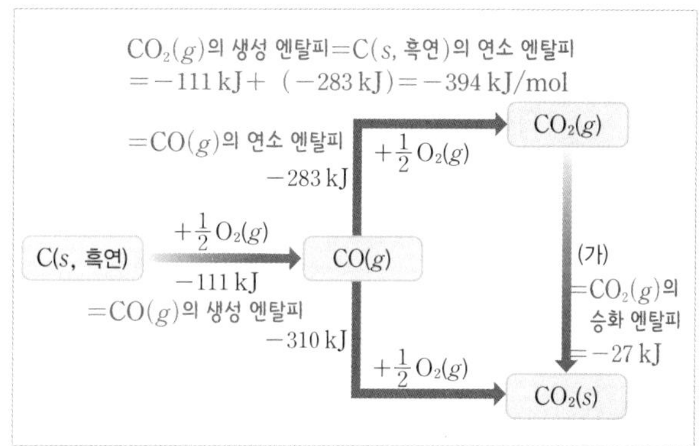

| 선택지 분석 |

✗ (가)는 ~~−593~~ −27 kJ이다.

➡ (가)는 $CO_2(g)$의 승화 엔탈피=−310−(−283)=−27 kJ이다.

ㄴ. 생성 엔탈피는 $CO_2(g)$가 $CO(g)$보다 작다.

➡ $CO(g)$의 생성 엔탈피는 −111 kJ/mol이고, $CO_2(g)$의 생성 엔탈피는 −394 kJ/mol이다. 따라서 생성 엔탈피는 $CO_2(g)$가 $CO(g)$보다 작다.

✗ C(s, 흑연)의 연소 엔탈피는 ~~−421~~ −394 kJ/mol이다.

➡ C(s, 흑연)의 연소 엔탈피는 $CO_2(g)$의 생성 엔탈피와 같으므로 −394 kJ/mol이다.

05 | 자료 분석 |

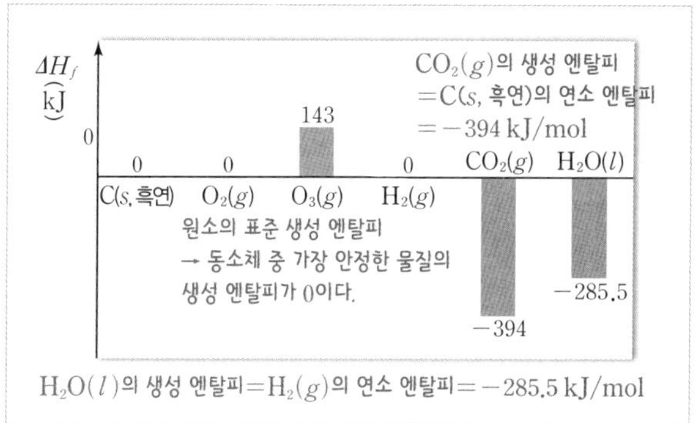

| 선택지 분석 |

ㄱ. C(s, 흑연) 6 g을 완전 연소시킬 때 방출되는 에너지는 ~~394~~ 197 kJ이다.

➡ C(s, 흑연) 6 g은 0.5몰이므로 C(s, 흑연) 0.5몰을 완전 연소시키면 197 kJ의 에너지가 방출된다.

ㄴ. 산소 동소체 중 가장 안정한 물질은 $O_2(g)$이다.

➡ $O_2(g)$의 생성 엔탈피가 0이므로 산소 동소체 중 가장 안정한 물질은 $O_2(g)$이다.

ㄷ. 제시된 자료로부터 $CH_4(g)$의 생성 엔탈피를 구할 수 있다.

➡ $CH_4(g)$ 연소 반응의 열화학 반응식으로부터 $CH_4(g)$의 생성 엔탈피를 구할 수 있다.

$CH_4(g)+2O_2(g) \longrightarrow CO_2(g)+2H_2O(l)$ $\Delta H=-890$ kJ

$\Delta H=CO_2(g)+2\times H_2O(g)$의 생성 엔탈피$-CH_4(g)$의 생성 엔탈피이다.

06 | 선택지 분석 |

ㄱ. $x=349$이다.

➡ 헤스 법칙에 의해 $x=496+229+411-787=349$ kJ/mol이다.

ㄴ. $Cl_2(g)$의 결합 에너지는 376 kJ/mol이다.

➡ $Na(s)+\frac{1}{2}Cl_2(g) \longrightarrow Na(g)+Cl(g)$의 반응엔탈피는 $Na(s)$의 승화 엔탈피를 포함하고 있다. 따라서 $Cl_2(g)$의 결합 에너지를 구할 수 없다.

ㄷ. $NaCl(s)$의 생성 엔탈피는 -411 kJ/mol이다.

➡ $NaCl(s)$의 생성 엔탈피는 $Na(s)+\frac{1}{2}Cl_2(g) \longrightarrow NaCl(s)$ $\Delta H=-411$ kJ의 반응엔탈피와 같다.

07 $\Delta H=4\times$(C$-$H의 결합 에너지)$+2\times$(O$=$O의 결합 에너지)$-\{2\times$(C$=$O의 결합 에너지)$+4\times$(O$-$H의 결합 에너지)$\}=4\times410+2\times498-(2\times$C$=O+4\times460)=-890$

∴ C$=$O의 결합 에너지$=843$ kJ/mol

08 (1) $CO_2(g)$의 생성 엔탈피는 C(s, 흑연)$+O_2(g) \longrightarrow CO_2(g)$의 반응엔탈피와 같으므로 C($s$, 흑연)의 연소 엔탈피인 ΔH_2와 같다.

(2) $CH_3OH(l)$ 연소 반응의 열화학 반응식은 다음과 같다.

$CH_3OH(l)+\frac{3}{2}O_2(g) \longrightarrow CO_2(g)+2H_2O(l)$ ΔH

반응엔탈피는 생성물의 생성 엔탈피 합에서 반응물의 생성 엔탈피 합을 뺀 값과 같으므로 다음과 같이 구할 수 있다.

$\Delta H=$(생성물의 생성 엔탈피 합)$-$(반응물의 생성 엔탈피 합)$=\Delta H_2+2\Delta H_1-\Delta H_3$

채점 기준	배점
연소 반응식을 제시하고, 생성 엔탈피를 이용하여 연소 엔탈피를 옳게 구한 경우	100 %
연소 엔탈피만을 옳게 구한 경우	30 %

09 | 자료 분석 |

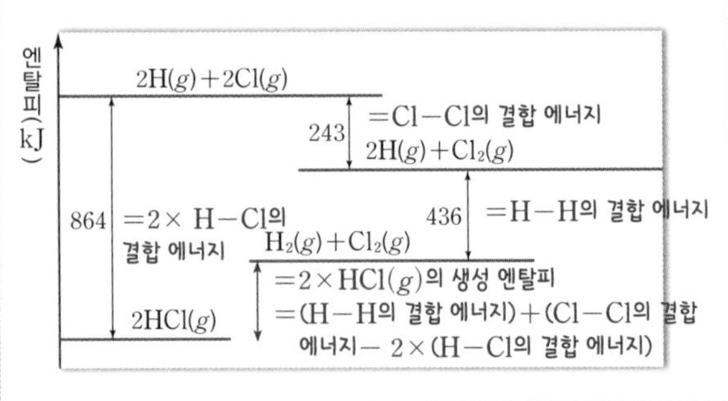

(1) 결합의 세기가 강할수록 결합 에너지가 크다. H$-$H, Cl$-$Cl, H$-$Cl의 결합 에너지는 각각 436 kJ/mol, 243 kJ/mol, 432 kJ/mol이므로 결합 세기는 H$-$H$>$H$-$Cl$>$Cl$-$Cl이다.

(2) 25 ℃, 표준 상태에서 $HCl(g)$ 분해 엔탈피는 $2HCl(g) \longrightarrow H_2(g)+Cl_2(g)$의 반응엔탈피의 $\frac{1}{2}$이다. 따라서 다음과 같이 결합 에너지를 이용하여 구할 수 있다.

$\Delta H=2\times$(H$-$Cl의 결합 에너지)

$-\{$(H$-$H$+$Cl$-$Cl)의 결합 에너지$\}$

$=864-(243+436)=185$ kJ/mol

$HCl(g)$의 분해 엔탈피는 $\frac{1}{2}\Delta H=92.5$ kJ/mol

채점 기준	배점
결합 에너지를 이용하여 분해 엔탈피를 구하는 과정을 옳게 서술한 경우	100 %
분해 엔탈피만을 옳게 답한 경우	40 %

실전! 수능 도전하기 139쪽~142쪽

01 ①	02 ②	03 ③	04 ③	05 ④	06 ③	07 ②	08 ②
09 ①	10 ⑤	11 ⑤	12 ③	13 ③	14 ③	15 ③	16 ②

01 | 선택지 분석 |

ㄱ. $HCl(g)$의 결합 에너지는 864 kJ/mol이다.

➡ 반응엔탈피는 반응물의 결합 에너지 합에서 생성물의 결합 에너지 합을 뺀 값과 같다. $-185=(436+243)-2\times$(H$-$Cl의 결합 에너지)이므로 H$-$Cl의 결합 에너지는 432 kJ/mol이다.

ㄴ. $HCl(g)$의 분해 엔탈피는 92.5 kJ/mol이다.

➡ 분해 엔탈피는 물질 1몰이 성분 원소로 분해될 때 출입하는 에너지로 $HCl(g)$의 분해 엔탈피는 $\frac{185}{2}=92.5$(kJ/mol)이다.

ㄷ. $HCl(g)$의 용해 엔탈피는 $-$~~150~~ 75 kJ/mol이다.

➡ 용해 엔탈피는 물질 1몰을 충분한 양의 물에 용해시킬 때 출입하는 열이다. 따라서 $HCl(g)$의 용해 엔탈피는 $\frac{-335-(-185)}{2}=-75$ kJ/mol)이다.

02 $NH_4NO_3(s)$이 용해되면서 수용액의 온도가 내려갔으므로 ㉠ $NH_4NO_3(s)$의 용해 과정은 흡열 반응이다. 흡열 반응은 엔탈피가 증가하는 반응이므로 $\Delta H_1 > 0$이다. 또한 $NH_4NO_3(s)$이 용해되면서 빼앗긴 열로 인해 ㉡ 공기 중 수증기가 물로 상이 변하는데 수증기의 액화는 발열 반응이다. 발열 반응은 엔탈피가 감소하는 반응이므로 $\Delta H_2 < 0$이다.

03 | 선택지 분석 |

ㄱ. $CaCl_2(s)$의 용해 과정은 발열 반응이다.

➡ $CaCl_2(s)$을 물에 녹였을 때 수용액의 온도가 높아졌으므로 발열 반응이다.

ㄴ. $NH_4NO_3(s)$의 용해도는 온도가 높을수록 커진다.

➡ $NH_4NO_3(s)$을 물에 녹였을 때 온도가 낮아졌으므로 흡열 반응이다. 용해 과정이 흡열 반응인 경우 온도를 높이면 용해도는 커진다.

ㄷ. |용해 엔탈피|는 $CaCl_2(s)$이 $NH_4NO_3(s)$보다 ~~크다.~~ 작다.

➡ $CaCl_2$ $\frac{2}{111}$몰이 용해될 때 4 ℃ 높아졌고, $NH_4NO_3(s)$ $\frac{2}{80}$몰이 용해될 때 2 ℃ 낮아졌으므로 |용해 엔탈피|는 $NH_4NO_3(s)$이 크다.

04 | 선택지 분석 |

ㄱ. C(s, 흑연)의 연소 엔탈피는 -394 kJ/mol이다.

➡ C(s, 흑연)의 연소 엔탈피는 $CO_2(g)$의 생성 엔탈피와 같으므로 -394 kJ/mol이다.

ㄴ. 연소 엔탈피는 $C_2H_4(g)$이 $C_2H_2(g)$보다 ~~작다.~~ 크다.

➡ 성분 원소가 같은 화합물의 연소 엔탈피는 생성 엔탈피가 작을수록 크다. 따라서 연소 엔탈피는 $C_2H_4(g)$이 $C_2H_2(g)$보다 크다.

ㄷ. $C_2H_2(g) + H_2(g) \longrightarrow C_2H_4(g)$의 반응이 일어날 때 주위의 온도는 증가한다.

➡ 반응엔탈피는 생성물의 생성 엔탈피에서 반응물의 생성 엔탈피를 뺀 값과 같다. $H_2(g)$의 생성 엔탈피는 0이므로 $C_2H_2(g) + H_2(g) \longrightarrow C_2H_4(g)$의 반응엔탈피는 $C_2H_4(g)$의 생성 엔탈피$-C_2H_2(g)$의 생성 엔탈피$=52-228=-176$ kJ/mol이다. 따라서 이 반응이 일어나면 주위의 온도는 증가한다.

05 | 선택지 분석 |

ㄱ. NO_2의 생성 엔탈피는 ~~$-(\Delta H_1+\Delta H_3)$~~ $-\frac{\Delta H_1+\Delta H_3}{2}$이다.

➡ $NO_2(g)$의 생성 엔탈피는 $\frac{1}{2}N_2(g) + O_2(g) \longrightarrow NO_2(g)$의 반응엔탈피와 같으므로 $-\frac{\Delta H_1+\Delta H_3}{2}$이다.

ㄴ. $N_2O_4(g)$의 엔탈피는 $2\times(NO_2(g)$의 엔탈피)보다 작다.

➡ $2NO_2(g) \longrightarrow N_2O_4(g)$의 반응엔탈피는 $N_2O_4(g)$의 엔탈피 $-2\times(NO_2(g)$의 엔탈피$)<0$이므로 $N_2O_4(g)$의 엔탈피는 $2\times(NO_2(g)$의 엔탈피)보다 작다.

ㄷ. $2\times[NO(g)$의 결합 에너지$]$는 $[N_2(g)$와 $O_2(g)$의 결합 에너지$]$보다 작다.

➡ $2NO(g) \longrightarrow N_2(g) + O_2(g)$ 반응이 발열 반응($\Delta H_3 < 0$)이므로 $2\times[NO(g)$의 결합 에너지$]$는 $[N_2(g)$와 $O_2(g)$의 결합 에너지$]$보다 작다.

06 | 선택지 분석 |

ㄱ. $C_3H_8(g)$의 연소 엔탈피는 a이다.

➡ $C_3H_8(g)$의 연소 엔탈피는 첫 번째 열화학 반응식의 반응엔탈피와 같으므로 $\Delta H = a$ kJ/mol이다.

ㄴ. $C_3H_8(g)$의 생성 엔탈피는 $3b+2c-a$이다.

➡ $3\times(CO_2(g)$의 생성 엔탈피$)+4\times(H_2O(l)$의 생성 엔탈피$)-C_3H_8(g)$의 생성 엔탈피$=a$이다. 따라서 $C_3H_8(g)$의 생성 엔탈피는 $3b+2c-a$ kJ/mol이다.

ㄷ. 1몰의 $H_2O(l)$이 가장 안정한 성분 원소로 분해될 때, 엔탈피 변화는 ~~$-c$~~이다. $-\frac{c}{2}$

➡ $H_2O(l)$의 분해 엔탈피는 $-\frac{c}{2}$ kJ/mol이다.

07 | 선택지 분석 |

ㄱ. ~~A가 B보다~~ B가 A보다 안정한 물질이다.

➡ 같은 원소로 구성된 물질의 안정성은 생성 엔탈피가 작을수록 크다. 따라서 $B(g)$가 $A(g)$보다 안정한 물질이다.

ㄴ. $B(g)$의 표준 생성 엔탈피는 -134 kJ/mol이다.

➡ $B(g)$의 표준 생성 엔탈피는 첫 번째와 세 번째 열화학 반응식을 합한 것과 같으므로 -134 kJ/mol이다.

ㄷ. $A(g)$의 연소 엔탈피는 -2880 kJ/mol보다 ~~크다.~~ 작다.

➡ $A(g)$의 연소 엔탈피는 두 번째와 세 번째 열화학 반응식을 합한 것과 같다. 따라서 $A(g)$의 연소 엔탈피는 -2880 kJ/mol보다 작다.

08 | 선택지 분석 |

ㄱ. $H_2(g)$의 연소 엔탈피는 ~~ΔH_2~~ ΔH_1이다.

➡ $H_2(g)$의 연소 엔탈피는 $H_2O(l)$의 생성 엔탈피와 같으므로 ΔH_1이다.

ㄴ. $CO_2(g)$의 분해 엔탈피(ΔH)는 $-\Delta H_3$이다.

➡ $CO_2(g)$의 생성 엔탈피는 C(s, 흑연)의 연소 엔탈피와 같고 $CO_2(g)$의 분해 엔탈피는 생성 엔탈피와 크기는 같고 부호만 다르므로 $-\Delta H_3$이다.

ㄷ. x는 $2\Delta H_3+\Delta H_2-\Delta H_4$이다.

➡ $C_2H_5OH(l)$의 연소 반응식은

$C_2H_5OH(l) + 3O_2(g) \longrightarrow 2CO_2(g) + 3H_2O(l)$ ΔH_4이다.

따라서 $\Delta H_4 = 2\times\Delta H_3 + 3\times\Delta H_1 - C_2H_5OH(l)$의 생성 엔탈피($x$)에서 x는 $2\Delta H_3+3\Delta H_1-\Delta H_4$이다.

09 $\Delta H = (N_2H_4(l)$의 생성 엔탈피$)-2\times(H_2O(g)$의 생성 엔탈피)이고, $H_2(g) + \frac{1}{2}O_2(g) \longrightarrow H_2O(g)$ ΔH_1에서 $\Delta H_1 = (436+\frac{1}{2}\times498)-2\times463=-241$ kJ/mol이다. 따라서 $532 = N_2H_4(l)$의 생성 엔탈피$-2\times(-241)$이므로 $N_2H_4(l)$의 생성 엔탈피는 50 kJ/mol이다.

10 | 자료 분석 |

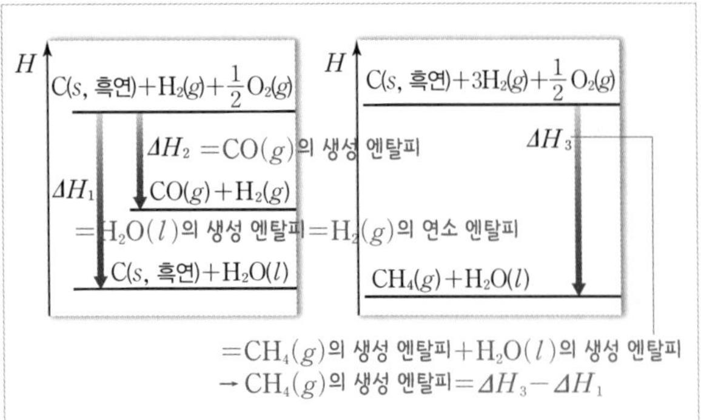

| 선택지 분석 |

ㄱ $H_2(g)$의 연소 엔탈피는 ΔH_1이다.

➡ $H_2(g)$의 연소 엔탈피는 $H_2(g)+\frac{1}{2}O_2(g) \longrightarrow H_2O(l)$의 반응엔탈피와 같으므로 ΔH_1이다.

ㄴ $CO(g)$의 생성 엔탈피는 ΔH_2이다.

➡ $CO(g)$의 생성 엔탈피는 $C(s, 흑연)+\frac{1}{2}O_2(g) \longrightarrow CO(g)$의 반응엔탈피와 같으므로 ΔH_2이다.

ㄷ $CH_4(g)$의 생성 엔탈피는 $\Delta H_3-\Delta H_1$이다.

➡ $CH_4(g)$의 생성 엔탈피는 $C(s, 흑연)+2H_2(g) \longrightarrow CH_4(g)$의 반응엔탈피와 같으므로 $\Delta H_3-\Delta H_1$이다.

11 | 선택지 분석 |

✗ $a=-52$이다.

➡ $C_2H_4(g)$의 생성 엔탈피는 $2C(s, 흑연)+2H_2(g) \longrightarrow C_2H_4(g)$ $\Delta H=52$ kJ의 반응엔탈피이므로 $a=-52$가 아니다.

ㄴ $b>0$이다.

➡ $C(s, 흑연) \longrightarrow C(g)$의 반응엔탈피가 b이므로 $b>0$이다.

ㄷ $H_2(g)$의 결합 에너지는 436 kJ/mol이다.

➡ $H_2(g)$의 결합 에너지는 $H_2(g) \longrightarrow 2H(g)$의 반응엔탈피와 같고, 반응엔탈피=2×($H(g)$의 생성 엔탈피)−($H_2(g)$의 생성 엔탈피)이므로 436 kJ/mol이다.

12 | 자료 분석 |

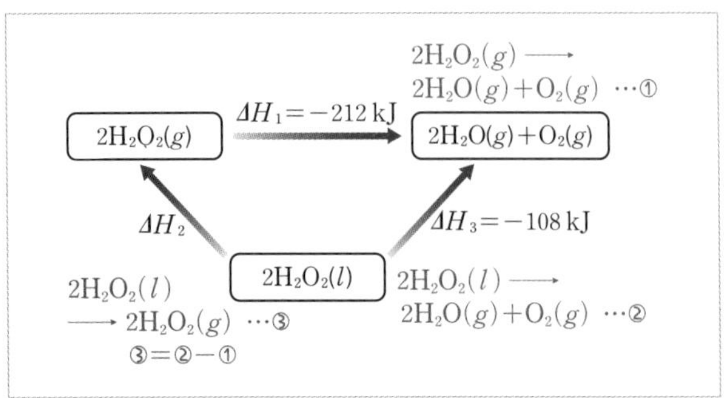

| 선택지 분석 |

ㄱ $\Delta H_2>0$이다.

➡ $\Delta H_2=\Delta H_3-\Delta H_1=-108-(-212)=104$ kJ이므로 $\Delta H_2>0$이다.

ㄴ 생성 엔탈피는 $H_2O_2(g)$가 $H_2O(g)$보다 크다.

➡ $2H_2O_2(g) \longrightarrow 2H_2O(g)+O_2(g)$ $\Delta H_1=-212$ kJ이므로 생성 엔탈피는 $H_2O_2(g)$가 $H_2O(g)$보다 크다.

✗ $H_2O_2(l)$의 분해 엔탈피는 −108 kJ/mol이다.

➡ 분해 엔탈피는 물질 1몰을 성분 원소로 분해하는 데 출입하는 열량이므로 $H_2O_2(l)$의 분해 엔탈피는 −108 kJ/mol이 아니다.

13 | 선택지 분석 |

ㄱ $2NO(g)+O_2(g) \longrightarrow 2NO_2(g)$ 반응의 반응엔탈피는 −116 kJ/mol이다.

➡ 반응엔탈피=2×($NO_2(g)$의 생성 엔탈피)−2×($NO(g)$의 생성 엔탈피)=2×33 −2×91=−116 kJ/mol이다.

✗ $N(g)$의 생성 엔탈피는 ~~945~~ 472.5 kJ/mol이다.

➡ $N_2(g) \longrightarrow 2N(g)$의 반응엔탈피는 945 kJ이므로 $N(g)$의 생성 엔탈피는 $\frac{945}{2}=472.5$ kJ/mol이다.

ㄷ $|x-y|=307$이다.

➡ $2NO(g)+O_2(g) \longrightarrow 2NO_2(g)$ 반응의 반응엔탈피=2×($NO(g)$의 결합 에너지 합)+$O_2(g)$의 결합 에너지 합 −2×($NO_2(g)$의 결합 에너지 합)=$2x+498-2y=-116$이다. 따라서 $|x-y|=307$이다.

14 | 선택지 분석 |

ㄱ 결합 에너지 총합은 ㉠이 ㉡보다 크다.

➡ 제시된 반응이 흡열 반응이므로 반응물의 결합 에너지 합이 생성물의 결합 에너지 합보다 크다. 따라서 결합 에너지 총합은 ㉠이 ㉡보다 크다.

✗ $C(s, 흑연)$의 연소 엔탈피는 ~~ΔH_3~~ $\Delta H_2+\Delta H_3$이다.

➡ $C(s, 흑연)$의 연소 엔탈피는 $\Delta H_2+\Delta H_3$이다.

ㄷ $NO_2(g)$의 생성 엔탈피는 $226+\frac{\Delta H_1}{2}+\Delta H_3$(kJ)이다.

➡ $NO_2(g)$의 생성 반응은 $CO_2(g)$와 $NO(g)$의 반응, $NO(g)$의 생성 반응, $CO_2(g)$의 생성 반응으로부터 구할 수 있다.

$CO_2(g)+NO(g) \longrightarrow CO(g)+NO_2(g)$ $\Delta H=226$ ……①

$N_2(g)+O_2(g) \longrightarrow 2NO(g)$ ΔH_1 ……②

$CO(g)+\frac{1}{2}O_2(g) \longrightarrow CO_2(g)$ ΔH_3 ……③

$\frac{1}{2}N_2(g)+O_2(g) \longrightarrow NO_2(g)$ ……①$+\frac{1}{2}\times$②+③

$NO_2(g)$의 생성 엔탈피$=226+\frac{1}{2}\Delta H_1+\Delta H_3$

15 | 선택지 분석 |

ㄱ $\Delta H_2>0$이다.

➡ ΔH_2=$C_2H_2(g)$의 생성 엔탈피−$C_2H_4(g)$의 생성 엔탈피이고, 생성 엔탈피는 $C_2H_2(g)>C_2H_4(g)$이므로 $\Delta H_2>0$이다.

ⓛ $|\Delta H_2+\Delta H_3|>|\Delta H_1|$이다.

➡ $C_2H_6(g) \longrightarrow C_2H_2(g)+2H_2(g)$의 반응엔탈피가 $\Delta H_2+\Delta H_3$이고, 분해 엔탈피는 $C_2H_6(g)$가 $C_2H_2(g)$보다 크므로 $|\Delta H_2+\Delta H_3|>|\Delta H_1|$이다.

✕ $\Delta H_1+\Delta H_2+\Delta H_3$은 $C_2H_6(g)$의 표준 생성 엔탈피와 같다.

➡ $2C(s, 흑연)+3H_2(g) \longrightarrow C_2H_6(g)$의 반응엔탈피가 $C_2H_6(g)$의 표준 생성 엔탈피이다. 따라서 $C_2H_6(g)$의 표준 생성 엔탈피는 $-(\Delta H_1+\Delta H_2+\Delta H_3)$이다.

16 | 자료 분석 |

$2NO(g)+O_2(g) \longrightarrow 2N(g)+4O(g)$ ΔH_1
$\Delta H_1\uparrow$ $\uparrow\Delta H_3$ $2NO_2(g) \longrightarrow 2N(g)+4O(g)$ ΔH_3
$\Delta H_2\uparrow$ $\uparrow\Delta H_4$ $N_2(g)+2O_2(g) \longrightarrow 2NO_2(g)$ ΔH_4
$N_2(g)+O_2(g) \longrightarrow 2NO(g)$ ΔH_2

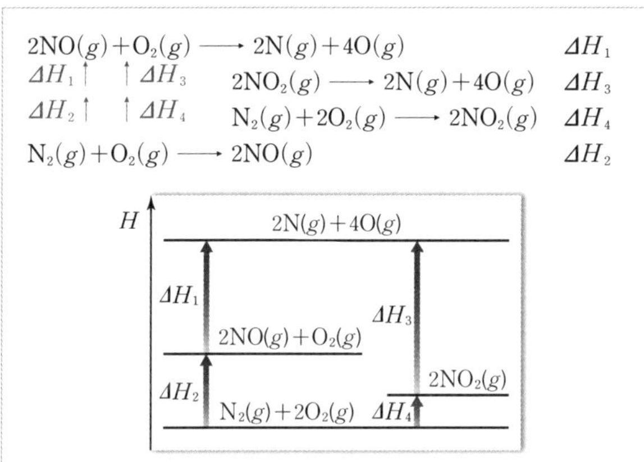

| 선택지 분석 |

✕ $\Delta H_4=\Delta H_1-\Delta H_3$이다.

➡ 헤스 법칙에 의해 $\Delta H_4=\Delta H_1+\Delta H_2-\Delta H_3$이다.

ⓛ $NO(g)$의 분해 엔탈피는 $-\frac{1}{2}\Delta H_2$이다.

➡ $NO(g)$의 분해 엔탈피는 $-\frac{1}{2}N_2(g)+\frac{1}{2}O_2(g) \longrightarrow NO(g)$의 반응엔탈피와 같다. 따라서 $-\frac{1}{2}\Delta H_2$이다.

✕ $NO_2(g)$의 결합 에너지 총합은 $\frac{1}{2}\Delta H_3$이다.

➡ $NO_2(g) \longrightarrow N(g)+2O(g)$의 반응엔탈피와 같으므로 $NO_2(g)$의 결합 에너지 총합은 $\frac{1}{2}\Delta H_3$이다.

2 ››› 화학 평형과 평형 이동

01 화학 평형

개념POOL 149쪽

01 ㉠ 정반응, ㉡ 역반응
02 (1) ○ (2) × (3) ×

01 평형에 도달하였을 때 생성물 농도가 반응물 농도보다 크면 정반응이 우세하게 진행된 것이며 이 반응의 K>1이다. 또한 평형에 도달하였을 때 반응물 농도가 생성물 농도보다 크면 역반응이 우세하게 진행된 것이며 이 반응의 $K<1$이다.

02 (2) 역반응이 우세한 반응은 반응물의 농도가 생성물의 농도보다 큰 상태에서 평형에 도달한다.
(3) $K>1$인 반응은 평형 상태에서 생성물의 농도가 반응물의 농도보다 크지만 정반응 속도와 역반응 속도는 같다.

콕콕! 개념 확인하기 150쪽

✔ 잠깐 확인!

1 가역 반응 **2** 동적 평형 **3** 화학 평형 **4** 평형 **5** 평형 상수 **6** 발열 **7** > **8** 반응 지수

01 (1) ○ (2) ○ (3)× **02** N_2, H_2, NH_3 **03** ㉠ 화학 평형 상태, ㉡ 평형 상수 **04** (1) ○ (2) × (3) ○ (4) ×
05 $K=\frac{[NH_3]^2}{[N_2][H_2]^3}$ **06** (1) ㉢ (2) ㉡ (3) ㉠

01 (3) 화학 평형 상태에서 반응물과 생성물의 농도는 일정하게 유지되지만 농도비는 화학 반응식의 계수와는 무관하다.

02 N_2와 H_2를 넣고 반응시키면 정반응 속도와 역반응 속도가 같아질 때 화학 평형을 이루며 이때 반응물과 생성물은 일정한 농도를 유지하며 존재한다.

03 화학 평형 상태에서는 반응물과 생성물의 농도비가 일정하게 유지되는데, 반응물의 농도 곱에 대한 생성물의 농도 곱의 비를 나타낸 것이 평형 상수이다.

04 (2) 평형 상수는 온도에 의해서만 변하며, 농도나 압력과는 무관하다.
(4) 고체나 용매는 반응이 일어나도 몰 농도가 일정하므로 평형 상수식에 포함하지 않는다.

05 평형 상수는 반응물의 농도 곱과 생성물의 농도 곱의 비율로 나타낸다.

06 (1) 반응 지수가 평형 상수보다 큰 경우 생성물의 현재 농도가 평형 상태에서의 농도보다 크므로 역반응이 일어난다.

(2) 반응 지수가 평형 상수보다 작은 경우 반응물의 현재 농도가 평형 상태에서의 농도보다 크므로 정반응이 일어난다.

(3) 온도가 일정하면 평형 상수는 변하지 않으므로 반응 지수와 평형 상수가 같은 경우 현재의 평형 상태를 유지한다.

탄탄! 내신 다지기 151쪽~153쪽

01 ① **02** ③ **03** ④ **04** ② **05** (1) $K=\frac{[NO]^2}{[N_2][O_2]}$ (2) $K=[CO_2]$ **06** ① **07** ③ **08** ④ **09** ③ **10** (1) K_1^2 (2) $\frac{1}{K_1}$ **11** ② **12** ⑤ **13** ③ **14** 정반응이 일어난다. **15** ① **16** ④

01 광합성의 역반응은 호흡으로 광합성 반응은 정반응과 역반응이 모두 일어나는 가역 반응이다. 중화 반응, 메테인의 연소, 앙금 생성 반응, 금속과 염산의 반응은 역반응이 거의 일어나지 않으므로 비가역 반응이다.

02 | 선택지 분석 |

ㄱ. 동적 평형 상태이다.

➡ 정반응과 역반응이 같은 속도로 일어나므로 겉으로 보기에 반응이 멈춘 것처럼 보이는 동적 평형을 이룬다.

✕ 정반응 속도가 역반응 속도보다 빠르다.

➡ 화학 평형 상태에서는 정반응 속도와 역반응 속도가 같다.

ㄷ. 시간이 지나도 반응물과 생성물의 농도 비는 일정하다.

➡ 화학 평형 상태에서는 반응물과 생성물의 농도 비가 일정하게 유지된다.

03 | 자료 분석 |

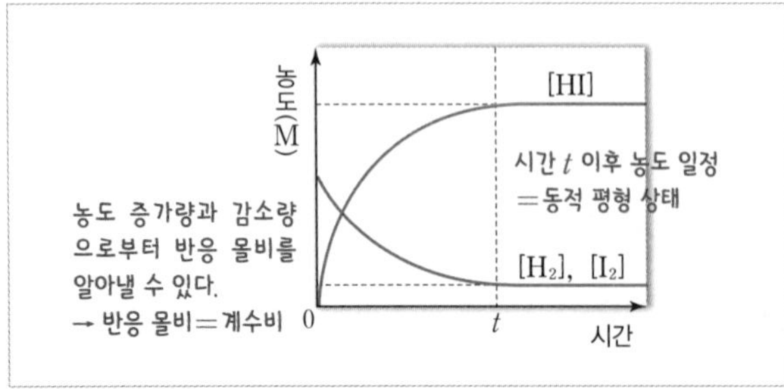
농도(M)
[HI]
시간 t 이후 농도 일정
=동적 평형 상태
농도 증가량과 감소량으로부터 반응 몰비를 알아낼 수 있다.
→ 반응 몰비=계수비
[H₂], [I₂]
0
t
시간

| 선택지 분석 |

ㄱ. t에서 평형 상태에 도달한다.

➡ t 이후 반응물과 생성물의 농도비가 일정하므로 t에서 평형 상태에 도달하였다.

✕ t 이후 반응은 진행되지 않는다.

➡ t 이후에도 정반응과 역반응이 같은 속도로 일어난다.

ㄷ. $0 \sim t$까지 각 물질의 농도 변화량 비는 화학 반응식의 계수비와 같다.

➡ $0 \sim t$까지 반응이 일어날 때에는 화학 반응식의 계수비로 반응한다.

04 | 선택지 분석 |

✕ 평형 상수는 ~~온도와 압력~~(온도)에 의해서 달라진다.

➡ 평형 상수는 온도에 의해서만 달라진다.

ㄴ. 정반응의 평형 상수와 역반응의 평형 상수는 역수 관계에 있다.

➡ 평형 상수는 반응물의 농도 곱에 대한 생성물의 농도 곱으로 나타내므로 정반응의 평형 상수와 역반응의 평형 상수는 역수 관계에 있다.

✕ 평형 상수가 1보다 큰 반응은 ~~반응물~~(생성물)이 많이 남아 있는 상태에서 평형을 이룬다.

➡ 평형 상수가 1보다 큰 반응은 정반응이 우세하게 일어나므로 생성물이 많이 남아 있는 상태에서 평형을 이룬다.

05 평형 상수는 반응물의 농도 곱에 대한 생성물의 농도 곱으로 나타내며, 고체인 경우 몰 농도가 일정하므로 평형 상수식에 나타내지 않는다.

06 | 선택지 분석 |

ㄱ. 역반응의 평형 상수는 $\frac{1}{8}$이다.

➡ 역반응의 평형 상수는 정반응의 평형 상수의 역수와 같으므로 $\frac{1}{8}$이다.

✕ 용기 속에는 $NH_3(g)$ 2몰~~이 들어 있다.~~(보다 작다.)

➡ 평형 상태에서는 반응물과 생성물이 모두 존재하므로 용기 속에 들어 있는 $NH_3(g)$의 양은 2몰보다 작다.

✕ 용기에 들어 있는 기체의 몰 농도는 H_2가 N_2의 3배이다.

➡ 반응할 때의 몰비는 $N_2 : H_2 = 1 : 3$이지만 평형 상태에서 용기 속에 들어 있는 기체의 몰비는 화학 반응식의 계수와 무관하다.

07 | 선택지 분석 |

ㄱ. 정반응이 우세한 반응이다.

➡ 평형 상태에서 생성물의 농도가 반응물의 농도보다 크므로 정반응이 역반응보다 우세하게 일어나는 반응이다.

ㄴ. 평형 상수는 1보다 크다.

➡ 평형 상수식은 $K=\frac{[B]}{[A]}$이므로 평형 상수는 1보다 크다.

✕ 반응이 일어날 때 몰 농도의 변화량은 ~~B가 A보다 크다.~~(A와 B가 같다.)

➡ 반응 몰비는 $A : B = 1 : 1$이므로 반응이 일어날 때 몰 농도의 변화량은 A와 B가 같다.

08 | 자료 분석 |

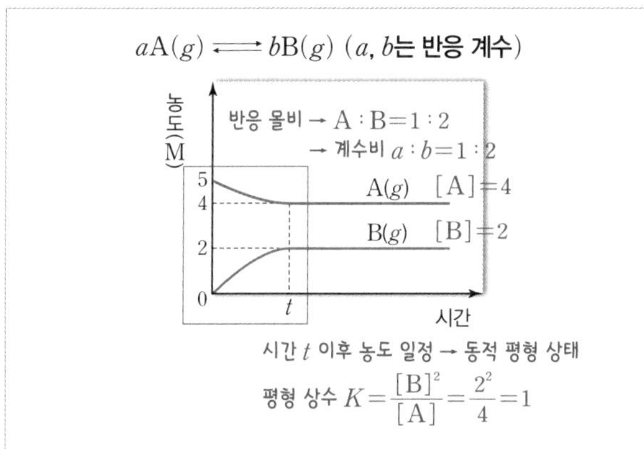

| 선택지 분석 |

✗ $a : b$=2 : 1이다.

➡ 0~t까지 반응한 A의 농도는 1 M, 생성된 B의 농도는 2 M이므로 반응 몰비는 A : B=1 : 2이다. 따라서 $a : b$=1 : 2이다.

ㄴ 평형 상수는 1이다.

➡ $K=\frac{[B]^2}{[A]}=\frac{2^2}{4}=1$이다.

ㄷ 시간 t 이후 정반응 속도와 역반응 속도는 같다.

➡ 시간 t 이후 동적 평형 상태이므로 정반응 속도와 역반응 속도는 같다.

09 | 선택지 분석 |

ㄱ 반응한 H_2의 양은 0.4몰이다.

➡ 반응 몰비는 $H_2 : I_2 : 2HI=1 : 1 : 2$이므로 HI 0.8몰이 생성되었다면 반응한 H_2와 I_2은 모두 0.4몰이다.

ㄴ 평형 상태에서 $[I_2]=0.2$ M이다.

➡ 평형 농도는 $[H_2]=0.6$ M, $[I_2]=0.2$ M, $[HI]=0.8$ M이다.

✗ $K<5$이다.

➡ $K=\frac{[HI]^2}{[H_2][I_2]}=\frac{0.8^2}{0.6\times0.2}=\frac{16}{3}>5$이다.

10 평형 상수식은 화학 반응식의 계수에 따라 달라지며, 화학 반응식의 계수가 n배일 때 평형 상수는 n제곱이 된다.

11 반응 몰비는 A : B : C=2 : 1 : 2이므로 C가 1.6몰 생성되면 반응한 A의 양은 1.6몰이고 반응한 B의 양은 0.8몰이다. 따라서 평형에 도달하였을 때 A 0.4몰이 남아 있으므로 반응 초기 A의 양은 2몰이고, B는 1몰 중 0.8몰이 반응하였으므로 0.2몰이 남는다. 따라서 $x=2$, $y=0.2$이므로 $x+y=2.2$이다.

12 반응 초기 정반응이 일어난다면 현재 상태에서 생성물의 농도가 평형 상태에서의 생성물의 농도보다 작은 것이므로 반응 지수는 평형 상수보다 작다. 따라서 $Q<K$이다.

13 | 선택지 분석 |

ㄱ 반응이 일어나면 반응물의 농도는 증가한다.

➡ 반응 지수가 평형 상수보다 크므로 이 반응은 역반응 쪽으로 일어난다. 따라서 반응이 일어나면 반응물의 농도는 증가한다.

✗ 반응 초기 정반응의 속도는 역반응의 속도보다 크다.

➡ 역반응 쪽으로 반응이 일어나므로 역반응의 속도가 정반응의 속도보다 크다.

ㄷ 생성물의 몰 농도는 반응 초기가 평형일 때보다 크다.

➡ 반응 지수가 평형 상수보다 커 역반응이 일어나므로 생성물의 몰 농도는 반응 초기가 평형일 때보다 크다.

14 $Q=\frac{[B]^2}{[A]}=\frac{1^2}{1}=1$이므로 $K>Q$이다.

따라서 정반응이 일어난다.

15 | 자료 분석 |

계수비=A : B : C=1 : 1 : 2

$A(g)+B(g) \rightleftharpoons 2C(g)$ 평형 농도비는 계수비와 같지 않다.

실험	온도(℃)	평형 농도(mol/L)		
		A	B	C
Ⅰ	25	1	2	2
Ⅱ	25	2	x=1	2

온도가 같으므로 평형 상수는 같다.

$K_{Ⅰ}=K_{Ⅱ}$ → $\frac{2^2}{1\times2}=\frac{2^2}{2\times x}$, $x=1$

| 선택지 분석 |

ㄱ 실험 Ⅰ에서 평형 상수는 2이다.

➡ $K=\frac{[C]^2}{[A][B]}=\frac{2^2}{1\times2}=2$이다.

✗ x=2이다.

➡ 평형 상수는 온도가 같을 때 같은 값을 가지므로

$K=\frac{[C]^2}{[A][B]}=\frac{2^2}{2\times x}=2$이다. 따라서 $x=1$이다.

✗ 25 ℃에서 강철 용기에 A~C 각 1몰을 넣었을 때 ~~역반응~~(정반응)이 일어난다.

➡ A~C 각 1몰을 넣었을 때 $Q=\frac{[C]^2}{[A][B]}=\frac{1^2}{1\times1}=1$로 평형 상수보다 작으므로 정반응이 일어난다.

16 | 선택지 분석 |

✗ 화학 반응식은 $A(g)+\sout{3}B(g) \rightleftharpoons 2C(g)$이다. (2B)

➡ 화학 반응식의 계수비는 반응 몰비와 같다. 평형에 도달하기 전까지 반응한 A, B의 몰 농도는 각각 1 M, 2 M이고 생성된 C의 몰 농도는 2 M이므로 화학 반응식은 $A(g)+2B(g) \rightleftharpoons 2C(g)$이다.

ㄴ t ℃에서 평형 상수는 $\frac{4}{9}$이다.

➡ t ℃에서 $K=\frac{[C]^2}{[A][B]^2}=\frac{2^2}{1\times3^2}=\frac{4}{9}$이다.

ㄷ 반응 초기 각 물질의 농도가 [A]=2 M, [B]=2 M, [C]=2 M인 경우 역반응이 일어난다.

➡ $Q=\frac{[C]^2}{[A][B]^2}=\frac{2^2}{2\times2^2}=\frac{1}{2}$로 평형 상수보다 크므로 역반응이 일어난다.

도전! 실력 올리기

154쪽~155쪽

01 ③ **02** ④ **03** ① **04** ③ **05** ③ **06** ③

07 ㉠ >, ㉡ 역반응, ㉢ 4

08 (1) | **모범 답안** | $A(g)+B(g) \rightleftarrows 2C(g)$, 반응 초기부터 평형 상태에 도달하기까지 반응한 A의 몰 농도는 0.1 M, B의 몰 농도는 0.1 M, 생성된 C의 몰 농도는 0.2 M이므로 반응 몰비는 A : B : C=1 : 1 : 2이다. 따라서 화학 반응식의 계수비도 A : B : C=1 : 1 : 2이다.

(2) $K=\frac{2}{3}$

(3) | **모범 답안** | 역반응, 반응 초기 A~C의 몰 농도는 각각 1 M이므로 반응 지수는 $\frac{1^2}{1\times1}=1$이다. 반응 지수가 평형 상수보다 크므로 생성물의 몰 농도는 반응 초기가 평형 상태보다 커 역반응이 일어난다.

01 | 선택지 분석 |

ㄱ 반응한 기체의 양(몰)은 A_2와 B_2가 같다.

➡ 반응한 A_2의 분자 수는 3, B_2의 분자 수는 3이므로 반응한 기체의 양(몰)은 A_2와 B_2가 같다.

✕ t ℃에서 평형 상수는 ~~6~~ 36이다.

➡ 이 반응의 화학 반응식은 $A_2(g)+B_2(g) \rightleftarrows 2AB(g)$이고, 평형 상태에서 농도비는 A : B : AB=1 : 1 : 6이므로 평형 상수는 $\frac{[AB]^2}{[A_2][B_2]}=\frac{6^2}{1\times1}=36$이다.

ㄷ (나)에서 $AB(g)$의 분해 속도와 생성 속도는 같다.

➡ (나)는 평형 상태이므로 정반응 속도와 역반응 속도가 같다.

02 A와 B의 반응 몰비는 2 : 1이므로 평형에 도달하기 전까지의 농도 변화량 비는 [A] : [B]=2 : 1이다. 또한 t에서 평형에 도달하였으므로 t 이후 A와 B의 농도는 일정하게 유지된다.

03 | 선택지 분석 |

$Q=\frac{[C]^2}{[A]^2[B]}$이므로 상태 (가)~(다)의 반응 지수는 각각 $Q_{(가)}=\frac{4^2}{8^2\times4}=\frac{1}{16}$, $Q_{(나)}=\frac{8^2}{4^2\times2}=2$, $Q_{(다)}=\frac{10^2}{2^2\times1}=25$이다.

ㄱ (나)는 평형 상태이다.

➡ (나)는 $Q=K$이므로 평형 상태이다.

✕ (다)에서 정반응이 일어난다.

➡ (다)는 $Q>K$이므로 역반응이 일어난다.

✕ $\frac{Q}{K}$는 (가)가 (다)보다 크다.

➡ $\frac{Q}{K}$는 (가)가 $\frac{1}{32}$, (다)가 $\frac{25}{2}$이다.

04 | 자료 분석 |

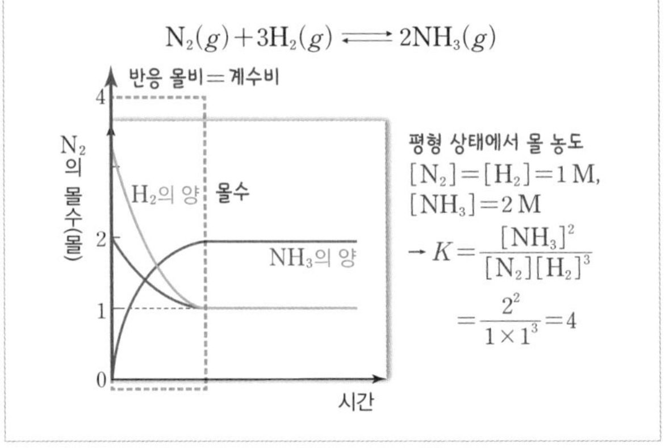

| 선택지 분석 |

ㄱ $[H_2]=1$ M이다.

➡ 반응 몰비는 $N_2 : H_2=1 : 3$이므로 $[H_2]=1$ M이다.

✕ $K=2$이다.

➡ 평형 상태에서 N_2의 양은 1몰이므로 H_2의 양은 1몰, NH_3의 양은 2몰이다. $K=\frac{[NH_3]^2}{[N_2][H_2]^3}=\frac{2^2}{1\times1^3}=4$이다.

ㄷ 정반응 속도와 역반응 속도는 같다.

➡ 동적 평형 상태이므로 정반응 속도와 역반응 속도가 같다.

05 | 자료 분석 |

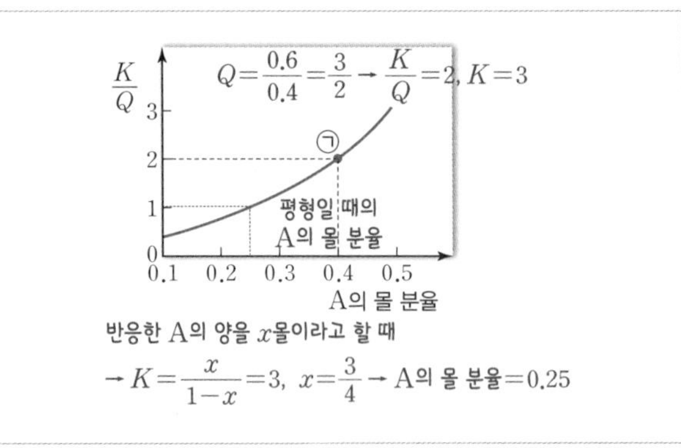

| 선택지 분석 |

ㄱ $K=3$이다.

➡ ㉠에서 $Q=\frac{0.6}{0.4}=\frac{3}{2}$이고 $\frac{K}{Q}=2$이므로 $K=3$이다.

✕ 평형 상태에서 B의 몰 분율은 ~~0.25~~ 0.75이다.

➡ 평형 상태에서 $K=\frac{[B]}{[A]}=\frac{x}{1-x}=3$이므로 $x=\frac{3}{4}$이다. 따라서 B의 몰 분율은 0.75이다.

ㄷ ㉠에서 정반응 쪽으로 반응이 일어난다.

➡ ㉠에서 $Q<K$로 반응물의 농도가 평형 상태일 때보다 작으므로 정반응 쪽으로 반응이 일어난다.

06 A의 평형 농도가 0.2 M이므로 B의 평형 농도는 0.2 M, C의 평형 농도는 0.4 M이다. 따라서 평형 상수는 $\frac{0.4^2}{0.2\times0.2}=4$이다. 강철 용기에 A~C를 넣었을 때 반응 지수는 $\frac{0.6^2}{0.4\times0.6}=\frac{3}{2}$으로 $K>Q$이므로 이 반응은 정반응 쪽으로 일어나며 평형에 도달했을 때 평형 상수는 4이다.

07 반응 지수는 $\frac{4^2}{2}$=8로 평형 상수보다 크므로 역반응이 일어나고, 평형 상태에서 온도가 일정하므로 평형 상수는 4이다.

08 (1) $A(g)+B(g) \rightleftharpoons 2C(g)$, 반응 초기부터 평형 상태에 도달하기까지 반응한 A의 몰 농도는 0.1 M, B의 몰 농도는 0.1 M, 생성된 C의 몰 농도는 0.2 M이므로 반응 몰비는 A : B : C=1 : 1 : 2이다. 따라서 화학 반응식의 계수비도 A : B : C=1 : 1 : 2이다.

채점 기준	배점
반응 몰비를 구하고 반응 몰비와 계수비가 같음을 언급하여 옳게 화학 반응식을 옳게 쓰고, 그 까닭을 옳게 서술한 경우	100 %
화학 반응식만을 옳게 쓴 경우	30 %

(2) $K=\frac{[C]^2}{[A][B]}=\frac{0.2^2}{0.3\times0.2}=\frac{2}{3}$

(3) 반응 초기 A~C의 몰 농도는 각각 1 M이므로 반응 지수는 $\frac{1^2}{1\times1}$=1이다. 반응 지수가 평형 상수보다 크므로 생성물의 몰 농도는 반응 초기가 평형 상태보다 커 역반응이 일어난다.

채점 기준	배점
반응 지수와 평형 상수를 비교하여 반응의 진행 방향을 옳게 예측하고, 그 까닭을 옳게 서술한 경우	100 %
반응의 진행 방향만을 옳게 예측한 경우	40 %

02 화학 평형 이동 (1)

탐구POOL 160쪽

01 ㉠ 정반응, ㉡ 역반응 **02** (1) × (2) ○ (3) × (4) ×

01 반응물의 농도가 증가하면 반응 지수는 평형 상수보다 작아지므로 정반응 쪽으로 평형이 이동하고, 반응물의 농도가 감소하면 반응 지수는 평형 상수보다 커지므로 역반응 쪽으로 평형이 이동한다.

02 (1) 정반응이 일어나므로 반응 지수는 평형 상수보다 작다.

(3) 과정 ②에서 정반응이 일어나므로 $Cr_2O_7^{2-}$의 농도가 감소하고 과정 ③에서는 역반응이 일어나므로 $Cr_2O_7^{2-}$ 농도가 증가한다. 따라서 $Cr_2O_7^{2-}$의 농도는 과정 ③에서가 과정 ②에서보다 크다.

(3) 온도가 일정하므로 평형 상수는 모두 같다.

콕콕! 개념 확인하기 161쪽

✔ 잠깐 확인!

1 정반응 **2** 반응 지수 **3** 평형 상수 **4** 압력 **5** 정반응 **6** 비활성

01 (1) × (2) ○ (3)× **02** ㉠ 정반응 ㉡ 역반응 **03** (1) ○ (2) ○ (3) ○ **04** (1) ㉢ (2) ㉠ (3) ㉡

01 (1), (2) 평형 상태에 있는 반응이라도 외부 조건이 변하면 그 변화를 감소시키려는 방향으로 평형이 이동한다.

(3) 농도나 압력이 변하여 새로운 평형 상태에 도달한 경우 평형 상수는 변하지 않는다.

02 평형 상태에서 반응물을 넣어 주면 반응 지수가 평형 상수보다 작아지므로 정반응이 일어나고, 생성물을 넣어 주면 반응 지수가 평형 상수보다 커지므로 역반응이 일어난다.

03 (1) A를 넣어 주면 정반응이 일어나므로 B의 몰 농도는 감소한다.

(2) C를 넣어 주면 역반응이 일어나므로 A와 B의 양(몰)은 증가한다. 또한 넣어 준 C가 모두 반응하는 것이 아니므로 C의 양(몰)도 증가한다.

(3) 평형 상수는 온도에 의해서만 변한다.

04 기체의 반응의 경우 압력 변화에 의해 평형이 이동할 수 있다. 압력을 증가시키면 기체의 양이 감소하는 쪽으로, 압력을 감소시키면 기체의 양이 증가하는 쪽으로 평형이 이동한다. 기체의 양의 변화가 없는 반응 즉, 화학 반응식에서 반응물의 계수 합과 생성물의 계수 합이 같은 경우 압력에 의한 평형 이동은 일어나지 않는다.

탄탄! 내신 다지기 162쪽~163쪽

01 ① **02** ② **03** ② **04** ⑤ **05** ② **06** ㉠ 반응 지수, ㉡ 평형 상수 **07** ④ **08** ④ **09** 정반응 **10** ④ **11** ④

01 | 선택지 분석 |

㉠ 평형 상태에서 반응물을 첨가하면 정반응 쪽으로 평형이 이동한다.

➡ 평형 상태에서 반응물을 첨가하면 반응물을 감소시키는 방향인 정반응 쪽으로 평형이 이동한다.

✕ 농도에 의해 평형이 이동하는 경우 평형 상수는 ~~달라진다.~~ 변하지 않는다.

➡ 농도의 변화에 의해 평형이 이동할 때 평형 상수는 변하지 않는다.

✕ 반응 전후 몰수 변화가 없는 반응은 농도의 영향을 받지 않는다.

➡ 반응물 또는 생성물의 농도를 변화시키는 경우 반응 전후 몰수 변화가 없더라도 평형은 이동한다.

02 | 선택지 분석 |

① 평형 상수는 증가한다.

➡ 평형 상수는 온도에 의해서만 달라진다. 따라서 평형이 이동해도 온도가 일정하므로 평형 상수는 Ⅰ과 Ⅱ에서 같다.

② H_2의 농도는 Ⅱ일 때가 Ⅰ일 때보다 크다.

➡ H_2를 첨가하여 정반응이 일어나므로 H_2와 N_2가 반응한다. 이때 넣어 준 순간 농도는 급격히 증가하였다가 감소하지만 새로운

평형에 도달했을 때의 H_2의 농도는 넣기 전보다 크다. 따라서 H_2의 농도는 Ⅱ일 때가 Ⅰ일 때보다 크다.

③ N_2의 농도는 Ⅱ일 때가 Ⅰ일 때보다 크다.

➡ N_2는 H_2와 반응하여 소모되므로 N_2의 농도는 Ⅰ일 때가 Ⅱ일 때보다 크다.

④ NH_3의 농도는 Ⅰ일 때가 Ⅱ일 때보다 크다.

➡ 반응이 일어날 때 생성물은 증가하므로 NH_3의 농도는 Ⅱ일 때가 Ⅰ일 때보다 크다.

⑤ 용기 속 기체의 몰비는 계수비와 같다.

➡ 화학 반응식의 계수비는 반응 몰비와 같다. 따라서 평형 상태에서 용기 속 기체의 몰비는 계수비와 같지 않다.

03 평형 상태에서 반응물인 A를 넣으면 정반응이 일어나므로 A와 B가 반응하여 C가 생성된다. 이때 A는 넣어 준 양이 있어 처음보다 조금 증가하고 B는 감소하며, C는 새로 생성되므로 증가한다. 또한 넣어 준 A의 양(몰)에 비례하여 전체 압력은 증가한다. 평형 상수는 온도에 의해서만 달라지므로 변하지 않는다.

04 | 선택지 분석 |

ㄱ 정반응 속도와 역반응 속도가 같다.

➡ 평형 상태에 있으므로 정반응 속도와 역반응 속도는 같다.

ㄴ 물을 첨가하면 역반응이 일어난다.

➡ 물을 첨가하면 반응 지수가 평형 상수보다 커지므로 역반응 쪽으로 평형이 이동한다.

ㄷ $KCl(s)$을 첨가하면 푸른색이 진해진다.

➡ $KCl(s)$을 첨가하면 Cl^-의 농도가 증가하므로 정반응 쪽으로 평형이 이동하여 푸른색이 진해진다.

05 | 선택지 분석 |

ㄱ X는 A이다.

➡ $X(g)$를 첨가하였을 때 전체 압력이 감소하였으므로 역반응이 일어난 것이다. 따라서 B를 넣어 준 것이므로 X는 B이다.

ㄴ B의 양은 X를 넣기 전보다 증가한다.

➡ B를 넣어 주면 반응이 일어나 A가 생성되지만 넣어 준 양만큼 모두 반응하지 않으므로 B의 양은 B를 넣기 전보다 증가한다.

ㄷ 평형 상수는 X를 넣기 전보다 증가한다.

➡ 온도가 일정하므로 평형 상수는 변하지 않는다.

06 화학 평형 이동 법칙에 따라 생성물을 넣어 주면 넣어 준 물질을 소모하기 위해 역반응이 일어난다. 이는 생성물을 넣었을 때 반응 지수가 평형 상수보다 커져서 역반응 쪽으로 평형이 이동하기 때문이다.

07 온도가 일정할 때 기체의 부피는 기체의 압력에 따라 달라지므로 압력 변화에 의해 농도가 달라져 평형 이동이 일어난다. 그러나 화학 반응식에서 계수의 합이 반응물과 생성물이 같을 때는 기체의 압력이 변해도 평형 이동이 일어나지 않는다. 이때 고체나 액체는 고려하지 않는다.

08 | 선택지 분석 |

① 용기에 $A(g)$를 넣어 주면 정반응이 일어난다.

➡ $A(g)$를 넣으면 넣어 준 $A(g)$를 감소시키기 위해 정반응이 일어난다.

② 용기에 $C(g)$를 넣어 주면 $B(g)$의 양은 증가한다.

➡ $C(g)$를 넣으면 넣어 준 $C(g)$를 감소시키기 위해 역반응이 일어난다. 따라서 $B(g)$의 양은 증가한다.

③ $a+b>c$일 때, 기체의 압력을 높이면 정반응이 일어난다.

➡ 기체의 압력을 높이면 기체의 양이 감소하는 방향으로 평형이 이동한다.

④ $a+b=c$일 때, 기체의 압력을 낮추면 $C(g)$의 양은 증가한다.

➡ $a+b=c$일 때 반응이 일어나도 기체의 전체 양(몰)은 일정하므로 기체의 압력은 평형 이동에 영향을 주지 않는다.

⑤ $a+b<c$일 때, 기체의 압력을 높이면 $A(g)$와 $B(g)$의 양은 모두 증가한다.

➡ 기체의 압력을 높이면 기체의 양이 감소하는 방향으로 평형이 이동한다. 따라서 역반응이 일어나므로 $A(g)$와 $B(g)$의 양은 모두 증가한다.

09 피스톤의 추를 제거하면 기체의 압력은 낮아지므로 기체의 몰수가 증가하는 정반응 쪽으로 평형이 이동한다.

10 | 선택지 분석 |

ㄱ $K=\frac{[C]^2}{[A][B]}$이다.

➡ 고체 A는 농도 변화가 없으므로 평형 상수식에 나타내지 않는다. $K=\frac{[C]^2}{[B]}$

ㄴ $B(g)$를 넣어 주면 $C(g)$의 양은 증가한다.

➡ $B(g)$를 넣어 주면 반응 지수가 평형 상수보다 작으므로 정반응이 일어난다. 따라서 $C(g)$의 양은 증가한다.

ㄷ 기체의 압력을 높이면 역반응 쪽으로 평형이 이동한다.

➡ 기체의 압력을 높이면 기체의 몰수가 작아지는 쪽으로 평형이 이동하므로 역반응이 일어난다.

11 | 선택지 분석 |

ㄱ 실린더의 피스톤을 당기면 정반응이 일어난다.

➡ 피스톤을 당기면 기체의 압력이 낮아지므로 기체의 몰수가 증가하는 쪽으로 반응이 일어난다. 따라서 정반응이 일어난다.

ㄴ 실린더에 헬륨(He)을 넣어 주어도 평형은 이동하지 않는다.

➡ 실린더에 헬륨을 넣어 주면 부피가 증가하여 반응물과 생성물의 부분 압력이 낮아지므로 기체의 몰수가 증가하는 쪽으로 평형이 이동한다.

ㄷ 피스톤을 고정시키고 $N_2O_4(g)$를 넣어 주면 기체의 색깔은 적갈색이 옅어졌다가 다시 진해진다.

➡ 피스톤을 고정시키고 무색의 $N_2O_4(g)$를 넣어 주면 적갈색이 옅어졌다가 정반응이 일어나 새로운 평형 상태에 도달하면 다시 진해진다.

도전! 실력 올리기 164쪽~165쪽

01 ② **02** ② **03** ① **04** ③ **05** ③ **06** ③

07 정반응

08 | 모범 답안 | (1) 기체의 압력이 증가하므로 기체의 양(몰)이 감소하는 방향인 역반응이 일어난다. (2) 기체의 전체 부피가 증가하여 각 기체의 부분 압력이 감소하므로 기체의 양(몰)이 증가하는 방향인 정반응이 일어난다.

09 | 모범 답안 | (가)에 헬륨을 넣어도 각 기체의 부분 압력이 변하지 않으므로 평형 이동은 일어나지 않지만, (나)에 헬륨을 넣으면 전체 부피가 증가하므로 각 기체의 부분 압력이 작아진다. 따라서 기체의 몰수가 증가하는 방향인 역반응 쪽으로 반응이 일어난다. 또한 온도가 일정하므로 (가)와 (나)에서 평형 상수는 같다.

01 | 자료 분석 |

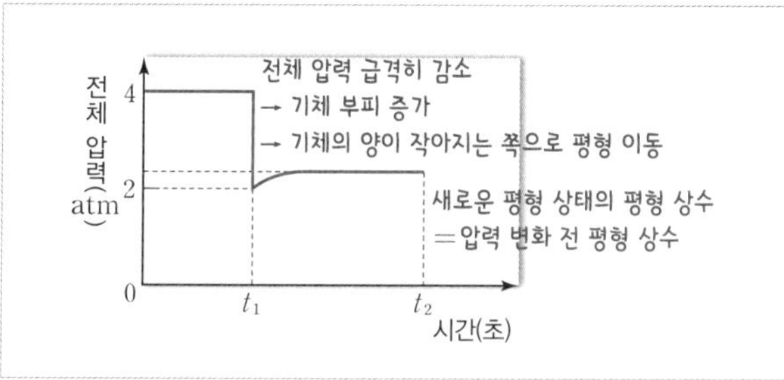

| 선택지 분석 |

✗ t_1에서 기체의 압력을 증가시켰다.

➡ t_1에서 전체 압력이 초기의 $\frac{1}{2}$로 감소하였으므로 기체의 부피를 초기의 2배로 증가시킨 것이다.

ㄴ. $B(g)$의 양(몰)은 t_2일 때가 t_1일 때보다 크다.

➡ 압력을 증가시키면 기체의 몰수가 감소하는 역반응이 일어나므로 $B(g)$의 양(몰)은 감소한다.

✗ t_2에서 $A(g)$를 넣어 주면 ~~역반응~~(정반응)이 일어난다.

➡ t_2에서 $A(g)$를 넣어 주면 정반응이 일어난다.

02 | 선택지 분석 |

✗ t ℃에서 평형 상수는 $\frac{20}{3}$이다.

➡ 화학 반응식은 $2NO(g)+O_2(g) \rightleftharpoons 2NO_2(g)$

$K=\frac{[NO_2]^2}{[NO]^2[O_2]}=\frac{0.2^2}{0.3^2\times0.1}=\frac{40}{9}$ 이다.

✗ 시간 a일 때 기체의 압력을 높이면 ~~역반응~~(정반응)이 일어난다.

➡ 시간 a일 때 기체의 압력을 높이면 기체의 몰수가 작아지는 쪽으로 평형이 이동하므로 정반응이 일어난다.

ㄷ. 시간 a일 때 O_2를 더 넣어 주면 정반응이 일어난다.

➡ 시간 a일 때 반응물인 O_2를 더 넣어 주면 정반응이 일어난다.

03 | 선택지 분석 |

ㄱ. $NO_2(g)$는 적갈색을 띤다.

➡ (가)의 피스톤을 누른 순간 색깔이 진해지는 것은 기체의 부피가 갑자기 줄어 기체의 몰 농도가 커졌기 때문이다. 기체 반응에서 압력을 증가시키면 기체의 몰수가 작아지는 쪽으로 평형이 이동하므로 (나)에서 (다)로 될 때 정반응이 일어나며, $N_2O_4(g)$가 생성되므로 다시 색깔이 옅어진다. 따라서 $NO_2(g)$는 적갈색을 띤다.

✗ 평형 상수는 (다)가 (가)보다 크다.

➡ 압력에 의한 평형 이동이 일어날 때 평형 상수는 변하지 않는다.

✗ 기체 분자 수는 (다)가 (나)보다 크다.

➡ 기체 분자 수가 감소하므로 기체 분자 수는 (나)가 (다)보다 크다.

04 | 선택지 분석 |

ㄱ. 평형 상수는 평형 Ⅰ과 Ⅱ에서 서로 같다.

➡ 농도와 압력에 의한 평형 이동이 일어날 때 평형 상수는 변하지 않는다.

ㄴ. $A(g)$의 양은 평형 Ⅱ에서가 Ⅰ에서보다 크다.

➡ B를 넣었을 때 역반응이 일어나 A의 양은 증가한다.

✗ t_3에서 기체의 압력을 높이면 정반응 쪽으로 평형이 이동한다.

➡ t_3에서 기체의 압력을 높이면 기체의 몰수가 감소하는 쪽으로 평형이 이동하므로 역반응 쪽으로 평형이 이동한다.

05 | 자료 분석 |

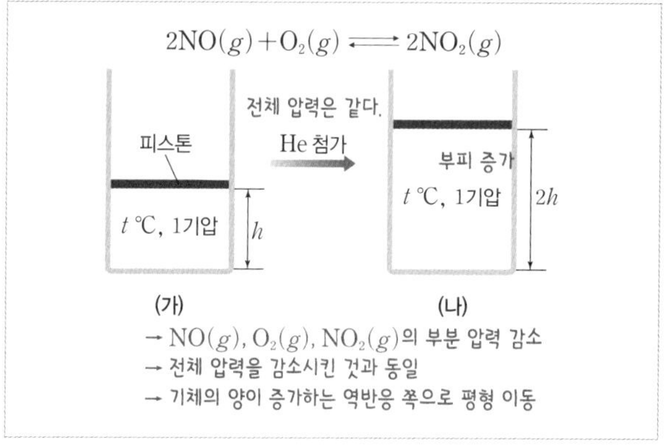

| 선택지 분석 |

ㄱ. (가)와 (나)에서 평형 상수는 같다.

➡ 압력 변화에 의해 평형이 이동하여도 온도가 같으므로 평형 상수는 변하지 않는다.

ㄴ. NO의 양(몰)은 (나)에서가 (가)에서보다 크다.

➡ 헬륨을 넣은 후 부피가 증가하였으므로 반응물과 생성물의 부분 압력은 모두 감소한다. 따라서 기체의 몰수가 증가하는 쪽으로 평형이 이동하므로 역반응이 일어난다. 따라서 NO의 양은 (나)에서가 (가)에서보다 크다.

✗ $NO_2(g)$의 부분 압력은 (가)에서가 (나)에서의 2배이다.

➡ 전체 압력과 NO_2의 양이 같을 때 부피는 (나)가 (가)의 2배이므로 $NO_2(g)$의 부분 압력은 (가)에서가 (나)에서의 2배이다. 그러나 NO_2의 양은 (가)에서가 (나)에서보다 크므로 $NO_2(g)$의 부분 압력은 (가)에서가 (나)에서의 2배보다 크다.

06 | 선택지 분석 |

ㄱ. $a+b=2c$이다.

➡ 반응 몰비가 $A_2 : B_2 : AB_3=1 : 3 : 2$이므로 $a+b=2c$이다.

ㄴ. (나)의 부피를 증가시키면 ~~정반응~~ 역반응이 일어난다.

➡ 부피를 증가시키면 기체의 압력이 감소하므로 기체의 양이 증가하는 방향인 역반응이 일어난다.

ㄷ. (나)에 AB_3를 넣으면 A_2의 양(몰)은 증가한다.

➡ (나)에 AB_3를 넣으면 역반응이 일어나므로 A_2의 양은 증가 한다.

07 반응물의 계수 합이 생성물의 계수 합보다 큰 경우 기체의 전체 압력을 높이면 정반응 쪽으로 평형이 이동한다.

08 (1) 기체의 압력이 증가하므로 기체의 양(몰)이 감소하는 방향인 역반응이 일어난다.

(2) 기체의 전체 부피가 증가하여 각 기체의 부분 압력이 감소하므로 기체의 양(몰)이 증가하는 방향인 정반응이 일어난다.

채점 기준	배점
압력 변화에 따른 평형 이동을 포함하여 모두 옳게 서술한 경우	100 %
압력 변화에 따른 평형 이동을 포함하여 (1)과 (2) 중 한 가지만을 옳게 서술한 경우	50 %
(1) 역반응이 일어나고 (2)는 정반응이 일어난다라고만 쓴 경우	30 %

09 (가)에 헬륨을 넣어도 각 기체의 부분 압력이 변하지 않으므로 평형 이동은 일어나지 않는다. (나)에 헬륨을 넣으면 전체 부피가 증가하므로 각 기체의 부분 압력이 작아진다. 따라서 기체의 몰수가 증가하는 방향인 역반응 쪽으로 반응이 일어난다. 온도가 일정하므로 (가)와 (나)에서 평형 상수는 같다.

채점 기준	배점
각 기체의 부분 압력을 포함하여 평형 이동 방향을 예측하고 평형 상수를 옳게 비교한 경우	100 %
각 기체의 부분 압력을 포함하여 평형 이동 방향만을 옳게 예측한 경우	60 %
평형 상수만을 옳게 비교한 경우	30 %

03 화학 평형 이동 (2)

탐구POOL 169쪽

01 ㉠ 흡열 반응, ㉡ 발열 반응 **02** (1) × (2) × (3) ○

01 온도를 높이면 다시 온도를 감소시키는 방향으로 평형이 이동하므로 흡열 반응 쪽으로 평형이 이동하며, 온도를 낮추면 다시 온도를 증가시키는 방향으로 평형이 이동하므로 발열 반응 쪽으로 평형이 이동한다.

02 (1) 과정 ❹에서 온도를 낮추었으므로 역반응인 발열 반응 쪽으로 평형이 이동한다.

(2) 과정 ❺에서 온도를 높였으므로 정반응 쪽인 흡열 반응 쪽으로 평형이 이동하여 $CoCl_4^{2-}$의 농도가 증가한다.

(3) 과정 ❹에서 역반응이, ❺에서 정반응이 일어나므로 $CoCl_4^{2-}$의 농도는 과정 ❺에서가 ❹에서보다 크다. 따라서 평형 상수는 ❺에서가 ❹에서보다 크다.

콕콕! 개념 확인하기 170쪽

✔ 잠깐 확인!

1 발열 반응 **2** 흡열 반응 **3.** 흡열 **4** 평형 상수 **5** 수득률 **6** 정반응

01 (1) ○ (2) ○ (3) ○ **02** (1) ○ (2) × (3) ○ **03** 압력을 높이고 온도를 낮춘다. **04** (1) ○ (2) ○ (3) ×

01 (1)~(3) 평형 상태에서 온도를 높이면 흡열 반응 쪽으로 평형이 이동하고, 온도를 낮추면 발열 반응 쪽으로 평형이 이동한다. 정반응이 발열 반응인 경우 온도를 낮추면 정반응이 일어나 반응물의 몰 농도는 감소하고 생성물의 몰 농도는 증가하므로 평형 상수는 증가한다.

02 (2) 강철 용기 속에 $He(g)$을 넣어 주면 기체의 전체 압력은 증가하지만 $A(g)$~$C(g)$의 부분 압력은 변하지 않으므로 평형은 이동하지 않는다.

03 반응물의 양(몰)이 생성물의 양(몰)보다 크므로 기체의 압력을 높이면 기체의 양(몰)을 감소시키는 정반응 쪽으로 평형이 이동하므로 수득률이 높아지고, 정반응이 발열 반응이므로 온도를 낮추면 정반응 쪽으로 평형이 이동하여 수득률이 높아진다.

04 (1) 일정한 온도에서 압력이 높을수록 수득률이 증가하므로 반응물의 계수 합은 생성물의 계수 합보다 크다.

(2) 일정한 압력에서 온도가 높을수록 수득률이 증가하므로 정반응은 흡열 반응이다. 따라서 $\Delta H > 0$이다.

(3) 평형상수는 온도에 의해서만 변하므로 300 K에서 압력이 높아져도 평형 상수는 변하지 않는다.

탄탄! 내신 다지기 171쪽~173쪽

01 ⑤ **02** $K=\frac{[C]^2}{[A]^2[B]}$ **03** ⑤ **04** ① **05** ㄱ, ㄴ **06** ㉠ 발열 반응, ㉡ 감소 **07** ① **08** ③ **09** ② **10** ㉠ 정반응, ㉡ 증가, ㉢ 역반응, ㉣ 감소 **11** ② **12** ⑤ **13** ④ **14** 압력은 영향을 주지 않는다. 온도를 낮춘다. **15** ⑤ **16** ②

01 | 선택지 분석 |

① 용기에 $A(g)$를 넣는다.

➡ 용기에 $A(g)$를 넣으면 반응 지수가 평형 상수보다 작아지므로 정반응이 일어난다.

② 용기에 $B(g)$를 넣는다.

➡ 용기에 $B(g)$를 넣으면 반응 지수가 평형 상수보다 작아지므로 정반응이 일어난다.

③ 생성된 $C(g)$를 제거한다.

➡ 생성된 $C(g)$를 제거하면 반응 지수가 평형 상수보다 작아지므로 정반응이 일어난다.

④ 기체의 온도를 높인다.

➡ 기체의 온도를 높이면 흡열 반응 쪽으로 평형이 이동하므로 정반응이 일어난다.

⑤ 기체의 압력을 높인다.

➡ 화학 반응식에서 반응물의 계수 합과 생성물의 계수가 같으므로 기체의 압력은 평형 이동에 영향을 주지 않는다.

02 평형 상태에서는 반응물의 농도 곱과 생성물의 농도 곱이 일정한 비율로 유지된다. 평형 상수는 반응물의 농도 곱에 대한 생성물의 농도 곱의 비이다.

03 | 선택지 분석 |

① 역반응의 평형 상수는 ~~2.5~~ 0.2이다.

➡ 역반응의 평형 상수는 정반응의 평형 상수의 역수이므로 0.2이다.

② 온도를 높이면 ~~정반응~~ 역반응이 일어난다.

➡ 온도를 높이면 흡열 반응 쪽으로 평형이 이동하므로 역반응이 일어난다.

③ 온도를 낮추면 평형 상수는 5보다 ~~작아진다.~~ 커진다.

➡ 온도를 낮추면 발열 반응 쪽으로 평형이 이동하므로 정반응이 일어나고 평형 상수는 5보다 커진다.

④ A의 농도를 증가시키면 평형 상수는 ~~5보다 커진다.~~ 변하지 않는다.

➡ 농도의 변화는 평형 상수에 영향을 주지 않으므로 A의 농도를 증가시켜도 평형 상수는 변하지 않는다.

⑤ 기체의 전체 압력을 증가시키면 C의 양(몰)은 증가한다.

➡ 기체의 전체 압력을 증가시키면 기체의 몰수가 작아지는 쪽으로 평형이 이동하므로 C의 몰수는 증가한다.

04 | 선택지 분석 |

㉠ $H_2(g)+I_2(g) \rightleftharpoons 2HI(g)$ ($H_2(g)$ 첨가)

➡ 반응물을 첨가하면 반응 지수는 평형 상수보다 작아지므로 정반응 쪽으로 평형이 이동한다.

✕ $N_2(g)+O_2(g) \rightleftharpoons 2NO(g)$ (압력 증가)

➡ 기체 반응에서 반응물의 계수 합과 생성물의 계수 합이 같은 경우 압력에 의한 평형 이동은 일어나지 않는다.

✕ $3H_2(g)+N_2(g) \rightleftharpoons 2NH_3(g)$ $\Delta H<0$ (온도 증가)

➡ 정반응이 발열 반응인 경우 온도를 증가시키면 흡열 반응 쪽인 역반응 쪽으로 평형이 이동한다.

05 | 선택지 분석 |

㉠ I_2를 첨가한다.

➡ 반응물인 I_2를 첨가하면 반응 지수가 평형 상수보다 작아지므로 정반응이 일어난다. 따라서 HI의 농도가 증가한다.

㉡ 반응 온도를 낮춘다.

➡ 반응 온도를 낮추면 발열 반응 쪽으로 평형이 이동하므로 정반응이 일어난다. 따라서 HI의 농도가 증가한다.

✕ 기체의 전체 압력을 증가시킨다.

➡ 제시된 화학 반응식은 반응물의 계수 합과 생성물의 계수 합이 같으므로 압력 변화에 의한 평형 이동은 일어나지 않는다.

06 기체 반응이 평형 상태에 있을 때 온도를 높이면 증가한 온도를 감소시키기 위해 흡열 반응 쪽으로 평형이 이동한다. 따라서 정반응이 발열 반응인 경우 온도를 높이면 역반응이 일어나며, 새로운 평형에 도달했을 때 평형 상수는 감소한다.

07 | 선택지 분석 |

정반응은 발열 반응이므로 온도를 높이면 역반응이 일어난다. 따라서 평형 상수는 (나)가 (가)보다 작다. 또한 반응물의 계수 합은 생성물의 계수와 같으므로 평형 이동이 일어나도 전체 기체의 양(몰)은 변하지 않는다.

08 | 선택지 분석 |

① 정반응이 일어난다.

➡ 정반응이 흡열 반응이므로 온도를 증가시키면 정반응이 일어난다.

② B의 양(몰)은 감소한다.

➡ 정반응이 일어나 B가 반응하여 소모된다. 따라서 B의 양(몰)은 감소한다.

③ 평형 상수는 ~~변하지 않는다.~~ 증가한다.

➡ 정반응이 일어나 반응물의 농도는 감소하고 생성물의 농도는 증가하므로 평형 상수는 증가한다.

④ $C(g)$의 부분 압력은 증가한다.

➡ 온도를 증가시키면 정반응이 일어나 C의 양(몰)이 증가하고, 기체의 온도도 증가하므로 $C(g)$의 부분 압력은 증가한다.

⑤ 전체 기체의 양(몰)은 감소한다.

➡ 반응물의 계수 합이 생성물의 계수보다 크므로 전체 기체의 양(몰)은 감소한다.

09 | 선택지 분석 |

정촉매는 반응 속도를 빠르게 하지만 평형 이동에는 영향을 주지 않는다.

✕ 정반응이 일어난다.

➡ 기체의 압력이 감소하므로 기체의 몰수가 증가하는 쪽인 역반응이 일어난다.

㉡ 기체의 밀도는 감소한다.

➡ 역반응이 일어나 기체의 부피는 증가하고, 기체의 질량은 일정하므로 기체의 밀도는 감소한다.

✕ 평형 상수는 감소한다.

➡ 촉매와 압력의 변화는 평형 상수에 영향을 미치지 않으므로 평형 상수는 같다.

10 화학 평형 이동 법칙에 따라 변화된 조건을 감소시키는 방향으로 평형이 이동하여 새로운 평형에 도달하므로 온도를 높이면 온도가 낮아지는 흡열 반응 쪽으로, 온도를 낮추면 온도가 높아지는 발열 반응 쪽으로 평형이 이동하여 새로운 평형에 도달한다. 이때, 정반응이 흡열 반응인 경

우 온도를 높이면 생성물의 농도가 증가하므로 평형 상수가 증가하고, 온도를 낮추면 반응물의 농도가 증가하므로 평형 상수가 감소한다.

11 | 선택지 분석 |

ㄱ. 용기에 He(g)을 넣으면 ~~정반응이 일어난다.~~ 평형 이동은 일어나지 않는다.

➡ 용기에 He(g)을 넣으면 전체 압력은 증가하지만 A, B의 부분 압력은 변하지 않으므로 평형 이동은 일어나지 않는다.

ㄴ. 용기에 A(g)를 넣으면 ~~역반응~~ 정반응이 일어난다.

➡ A(g)를 넣어 주면 A(g)의 농도를 감소시키기 위하여 정반응이 일어난다.

ㄷ. 기체의 온도를 높이면 A의 몰 분율은 증가한다.

➡ 정반응이 발열 반응이므로 온도를 높이면 역반응이 일어나 A의 몰 분율은 증가한다.

12 정반응이 발열 반응이므로 온도를 높이면 흡열 반응 쪽인 역반응이 일어나고, 반응물의 계수 합이 생성물의 계수보다 크므로 압력을 증가시키면 기체의 몰수가 작아지는 정반응이 일어난다.

13 | 선택지 분석 |

ㄱ. 정반응이 $\Delta H<0$일 때, 온도를 높이면 수득률은 감소한다.

➡ 정반응이 발열 반응인 반응의 온도를 높이면 역반응이 일어나므로 수득률은 감소한다.

ㄴ. 계수의 합이 같은 반응에서 압력을 증가시키면 수득률은 ~~증가한다.~~ 변화없다.

➡ 계수의 합이 같은 반응은 압력의 영향을 받지 않으므로 압력 변화에 의한 수득률 변화는 없다.

ㄷ. 계수의 합이 증가하는 반응에서 압력을 증가시키면 수득률은 감소한다.

➡ 계수의 합이 증가하는 반응의 압력을 증가시키면 역반응이 일어나므로 수득률은 감소한다.

14 화학 반응식에서 반응물의 계수 합과 생성물의 계수 합이 같으므로 압력은 평형 이동에 영향을 주지 않는다. 정반응이 발열 반응이므로 온도를 낮추면 정반응이 일어난다.

15 | 자료 분석 |

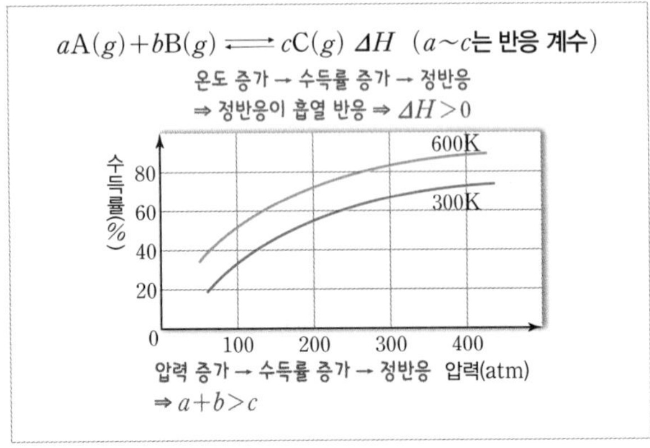

| 선택지 분석 |

ㄱ. $\Delta H>0$이다.

➡ 압력이 일정할 때 온도가 증가할수록 수득률은 증가하므로 정반응은 흡열 반응이다. 따라서 $\Delta H>0$이다.

ㄴ. $a+b>c$이다.

➡ 온도가 일정할 때 압력이 증가할수록 수득률은 증가하므로 반응물의 계수 합은 생성물의 계수보다 크다. 따라서 $a+b>c$이다.

ㄷ. 200기압에서 평형 상수는 600 K일 때가 300 K일 때보다 크다.

➡ 정반응이 흡열 반응이므로 온도가 높을수록 정반응이 일어나 생성물 농도가 증가한다. 따라서 200기압에서 평형 상수는 600 K일 때가 300 K일 때보다 크다.

16 | 자료 분석 |

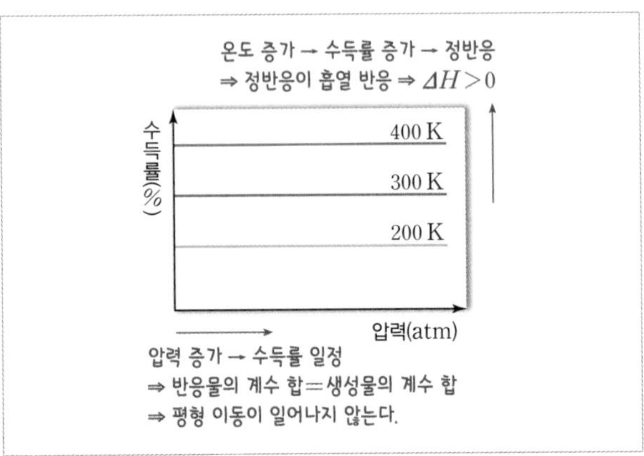

압력이 일정할 때 온도가 증가할수록 수득률은 증가하므로 정반응은 흡열 반응이다. 따라서 $\Delta H>0$이다. 온도가 일정할 때 압력 변화에 따른 수득률 변화는 없으므로 반응물의 계수 합과 생성물의 계수 합은 같다.

도전! 실력 올리기 174쪽~175쪽

01 ② **02** ③ **03** ① **04** ② **05** ③ **06** ②

07 (1) 2

(2) | **모범 답안** | 제시된 반응은 발열 반응이고 기체의 양(몰)이 감소하는 반응이므로, 기체의 온도를 낮추고 압력을 높이면 정반응 쪽으로 평형이 이동하여 C의 수득률이 증가한다.

08 (1) | **모범 답안** | (나)에서 냉각했을 때 몰비를 구하면 A : B : C=1 : 1 : 2이므로 반응 계수비는 $a:b:c=1:1:2$이다. (가)에 첨가한 C의 입자 수를 x라고 할 때, 생성된 A와 B의 입자 수가 모두 N이므로 반응한 C의 입자 수는 $2N$이다. 따라서 첨가한 C의 입자 수는 $4N$이다.

(2) | **모범 답안** | (가)와 (다)의 평형 상수를 각각 K_1, K_2라고 할 때, $K_1:K_2=\frac{4^2}{2\times2}:\frac{4^2}{4\times4}=4:1$이다.

01 | 자료 분석 |

평형 상수 K

㉠

온도

온도 증가 → 평형 상수 증가
→ 생성물의 양 증가
⇒ 정반응이 흡열 반응 ⇒ $\Delta H>0$

온도 증가 → 평형 상수 감소
→ 생성물의 양 감소
⇒ 정반응이 발열 반응 ⇒ $\Delta H<0$

| 선택지 분석 |

㉠은 온도가 증가함에 따라 평형 상수가 커지므로 정반응이 흡열 반응이며 $\Delta H>0$이다.

㉠ 엔탈피의 합은 생성물이 반응물보다 크다.

➡ 정반응이 $\Delta H>0$인 반응은 반응이 일어날 때 엔탈피가 증가하므로 엔탈피 합은 생성물이 반응물보다 크다.

㉡ 온도를 증가시키면 정반응이 일어난다.

➡ 정반응이 흡열 반응이므로 온도를 증가시키면 정반응이 일어난다.

✕ 온도를 감소시키면 평형 상수는 ~~증가~~한다. 감소

➡ 온도를 감소시키면 역반응이 일어나므로 평형 상수는 감소한다.

02 | 선택지 분석 |

㉠ T_1에서 평형 상수는 0.5이다.

➡ T_1에서 $K=\frac{[B][C]}{[A]^2}=\frac{1\times 2}{2^2}=\frac{1}{2}$이다.

㉡ $T_1>T_2$이다.

➡ T_2에서 $K=\frac{[B][C]}{[A]^2}=\frac{3\times 2}{1^2}=6$이다. T_1에서 T_2로 평형이 이동하였을 때 평형 상수가 증가하였으므로 정반응이 일어났음을 알 수 있다. 따라서 정반응이 발열 반응이므로 $T_1>T_2$이다.

✕ T_2에서 기체의 전체 압력을 증가시키면 역반응 쪽으로 평형이 ~~이동한다.~~ 이동하지 않는다.

➡ 반응이 일어날 때 반응 전후 분자의 양(몰)은 변하지 않으므로 압력에 의한 평형 이동은 일어나지 않는다.

03 | 선택지 분석 |

㉠ $\frac{b+c}{a}=1$이다.

➡ 반응 몰비는 $a:b:c=2:1:1$이므로 $\frac{b+c}{a}=1$이다.

✕ $K_1:K_2=$~~9 : 32~~이다. 9 : 64

➡ $K=\frac{[Y][Z]}{[X]^2}$이므로 $K_1:K_2=\frac{3\times 3}{4^2}:\frac{4\times 4}{2^2}=9:64$이다.

✕ 시간 t에서 기체의 압력을 높이면 역반응이 일어난다.

➡ 화학 반응식에서 반응물의 계수와 생성물의 계수 합이 같으므로 압력에 의해 평형 이동이 일어나지 않는다.

04 | 선택지 분석 |

✕ (가)에서 반응 지수는 평형 상수보다 ~~작다.~~ 크다.

➡ (가)에서 반응물을 제거하였으므로 반응 지수는 평형 상수보다 크다.

㉡ (나)에서 온도를 높였다.

➡ (나)에서 기체의 농도 변화 없이 정반응 쪽으로 평형 이동이 일어났으므로 온도를 높였다.

✕ 평형 상수는 평형 Ⅰ에서가 Ⅲ에서보다 크다.

➡ (나)에서 정반응이 일어나므로 생성물의 양이 증가한다. 따라서 평형 상수는 평형 Ⅲ에서가 Ⅰ에서보다 크다.

05 | 선택지 분석 |

✕ B의 양(몰)은 (가)에서가 (나)에서보다 크다.

➡ (가)와 (나)에서 동일한 평형 상태에 도달하므로 B의 양은 같다.

✕ 평형 상수는 (나)에서가 (가)에서보다 크다.

➡ 온도가 같으므로 평형 상수는 (가)와 (나)에서 같다.

㉢ (나)에서 기체의 온도를 증가시키면 B의 몰 분율은 감소한다.

➡ (나)에서 기체의 온도를 높이면 흡열 반응인 역반응이 일어나므로 B의 몰 분율은 감소한다.

06 | 선택지 분석 |

✕ $x>0$이다.

➡ (가)에서 온도를 높였을 때 역반응이 일어났으므로 정반응은 발열 반응이다. 따라서 $x<0$이다.

㉡ $a+b>c$이다.

➡ (나)에서 압력을 증가시켰을 때 정반응이 일어났으므로 반응물의 계수 합은 생성물보다 크다. 따라서 $a+b>c$이다.

✕ (가)에서 평형 상수는 ~~증가~~한다. 감소

➡ (가)에서 역반응이 일어났으므로 평형 상수는 감소한다.

07

(1) $K=\frac{[C]^2}{[A][B]^2}=\frac{2^2}{2\times 1^2}=2$

(2) 정반응이 발열 반응일 때 온도를 낮추면 정반응 쪽으로 평형이 이동하고, 반응물의 계수 합이 생성물보다 클 때 압력을 높이면 정반응 쪽으로 평형이 이동한다. 제시된 반응은 발열 반응이고 기체의 양(몰)이 감소하는 반응이므로 기체의 온도를 낮추고 압력을 높이면 정반응 쪽으로 평형이 이동하여 C의 수득률이 커진다.

채점 기준	배점
온도와 압력 조건을 제시하고 그 까닭을 모두 옳게 서술한 경우	100 %
온도와 압력 조건 중 1가지만 옳게 서술한 경우	50 %
온도와 압력 조건만을 옳게 쓴 경우	30 %

08

(1) (나)에서 냉각했을 때 몰비를 구하면
A : B : C=1 : 1 : 2이므로 반응 계수 비는
$a:b:c=1:1:2$이고, 완성된 화학 반응식은
$A(g)+B(g) \rightleftharpoons 2C(g)$이다.
(가)에 첨가한 C의 입자 수를 x라고 할 때, 생성된 A와 B의 입자 수가 모두 N이므로 반응한 C의 입자 수는 $2N$이다. 따라서 첨가한 C의 입자 수는 $4N$이다.

채점 기준	배점
화학 반응식의 계수, 첨가한 C의 입자 수를 구하고 옳게 설명한 경우	100 %
첨가한 C의 입자 수만 옳게 구한 경우	40 %
화학 반응식의 계수만 옳게 구한 경우	20 %

(2) 평형 상수는 평형 상수식에 평형에서 각 물질의 농도를 대입하여 구할 수 있다.
(가)와 (다)의 평형 상수를 각각 K_1, K_2라고 할 때,
$K_1 : K_2 = \frac{4^2}{2\times2} : \frac{4^2}{4\times4} = 4 : 1$이다.

채점 기준	배점
평형 상수를 구하는 과정을 포함하여 옳게 서술한 경우	100 %
평형 상수 비만을 옳게 쓴 경우	30 %

04 상평형 그림

개념POOL 178쪽

01 ① 고체 ② 융해 ③ 증기 압력 ④ 승화 ⑤ 3중점
02 (1) ○ (2) × (3) ○ (4) ○ (5) ○

02 (1) b점은 융해 곡선 위의 점이므로 고체와 액체가 동적 평형을 이룬다.
(2) ⑤는 3중점이므로 고체, 액체, 기체의 3가지 상태가 동적 평형을 이룬다.
(4) c → f로 될 때 f점은 증기 압력 곡선 위의 점이므로 증기 압력이 낮아도 물이 끓을 수 있다. 따라서 높은 산 위에 올라가면 대기압이 낮아져 100 ℃보다 낮은 온도에서 물이 끓어 밥이 설익는 현상을 설명할 수 있다.

콕콕! 개념 확인하기 179쪽

✔ 잠깐 확인!
1 상 **2** 상평형 **3** 상평형 그림 **4** 증기 압력 **5** 3중점 **6** 물 **7** 1, 승화 **8** 고체, 액체, 기체

01 (1) ○ (2) ○ (3) × (4) ○ **02** ㉠ 온도, ㉡ 압력, ㉢ 승화, ㉣ 3중점 **03** (1) ○ (2) ○ (3) × (4) ○ **04** ㉠ 음, ㉡ 양, ㉢ 어는점(녹는점)

01 (2) 고체는 녹는점에서 액체로 상이 변하고 상이 변하는 동안 온도가 일정하게 유지되므로 함께 존재한다.
(3) 일정한 압력에서 물질의 엔탈피는 기체>액체>고체이다.

02 고체에서 기체로, 기체에서 고체로 상이 변하는 현상을 승화라고 한다. 또한 3중점에서는 고체, 액체, 기체가 모두 존재한다.

03 (2) b에서는 고체와 액체가, d에서는 액체와 기체가 동적 평형을 이룬다.
(3) 물의 증기 압력은 온도가 높을수록 크므로 d에서가 e에서보다 증기 압력이 크다.

04 대부분의 물질들은 고체가 액체보다 밀도가 크기 때문에 외부 압력이 커지면 액체에서 고체로 상이 변하지만, 물의 밀도는 액체가 고체보다 크기 때문에 외부 압력이 커지면 고체에서 액체로 상이 변한다. 따라서 외부 압력이 커지면 물의 어는점은 낮아지고, 이산화 탄소의 어는점은 높아진다.

탄탄! 내신 다지기 180쪽~181쪽

01 ⑤ **02** ④ **03** ③ **04** ⑤ **05** ④ **06** ② **07** ㉠ 융해, ㉡ 어는점(녹는점) **08** ④ **09** A: 고체, B: 액체, C: 기체 **10** ③ **11** ①

01 | 선택지 분석 |

㉠ 온도와 압력에 따라 상이 결정된다.
➡ 물질은 크게 3가지 상으로 나타내며 온도와 압력에 따라 상이 결정된다.

㉡ 분자 사이의 거리는 기체가 액체보다 크다.
➡ 액체의 온도를 높이거나 압력을 낮추면 입자 사이의 거리가 멀어져 상태가 변하므로 분자 사이의 거리는 기체가 액체보다 크다.

㉢ 일정한 압력에서 엔탈피는 고체가 가장 작다.
➡ 일정한 압력에서 엔탈피는 기체가 가장 크고 고체가 가장 작다.

02 | 선택지 분석 |

✕ 고체에서 기체로 되는 상변화를 융해라고 한다.
➡ 융해는 고체에서 액체로 상이 변하는 현상이다.

㉡ 일정한 압력에서 상변화가 일어날 때 온도는 일정하게 유지된다.
➡ 일정한 압력에서 상변화가 일어날 때 출입하는 에너지는 상변화에 사용되므로 온도는 일정하게 유지된다.

㉢ 일정한 온도에서 기체의 압력을 높이면 액체로 상변화가 일어날 수 있다.
➡ 일정한 온도에서 기체의 압력을 높이면 기체 사이의 거리가 가까워지다가 증기 압력 곡선 상에서 액체로 상변화가 일어난다.

03 | 선택지 분석 |

㉠ 온도와 압력에 따른 물질의 상을 나타낸 것이다.
➡ 상은 온도와 압력에 따라 결정되므로 온도와 압력에 따라 물질의 상을 나타낸 것을 상평형 그림이라고 한다.

㉡ 3중점에서 고체, 액체, 기체가 동적 평형을 이룬다.
➡ 고체, 액체, 기체가 동적 평형을 이루고 있는 온도와 압력을 3중점이라고 한다.

✕ 융해 곡선 상에서 액체에 압력을 가하면 모두 고체로 상이 변한다.

➡ 물의 경우 융해 곡선 상에서 압력을 가하면 상이 변하지 않고 분자 사이의 거리만 가까워진다.

04 | 선택지 분석 |

ㄱ 엔탈피는 b가 a보다 크다.

➡ a는 고체, b는 액체이므로 엔탈피는 b가 a보다 크다.

ㄴ 일정한 온도에서 a의 압력을 낮추면 기체가 된다.

➡ 일정한 온도에서 a의 압력을 낮추면 승화 곡선 상에서 승화가 일어나 기체가 된다.

ㄷ 일정한 압력에서 b의 온도를 낮추면 밀도가 증가한다.

➡ 일정한 압력에서 b의 온도를 낮추면 액체 분자 사이의 거리가 가까워지므로 밀도가 증가한다.

05 | 선택지 분석 |

✕ 일정한 압력에서 온도를 낮추면 ~~기체~~ 액체에서 고체로 된다.

➡ A점은 액체 상이므로 일정한 압력에서 온도를 낮추면 액체에서 고체로 상이 변한다.

ㄴ 일정한 온도에서 압력을 낮추면 액체에서 기체로 된다.

➡ 일정한 온도에서 압력을 낮추면 증기 압력 곡선을 지나 기체로 된다.

ㄷ 일정한 온도에서 압력을 높이면 액체에서 고체로 된다.

➡ 일정한 온도에서 압력을 높이면 융해 곡선을 지나 고체가 된다.

06 얼음에 압력을 가하면 녹는 현상과 관련된 곡선은 융해 곡선(AT)이고, 식품의 동결 건조는 얼음의 승화 현상을 이용한 것이므로 승화 곡선(CT)과 관련이 있다.

07 물의 융해 곡선은 음(－)의 값을 갖는다. 따라서 외부 압력이 높아지면 물의 어는점은 낮아진다.

08 | 선택지 분석 |

✕ 3중점의 압력은 1기압보다 ~~높다.~~ 낮다.

➡ 물은 1기압에서 고체, 액체, 기체로 존재하므로 3중점의 압력은 1기압보다 낮다.

ㄴ 1기압에서 온도에 따라 3가지 상으로 존재한다.

➡ 물은 1기압에서 온도에 따라 얼음, 물, 수증기의 3가지 상으로 존재한다.

ㄷ 1기압, －20 ℃인 얼음에 압력을 가하면 물로 상이 변한다.

➡ 1기압, －20 ℃인 얼음에 압력을 가하면 얼음의 빈 공간이 깨지면서 물로 상이 변한다.

09 일정한 압력에서 엔탈피는 고체＜액체＜기체이므로 A는 고체, B는 액체, C는 기체 상을 나타낸 것이다.

10 | 선택지 분석 |

ㄱ 이산화 탄소는 승화성 물질이다.

➡ 이산화 탄소의 3중점의 압력이 1기압보다 높으므로 이산화 탄소는 1기압, 25 ℃에서 승화가 일어난다. 따라서 이산화 탄소는 승화성 물질이다.

ㄴ 일정한 압력에서 A에서 B로 상변화할 때 에너지를 흡수한다.

➡ 일정한 압력에서 A에 에너지를 가하면 B로 상이 변한다.

✕ 일정한 온도에서 C의 압력을 높이면 ~~A로~~ B로 상이 변한다.

➡ 일정한 온도에서 C의 압력을 높이면 기체 사이의 거리가 가까워지면서 액화되므로 B로 상이 변한다.

11 | 선택지 분석 |

ㄱ 융해 곡선의 기울기가 양(＋)의 값이다.

➡ 이산화 탄소는 고체의 밀도가 액체보다 크므로 융해 곡선의 기울기가 양(＋)의 값이다.

✕ 대기압에서 온도에 따라 3가지 상으로 존재한다.

➡ 이산화 탄소의 3중점의 압력은 대기압보다 크므로 이산화 탄소는 대기압에서 온도에 따라 2가지 상으로 존재한다.

✕ 드라이아이스를 3중점의 압력보다 낮은 압력에서 가열하면 액체로 상이 변한다.

➡ 드라이아이스는 3중점의 압력보다 낮은 압력에서는 승화만 일어나므로 가열하면 기체로 상이 변한다.

도전! 실력 올리기

182쪽~183쪽

01 ⑤ **02** ① **03** ③ **04** ① **05** ④ **06** ③

07 (1) 압력을 낮춘다.

(2) | **모범 답안** | 물의 융해 곡선의 기울기는 음(－)의 값을 가지므로 얼음에 압력을 가하면 얼음이 물로 상이 변하기 때문이다.

08 (1) | **모범 답안** | 이산화 탄소의 3중점의 압력이 1기압보다 높아 1기압에서 승화가 일어나기 때문에 (가)에서 드라이아이스의 양이 줄어들었다.

(2) | **모범 답안** | 이산화 탄소의 3중점의 압력은 1기압보다 높아 드라이아이스가 액체 상으로 존재하는 압력도 1기압보다 높다. 따라서 P는 대기압보다 높다.

01 | 선택지 분석 |

ㄱ ㉠은 고체이다.

➡ 상평형 그림에서 압력이 일정할 때 고체의 온도가 가장 낮으므로 ㉠은 고체이다.

ㄴ 0 ℃, 1기압에서 물의 밀도는 ㉡이 ㉠보다 크다.

➡ 물의 상이 고체인 ㉠일 때 압력을 증가시키면 액체인 ㉡으로 변화된다. 일정한 온도에서 물의 밀도는 ㉡에서가 ㉠에서보다 크다.

ㄷ 1기압에서 ㉢의 온도를 낮추면 액체를 거쳐 고체로 상이 변한다.

➡ 물의 3중점의 압력은 1기압보다 낮으므로 1기압에서 물은 3가지 상태로 존재할 수 있다. 따라서 기체인 ㉢의 온도를 낮추면 액체를 거쳐 고체로 상이 변한다.

02 | 선택지 분석 |

㉠ A의 압력은 3중점의 압력보다 높다.

➡ 일정한 압력에서 A점의 온도가 가장 높으므로 A는 기체 상, B는 액체 상, C는 고체 상이다. 따라서 A의 압력에서 온도에 따라 3가지 상으로 존재하므로 3중점의 압력은 A의 압력보다 낮다.

✕ t_1, P_1에서 기체와 액체는 평형을 이룬다.

➡ t_1, P_1에서 온도와 압력은 융해 곡선 상에 있으므로 이점에서 고체와 액체는 평형을 이룬다.

✕ P_2에서 B의 밀도는 C의 밀도보다 크다.

➡ X의 융해 곡선의 기울기는 양(+)의 값을 가지므로 P_2에서 밀도는 고체인 C에서가 액체인 B에서보다 크다.

03 | 선택지 분석 |

㉠ 20 ℃, 1기압에서 A의 안정한 상은 액체이다.

➡ 증기 압력 곡선은 액체와 기체가 평형을 이루는 온도와 압력에 해당하는 점을 연결한 곡선이다. 따라서 A는 20 ℃, 1기압에서 액체로 존재한다.

✕ B의 3중점의 압력은 1기압보다 ~~높다.~~ 낮다.

➡ B는 1기압에서 액체와 기체로 존재할 수 있으므로 3중점의 압력은 1기압보다 낮다.

㉢ 일정한 온도에서 증기 압력은 A가 B보다 크다.

➡ 증기 압력은 액체와 기체가 평형을 이루고 있을 때 증기가 나타내는 압력이다. 일정한 온도에서 액체와 기체가 평형을 이루는 압력은 A가 B보다 크므로 증기 압력은 A가 B보다 크다.

04 | 선택지 분석 |

㉠ A는 1기압에서 고체에서 기체로만 상이 변한다.

➡ A의 3중점의 압력은 1기압보다 높으므로 A는 승화성 물질이며, 1기압에서 고체 상의 A의 온도를 높이면 기체로 상이 변한다.

✕ 온도와 압력이 같을 때 B의 밀도는 ~~고체~~(액체)가 ~~액체~~(고체)보다 크다.

➡ 온도와 압력이 같을 때 B의 융해 곡선의 기울기는 음(−)의 값을 가지므로 밀도는 액체가 고체보다 크다.

✕ 고체 상태에서 외부 압력이 증가하면 A와 B의 녹는점은 모두 높아진다.

➡ 고체 상태에서 외부 압력이 증가하면 A의 녹는점은 높아지지만 B의 녹는점은 낮아진다.

05 | 자료 분석 |

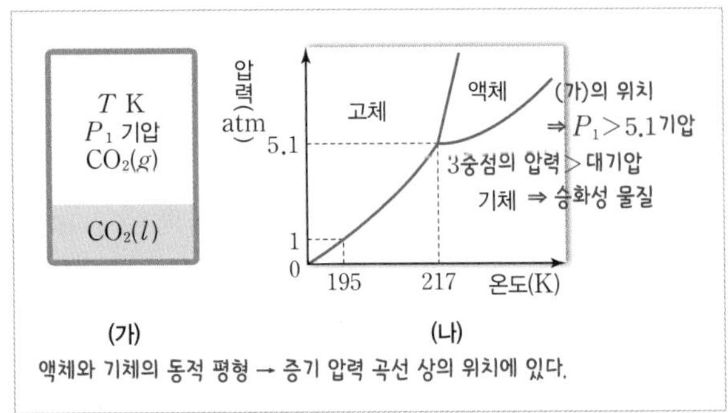

| 선택지 분석 |

✕ T < 217이다.

➡ (가)는 기체와 액체가 공존하므로 평형 상태에 있다. 이 상태는 증기 압력 곡선 상의 어느 한 점에 해당되므로 (가)의 온도는 217 K보다 크다.

㉡ P_1 > 5.1이다.

➡ 2가지 상으로 존재하는 증기 압력 곡선 상의 어느 한 점의 압력은 3중점의 압력보다 크므로 P_1은 5.1 기압보다 크다.

㉢ (가)의 온도를 195 K으로 낮추었을 때 $CO_2(g)$의 압력은 1기압이다.

➡ 밀폐 용기 속에서 (가)의 온도를 195 K으로 낮추면 기체가 고체로 승화되어 상이 변하면서 압력이 감소하고 기체와 고체가 평형을 이루게 되므로 (가)를 195 K까지 낮추면 기체의 압력은 1기압이 된다.

06 | 선택지 분석 |

㉠ 2분일 때 A의 온도는 80 ℃이다.

➡ 2분~8분일 때 고체와 액체가 공존하므로 이때 융해가 일어난다. 융해가 일어날 때의 온도는 기준 어는점이므로 2분일 때 A의 온도는 80 ℃이다.

㉡ A의 비열은 액체일 때가 고체일 때보다 크다.

➡ 고체 상의 A가 녹기 시작할 때까지 걸린 시간이 2분이고, 액체 상의 A가 기화되기 시작할 때까지 걸린 시간은 8분이므로 1 ℃를 높이는 데 필요한 열량은 액체일 때가 고체일 때보다 크다. 따라서 A의 비열은 액체일 때가 고체일 때보다 크다.

✕ A는 기화 엔탈피가 융해 엔탈피보다 ~~작다.~~ 크다.

➡ A는 융해될 때 걸린 시간이 6분이고 기화될 때 걸린 시간이 14분이므로 기화 엔탈피가 융해 엔탈피보다 크다.

07 (1) A는 고체 상이므로 일정한 온도에서 압력을 낮추면 승화가 일어나 기체 상으로 변한다.

(2) 물의 융해 곡선의 기울기는 음(−)의 값을 가지므로 얼음에 압력을 가하면 얼음이 물로 상이 변하기 때문이다.

채점 기준	배점
융해 곡선의 기울기를 포함하여 옳게 서술한 경우	100 %
'고체에서 액체로 상변화했기 때문이다.'라고 서술한 경우	30 %

08 (1) 이산화 탄소의 3중점의 압력이 1기압보다 높아 1기압에서 승화가 일어나기 때문에 (가)에서 드라이아이스의 양이 줄어들었다.

채점 기준	배점
3중점의 압력이 1기압보다 높다는 내용을 포함하여 옳게 서술한 경우	100 %
'1기압에서 승화가 일어나기 때문이다.'라고만 서술한 경우	40 %

(2) 이산화 탄소의 3중점의 압력은 1기압보다 높아 드라이아이스가 액체 상으로 존재하는 압력도 1기압보다 높다. 따라서 P는 대기압보다 높다.

채점 기준	배점
3중점의 압력이 1기압보다 높다는 내용을 포함하여 옳게 서술한 경우	100 %
'P는 대기압보다 높다.'라고만 서술한 경우	40 %

실전! 수능 도전하기

185쪽~188쪽

01 ③ 02 ⑤ 03 ② 04 ① 05 ② 06 ① 07 ① 08 ①
09 ⑤ 10 ③ 11 ⑤ 12 ④ 13 ④ 14 ② 15 ① 16 ③

01 | 선택지 분석 |

꼭지를 열었을 때 반응한 A의 양을 x몰이라고 하면 평형에 도달했을 때 A가 $(0.3-x)$몰, B가 $(0.4-x)$몰, C가 x몰이므로 전체 분자 수$=0.3-x+0.4-x+x=0.5$, $x=0.2$이다.

ㄱ. $K=20$이다.

➡ 평형 상태에서 A~C의 양은 각각 0.1몰, 0.2몰, 0.2몰이고, 부피는 2 L이므로 몰 농도는 각각 0.05 M, 0.1 M, 0.1 M이다. 따라서 평형 상수는

$K=\frac{[C]}{[A][B]}=\frac{0.1}{0.05\times0.1}=20$이다.

ㄴ. 기체의 부분 압력은 $B(g)$와 $C(g)$가 같다.

➡ 평형 상태에서 기체의 양은 B와 C가 같으므로 기체의 부분 압력도 B와 C가 같다.

ㄷ. 온도 T에서 용기 속에 네온(Ne)을 넣으면 정반응 쪽으로 평형이 이동한다.

➡ 네온을 넣어 주면 전체 압력은 증가하지만 A~C의 부분 압력은 변하지 않으므로 평형 이동에 영향을 주지 않는다. 따라서 평형 이동은 일어나지 않는다.

02 평형 상태에 도달할 때까지 생성된 B의 몰 농도는 0.5 M이므로 반응한 A의 몰 농도는 $0.5a$ M이다. 평형 상태에서 A와 B의 몰 농도는 각각 $(4-0.5a)$M, 0.5 M이고

$\frac{0.5}{4-0.5a+0.5}=\frac{1}{7}$에서 $a=2$이고, $y=3$이다.

또한 $K=\frac{[B]}{[A]^2}=\frac{0.5}{3^2}=\frac{1}{18}=x$이다.

따라서 $x=\frac{1}{18}$, $y=3$이므로 $\frac{y}{x}=54$이다.

03 반응이 진행되어 C의 몰 분율이 $\frac{1}{3}$일 때까지 반응한 A의 양이 x몰이라면 반응 후 용기에 들어 있는 기체의 양은 A가 $(1-x)$몰, B가 $(2-x)$몰, C가 $2x$몰이므로

$\frac{2x}{1-x+2-x+2x}=\frac{1}{3}$이고 $x=0.5$이다.

따라서 A~C 몰수는 각각 0.5몰, 1.5몰, 1몰이므로 반응 지수 $Q=\frac{1^2}{0.5\times1.5}=\frac{4}{3}$이다. 평형 상태에 도달할 때까지 반응한 A의 양이 y몰이라면 반응 후 용기에 들어 있는 기체의 양은 A가 $(1-y)$몰, B가 $(2-y)$몰, C가 $2y$몰이다.

$K=3Q=3\times\frac{4}{3}=4$이므로 $K=\frac{(2y)^2}{(1-y)(2-y)}=4$이다.

따라서 $y=\frac{2}{3}$이고, 평형 상태에서 A의 양은 $1-y=\frac{1}{3}$몰이다.

04 | 선택지 분석 |

ㄱ. $K\times c=8$이다.

➡ 반응 몰비는 A : B : C$=1:1:2$이므로 $c=2$이고, $K=\frac{[C]^2}{[A][B]}=\frac{2^2}{1\times1}=4$이다. 따라서 $K\times c=8$이다.

ㄴ. t_1에서 반응 지수 Q는 평형 상수 K보다 크다.

➡ t_1에서 정반응이 진행되므로 반응 지수는 평형 상수보다 작다.

ㄷ. t_2에서 $A(g)$~$C(g)$를 각각 1 M씩 추가로 넣으면 역반응 쪽으로 평형이 이동한다.

➡ t_2에서 $A(g)$~$C(g)$를 각 1 M씩 추가했을 때 반응 지수는 $Q=\frac{[C]^2}{[A][B]}=\frac{3^2}{2\times2}=\frac{9}{4}$이므로 평형 상수보다 작다.

따라서 평형은 정반응 쪽으로 이동한다.

05 | 선택지 분석 |

ㄱ. $x=$~~0.1~~이다. 0.2

➡ 반응 몰비는 $NO_2:N_2O_4=2:1$이므로 N_2O_4가 0.1몰 생성되었을 때 NO_2는 0.2몰 반응한다. 따라서 $x=0.2$이다.

ㄴ. 평형 상수는 ~~$\frac{2}{5}$~~이다. $\frac{25}{2}$

➡ $K=\frac{[N_2O_4]}{[NO_2]^2}=\frac{0.5}{0.2^2}=\frac{50}{4}=\frac{25}{2}$이다.

ㄷ. 동일한 조건에서 $N_2O_4(g)$ 0.6몰을 넣고 반응시킨 후 평형에 도달했을 때 NO_2의 몰 분율은 $\frac{2}{7}$이다.

➡ NO_2 0.4몰이 모두 반응하면 N_2O_4 0.2몰이 새로 생성되므로 용기에는 N_2O_4 0.6몰이 들어 있다. 따라서 N_2O_4 0.6몰을 넣어 반응시켰을 때와 NO_2 0.4몰, N_2O_4 0.4몰을 넣고 반응시켰을 때 동일한 평형 상태에 도달하므로 평형 상태에서 기체의 양은 같다.

따라서 NO_2의 몰 분율은 $\frac{2}{7}$이다.

06 평형 Ⅰ까지 반응한 A의 양을 $2n$몰이라고 할 때 생성된 B의 양은 bn몰, C의 양은 n몰이다. 평형 Ⅰ에서 $\frac{P_B}{P_A}=1$로 A와 B의 부분 압력이 같으므로 $(2-2n)=bn$이고 온도와 압력이 일정할 때 기체의 총 양은 부피에 비례하므로 $2:(2-2n+bn+n)=1:\frac{5}{4}$이다. 따라서 $n=0.5$, $b=2$이다. 평형 Ⅰ에서 A~C의 양은 각각 1몰, 1몰, 0.5몰이므로 $K_1=\frac{[B]^2[C]}{[A]^2}=\frac{(\frac{1}{\frac{5}{4}V})^2\cdot\frac{0.5}{\frac{5}{4}V}}{(\frac{1}{\frac{5}{4}V})^2}=\frac{2}{5V}$이다.

또한 평형 Ⅱ까지 반응한 A의 양을 $2m$몰이라고 할 때 생성된 B와 C의 양은 각각 $2m$몰, m몰이므로 평형 Ⅱ에서 A~C의 양은 각각 $(2-2m)$몰, $2m$몰, m몰이다. 평형 Ⅱ에서 B의 부분 압력은 A의 2배이므로

$2m=2\times(2-2m)$, $m=\frac{2}{3}$이다.

따라서 평형 Ⅱ에서 A~C의 양은 각각 $\frac{2}{3}$몰, $\frac{4}{3}$몰, $\frac{2}{3}$몰이다. 평형 Ⅱ에서 기체의 부피를 x라고 할 때, 평형 Ⅱ에서 기체의 총 양은 $\frac{8}{3}$몰, 온도는 $\frac{5}{4}T$이고 평형 Ⅰ과 평형

Ⅱ의 압력은 같으므로 $\dfrac{2.5\times RT}{\frac{5}{4}V}=\dfrac{\frac{8}{3}\times R\times\frac{5}{4}T}{x}$,

$x=\frac{5}{3}V$이다. 평형 Ⅱ에서 A~C의 몰 농도는 각각 $\frac{2}{5V}$ M, $\frac{4}{5V}$ M, $\frac{2}{5V}$ M이므로 평형 상수는

$$K_{Ⅱ}=\frac{(\frac{4}{5V})^2\times\frac{2}{5V}}{(\frac{2}{5V})^2}=\frac{8}{5V}\text{이다.}$$

따라서 $\dfrac{K_{Ⅰ}}{K_{Ⅱ}}=\dfrac{\frac{2}{5V}}{\frac{8}{5V}}=\dfrac{1}{4}$이다.

07 | 자료 분석 |

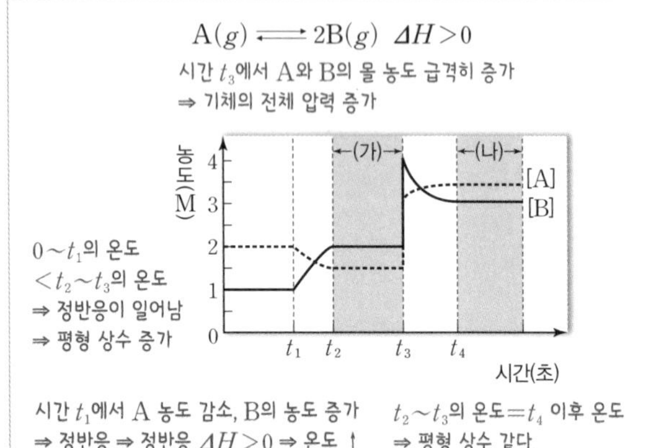
$A(g) \rightleftharpoons 2B(g)$ $\Delta H>0$
시간 t_3에서 A와 B의 몰 농도 급격히 증가
⇒ 기체의 전체 압력 증가
농도(M)
(가)
(나)
[A]
[B]
$0\sim t_1$의 온도
$<t_2\sim t_3$의 온도
⇒ 정반응이 일어남
⇒ 평형 상수 증가
t_1 t_2 t_3 t_4
시간(초)
시간 t_1에서 A 농도 감소, B의 농도 증가
⇒ 정반응 ⇒ 정반응 $\Delta H>0$ ⇒ 온도 ↑
$t_2\sim t_3$의 온도$=t_4$ 이후 온도
⇒ 평형 상수 같다.

| 선택지 분석 |

ㄱ. 시간 t_1일 때 기체의 온도를 높였다.

➡ 시간 t_1에서 조건을 변화시켰을 때 기체의 부분 압력이 급격히 변하지 않았으므로 온도를 변화시킨 것이며, 온도를 변화시켰을 때 흡열 반응인 정반응이 일어났으므로 온도를 높인 것이다.

✕ 시간 t_3일 때 용기에 $B(g)$를 넣어 주었다.

➡ 시간 t_3일 때 기체 A와 B의 농도가 2배로 급격히 증가했으므로 기체의 압력을 2배로 증가시킨 것이다. $B(g)$를 넣었다면 B의 농도만 급격히 증가했다가 감소해야 한다.

✕ 평형 상수는 (나)에서가 (가)에서보다 크다.

➡ 시간 t_3일 때 압력을 변화시킨 것이므로 평형 상수는 변하지 않는다.

08 | 선택지 분석 |

화학 반응식에서 반응물의 계수와 생성물의 계수 합이 같으므로 반응이 일어나 평형 상태에 도달해도 기체의 전체 양은 같다. $PV=nRT$이므로 온도가 같다고 가정할 때 A~D의 기체의 양을 구하면 A가 2, B가 4, C가 1, D가 2이므로 기체의 양은 모두 같아야 한다는 것에 모순이다. 따라서 B와 C일 때는 온도를 변화시킨 것이며, B에서 온도를 높였고 C에서 온도를 낮췄다.

ㄱ. 평형 상수가 가장 큰 평형 상태는 C이다.

➡ 온도를 낮추면 정반응 쪽으로 평형이 이동하여 평형 상수가 증가한다. 따라서 평형 상수가 가장 큰 평형 상태는 C이다.

✕ $N_2(g)$의 몰 분율이 가장 큰 평형 상태는 ~~B~~이다. C

➡ A를 기준으로 조건을 변화시키면 B는 역반응, C는 정반응이 일어나고, D는 평형 이동이 일어나지 않았으므로 N_2의 몰 분율이 가장 큰 평형 상태는 C이다.

✕ $NO(g)$의 부분 압력이 가장 큰 평형 상태는 ~~D~~이다. B

➡ NO의 몰 분율은 B에서 가장 크므로 NO의 부분 압력이 가장 큰 평형 상태는 B이다.

09

(나)에서 압력을 높였을 때 B의 몰 분율이 (가)에서보다 작으므로 역반응이 진행되었다. 평형 상태에서 압력을 높이면 기체의 양이 작아지는 쪽으로 평형이 이동하므로 화학 반응식에서 반응물의 계수는 생성물의 계수보다 작다. 따라서 생성물의 계수가 2이므로 반응물의 계수인 $a=1$이다.

(가)~(다)에서 반응한 A의 양을 각각 $m_1\sim m_3$몰이라고 할 때, 평형에서 기체의 양은 A는 각각 $n-m_1$몰, $n-m_2$몰, $n-m_3$몰이고, B는 각각 $2m_1$몰, $2m_2$몰, $2m_3$몰이므로 (가)~(다)에서 B의 몰분율은 각각 $\frac{2m_1}{n+m_1}=\frac{1}{2}$, $\frac{2m_2}{n+m_2}=\frac{1}{3}$, $\frac{2m_3}{n+m_3}=\frac{1}{5}$이다. 따라서 $m_1=\frac{1}{3}n$, $m_2=\frac{1}{5}n$, $m_3=\frac{1}{9}m$이다. 따라서 평형 상태의 (가)~(다)에서 A와 B의 양을 구하면 다음과 같다.

평형 상태	절대 온도	기체의 양(몰)		부피
		A	B	
(가)	T_1	$\frac{2}{3}n$	$\frac{2}{3}n$	x
(나)	T_2	$\frac{4}{5}n$	$\frac{2}{5}n$	
(다)	T_3	$\frac{8}{9}n$	$\frac{2}{9}n$	y

(가)에서 평형 상수는 $K_1=\dfrac{(\frac{\frac{2}{3}n}{x})^2}{\frac{\frac{2}{3}n}{x}}=\dfrac{2n}{3x}$이고, (다)에서

평형 상수는 $K_2=\dfrac{(\frac{\frac{2}{9}n}{y})^2}{\frac{\frac{8}{9}n}{y}}=\dfrac{n}{18y}$이다. $\dfrac{T_2\text{에서 }K}{T_1\text{에서 }K}=\dfrac{1}{3}$

이므로 $\dfrac{\frac{n}{18y}}{\frac{2n}{3x}}=\dfrac{1}{3}$이다. 따라서 $\dfrac{x}{y}=4$이다.

10 | 선택지 분석 |

ㄱ. 평형 상태 Ⅰ의 온도가 Ⅲ보다 높다.

➡ 제시된 반응이 발열 반응이고, 발열 반응에서 온도가 낮을수록 정반응 쪽으로 평형이 이동하므로 평형 상수는 증가한다. 따라서 평형 상수가 작은 Ⅰ에서가 Ⅲ에서보다 온도가 높다.

ㄴ. 평형 상태 Ⅱ에서 온도를 높이면 역반응이 일어난다.

➡ 이 반응의 정반응은 발열 반응이므로 평형 Ⅱ에서 온도를 높이면 역반응이 일어난다. 따라서 Z의 몰 분율은 감소한다.

× 평형 상태 Ⅲ에서 압력을 높이면 Z의 몰 분율이 증가한다.

➡ $K_Ⅰ \sim K_Ⅲ$를 이용하여 반응 계수를 구하면 $K_Ⅰ = \frac{1^z}{2^x \times 1^y} = 0.5$, $K_Ⅱ = \frac{2^z}{1^x \times 2^y} = 2$, $K_Ⅲ = \frac{3^z}{3^x \times 1^y} = 3$이며, 이를 풀면 $x=1$, $y=1$, $z=2$이다. 따라서 반응물의 계수 합과 생성물의 계수가 같으므로 이 반응은 압력에 의한 평형 이동은 일어나지 않는다.

11 평형 Ⅰ까지 생성된 C의 양이 n몰이므로 반응한 A와 B의 양은 $0.5n$몰이고, 평형 Ⅰ에서 A~C의 양은 각각 $(1-0.5n)$몰, $(3-0.5n)$몰, n몰이다. 평형 Ⅱ까지 생성된 C의 양이 $2n$몰이므로 반응한 A와 B의 양은 n몰이고, 평형 Ⅱ에서 A~C의 양은 각각 $(3-n)$몰, $(3-n)$몰, $2n$몰이다. 또한 평형 Ⅲ까지 생성된 C의 양이 $3n$몰이므로 반응한 A와 B의 양은 $1.5n$몰이고, 평형 Ⅲ에서 A~C의 양은 각각 $(3-1.5n)$몰, $(3-1.5n)$몰, $3n$몰이다.

$K_Ⅰ = \frac{n^2}{(1-0.5n)(3-0.5n)}$, $K_Ⅱ = \frac{2n^2}{(3-n)(3-n)}$, $K_Ⅲ = \frac{3n^2}{(3-1.5n)(3-1.5n)}$이다. $K_Ⅰ = K_Ⅱ$이므로 $n=1.5$이고, 이를 대입하면 $\frac{K_Ⅲ}{K_Ⅰ} = 9$이다.

12 | 자료 분석 |

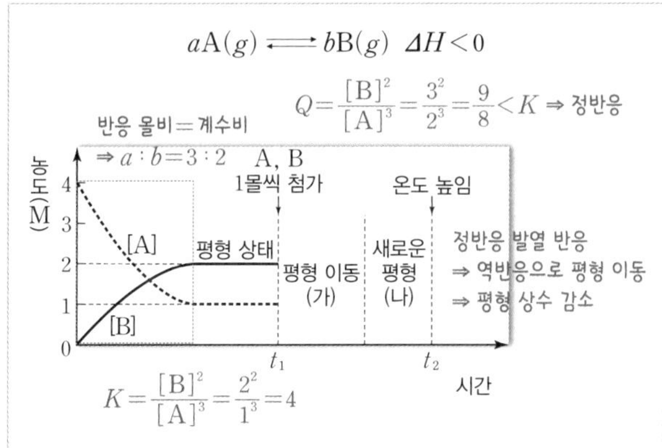

| 선택지 분석 |

× 평형 상수 K는 $\frac{a}{b}$의 2배이다.

➡ 평형 상태에 도달하기 전 반응 몰비는 A : B=3 : 2이므로 반응 계수 비는 $a : b = 3 : 2$이다. $K = \frac{[B]^2}{[A]^3} = \frac{2^2}{1^3} = 4$이므로 $K = \frac{8}{3} \times \frac{a}{b}$이다. 따라서 K는 $\frac{a}{b}$의 2배보다 크다.

ㄴ. (가)에서 B의 양은 증가한다.

➡ t_1에서 A, B 1몰씩 첨가하였으므로 $Q = \frac{[B]^2}{[A]^3} = \frac{3^2}{2^3} = \frac{9}{8}$이다. 따라서 $K > Q$이다. 따라서 (가)에서 정반응이 일어나므로 B의 양은 증가한다.

ㄷ. 시간이 t_2일 때 역반응이 일어난다.

➡ 제시된 반응은 발열 반응이고 t_2일 때 온도를 높였으므로 역반응이 일어난다.

13 | 선택지 분석 |

× (가)의 시간 t_1에서 $N_2(g)$를 넣었다.

➡ $N_2(g)$를 넣으면 전체 기체의 압력이 급격히 증가한 후 정반응이 일어나므로 다시 서서히 압력이 감소한다. 따라서 제시된 자료의 (나)와 같은 결과를 얻을 수 없다.

× (가)의 시간 t_1에서 온도를 높인 후 일정하게 유지하였다.

➡ t_1에서 온도를 높이면 역반응이 일어나 기체의 양이 증가하므로 전체 압력은 증가한다. 따라서 평형에서 물질의 농도 변화가 없으므로 온도를 변화시키지 않았다.

ㄷ. 시간 t_2에서 기체의 압력을 높이면 NH_3의 수득률은 증가한다.

➡ t_2에서 기체의 압력을 높이면 정반응으로 평형이 이동하므로 NH_3의 수득률은 증가한다.

14 | 선택지 분석 |

ㄱ. 평형 상수는 4이다.

➡ 온도가 일정하므로 평형이 이동하여도 평형 상수는 변하지 않는다. 따라서 평형 상태에서 평형 상수는 4이다.

× X의 몰 분율은 $\frac{3}{8}$이다.

➡ 평형까지 반응한 X의 양을 x몰이라고 하면 생성된 Z의 양은 $2x$몰이고, 남은 X, Y의 양은 각각 $(1-x)$몰이다. $K = \frac{(2x)^2}{(1-x)^2} = 4$이므로 $x = \frac{1}{2}$이다. 따라서 X~Z의 양은 각각 $\frac{1}{2}$몰, $\frac{1}{2}$몰, 1몰이므로 X의 몰 분율은 $\frac{1}{4}$이다.

× 온도를 높이면 Z의 수득률은 증가한다.

➡ 정반응이 발열 반응이므로 온도를 높이면 역반응이 일어나고, Z의 수득률은 감소한다.

15 | 선택지 분석 |

ㄱ. $P_2 > 5.1$이다.

➡ $t_1 < t_0$이고 t_1, P_2일 때 액체와 고체가 평형을 이루고 있으므로 융해 곡선 상에 존재한다. 따라서 융해 곡선 상에 있을 때 압력은 3중점의 압력보다 크므로 $P_2 > 5.1$이다.

× $P_1 > P_2$이다.

➡ CO_2의 상평형에서 융해 곡선의 기울기는 양(+)의 값이므로 같은 온도에서 압력을 낮추면 고체에서 액체로 상이 변한다. 따라서 t_1, P_1일 때 안정한 상이 액체이므로 $P_1 < P_2$이다.

× 25 ℃, P_1기압에서 안정한 상은 액체이다.

➡ CO_2는 압력이 높을수록 녹는점과 끓는점의 차이가 커지므로 t_1, P_1일 때 안정한 상은 액체이고, $t_1 < t_0$이므로 P_1, 25 ℃일 때 안정한 상은 기체이다.

16 | 선택지 분석 |

ㄱ. $t_2 > t_1$이다.

➡ (가)는 3중점에 해당하며 (다)는 액체와 기체가 평형을 이루는 증기 압력 곡선 상에 해당한다. 따라서 $t_2 > t_1$이다.

× $P_1 > P_2$이다.

➡ 3중점의 압력을 낮추면 기체로 상이 변하고 압력을 높이면 고체로 변한다. (나)의 안정한 상이 고체이므로 $P_2 > P_1$이다.

ㄷ. t_2, P_1에서 안정한 상은 기체이다.

➡ t_2, P_1에서 안정한 상은 기체이다.

3 ››› 산 염기 평형

01 산과 염기의 세기

콕콕! 개념 확인하기 194쪽

✔ 잠깐 확인!

1 양성자 2 양쪽성 물질 3 Cl^-, NH_4^+ 4 이온화 상수 5 온도, 농도 6 이온화도 7 약염기, 강염기

01 (1) ○ (2) × (3) ○ 02 H_2O 03 (1) ○ (2) ○ (3) ○
04 ㉠ 이온화 상수, ㉡ 약염기 05 (1) × (2) ○ (3) ○

01 (2) 브뢴스테드·로리 염기는 양성자(H^+)를 받는 물질이므로 $NH_3 + BF_3 \longrightarrow H_3NBF_3$의 반응과 같이 전자쌍만을 주는 물질은 브뢴스테드·로리 개념으로 정의할 수 없다.

02 반응에 따라 산이 될 수도 있고 염기가 될 수도 있는 물질을 양쪽성 물질이라고 한다. NH_3와 H_2O의 반응에서 H_2O은 브뢴스테드·로리 산으로 작용하고, H_2CO_3와 H_2O의 반응에서 H_2O은 브뢴스테드·로리 염기로 작용하므로 H_2O은 양쪽성 물질이다.

03 (1) 이온화도가 클수록 수소 이온이나 수산화 이온의 농도가 크므로 산, 염기의 세기는 강하다.
(2) 산, 염기 평형에서 이온화 상수가 클수록 정반응이 우세하게 일어나므로 생성물의 양이 많다.
(3) 이온화 상수도 산, 염기 이온화 반응의 평형 상수이므로 온도에 의해서만 달라진다.

04 이온화 상수가 클수록 정반응이 우세하므로 수소 이온의 농도가 크다. 따라서 이온화 상수가 클수록 강산이며 그 짝염기는 약염기이다.

05 (1) H_2O은 (가)와 (나)에서 모두 H^+을 받았으므로 브뢴스테드·로리 염기로 작용하였다. 따라서 (가), (나)에서 H_2O은 양쪽성 물질이 아니다.
(2) 이온화 상수가 클수록 강산이다.
(3) 약산의 짝염기는 강염기이므로 산의 이온화 상수가 작은 산의 짝염기가 염기의 세기가 크다.

탄탄! 내신 다지기 195쪽~197쪽

01 ④ 02 ④ 03 ⑤ 04 ③ 05 H_2O 06 ② 07 ③ 08 ③
09 1×10^{-5} 10 ④ 11 ① 12 ④ 13 ④ 14 ③ 15 ③

01 짝산과 짝염기는 H^+의 이동에 따라 산과 염기가 되는 한 쌍의 물질이다. 따라서 NH_3의 짝산은 NH_4^+이다.

02 브뢴스테드·로리 산과 염기는 H^+을 주거나 받을 수 있는 물질이므로 브뢴스테드·로리 산으로 작용하려면 H^+을 포함하고 있어야 한다. 또한 브뢴스테드·로리 염기로 작용하려면 H^+을 받을 수 있어야 한다. 따라서 브뢴스테드·로리 산과 염기로 모두 작용할 수 있는 이온은 HCO_3^-이다.

03 | 선택지 분석 |

㉠ $HCl(aq)$은 산성이다.
➡ HCl을 물에 녹였을 때 H_3O^+이 생성되었으므로 $HCl(aq)$은 산성이다.

㉡ Cl^-은 브뢴스테드·로리 염기이다.
➡ 역반응이 일어날 때 Cl^-은 H^+을 받으므로 브뢴스테드·로리 염기이다.

㉢ H_2O의 짝산은 H_3O^+이다.
➡ 짝산과 짝염기는 H^+의 이동에 따라서 산과 염기가 되는 한 쌍의 물질이다. 따라서 H_2O의 짝산은 H_3O^+이다.

04 | 선택지 분석 |

㉠ (가)에서 HA는 아레니우스 산이다.
➡ (가)에서 HA는 물에 녹아 H^+을 내놓으므로 아레니우스 산이다.

㉡ (나)에서 BH^+의 짝염기는 B이다.
➡ (나)에서 BH^+과 B는 H^+에 의해 산과 염기가 되는 한 쌍이므로 BH^+의 짝염기는 B이다.

✗ (가)와 (나)에서 H_2O은 모두 브뢴스테드·로리 ~~염기~~ 산이다.
➡ (가)에서 H_2O은 H^+을 얻었으므로 브뢴스테드·로리 염기이다. (나)에서 H_2O은 H^+을 주었으므로 브뢴스테드·로리 산이다.

05 (가)와 (나)에서 H_2O은 산으로도 작용하고 염기로도 작용하므로 양쪽성 물질이다.

06 짝산과 짝염기는 H^+의 이동에 따라서 산과 염기가 되는 한 쌍의 물질이다. 따라서 H_2CO_3의 짝염기는 HCO_3^-이다. (가)에서 H_2O은 $H_2CO_3^-$으로부터 H^+을 받으므로 염기로 작용하고, (나)에서 H_2O은 HCO_3^-에게 H^+을 주므로 산으로 작용한다. 따라서 양쪽성 물질은 H_2O이다.

07 | 선택지 분석 |

㉠ 같은 전해질인 경우, 온도가 높을수록 이온화도가 크다.
➡ 이온화 반응의 정반응은 흡열 반응이므로 온도를 높이면 정반응 쪽으로 평형이 이동하여 이온화도가 증가한다.

✗ 같은 전해질인 경우, 농도가 묽을수록 이온화도가 ~~작아진다~~ 커진다.
➡ 물을 가해 농도가 묽어지면 이온 수가 증가하는 방향인 정반응 쪽으로 평형이 이동하므로 이온화도가 커진다.

㉢ 온도와 농도가 같은 서로 다른 산 수용액에서 이온화도가 클수록 산의 세기가 강하다.

➡ 온도와 농도가 같을 때 이온화도가 클수록 수용액 속 H^+의 농도는 크므로 산의 세기가 강하다.

08 | 선택지 분석 |

ㄱ 산의 이온화도

➡ 0.1 M HA(aq)의 pH는 1이므로 $[H_3O^+]=0.1$ M이고, 0.1 M HB(aq)의 pH는 3이므로 $[H_3O^+]=0.001$ M이다. $[H_3O^+]=C\alpha$이므로 산의 이온화도는 HA가 1, HB가 0.01이다.

ㄴ 수용액 속 $[H_3O^+]$

➡ HA(aq)의 $[H_3O^+]=0.1$ M이고, HB(aq)의 $[H_3O^+]=0.001$ M이다.

ㄷ 짝염기의 이온화 상수

➡ 짝염기의 이온화 상수 $K_b=\frac{K_w}{K_a}$이므로 K_a가 작을수록 짝염기의 K_b가 크다. 따라서 짝염기의 이온화 상수는 HB(aq)가 크다.

09 $K_a=C\alpha^2=0.1\times0.01^2=1\times10^{-5}$이다.

10 | 선택지 분석 |

① $[CH_3COOH]>[CH_3COO^-]$이다.

➡ CH_3COOH의 이온화 상수가 작으므로 CH_3COOH은 역반응이 우세한 반응이다. 따라서 $[CH_3COOH]>[CH_3COO^-]$이다.

② 이온화도는 $HCl>CH_3COOH$이다.

➡ 온도와 몰 농도가 같을 때 이온화 상수가 클수록 산의 이온화도는 크다. 이온화도는 $HCl>CH_3COOH$이다.

③ 산의 세기는 $HCl>CH_3COOH$이다.

➡ 이온화 상수가 클수록 정반응이 우세하여 수용액 속 H_3O^+ 농도가 크므로 산의 세기는 $HCl>CH_3COOH$이다.

④ 산의 상대적인 세기는 $CH_3COOH>H_3O^+$이다.

➡ CH_3COOH의 이온화 반응은 역반응이 우세하므로 산의 상대적인 세기는 $H_3O^+>CH_3COOH$이다.

⑤ 염기의 상대적인 세기는 $CH_3COO^->Cl^-$이다.

➡ HCl의 이온화 반응은 정반응이 우세한 반응이므로 상대적인 염기의 세기는 H_2O이 Cl^-보다 크다. 또한 CH_3COOH의 이온화 반응은 역반응이 우세한 반응이므로 상대적인 염기의 세기는 CH_3COO^-이 H_2O보다 크다. 따라서 염기의 상대적인 세기는 $CH_3COO^->Cl^-$이다.

11 | 선택지 분석 |

ㄱ $CH_3COOH(aq)$의 이온화도는 증가한다.

➡ $CH_3COOH(aq)$에 $NaOH(aq)$을 소량 넣으면 정반응이 일어나므로 $CH_3COOH(aq)$의 이온화도는 증가한다.

ㄴ $CH_3COOH(aq)$의 이온화 상수는 ~~증가한다.~~ 변하지 않는다.

➡ 온도는 일정하므로 $CH_3COOH(aq)$의 이온화 상수는 변하지 않는다.

ㄷ $CH_3COOH(aq)$의 pH는 ~~변하지 않는다.~~ 증가한다.

➡ $CH_3COOH(aq)$ 속 $[H_3O^+]$는 감소하므로 pH는 증가한다.

12 | 선택지 분석 |

ㄱ $H_2O(l)$은 양쪽성 물질로 작용하였다.

➡ 2가지 이온화 평형에서 H_2O은 모두 브뢴스테드－로리 염기로 작용하였다.

ㄴ 25 ℃, 0.1 M 수용액에서 HA의 이온화도는 0.01이다.

➡ $K_a=C\alpha^2$이므로 HA의 이온화도는 0.01이다.

ㄷ 25 ℃, 0.1 M 수용액의 pH는 HA가 HB보다 크다.

➡ 온도와 농도가 같을 때 이온화 상수가 클수록 pH는 작다. 따라서 수용액의 pH는 HA가 HB보다 크다.

13 | 선택지 분석 |

① (가)에서 $[H_3O^+]=a$ M이다.

➡ HA는 약산이므로 이온화도가 1보다 작다. 따라서 (가)에서 $[H_3O^+]<a$ M이다.

② (나)에서 $[A^-]=10a$ M이다.

➡ $[A^-]=C\alpha$이므로 $10a$ M보다 작다.

③ A^-의 양(몰)은 (나)에서가 (가)에서보다 크다.

➡ A^-의 양(몰)은 (가)와 (나)에서 모두 $0.1\times\alpha$몰이다. 그런데 이온화도는 (가)에서가 (나)에서보다 크므로 A^-의 양(몰)은 (가)에서가 (나)에서보다 크다.

④ HA의 이온화도는 (가)에서가 (나)에서보다 크다.

➡ 온도가 일정할 때 이온화도는 수용액의 몰 농도가 작을수록 크다. 따라서 HA의 이온화도는 (가)에서가 (나)에서보다 크다.

⑤ HA의 이온화 상수는 (나)에서가 (가)에서보다 크다.

➡ HA의 이온화 상수는 온도가 같으므로 (가)와 (나)에서 같다.

14 | 자료 분석 |

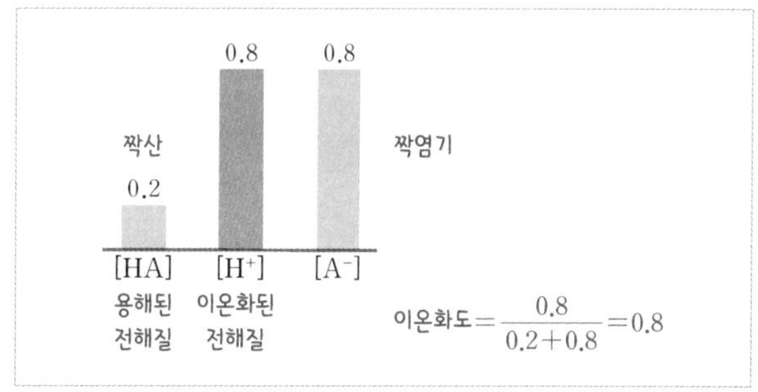

| 선택지 분석 |

ㄱ HA의 짝염기는 A^-이다.

➡ 짝산과 짝염기는 H^+의 이동에 따라서 산과 염기가 되는 한 쌍의 물질이다. 따라서 HA의 짝염기는 A^-이다.

ㄴ HA의 이온화도는 ~~0.2~~이다. 0.8

➡ 이온화도는 용해된 전해질의 양(몰)에 대한 이온화한 전해질의 양(몰)으로 나타내므로 HA의 이온화도는 0.8이다.

ㄷ HA의 K_a는 0.32이다.

➡ $[H^+]=C\times\alpha$이므로

$K_a=\frac{[H^+][A^-]}{[HA]}=\frac{0.08\times0.08}{0.02}=0.32$이다.

15 | 선택지 분석 |

ㄱ HA의 이온화 상수는 1×10^{-5}이다.

➡ HA 수용액 속 $[H_3O^+]=\frac{0.0001몰}{0.1\,L}=0.001\,M$이므로 HA의 이온화도는 0.01이다. $K_a=C\alpha^2$이므로 $K_a=1\times10^{-5}$이다.

ㄴ $HB(aq)$의 pH는 3이다.

➡ $HB(aq)$에서 $[H_3O^+]=\frac{0.0002몰}{0.2\,L}=0.001\,M=1\times10^{-3}\,M$이므로 pH는 3이다.

✗ 이온화도는 HA가 HB보다 ~~작다~~. 크다.

➡ 몰 농도는 $HB(aq)>HA(aq)$이고 $[H_3O^+]$는 서로 같으므로 이온화도는 HA가 HB보다 크다.

도전! 실력 올리기

198쪽~199쪽

01 ① **02** ① **03** ④ **04** ② **05** ① **06** ③

07 0.01

08 (1) (가)=(나)=(다)

(2) | **모범 답안** | (나)>(가)>(다), (나)에서 0.1 M $HA(aq)$에 $NaOH(aq)$을 넣으면 정반응이 일어나므로 HA의 이온화도는 증가하고, (다)에서 $HCl(aq)$을 넣으면 역반응이 일어나므로 HA의 이온화도는 감소한다. 따라서 이온화도는 (나)>(가)>(다)이다.

09 (1) $K_a=1\times10^{-5}$

(2) | **모범 답안** | (나)에서 $[H_3O^+]=C\alpha$이므로 HB의 이온화도는 0.005이다. 따라서 HA와 HB의 이온화도 비는 HA : HB=2 : 1이다.

01 | 선택지 분석 |

ㄱ HA의 짝염기는 A^-이다.

➡ 짝산과 짝염기는 H^+의 이동에 따라 산과 염기가 되는 한 쌍의 물질이다. 따라서 HA의 짝염기는 A^-이다.

✗ 상대적인 산의 세기는 HB가 H_3O^+보다 크다.

➡ HB의 이온화 상수는 1보다 매우 작으므로 이온화 평형에서 역반응이 우세한 반응이다. 따라서 상대적인 산의 세기는 H_3O^+이 HB보다 크다.

✗ 25 ℃에서 이온화 상수는 ~~HB~~(HA)가 ~~HA~~(HB)보다 크다.

➡ 이온화도가 클수록 이온화 상수가 크므로 이온화 상수는 HA가 HB보다 크다.

02 | 선택지 분석 |

ㄱ HA의 짝염기는 A^-이다.

➡ 짝산과 짝염기는 H^+의 이동에 따라 산과 염기가 되는 한 쌍의 물질이다. 따라서 HA의 짝염기는 A^-이다.

✗ HA의 이온화도는 ~~0.8~~이다. 0.2

➡ 이온화도는 용해된 전해질의 양(몰)에 대한 이온화한 전해질의 양(몰)의 비율을 나타낸 값이므로 HA의 이온화도는 0.2이다.

✗ HA의 이온화 상수는 ~~0.05~~이다. 0.005

➡ $HA(aq)$에서 $[HA]=0.08\,M$, $[H^+]=0.02\,M$, $[A^-]=0.02\,M$이므로 $K_a=\frac{[H^+][A^-]}{[HA]}=\frac{0.02\times0.02}{0.08}=0.005$이다.

03 | 선택지 분석 |

✗ 25 ℃에서 ~~$K<1$~~이다. $K>1$

➡ $K=\frac{[HB][A^-]}{[HA][B^-]}$이고, K_a는 HA가 HB보다 크므로 $K>1$이다.

ㄴ 상대적인 염기의 세기는 $B^->A^-$이다.

➡ 이온화 평형이 정반응이 우세하므로 상대적인 염기의 세기는 $B^->A^-$이다.

ㄷ X 수용액에 소량의 $NaOH(aq)$을 넣으면 $[B^-]$는 증가한다.

➡ X 수용액에 소량의 $NaOH(aq)$을 넣으면 상대적으로 강산인 HA가 반응하므로 역반응으로 평형이 이동한다. 따라서 $[B^-]$는 증가한다.

04 | 선택지 분석 |

✗ HB의 이온화 상수 K_a는 1.0×10^{-5}이다.

➡ $HB(aq)$에서 $[HB]$, $[H^+]$, $[B^-]$는 각각 0.9 M, 0.1 M, 0.1 M이므로 $K_a=\frac{[H^+][B^-]}{[HB]}=\frac{0.1\times0.1}{0.9}=\frac{1}{90}$이다.

ㄴ 이온화도 α는 HA가 HB의 9배이다.

➡ HA의 이온화도는 0.9, HB의 이온화도는 0.1이므로 이온화도는 HA가 HB의 9배이다.

✗ $HB(aq)$의 pH는 $HA(aq)$의 pH+1이다.

➡ $HA(aq)$에서 $[H_3O^+]=0.09\,M$이고 $HB(aq)$에서 $[H_3O^+]=0.01\,M$이다. 수용액 속 $[H_3O^+]$가 10배 클수록 pH는 1 작아지는데 $[H_3O^+]$는 $HA(aq)$에서가 $HB(aq)$에서의 9배이므로 $HB(aq)$의 pH는 $HA(aq)$의 pH+1보다 작다.

05 | 선택지 분석 |

✗ $x=0.1$이다.

➡ Ⅰ에서 pH는 3이므로 $[H_3O^+]=0.001\,M$이고 부피는 10 mL이므로 H_3O^+의 양은 1.0×10^{-5}몰이다. $NaOH(aq)$의 몰 농도가 0.1 M일 때 반응한 OH^-은 0.1×0.005몰이므로 Ⅱ의 pH는 7보다 커진다. 그런데 혼합 용액 Ⅱ의 pH=5.0이므로 $x<0.1$이다.

ㄴ HA의 이온화도는 Ⅱ에서가 Ⅰ에서보다 크다.

➡ $HA(aq)$에 $NaOH(aq)$을 넣으면 정반응이 일어나므로 이온화도는 증가한다.

✗ HA의 이온화 상수는 Ⅱ에서가 Ⅰ에서보다 크다.

➡ 온도가 일정하므로 HA의 이온화 상수는 일정하다.

06 | 선택지 분석 |

ㄱ $x<3$이다.

➡ $[H_3O^+]=C\alpha$이므로 (나)에서 $[H_3O^+]=0.4\times5\times10^{-3}=2\times10^{-3}$이다. 따라서 (나)의 pH는 3보다 작다.

ㄴ (나)에서 HA의 이온화도는 5.0×10^{-3}이다.

➡ $K_a=C\alpha^2$이므로 25 ℃인 (가)에서 HA의 이온화 상수는 $K_a=0.1\times0.01^2=1\times10^{-5}$이다. 온도가 같을 때 이온화 상수도 같으므로 (나)에서 HA의 이온화 상수는 $K_a=0.4\times\alpha^2=1\times10^{-5}$이다. 따라서 (나)에서 HA의 이온화도는 5×10^{-3}이다.

~~× A^-의 양은 (나)에서가 (가)에서의 2배이다.~~ 20배

➡ $[A^-]=[H_3O^+]$이므로 A^-의 양은 (가)에서 0.1×0.001몰이고, (나)에서 0.4×0.005몰이다. 따라서 A^-의 양은 (나)에서가 (가)에서의 20배이다.

07 HA의 이온화 상수가 매우 작으므로 HA는 약산이다. 따라서 $K_a=C\alpha^2=0.1\times\alpha^2=1.0\times10^{-5}$이므로 $\alpha=0.01$이다.

08 (1) (가)~(다)의 온도가 같으므로 (가)~(다)에서 HA의 이온화 상수는 같다.

(2) (나)에서 0.1 M $HA(aq)$에 $NaOH(aq)$을 넣으면 정반응이 일어나므로 HA의 이온화도는 증가하고, (다)에서 $HCl(aq)$을 넣으면 역반응이 일어나므로 HA의 이온화도는 감소한다. 따라서 이온화도는 (나) > (가) > (다)이다.

채점 기준	배점
평형 이동 법칙을 이용하여 (가)~(다)의 이온화도를 옳게 비교하여 서술한 경우	100 %
(가)~(다)의 이온화도만을 옳게 비교한 경우	30 %

09 (1) $pH=-\log[H_3O^+]=3$이므로 $[H_3O^+]=1\times10^{-3}$ M이다. 또한 $HA(aq)$의 몰 농도 C는 0.1 M이고, $[H_3O^+]=C\alpha$이므로 HA의 이온화도는 0.01이다. 따라서 $K_a=C\alpha^2=0.1\times0.01^2=1\times10^{-5}$이다.

(2) (나)에서 $[H_3O^+]=C\alpha$이므로 HB의 이온화도는 0.005이다. 따라서 HA와 HB의 이온화도 비는 HA : HB = 2 : 1이다.

채점 기준	배점
HA와 HB의 이온화도를 구하는 과정을 포함하여 옳게 서술한 경우	100 %
HA와 HB의 이온화도를 구하는 과정 중 1가지만 옳게 서술한 경우	50 %
이온화도 비만 옳게 쓴 경우	30 %

02 염의 가수 분해와 완충 용액

탐구POOL 204쪽

01 ㉠ 1 : 1, ㉡ pH **02** (1) ○ (2) ○ (3) ×

01 완충 용액에 소량의 산을 넣으면 완충 용액의 염기가 중화시키고, 소량의 염기를 넣으면 완충 용액의 산이 중화시키므로 pH가 거의 일정하게 유지된다.

02 (1) CH_3COOH와 CH_3COONa을 각각 0.1몰씩 혼합하여 만든 완충 용액이므로 수용액 속의 $[CH_3COOH]$와 $[CH_3COO^-]$는 거의 같다. 따라서

$K_a=\dfrac{[CH_3COO^-][H_3O^+]}{[CH_3COOH]}$이므로 $[H_3O^+]=K_a$이다.

(3) 온도가 일정하므로 이온화 상수는 일정하다.

콕콕! 개념 확인하기 205쪽

✔ 잠깐 확인!

1 음이온, 양이온 **2** 가수 분해 **3** 산성 **4** CH_3COO^-, OH^- **5** 공통 이온 **6** 완충 용액 **7** H_2CO_3, HCO_3^- **8** 이산화 탄소

01 (1) × (2) ○ (3) × (4) ○ **02** ㉠ OH^-, ㉡ 염기성 **03** (1) × (2) ○ (3) × **04** (1) × (2) ○ (3) × **05** 역반응 쪽

01 (1) 강산과 강염기가 반응하여 생성된 염 중 NaCl과 같은 정염은 물에 녹아 이온화가 되므로 수소 이온 또는 수산화 이온을 생성하지 않는다.

(3) 강산과 강염기가 반응하여 생성된 염은 종류에 따라 수용액의 액성이 다르다. $NaCl(aq)$은 중성이지만 $NaHSO_4(aq)$은 산성이다.

02 CH_3COONa은 약산인 CH_3COOH과 강염기인 NaOH이 반응하여 생성된 염으로 약산의 짝염기인 CH_3COO^-이 물과 반응하여 OH^-을 생성하므로 수용액의 액성은 염기성이다.

03 (1) 짝산과 짝염기는 H^+의 이동에 따라 산과 염기가 되는 한 쌍의 물질이므로 CH_3COO^-의 짝산은 CH_3COOH이다.

(3) 수용액에 소량의 CH_3COONa을 넣어 주어도 K_a는 변하지 않는다.

04 (1) 완충 용액은 약염기와 그 짝산을, 또는 약산과 그 짝염기를 약 1 : 1의 몰비로 혼합하여 만든다.

(3) $[HA+NaA]$인 완충 용액에 소량의 $HCl(aq)$을 넣으면 증가한 H^+을 감소시키기 위해 A^-이 반응하므로 A^-의 농도는 감소한다.

05 젖산이 생성되면 혈액 속 $[H_3O^+]$가 증가하므로 증가한 농도를 감소시키기 위해 역반응이 일어나고 우리 몸에서 호흡을 통해 이산화 탄소를 몸 밖으로 배출한다.

탄탄! 내신 다지기 206쪽~207쪽

01 ④ **02** ④ **03** ② **04** ⑤ **05** ③
06 $NaHSO_4$ < NaCl < $NaHCO_3$ **07** 공통 이온
08 ② **09** ⑤ **10** ① **11** ③

01 | 선택지 분석 |

① 염은 공유 결합 물질이다.

➡ 염은 양이온과 음이온의 정전기적 인력에 의해 형성된 이온 결합 물질이다.

② 염은 모두 물에 잘 용해된다.

➡ NaCl은 물에 잘 용해되는 염이지만 AgCl은 물에 녹지 않는 염이다.

③ 강산과 강염기의 반응으로 생성된 염은 가수 ~~분해한다.~~ 분해하지 않는다.

➡ 강산과 강염기의 반응으로 생성된 염은 약한 짝염기와 짝산으로 구성되었으므로 가수 분해하지 않는다.

④ 강산과 약염기의 반응으로 생성된 염의 수용액은 산성이다.

➡ 강산과 약염기의 반응으로 생성된 염의 수용액은 약염기의 짝산이 가수 분해하여 수소 이온을 생성하므로 산성이다.

⑤ H^+을 포함하는 염을 녹인 수용액의 액성은 모두 산성이다.

➡ H^+을 포함하는 염 중에는 가수 분해하여 수산화 이온을 생성하는 물질이 있다.

02 약산과 강염기의 반응에 의해 생성된 염을 물에 녹이면 수산화 이온을 생성한다.

$NaHCO_3$을 물에 녹이면

$HCO_3^-(aq)+H_2O(l) \rightleftharpoons H_2CO_3(aq)+OH^-(aq)$ 반응이 일어나 OH^-을 생성하므로 $NaHCO_3(aq)$의 액성은 염기성이다.

03 | 선택지 분석 |

ㄱ. 수용액의 pH가 7보다 큰 염은 2가지이다.

➡ (가)는 수용액에서 이온화만 일어나므로 수용액의 pH는 7이다. (나)는 CH_3COO^-이 가수 분해하여 OH^-을 생성하므로 수용액의 pH는 7보다 크다. (다)는 NH_4^+이 가수 분해하여 H^+을 생성하므로 수용액의 pH는 7보다 작고, (라)는 $K^++H^++SO_4^{2-}$으로 이온화하므로 수용액의 pH는 7보다 작다.

ㄴ. 수용액에서 가수 분해하는 염은 2가지이다.

➡ 가수 분해하는 염은 (나)와 (다)의 2가지이다.

ㄷ. 수용액 속 양이온의 수가 음이온의 수보다 많은 염은 2가지이다.

➡ (가)~(다)는 이온의 전하의 크기가 모두 같으므로 수용액 속 양이온 수와 음이온 수는 모두 같다. (다)는 이온의 전하의 크기가 음이온이 양이온보다 크므로 양이온 수가 음이온 수보다 많다.

04 | 선택지 분석 |

ㄱ. 중화점까지 넣어 준 $CH_3COOH(aq)$의 부피는 100 mL이다.

➡ $MV=M'V'$에서 $NaOH(aq)$과 $CH_3COOH(aq)$의 몰 농도가 같으므로 중화점까지 넣어 준 $CH_3COOH(aq)$의 부피는 100 mL이다.

ㄴ. 중화점에서 혼합 용액의 pH는 7보다 크다.

➡ 중화점에서 CH_3COO^-이 가수 분해하므로 혼합 용액의 pH는 7보다 크다.

ㄷ. 중화점에서 혼합 용액에 가장 많이 들어 있는 이온은 Na^+이다.

➡ 중화점에서 CH_3COO^-의 일부는 가수 분해하여 CH_3COOH이 되므로 중화점에서 혼합 용액에 가장 많이 들어 있는 이온은 Na^+이다.

05 중화점에서 반응한 H^+의 양과 OH^-의 양은 같으므로 $MV=M'V'$이다. 따라서 0.1 M $HCl(aq)$ 100 mL를 완전히 중화시키기 위해 넣어 주어야 할 0.2 M $NH_3(aq)$의 부피는 50 mL이다. 또한 중화점에서 NH_4^+이 가수 분해하므로 수용액은 산성이다.

$NH_4^+(aq)+H_2O(l) \rightleftharpoons NH_3(aq)+H_3O^+(aq)$

06 NaCl은 강산과 강염기의 중화 반응에 의해 생성된 염으로 가수 분해하지 않으므로 그 수용액은 중성이다.

$NaHSO_4$은 강산과 강염기의 중화 반응에 의해 생성된 염으로 수용액에서 이온화하여 H_3O^+을 내놓는다. 따라서 수용액은 산성이다.

$NaHSO_4(aq) \longrightarrow Na^+(aq)+H^+(aq)+SO_4^{2-}(aq)$

$NaHCO_3$은 약산과 강염기의 중화 반응에 의해 생성된 염으로 약산의 짝염기인 HCO_3^-이 가수 분해하여 OH^-을 내놓으므로 수용액은 염기성이다.

$NaHCO_3(aq) \longrightarrow Na^+(aq)+HCO_3^-(aq)$

$HCO_3^-(aq)+H_2O(l) \rightleftharpoons H_2CO_3(aq)+OH^-(aq)$

따라서 염을 물에 녹인 수용액의 pH는 산성인 $NaHSO_4$이 가장 작다.

07 평형 이동 법칙에 따라 공통 이온의 농도가 증가하면 그 이온의 농도를 감소시키는 방향으로 평형이 이동한다.

08 서로 다른 전해질 수용액 속에 들어 있는 공통적인 이온을 공통 이온이라고 한다. NaF은 수용액에서 Na^+과 F^-으로 이온화하므로 공통 이온은 F^-이다. 또한 $HF(aq)$에 $NaF(s)$을 넣으면 $[F^-]$가 증가하므로 역반응 쪽으로 평형이 이동한다.

09 산과 염기를 소량 넣었을 때 pH 변화가 거의 없는 용액을 완충 용액이라고 한다. 완충 용액은 약산과 그 짝염기 또는 약염기와 그 짝산을 약 1 : 1의 몰비로 혼합하여 만든다. CH_3COOH은 약산이고, CH_3COONa을 물에 녹이면 CH_3COOH의 짝염기인 CH_3COO^-이 생성되므로 CH_3COOH과 CH_3COONa을 1 : 1의 몰비로 혼합한 용액은 완충 용액이다.

10 | 선택지 분석 |

ㄱ. NH_3의 짝산은 NH_4^+이다.

➡ 짝산과 짝염기는 H^+의 이동에 따라 산과 염기가 되는 한 쌍의 물질이므로 NH_3의 짝산은 NH_4^+이다.

ㄴ. $HCl(aq)$을 조금 넣어 주면 역반응이 일어난다.

➡ $HCl(aq)$을 조금 넣어 주면 H^+과 OH^-이 중화 반응을 하므로 $[OH^-]$는 감소한다. 따라서 감소한 OH^-의 농도를 다시 증가시키기 위해 정반응이 일어난다.

~~NaOH(aq)을 조금 넣어 주면 K_a는 감소한다.~~ 변하지 않는다.

➡ NaOH(aq)을 조금 넣어 주면 역반응이 일어나지만 이온화 상수는 변하지 않는다.

11 | 선택지 분석 |

ㄱ 혈액은 H_2CO_3의 이온화 평형에 의해 pH가 일정하게 유지된다.

➡ 혈액 속에는 H_2CO_3과 HCO_3^-이 이온화 평형을 이루고 있어 H_3O^+과 OH^-의 농도가 변화되어도 완충 작용을 하므로 혈액의 pH는 일정하게 유지된다.

✗ 혈액 속 OH^-의 농도가 증가하면 ~~역반응~~(정반응)이 일어난다.

➡ 혈액 속 OH^-의 농도가 증가하면 H_3O^+의 농도가 감소하므로 정반응이 일어난다.

ㄷ 혈액 속 H_3O^+의 농도가 증가하면 이산화 탄소가 몸 밖으로 배출된다.

➡ H_3O^+의 농도가 증가하면 역반응이 일어나므로 혈액 속에 있는 CO_2는 호흡에 의해 몸 밖으로 배출된다.

도전! 실력 올리기 208쪽~209쪽

01 ② **02** ① **03** ③ **04** ② **05** ③ **06** ①

07 (1) Na^+

(2) | **모범 답안** | $NaHCO_3$은 약산과 강염기의 중화 반응에 의해 생성된 염으로, 물에 녹아 HCO_3^-이 가수 분해하여 OH^-을 생성하므로 $NaHCO_3(aq)$은 염기성이다. $NaHSO_4$은 강산과 강염기의 중화 반응에 의해 생성된 염으로, 물에 녹아 이온화하여 H^+을 내놓으므로 $NaHSO_4(aq)$은 산성이다. 따라서 수용액의 pH는 $NaHCO_3(aq)$이 $NaHSO_4(aq)$보다 크다.

08 (1) | **모범 답안** |

$CH_3COOH(aq)+H_2O(l) \rightleftharpoons CH_3COO^-(aq)+H_3O^+(aq)$의 $K_a=\frac{[CH_3COO^-][H_3O^+]}{[CH_3COOH]}$이고, $[CH_3COOH]$와 $[CH_3COO^-]$는 모두 0.1 M으로 같으므로 $[H_3O^+]=K_a=2\times10^{-5}$이다. 따라서 수용액의 $pH=-\log[H_3O^+]=-\log(2\times10^{-5})=5-\log2=4.7$

(2) | **모범 답안** | 수용액의 pH는 거의 변하지 않는다. 그 까닭은 H^+이 들어가면 짝염기인 CH_3COO^-과 반응하여 소모되기 때문이다.

01 | 선택지 분석 |

✗ NH_4^+의 짝염기는 ~~OH^-~~(NH_3)이다.

✗ (가)와 (나)에서 Cl^-은 가수 분해한다.

➡ (가)에서 NH_4^+이 물과 반응하여 H_3O^+을 생성하기 때문에 (가)는 산성을 띤다. (나)에서 Na^+과 Cl^-은 가수 분해하지 않는다.

ㄷ (다)에서 수용액은 $CH_3COO^-+H_2O \rightleftharpoons CH_3COOH+OH^-$ 반응에 의해 염기성을 띤다.

➡ (다)에서 CH_3COO^-은 약산의 짝염기이므로 물과 반응하여 OH^-을 생성한다. 따라서 수용액은 염기성을 띤다.

02 | 선택지 분석 |

ㄱ 혼합 용액의 pH는 9이다.

➡ 혼합 용액은 0.1 M NaA(aq) 100 mL이고, 중화점에서 $A^-(aq)+H_2O(l) \rightleftharpoons HA(aq)+OH^-(aq)$ 반응이 일어난다. 따라서 $K_b=\frac{[HA][OH^-]}{[A^-]}=1.0\times10^{-9}$에서 $x^2=1.0\times10^{-10}$이므로 $[OH]=1.0\times10^{-5}$이다. 따라서 $[H_3O^+]=1.0\times10^{-9}$이므로 pH는 9이다.

✗ 가장 많이 들어 있는 이온은 ~~A^-~~이다. Na^+

➡ A^-의 가수 분해가 일어나므로 가장 많이 들어 있는 이온은 Na^+이다.

✗ 소량의 HCl(aq)을 넣어도 혼합 용액의 pH는 ~~거의 변하지 않는다.~~ 급격히 감소한다.

➡ 이 혼합 용액은 완충 용액이 아니므로 소량의 염산을 넣으면 혼합 용액의 pH는 급격히 감소한다.

03 | 선택지 분석 |

ㄱ 염기성이다.

➡ $NaHCO_3$을 물에 녹이면 가수 분해하여 OH^-을 생성하므로 수용액은 염기성이다.

✗ 평형 상태에서 ~~$[HCO_3^-]$~~($[OH^-]$)가 가장 작다.

➡ 평형 상태에서 HCO_3^-의 일부만 가수 분해하므로 $[OH^-]$가 가장 작다.

ㄷ NaOH(aq)을 넣으면 $[HCO_3^-]$는 증가한다.

➡ NaOH(aq)을 넣으면 $[OH^-]$가 증가하므로 역반응이 일어난다. 따라서 $[HCO_3^-]$는 증가한다.

04 | 자료 분석 |

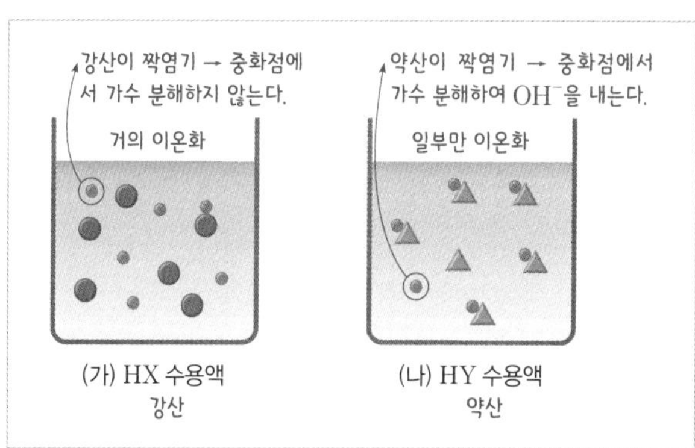
강산이 짝염기 → 중화점에서 가수 분해하지 않는다.
거의 이온화
약산이 짝염기 → 중화점에서 가수 분해하여 OH⁻을 내는다.
일부만 이온화

(가) HX 수용액 강산 (나) HY 수용액 약산

| 선택지 분석 |

✗ NaOH(aq)을 넣기 전 수용액의 pH는 ~~(가)~~(나)가 ~~(나)~~(가)보다 크다.

➡ 이온화도는 HX가 HY보다 크므로 HX(aq) 속 H^+은 (가)가 (나)보다 많다. 따라서 pH는 (나)가 (가)보다 크다.

ㄴ 중화점에서의 pH는 (나)가 (가)보다 크다.

➡ (가)는 강산과 강염기의 반응이므로 중화점에서 염은 가수 분해하지 않는다. (나)는 약산과 강염기의 반응이므로 중화점에서 Y^-이 가수 분해하여 OH^-을 생성한다. 따라서 중화점에서 pH는 (나)가 (가)보다 크다.

ㄷ. 중화점까지 넣어 준 NaOH(aq)의 부피는 (가)가 (나)보다 크다. (✗)

➡ (가)와 (나)의 농도와 부피가 같으므로 중화점까지 넣어 준 NaOH(aq)의 부피는 같다.

05 | 선택지 분석 |

ㄱ. 상대적인 산의 세기는 NH_4^+이 H_2O보다 크다. (○)

➡ NH_3의 이온화 상수가 1보다 작으므로 역반응이 우세한 반응이다. 따라서 상대적인 산의 세기는 NH_4^+이 H_2O보다 크다.

ㄴ. 혼합 용액에 소량의 염기를 넣어 주면 역반응이 일어난다. (○)

➡ 소량의 염기를 넣어 주면 OH^-의 농도가 증가하므로 역반응이 일어난다.

ㄷ. 혼합 용액에 소량의 산을 넣어 주면 혼합 용액의 pH는 ~~급격히 증가한다.~~ 거의 변하지 않는다. (✗)

➡ 혼합 용액은 약염기와 그 짝산으로 구성된 완충 용액이므로 소량의 산을 넣어 주어도 pH는 거의 변하지 않는다.

06 | 선택지 분석 |

ㄱ. 혼합 용액의 pH는 7보다 크다. (○)

➡ 약산과 그 짝염기를 혼합하여 만든 용액은 완충 용액으로 약산의 짝염기는 가수 분해하여 OH^-을 생성하므로 혼합 용액의 pH는 7보다 크다.

ㄴ. 과정 (가)에서 HA의 이온화 상수는 ~~감소한다.~~ 변하지 않는다. (✗)

➡ 과정 (가)에서 온도는 일정하므로 HA의 이온화 상수는 변하지 않는다.

ㄷ. 과정 (나)에서 혼합 용액의 pH는 급격히 ~~증가한다.~~ 증가하지 않는다. (✗)

➡ 과정 (나)에서 염기를 넣어도 혼합 용액은 완충 용액이므로 pH는 급격히 증가하지 않는다.

07 (1) $NaHCO_3$은 물에 녹아 이온화하며, 약산의 짝염기인 HCO_3^-의 일부는 가수 분해한다.
따라서 $NaHCO_3(aq)$에 가장 많은 이온은 Na^+이다.

$NaHCO_3(aq) \longrightarrow Na^+(aq)+HCO_3^-(aq)$

$HCO_3^-(aq)+H_2O(l) \rightleftharpoons H_2CO_3(aq)+OH^-(aq)$

(2) $NaHCO_3$은 약산과 강염기의 중화 반응에 의해 생성된 염으로, 물에 녹아 HCO_3^-이 가수 분해하여 OH^-을 생성하므로 $NaHCO_3(aq)$은 염기성이다.
$NaHSO_4$은 강산과 강염기의 중화 반응에 의해 생성된 염으로, 물에 녹아 이온화하여 H^+을 내놓으므로 $NaHSO_4(aq)$은 산성이다.
따라서 수용액의 pH는 $NaHCO_3(aq)$이 $NaHSO_4(aq)$보다 크다.

$NaHSO_4(aq) \longrightarrow Na^+(aq)+H^+(aq)+SO_4^{2-}(aq)$

채점 기준	배점
$NaHCO_3$은 물에서 가수 분해하고 $NaHSO_4$은 물에 녹아 이온화한다는 것을 포함하여 옳게 서술한 경우	100 %
수용액의 pH만을 옳게 비교한 경우	30 %

08 (1) $CH_3COOH(aq)+H_2O(l) \rightleftharpoons CH_3COO^-(aq)+H_3O^+(aq)$의

$K_a=\dfrac{[CH_3COO^-][H_3O^+]}{[CH_3COOH]}$이고, $[CH_3COOH]$와 $[CH_3COO^-]$는 모두 0.1 M로 같으므로
$[H_3O^+]=K_a=2\times10^{-5}$이다. 따라서 수용액의 pH는

$pH=-\log[H_3O^+]=-\log(2\times10^{-5})$
$=5-\log2=4.7$이다.

채점 기준	배점
수용액의 pH를 구하는 과정을 포함하여 옳게 서술한 경우	100 %
수용액의 pH만을 옳게 쓴 경우	30 %

(2) H^+이 들어가면 짝염기인 CH_3COO^-과 반응하여 소모되므로 수용액의 pH는 거의 변하지 않는다.

채점 기준	배점
완충 용액에서 산과 염기의 반응을 이용하여 옳게 서술한 경우	100 %
pH가 거의 변하지 않는다는 것만 쓴 경우	30 %

실전! 수능 도전하기

211쪽~213쪽

01 ④ **02** ② **03** ③ **04** ④ **05** ⑤ **06** ① **07** ③ **08** ④
09 ② **10** ① **11** ⑤ **12** ③

01 | 선택지 분석 |

ㄱ. (가)에서 H_2CO_3의 짝염기는 HCO_3^-이다. (○)

➡ 짝산과 짝염기는 H^+의 이동에 따라 산과 염기가 되는 한 쌍의 물질이다. 따라서 H_2CO_3의 짝염기는 HCO_3^-이다.

ㄴ. H_2O은 양쪽성 물질이다. (✗)

➡ (가)와 (나)에서 H_2O은 모두 H^+을 받았으므로 브뢴스테드·로리 염기로 작용한다.

ㄷ. 이온화 상수(K_a)는 (가)에서가 (나)에서보다 크다. (○)

➡ HCO_3^-은 음이온이고 H^+은 양이온이므로 HCO_3^-에서 H^+이 떨어져 나오기가 매우 어렵다. 따라서 HCO_3^-의 이온화도가 매우 작으므로 이온화 상수는 (가)에서가 (나)에서보다 크다.

02 | 선택지 분석 |

ㄱ. 0.05 M 수용액의 pH는 ~~HA>HB~~ HB<HA이다. (✗)

➡ $[H_3O^+]=C\alpha$이고, $pH=-\log[H_3O^+]$이다. 0.05 M에서 $[H_3O^+]$는 HA>HB이므로 pH는 HB>HA이다.

ㄴ. HB의 이온화 상수 K_a는 0.04 M일 때가 0.1 M일 때 ~~보다 크다.~~ 와 같다. (✗)

➡ 온도가 일정하므로 이온화 상수는 농도와 무관하게 일정하다. 따라서 HB의 이온화 상수는 0.04 M일 때와 0.1 M일 때가 같다.

ㄷ. 0.1 M 수용액에 들어 있는 이온의 몰 농도는 $A^->B^-$이다. (○)

➡ 0.1 M 수용액에 들어 있는 이온의 몰 농도는 이온화도가 클수록 크다. 따라서 $A^->B^-$이다.

03 | 선택지 분석 |

ㄱ 산의 세기는 HCOOH이 HCN보다 크다.

➡ 이온화 상수가 클수록 산의 세기가 크므로, 산의 세기는 HCOOH이 HCN보다 크다.

ㄴ CH_3NH_2의 짝산은 $CH_3NH_3^+$이다.

➡ 짝산과 짝염기는 H^+의 이동에 따라 산과 염기가 되는 한 쌍의 물질이다. 따라서 CH_3NH_2의 짝산은 $CH_3NH_3^+$이다.

✕ 0.1 M 수용액의 pH가 가장 큰 것은 ~~$C_6H_5NH_2$~~ CH_3NH_2이다.

➡ 몰 농도가 같을 때 이온화 상수가 클수록 이온화도가 크다. 따라서 $C_6H_5NH_2$보다 이온화 상수가 큰 CH_3NH_2의 0.1 M 수용액에 가장 많은 OH^-이 들어 있으므로 수용액의 pH는 CH_3NH_2가 가장 크다.

04 | 선택지 분석 |

✕ 산의 세기는 ~~HA~~ HNO_2가 ~~HNO_2~~ HA보다 크다.

➡ 이온화 상수가 클수록 산의 세기가 크므로, 산의 세기는 HNO_2이 HA보다 크다.

ㄴ $K>1$이다.

➡ 상대적인 염기의 세기는 $A^->NO_2^-$이므로 용액 (가)에서 이온화 평형은 정반응이 우세한 반응이다. 따라서 $K>1$이다.

ㄷ (가)에 소량의 $NaA(s)$를 넣으면 NO_2^-의 농도는 증가한다.

➡ (가)에 소량의 $NaA(s)$를 넣으면 A^-의 농도가 증가하므로 정반응 쪽으로 평형이 이동한다. 따라서 NO_2^-의 농도는 증가한다.

05 | 선택지 분석 |

ㄱ 완충 용액이다.

➡ 약산인 HA와 그 짝염기인 A^-이 1 : 1의 몰비로 구성된 용액이므로 완충 용액이다.

ㄴ pH는 5이다.

➡ $K_a=\frac{[H_3O^+][A^-]}{[HA]}=1\times10^{-5}$이고, $[HA]=[A^-]$이므로 $[H_3O^+]=K_a$이다. 따라서 수용액의 pH는 5이다.

ㄷ $NaOH(s)$ 5×10^{-3} mol을 첨가하면 수용액의 pH는 7보다 커진다.

➡ $NaOH(s)$ 5×10^{-3} mol을 넣으면 중화점에 도달한다. 이때 A^-은 가수 분해하여 OH^-을 내놓으므로 혼합 용액의 pH는 7보다 커진다. $A^-(aq)+H_2O(l) \rightleftharpoons HA(aq)+OH^-(aq)$

06 | 선택지 분석 |

(가)에서 혼합 전 $HX(aq)$의 몰 농도는 0.1 M이므로 $MV=M'V'$에서 $NaOH(aq)$의 몰 농도(a)는 0.2 M이다.

ㄱ $x=0.02$이다.

➡ (나)에서 중화점에서 혼합한 수용액의 부피비가 1 : 1이므로 두 수용액의 몰 농도는 같다. 따라서 $HY(aq)$의 몰 농도는 0.2 M이므로 $x=0.02$이다.

✕ 혼합 전 넣기 전 HY의 이온화도는 ~~0.01~~ 0.007이다.

➡ $K_a=C\alpha^2$이므로 $1\times10^{-5}=0.2\times\alpha^2$이다. 따라서 $\alpha\fallingdotseq0.007$이다.

✕ 혼합 후 $[OH^-]=1\times10^{-7}$이다.

➡ HY는 약산이므로 중화점에서 약산의 짝염기인 Y^-은 가수 분해하여 OH^-을 내놓는다. 따라서 혼합 후 $[OH^-]>1\times10^{-7}$이다.

07 | 선택지 분석 |

(나)에서 $HB(aq)$와 $NaOH(aq)$의 부피 비가 1 : 1일 때 혼합 용액의 pH가 7이므로 두 수용액의 몰 농도는 같다. 따라서 $x=0.1$이다.

ㄱ HA의 이온화 상수(K_a)는 1×10^{-5}이다.

➡ 0.1 M $HA(aq)$ 100 mL와 0.1 M $NaOH(aq)$ 50 mL를 혼합한 용액에서 $[HA]=[A^-]$이므로 $[H_3O^+]=K_a$이다. 따라서 HA의 K_a는 1×10^{-5}이다.

ㄴ 혼합 전 수용액의 pH는 $HA(aq)$가 $HB(aq)$의 3배이다.

➡ $K_a=C\alpha^2$이므로 HA의 이온화도는 0.01이다. 혼합 전 $[H_3O^+]=C\alpha=0.001$이므로 $HA(aq)$의 pH는 3이다. $HB(aq)$는 강산이므로 pH=1이다.

✕ (가)에 x M $NaOH(aq)$ 50 mL를 추가로 넣은 혼합 용액에서 ~~$[Na^+]=[A^-]$~~이다. $[Na^+]=[A^-]$

➡ (가)에 0.1 M $NaOH(aq)$ 50 mL를 혼합하면 중화점에 해당되므로 A^-의 가수 분해가 일어난다. 따라서 $[Na^+]>[A^-]$이다.

08 | 선택지 분석 |

ㄱ $x=0.1$이다.

➡ $K_a=C\alpha^2$, $[H_3O^+]=C\alpha$이다. HA와 HB의 이온화도를 모두 α라고 할 때, $HA(aq)$에서 $x\alpha^2=1\times10^{-5}$이고 $HB(aq)$에서 $0.1x\alpha=10^{-4}$이다. 따라서 $\alpha=0.01$, $x=0.1$이다.

✕ (가)에서 $\frac{[HA]}{[A^-]}$=~~1~~이다. 100

➡ HA의 이온화 상수 K_a는 1×10^{-5}이고 (가)의 pH는 3이므로 $K_a=\frac{[H_3O^+][A^-]}{[HA]}=1\times10^{-5}$에서 $\frac{[HA]}{[A^-]}=100$이다.

ㄷ HB의 이온화 상수 K_a는 1×10^{-6}이다.

➡ $K_a=C\alpha^2$이므로 HB의 이온화 상수는 $K_a=1\times10^{-6}$이다.

09 (가)와 (나)에서 A^-와 B^-의 이온화도를 각각 α_1, α_2라고 하면 용액에 들어 있는 $[OH^-]$는 각각 $1\times\alpha_1$ M, $0.1\times\alpha_2$ M이다. pH는 (가)가 (나)보다 1만큼 크므로 $[OH^-]$는 (나)가 (가)의 10배이며, $1\times\alpha_1=10\times0.1\times\alpha_2$이다.
따라서 $\alpha_1=\alpha_2$이고 K_b는 각각 $1\times\alpha_1^2$, $10\times\alpha_1^2$이다.
1 M $HA(aq)$와 0.1 M $HB(aq)$에서 이온화도를 각각 n_1, n_2라고 하면

$$\frac{\text{HA의 } K_a}{\text{HB의 } K_a}=\frac{1\times n_1^2}{0.1\times n_2^2}=\frac{B^-\text{의 } K_b}{A^-\text{의 } K_b}=\frac{10\times\alpha_1^2}{1\times\alpha_1^2}\text{이다.}$$

따라서 $\frac{\text{1 M } HA(aq)\text{에서 HA의 이온화도}}{\text{0.1 M } HB(aq)\text{에서 HB의 이온화도}}=0.1$이다.

10 (가)에서 0.1 M $HA(aq)$의 pH가 3이므로 $[H^+]=C\alpha$에서 HA의 $\alpha=0.01$이다.

| 선택지 분석 |

ㄱ. $0.2\,M\ HA(aq)$의 $[H^+]$는 $2\times10^{-3}\,M$보다 작다.

➡ $[H^+]=C\alpha$이므로 $0.2\,M\ HA(aq)$에서 이온화도가 0.01이라고 할 때 $[H^+]=2\times10^{-3}\,M$이다. 그런데 이온화도는 농도가 진할수록 감소하므로 $2\,M\ HA(aq)$의 $[H^+]$는 2×10^{-3}보다 작다.

ㄴ. $x=\sout{0.1}$이다. 0.4

➡ 25 ℃에서 HA의 $K_a=C\alpha^2=1\times10^{-5}$이고 $\frac{[A^-]}{[HA]}=1$일 때 $[H_3O^+]=K_a$이므로 (가)에 넣어 준 NaOH의 양은 HA의 $\frac{1}{2}$이다. 따라서 $x\times0.005=2\times0.1\times0.01$이므로 $x=0.4$이다.

ㄷ. Ⅱ에 $x\,M$ NaOH(aq) 5 mL를 추가한 수용액은 ~~산성~~ 염기성이다.

➡ Ⅱ에 $x\,M$ NaOH(aq) 5 mL를 추가하면 중화점에 해당하고 A^-이 가수 분해하여 OH^-을 내놓으므로 수용액은 염기성이다.

11 (가)에서 $\frac{[A^-]}{[HA]}=1$이므로 HA(aq)의 양(몰)은 NaOH(aq)의 2배이다. 따라서 $0.2x=2\times0.2\times0.05$이므로 $x=0.1$이다. (가)에서 $K_a=[H_3O^+]$이므로 HA의 $K_a=1\times10^{-5}$이며, $K_b=1\times10^{-9}$이다.
(나)에서 $0.2\,M$ HA(aq)와 $0.2\,M$ NaOH(aq)을 혼합한 용액은 $0.1\,M$ NaA(aq) 200 mL와 같은 용액이므로 이 용액의 $[OH^-]=\sqrt{C\times K_b}=\sqrt{0.1\times10^{-9}}=1\times10^{-5}$이다.
따라서 $K_b=\frac{[HA][OH^-]}{[A^-]}$이므로
$\frac{[A^-]}{[HA]}=y=\frac{[OH^-]}{K_b}=\frac{1\times10^{-5}}{1\times10^{-9}}=10^4$이다.
$x\times y=10^3$이다.

12 넣어 준 NaOH(aq)이 80 mL일 때 A^-이 거의 존재하지 않으므로 반응 초기 HCl의 양은 0.08몰이다. 또한 NaOH(aq)을 100 mL 넣었을 때 A^-의 양(몰)이 0.02몰이므로 반응 초기 HA의 양(몰)은 0.02몰이다.

| 선택지 분석 |

ㄱ. 염기 A^-의 이온화 상수 K_b는 1×10^{-8}보다 크다.

➡ 약산 HA의 이온화 상수 K_a는 중화점의 $\frac{1}{2}$인 지점에서 $[HA]=[A^-]$이므로 $[H_3O^+]=K_a$이다. 따라서 P점에서의 pH가 6.3이므로 HA의 $K_a=1\times10^{-6.3}$이고, 염기 A^-의 이온화 상수 $K_b=\frac{K_w}{K_a}=\frac{1\times10^{-14}}{1\times10^{-6.3}}=1\times10^{-7.7}$이다.

ㄴ. P에서 $\frac{[Cl^-]}{[A^-]}=8$이다.

➡ P에서 Cl^-의 양은 0.08몰, A^-의 양은 0.01몰이므로 $\frac{[Cl^-]}{[A^-]}=8$이다.

ㄷ. Q에서 $[OH^-]=\sout{0.2}$ $\frac{1}{9}$ M이다.

➡ Q에서 추가로 들어간 NaOH(aq)의 부피는 25 mL이므로 OH^-의 양은 0.025몰이다. 이때 수용액의 부피는 225 mL이므로 $[OH^-]=\frac{0.025몰}{0.225\,L}=\frac{1}{9}$ M이다.

한번에 끝내는 대단원 문제 216쪽~219쪽

01 ③ **02** ② **03** ⑤ **04** ④ **05** ③ **06** ① **07** ② **08** ④
09 ⑤ **10** ③ **11** ③ **12** ③

13 (1) ΔH_1
(2) | **모범 답안** | 헤스 법칙에 의해 처음과 나중 상태가 같을 때 경로에 관계없이 총 열량은 일정하다.

$C(s,\ 흑연)+\frac{1}{2}O_2(g)\longrightarrow CO(g)\quad \Delta H=\Delta H_1-\Delta H_2$

$CO(g)+\frac{1}{2}O_2(g)\longrightarrow CO_2(g)\quad \Delta H=\Delta H_3$이므로

$C(s,\ 흑연)+O_2(g)\longrightarrow CO_2(g)$

$\Delta H=\Delta H_1-\Delta H_2+\Delta H_3$이다.

14 | **모범 답안** | 온도가 일정할 때 기체의 양은 PV에 비례하므로 반응 전 A, B의 양을 각각 $9x$몰, $6x$몰이라고 가정하면 양적 관계는 다음과 같다.

	$2A(g)$	$+B(g)$	$\rightleftarrows cC(g)$
반응 전(몰)	$9x$	$6x$	0
반응(몰)	$-\frac{6n}{c}$	$-\frac{3n}{c}$	$3n$
반응 후(몰)	$4n$	$3n$	$3n$

$9x-\frac{6n}{c}=4n$, $6x-\frac{3n}{c}=3n$이므로 $x=\frac{2}{3}n$이고, $c=3$이다. 따라서 $K=\frac{[C]^3}{[A]^2[B]}=\frac{(3n)^3}{(4n)^2\times3n}=\frac{9}{16}$이다.

15 (1) | **모범 답안** | 혼합 기체의 양이 (다)에서가 (나)에서보다 크므로 (나)의 온도를 높였을 때 기체의 양이 증가하는 방향은 정반응이 일어난 것이다. 평형 상태의 온도를 높이면 흡열 반응 쪽으로 반응이 일어나므로 이 반응의 $\Delta H>0$이다.
(2) $K=\frac{2}{45}$

16 (1) 0.01
(2) | **모범 답안** | 두 용액을 혼합하면 중화점에 해당하며 HA는 강산이고 B는 약염기이므로 B의 짝산이 가수 분해하여 H_3O^+을 생성하므로 이 혼합 용액의 pH는 7보다 작다.

01 | 선택지 분석 |

ㄱ. 흡열 반응이다.

➡ $NH_4NO_3(s)$가 용해될 때 비커가 차가워졌으므로 열을 흡수하였다. 따라서 $NH_4NO_3(s)$의 용해 반응은 흡열 반응이다.

ㄴ. 반응엔탈피는 0보다 크다.

➡ $NH_4NO_3(s)$가 용해될 때 엔탈피가 증가하므로 반응엔탈피는 0보다 크다.

ㄷ. 엔탈피는 $NH_4NO_3(s)$가 $NH_4NO_3(aq)$보다 크다.

➡ 흡열 반응은 생성물의 엔탈피가 반응물의 엔탈피보다 크다. 따라서 엔탈피는 $NH_4NO_3(aq)$이 $NH_4NO_3(s)$보다 크다.

02 | 선택지 분석 |

ㄱ. $\Delta H>0$이다.

➡ $H_2O_2(l)$의 분해 반응은 발열 반응이므로 $\Delta H<0$이다.

ㄴ 반응이 일어나면 주위의 온도는 높아진다.

➡ $H_2O_2(l)$의 분해 반응이 일어날 때 열을 방출하므로 주위의 온도는 높아진다.

✕ 생성 엔탈피는 $H_2O(l)$이 $H_2O_2(l)$보다 크다.

➡ ΔH = ($H_2O(l)$의 생성 엔탈피) − ($H_2O_2(l)$의 생성 엔탈피)이므로 생성 엔탈피는 $H_2O(l)$이 $H_2O_2(l)$보다 작다.

03 | 선택지 분석 |

ㄱ $H(g)$의 생성 엔탈피는 $\frac{a}{2}$ kJ/mol이다.

➡ $H(g)$의 생성 엔탈피는 $\frac{1}{2}H_2(g) \longrightarrow H(g)$의 반응엔탈피와 같으므로 $\frac{a}{2}$ kJ/mol이다.

ㄴ $2Na(s)+H_2(g) \longrightarrow 2NaH(s)$의 반응은 발열 반응이다.

➡ $NaH(s)$의 생성 엔탈피는 $\Delta H<0$이므로 $NaH(s)$의 생성 반응은 발열 반응이다.

ㄷ $NaH(s) \longrightarrow Na^+(g)+H^-(g)$의 반응엔탈피는 $\frac{1}{2}a+b-c+d$ kJ/mol이다.

➡ $H_2(g)$의 결합 에너지와 관련된 열화학 반응식과 $NaH(s)$의 생성과 관련된 열화학 반응식은 다음과 같다.

$H_2(g) \longrightarrow 2H(g) \quad \Delta H=a$ kJ

$Na(s)+\frac{1}{2}H_2(g) \longrightarrow NaH(s) \Delta H=-b$ kJ

따라서 $NaH(s) \longrightarrow Na^+(g)+H^-(g)$의 반응엔탈피는 다음과 같이 구할 수 있다.

$$\begin{array}{lll} \frac{1}{2}H_2(g) & \longrightarrow H(g) & \Delta H=-\frac{1}{2}a \text{ kJ} \\ NaH(s) & \longrightarrow Na(s)+\frac{1}{2}H_2(g) & \Delta H=b \text{ kJ} \\ H(g)+e^- & \longrightarrow H^-(g) & \Delta H=-c \text{ kJ} \\ +\quad Na(s) & \longrightarrow Na^+(g)+e^- & \Delta H=d \text{ kJ} \\ \hline NaH(s) & \longrightarrow Na^+(g)+H^-(g) & \Delta H \end{array}$$

따라서 $\Delta H=-\frac{1}{2}a+b-c+d$ kJ/mol이다.

04 | 선택지 분석 |

ㄱ $A(s)$의 용해 엔탈피는 0보다 작다.

➡ $A(s)$ 1 g이 용해될 때 수용액의 온도가 높아졌으므로 $A(s)$가 용해되는 과정은 발열 반응이다. 따라서 $A(s)$의 용해 엔탈피는 0보다 작다.

✕ $B(s)$의 용해 과정은 ~~발열~~ 흡열 반응이다.

➡ $B(s)$ 1 g이 용해될 때 수용액의 온도가 낮아졌으므로 $B(s)$가 용해되는 과정은 흡열 반응이다.

ㄷ |용해 엔탈피|는 $A(s)$가 $B(s)$보다 크다.

➡ 용해 엔탈피는 물질 1몰이 물에 용해될 때 출입하는 열량이다. 화학식량은 A가 B보다 크므로 용해된 용질의 양(몰)은 B가 A보다 크지만 온도 변화는 (가)에서가 (나)에서보다 크므로 물질 1몰이 용해될 때 출입하는 열량도 A가 B보다 크다. 따라서 |용해엔탈피|는 A가 B보다 크다.

05 | 선택지 분석 |

ㄱ 반응 몰비는 A : B=1 : 2이다.

➡ 평형에 도달하기 전까지 반응한 A~C의 양은 각각 1몰, 2몰, 2몰이다. 따라서 반응 몰비는 A : B=1 : 2이다.

ㄴ t ℃에서 평형 상수는 0.5보다 작다.

➡ 이 반응의 화학 반응식은 $A(g)+2B(g) \rightleftharpoons 2C(g)$이므로 평형 상수는 $K=\frac{[C]^2}{[A][B]^2}=\frac{2^2}{1\times3^2}=\frac{4}{9}$이다.

✕ 평형 상태에서 A와 C를 각각 1몰씩 넣으면 정반응이 일어난다.

➡ 평형 상태에서 A와 C 각 1몰을 넣으면 반응 지수는 $Q=\frac{[C]^2}{[A][B]^2}=\frac{3^2}{2\times3^2}=\frac{1}{2}$이므로 $K<Q$이다. 따라서 역반응이 일어난다.

06 | 선택지 분석 |

ㄱ t ℃에서 역반응의 평형 상수는 $\frac{1}{K}$이다.

➡ 역반응의 평형 상수는 $\frac{[A][B]^2}{[C]^2}$이므로 $\frac{1}{K}$이다.

✕ 용기에 $Ar(g)$을 넣으면 정반응이 일어난다.

➡ 용기에 $Ar(g)$을 넣어도 반응물과 생성물의 부분 압력은 변하지 않으므로 평형 이동은 일어나지 않는다.

✕ 용기에 $A(g)$을 넣고 반응시킨 후 평형에 도달했을 때 평형 상수는 ~~K보다 크다.~~ 변하지 않는다.

➡ 용기에 $A(g)$를 넣고 반응시켜 새로운 평형에 도달했을 때 온도는 일정하므로 평형 상수는 변하지 않는다.

07 | 선택지 분석 |

✕ ~~$T_2>T_1$~~이다. $T_1>T_2$

➡ 온도를 변화시켰을 때 정반응이 일어났으므로 온도를 낮춘 것이고, $T_1>T_2$이다.

ㄴ $x=0.4$이다.

➡ (가)에서 A의 양은 $(1-x)$몰, B의 양은 x몰이고, (나)에서 A의 양은 $(1-2x)$몰, B의 양은 $2x$몰이므로 $K=\frac{[B]}{[A]}$에서 (가) : (나)$=\frac{1}{1-x} : \frac{2x}{1-2x}=1 : 6$이다. 따라서 $x=0.4$이다.

✕ A의 몰 분율은 (가)에서가 (나)에서의 ~~2배~~ 3배이다.

➡ A의 양은 (가)에서 0.6몰, (나)에서 0.2몰이다. 따라서 전체 몰수는 1몰로 같고 반응 전후 변하지 않으므로 A의 몰 분율은 A의 몰수에 비례한다. 따라서 (가)에서가 (나)에서의 3배이다.

08 | 선택지 분석 |

✕ 평형 상수는 (다)에서가 (나)에서보다 크다.

➡ 압력 변화에 의해 평형 상수는 변하지 않으므로 (나)와 (다)에서 평형 상수는 같다.

ㄴ NH_3의 몰 분율은 (다)에서가 (가)에서보다 크다.

➡ 압력을 증가시키면 기체의 양이 작아지는 정반응이 일어나므로 NH_3의 양은 증가한다. 따라서 NH_3의 몰 분율은 (다)에서가 (가)에서보다 크다.

ㄷ. (나)에 아르곤(Ar)을 넣어 주면 역반응 쪽으로 평형이 이동한다.

➡ (나)에 아르곤을 넣으면 부피가 증가하면서 수소, 질소, 암모니아의 부분 압력이 감소하므로 기체의 양이 증가하는 쪽으로 평형이 이동한다. 따라서 역반응이 일어난다.

09 | 선택지 분석 |

ㄱ. P점의 온도는 기준 어는점이다.

➡ 1기압에서 액체가 고체로 될 때의 온도를 기준 어는점이라고 한다.

ㄴ. R점에서 고체, 액체, 기체가 동적 평형을 이룬다.

➡ R점은 3중점으로 고체, 액체, 기체가 동적 평형을 이룬다.

ㄷ. T_1에서 Q점의 압력을 낮추면 기체로 상이 변할 수 있다.

➡ Q점의 압력을 낮추면 증기 압력 곡선을 지나가게 되므로 기체로 상이 변할 수 있다.

10 | 선택지 분석 |

$[H_3O^+]=C\times\alpha$이므로 0.001 M이다.

ㄱ. 이온화도는 0.01이다.

➡ $K_a=C\times\alpha^2$이므로 이온화도는 0.01이다.

ㄴ. 수용액에 들어 있는 $[H_3O^+]$는 0.001 M이다.

➡ $[H_3O^+]=C\times\alpha$이므로 0.001 M이다.

ㄷ. HA와 NaA를 1 : 1의 몰비로 혼합한 수용액의 pH는 3이다.

➡ HA와 NaA를 1 : 1의 몰비로 혼합한 수용액에서 $[H_3O^+]$는 K_a와 같다. 따라서 pH는 5이다.

11 | 선택지 분석 |

ㄱ. $x>y$이다.

➡ (나)는 HCO_3^-의 가수 분해가 일어나 수용액의 pH는 7보다 크다. (다)는 HSO_4^-이 이온화되므로 수용액의 pH는 7보다 작다.

ㄴ. (나)에서 $[Na^+]>[HCO_3^-]$이다.

➡ (나)는 HCO_3^-의 가수 분해가 일어나므로 $[Na^+]>[HCO_3^-]$이다.

ㄷ. (가)와 (다)에서 Na^+의 가수 분해가 일어난다.

➡ Na^+은 강염기의 짝산이므로 가수 분해하지 않는다.

12 | 선택지 분석 |

ㄱ. 수용액의 농도는 A가 C보다 크다.

➡ $[H_3O^+]=C\times\alpha$, $[OH^-]=C\times\alpha$이므로 $A(aq)$에서 $0.01\ M=C\times0.98$이므로 수용액 A의 농도는 약 0.1 M이고, $C(aq)$에서 $10^{-5}=C\times0.01$이므로 수용액 C의 농도는 10^{-3} M이다.

ㄴ. 이온화 상수는 C가 B보다 크다.

➡ 약산과 약염기의 이온화 상수는 $K=C\times\alpha^2$이다. $B(aq)$에서 $[H_3O^+]=C\times\alpha$, $0.01=C\times0.01$이므로 $C=1$ M이다. 따라서 B의 이온화 상수는 $1\times(0.01)^2=10^{-4}$이다. C의 이온화 상수는 $10^{-3}\times0.01^2$이므로 10^{-7}이다.

ㄷ. 몰 농도가 같은 $B(aq)$와 $D(aq)$를 1 : 1의 부피비로 혼합한 용액의 pH는 7보다 크다.

➡ B는 약산, D는 강염기이므로 몰 농도가 같은 $B(aq)$와 $D(aq)$를 1 : 1의 부피비로 혼합한 용액의 pH는 7보다 크다.

13 (1) $H_2O(g)$의 생성 엔탈피는

$H_2(g)+\frac{1}{2}O_2(g) \longrightarrow H_2O(g)$의 반응엔탈피와 같으므로 ΔH_1이다.

(2) 헤스 법칙에 의해 처음과 나중 상태가 같을 때 경로에 관계없이 총 열량은 일정하다. 따라서

$$C(s,\ 흑연)+\frac{1}{2}O_2(g) \longrightarrow CO(g) \quad \Delta H=\Delta H_1-\Delta H_2$$

$$CO(g)+\frac{1}{2}O_2(g) \longrightarrow CO_2(g) \quad \Delta H=\Delta H_3$$

$$C(s,\ 흑연)+O_2(g) \longrightarrow CO_2(g) \quad \Delta H$$

따라서 $C(s,$ 흑연$)$의 연소 엔탈피는 $\Delta H=\Delta H_1-\Delta H_2+\Delta H_3$이다.

채점 기준	배점
$C(s,$ 흑연$)$의 연소 엔탈피와 관계된 열화학 반응식을 모두 제시하고 헤스 법칙을 이용하여 풀이한 과정을 옳게 서술한 경우	100 %
$C(s,$ 흑연$)$의 연소 반응만을 옳게 제시한 경우	50 %

14 온도가 일정할 때 기체의 양은 PV에 비례하므로 반응 전 A, B의 양을 각각 $9x$몰, $6x$몰이라고 가정할 수 있다. 이를 이용하여 양적 관계를 나타내면 다음과 같다.

	$2A(g)$	+ $B(g)$ ⇌	$cC(g)$
반응 전(몰)	$9x$	$6x$	0
반응(몰)	$-\frac{6n}{c}$	$-\frac{3n}{c}$	
반응 후(몰)	$4n$	$3n$	$3n$

$9x-\frac{6n}{c}=4n$, $6x-\frac{3n}{c}=3n$이므로

$x=\frac{2}{3}n$이고, $c=3$이다.

따라서 $K=\frac{[C]^3}{[A]^2[B]}=\frac{(3n)^3}{(4n)^2\times3n}=\frac{9}{16}$이다.

채점 기준	배점
반응 초기 기체의 몰비와 양적 관계를 이용하여 반응 계수를 구한 후, 평형 상수식을 이용하여 옳게 서술한 경우	100 %
평형 상수식만을 제시하여 평형 상수를 옳게 구한 경우	30 %

15 (1) 혼합 기체의 양이 (다)에서가 (나)에서보다 크므로 (나)의 온도를 높였을 때 기체의 양이 증가하는 방향인 정반응이 일어난 것이다. 평형 상태의 온도를 높이면 흡열 반응 쪽으로 반응이 일어나므로 이 반응의 $\Delta H>0$이다.

채점 기준	배점
(나)와 (다)의 기체의 양을 비교하여 정반응 쪽으로 평형이 이동하였음을 제시하고 온도를 높였을 때 흡열 반응이 일어나기 때문이라고 서술한 경우	100 %
온도를 높였을 때 흡열 반응이 일어나기 때문이라고 답한 경우	50 %

(2) (가)에서 N_2O(분자량은 44)의 질량이 22 g이므로 이는 0.5몰에 해당한다. (다)까지 반응한 N_2O의 양을 $2x$몰이라고 할 때, 양적 관계를 나타내면 다음과 같다.

	$2N_2O(g)$	$\rightleftharpoons$ $2N_2(g)$	$+ O_2(g)$
반응 전(몰)	0.5	0	0
반응(몰)	$-2x$	$+2x$	$+x$
반응 후(몰)	$0.5-2x$	$2x$	x

(다)에 들어 있는 N_2O, N_2, O_2의 양은 각각 $(0.5-2x)$몰, $2x$몰, x몰이다. 혼합 기체의 양은 $0.5-2x+2x+x=0.6$이므로 $x=0.1$이다. 따라서 N_2O, N_2, O_2의 양은 각각 0.3몰, 0.2몰, 0.1몰이므로 평형 상수는

$K=\frac{[N_2]^2[O_2]}{[N_2O]^2}=\frac{0.2^2\times0.1}{0.3^2}=\frac{2}{45}$이다.

16 (1) 온도가 일정하면 이온화 상수도 일정하므로 HA의 이온화 상수는 R점에서와 Q점에서가 서로 같다. Q점에서 B의 이온화도가 0.5이므로 $[B]=0.01$ M이고 $[OH^-]$와 $[HB^+]$도 모두 0.01 M이다.

따라서 $K_b=\frac{[BH^+][OH^-]}{[B]}=0.01$이다.

(2) 두 용액을 혼합하면 중화점에 해당하며, HA는 강산이고 B는 약염기이므로 B의 짝산이 가수 분해하여 H_3O^+을 생성하므로 이 혼합 용액의 pH는 7보다 작다.

$HB^+(aq)+H_2O(l) \rightleftharpoons B(aq)+H_3O^+(aq)$

채점 기준	배점
B의 짝산이 가수 분해하여 혼합 용액의 pH가 7보다 작다고 서술한 경우	100 %
혼합 용액의 pH는 7보다 작다라고만 답한 경우	30 %

1 ››› 반응 속도

01 반응 속도

개념POOL 226쪽

01 (1) ○ (2) × (3) ○ (4) ○
02 A의 반응 차수: 1차 반응, B의 반응 차수: 1차 반응, 반응 속도식: $v=0.05[A][B]$

01 (2) 1차 반응은 반응물의 농도에 관계없이 반감기가 일정하다.

(4) 반응물의 농도가 초기 농도의 $\frac{1}{4}$이 되는 데까지 걸리는 시간이 2분이므로 반응물의 농도가 절반이 되는 데까지 걸리는 시간, 즉 반감기는 1분이다.

02 시간에 따른 A의 농도 그래프에서 반감기가 t초로 일정하므로 A의 1차 반응이다. 표에서 실험 Ⅰ과 Ⅱ를 비교하면, A의 농도가 일정하고 B의 농도가 3배일 때 초기 반응 속도도 3배이므로 B의 1차 반응이다. 따라서 반응 속도식은 $v=k[A][B]$이며, 반응 속도식에 실험 Ⅰ의 값을 대입하면 $k=0.05\ M^{-1}\cdot s^{-1}$이므로 반응 속도식은 $v=0.05[A][B]$이다.

콕콕! 개념 확인하기 227쪽

✔ 잠깐 확인!

1 반응 속도 **2** 평균 반응 속도 **3** 반응 속도 상수, 반응 차수 **4** 2 **5** 반감기 **6** 1

01 (1) ○ (2) ○ (3) × (4) × **02** ㉠ $-\frac{1}{a}$, ㉡ $-\frac{1}{b}$, ㉢ $\frac{1}{c}$
03 (1) ○ (2) × (3) × (4) ○ **04** 1차, s^{-1} **05** ㉠ 비례, ㉡ 반감기

01 (3), (4) 특정 시간에서의 반응 속도를 순간 반응 속도라 하고, 시간-농도 그래프에서 특정 시간에서의 접선의 기울기(절대값)에 해당한다. 반응물이나 생성물의 농도 변화량을 반응이 일어난 시간으로 나누어 나타내는 반응 속도를 평균 반응 속도라 하고, 시간-농도 그래프에서 두 지점을 지나는 직선의 기울기(절댓값)에 해당한다.

02 각 물질의 농도 변화량은 계수에 따라 달라지므로 화학 반응에서 반응 속도를 나타내려면 각 물질의 계수로 농도 변화량을 나누어 주어야 한다. 이때 화학 반응식의 계수의 역수를 반응 속도 앞에 붙여야 반응 속도식이 완성된다.

03 (2) 반응 속도 상수(k)는 농도와는 관계없고, 온도에 따라 달라진다.

(3) 반응 속도식의 반응 차수는 화학 반응식의 계수와 관계없고, 실험으로 결정된다.

04 반응 차수는 1차이고, $k=\frac{v}{[H_2O_2]}$에서 반응 속도의 단위가 M/s이고, H_2O_2 농도의 단위는 M이므로 반응 속도 상수(k)의 단위는 s^{-1}이다.

05 1차 반응의 반응 속도식은 $v=k[A]$이고, 반응물의 농도에 관계없이 반감기가 일정하다.

탄탄! 내신 다지기 228쪽~229쪽

01 ① **02** ③ **03** ③ **04** ① **05** ③ **06** $v=k[NO_2]^2$, $k=0.21\,M^{-1}\cdot s^{-1}$ **07** ③ **08** ⑤ **09** ① **10** ㉠ t, ㉡ a **11** ④

01 마그네슘의 연소 반응은 반응이 일어나는 시간이 짧아서 변화를 바로 알 수 있는 빠른 반응이다. 석회 동굴의 생성 반응, 철이 녹스는 반응, 김치가 익는 반응, 사과의 갈변 반응은 느린 반응이다.

02 | 선택지 분석 |

㉠ 반응이 진행될수록 반응 속도는 느려진다.

➡ 반응이 진행될수록 1분 동안 발생한 H_2의 부피는 줄어들므로 반응 속도는 느려진다.

㉡ 반응 속도의 단위는 mL/분이다.

➡ 1분마다 발생한 기체의 부피(mL)를 측정하고 있으므로 반응 속도의 단위는 mL/분이다.

~~㉢~~ 7분 이후에도 반응은 계속 일어난다.

➡ 7분 이후에 H_2의 부피는 변화가 없으므로 반응은 더 이상 일어나지 않는다.

03 1분~3분, 즉 2분 동안 발생한 H_2의 부피는 70 mL−40 mL=30 mL이다. 따라서 평균 반응 속도는 $\frac{30\,mL}{2분}$=15 mL/분이다.

04 | 선택지 분석 |

① 기체의 부피

➡ 실험 장치의 묽은 염산과 마그네슘이 반응하면 수소(H_2)가 발생하므로 시간에 따라 발생하는 기체의 부피를 측정하면 반응 속도를 구할 수 있다.

② 마그네슘의 크기

➡ 마그네슘의 크기는 감소하지만 제시된 장치로는 그 크기 변화를 측정할 수 없다.

③ 묽은 염산의 부피

➡ 묽은 염산은 반응 전에 일정한 부피로 들어 있으므로 실험 과정에서 측정할 정보가 아니다.

④ 감소하는 반응물의 질량

➡ 실험 장치에서 발생하는 기체의 부피를 측정하고 있으므로 감소하는 반응물의 질량을 측정할 수 없다.

⑤ 일정량의 앙금이 생성되는 데 걸리는 시간

➡ 반응 과정에서는 수소(H_2) 기체가 발생하고, 앙금 생성 반응은 일어나지 않는다.

05 | 선택지 분석 |

① NO의 ~~1차~~ 2차 반응이다.

➡ 반응 속도식으로부터 NO의 2차 반응임을 알 수 있다.

② O_2에 대한 ~~2차~~ 1차 반응이다.

➡ 반응 속도식으로부터 O_2의 1차 반응임을 알 수 있다.

③ 전체 반응 차수는 3차이다.

➡ NO의 2차 반응, O_2의 1차 반응이므로 전체 반응 차수는 3차이다.

④ k의 단위로 ~~$M^{-1}\cdot s^{-1}$~~ $M^{-2}\cdot s^{-1}$을 사용할 수 있다.

➡ v는 M/s의 단위를 사용하고, 몰 농도의 단위는 M이므로 $k=\frac{v}{[NO]^2[O_2]}$에서 k의 단위로 $M^{-2}\cdot s^{-1}$을 사용할 수 있다.

⑤ 반응물의 농도가 각각 2배가 되면 반응 속도는 ~~4배~~ 8배가 된다.

➡ 반응물의 농도가 각각 2배가 되면 반응 속도는 $2^2\times2$=8배가 된다.

06 실험 1과 2를 비교하면 NO_2의 농도가 2배일 때 초기 반응 속도가 4배이고, 실험 2와 3을 비교하면 CO의 농도가 2배일 때 초기 반응 속도에 변화가 없음을 알 수 있다. 따라서 이 반응은 NO_2의 2차 반응이므로 반응 속도식은 $v=k[NO_2]^2$이다. 반응 속도 v의 단위는 M/s이고, 반응 속도식에 실험 1의 값을 대입하면 반응 속도 상수(k)는 다음과 같다.

$$k=\frac{v}{[NO_2]^2}=\frac{0.0021\,M/s}{(0.1\,M)^2}=0.21\,M^{-1}\cdot s^{-1}$$

07 | 선택지 분석 |

㉠ 반응 속도식은 $v=k[A][B]^2$이다.

➡ (가)와 (나)를 비교하면 B의 농도가 2배일 때 초기 반응 속도가 4배이므로 B의 2차 반응이고, (나)와 (다)를 비교하면 A의 농도가 3배일 때 초기 반응 속도가 3배이므로 A의 1차 반응임을 알 수 있다. 따라서 반응 속도식은 $v=k[A][B]^2$이다.

~~㉡~~ 전체 반응 차수는 ~~4차~~ 3차이다.

➡ 반응 속도식이 $v=k[A][B]^2$으로 A의 1차 반응, B의 2차 반응이므로 전체 반응 차수는 3차이다.

㉢ [A]가 $2a$, [B]가 $2b$일 때 초기 반응 속도는 $8x$이다.

➡ 반응 속도식은 $v=k[A][B]^2$이므로 $k=\frac{v}{[A][B]^2}$이다. 이 식에 실험 (가)의 값을 대입하면 $k=\frac{x}{a\times b^2}$이다. 따라서 [A]가

$2a$, [B]가 $2b$일 때 초기 반응 속도(v)는 다음과 같다.

$v=\frac{x}{a\times b^2}\times 2a\times(2b)^2=8x$

08 | 선택지 분석 |

ㄱ. A의 1차 반응이다.

➡ 반응 속도가 A의 농도에 비례하므로 A의 1차 반응이다.

ㄴ. A의 반감기는 일정하다.

➡ 1차 반응은 반응물의 농도에 관계없이 반감기가 일정하다. 따라서 A의 1차 반응이므로 A의 반감기는 A의 농도와 관계없이 일정하다.

ㄷ. 그래프의 기울기는 반응 속도 상수(k)이다.

➡ 이 반응은 반응물이 A 1가지이므로 반응 속도식은 $v=k[A]$이다. 주어진 그래프는 A의 농도에 따른 반응 속도를 나타낸 것이므로 그래프의 기울기는 $v=k[A]$에서 반응 속도 상수(k)에 해당한다.

09 | 선택지 분석 |

ㄱ. 반응 속도식은 $v=k$이다.

➡ 0차 반응은 반응물의 농도에 관계없이 반응 속도가 일정하므로 반응 속도식은 $v=k$이다.

✕ 반감기가 일정하다.

➡ 반감기가 일정한 반응은 1차 반응이고, 0차 반응의 반감기는 반응물의 농도가 감소할수록 짧아진다.

✕ 반응 속도는 반응물의 농도에 ~~비례한다.~~ 관계없이 일정하다.

➡ 0차 반응의 반응 속도식은 $v=k$이므로 반응 속도는 반응물의 농도에 관계없이 일정한 값을 나타낸다. 반응 속도가 반응물의 농도에 비례하는 반응은 1차 반응이다.

10 1차 반응은 반응물의 농도와 관계없이 반감기가 일정하다. 따라서 1차 반응에서 반응물의 농도가 $4a$에서 $2a$로 줄어드는 데 걸리는 시간이 t분이라면 반감기가 t분이며, 다음 t분은 반감기가 흐른 뒤이므로 농도가 $2a$에서 a로 감소한다.

11 | 자료 분석 |

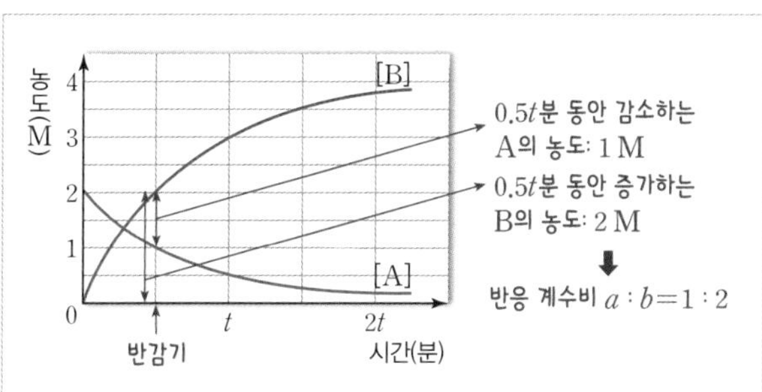

| 선택지 분석 |

① $a=$ ~~2~~ 1이다.

② $b=$ ~~1~~ 2이다.

③ A의 반감기는 ~~t분~~ $0.5t$분이다.

➡ A의 농도가 2 M의 절반인 1 M로 줄어드는 데 걸리는 시간은 $0.5t$분이므로 A의 반감기는 $0.5t$분이다.

✓④ 반응 속도식은 $v=k[A]$이다.

➡ 반감기가 $0.5t$분으로 일정하므로 A의 1차 반응이다. 따라서 반응 속도식은 $v=k[A]$이다.

⑤ 반응 속도는 A의 농도에 ~~관계없이 일정하다.~~ 비례한다.

➡ A의 1차 반응이며, 1차 반응은 반응 속도가 농도에 비례한다.

도전! 실력 올리기

230쪽~231쪽

01 ⑤ **02** ③ **03** ③ **04** ① **05** ③ **06** ①

07 $v=k[A]^2$

08 | 모범 답안 | A: 2개, B: 3개, A의 1차 반응이므로 반감기가 일정하다. A는 처음에 8개였고, 2분 후에 4개이므로 반감기는 2분이다. 그리고 2분 동안 A는 4개가 소모되고 B는 2개가 생성되었으므로 반응 계수는 $a=2$, $b=1$이다. 따라서 (다)에서 A는 (나)의 절반인 2개이고, B는 1개가 더 생성되므로 3개이다.

09 | 모범 답안 | $m=1$, B의 농도: 15 M, 반감기가 10초로 일정하므로 A의 1차 반응이다. 따라서 $m=1$이다. 증가한 B의 농도는 감소한 A의 농도의 2배이므로 40초일 때 B의 농도는 $8+4+2+1=15$ (M)이다.

01 | 선택지 분석 |

ㄱ. (가)에서는 시간에 따른 전체 물질의 질량을 측정한다.

➡ (가)에서는 생성된 CO_2가 빠져나가 질량이 감소하므로 시간에 따라 감소한 질량을 측정해야 한다.

ㄴ. (나)에서는 시간에 따른 생성된 수소 기체의 부피를 측정한다.

➡ (나)에서는 수소 기체가 발생하므로 시간에 따라 발생하는 기체의 부피를 측정해야 한다.

ㄷ. (다)에서는 앙금이 생성되어 ×표가 보이지 않을 때까지 걸리는 시간을 측정한다.

➡ (다)에서는 반응에서 생성되는 황(S) 앙금에 의해 ×표가 보이지 않을 때까지 걸리는 시간을 측정해야 한다.

02 | 선택지 분석 |

ㄱ. 반응 속도식은 $v=k[A][B]$이다.

➡ 실험 (가)와 (나)를 비교하면 B의 농도가 4배일 때 초기 반응 속도가 4배이므로 B의 1차 반응임을 알 수 있고, 실험 (가)와 (다)를 비교하면 A의 농도가 2배일 때 초기 반응 속도가 2배이므로 A의 1차 반응임을 알 수 있다. 따라서 반응 속도식은 $v=k[A][B]$이다.

✕ a와 b를 구할 수 있다.

➡ 반응 계수는 반응물과 생성물의 농도 변화를 통해서 구할 수 있으므로 초기 농도를 다르게 한 초기 반응 속도로부터 반응 계수를 구할 수 없다.

ㄷ. 반응 속도 상수(k)는 $1.2\ M^{-1}\cdot s^{-1}$이다.

➡ 실험 (가)의 값을 반응 속도식 $v=k[A][B]$에 대입하면 $1.2\times10^{-3}=k[0.1][0.01]$이므로 $k=1.2\ M^{-1}\cdot s^{-1}$이다.

03 | 선택지 분석 |

ㄱ. O_2의 1차 반응이다.

➡ (가)와 (나)를 비교하면 O_2의 농도가 2배일 때 NO_2의 생성 속도가 2배이므로 O_2의 1차 반응이다.

ㄴ. $x=36$이다.

➡ 전체 반응 차수는 3차이므로 NO의 2차 반응이다. (다)는 (가)보다 NO의 농도는 2배, O_2의 농도는 3배이므로 NO_2의 생성 속도는 $2^2\times3=12$배이어야 한다. 따라서 $x=36$이다.

✕ 반응 속도 상수(k)는 ~~(나)가 (가)의 2배이다~~. 일정하다.

➡ 온도가 일정하므로 반응 속도 상수(k)는 일정하다.

04 | 선택지 분석 |

ㄱ. 반감기는 2분이다.

➡ A의 농도가 절반으로 되는 데 걸리는 시간이 2분이므로 반감기는 2분이다.

✕ 반응 속도식은 $v=$ ~~$k[A]^2$~~ $k[A]$이다.

➡ 반감기가 2분으로 일정한 반응이므로 A의 1차 반응이다. 따라서 반응 속도식은 $v=k[A]$이다.

✕ 12분일 때 A의 농도는 ~~0.025~~ 0.0625 M이다.

➡ 반감기가 2분이므로 12분은 반감기가 6번 지났을 때이다. 따라서 A의 농도는 $4.0\times\left(\frac{1}{2}\right)^6=0.0625$ M이다.

05 | 자료 분석 |

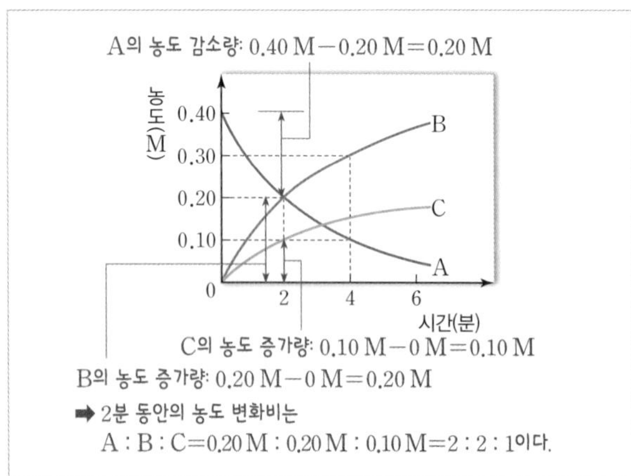

| 선택지 분석 |

ㄱ. $a+b+c=5$이다.

➡ 농도 변화비는 A : B : C=2 : 2 : 1이므로 반응 계수는 $a=2$, $b=2$, $c=1$이다. 따라서 $a+b+c=5$이다.

ㄴ. 반응 속도식 $v=k[A]$이다.

➡ A의 농도가 절반으로 되는 데 걸리는 시간이 2분이므로 A의 반감기가 2분으로 일정한 반응이다. 따라서 A의 1차 반응이다.

✕ 6분일 때 $\frac{[C]}{[A]}=$ ~~35~~ 3.5이다.

➡ 6분은 반감기가 3번 지난 지점이므로 $[A]=0.05$ M이다. 그리고 A의 농도 감소량은 0.35 M이고, 농도 변화비는 A : C=2 : 1이므로 $[C]=0.175$ M이다. 따라서 $\frac{[C]}{[A]}=3.5$이다.

06 | 자료 분석 |

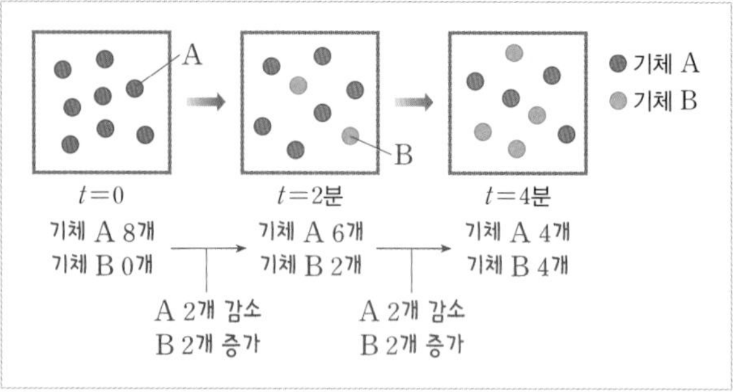

입자 수 변화에서 A가 2개 소모되면서 B가 2개 생성되므로 A와 B의 반응 몰수비는 같다. 따라서 반응 계수는 $a=b=1$이므로 $a+b=2$이다. 그리고 2분 동안 감소하는 A의 입자 수가 일정하므로 반응 차수는 0차이다. 따라서 반응 속도식은 $v=k$이다.

07 (가)와 (나)를 비교하면 A의 농도가 2배일 때 반응 속도는 4배로 증가하고, (가)와 (다)를 비교하면 A의 농도가 3배일 때 반응 속도는 9배로 증가하므로 A의 2차 반응이다. 따라서 반응 속도식은 $v=k[A]^2$이다.

08 반응 속도식 $v=k[A]$에서 A의 1차 반응임을 알 수 있고, 2분 후인 (나)에서 A의 개수는 8개에서 4개로 감소하므로 A의 농도는 초기 농도의 $\frac{1}{2}$이다. 따라서 이 반응의 반감기는 2분이다. (가)에서 (나)로 변할 때 A는 4개 감소하고, B는 2개 증가하므로 반응 계수비는 $a:b=2:1$이다. 따라서 4분 후인 (다)에서는 반감기가 2번 지난 지점이므로 A 입자는 2개이고, 이때 A 입자가 2개 감소한 것이므로 B 입자는 2개에서 1개가 더 생성되어 3개이다.

채점 기준	배점
A와 B의 입자 수를 옳게 쓰고, 구하는 과정을 반감기를 이용하여 옳게 서술한 경우	100 %
A와 B의 입자 수만 옳게 쓴 경우	40 %

09 A의 농도가 10초마다 절반으로 감소하고 있으므로 반감기는 10초로 일정하다. 따라서 A의 1차 반응이므로 반응 속도식은 $v=k[A]$이다. 즉, $m=1$이다. 화학 반응식 $A(g) \longrightarrow 2B(g)$에서 계수비는 A : B=1 : 2이므로 10초마다 증가한 B의 농도는 감소한 A의 농도의 2배이다. 10초마다 감소한 A의 농도는 4 M, 2 M, 1 M, 0.5 M이므로 10초마다 증가한 B의 농도는 8 M, 4 M, 2 M, 1 M이다. 따라서 40초일 때 B의 농도는 $8+4+2+1=15$ (M)이다.

채점 기준	배점
m과 40초일 때 B의 농도를 옳게 쓰고, 구하는 과정을 옳게 서술한 경우	100 %
m과 40초일 때 B의 농도 중 1가지에 대해서만 옳게 서술한 경우	50 %
m과 40초일 때 B의 농도만 옳게 쓴 경우	40 %

02 활성화 에너지

개념POOL 236쪽

1 (1) ○ (2) × (3) × (4) ○ (5) × **2** (1) < (2) > (3) >

01 (2), (5) 반응이 일어나기 위해서는 활성화 에너지 이상의 에너지를 가지는 분자들이 생성물이 생성되는 데 적합한 방향으로 충돌해야 한다.
(3) 활성화 에너지가 큰 반응의 반응 속도가 더 느리다.

02 활성화 에너지보다 큰 에너지를 가진 분자들이 반응할 수 있으므로 반응을 일으킬 수 있는 분자 수가 많고, 반응 속도가 빠른 것은 활성화 에너지가 E_1일 때이다.

콕콕! 개념 확인하기 237쪽

✔ 잠깐 확인!

1 충돌 **2** 활성화 에너지 **3.** 활성화물 **4** 정반응, 역반응 **5** 작 **6** 유효

01 (다) **02** (1) × (2) ○ (3) ○ **03** $\Delta H = a-b$ **4** 184.5 kJ **05** ㉠ 활성화 에너지, ㉡ 유효 충돌

01 NO와 O_3이 반응하여 NO_2와 O_2가 생성되어야 하므로 (가)와 (나)의 충돌 방향은 적합하지 않고, (다)의 방향으로 충돌해야 반응이 일어날 수 있다.

02 (1) 활성화 에너지 이상의 에너지를 가진 입자들이 생성물이 생성되기에 적합한 방향으로 충돌해야 반응이 일어난다.

03 반응엔탈피(ΔH)는 정반응의 활성화 에너지(a)에서 역반응의 활성화 에너지(b)를 빼서 구할 수 있다.

04 반응엔탈피(ΔH) = 정반응의 활성화 에너지 − 역반응의 활성화 에너지이다. 따라서 정반응의 활성화 에너지(x)는 $9.5 = x - 175$에서 $x = 184.5$ kJ이다.

05 화학 반응이 일어나기에 적합한 방향으로 활성화 에너지 이상의 에너지를 가진 입자들이 충돌하여 화학 반응이 일어나는 충돌을 유효 충돌이라고 한다.

탄탄! 내신 다지기 238쪽~239쪽

01 ④ **02** ④ **03** ③ **04** ① **05** ④ **06** 30 kJ **07** ⑤ **08** ④ **09** $z > y$ **10** ① **11** 활성화 에너지 **12** ①

01 | 선택지 분석 |

① 반응물이 충돌하지 않아도 반응이 일어난다.
➡ 반응이 일어나려면 반응물이 서로 충돌해야 한다.

② 모든 반응물의 충돌은 항상 반응을 일으킨다.
➡ 반응물의 에너지가 활성화 에너지보다 높고 반응이 일어나기 적합한 방향으로 충돌이 일어나는 경우에만 반응이 일어난다.

③ 반응물의 충돌 방향은 반응이 일어나는 것과 관계가 없다.
➡ 충돌 방향이 반응이 일어나기 적합해야 반응이 일어난다. 방향이 적합하지 않으면 충돌하더라도 반응이 일어나지 않는다.

④ 반응물의 충돌 방향이 반응을 일으키기에 적합해야 반응이 일어난다.
➡ 반응물의 충돌 방향이 적합하고, 반응물의 에너지가 활성화 에너지보다 높으면 반응이 일어난다.

⑤ 충돌한 반응물이 반응을 일으키지 않으면 다음 충돌에서도 반응이 일어나지 않는다.
➡ 충돌한 반응물이 반응을 일으키지 않아도 다음 충돌에서 반응물의 에너지가 활성화 에너지보다 높고 반응이 일어나기 적합한 방향으로 충돌이 일어나면 반응이 일어나게 된다.

02 반응 후에 NO와 CO_2가 생성되므로 충돌 방향은 NO_2의 O가 CO의 C와 충돌해야 반응이 일어나기에 적합하다.

03 반응이 일어나기에 적합한 충돌 방향에서 NO의 N와 O_3의 O가 충돌하므로 생성물은 NO_2와 O_2이다.

04 정반응의 활성화 에너지는 반응물이 에너지를 흡수하여 반응을 일으키는 데 필요한 최소한의 에너지이다.

05 | 선택지 분석 |

ㄱ. 반응엔탈피(ΔH)는 ㉥이다. (㉣)
➡ 반응엔탈피(ΔH)는 ㉠−㉤=㉣이다.

ㄴ. 정반응의 활성화 에너지가 역반응의 활성화 에너지보다 크다.
➡ 흡열 반응이므로 정반응의 활성화 에너지가 역반응의 활성화 에너지보다 크다.

ㄷ. 생성물이 활성화물이 되기 위해 흡수해야 할 에너지는 ㉤이다.
➡ 생성물이 역반응의 활성화 에너지(㉤)를 흡수하면 활성화물이 된다.

06 반응엔탈피 = 정반응의 활성화 에너지 − 역반응의 활성화 에너지이므로 역반응의 활성화 에너지(x)는 $+20 = 50 - x$에서 $x = 30$ kJ이다.

07 | 선택지 분석 |

ㄱ. 이 반응은 흡열 반응이다.
➡ 반응물보다 생성물의 엔탈피가 크므로 흡열 반응이다.

ㄴ. (가)의 상태에 있는 물질을 활성화물이라고 한다.
➡ (가)는 반응이 일어나기 전 일시적으로 에너지가 높은 상태이므로 (가) 상태에 있는 물질은 활성화물이다.

ㄷ. (가) 상태에 도달하기까지 흡수하는 에너지는 반응물이 생성물보다 크다.

➡ 흡열 반응이므로 정반응의 활성화 에너지가 역반응의 활성화 에너지보다 크다. 따라서 (가) 상태에 도달하기까지 흡수하는 에너지는 반응물이 생성물보다 크다.

08 활성화 에너지가 크면 일반적으로 반응이 일어나기 어렵다. 따라서 활성화 에너지가 (나)>(가)이므로 (나)가 (가)보다 반응이 일어나기 어렵다. 반응엔탈피가 (−)일 때 발열 반응, (+)일 때 흡열 반응이고, 반응엔탈피=정반응의 활성화 에너지−역반응의 활성화 에너지이다. 따라서 (가)에서 반응엔탈피는 50 kJ−20 kJ=30 kJ이고, (나)에서 반응엔탈피는 80 kJ−90 kJ=−10 kJ이므로 (가)는 흡열 반응, (나)는 발열 반응이다.

09 $\Delta H=-x$ kJ이므로 발열 반응이다. 따라서 역반응의 활성화 에너지(z)가 정반응의 활성화 에너지(y)보다 크므로 $z>y$이다.

10 | 선택지 분석 |

ㄱ. 유효 충돌이 일어나면 반응이 일어난다.

➡ 유효 충돌은 활성화 에너지 이상의 에너지를 가진 입자들이 반응이 일어나기 적합한 방향으로 충돌하는 것이다.

✕ 활성화 에너지보다 작은 에너지를 가진 입자들도 유효 충돌할 수 있다.

➡ 활성화 에너지보다 작은 에너지를 가진 입자들은 충돌하더라도 반응할 수 없으므로 유효 충돌이 일어나지 않는다.

✕ 반응이 일어나기 적합하지 않은 방향이라도 유효 충돌이 일어날 수 있다.

➡ 반응이 일어나기 적합하지 않은 방향으로 충돌하면 반응이 일어나지 않으므로 유효 충돌이 일어날 수 없다.

11 유효 충돌은 활성화 에너지보다 큰 에너지를 가진 분자가 반응이 일어나기 적합한 방향으로 충돌하는 것이다.

12 | 자료 분석 |

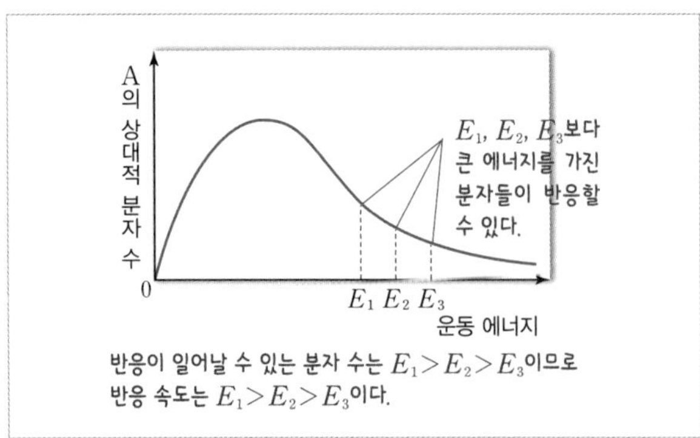

활성화 에너지보다 큰 에너지를 가진 분자들이 반응할 수 있으므로 활성화 에너지가 가장 작은 E_1일 때 반응이 가장 빠르게 일어나고, 활성화 에너지가 가장 큰 E_3일 때 반응이 가장 느리게 일어난다.

도전! 실력 올리기

240쪽~241쪽

01 ② **02** ② **03** ② **04** ③ **05** ⑤ **06** ②

07 활성화물

08 | 모범 답안 | 반응 속도가 빨라진다. (가)에서 E_a가 작아지면 (나)에서 반응을 일으킬 수 있는 분자 수가 증가하기 때문이다.

09 | 모범 답안 | (나), 활성화 에너지(E_a) 이상의 에너지를 갖는 분자 수가 (나)에서가 (가)에서보다 많기 때문이다.

01 | 선택지 분석 |

✕ X가 형성되지 않아도 반응이 진행될 수 있다.

➡ X는 활성화물로, 반응물이 에너지를 흡수하여 활성화물에 도달해야 반응이 진행될 수 있다.

ㄴ. 역반응의 활성화 에너지는 $a+b$이다.

➡ 발열 반응이므로 역반응의 활성화 에너지는 $(a+b)$이다.

✕ 반응 속도는 반응엔탈피(ΔH)의 크기와 ~~밀접한 관련이 있다~~ 관계가 없다.

➡ 반응 속도는 활성화 에너지와 관계가 있고, 반응엔탈피(ΔH)와는 관계가 없다.

02 | 선택지 분석 |

✕ 반응엔탈피(ΔH)는 ~~양(+)~~ 음(−)의 값이다.

➡ 발열 반응은 반응엔탈피(ΔH)<0이고, 흡열 반응은 반응엔탈피(ΔH)>0이다. 따라서 제시된 반응은 발열 반응이므로 반응엔탈피(ΔH)는 음(−)의 값이다.

✕ 정반응의 활성화 에너지가 역반응의 활성화 에너지보다 ~~크다~~ 작다.

➡ 발열 반응이므로 정반응의 활성화 에너지가 역반응의 활성화 에너지보다 작다.

ㄷ. 활성화 에너지가 E_a보다 커지면 반응 속도는 느려진다.

➡ 활성화 에너지가 커지면 에너지 장벽이 커져 반응 속도가 느려진다.

03 | 선택지 분석 |

✕ (가)는 [$N_2O(g)+NO(g)$]보다 ~~안정한~~ 불안정한 상태의 물질이다.

➡ (가)는 활성화물로 불안정한 상태이므로 반응물인 [$N_2O(g)+NO(g)$]보다 불안정하다.

ㄴ. 역반응의 활성화 에너지가 정반응의 활성화 에너지보다 크다.

➡ 발열 반응이므로 역반응의 활성화 에너지가 정반응의 활성화 에너지보다 크다.

✕ 반응물 $N_2O(g)$와 $NO(g)$가 충돌하면 모두 생성물이 된다.

➡ 반응물이 활성화 에너지 이상의 에너지를 가지고 적합한 방향으로 충돌해야 반응이 일어날 수 있다.

04 | **선택지 분석** |

ㄱ. 초기 반응 속도는 Ⅰ에서가 Ⅱ에서보다 크다.

➡ 시간에 따른 A의 농도 변화 그래프의 기울기로부터 Ⅰ에서가 Ⅱ에서보다 반응 속도가 빠른 것을 알 수 있다.

~~ㄴ.~~ 반응엔탈피(ΔH)는 ~~Ⅰ에서가 Ⅱ에서보다 작다.~~ Ⅰ에서와 Ⅱ에서 같다.

➡ 반응엔탈피는 활성화 에너지의 크기와 관계없다.

ㄷ. 역반응의 활성화 에너지는 Ⅱ에서가 Ⅰ에서보다 크다.

➡ Ⅰ에서가 Ⅱ에서보다 반응 속도가 빠르므로 활성화 에너지는 Ⅰ에서가 Ⅱ에서보다 작다. 이 반응은 발열 반응이므로 정반응의 활성화 에너지가 작은 Ⅰ에서가 Ⅱ에서보다 역반응의 활성화 에너지도 작다.

05 | **자료 분석** |

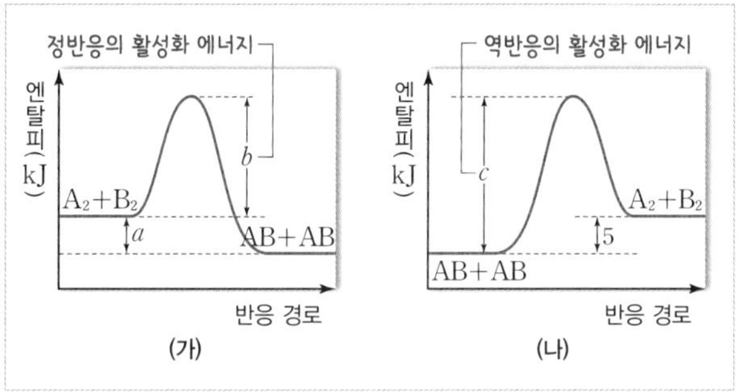

| **선택지 분석** |

ㄱ. 정반응의 활성화 에너지는 b이다.

➡ 정반응의 활성화 에너지는 b이다.

ㄴ. (가)에서 반응엔탈피(ΔH)는 -5 kJ이다.

➡ (가)는 발열 반응이고, $a=5$이므로 반응엔탈피는 -5 kJ이다.

ㄷ. $c=a+b$이다.

➡ c는 역반응의 활성화 에너지이므로 $a+b$이다.

06 반응엔탈피＝정반응의 활성화 에너지－역반응의 활성화 에너지이므로 역반응의 활성화 에너지＝정반응의 활성화 에너지－반응엔탈피이다. 따라서 (가)의 역반응의 활성화 에너지는 $50-20=30$(kJ), (나)의 역반응의 활성화 에너지는 $80-(-20)=100$(kJ), (다)의 역반응의 활성화 에너지는 $20-(-30)=50$(kJ)이다.

07 반응물이 활성화 에너지를 흡수하면 반응 직전의 에너지가 가장 높은 상태의 물질, 즉 활성화물이 된다.

08 활성화 에너지(E_a)가 작아지면 E_a보다 큰 에너지를 갖는 분자 수가 증가하게 된다. 그리고 이 분자들이 적합한 방향으로 충돌하면 반응이 일어나게 되므로 반응 속도가 빨라진다.

채점 기준	배점
반응 속도 변화와 그 까닭을 모두 옳게 서술한 경우	100 %
반응 속도 변화만 옳게 쓴 경우	40 %

09 활성화 에너지(E_a)보다 높은 에너지를 갖는 분자 수가 많을수록 반응 속도가 빠르다. 따라서 분자 운동 에너지가 E_a보다 큰 분자 수가 많은 (나)에서가 (가)에서보다 반응 속도가 빠르다.

채점 기준	배점
반응 속도가 빠른 것을 쓰고, 그 까닭을 옳게 서술한 경우	100 %
반응 속도가 빠른 것만 옳게 쓴 경우	40 %

03 농도, 온도에 따른 반응 속도

탐구POOL 245쪽

1 (1) × (2) ○ (3) × **2** 농도

01 (1) 농도에 따라 반응 속도가 달라지는 것을 알아보기 위한 실험이다.
(2) 아이오딘(I_2)이 녹말 용액과 반응하면 청람색을 나타낸다.
(3) 용액이 청람색으로 변할 때까지 걸린 시간이 짧을수록 반응 속도가 빠르다.

02 반응물의 농도가 클수록 반응물의 충돌 횟수가 증가하므로 반응 속도가 빨라진다.

탐구POOL 246쪽

01 황(S) 앙금이 생성되기 때문이다.
02 걸린 시간이 더 짧아진다.

01 싸이오황산 나트륨 수용액과 묽은 염산이 반응하여 노란색의 황(S) 앙금이 생성되므로 ×표가 보이지 않게 된다.

02 온도가 높아지면 반응 속도가 빨라지므로 황 앙금이 생성되는 데 걸리는 시간이 짧아져 ×표가 보이지 않을 때까지 걸린 시간이 짧아진다.

콕콕! 개념 확인하기 247쪽

✔ 잠깐 확인!

1 충돌 횟수 **2** 증가 **3** 표면적 **4** 표면적 **5** 활성화 에너지 **6** 2, 3

01 (1) ○ (2) × (3) ○ **02** ㉠ 충돌 횟수, ㉡ 빨라 **03** (1) 표면적 (2) 표면적 (3) 농도 **04** $T_2>T_1$ **05** 온도

01 ⑵ 기체의 압력이 증가하면 부피가 감소하여 단위 부피당 입자 수가 증가하므로 충돌 횟수가 증가하여 반응 속도가 빨라진다.

02 반응물이 고체일 때 입자의 크기가 작아져 표면적이 넓어지면 충돌 횟수가 증가하여 반응 속도가 빨라진다.

03 ⑶ 빗물의 산성도가 커질수록 빗물 속 수소 이온 농도가 크다. 따라서 탄산 칼슘이 주성분인 대리석으로 된 건축물이나 조각품들의 부식 속도가 빨라진다.

04 활성화 에너지(E_a)보다 큰 분자 운동 에너지를 가지는 분자 수가 T_1에서보다 T_2에서 많으므로 온도는 $T_2 > T_1$이다.

05 모두 온도를 이용하여 반응 속도를 조절하는 예이다.

탄탄! 내신 다지기 248쪽~249쪽

01 ① **02** ㉠ 증가, ㉡ 증가 **03** ② **04** ③ **05** ② **06** ㉠ 증가, ㉡ 빨라 **07** ⑤ **08** ① **09** ③ **10** ⑤

01 | 선택지 분석 |

① 충돌 횟수 증가

➡ 농도가 증가하면 단위 부피 속의 입자 수가 증가하여 입자 간의 거리가 가까워진다. 입자들의 이동 속도가 같다면 거리가 가까워진 만큼 충돌 횟수가 증가하므로 단위 시간당 충돌 횟수가 증가하고, 같은 시간 동안 반응하는 입자 수도 많아지므로 반응 속도가 빨라진다.

② 활성화물의 양 감소

➡ 농도가 증가하여 충돌 횟수가 증가하면 활성화물의 양이 증가한다.

③ 활성화 에너지 증가

➡ 반응의 활성화 에너지는 일정하다.

④ 활성화 에너지 감소

➡ 반응의 활성화 에너지는 일정하다.

⑤ 단위 부피당 입자 수 감소

➡ 농도가 증가하면 단위 부피당 입자 수는 증가한다.

02 기체의 압력이 증가하면 부피가 감소하므로 같은 부피에 들어 있는 입자 수가 많아져 충돌 횟수가 증가한다. 따라서 반응 속도가 빨라진다.

03 | 선택지 분석 |

(가)는 입자의 크기가 작아져서 표면적이 증가함에 따라 반응 속도가 빨라진 것을, (나)는 입자 수가 증가하여 충돌 횟수가 증가함에 따라 반응 속도가 빨라진 것을 나타내는 모형이다.

ㄱ. 알약보다 가루약의 흡수가 빠르다.

➡ 가루약은 알약보다 입자의 크기가 작아 표면적이 크므로 반응 속도가 빠르다. 따라서 (가)의 모형으로 설명할 수 있다.

ㄴ. 비닐하우스에서 겨울철에 작물을 재배할 수 있다.

➡ 비닐하우스에서는 온도가 높으므로 추운 겨울철에도 작물을 재배할 수 있다. 따라서 온도에 의해 반응 속도가 달라지는 예이다.

ㄷ. 강철솜은 공기 중에서보다 산소가 든 집기병에서 빠르게 연소한다.

➡ 산소가 든 집기병에서는 공기 중보다 산소의 농도가 크므로 강철솜의 연소 반응이 빠르게 일어난다. 따라서 (나)의 모형으로 설명할 수 있다.

04 | 선택지 분석 |

① 온도가 높아질수록 반응 속도가 빠르다.

➡ 온도는 변화시키지 않으면서 반응물의 농도를 달리하여 반응시켰다.

② 촉매를 사용하면 반응 속도가 빨라진다.

➡ 촉매를 사용하지 않았고, 농도가 반응 속도에 미치는 영향을 알아보는 실험이다.

③ 반응물의 농도가 클수록 반응 속도가 빠르다.

➡ (가)에서 시험관 속 반응물의 농도는 A>B>C>D이고, 실험 결과 반응 속도는 A>B>C>D이므로 반응물의 농도가 클수록 반응 속도가 빠르다는 것을 알 수 있다.

④ 반응물의 부피가 클수록 반응 속도가 빠르다.

➡ 반응물의 부피는 모두 같은 상태이고, 반응물의 농도가 다르다.

⑤ 활성화 에너지가 작을수록 반응 속도가 빠르다.

➡ 반응의 활성화 에너지는 같고, 반응물의 농도가 다르다.

05 | 선택지 분석 |

ㄱ. 초기 반응 속도는 ~~C>B>A~~이다. A>B>C

➡ 시간에 따른 수소 기체의 발생량이 반응 속도이므로 초기 반응 속도는 A>B>C이다.

ㄴ. 아연 조각의 질량은 ~~A와 C에서 같다~~. C에서가 A에서보다 크다.

➡ 발생한 수소 기체의 부피가 C>A이므로 아연 조각의 질량은 C>A이다.

ㄷ. 아연 조각의 크기는 A에서가 B에서보다 작다.

➡ 아연 조각의 크기가 작을수록 표면적이 커져서 반응 속도가 빨라지므로 아연 조각의 크기는 A에서가 B에서보다 작다.

06 반응물의 입자 크기가 작아지면 표면적이 증가하고, 입자들 사이의 충돌 횟수가 증가하게 되므로 반응 속도가 빨라진다.

07 | 선택지 분석 |

ㄱ. 감자를 잘게 썰어 볶으면 더 빨리 익는다.

➡ 감자를 잘게 썰면 입자 크기가 작아서 표면적이 크므로 빨리 익는다.

ㄴ. 통나무를 쪼개 장작을 만들어 태우면 더 잘 탄다.

➡ 통나무를 쪼개 장작을 만들면 표면적이 증가하므로 연소 반응 속도가 빨라진다.

ㄷ. 미세 먼지가 많은 탄광에서 폭발 사고가 자주 일어난다.

➡ 미세 먼지의 입자 크기가 작아 표면적이 크므로 폭발 사고가 자주 일어날 수 있다.

08 | **선택지 분석** |

ㄱ. $T_2 > T_1$이다.

➡ 온도가 높아지면 기체의 평균 운동 에너지가 커진다. 따라서 그래프에서 기체의 온도가 T_1일 때보다 T_2일 때 운동 에너지가 큰 분자들이 증가하므로 온도는 $T_2 > T_1$이다.

✕ 반응 속도는 T_1에서가 T_2에서보다 ~~빠르다~~ 느리다.

➡ 온도가 높을수록 반응 속도가 빠르다. 따라서 온도가 $T_2 > T_1$이므로 반응 속도도 $T_2 > T_1$이다.

✕ 활성화 에너지보다 큰 에너지를 가지는 분자 수는 T_1에서가 T_2에서보다 ~~크다~~ 작다.

➡ 활성화 에너지보다 큰 에너지를 가지는 분자 수는 온도가 높을수록 크므로 $T_2 > T_1$이다.

09 | **자료 분석** |

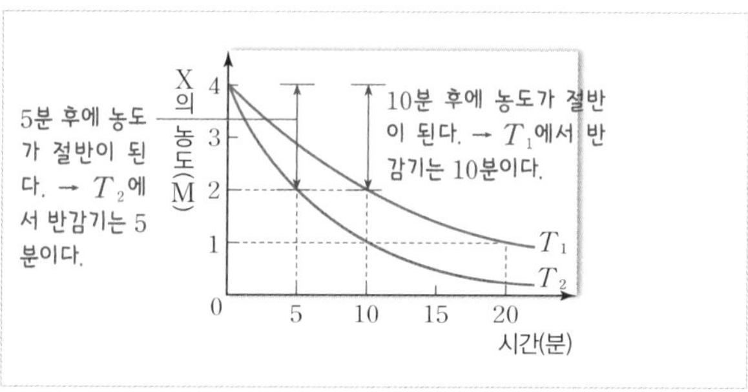

| **선택지 분석** |

ㄱ. 반응 속도식은 $v=k[X]$이다.

➡ X의 초기 농도가 4 M이고, T_1에서는 10분마다 농도가 절반이 되고, T_2에서는 5분마다 농도가 절반이 되므로 X의 반감기가 일정하다. 따라서 이 반응은 1차 반응이다.

✕ 온도는 ~~$T_1 > T_2$~~ $T_2 > T_1$이다.

➡ X의 농도가 감소하는 데 걸리는 시간이 T_2에서가 T_1에서보다 짧으므로 온도는 $T_2 > T_1$이다.

ㄷ. 반응 속도 상수는 T_2에서가 T_1에서보다 크다.

➡ X의 농도가 같으므로 온도가 높은 T_2에서가 T_1에서보다 반응 속도 상수가 커서 반응 속도가 빠르다.

10 | **선택지 분석** |

ㄱ. A의 1차 반응이다.

➡ 1차 반응은 반응 속도가 농도에 비례한다. 그래프에서 초기 반응 속도가 A의 초기 농도에 비례하므로 A의 1차 반응이다.

ㄴ. 온도는 $T_1 > T_2$이다.

➡ 같은 농도일 때 초기 반응 속도가 $T_1 > T_2$이므로 온도는 $T_1 > T_2$이다.

ㄷ. 반감기는 T_1에서가 T_2에서일 때보다 작다.

➡ 온도가 $T_1 > T_2$이므로 T_1일 때 반응 속도가 더 빠르다. 따라서 반감기도 T_1에서가 T_2에서일 때보다 작다.

도전! 실력 올리기 250쪽~251쪽

01 ① **02** ⑤ **03** ③ **04** ② **05** ③ **06** ⑤

07 ㉠ 클, ㉡ 클(넓을), ㉢ 높을

08 | **모범 답안** | 수소 기체의 부피 증가량은 감소한다. 시간이 지남에 따라 반응물의 양이 감소하여 반응 속도가 느려지기 때문이다.

09 | **모범 답안** | 다른 조건은 같게 하며, $NaHSO_3$ 수용액의 부피를 다르게 하고 증류수를 부어 전체 부피를 같게 한 후 두 수용액을 반응시켜 청람색이 나타낼 때까지 걸린 시간을 측정한다.

01 | **자료 분석** |

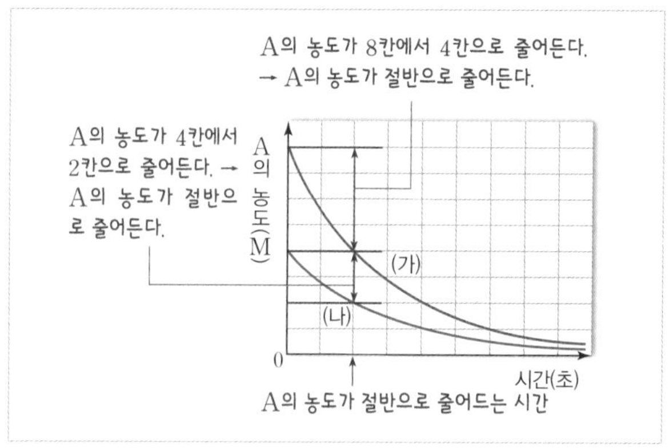

| **선택지 분석** |

ㄱ. A의 1차 반응이다.

➡ 반감기가 일정한 반응이므로 A의 1차 반응이다.

✕ 초기 반응 속도는 ~~(가)와 (나)에서 같다~~ (가)가 (나)보다 빠르다.

➡ 같은 시간 동안 줄어든 A의 농도는 (가)가 (나)의 2배이므로 초기 반응 속도는 (가)가 (나)의 2배이다.

✕ 반응 속도 상수는 ~~(가)에서가 (나)에서보다 크다~~ (가)와 (나)에서 같다.

➡ 반응 속도 상수는 농도와 관계가 없으므로 (가)와 (나)에서 같다.

02 염산의 농도가 클수록 반응 속도가 빠르고, 탄산 칼슘의 상태가 조각일 때보다 가루일 때가 표면적이 넓어 반응 속도가 빠르다. 따라서 염산의 농도가 크고 탄산 칼슘이 가루 상태인 (다)에서 반응 속도가 가장 빠르고, 염산의 농도가 작고 탄산 칼슘이 조각 상태인 (가)에서 가장 느리다. 따라서 초기 반응 속도는 (다) > (나) > (가)이다.

03 | **선택지 분석** |

ㄱ. $CO_2(g)$가 발생한다.

➡ $HCl(aq)$과 $CaCO_3$이 반응하면 $CO_2(g)$가 발생한다.

$CaCO_3 + 2HCl \longrightarrow CaCl_2 + H_2O + CO_2\uparrow$

✕ 반응이 완결되었을 때 생성된 기체의 양은 ~~(다)에서 가장 크다~~ 모두 같다.

➡ (가)~(다)에서 반응한 $HCl(aq)$의 농도는 다르지만 $CaCO_3$의 양이 같으므로 반응이 완결되었을 때 생성된 기체의 양은 같다.

ㄷ (가)~(다)에서의 실험 결과로부터 농도가 반응 속도에 미치는 영향을 알 수 있다.

➡ (가)~(다)에서 $HCl(aq)$의 농도는 (가)<(나)<(다)이므로 이에 따른 반응 속도를 비교할 수 있다.

04 | 선택지 분석 |

✕ 반응 차수: (나)>(가) → =

➡ X의 농도가 절반으로 감소하는 데 걸리는 시간인 반감기가 (가)에서는 10초, (나)에서는 5초로 일정하므로 모두 1차 반응이다.

✕ 온도: (가)>(나) → <

➡ 10초 동안 감소한 X의 농도가 (나)>(가)이므로 반응 속도가 (나)>(가)이며, 온도가 높을수록 반응 속도가 빠르므로 온도는 (나)>(가)이다.

ㄷ 반응 속도 상수: (나)>(가)

➡ (가)와 (나)는 모두 1차 반응이고, 반응 속도는 (나)>(가)이므로 반응 속도 상수는 (나)>(가)이다.

05 | 선택지 분석 |

ㄱ $a>b$이다.

➡ (가)와 (나)는 온도가 T_1으로 같으며, 그래프에서 상대적 분자 수는 (가)>(나)이므로 초기 농도는 $a>b$이다.

✕ $T_1>T_2$이다. → <

➡ 온도가 높을수록 분자 운동 에너지가 크다. 그래프에서 (나)보다 (다)에서 운동 에너지가 큰 분자가 증가하므로 (다)에서 온도가 더 높다는 것을 알 수 있다. 따라서 $T_2>T_1$이다.

ㄷ (가)~(다) 중 초기 반응 속도는 (다)에서 가장 크다.

➡ 활성화 에너지보다 큰 에너지를 가지는 분자 수가 많을수록 반응 속도가 크므로 초기 반응 속도는 (다)가 가장 크다.

06 | 선택지 분석 |

ㄱ 온도는 $T_1>T_2$이다.

➡ X의 1차 반응은 반감기가 일정하다. 반감기는 (가)가 (나)보다 짧으므로 (가)의 반응 속도가 (나)보다 빠르다. 따라서 온도는 $T_1>T_2$이다.

ㄴ 반응 속도 상수(k)는 (가)에서가 (나)에서보다 크다.

➡ 반응 속도는 (가)에서가 (나)에서보다 빠르므로 반응 속도 상수는 (가)에서가 (나)에서보다 크다.

ㄷ (가)와 (나)에서 X의 농도가 같아지는 시간은 4분이다.

➡ (가)는 반감기가 1분이므로 4분일 때는 반감기가 4번 지난 것이다. 따라서 4분일 때 X의 농도는 0.25 M이다. (나)는 반감기가 2분이므로 4분일 때는 반감기가 2번 지난 것이다. 따라서 4분일 때 X의 농도는 0.25 M이므로 (가)와 (나)에서 X의 농도가 같아지는 시간은 4분이다.

07 농도가 클수록, 표면적이 클수록 충돌 횟수가 증가하고, 온도가 높을수록 활성화 에너지보다 큰 분자 운동 에너지를 가지는 분자 수가 커서 반응 속도가 빠르다.

08 시간이 지날수록 같은 시간 동안 발생한 수소 기체의 부피가 감소하므로 반응 속도가 감소함을 알 수 있다. 이는 반응이 진행될수록 반응물의 양이 감소하기 때문이다.

채점 기준	배점
수소 기체의 부피 증가량 변화와 그 까닭을 모두 옳게 서술한 경우	100 %
수소 기체의 부피 증가량만 옳게 쓴 경우	40 %

09 농도에 따른 반응 속도의 영향을 알아보기 위해서는 반응물의 농도만 다르게 해야 한다. 이 실험에서는 $NaHSO_3(aq)$과 $KIO_3(aq)$이 반응물인데, $KIO_3(aq)$의 농도는 일정하다고 했으므로 $NaHSO_3(aq)$의 농도를 다르게 하는 과정을 포함해야 한다. $NaHSO_3(aq)$의 농도를 다르게 하려면 $NaHSO_3(aq)$의 양을 달리하여 넣고 증류수를 부어 전체 부피를 같게 하면 $NaHSO_3(aq)$의 농도가 달라진다.

채점 기준	배점
$NaHSO_3(aq)$의 농도를 다르게 하여 반응시키는 실험 과정을 옳게 서술한 경우	100 %
$NaHSO_3(aq)$의 부피를 달리하는 방법만 제시하고, 전체 부피를 같게 한다는 내용을 포함하지 않고 서술한 경우	50 %

실전! 수능 도전하기

253쪽~256쪽

01 ② **02** ③ **03** ① **04** ③ **05** ⑤ **06** ① **07** ④ **08** ③
09 ② **10** ③ **11** ⑤ **12** ③ **13** ① **14** ⑤ **15** ② **16** ②

01 | 선택지 분석 |

✕ 반응 속도식은 ~~$v=k[A]$~~이다. → $v=k[A]^2$

➡ A의 농도가 2배일 때 초기 반응 속도가 4배이므로 A의 2차 반응이다.

ㄴ k는 (가)에서와 (나)에서 같다.

➡ 온도가 같으므로 반응 속도 상수는 (가)~(다)에서 같다.

✕ 활성화 에너지는 ~~(다)에서가 (나)에서보다 크다.~~ → (다)에서와 (나)에서 같다.

➡ 반응의 종류가 같으므로 활성화 에너지는 (가)~(다)에서 같다.

02 | 자료 분석 |

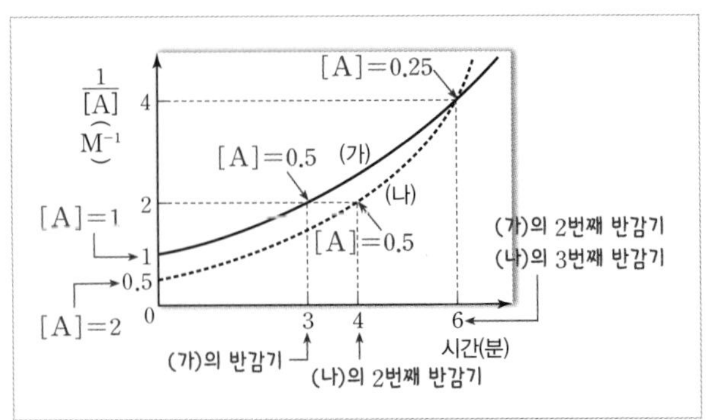

| 선택지 분석 |

ㄱ A의 1차 반응이다.

➡ (가)에서 A의 초기 농도를 1 M이라고 하면 3분이 반감기가 된다. 따라서 A의 1차 반응이다.

✕ 온도는 (가)에서가 (나)에서보다 ~~높다~~. 낮다.

➡ (나)는 A의 초기 농도가 2 M이 되고, 4분일 때 반감기가 2번, 6분일 때 반감기가 3번 지난 것이 되므로 반응 속도는 (나)가 더 빠르다. 따라서 온도는 (나)에서가 (가)에서보다 높다.

ㄷ 12분일 때 $\frac{\text{(가)에서 [A]}}{\text{(나)에서 [A]}}=2$이다.

➡ 12분일 때 (가)에서는 반감기가 4번 지난 것이므로 $[\mathrm{A}]=\frac{1}{16}$ M이고, (나)에서는 반감기가 6번 지난 것이므로 $[\mathrm{A}]=\frac{1}{32}$ M이다.

따라서 $\frac{\text{(가)에서 [A]}}{\text{(나)에서 [A]}}=\frac{\frac{1}{16}\mathrm{M}}{\frac{1}{32}\mathrm{M}}=2$이다.

03 | 선택지 분석 |

ㄱ $m=1$이다.

➡ 반감기가 1분으로 일정하므로 A의 1차 반응이다. 따라서 $m=1$이다.

✕ 평균 반응 속도는 0~1분일 때가 1분~3분일 때의 ~~2배~~ $\frac{8}{3}$배 이다.

➡ 0~1분일 때 A는 2 M 감소하고, 1분~3분일 때 A는 1.5 M 감소한다. 따라서 평균 반응 속도는 0~1분일 때$\left(\frac{2\,\mathrm{M}}{1분}\right)$가 1분~3분일 때$\left(\frac{1.5\,\mathrm{M}}{2분}\right)$의 $\frac{8}{3}$배이다.

✕ 3분일 때 A의 몰 분율은 ~~$\frac{1}{4}$~~ $\frac{1}{8}$이다.

➡ 반감기가 1분이므로 3분일 때 A의 농도는 0.5 M이며, A와 B의 반응 계수비는 1 : 1이므로 생성된 B의 농도는 3.5 M이다. 따라서 A의 몰 분율은 $\frac{0.5}{0.5+3.5}=\frac{0.5}{4}=\frac{1}{8}$이다.

04 | 자료 분석 |

실험	온도	[B](M)			
		$t=0$	$t=20$분	$t=40$분	$t=60$분
Ⅰ	T_1	0 → (6.4 증가)	6.4 → (3.2 증가)	9.6 → (1.6 증가)	11.2
Ⅱ	T_2	0 → (4.8 증가)	4.8 → (1.2 증가)	6.0 → (0.3 증가)	6.3

서로 다른 온도에서 일어나는 $\mathrm{A}(g) \longrightarrow 2\mathrm{B}(g)$의 반응이고, 실험 Ⅰ에서 [B]가 증가하는 비율이 20분마다 $\frac{1}{2}$배이므로 반응은 A의 1차 반응이다.

| 선택지 분석 |

ㄱ $T_1<T_2$이다.

➡ 실험 Ⅰ에서 [B]가 $\frac{1}{2}$배씩 증가하는 시간이 20분이고, 실험 Ⅱ에서 [B]가 $\frac{1}{4}$배씩 증가하는 시간이 20분이므로 반응 속도는 실험 Ⅱ가 Ⅰ보다 빠르다는 것을 알 수 있다. 따라서 온도는 $T_1<T_2$이다.

ㄴ Ⅰ에서 순간 반응 속도는 20분일 때가 60분일 때의 4배이다.

➡ Ⅰ에서 20분일 때 [B]가 6.4 M 증가하였고, 60분일 때 20분 동안 [B]가 1.6 M 증가하였으므로 순간 반응 속도는 20분일 때가 60분일 때의 4배이다.

✕ Ⅱ에서 A의 초기 농도는 ~~4.8 M~~ 3.2 M이다.

➡ Ⅱ에서 [B]가 증가하는 비율이 20분마다 $\frac{1}{4}$배이므로 10분마다 $\frac{1}{2}$배이다. 반응 계수비가 A : B=1 : 2이므로 20분일 때 [A]는 2.4 M 감소한 것이다. 따라서 Ⅱ에서 A의 초기 농도를 x M이라고 하면 20분일 때 [A]는 $\frac{x}{4}$ M이다. 따라서 $x-\frac{x}{4}=2.4$이므로 $x=3.2$(M)이다.

05 | 선택지 분석 |

ㄱ $T_1>T_2$이다.

➡ 반감기가 짧은 반응의 반응 속도가 빠른 것이므로 반감기가 20초인 (가)가 반감기가 40초인 (나)보다 반응 속도가 빠르다. 따라서 온도는 $T_1>T_2$이다.

ㄴ (가)와 (나)에서 X의 농도가 같아지는 시간은 40초이다.

➡ (가)의 반감기는 20초이고 X의 초기 농도는 2 M이므로 40초에서는 2번의 반감기가 지난 것이므로 X의 농도가 0.5 M이 된다. (나)는 반감기는 40초이고, X의 초기 농도가 1 M이므로 40초에서 X의 농도가 0.5 M이 된다. 따라서 40초일 때 (가)와 (나)에서 [X]=0.5 M로 같다.

ㄷ 반응 속도 상수는 (가) : (나)=3 : 2이다.

➡ 40초일 때 농도 변화는 (가)에서 2 M−0.5 M=1.5 M이고, (나)에서 1 M−0.5 M=0.5 M이므로 $v_{(가)} : v_{(나)}=\frac{1.5}{40} : \frac{0.5}{40}=3 : 1$이다. 1차 반응이므로 반응 속도식은 $v=k[\mathrm{X}]$이다. 따라서 $k_{(가)} : k_{(나)}=\frac{3}{2} : \frac{1}{1}=3 : 2$이다.

06 Ⅱ에서 반응 시간에 따라 반응 속도가 일정하게 감소하고 있으므로 이 반응은 1차 반응임을 알 수 있다. 그리고 k는 T_2 K에서가 T_1 K에서의 2배이므로 반응 속도식은 T_1 K에서는 $v=k[\mathrm{A}]$, T_2 K에서는 $v=2k[\mathrm{A}]$로 나타낼 수 있다. 그리고 2초일 때 반응 속도(v)의 상댓값이 T_1 K에서는 1.5, T_2 K에서는 1이다. 따라서 2초일 때 반응 속도를 나타내면 T_1 K에서는 $1.5v=k[\mathrm{A}]$이고, T_2 K에서는 $v=2k[\mathrm{A}]$이므로 $\frac{\text{Ⅱ에서의 [A]}}{\text{Ⅰ에서의 [A]}}=\frac{\frac{v}{2k}}{\frac{1.5v}{k}}=\frac{1}{3}$이다.

07 | 자료 분석 |

반응 시간(초)	0	t	$2t$	$3t$
B(g)의 몰 분율	0	$\frac{1}{3}$	$\frac{3}{7}$	x
A의 몰수	0.04	0.02	0.01	0.005
B의 몰수		0.02	0.03	0.035
C의 몰수		0.02	0.03	0.035

t초에서 A~C의 몰수가 0.02몰로 같아야 B의 몰 분율이 $\frac{1}{3}$이 된다. $2t$초에서는 A가 0.01몰, B와 C는 0.03몰이어야 B의 몰 분율이 $\frac{3}{7}$이다. 따라서 t초가 반감기가 되고, A의 1차 반응임을 알 수 있다. $3t$초에서 A는 0.005몰, B와 C는 각각 0.035몰이므로 $x=\frac{0.035}{0.075}=\frac{7}{15}$이다.

08 | 자료 분석 |

시간(분) \ 구분	기체의 전체 농도(M)	
	실험 Ⅰ	실험 Ⅱ
0 (A의 초기 농도)	8	12
2	[A]=4, [B]=4, [C]=2	[A]=6, [B]=6, [C]=3
4	x [A]=2, [B]=6, [C]=3	$\frac{33}{2}$ [A]=3, [B]=9, [C]=4.5
6	$\frac{23}{2}$ [A]=1, [B]=7, [C]=3.5	y [A]=1.5, [B]=10.5, [C]=5.25

반감기가 2분일 때

1차 반응이므로 반감기가 일정한 반응이다. 따라서 반감기를 2분이라고 하면 실험 Ⅰ에서 시간에 따른 A~C의 농도는 다음과 같다.

시간(분)	0	2	4	6
[A](M)	8	4	2	1
[B](M)	0	4	6	7
[C](M)	0	2	3	3.5

따라서 x는 11이다. 온도가 같은 실험 Ⅱ에서도 반감기는 2분일 것이므로 시간에 따른 A~C의 농도는 다음과 같다.

시간(분)	0	2	4	6
[A](M)	12	6	3	1.5
[B](M)	0	6	9	10.5
[C](M)	0	3	4.5	5.25

따라서 $y=\frac{69}{4}$이므로 $x+y=\frac{113}{4}$이다.

09 실험 Ⅰ보다 실험 Ⅱ에서 [A]가 2배인데, 초기 반응 속도는 실험 Ⅱ에서가 실험 Ⅰ에서의 2배이므로 농도가 2배일 때 반응 속도가 2배가 되는 반응이다. 따라서 A의 1차 반응이므로 $v=k[A]$이다. 실험 Ⅱ에서 t=3분 동안 A의 농도가 56 mM만큼 감소하므로 실험 Ⅰ에서 t=3분 동안 $\Delta[A]=-28$ mM이 된다. 따라서 $x=4$이고, $\Delta[B]=42$ mM, $\Delta[C]=7$ mM이므로 반응 몰수비는 A : B : C =28 : 42 : 7=4 : 6 : 1이다. 따라서 화학 반응식은 4A ⟶ 6B+C이고, 실험 Ⅱ에서 $\Delta[A]=-56$ mM, $\Delta[B]=y$ mM, $\Delta[C]=14$ mM이므로 A : B : C=56 : y : 14=4 : 6 : 1에서 y=84이다.
실험 Ⅰ에서 32 mM이었던 반응물이 t=3분에서 4 mM이 되었으므로 $\frac{1}{8}$배가 된 것이고, 이는 반감기가 3번 지난 것이다. 반응이 A의 1차 반응이므로 t=1분이 반감기이고, t=2분은 반감기가 2번 지난 것이다. 따라서 t=2분일 때 실험 Ⅰ에서 [A]=8 mM이다. 그리고 t=2분일 때 실험 Ⅱ에서 [A]=16 mM이므로 $\Delta[A]=-48$ mM이고, 반응 계수비가 A : C=4 : 1이므로 $\Delta[C]=12$ mM이다. 따라서 [C]=12 mM이다.
이를 통해 $\frac{\text{Ⅰ에서 [A]}}{\text{Ⅱ에서 [C]}}=\frac{8}{12}=\frac{2}{3}$이다.

10 | 선택지 분석 |

ㄱ x는 1.75이다.

➡ A의 농도는 1분마다 0.25 M씩 감소하므로 x는 2.0−0.25=1.75이다.

✕ A의 ~~1차~~ 0차 반응이다.

➡ A의 농도는 시간에 따라 일정하게 감소하므로 A의 0차 반응이다.

ㄷ 4분일 때 A의 몰 분율은 $\frac{1}{3}$이다.

➡ 2A(g) ⟶ 3B(g)+C(g)에서 반응 계수비가 A : B : C=2 : 3 : 1이므로 4분일 때 A는 1 M 감소하여 1 M이고, B 1.5 M, C 0.5 M을 생성하게 된다.
따라서 A의 몰 분율은 $\frac{1}{1+1.5+0.5}=\frac{1}{3}$이다.

11 | 선택지 분석 |

ㄱ $a=b$이다.

➡ 반응 속도식이 $v=k[A][B]^2$이므로 A의 1차 반응이고, B의 2차 반응이다. (가)와 (나)를 비교하면 A의 농도가 일정할 때 초기 반응 속도가 4배가 되므로 B의 농도는 2배가 되어야 한다. 따라서 b=0.2이다. (나)와 (다)를 비교하면 B의 농도가 일정할 때 초기 반응 속도가 2배가 되므로 A의 농도도 2배가 되어야 한다. 따라서 a=0.2이다.

ㄴ $T_2>T_1$이다.

➡ (다)와 (라)를 비교하면 a=0.2이므로 반응물의 농도가 같은데, 초기 반응 속도는 (라)가 (다)의 2배이므로 온도는 $T_2>T_1$이다.

ㄷ 반응 속도 상수는 (라)에서가 (나)에서의 2배이다.

➡ 반응 속도식이 $v=k[A][B]^2$이고, b=0.2이므로 (나)와 (라)에서 B의 농도는 같다. (라)에서는 (나)에서보다 A의 농도가 2배이고, 초기 반응 속도는 4배이므로 반응 속도 상수는 (라)에서가 (나)에서의 2배이다.

12 | 선택지 분석 |

ㄱ 정반응은 발열 반응이다.

➡ 반응물의 엔탈피가 생성물의 엔탈피보다 크므로 정반응은 발열 반응이다.

ㄴ 정반응의 활성화 에너지는 $(b-a)$이다.

➡ 정반응의 활성화 에너지는 $(b-a)$이다.

✕ 온도가 높아지면 역반응의 속도는 ~~느려진다.~~ 빨라진다.

➡ 온도가 높아지면 활성화 에너지보다 높은 에너지를 갖는 분자 수가 증가하므로 정반응 속도와 역반응 속도가 모두 빨라진다.

13 A의 초기 농도에 따라 초기 반응 속도가 증가하는 것으로 보아 1차 반응이다. 따라서 $v=k[A]$이고, 반감기가 일정하다. 표에서 주어진 B(g)의 반응 시간에 따른 몰 농도는 $2t$에서 $3t$ 사이에 $\frac{7}{2}$ M−3 M=0.5 M 증가하였음을 알 수 있다. 이때 t가 반감기라고 하면 0~t 사이의 농도 변화는 2 M, t~$2t$ 사이의 농도 변화는 1 M이므로 $2t$~$3t$ 사이의 농도 변화인 0.5 M과 부합한다. 따라서 t는 반감기이고, x=2이다. T_2일 때는 T_1보다 반응 속도가 0.5배이므

로 반응 속도 상수(k)가 0.5배인 것이다. 따라서 반감기도 T_2에서는 $2t$분이 되므로 1 L 강철 용기에 A 4몰($=2x$)을 넣고 반응시키면 반감기인 $2t$분 후 A(g)의 농도는 처음의 절반인 2 M이 된다.

14 | 선택지 분석 |

ㄱ. 반응 속도식은 $v=k[X]$이다.

➡ 반감기가 A와 B에서는 10초, C에서는 5초로 일정한 반응이므로 X의 1차 반응이다.

ㄴ. 초기 반응 속도는 C에서가 B에서의 3배이다.

➡ 10초일 때 B의 농도는 1 M 감소하였고, C의 농도는 3 M 감소하였으므로 초기 반응 속도는 C에서가 B에서의 3배이다.

ㄷ. 온도는 C에서가 A에서보다 높다.

➡ 반감기가 C는 5초이고, A는 10초이므로 초기 반응 속도는 C에서가 A에서보다 크다. 따라서 온도는 C에서가 A에서보다 높다.

15 | 선택지 분석 |

✕ 활성화 에너지

➡ 같은 반응이므로 활성화 에너지는 같다.

ㄴ. 반응 속도 상수

➡ 운동 에너지가 큰 분자 수는 T_1보다 T_2에서가 많으므로 온도는 $T_2>T_1$이다. 따라서 반응 속도 상수는 T_2에서가 T_1에서보다 크다.

✕ 반응이 완결된 후 B의 농도

➡ 반응 속도는 T_2에서가 T_1에서보다 크지만, 반응이 완결된 후 B의 농도는 같다.

16 | 자료 분석 |

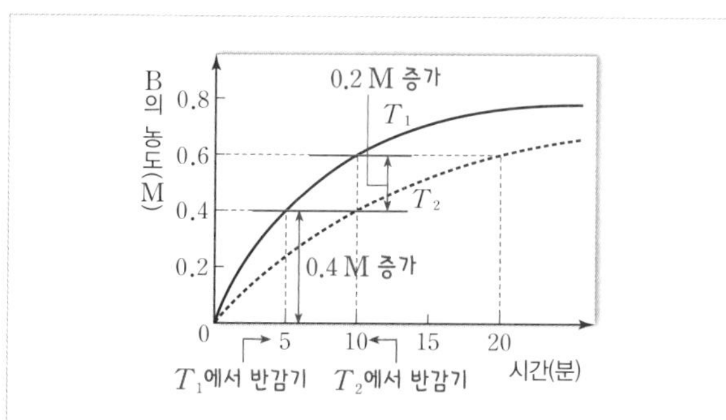

| 선택지 분석 |

✕ A의 ~~0차~~ 1차 반응이다.

➡ T_1에서는 5초마다, T_2에서는 10초마다 B의 농도가 증가하는 양이 절반으로 감소하고 있으므로 A의 1차 반응이다.

✕ A의 초기 농도는 ~~0.8 M~~ 0.4 M이다.

➡ T_1에서 5초일 때 B의 농도는 0.4 M인데, A와 B의 반응 계수비가 1 : 2이므로 A는 0.2 M이 반응한 것이다. 이때 T_1에서 반감기가 5초이므로 A의 초기 농도의 절반이 0.2 M인 것이다. 따라서 A의 초기 농도는 0.4 M이다.

ㄷ. 반응 속도 상수는 T_1에서가 T_2에서보다 크다.

➡ 반감기는 T_1에서가 T_2에서보다 짧으므로 온도는 $T_1>T_2$이다. 반응 속도 상수는 온도가 높아지면 커지므로 $T_1>T_2$이다.

2 »» 촉매와 우리 생활

01 ~ 촉매와 반응 속도

탐구POOL 260쪽

01 (가)>(나) **02** 반응 속도를 빠르게 한다.

01 거품이 많이 발생한 (나)에서 분해 반응이 더 빠르므로 활성화 에너지는 (가)에서 더 크다.

02 정촉매는 활성화 에너지를 낮추어 반응 속도를 빠르게 한다.

콕콕! 개념 확인하기 261쪽

✔ 잠깐 확인!

1 촉매 **2** 정촉매, 부촉매 **3** 정촉매 **4** 감소 **5** 정촉매 **6** 반응 경로 **7** 부촉매

01 (1) ○ (2) × (3) ○ (4) × **02** ㉠ 정촉매, ㉡ 부촉매 **03** (1) × (2) ○ (3) × (4) ○ **04** ㉠ 부촉매, ㉡ 정촉매 **05** (가) 정촉매, (나) 부촉매

01 (2) 촉매는 화학 반응에서 소모되지 않으므로 반응물이 아니다.

(4) 부촉매는 활성화 에너지를 높여 반응 속도를 느리게 한다.

02 정촉매는 반응 속도를 빠르게 하고, 부촉매는 반응 속도를 느리게 한다.

03 (1) 촉매를 사용해도 반응엔탈피는 변하지 않는다.

(3) 정촉매를 사용하면 활성화 에너지가 감소하므로 정반응 속도와 역반응 속도가 모두 빨라진다.

04 정촉매는 활성화 에너지를 낮추고, 부촉매는 활성화 에너지를 높여 반응 속도가 달라지게 한다.

05 정촉매는 활성화 에너지를 낮추어 활성화 에너지보다 큰 에너지를 가지는 분자 수가 늘어나게 하고, 부촉매는 활성화 에너지를 높여 활성화 에너지보다 큰 에너지를 가지는 분자 수가 줄어들게 한다.

탄탄! 내신 다지기 262쪽~263쪽

01 ② **02** ② **03** ① **04** ③ **05** ③ **06** ③ **07** ② **08** ① **09** ④ **10** X: 정촉매, Y: 정촉매, $v_2>v_3>v_1$ **11** ⑤ **12** 정촉매: 감자, 이산화 망가니즈, 부촉매: 인산

01 | 선택지 분석 |

① 생성물의 양을 변화시킨다.

➡ 촉매를 사용하면 생성물이 생성되는 속도는 변하지만 생성물의 양에는 변화가 없다.

② 활성화 에너지를 변화시킨다.

➡ 정촉매는 활성화 에너지를 감소시키고, 부촉매는 활성화 에너지를 증가시킨다.

③ 항상 반응 속도를 빠르게 한다.

➡ 정촉매는 반응 속도를 빠르게 하고, 부촉매는 반응 속도를 느리게 한다.

④ 반응에 참여하여 양이 줄어든다.

➡ 촉매는 화학 반응에 참여하여 반응 속도를 변화시키지만 자신은 변하지 않는다.

⑤ 정촉매는 정반응의 속도만 빠르게 한다.

➡ 정촉매는 정반응과 역반응의 속도를 모두 빠르게 한다.

02 | 선택지 분석 |

① 온도를 높인다.

➡ 온도를 높이면 활성화 에너지보다 큰 분자 운동 에너지를 가지는 분자 수가 증가하여 반응 속도가 빨라진다.

② 촉매를 사용한다.

➡ 촉매를 넣어 주면 활성화 에너지가 변하여 반응 속도가 변한다.

③ 반응물을 증가시킨다.

➡ 반응물을 증가시키면 단위 부피당 입자 수가 증가하여 충돌 횟수가 증가하므로 반응 속도가 빨라진다.

④ 반응물의 표면적을 넓힌다.

➡ 표면적을 넓히면 충돌 횟수가 증가하므로 반응 속도가 빨라진다.

⑤ 기체 반응물의 압력을 높인다.

➡ 기체 반응물의 압력을 높이면 단위 부피당 입자 수가 많아져 충돌 횟수가 증가하므로 반응 속도가 빨라진다.

03 | 선택지 분석 |

ㄱ. 반응 경로를 변화시킨다.

➡ 촉매를 사용하면 반응 경로가 변한다.

ㄴ. 역반응 속도를 느리게 한다.

➡ 정촉매를 사용하면 활성화 에너지가 감소하므로 정반응 속도와 역반응 속도가 모두 빨라진다.

ㄷ. 활성화 에너지를 감소시킨다.

➡ 정촉매를 사용하면 반응 경로가 달라져서 활성화 에너지가 감소한다.

ㄹ. 반응엔탈피(ΔH)를 증가시킨다.

➡ 촉매를 사용해도 반응엔탈피는 변하지 않는다.

04 이산화 망가니즈는 과산화 수소의 분해 반응을 빠르게 하는 정촉매이다.

| 선택지 분석 |

① 반응 경로가 변하지 않는다.

➡ 정촉매를 사용하면 반응 경로가 달라져서 활성화 에너지가 감소하게 된다.

② 생성된 산소의 양이 증가한다.

➡ 정촉매를 사용해도 생성물의 양은 변하지 않는다.

③ 산소의 생성 속도가 빨라진다.

➡ 이산화 망가니즈는 정촉매이므로 산소의 생성 속도가 빨라진다.

④ 반응의 활성화 에너지가 증가한다.

➡ 정촉매를 사용하면 반응의 활성화 에너지가 감소한다.

⑤ 이산화 망가니즈의 양이 점점 줄어든다.

➡ 이산화 망가니즈는 촉매로, 반응에 참여하지만 자신은 변하지 않는다.

05 (나)는 (가)와 반응 경로가 다르고, (가)보다 활성화 에너지가 낮다. 정촉매는 반응 경로를 변화시켜 활성화 에너지를 감소시키고 반응 속도를 빠르게 하므로 물질 X는 정촉매이다.

06 | 선택지 분석 |

ㄱ. 반응 속도를 느리게 한다.

➡ 촉매를 첨가하지 않았을 때는 초기 반응 속도가 $4v$이고, 촉매 X를 첨가했을 때는 초기 반응 속도가 v이므로 반응 속도가 느려졌다.

ㄴ. X는 정촉매이다.

➡ X는 촉매를 첨가하지 않았을 때보다 초기 반응 속도를 느리게 하였으므로 부촉매이다.

ㄷ. 반응의 활성화 에너지를 높인다.

➡ 부촉매는 반응의 활성화 에너지를 높여서 반응 속도를 느리게 한다.

07 촉매를 사용하면 활성화 에너지가 변하므로 정반응의 활성화 에너지인 a와 역반응의 활성화 에너지인 c는 변하고, 반응엔탈피의 크기인 b는 변하지 않는다.

08 | 선택지 분석 |

① t일 때 정촉매를 넣었다.

➡ (나)에서 t시간 이후에 반응 속도가 빨라져서 압력이 빠르게 감소하였고, 충분한 시간이 지난 후의 전체 압력은 (가)와 같으므로 반응물의 농도 변화는 없고 속도만 빠르게 해 주는 정촉매를 넣은 것이다.

② t일 때 부촉매를 넣었다.

➡ 부촉매를 넣으면 반응 속도가 느려지므로 기체의 압력이 느리게 감소해야 한다.

③ t일 때 반응물을 추가하였다.

➡ 반응물을 추가하면 반응 속도가 빨라지고, 최종 생성물의 양도 증가하므로 충분한 시간이 흐른 후 압력이 (가)보다 커야 한다.

④ t일 때 온도를 높인 후 일정하게 유지하였다.

➡ 온도를 높이면 평형 상수가 변하므로 반응 후 압력이 달라진다.

⑤ t일 때 온도를 낮춘 후 일정하게 유지하였다.

➡ 온도를 낮추면 평형 상수가 변하므로 반응 후 압력이 달라진다.

09 | 선택지 분석 |

① X는 ~~부촉매~~(정촉매)이다.

➡ X는 활성화 에너지를 낮추는 역할을 하였으므로 정촉매이다.

② 평형 상수는 ~~(가)가 (나)보다 크다.~~ ((가)와 (나)에서 같다.)

➡ 온도가 같으므로 평형 상수는 (가)와 (나)에서 같다.

③ 반응엔탈피는 ~~(나)가 (가)보다 크다.~~ ((가)와 (나)에서 같다.)

➡ 촉매를 사용해도 반응엔탈피는 변하지 않으므로 반응엔탈피는 (가)와 (나)가 같다.

④ 정반응의 활성화 에너지는 (가)가 (나)보다 크다.

➡ (나)에서는 정촉매 X가 사용되었으므로 (가)에서보다 활성화 에너지가 작다.

⑤ (가)에서는 ~~정반응~~(역반응)의 활성화 에너지가 ~~역반응~~(정반응)의 활성화 에너지보다 크다.

➡ (가)는 발열 반응이므로 역반응의 활성화 에너지가 정반응의 활성화 에너지보다 크다.

10 | 자료 분석 |

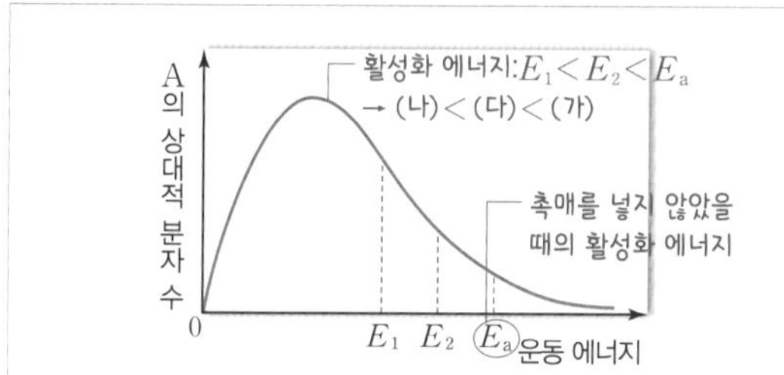

반응	촉매	활성화 에너지	반응 속도
(가)	넣지 않음	E_a	$E_a > E_1$, X: 정촉매 (v_1, v_2); $E_a > E_2$, Y: 정촉매 (v_3)
(나)	$X(s)$	E_1	v_2
(다)	$Y(s)$	E_2	v_3

X와 Y를 넣었을 때 촉매를 넣기 전보다 활성화 에너지가 낮아졌으므로 X와 Y는 모두 정촉매이다. 활성화 에너지보다 큰 운동 에너지를 가지는 분자 수는 반응 (나)>(다)>(가)이므로 반응 속도는 $v_2 > v_3 > v_1$이다.

11 | 선택지 분석 |

ㄱ. 온도를 높인다.

➡ 온도를 높이면 활성화 에너지 이상의 에너지를 가지는 분자 수가 증가하여 반응 속도가 빨라진다.

ㄴ. 정촉매를 사용한다.

➡ 정촉매를 사용하면 활성화 에너지가 작아져서 반응 속도가 빨라진다.

ㄷ. 반응물의 농도를 증가시킨다.

➡ 반응물의 농도를 증가시키면 충돌 횟수가 증가하여 반응 속도가 빨라진다.

12 거품이 많이 발생하면 반응 속도가 빨라진 것이므로 정촉매이고, 거품이 거의 발생하지 않으면 반응 속도가 느려진 것이므로 부촉매이다.

도전! 실력 올리기

264쪽~265쪽

01 ④ 02 ③ 03 ④ 04 ④ 05 ① 06 ③

07 촉매

08 | **모범 답안** | X: 정촉매, Y: 부촉매, 반응 속도: (나)>(가)>(다), X는 활성화 에너지를 낮추고, Y는 활성화 에너지를 높이며, 활성화 에너지가 작을수록 반응 속도가 빠르기 때문이다.

09 | **모범 답안** | (가)에서는 B의 생성 속도가 빨라졌지만 B의 나중 농도는 (나)와 같으므로 반응 속도를 빠르게 한 정촉매를 첨가한 것이고, (다)에서는 B의 생성 속도가 느려졌지만 B의 나중 농도는 (나)와 같으므로 반응 속도를 느리게 한 부촉매를 첨가한 것이다.

01 | 선택지 분석 |

ㄱ. (가)에서 E_1은 ~~증가한다.~~ (변하지 않는다.)

➡ (가)에서 E_1은 반응엔탈피이므로 정촉매를 사용해도 변하지 않는다.

ㄴ. (나)에서 E_a는 감소한다.

➡ 정촉매를 사용하면 활성화 에너지가 감소하므로 (나)에서 E_a는 감소한다.

ㄷ. (나)에서 활성화 에너지보다 큰 운동 에너지를 가지는 분자 수가 증가한다.

➡ 정촉매를 사용하면 활성화 에너지가 감소하므로 (나)에서 E_a가 낮아져 활성화 에너지보다 큰 운동 에너지를 가지는 분자 수가 증가한다.

02 | 선택지 분석 |

ㄱ. A와 B는 정촉매이다.

➡ 산소의 발생 속도는 (다)>(나)>(가)이다. (나)와 (다)에서 첨가한 A와 B는 자신의 질량은 변하지 않으면서 산소의 발생 속도를 빠르게 하므로 정촉매이다.

ㄴ. 활성화 에너지는 (가)>(나)>(다)이다.

➡ 정촉매는 활성화 에너지를 낮추며, 반응 속도는 (다)>(나)이므로 활성화 에너지는 (나)>(다)이다. 따라서 활성화 에너지는 (가)>(나)>(다)이다.

ㄷ. 반응 속도 상수는 ~~(가)>(나)>(다)~~ ((다)>(나)>(가))이다.

➡ 정촉매는 반응 속도 상수를 증가시키므로 반응 속도 상수는 (다)>(나)>(가)이다.

03 | 자료 분석 |

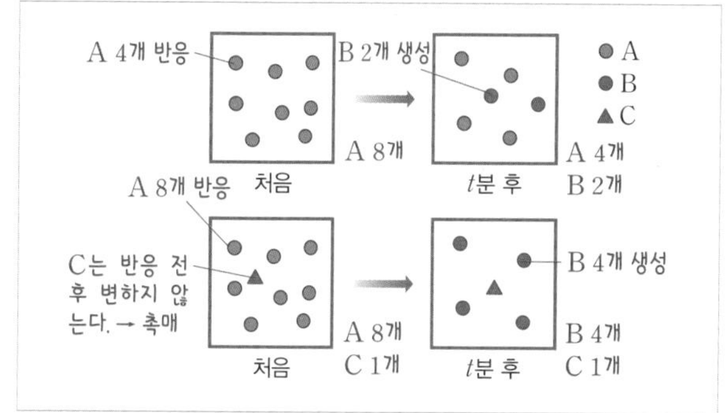

| 선택지 분석 |

✕ ~~$a=1$~~ 이다. ($a=2$)

➡ (가)에서 A가 4개 소모되고 B가 2개 생성되므로 A와 B의 반응 계수비는 2 : 1이다. 따라서 $a=2$이다.

ㄴ C는 정촉매이다.

➡ C를 사용한 (나)에서 반응 속도가 더 빠르고, C는 변화 없으므로 C는 정촉매이다.

ㄷ $0 \sim t$분 동안 평균 반응 속도는 (나)가 (가)의 2배이다.

➡ $0 \sim t$분 동안 (가)에서는 A가 4개 소모되었고, (나)에서는 A가 8개 소모되었으므로 평균 반응 속도는 (나)가 (가)의 2배이다.

04 | 선택지 분석 |

✕ a는 ~~증가한다~~. (변하지 않는다.)

➡ 정촉매를 사용해도 반응 후 농도에는 변화가 없으므로 a는 변하지 않는다.

ㄴ b는 감소한다.

➡ 정촉매를 사용하면 반응 속도가 빨라지므로 반응이 완결되는 시간(b)은 감소한다.

ㄷ 반응 경로가 변한다.

➡ 정촉매를 사용하면 활성화 에너지가 감소하여 반응 경로가 변한다.

05 | 선택지 분석 |

ㄱ H^+은 정촉매이다.

➡ 활성화 에너지는 (나)에서가 (가)에서보다 작으므로 H^+은 정촉매이다.

✕ $\Delta H_1 > \Delta H_2$이다. ($=$)

➡ 촉매를 사용해도 반응엔탈피는 변하지 않는다. 따라서 $\Delta H_1 = \Delta H_2$이다.

✕ 반응 속도는 ~~(가)~~(나)에서가 ~~(나)~~(가)에서보다 빠르다.

➡ 활성화 에너지가 작아지면 반응 속도가 빨라지므로 반응 속도는 (나)에서가 (가)에서보다 빠르다.

06 | 자료 분석 |

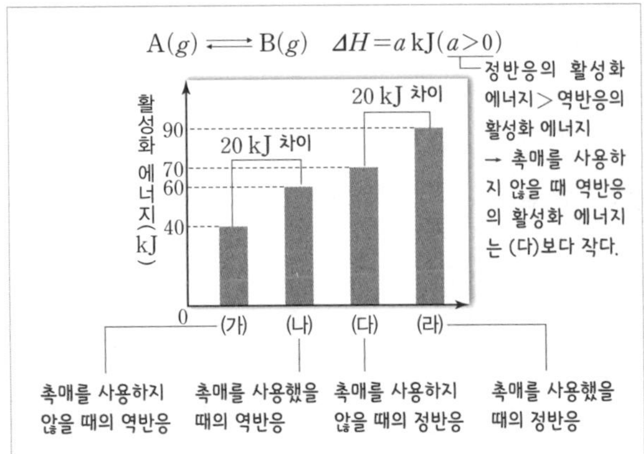

$a>0$이므로 정반응의 활성화 에너지가 역반응의 활성화 에너지보다 크다. 따라서 촉매를 사용하지 않았을 때 역반응의 활성화 에너지는 70 kJ보다 작다. 촉매 X를 사용했을 때 활성화 에너지가 증가해야 90 kJ의 활성화 에너지가 될 수 있으므로 (라)는 촉매를 사용했을 때 정반응의 활성화 에너지이다. 이때 역반응의 활성화 에너지도 20 kJ이 증가하므로 촉매를 사용하지 않을 때 역반응의 활성화 에너지는 (가)인 40 kJ이고, (나)는 촉매를 사용했을 때 역반응의 활성화 에너지이다.

| 선택지 분석 |

ㄱ $a=30$이다.

➡ $a>0$이므로 흡열 반응이고, 흡열 반응에서 '반응엔탈피=정반응의 활성화 에너지−역반응의 활성화 에너지'이므로 70 kJ−40 kJ=30 kJ이다.

ㄴ X는 부촉매이다.

➡ X를 넣어 정반응의 활성화 에너지가 70 kJ에서 90 kJ이 된 것이므로 활성화 에너지가 증가하였다. 따라서 X는 부촉매이다.

✕ X를 사용하였을 때 반응 속도는 ~~빨라진다~~. (느려진다)

➡ X는 부촉매이므로 활성화 에너지가 증가하여 반응 속도가 느려진다.

07 촉매는 활성화 에너지를 변화시키므로 반응이 일어날 수 있는 분자 수가 달라져 반응 속도가 변한다.

08 촉매 X를 넣은 (나)에서가 (가)에서보다 활성화 에너지가 작으므로 X는 정촉매이고, 촉매 Y를 넣은 (다)에서가 (가)에서보다 활성화 에너지가 크므로 Y는 부촉매이다.

채점 기준	배점
촉매의 종류, 반응 속도 비교를 옳게 쓰고, 그 까닭을 옳게 서술한 경우	100 %
촉매의 종류나 반응 속도 비교 중 1가지에 대해서만 옳게 서술한 경우	50 %
촉매의 종류, 반응 속도 비교만 옳게 한 경우	40 %

09 | 자료 분석 |

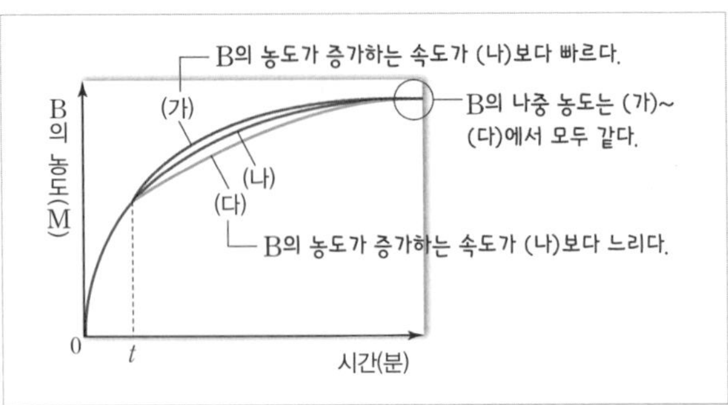

(가)에서는 생성물인 B의 농도가 증가하는 속도가 빠르지만 시간이 지난 후 (나)와 같아지므로 반응 속도를 빠르게 한 정촉매를 사용한 것이다. (다)에서는 생성물인 B의 농도가 증가하는 속도가 느리지만 시간이 지난 후 (나)와 같아지므로 반응 속도를 느리게 한 부촉매를 사용한 것이다.

채점 기준	배점
(가)와 (다)에서의 반응 조건을 모두 옳게 설명한 경우	100 %
(가)와 (다) 중 1가지의 반응 조건만 옳게 설명한 경우	50 %

02 생활 속의 촉매

콕콕! 개념 확인하기 269쪽

✔ 잠깐 확인!

1 효소 2 기질 특이성 3 온도 4 발효 5 표면 6 유기 7 광

01 (1) ○ (2) × (3) ○ (4) ○ 02 ㉠ 단백질, ㉡ 기질 특이성 03 효소 04 (1) ㉢ (2) ㉠ (3) ㉡

01 (2) 효소는 기질 특이성이 있어서 다른 기질과는 반응하지 않고 특정 기질과만 반응한다.

02 단백질 분자로 되어 있는 효소는 특정 기질과만 반응할 수 있는 활성 자리가 존재하므로 기질 특이성을 갖는다. 이때 구멍 모양이 맞는 열쇠만이 자물쇠를 열 수 있는 것으로 효소의 기질 특이성을 비유하여 설명할 수 있다.

03 미생물이 자신이 가지고 있는 효소를 이용하여 유기물을 분해하는 과정을 발효라고 한다.

탄탄! 내신 다지기 270쪽~271쪽

01 ⑤ 02 반응이 일어나지 않는다. 03 ② 04 ① 05 ② 06 ⑤ 07 ② 08 ③ 09 표면 10 ⑤ 11 광촉매 12 ②

01 | 선택지 분석 |

① 최적 pH가 있다.

➡ 효소는 pH의 영향을 받으므로 특정한 pH에서 반응 속도를 가장 빠르게 한다.

② 최적 온도가 있다.

➡ 효소는 특정한 온도에서 가장 반응이 활발한 모습을 보인다.

③ 기질 특이성이 있다.

➡ 효소는 활성 자리와 결합할 수 있는 물질과만 반응하는 기질 특이성이 있다.

④ 생물체 내에서 촉매 역할을 한다.

➡ 효소는 생체 촉매이다.

⑤ ~~탄수화물과 지방~~으로 이루어져 있다. (단백질)

➡ 효소는 단백질로 이루어진 물질이다.

02 효소는 기질 특이성을 가지므로 기질 A와 반응한 효소는 기질 B와는 반응하지 않는다.

03 | 선택지 분석 |

① 효소는 최적 pH가 있다.

➡ 주어진 자료는 온도에 따른 효소와 촉매의 작용을 나타낸다.

② 효소는 최적 온도가 있다.

➡ 효소를 사용하면 최적 온도에서 반응 속도가 가장 빠르지만 온도가 달라지면 반응 속도의 변화가 있다.

③ 촉매는 온도가 높아지면 파괴된다.

➡ 촉매는 온도가 높아질수록 반응 속도가 빨라지므로 효소와 같이 파괴되지 않고 반응 속도를 빠르게 하는 역할을 한다.

④ 효소가 촉매보다 반응 속도를 더 빠르게 한다.

➡ 최적 온도까지는 효소가 촉매보다 반응 속도를 빠르게 하지만 최적 온도가 지나면 촉매가 반응 속도를 더 빠르게 한다.

⑤ 효소의 작용은 온도가 높아질수록 활발해진다.

➡ 효소의 작용은 온도가 높아지면 활발해지다가 최적 온도 이상이 되면 급격하게 느려진다.

04 | 선택지 분석 |

① 효소는 최적 pH가 있다.

➡ 펩신, 카탈레이스, 아밀레이스, 트립신과 같은 소화 효소는 최적 pH가 존재한다.

② 효소의 반응 속도는 pH와 관계없다.

➡ 효소는 최적 pH에서 반응 속도가 가장 빠르다.

③ 효소는 온도가 높아져도 반응할 수 있다.

➡ 온도와 효소의 반응 속도 관계는 제시된 그림으로 알 수 없다. 실제로 효소는 단백질로 이루어져 있으므로 최적 온도에서 가장 반응 속도를 빠르게 한다.

④ 소화 효소는 pH가 커지면 반응 속도가 증가한다.

➡ 소화 효소들은 모두 최적 pH를 가지고 있으므로 pH가 커지면 항상 반응 속도가 증가하는 것은 아니다.

⑤ 모든 효소는 같은 pH에서 반응 속도가 가장 빠르다.

➡ 효소마다 최적 pH가 다르다.

05 | 선택지 분석 |

ㄱ. 반응 후에 효소의 질량은 ~~감소한다.~~ (변하지 않는다.)

➡ 효소는 촉매 역할을 하므로 반응 후에 질량의 변화가 없다.

ㄴ. 효소는 ~~다양한 기질과~~ (특정 기질과만) 반응할 수 있다.

➡ 효소는 특정 기질과만 반응하는 기질 특이성이 있다.

ㄷ. 효소는 생성물의 생성 속도를 빠르게 한다.

➡ 효소는 촉매이므로 기질과 결합하여 반응 속도를 빠르게 한다.

06 | 선택지 분석 |

① 메주를 이용해 된장을 만든다.

➡ 된장은 효소를 이용한 발효 식품이다.

② 우유를 이용해 치즈를 만든다.

➡ 치즈는 효소를 이용한 발효 식품이다.

③ 맥주 보리를 이용해 맥주를 만든다.

➡ 맥주 보리의 발효 과정을 통해 맥주가 만들어진다.

④ 새우와 소금을 섞어 새우젓을 만든다.

➡ 새우젓은 효소를 이용한 발효 식품이다.

⑤ 산화 철을 이용해 암모니아를 합성한다.

➡ 산화 철을 이용해 암모니아를 합성하는 것은 고체 상태의 표면 촉매를 이용하는 반응이다.

07 | 선택지 분석 |

ㄱ. 반응 속도는 (나)에서가 (가)에서보다 크다.

➡ 과산화 수소가 분해되어 농도가 낮아지는 속도가 (나)>(가)이므로 반응 속도는 (나)>(가)이다.

ㄴ. 활성화 에너지는 (가)에서가 (나)에서보다 크다.

➡ 반응 속도는 (나)>(가)이므로 활성화 에너지는 (가)>(나)이다.

ㄷ. 반응엔탈피(ΔH)는 (나)에서가 (가)에서보다 크다.

➡ 촉매를 사용해도 반응엔탈피는 변하지 않으므로 반응엔탈피는 (가)=(나)이다.

08 | 선택지 분석 |

① 대부분 고체 상태의 촉매이다.

➡ 표면 촉매는 대부분 금속이 포함된 고체 상태의 촉매이다.

② 반응이 촉매의 표면에서 일어난다.

➡ 반응물이 표면에 흡착하면서 반응 속도가 빨라지게 한다.

③ 특정 물질에만 반응하는 성질을 갖는다.

➡ 표면 촉매는 기질 특이성을 가지지 않으므로 다양한 화학 반응에서 이용될 수 있다.

④ 화학 반응의 활성화 에너지를 감소시킨다.

➡ 표면 촉매는 촉매이므로 반응의 활성화 에너지를 감소시켜서 반응 속도가 빨라지게 한다.

⑤ 촉매의 활성이 높고, 많은 폐기물이 생성될 수 있다.

➡ 표면 촉매는 화학 반응이 잘 일어나게 하지만 불안정하고 부수적인 반응들에 대한 예측이 어려워 많은 폐기물이 발생할 수 있다.

09 촉매 변환기 내부에는 백금(Pt), 로듐(Rh), 팔라듐(Pd)과 같은 금속들이 들어 있고, 배기가스의 분자들이 표면에 흡착하여 반응이 잘 일어날 수 있게 해 준다.

10 | 선택지 분석 |

ㄱ. (가)는 표면 촉매이다.

➡ (가)는 반응물을 표면에 부착시켜 반응 속도를 빠르게 하므로 표면 촉매이다.

ㄴ. 반응 후 C_2H_6이 생성된다.

➡ C_2H_4이 H_2와 반응하여 C_2H_6이 생성된다.

ㄷ. (가)를 사용하면 활성화 에너지가 낮아진다.

➡ (가)를 사용하면 활성화 에너지가 낮아져 반응 속도가 빨라진다.

11 빛에너지를 받으면 촉매 작용을 할 수 있는 물질이므로 광촉매이다.

12 | 선택지 분석 |

ㄱ. 수소 연료 전지

➡ 광촉매는 물을 수소와 산소로 분해할 수 있으므로 수소 연료 전지에 활용할 수 있다.

ㄴ. 대기 오염 물질 제거 필터

➡ 광촉매는 특별한 에너지 없이도 빛만으로 오염 물질을 제거할 수 있다.

ㄷ. 탄화수소의 수소 첨가 반응의 촉매

➡ 탄화수소의 수소 첨가 반응은 대량으로 반응이 일어나게 해야 하므로 표면 촉매를 이용한다.

도전! 실력 올리기 272쪽~273쪽

01 ① **02** ④ **03** ③ **04** ② **05** ① **06** ②

07 A, B, D

08 | 모범 답안 | 공통점: 촉매와 효소는 반응의 활성화 에너지를 낮추어 반응 속도를 빠르게 해 준다. 차이점: 촉매는 최적의 반응 조건이 존재하지 않지만 효소는 최적 pH와 최적 온도가 존재한다. 등

09 | 모범 답안 | 자물쇠를 열기 위해서는 모양이 맞는 열쇠가 필요한 것처럼 효소는 자신과 맞는 활성 자리를 가진 특정 기질과만 반응한다. (가)에서 수크레이스는 엿당과 설탕 중 설탕과만 반응하여 포도당과 과당으로 분해시킨다.

01 | 선택지 분석 |

ㄱ. 반응 속도가 빨라진다.

➡ 효소는 촉매의 역할을 하므로 효소를 사용하면 활성화 에너지가 작아져 반응 속도가 빨라진다.

ㄴ. 생성물의 양이 증가한다.

➡ 효소는 촉매의 역할을 하므로 생성물의 양은 증가하지 않는다.

ㄷ. 반응엔탈피가 감소한다.

➡ 효소는 활성화 에너지를 변화시키지만 반응엔탈피는 변화시키지 않는다.

02 | 자료 분석 |

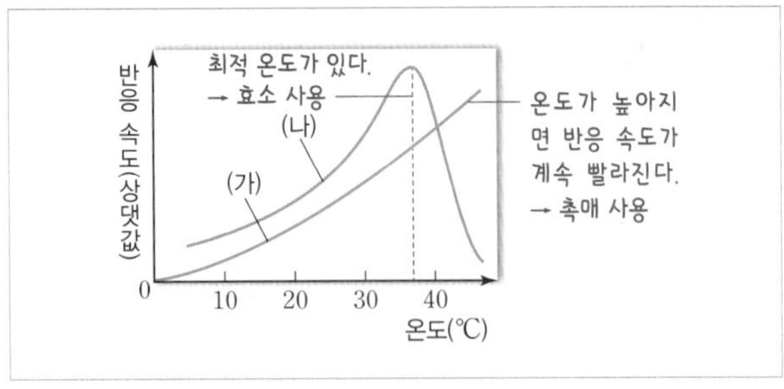

| 선택지 분석 |

ㄱ. (가)는 효소를 넣은 반응이다.

➡ 효소는 반응의 최적 온도가 있으므로 효소를 넣은 반응은 (나)이고, (가)는 촉매를 넣은 반응이다.

ㄴ. (가)에서 반응 속도 상수는 40 ℃일 때가 20 ℃일 때보다 크다.

➡ (가)에서 반응 속도는 40 ℃일 때가 20 ℃일 때보다 크므로 반응 속도 상수는 40 ℃일 때가 20 ℃일 때보다 크다.

ㄷ. 30 ℃일 때 활성화 에너지는 (가)가 (나)보다 크다.

➡ 30 ℃일 때 반응 속도는 (나)>(가)이므로 활성화 에너지는 (가)>(나)이다.

03 | 선택지 분석 |

ㄱ. (가)의 반응식은 B ⟶ C+D이다.

➡ A는 효소이고, 반응물은 B, 생성물은 C와 D이므로 화학 반응식은 B ⟶ C+D이다.

ㄴ (가)에서 엔탈피는 효소·기질 복합체가 가장 크다.

➡ (가)에서 반응물이 활성화 에너지 크기만큼의 에너지를 흡수하여 효소·기질 복합체가 생성되어야 반응이 진행하므로 효소·기질 복합체의 엔탈피가 가장 크다.

✕ 효소 A는 기질 E의 분해 반응의 속도를 증가시킬 수 ~~있다~~. (없다.)

➡ 효소 A는 기질 특이성을 가지므로 기질 B의 분해 반응 속도만 빠르게 하고, 기질 E의 분해 반응 속도는 빠르게 할 수 없다.

04 | 선택지 분석 |

✕ 생성물은 ~~C_4H_6~~(C_2H_6)이다.

➡ 반응식은 $C_2H_4+H_2 \longrightarrow C_2H_6$이다. 따라서 반응 후 생성물은 C_2H_6이다.

ㄴ 반응은 백금(Pt) 촉매 표면에서 일어난다.

➡ 반응물이 백금(Pt) 표면에 흡착되어 반응이 일어나므로 백금(Pt) 촉매는 표면 촉매이다.

✕ 반응 후 백금(Pt)의 질량은 ~~감소한다~~. (변하지 않는다.)

➡ 백금(Pt)은 촉매이므로 반응 후에 질량이 변하지 않는다.

05 | 선택지 분석 |

ㄱ (가)에는 CO_2, H_2O, N_2이 포함된다.

➡ 촉매 변환기에서는 불안정한 질소 산화물, 일산화 탄소, 탄화수소를 반응시켜 공기 중의 안정한 기체로 변환시키므로 (가)에는 CO_2, H_2O, N_2가 빠져나온다.

✕ 촉매 변환기 내부에는 ~~유기 촉매~~(표면 촉매)를 사용하는 것이 적절하다.

➡ 촉매 변환기 내부에서는 반응이 매우 빠르고 많은 양이 일어나야 하므로 금속인 표면 촉매를 사용하는 것이 적절하다.

✕ 촉매 변환기 내부에서 사용하는 촉매는 빛만으로 오염 물질을 제거할 수 있다.

➡ 촉매 변환기 내부에서는 표면 촉매를 사용하며, 특별한 에너지 없이도 빛만으로 오염 물질을 제거할 수 있는 촉매는 광촉매이다.

06 | 선택지 분석 |

✕ 광촉매 전극은 빛에너지가 없어도 반응할 수 있다.

➡ 광촉매 전극은 빛에너지를 이용하여 반응의 활성화 에너지를 낮추는 역할을 한다.

✕ 광촉매 전극에 ~~백금(Pt), 로듐(Rh)~~(이산화 타이타늄(TiO_2))이 가장 널리 이용된다.

➡ 광촉매로는 이산화 타이타늄(TiO_2)이 가장 널리 이용된다.

ㄷ 광촉매 전극에서 반응이 일어나면 기체 분자 수가 증가한다.

➡ 광촉매 전극에서는 물이 수소와 산소로 분해되어 기체가 생성되므로 반응이 일어나면 기체 분자 수가 증가한다.

07 효소는 활성화 에너지를 낮추므로 정반응의 활성화 에너지인 A와 역반응의 활성화 에너지인 B를 감소시킨다. 그리고 B를 포함하는 D는 감소하게 된다.

08 촉매와 효소는 활성화 에너지를 감소시켜서 반응 속도를 빠르게 한다. 그리고 효소는 기질 특이성을 갖지만 촉매는 기질 특이성이 없고, 효소는 최적 pH와 최적 온도가 있다.

채점 기준	배점
공통점과 차이점을 모두 옳게 서술한 경우	100 %
공통점과 차이점 중 1가지만 옳게 서술한 경우	50 %

09 (가)는 수크레이스 효소가 엿당과 설탕 중 설탕과만 반응하여 포도당과 과당으로 분해시키는 반응을 나타낸 것이고, (나)는 효소를 열쇠에, 기질을 자물쇠에 비유하여 자물쇠는 특정 모양을 가진 열쇠로만 열 수 있음을 나타낸다.

채점 기준	배점
(나)에 비유하여 (가)의 수크레이스가 설탕과만 반응함을 옳게 서술한 경우	100 %
(나)와의 비유가 적절하지만 (가)의 반응에서 설탕과의 반응을 서술하지 못한 경우	50 %

실전! 수능 도전하기

275쪽~277쪽

01 ① 02 ① 03 ④ 04 ③ 05 ③ 06 ⑤ 07 ⑤ 08 ①
09 ② 10 ③ 11 ③ 12 ④

01 | 선택지 분석 |

ㄱ Ⅱ에서 정촉매를 사용하였다.

➡ Ⅰ보다 Ⅱ의 활성화 에너지가 작으므로 Ⅱ에서 정촉매를 사용하였다.

✕ 반응 속도 상수(k)는 Ⅰ에서가 Ⅱ에서보다 ~~크다~~. (작다)

➡ 활성화 에너지가 작은 Ⅱ가 Ⅰ보다 반응 속도 상수가 크다.

✕ 충분한 시간이 흐른 뒤 B의 농도는 ~~Ⅱ에서가 Ⅰ에서보다 크다~~. (Ⅰ과 Ⅱ에서 같다.)

➡ 정촉매를 사용하면 반응 속도가 빨라질 뿐 최종 생성물의 농도에는 변화가 없다. 따라서 충분한 시간이 흐른 뒤 B의 농도는 Ⅰ과 Ⅱ에서 같다.

02 | 선택지 분석 |

ㄱ X는 정촉매이다.

➡ X를 사용한 (나)의 활성화 에너지가 (가)보다 작으므로 X는 정촉매이다.

✕ (가)에서 역반응과 정반응의 활성화 에너지 차는 a이다.

➡ (가)는 발열 반응이므로 역반응의 활성화 에너지가 정반응의 활성화 에너지보다 크고, 그 차는 반응엔탈피의 크기와 같다.

✕ 평형 상수는 ~~(가)에서가 (나)에서보다 같다~~. ((가)와 (나)에서 같다.)

➡ (가)와 (나)에서 온도가 같으므로 평형 상수는 같다.

03 | 선택지 분석 |

✕ $E_1+E_2=60$ kJ이다.

➡ (나)에서 촉매가 있을 때 활성화 에너지는 60 kJ이므로 $E_2=60$ kJ이다. 따라서 E_1+E_2는 60 kJ보다 크다.

ㄴ E_3는 20 kJ이다.

➡ E_3는 촉매가 없을 때와 있을 때의 활성화 에너지 차이므로 80 kJ−60 kJ=20 kJ이다.

ㄷ 반응 속도는 촉매가 있을 때가 없을 때보다 빠르다.

➡ 촉매가 있을 때 활성화 에너지가 작아지므로 반응 속도는 빨라진다.

04 | 자료 분석 |

A의 초기 농도와 온도는 같고 정촉매 첨가 여부만 다르다.

실험	A의 초기 농도(M)	온도(K)	첨가한 정촉매
Ⅰ	a	$2T$	없음
Ⅱ	a	$2T$	있음
Ⅲ	$2a$	T	없음

실험 Ⅱ는 정촉매를 첨가했으므로 활성화 에너지가 감소한다.

| 선택지 분석 |

ㄱ $\varDelta H$는 Ⅰ과 Ⅱ가 같다.

➡ 실험 Ⅰ과 Ⅱ는 온도가 같으므로 반응엔탈피($\varDelta H$)는 같다. 정촉매는 반응엔탈피에 영향을 미치지 못한다.

✕ 반응 속도 상수(k)는 Ⅲ이 Ⅰ보다 ~~크다~~. 작다.

➡ 실험 Ⅲ이 Ⅰ보다 온도가 낮으므로 반응 속도 상수(k)는 실험 Ⅰ이 Ⅲ보다 크다.

ㄷ 활성화 에너지(E_a)는 Ⅲ이 Ⅱ보다 크다.

➡ 실험 Ⅱ에는 정촉매를 첨가했으므로 활성화 에너지가 감소한다. 따라서 활성화 에너지는 실험 Ⅲ이 Ⅱ보다 크다.

05 | 선택지 분석 |

ㄱ X는 부촉매이다.

➡ X를 넣었을 때 A의 농도가 감소하는 속도가 감소하였으므로 반응 속도가 느려진 것이다. 따라서 X는 부촉매이다.

ㄴ 반응의 활성화 에너지는 t_3일 때가 t_1일 때보다 크다.

➡ 부촉매인 X를 넣었으므로 활성화 에너지는 t_3일 때가 부촉매를 넣기 전인 t_1일 때보다 크다.

✕ A(g)의 평균 운동 에너지는 ~~t_3일 때가 t_1일 때보다 작다~~. t_1일 때와 t_3일 때가 같다.

➡ 온도가 같으므로 A(g)의 평균 운동 에너지는 t_1일 때와 t_3일 때가 같다.

06 | 자료 분석 |

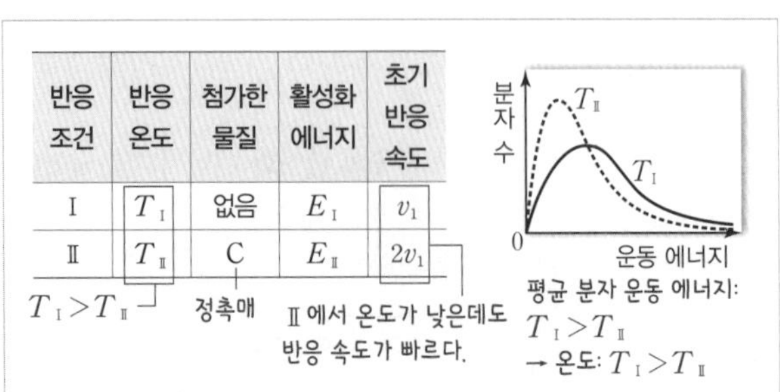

| 선택지 분석 |

ㄱ $T_Ⅰ>T_Ⅱ$이다.

➡ 분자 운동 에너지 분포 곡선에서 평균 분자 운동 에너지는 $T_Ⅰ$에서가 $T_Ⅱ$에서보다 크므로 온도는 $T_Ⅰ>T_Ⅱ$이다.

ㄴ $E_Ⅰ>E_Ⅱ$이다.

➡ Ⅱ에서 온도가 $T_Ⅱ$로 낮지만 C를 첨가하였더니 초기 반응 속도가 $2v_1$로, Ⅰ에서의 2배가 되었으므로 활성화 에너지의 크기는 $E_Ⅰ>E_Ⅱ$이다.

ㄷ Ⅱ에서 C는 정촉매이다.

➡ Ⅱ에서 C를 넣었더니 낮은 온도인 $T_Ⅱ$에서 반응 속도가 더 크므로 C는 정촉매이다.

07 | 자료 분석 |

$2X \longrightarrow Y$

반응 시간(분)	온도(K)	X의 압력(기압)	Y의 압력(기압)
0	T_1	3.2	0
1	T_1	1.6	0.8
2	T_1	0.8	1.2
3	T_2	0.8	x

0→1분: X의 압력: −1.6기압, Y의 압력: +0.8기압

1→2분: X의 압력: −0.8기압, Y의 압력: +0.4기압

만약 $T_2=T_1$이라면 3분일 때 X는 0.4기압 감소해서 0.8기압−0.4기압=0.4기압

Y는 0.2기압 증가해서 1.2+0.2=1.4기압이어야 한다.

→ 온도가 $T_2<2T_1$이므로 X는 0.4기압보다 적게 감소하고, 온도가 높아졌으므로 0.8기압이 된 것이다.

| 선택지 분석 |

ㄱ 표에서 x는 1.2보다 크다.

➡ 3분일 때 온도 T_2가 T_1보다 크므로 온도가 증가하여 기체의 압력은 증가해야 한다. 따라서 $x>1.2$이다.

ㄴ 넣어 준 촉매는 부촉매이다.

➡ 3분 후에 온도가 높아졌지만 X의 압력이 2분 후와 같은 것으로 보아 넣어 준 촉매는 반응 속도를 느리게 하는 부촉매이다.

ㄷ 평균 반응 속도는 0~1분에서가 2~3분에서의 4배보다 크다.

➡ 0~1분에서 X의 압력이 1.6기압 감소하였으므로 2~3분에서는 온도가 T_1이라면 X의 압력은 0.4기압 감소하여 평균 반응 속도는 0~1분에서가 2~3분에서의 4배이어야 한다. 그러나 3분일 때 온도 T_2는 $2T_1$보다 작으므로 X의 압력이 감소하는 정도는 T_1일 때 0.4기압이 감소하는 것보다 작아야 한다. 따라서 0~1분에서의 반응 속도는 2~3분에서의 반응 속도의 4배보다 크다.

08 | 선택지 분석 |

ㄱ $k_3>k_1$이다.

➡ A의 농도가 감소하는 속도는 (다)>(가)이므로 $k_3>k_1$이다.

✕ D(g)는 ~~정촉매~~이다. 반응물

➡ (나)에서 D(g)는 반응 전에는 존재하지만 반응 후에는 사라지므로 반응물이다.

✕ 반응엔탈피는 ~~(다)에서가 (가)에서보다 크다~~. (가)와 (다)에서 같다.

➡ (가)와 (다)의 반응물과 생성물은 같고, 온도가 같으므로 반응엔탈피는 (가)와 (다)에서 같다.

09 | 선택지 분석 |

ㄱ. ✕ 반응의 활성화 에너지는 ~~Ⅰ에서가 Ⅱ에서보다 크다.~~ (Ⅰ과 Ⅱ에서 같다.)

➡ 실험 Ⅰ과 Ⅱ에서 온도는 다르지만 모두 촉매를 첨가하지 않았으므로 반응의 활성화 에너지는 서로 같다.

ㄴ. ✕ Ⅱ에서 0~50초의 $-\frac{\Delta[H_2O_2]}{\Delta t}=$ ~~$4n$~~ ($8n$) 몰/L·초이다.

➡ Ⅱ에서 0~50초 동안 생성된 O_2의 양은 $5n$몰이고, 수용액의 부피는 0.025 L이므로 $\frac{\Delta[H_2O_2]}{\Delta t}=\frac{\frac{5n}{0.025}}{50}=4n$ (몰/L·초)이다. 이때 화학 반응식이 $2H_2O_2(aq) \longrightarrow 2H_2O(l)+O_2(g)$로 반응 계수비가 $H_2O_2 : O_2=2:1$이므로 0~50초의 $-\frac{\Delta[H_2O_2]}{\Delta t}$ $=8n$ 몰/L·초이다.

ㄷ. Ⅲ에서 $MnO_2(s)$는 정촉매이다.

➡ Ⅰ과 Ⅲ을 비교하면 다른 조건은 같고, $MnO_2(s)$를 넣은 Ⅲ에서 O_2의 초기 생성량이 더 크므로 $MnO_2(s)$는 반응 속도를 빠르게 하는 정촉매이다.

10 | 선택지 분석 |

ㄱ. X는 표면 촉매이다.

➡ X는 표면에 반응물을 부착시켜 반응 속도를 빠르게 하는 표면 촉매이다.

ㄴ. ✕ X의 질량은 ~~반응 후가 반응 전보다 크다.~~ (반응 전과 후에 같다.)

➡ X는 촉매로, 반응에 참여하지만 자신은 변하지 않으므로 반응 전과 후에 질량 변화가 없다.

ㄷ. 화학 반응식은 $N_2(g)+3H_2(g) \longrightarrow 2NH_3(g)$이다.

➡ 반응물은 N_2, H_2이고, 생성물은 NH_3이므로 화학 반응식은 $N_2(g)+3H_2(g) \longrightarrow 2NH_3(g)$이다.

11 | 선택지 분석 |

ㄱ. (가)로는 N_2, CO_2, H_2O이 적절하다.

➡ 촉매 변환기 내부에서는 공기 중의 안전한 물질로의 변화가 일어난다. 따라서 (가)에는 N_2, CO_2, H_2O이 적절하다.

ㄴ. 촉매 변환기 내부에는 표면 촉매가 존재한다.

➡ 촉매 변환기 내부에는 벌집무늬에 촉매들이 표면을 넓히는 방향으로 존재하고 있으므로 촉매 변환기 내부에는 표면 촉매가 존재한다.

ㄷ. ✕ 촉매 변환기 내부에서 일어나는 반응은 실온에서도 쉽게 일어난다.

➡ 촉매 변환기 내부에서 일어나는 반응은 실온에서 쉽게 일어나지 않지만, 촉매 변환기 내부의 촉매를 통과하면 실온에서 일어날 수 있게 된다.

12 | 선택지 분석 |

효소는 단백질 분자이므로 반응 속도가 최대가 되는 최적 온도가 존재한다. 따라서 최적 온도에 도달할 때까지는 반응 속도가 증가하다가 최적 온도 이상이 되면 단백질이 파괴되어 반응 속도가 급격하게 감소한다.

한번에 끝내는 대단원 문제 280쪽~283쪽

01 ④ 02 ② 03 ② 04 ⑤ 05 ⑤ 06 ⑤ 07 ④ 08 ⑤ 09 ③ 10 ④ 11 ③ 12 ② 13 ② 14 ③ 15 ②

16 | 모범 답안 | 생성물 B의 증가 속도로 평균 반응 속도를 나타내면 P점까지는 1분 동안 B의 농도가 0.2 M 증가하였으므로 평균 반응 속도 $v=0.2$ M/분이고, Q점까지는 2분 동안 B의 농도가 0.2 M 증가하였으므로 평균 반응 속도 $v=0.1$ M/분이다. 따라서 평균 반응 속도는 P점까지가 Q점까지의 2배이다.

17 $v=k[A][B]$

18 | 모범 답안 | $k=2\times10^6\ M^{-1}\cdot s^{-1}$, 반응 속도식이 $v=k[A][B]$이므로 실험 Ⅰ의 값을 대입하면 18×10^{-6} M/s$=k\times(6\times10^{-6})$ M$\times(1.5\times10^{-6})$ M이므로 $k=2\times10^6\ M^{-1}\cdot s^{-1}$이다.

19 | 모범 답안 | T_2에서가 T_1에서보다 빠르다. 활성화 에너지(E_a)보다 큰 운동 에너지를 가지는 분자 수가 T_2에서가 T_1에서보다 많기 때문이다.

20 | 모범 답안 | E_a'일 때가 E_a일 때보다 반응 속도가 빠르다. 활성화 에너지는 $E_a>E_a'$이므로 활성화 에너지보다 큰 운동 에너지를 가지는 분자 수가 E_a'일 때가 E_a일 때보다 많기 때문이다.

21 | 모범 답안 | 표면 촉매는 촉매의 활성이 높아 널리 사용되지만, 불안정하고 부수적인 반응들에 대한 예측이 어려워 많은 양의 폐기물이 생성되는 반응을 조절하기 어려운 단점이 있다. 이러한 단점을 보완하기 위해 반응의 선택성이 높은 유기 촉매를 개발하여 이용할 수 있다.

01 | 자료 분석 |

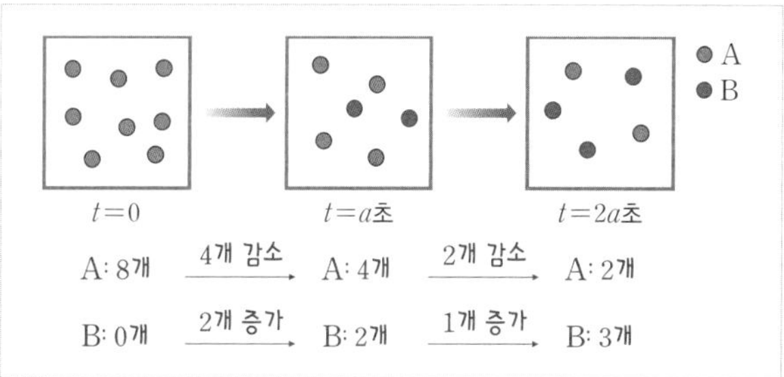

| 선택지 분석 |

ㄱ. ✕ 화학 반응식은 ~~$A(g)$~~ ($2A(g)$) $\longrightarrow B(g)$이다.

➡ A 4개가 반응하여 B 2개가 생성되므로 화학 반응식은 $2A(g) \longrightarrow B(g)$이다.

ㄴ. 반감기는 a초이다.

➡ A의 농도가 반으로 줄어드는 데 걸리는 시간이 a초로 일정하므로 반감기는 a초이다.

ㄷ. 반응 속도식은 $v=k[A]$이다.

➡ 반감기가 일정한 반응이므로 A의 1차 반응이다.

02 A의 초기 농도는 4 M, 1분 후의 농도는 2 M, 2분 후의 농도는 1 M이다. 따라서 A의 농도가 절반으로 되는 데 걸

리는 시간인 반감기가 1분으로 일정하므로 A의 1차 반응이다. 따라서 반응 속도식은 $v=k[A]$이다.

03 화학 반응식의 계수비는 X : Y=2 : 1이고, 3분 동안 감소한 X의 농도가 3 M이므로 생성된 Y의 농도는 1.5 M이다.

04 | 선택지 분석 |

ㄱ. 반응 속도가 반응물의 농도에 비례한다.

➡ 1차 반응의 반응 속도식은 $v=k[A]$이므로 반응 속도가 반응물의 농도에 비례한다.

ㄴ. 반감기가 일정하다.

➡ 1차 반응은 반응물의 농도가 절반으로 줄어드는 데 걸리는 시간인 반감기가 일정하다

ㄷ. 반응 속도 상수(k)의 단위는 s^{-1}을 사용할 수 있다.

➡ 반응 속도식이 $v=k[A]$이므로 $k=\frac{v}{[A]}$이다. 따라서 k의 단위로는 '시간$^{-1}$'을 사용할 수 있다.

05 | 선택지 분석 |

ㄱ. 반응 속도식은 $v=k[A]$이다.

➡ T_1과 T_2에서 초기 반응 속도가 A의 농도에 비례하므로 A의 1차 반응이다.

ㄴ. $T_1>T_2$이다.

➡ 초기 반응 속도는 $T_1>T_2$이므로 온도는 $T_1>T_2$이다.

ㄷ. 반응 속도 상수(k)는 T_1에서가 T_2에서의 2배이다.

➡ 1차 반응이고, A의 농도가 같을 때 초기 반응 속도는 T_1에서가 T_2에서의 2배이므로 반응 속도 상수(k)는 T_1에서가 T_2에서의 2배이다.

06 | 자료 분석 |

시간(분)	0	t	$2t$	$3t$	$4t$
[A]+[B]+[C](M)	8	12	14	15	x

t=0	t	$2t$	$3t$	$4t$
[A]=8 M	[A]=4 M	[A]=2 M	[A]=1 M	[A]=0.5 M
	[B]=4 M	[B]=6 M	[B]=7 M	[B]=7.5 M
	[C]=4 M	[C]=6 M	[C]=7 M	[C]=7.5 M

A 농도 $\frac{1}{2}$ / A 농도 $\frac{1}{2}$ / A 농도 $\frac{1}{2}$ / A 농도 $\frac{1}{2}$

→ 반감기: t분 → A의 1차 반응

| 선택지 분석 |

ㄱ. 반응 속도식은 $v=k[A]$이다.

➡ 0~$3t$분까지 각 t분 동안 증가한 A~C 농도 합은 4 M, 2 M, 1 M이므로 일정 시간 동안 증가한 양이 절반으로 줄어든다. 따라서 A의 1차 반응이다.

ㄴ. t분일 때 A의 몰 분율은 $\frac{1}{3}$이다.

➡ t분이 반감기이므로 t분일 때 A~C의 농도는 모두 4 M이다. 따라서 A의 몰 분율은 $\frac{1}{3}$이다.

ㄷ. $x=15.5$이다.

➡ $4t$분일 때 [A]는 0.5 M, [B]와 [C]는 7.5 M이므로 A~C의 농도 합은 0.5 M+7.5 M+7.5 M=15.5 M이다. 따라서 $x=15.5$이다.

07 | 선택지 분석 |

ㄱ. ~~$x=0.8$~~ 0.4이다.

➡ 반응 계수비가 A : B=1 : 2이고, 충분한 시간이 지난 후 B의 농도가 0.8 M이므로 반응물 A의 초기 농도 x는 0.4 M이다.

ㄴ. $T_1>T_2$이다.

➡ 반응 속도는 $T_1>T_2$이므로 온도는 $T_1>T_2$이다.

ㄷ. 반응 속도식은 $v=k[A]$이다.

➡ T_1에서 $0.5t$분마다 증가하는 B의 농도는 0.4 M, 0.2 M, 0.1 M…이므로 $0.5t$분마다 증가하는 B의 농도가 절반으로 줄어든다. 따라서 A의 농도도 $0.5t$분마다 절반으로 줄어들므로 A의 1차 반응이다.

08 | 자료 분석 |

실험	온도	A(g)의 몰 분율	
		t=0	t=20초
(가)	T_1	1 A $8n$몰이라고 가정	반감기 2번 → $\frac{2}{5}$ A $2n$몰, B $3n$몰
(나)	T_2	1 A $8n$몰이라고 가정	반감기 1번 → $\frac{2}{3}$ A $4n$몰, B $2n$몰

$2A(g) \longrightarrow B(g)$ $v=k[A]$ 1차 반응이므로 반감기가 일정하다.

A의 몰 분율이 (가)보다 크므로 (가)보다 반응이 적게 진행한 것이다.

| 선택지 분석 |

ㄱ. (가)에서 반감기는 10초이다.

➡ A의 1차 반응이므로 반감기가 일정한 반응이다. (가)에서 20초일 때 A의 몰 분율이 $\frac{2}{5}$이므로 A의 초기 몰수를 $8n$몰이라고 하면 반감기가 2번 진행하여 A의 몰수는 $2n$몰, B의 몰수는 $3n$몰인 것이다. 따라서 반감기는 10초이다.

ㄴ. $T_1>T_2$이다.

➡ (나)에서 A의 초기 몰수를 $8n$몰이라고 하면 반감기가 1번 진행하여 A의 몰수는 $4n$, B의 몰수는 $2n$몰인 것이다. 따라서 반감기는 20초이다. 즉, (가)에서 t=20초는 반감기가 2번 지난 시점이고, (나)에서 t=20초는 반감기가 1번 지난 시점이므로 반응 속도는 $T_1>T_2$이다. 따라서 온도는 $T_1>T_2$이다.

ㄷ. (나)에서 60초일 때 A의 몰 분율은 $\frac{2}{9}$이다.

➡ (나)에서 60초는 반감기가 3번 지난 시점이므로 A의 초기 몰수를 $8n$몰이라고 하면 t=60초에서 A의 몰수는 n몰, B의 몰수는 $3.5n$몰이다. 따라서 A의 몰 분율은 $\frac{n}{n+3.5n}=\frac{2}{9}$이다.

09 | 선택지 분석 |

① 반응엔탈피(ΔH)는 ~~음(−)~~ 양(+)의 값이다.

➡ 생성물 Y의 엔탈피가 반응물 X보다 크므로 흡열 반응이다. 따라서 반응엔탈피는 양(+)의 값이다.

② 정반응의 활성화 에너지는 ~~a~~ 이다.
$a+b$

➡ 정반응의 활성화 에너지는 $(a+b)$이다.

③ 역반응의 활성화 에너지는 b이다.

➡ 역반응의 활성화 에너지는 b이다.

④ 부촉매를 사용하면 역반응의 활성화 에너지는 b보다 ~~감소~~ 증가 한다.

➡ 부촉매를 사용하면 정반응의 활성화 에너지와 역반응의 활성화 에너지가 모두 증가하므로 역반응의 활성화 에너지는 b보다 증가한다.

⑤ 온도를 ~~높이면~~ 높여도 정반응의 활성화 에너지는 ~~$(a+b)$보다 증가한다.~~ 변화 없다.

➡ 온도를 높여도 활성화 에너지는 변하지 않는다.

10 | **선택지 분석** |

① 숯을 작은 조각으로 쪼개 태운다.

➡ 숯을 작은 조각으로 쪼개 태우면 표면적이 증가하여 연소 반응 속도가 빨라진다.

② 알약보다 가루약의 흡수가 빠르다.

➡ 가루약은 알약보다 표면적이 넓으므로 흡수가 빠르다.

③ 찬물보다 뜨거운 물에 커피가 잘 용해된다

➡ 찬물보다 뜨거운 물에서 활성화 에너지보다 큰 에너지를 가진 분자 수가 증가하므로 용해되는 반응 속도가 빨라진다.

④ 강철솜은 공기 중에서보다 산소가 든 집기병에서 빠르게 연소된다.

➡ 공기 중에서보다 산소가 든 집기병에서 산소의 농도가 커지므로 충돌 횟수가 증가하여 강철솜이 빠르게 연소한다. 따라서 같은 부피 속에 들어 있는 입자 수가 증가하여 반응 속도가 빨라지는 모형으로 설명하기 가장 적절하다.

⑤ 과산화 수소수에 이산화 망가니즈를 넣으면 분해가 빠르게 일어난다.

➡ 과산화 수소수에 촉매인 이산화 망가니즈를 넣으면 촉매가 활성화 에너지를 낮추어 분해 속도가 빨라진다.

11 | **선택지 분석** |

ㄱ. 정반응은 발열 반응이다.

➡ 반응물보다 생성물의 엔탈피가 작으므로 정반응은 발열 반응이다.

ㄴ. (나)에서 사용한 촉매는 정촉매이다.

➡ (나)에서 활성화 에너지 크기가 작아졌으므로 사용한 촉매는 정촉매이다.

✕ 반응 속도 상수는 (가)에서가 (나)에서보다 ~~크다.~~ 작다.

➡ 활성화 에너지 크기는 (가)>(나)이므로 반응 속도 상수는 (나)>(가)이다.

12 | **선택지 분석** |

✕ $\Delta H_1 > \Delta H_2$이다. (=)

➡ 두 반응의 반응물 농도와 온도는 같으므로 반응엔탈피(ΔH)는 같다.

ㄴ. 반응 속도 상수는 (나)>(가)이다.

➡ (나)는 (가)보다 활성화 에너지가 작으므로 반응 속도 상수가 크다.

✕ (가)에서 온도를 ~~높이면~~ 높여도 E_a는 ~~감소한다.~~ 변하지 않는다

➡ (가)에서 온도를 높이면 활성화 에너지(E_a)의 크기가 감소하는 것이 아니라 E_a보다 큰 운동 에너지를 가지는 분자 수가 증가하여 반응 속도가 빨라진다. 따라서 E_a는 변하지 않는다.

13 E_1은 활성화 에너지이다.

| **선택지 분석** |

① 온도를 높인다.

➡ 온도를 높여도 활성화 에너지는 변화가 없다.

② 정촉매를 사용한다.

➡ 정촉매를 사용하면 반응 경로가 달라지면서 활성화 에너지가 감소한다.

③ A의 농도를 크게 한다.

➡ 반응물인 A의 농도를 크게 하는 것과 활성화 에너지의 크기 변화는 관계가 없다.

④ B의 농도를 크게 한다.

➡ 생성물인 B의 농도를 크게 하는 것과 활성화 에너지의 크기 변화는 관계가 없다.

⑤ 반응 용기의 부피를 줄인다.

➡ 반응 용기의 부피를 줄여서 농도를 증가시켜도 활성화 에너지는 변화가 없다.

14 | **선택지 분석** |

ㄱ. 효소는 기질 특이성이 있다.

➡ 효소는 기질 A와는 반응하지만 기질 B와는 반응하지 않으므로 기질 특이성이 있다.

✕ 효소는 기질 A와 결합하면 반응의 활성화 에너지를 ~~증가시킨다.~~ 감소시킨다

➡ 효소는 기질 A와 결합하여 촉매 역할을 하고, 반응 속도를 빠르게 하므로 반응의 활성화 에너지를 낮추는 역할을 한다.

ㄷ. 효소는 화학 반응에서 정촉매와 같은 역할을 할 수 있다.

➡ 효소는 활성화 에너지를 낮추는 역할을 하므로 정촉매와 같은 역할을 한다.

15 광전극에서는 빛에너지를 이용하여 물을 수소와 산소로 분해해야 하므로 광촉매를 사용해야 한다.

16 평균 반응 속도는 구하는 시간 동안에 변화된 물질의 농도를 나타내면 되므로 P점까지의 평균 반응 속도는 0~1분 동안 B의 농도 변화, Q점까지의 평균 반응 속도는 0~2분 동안 B의 농도 변화를 나타내면 된다.

• P점까지의 평균 반응 속도: $\frac{0.2\text{ M}-0}{1\text{분}}=0.2\text{ M/분}$

• Q점까지의 평균 반응 속도: $\frac{0.2\text{ M}-0}{2\text{분}}=0.1\text{ M/분}$

채점 기준	배점
P점과 Q점까지의 평균 반응 속도를 구하고, 그 값을 옳게 비교하여 서술한 경우	100 %
P점과 Q점까지의 평균 반응 속도의 크고 작음만 옳게 비교한 경우	50 %

17 반응 속도식은 실험 결과를 비교하여 얻는다. 따라서 실험 Ⅰ과 Ⅱ를 비교하여 A의 반응 차수를 구하고, 실험 Ⅱ와 Ⅲ을 비교하여 B의 반응 차수를 구하면 된다. 즉, 실험 Ⅰ과 Ⅱ를 비교하면 A의 농도가 $\frac{8}{6}$배일 때 초기 반응 속도도 $\frac{8}{6}$배이므로 A의 1차 반응이다. 실험 Ⅱ와 Ⅲ을 비교하면 B의 농도가 $\frac{4}{3}$배일 때 초기 반응 속도도 $\frac{4}{3}$배이므로 B의 1차 반응이다.

18 반응 속도식이 $v=k[A][B]$이므로 $k=\frac{v}{[A][B]}$를 통해 k를 구할 수 있다. 단위는 각 요소의 단위를 통해서 구해야 한다.

채점 기준	배점
반응 속도 상수 값을 단위까지 옳게 구하고, 실험의 값을 반응 속도식에 대입하여 구하는 과정을 옳게 서술한 경우	100 %
반응 속도 상수 값과 구하는 과정을 옳게 서술했으나 단위가 정확하지 않은 경우	80 %
반응 속도 상수 값만 단위까지 옳게 구한 경우	50 %

19 활성화 에너지(E_a)보다 큰 분자 운동 에너지를 가지는 분자 수가 많으면 반응 속도가 빠르다. T_2에서가 T_1에서보다 활성화 에너지(E_a)보다 큰 운동 에너지를 가지는 분자 수가 많으므로 반응 속도가 빠르다.

채점 기준	배점
반응 속도를 옳게 비교하고, 그 까닭을 옳게 서술한 경우	100 %
반응 속도만 옳게 비교한 경우	50 %

20 활성화 에너지보다 큰 분자 운동 에너지를 가지는 분자 수가 많으면 반응 속도가 빠르다. E_a'일 때가 E_a일 때보다 활성화 에너지보다 큰 운동 에너지를 가지는 분자 수가 많으므로 반응 속도가 빠르다.

채점 기준	배점
반응 속도를 옳게 비교하고, 그 까닭을 옳게 서술한 경우	100 %
반응 속도만 옳게 비교한 경우	50 %

21 표면 촉매의 단점인 반응을 조절하기 어려운 점을 보완하기 위해서 유기 촉매를 개발하여 반응 과정에 이용하려고 노력하고 있다.

채점 기준	배점
표면 촉매의 단점과 보완 방법을 모두 옳게 서술한 경우	100 %
표면 촉매의 단점만 옳게 서술한 경우	50 %

1 ››› 전기 화학의 원리와 수소 연료 전지

01 화학 전지의 원리

탐구POOL 290쪽

01 $CuSO_4$ 수용액과 Zn의 반응, 구리 이온 수의 감소 때문이다. **02** 아연(Zn)

01 아연이 구리보다 반응성이 크므로 산화 환원 반응이 일어나 구리 이온이 감소하게 되어 푸른색이 옅어진다.

02 금속의 반응성이 클수록 양이온이 되려는 경향이 크다.

탐구POOL 291쪽

01 산화 전극: Zn판, 환원 전극: Cu판
02 전해질로 수소 이온(H^+)을 쓰지 않았기 때문이다.

01 Zn판에서는 산화 반응이 일어나고 Cu판에서는 환원 반응이 일어난다.

02 전해질로 해당 금속 양이온이 들어 있는 수용액을 사용했기 때문이다.

콕콕! 개념 확인하기 292쪽

✔ 잠깐 확인!
1. 산화 **2** 동시성 **3** 이온화 경향 **4** 화학 전지 **5** 볼타 **6** 분극 **7** 다니엘

01 (1) × (2) ○ (3) × **02** ㉠ 산화, ㉡ 구리, ㉢ 환원
03 ㉠ 전해질, ㉡ 산화, ㉢ 환원 **04** (1) × (2) ○ (3) ×
05 (1) ㉢ (2) ㉠ (3) ㉡

01 (1) 수소보다 반응성이 큰 금속만 묽은 산과 반응하여 수소 기체를 발생한다.
(3) 금속은 이온화 경향이 큰 금속일수록 전자를 잃고 산화된다.

02 마그네슘은 구리보다 반응성이 커서 전자를 잃으면서 산화되고, 구리 이온은 전자를 얻으면서 환원된다.

03 전해질 수용액에 반응성이 서로 다른 두 금속을 담그고 도선으로 연결하면 반응성이 큰 금속은 산화 전극이 되고, 반응성이 작은 금속은 환원 전극이 된다.

04 (1) 볼타 전지에서 (+)극은 환원 전극으로, 아연이 전자를 잃는 반응은 (−)극에서 일어난다.

(3) 볼타 전지에서 아연판에서는 산화 반응이 일어나므로 질량이 감소하고, 구리판에서는 환원 반응이 일어나지만 수소 기체가 발생하므로 질량 변화가 나타나지 않는다.

탄탄! 내신 다지기

293쪽~295쪽

01 ④ **02** ② **03** ④ **04** ④ **05** ③ **06** ㉠ 산화, ㉡ 산화, ㉢ 크 **07** ② **08** ① **09** X>Z>Y **10** ③ **11** ㉠ 아연, ㉡ 구리, ㉢ 염다리 **12** ① **13** ④ **14** ② **15** ④ **16** (1) 아연(Zn) (2) (−)극: $Zn \longrightarrow Zn^{2+}+2e^-$, (+)극: $Cu^{2+}+2e^- \longrightarrow Cu$

01 | 선택지 분석 |

① 반응성이 큰 금속일수록 산화되기 쉽다.

➡ 반응성이 큰 금속일수록 전자를 잃고 양이온이 되기 쉽다.

② 금속의 이온화 경향이 클수록 반응성이 크다.

➡ 금속의 이온화 경향이 클수록 전자를 잃기 쉽다.

③ 수소보다 반응성이 작은 금속은 묽은 염산과 반응하지 않는다.

➡ 수소보다 반응성이 작은 금속을 묽은 염산에 넣으면 전자의 이동이 일어나지 않는다.

✔④ 수소보다 반응성이 큰 금속은 묽은 염산과 반응하여 ~~산소~~(수소) 기체를 발생한다.

⑤ 마그네슘 금속을 구리 이온이 들어 있는 수용액에 넣으면 구리가 석출된다.

➡ 마그네슘의 반응성이 구리보다 크므로 마그네슘 금속을 구리 이온이 들어 있는 수용액에 넣으면 구리가 석출되고 마그네슘은 이온이 되어 수용액 속으로 들어간다.

02 | 선택지 분석 |

✕ 수용액 속 양이온 수는 ~~증가한다~~(일정하다).

➡ Zn^{2+}과 Cu^{2+}의 전하가 +2로 같아 산화 환원 반응이 일어나도 수용액 속 양이온 수는 변함이 없다.

✕ ~~구리(Cu)~~(아연(Zn))는 전자를 잃고 산화된다.

➡ Zn의 반응성이 Cu보다 크므로 Zn이 전자를 잃고 산화된다.

㉢ 금속의 반응성은 Zn이 Cu보다 크다.

➡ Zn이 산화되고, Cu^{2+}이 환원되므로 금속의 반응성은 Zn이 Cu보다 크다.

03 | 선택지 분석 |

① 마그네슘은 ~~환원~~(산화)된다.

➡ 마그네슘은 전자를 잃으면서 산화된다.

② 은 이온은 전자를 ~~잃는다~~(얻는다).

➡ 은 이온은 전자를 얻으면서 환원된다.

③ 수용액 속 양이온 수는 ~~증가~~(감소)한다.

➡ +1가의 은 이온 2개가 반응하여 +2가의 마그네슘 이온이 생성되므로 수용액 속 양이온 수는 감소한다.

✔④ 마그네슘 표면에서 은이 석출된다.

➡ 마그네슘 표면에서 전자를 얻은 은 이온은 환원되면서 금속으로 석출된다.

⑤ 금속의 반응성은 마그네슘이 은보다 ~~작다~~(크다).

➡ 마그네슘이 산화되고, 은 이온이 환원되므로 금속의 반응성은 마그네슘이 은보다 크다.

04 | 선택지 분석 |

✕ 수용액의 밀도는 ~~증가~~(감소)한다.

➡ 화학 반응식은 다음과 같이 진행되므로 수용액의 밀도는 감소한다. $Cu+2Ag^+ \longrightarrow Cu^{2+}+2Ag$

㉡ 수용액은 푸른색으로 변한다.

➡ 수용액 속에서 Cu^{2+}이 생성되므로 수용액은 푸른색으로 변한다.

㉢ 수용액 속 양이온의 수는 감소한다.

➡ +1가의 Ag^+ 2개가 반응하여 +2가의 Cu^{2+} 1개가 생성되므로 수용액 속 양이온 수는 감소한다.

05 | 선택지 분석 |

㉠ (가)에서 수용액 속 Zn^{2+} 수는 증가한다.

➡ (가)에서 Zn은 산화되어 Zn^{2+}이 되고, Fe^{2+}은 환원되어 Fe로 석출된다. 따라서 수용액 속 Zn^{2+} 수는 증가한다.

✕ (나)에서 ~~Cu는 전자를 잃는다~~(아무런 변화가 나타나지 않는다).

➡ Cu보다 Fe의 반응성이 더 크므로 (나)에서 아무런 변화가 나타나지 않는다.

㉢ 금속의 반응성은 Zn>Fe>Cu이다.

➡ (가)에서 Zn이 Fe보다 반응성이 크고, (나)에서 Fe이 Cu보다 반응성이 크므로 금속의 반응성은 Zn>Fe>Cu 순이다.

06 금속은 반응성이 클수록 전자를 잃고 산화되어 양이온이 되기 쉽다. 따라서 이온화 경향이 클수록 산화되기 쉽고, 반응성이 크다.

07 | 선택지 분석 |

✕ A는 Zn보다 반응성이 ~~크다~~(작다).

➡ A는 Zn^{2+}과 반응하지 않으므로 Zn보다 반응성이 작음을 알 수 있다.

✕ A를 넣은 수용액에서는 양이온 ~~수가 증가한다~~(의 변화가 없다).

➡ A를 넣은 수용액에서는 반응이 일어나지 않아 양이온 수의 변화가 없다.

㉢ B를 A 이온이 들어 있는 수용액에 넣으면 B는 전자를 잃는다.

➡ B는 Zn^{2+}과 반응하므로 Zn보다 반응성이 큰 금속임을 알 수 있다. 따라서 금속 B를 A 이온이 들어 있는 수용액에 넣으면 B는 전자를 잃어 산화되고, A 이온은 환원된다.

IV

08 | 선택지 분석 |

① 철(Fe)+황산 아연($ZnSO_4$) 수용액

➡ Fe보다 Zn의 반응성이 크므로 반응이 일어나지 않는다.

② 구리(Cu)+질산 은($AgNO_3$) 수용액

➡ Cu가 산화되고, Ag^+이 환원된다.

③ 아연(Zn)+질산 니켈($Ni(NO_3)_2$) 수용액

➡ Zn이 산화되고, Ni^{2+}이 환원된다.

④ 마그네슘(Mg)+질산 은($AgNO_3$) 수용액

➡ Mg이 산화되고, Ag^+이 환원된다.

⑤ 알루미늄(Al)+황산 구리(Ⅱ)($CuSO_4$) 수용액

➡ Al이 산화되고, Cu^{2+}이 환원된다.

09 | 자료 분석 |

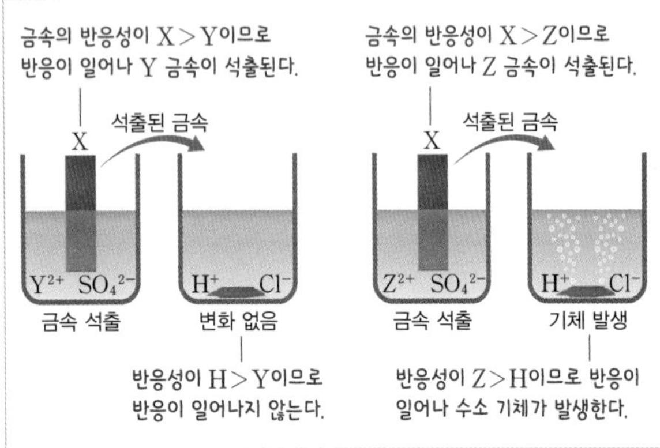

반응성이 큰 금속은 전자를 잃으면서 산화되어 양이온이 되고, 반응성이 작은 금속 양이온은 환원되어 금속으로 석출된다. 따라서 X가 Y보다 반응성이 크고, Y는 수소보다 반응성이 작다. 한편, X는 Z보다 반응성이 크고, Z는 수소보다 반응성이 크다. 따라서 금속의 반응성은 X>Z>Y이다.

10 | 선택지 분석 |

㉠ 전자의 이동 방향은 ㉠이다.

➡ 전자는 산화 전극에서 환원 전극으로 이동하므로 전자의 이동 방향은 (−)극에서 (+)극으로 이동하는 ㉠이다.

㉡ 아연판은 산화 전극으로 작용한다.

➡ 아연판은 산화 전극으로, 아연이 전자를 잃으며 양이온이 되어 수용액 속으로 녹아 들어간다.

✕ 아연판의 질량은 감소하고, 구리판의 질량은 ~~증가한다~~. 변하지 않는다

➡ 아연판에서는 아연이 산화되어 수용액 속으로 녹아 들어가므로 아연판의 질량은 감소하지만, 구리판에서는 수소 이온이 환원되어 수소 기체가 발생하므로 구리판의 질량은 변하지 않는다.

11 다니엘 전지는 반응성이 서로 다른 두 금속을 각각 해당 금속의 양이온 수용액에 넣고 도선과 염다리로 연결한 화학 전지이다.

12 | 선택지 분석 |

㉠ 두 반쪽 전지의 전하 균형을 맞춘다.

➡ 염다리는 두 반쪽 전지의 전해질 수용액에 양이온과 음이온을 공급하여 전하 균형을 맞춘다.

✕ 각 반쪽 전지의 수용액 속 이온들과 ~~반응한다~~. 반응하지 않는다

➡ 염다리를 구성하는 전해질의 이온들은 반쪽 전지의 수용액 속 이온들과 반응하지 않는다.

✕ 두 반쪽 전지의 용액 사이에 이온~~이 이동할 수 있게 한다~~. 은 염다리를 통해 이동하지 않는다

➡ 염다리를 통해 두 반쪽 전지의 전해질 수용액을 구성하는 이온이 이동하지 않는다.

13 | 자료 분석 |

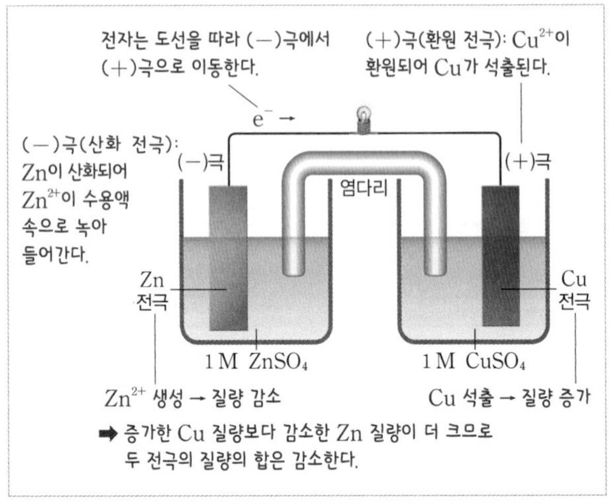

| 선택지 분석 |

✕ 전자는 ~~염다리를 통해~~ 이동한다. 도선을 따라

➡ 전자는 도선을 따라 (−)극에서 (+)극으로 이동한다.

㉡ 두 전극의 질량의 합은 감소한다.

➡ Zn판은 산화되어 질량이 감소하고, Cu판은 환원되어 Cu가 석출되므로 질량이 증가한다. 이때 Zn의 원자량이 Cu보다 크므로 두 전극의 질량의 합은 감소한다.

㉢ (−)극에서 산화 반응이 일어난다.

➡ (−)극에서 Zn은 전자를 잃고 양이온이 되며 산화 반응이 일어난다.

14 | 선택지 분석 |

✕ 전자는 ~~A에서 B로~~ 흐른다. B에서 A로

➡ A가 (+)극이므로 B는 (−)극이 되어 전자는 B에서 A로 흐른다.

㉡ A에서는 수소 기체가 발생한다.

➡ A는 (+)극으로 전자를 얻는 환원 반응이 일어나므로 수소 이온이 환원되어 수소 기체가 발생한다.

✕ 금속의 반응성은 A가 B보다 ~~크다~~. 작다

➡ A는 환원 전극이고, B는 산화 전극이므로 금속의 반응성은 B가 A보다 크다.

15 | 선택지 분석 |

✕ 구리판에서는 ~~구리가 석출된다~~. 수소 기체가 발생한다

➡ 구리판에서는 과일 속 수소 이온이 전자를 얻어 수소 기체가 발생하는 환원 반응이 일어난다.

ㄴ 아연판에서는 산화 반응이 일어난다.

➡ 아연판에서는 아연이 전자를 잃고 아연 이온이 되는 산화 반응이 일어난다.

ㄷ 과일 속 산은 전해질이므로 전류가 흐른다.

➡ 과일 속 산이 전해질로 작용하여 전류가 흐를 수 있다.

16 다니엘 전지에서 산화 전극은 Zn판이고, 환원 전극은 Cu판이다. 이때 (−)극인 Zn판에서는 전자를 잃는 반응이 일어나고, (+)극인 Cu판에서는 전자를 얻는 반응이 일어난다.

도전! 실력 올리기 296쪽~297쪽

01 ③ **02** ② **03** ② **04** ⑤ **05** ④ **06** ⑤

07 (1) X 이온: +1, Y 이온: +2, Z 이온: +3
(2) | **모범 답안** | Z > Y > X, 금속의 반응성이 클수록 전자를 잃고 양이온이 되려는 경향이 크기 때문이다.

08 (1) 염다리 (2) | **모범 답안** | 묽은 황산을 사용하면 $2H^+ + 2e^- \longrightarrow H_2$의 반응이 일어나 분극 현상이 발생하기 때문이다.

01 | 선택지 분석 |

ㄱ 원자량은 B가 A보다 크다.

➡ 반응이 진행됨에 따라 양이온 수의 변화 없이 수용액의 밀도가 증가하므로 B의 원자량이 A보다 큼을 알 수 있다.

ㄴ A 이온과 B 이온의 전하는 같다.

➡ 반응이 진행되어도 양이온 수의 변화가 없으므로 A 이온과 B 이온의 전하는 같다.

✕ 금속의 반응성은 A가 B보다 ~~크다~~. 작다

➡ 금속 B를 금속 A 이온이 있는 수용액에 넣었을 때 반응이 일어나므로 금속의 반응성은 B가 A보다 크다.

02 | 선택지 분석 |

✕ 금속 B가 A보다 산화되기 쉽다.

➡ 금속 A를 B 이온이 있는 수용액에 넣거나, 금속 B를 A 이온이 있는 수용액에 넣어 반응시키지 않았으므로 금속 A와 B의 반응성 크기는 비교할 수 없다.

✕ 금속 이온의 전하는 A가 B보다 ~~크다~~. 작다

➡ 반응이 진행됨에 따라 A의 경우 양이온 수가 절반으로 감소하므로 A의 전하는 C의 2배임을 알 수 있다. 한편, B의 경우 양이온 수가 절반 이하로 감소하므로 B의 전하는 C의 3배임을 알 수 있다. 따라서 금속 이온의 전하는 B가 A보다 크다.

ㄷ 같은 양(몰)의 A와 B를 반응시킬 때 석출되는 C의 양은 B가 A보다 많다.

➡ 금속 A, B가 C 이온과 반응할 때의 이온 반응식은 다음과 같다. $A + 2C^+ \longrightarrow A^{2+} + 2C$, $B + 3C^+ \longrightarrow B^{3+} + 3C$, 따라서 같은 양의 A와 B를 반응시킬 때 석출되는 C의 양은 B가 A보다 많다.

03 | 선택지 분석 |

✕ 금속 ~~A~~(B)는 ~~B~~(A)보다 산화되기 쉽다.

➡ (가)에서 용액의 전체 이온 수가 감소하였으므로 금속 C와 반응한 금속 이온은 A^+이다. 따라서 금속의 반응성은 B가 A보다 크다. 한편 C가 산화되고, A^+이 환원되었으므로 C의 반응성은 A보다 크다.

ㄴ (나)에서는 금속 B에서 금속 C가 석출된다.

➡ (나)에서는 한쪽 금속에서만 금속이 석출되었고 금속의 반응성은 B가 C보다 크므로 반응한 금속은 B에 해당한다. 따라서 금속 B에서 C가 석출된다.

✕ (나)에서 수용액 속 전체 이온 수는 ~~증가~~(감소)한다.

➡ (나)에서 일어나는 이온 반응식은 다음과 같다.
$2B + 3C^{2+} \longrightarrow 2B^{3+} + 3C$, 따라서 수용액 속 전체 이온 수는 감소한다.

04 | 선택지 분석 |

ㄱ 산화 전극은 Cd이다.

➡ 금속의 반응성은 Cd이 Ag보다 크므로 (−)극인 산화 전극은 Cd이고, (+)극인 환원 전극은 Ag이다.

ㄴ 전자는 Cd에서 Ag으로 이동한다.

➡ 전자는 (−)극에서 (+)극으로 이동하므로 Cd에서 Ag으로 이동한다.

ㄷ 전기적 중성을 유지하기 위해 염다리의 칼륨 이온(K^+)은 $AgNO_3$ 수용액 쪽으로 이동한다.

➡ $AgNO_3$ 수용액의 Ag^+ 수가 감소하므로 염다리의 K^+은 $AgNO_3$ 수용액 쪽으로 이동하고, NO_3^-은 $Cd(NO_3)_2$ 수용액 쪽으로 이동한다.

05 | 선택지 분석 |

✕ 수용액의 밀도가 ~~감소~~(증가)한다.

➡ (가)와 (나)에서 수용액 속 수소 이온은 전자를 얻어 환원되고 아연은 전자를 잃어 산화된다. 이때 아연의 원자량이 수소보다 2배 이상 크므로 수용액의 밀도는 증가한다.

ㄴ 수용액 속 Zn^{2+}의 수는 증가한다.

➡ (가)와 (나)에서 모두 Zn은 전자를 잃고 산화되므로 수용액 속 Zn^{2+}의 수는 증가한다.

ㄷ 환원 반응은 $2H^+ + 2e^- \longrightarrow H_2$이다.

➡ (가)와 (나)에서 수용액 속 H^+은 전자를 얻으며 환원된다.

06 | 선택지 분석 |

ㄱ 산화 전극은 Cu(*s*)이다.

➡ 전자는 Cu에서 Ag으로 이동하므로 전자를 잃는 산화 전극은 (−)극인 Cu에 해당한다.

ㄴ Ag(*s*)의 질량은 증가한다.

➡ (+)극인 Ag판에서는 Ag^+이 전자를 얻고 환원되어 Ag이 석출되므로 질량은 증가한다.

ㄷ 금속의 반응성은 Cu가 Ag보다 크다.

➡ (−)극인 산화 전극은 Cu이고, (+)극인 환원 전극은 Ag이므로 금속의 반응성은 Cu가 Ag보다 크다.

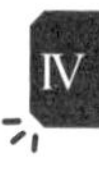

07 | 자료 분석 |

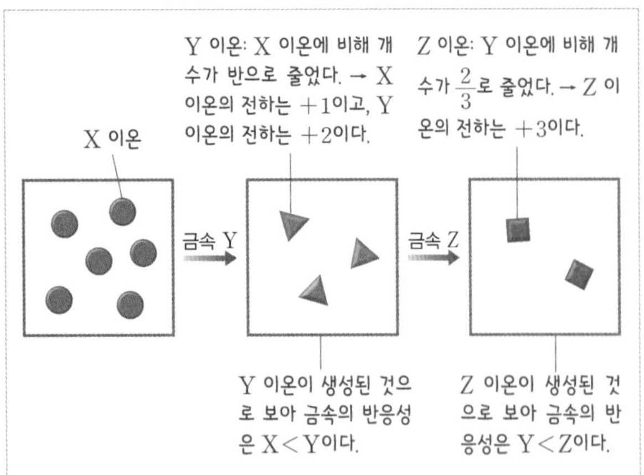

X 이온
Y 이온: X 이온에 비해 개수가 반으로 줄었다. → X 이온의 전하는 +1이고, Y 이온의 전하는 +2이다.
Z 이온: Y 이온에 비해 개수가 $\frac{2}{3}$로 줄었다. → Z 이온의 전하는 +3이다.
금속 Y
금속 Z
Y 이온이 생성된 것으로 보아 금속의 반응성은 X<Y이다.
Z 이온이 생성된 것으로 보아 금속의 반응성은 Y<Z이다.

(1) 금속 Y를 넣었을 때 반응하는 X 이온과 생성되는 Y 이온 수의 비가 2 : 1이므로 전하는 1 : 2임을 알 수 있다. 한편, 금속 Z를 넣었을 때 반응하는 Y 이온과 생성되는 Z 이온 수의 비가 3 : 2이므로 전하는 2 : 3임을 알 수 있다.

(2) X 이온이 들어 있는 수용액에 금속 Y를 넣으면 Y 이온이 생성되므로 반응성은 Y>X이고, Y 이온이 들어 있는 수용액에 금속 Z를 넣으면 Z 이온이 생성되므로 반응성은 Z>Y이다.

채점 기준	배점
금속의 반응성과 이온화 경향을 언급한 경우	100 %
금속의 반응성이나 이온화 경향 중 하나만 언급한 경우	50 %

08 (1) 다니엘 전지에서 각 반쪽 전지의 전하 균형을 맞추기 위해 염다리의 이온이 양쪽 전해질 수용액으로 이동한다.

(2) 각 금속이 들어 있는 수용액을 전해질로 사용하면 수소 기체가 발생하지 않으므로 분극 현상도 발생하지 않는다.

채점 기준	배점
화학 반응식을 언급하며 분극 현상을 서술한 경우	100 %
화학 반응식과 분극 현상 중 하나만 서술한 경우	50 %

02 실용 전지와 전지 전위

탐구POOL 302쪽

01 구리(Cu)
02 $Zn(s) \longrightarrow Zn^{2+}(aq)+2e^-$,
$Fe^{2+}(aq)+2e^- \longrightarrow Fe(s)$

01 금속의 반응성이 가장 큰 아연이 표준 환원 전위가 가장 작고, 금속의 반응성이 가장 작은 구리가 표준 환원 전위가 가장 크다.

02 반응성이 큰 아연판에서는 아연이 전자를 잃으며 산화하고, 반응성이 작은 철판에서는 철 이온이 전자를 얻으며 환원된다.

콕콕! 개념 확인하기 303쪽

✔ 잠깐 확인!

1. 1차 **2** 망가니즈 **3** 납축 **4** 수소 전극 **5** 환원 전위(전극 전위) **6** 전지 전위

01 (1) × (2) ○ (3) ○ (4) × **02** (1) ㉢ (2) ㉠ (3) ㉡ **03** (1) × (2) ○ (3) × **04** ㉠ 1 M, ㉡ 1기압, ㉢ 환원, ㉣ 산화

01 (1) 충전이 가능한 전지는 2차 전지이다.

(4) 리튬 이온 전지는 방전과 충전 시 리튬 이온이 두 전극 사이를 이동하며 작동하게 되는데, 이때 산화 환원 반응을 하는 이온은 코발트 이온이다.

03 (1) 표준 수소 전극의 전위는 모든 전극 전위의 기준이므로 0.00 V이다.

(3) 구리의 표준 환원 전위는 산화 전극을 표준 수소 전극으로, 환원 전극을 구리의 반쪽 전지로 설계하여 얻어진 전압계의 값이다.

04 표준 전지 전위는 환원 반응의 표준 환원 전위에서 산화 반응의 표준 환원 전위를 뺀 값으로 구하게 되며, 각 표준 환원 전위는 용액의 농도가 1 M, 기체의 압력이 1기압의 조건을 만족해야 한다.

탄탄! 내신 다지기 304쪽~305쪽

01 ④ **02** ③ **03** ④ **04** ㉠ 흑연(C), ㉡ 리튬 이온(Li^+)
05 ① **06** ⑤ **07** ③ **08** ④ **09** ③ **10** ③

01 알칼리 건전지는 망가니즈 건전지에 비해 수명이 길고 전압이 일정하게 유지되는 1차 전지이다.

02 | 자료 분석 |

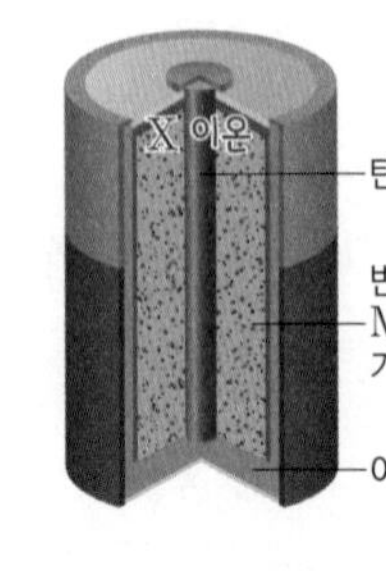

X 이온
탄소 막대 — (+)극(환원 전극): H^+이 H_2로 환원되고, H_2는 감극제인 MnO_2에 의해 H_2O로 산화된다. → 분극 현상이 나타나지 않는다.
반죽(NH_4Cl, MnO_2, 흑연 가루 등)
아연통 — (−)극(산화 전극): Zn이 Zn^{2+}으로 산화된다. → 아연통의 질량은 점점 감소한다.

| 선택지 분석 |

ㄱ. 아연통은 (－)극으로 산화 반응이 일어난다.

➡ 망가니즈 건전지에서 아연통은 (－)극으로 아연이 전자를 잃고 산화된다.

ㄴ. 탄소 막대는 (＋)극으로 환원 반응이 ~~일어난다~~. 일어나지 않는다

➡ 망가니즈 건전지에서 탄소 막대는 (＋)극으로 수소 이온이 전자를 얻어 수소 기체가 발생되는 환원 전극이다.

ㄷ. 수소 이온이 환원되어 분극 현상이 ~~일어난다~~. 일어나지 않는다

➡ 수소 이온이 환원되어도 감극제인 이산화 망가니즈에 의해 물로 산화되므로 분극 현상이 일어나지 않는다.

03 | 선택지 분석 |

① ~~1차~~ 2차 전지이다.

② 방전 시 두 전극의 질량은 ~~감소~~ 증가한다.

➡ 방전 시 두 전극에는 황산 납($PbSO_4$)이 생성되므로 두 전극의 질량은 모두 증가한다.

③ 방전 시 묽은 황산의 농도가 ~~진해진다~~. 묽어진다

➡ 방전 시 (＋)극과 (－)극에서 모두 황산 이온이 반응하므로 묽은 황산의 농도가 묽어진다.

④ 충전 시 (＋)극에서는 PbO_2이 생성된다.

➡ 충전 시에는 방전할 때의 역반응이 일어나 PbO_2이 생성된다.

$$PbSO_4(s)+2H_2O(l) \longrightarrow PbO_2(s)+4H^+(aq)+SO_4^{2-}(aq)+2e^-$$

⑤ 충전 시 (－)극에서는 ~~$PbSO_4$~~ Pb이 생성된다.

04

리튬 이온 전지는 리튬 이온이 (－)극과 (＋)극 사이를 이동하여 작동하며, 리튬은 원자량이 가장 작은 금속이므로 다른 2차 전지에 비해 가볍다.

05 | 선택지 분석 |

ㄱ. 2차 전지의 종류가 다양하게 발전하였다.

➡ 니켈 카드뮴 전지, 리튬 이온 전지, 리튬 고분자 전지는 모두 2차 전지이다.

ㄴ. 전지의 크기가 ~~소형에서 대형화로~~ 대형에서 소형화로 발전하였다.

ㄷ. 전지의 발달로 휴대용 전자 기기의 개발이 ~~감소~~ 증가하였다.

06 | 선택지 분석 |

① 표준 수소 전극의 전위는 0.00 V이다.

➡ 표준 수소 전극은 반쪽 전지의 전위를 정하는 기준으로 전극 전위는 0.00 V이다.

② 표준 환원 전위가 클수록 금속의 반응성은 작다.

➡ 표준 환원 전위가 클수록 환원되기 쉬우므로 금속의 반응성은 작다.

③ 전지에서 표준 환원 전위가 큰 전극이 (＋)극이 된다.

➡ 표준 환원 전위가 큰 전극에서 환원 반응이 일어나기 쉬우므로 (＋)극이 된다.

④ 표준 전지 전위는 두 전극의 표준 환원 전위 차가 클수록 크다.

➡ 표준 전지 전위는 표준 상태에서 두 반쪽 전지의 전극 전위차를 나타낸 값이다.

⑤ 표준 전지 전위는 ~~산화~~ 환원 전극의 표준 환원 전위에서 ~~환원~~ 산화 전극의 표준 환원 전위를 뺀 값이다.

07 | 선택지 분석 |

ㄱ. 금속의 반응성은 Al이 Cr보다 크다.

➡ 표준 환원 전위가 작을수록 금속의 반응성이 크므로 금속의 반응성은 Al이 Cr보다 크다.

ㄴ. Cr과 Cu로 구성된 전지의 표준 전지 전위는 ＋1.20 V보다 ~~크다~~. 작다

➡ Cr과 Cu의 표준 환원 전위 차가 ＋1.08 V이므로 표준 전지 전위는 ＋1.20 V보다 작다.

$E°_{전지}=E°_{큰\ 값}-E°_{작은\ 값}=+0.34\ V-(-0.74\ V)=+1.08\ V$

ㄷ. Al과 Au으로 구성된 화학 전지의 표준 전지 전위가 가장 크다.

➡ 표준 전지 전위가 가장 큰 금속의 조합은 표준 환원 전위의 차이가 가장 큰 금속에 해당하므로 Al과 Au으로 이루어진 화학 전지에서 가장 크게 나타난다.

08 | 선택지 분석 |

ㄱ. (＋)극에서는 pH가 ~~감소한다~~. 변하지 않는다

➡ (－)극에서는 $Fe(s) \longrightarrow Fe^{2+}(aq)+2e^-$의 반응이 일어나고, (＋)극에서는 $Fe^{3+}(aq)+e^- \longrightarrow Fe^{2+}(aq)$의 반응이 일어나므로 반응이 진행되어도 pH는 변하지 않는다.

ㄴ. 표준 전지 전위($E°_{전지}$)는 ＋1.22 V이다.

➡ 이 반응의 표준 전지 전위는 환원 전극의 표준 환원 전위에서 산화 전극의 표준 환원 전위를 뺀 값이므로

＋0.77 V－(－0.45 V)＝＋1.22 V이다.

ㄷ. (－)극과 (＋)극에서는 모두 수용액 속 Fe^{2+}의 수가 증가한다.

➡ (－)극에서는 Fe이 산화되어 Fe^{2+}이 생성되고, (＋)극에서는 Fe^{3+}이 환원되어 Fe^{2+}이 생성된다.

09 | 자료 분석 |

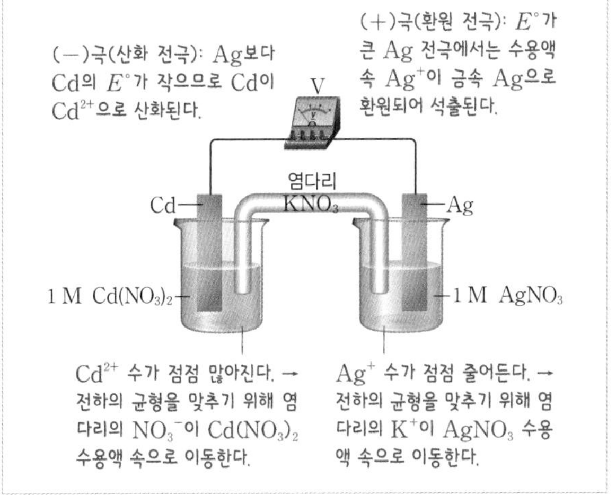
(－)극(산화 전극): Ag보다 Cd의 $E°$가 작으므로 Cd이 Cd^{2+}으로 산화된다.
(＋)극(환원 전극): $E°$가 큰 Ag 전극에서는 수용액 속 Ag^+이 금속 Ag으로 환원되어 석출된다.
V
염다리 KNO_3
Cd
Ag
1 M $Cd(NO_3)_2$
1 M $AgNO_3$
Cd^{2+} 수가 점점 많아진다. → 전하의 균형을 맞추기 위해 염다리의 NO_3^-이 $Cd(NO_3)_2$ 수용액 속으로 이동한다.
Ag^+ 수가 점점 줄어든다. → 전하의 균형을 맞추기 위해 염다리의 K^+이 $AgNO_3$ 수용액 속으로 이동한다.

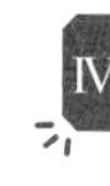
IV

| 선택지 분석 |

ㄱ 산화 전극은 카드뮴(Cd)이다.

➡ 표준 환원 전위가 작은 Cd이 산화 전극이다.

✕ 표준 전지 전위는 ~~+2.00 V~~(+1.20 V)이다.

➡ 이 전지의 표준 전지 전위는 $E°_{전지}=E°_{환원\ 전극}-E°_{산화\ 전극}$ $=+0.80\ V-(-0.40\ V)=+1.20\ V$이다.

ㄷ 전기적 중성을 유지하기 위해 염다리의 K^+은 $AgNO_3$ 수용액 쪽으로 이동한다.

➡ 반응이 진행되면 산화 전극인 (−)극에는 양이온이 증가하게 되고, 환원 전극인 (+)극에는 양이온이 감소하게 되므로 양쪽 반쪽 전지의 전기적 중성을 유지하기 위해 염다리를 구성하는 전해질의 이온이 이동한다.

10 | 선택지 분석 |

ㄱ $A^{2+}(aq)+B(s) \longrightarrow A(s)+B^{2+}(aq)$

➡ 이 반응의 $E°_{전지}=+0.34\ V-(-0.45\ V)=+0.79\ V$이다. $E°_{전지}>0$이므로 이 반응은 자발적으로 일어난다.

✕ $C^{2+}(aq)+B(s) \longrightarrow C(s)+B^{2+}(aq)$

➡ 이 반응의 $E°_{전지}=-0.76\ V-(-0.45\ V)=-0.31\ V$이다. $E°_{전지}<0$이므로 이 반응은 자발적으로 일어나지 않는다.

ㄷ $A^{2+}(aq)+C(s) \longrightarrow A(s)+C^{2+}(aq)$

➡ 이 반응의 $E°_{전지}=+0.34\ V-(-0.76\ V)=+1.10\ V$이다. $E°_{전지}>0$이므로 이 반응은 자발적으로 일어난다.

도전! 실력 올리기

306쪽~307쪽

01 ③ **02** ③ **03** ⑤ **04** ② **05** ③ **06** ①

07 (1) $(b-a)$ V (2) | **모범 답안** | $a<b$, 금속의 반응성이 클수록 표준 환원 전위가 작으므로 산화 반응이 일어나는 A의 표준 환원 전위가 환원 반응이 일어나는 B보다 작다.

08 (1) B (2) | **모범 답안** | A와 C의 표준 환원 전위의 차이가 가장 크므로 산화 전극은 A, 환원 전극은 C로 조합한 전지가 가장 큰 표준 전지 전위를 갖는다.

01 | 선택지 분석 |

ㄱ Pb판은 산화 전극으로 작용한다.

➡ 납축전지에서 (−)극인 Pb판이 산화 전극에 해당한다.

ㄴ 방전 시 두 전극의 질량은 모두 증가한다.

➡ 방전 시 두 전극에서는 모두 황산 납($PbSO_4$)이 생성되므로 두 전극의 질량은 모두 증가한다.

✕ 방전 시 수용액 속 묽은 황산의 농도는 ~~증가~~(감소)한다.

➡ 방전 시 황산 이온이 각 전극에서 반응하게 되므로 수용액 속 묽은 황산의 농도는 감소한다.

02 | 선택지 분석 |

ㄱ 2차 전지이다.

➡ 리튬 이온 전지는 2차 전지로 가볍고 단위 질량당 에너지 저장 능력이 우수하다.

✕ 리튬 이온은 ~~충전이 일어날 때에만~~(방전과 충전 시) 이동한다.

➡ 리튬 이온은 방전과 충전 시 (−)극과 (+)극 사이를 이동 한다.

ㄷ 유기 용매 대신 고분자 상태의 전해질을 사용할 수 있다.

➡ 유기 용매 대신 고분자 상태의 전해질을 사용한 리튬−고분자 전지가 있다.

03 | 선택지 분석 |

ㄱ 표준 환원 전위($E°$)가 가장 큰 금속은 C이다.

➡ 표준 환원 전위가 작은 금속이 (−)극, 큰 금속이 (+)극이므로 표준 환원 전위는 A<B, A<C이다. 전지 전위가 클수록 표준 환원 전위의 차이가 큰 것이므로 표준 환원 전위는 A<B<C이다.

ㄴ B와 C를 연결한 화학 전지에서 산화 전극은 B이다.

➡ 표준 환원 전위가 B<C이므로 B와 C를 연결한 화학 전지에서 산화 전극은 표준 환원 전위가 더 작은 B이다.

ㄷ A와 C를 연결한 화학 전지에서 금속판 A의 질량은 감소한다.

➡ 표준 환원 전위가 A<C이므로 A와 C를 연결한 화학 전지에서 A는 산화 전극이다. 산화 전극에서 A는 A 이온으로 산화되어 수용액 속으로 녹아 들어가므로 금속판의 질량은 감소한다.

04 | 선택지 분석 |

✕ 금속의 반응성이 가장 큰 금속은 ~~A~~(B)이다.

➡ 표준 환원 전위가 작을수록 금속의 반응성이 크므로 금속의 반응성이 가장 큰 금속은 B이다.

ㄴ $A^{2+}+2C \longrightarrow A+2C^+$ 반응의 표준 전지 전위($E°_{전지}$)는 +1.32 V이다.

➡ 표준 전지 전위는 환원 전극의 표준 환원 전위에서 산화 전극의 표준 환원 전위를 뺀 값이므로 $+1.18\ V-(-0.14\ V)$ $=+1.32\ V$이다.

✕ $B^{2+}+2C \longrightarrow B+2C^+$의 반응은 자발적으로 ~~일어난다~~(일어나지 않는다).

➡ 이 반응의 $E°_{전지}=E°_B-E°_C=-0.76\ V-(-0.14\ V)$ $=-0.62\ V$이다. $E°_{전지}<0$이므로 자발적으로 일어나지 않는다.

05 | 자료 분석 |

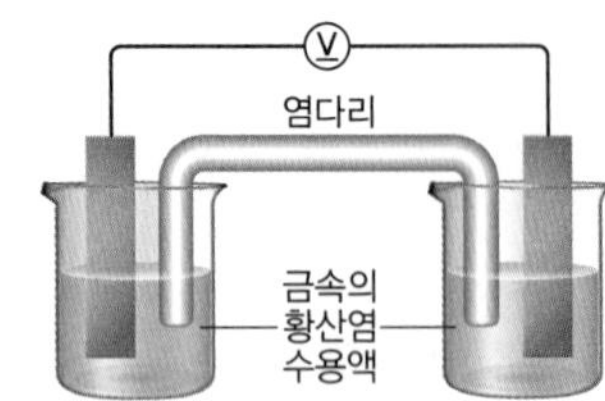

화학 전지	전극
Ⅰ	A, Pb
Ⅱ	B, Zn

[화학 전지 Ⅰ]

- 전극 A, Pb 중 표준 환원 전위가 큰 A는 환원 전극인 (+)극이고, 표준 환원 전위가 작은 Pb은 산화 전극인 (−)극이다.
- (−)극: Pb이 산화되어 Pb^{2+}이 된다. ➡ 질량 감소
- (+)극: A 이온이 환원되어 금속 A로 석출된다. ➡ 질량 증가

[화학 전지 Ⅱ]

- 전극 B, Zn 중 표준 환원 전위가 큰 B는 환원 전극인 (+)극이고, 표준 환원 전위가 작은 Zn은 산화 전극인 (−)극이다.
- (−)극: Zn이 산화되어 Zn^{2+}이 된다. ➡ 질량 감소
- (+)극: B 이온이 환원되어 금속 B로 석출된다. ➡ 질량 증가

| 선택지 분석 |

㉠ 화학 전지 Ⅰ에서 산화 전극은 Pb이다.

➡ 표준 환원 전위가 A가 Pb보다 크므로 화학 전지 Ⅰ에서 A는 환원 전극이고, Pb는 산화 전극이다.

㉡ 화학 전지 Ⅱ에서 질량이 증가하는 금속은 B이다.

➡ 표준 환원 전위가 B가 Zn보다 크므로 화학 전지 Ⅱ에서 B는 환원 전극이고, Zn은 산화 전극이다. 즉, B 이온이 금속 B로 석출되므로 금속판 B에서 질량이 증가한다.

✕ 화학 전지 Ⅰ의 표준 전지 전위($E^\circ_{전지}$)는 A와 B로 구성된 화학 전지보다 ~~크다~~ 작다.

➡ 표준 환원 전위가 A>Pb>B이므로 표준 환원 전지의 차이, 즉 표준 전지 전위는 A와 B로 구성된 전지가 화학 전지 Ⅰ보다 더 크다.

06 | 선택지 분석 |

㉠ 표준 전지 전위는 +1.53 V이다.

➡ 산화 전극은 Zn판이고, 환원 전극은 Pt판으로 (−)극에서는 Zn이 전자를 잃어 산화되고, (+)극에서는 표준 환원 전위가 큰 Fe^{3+}이 전자를 얻어 Fe^{2+}으로 환원된다. 따라서 표준 전지 전위는 +0.77 V−(−0.76 V)=+1.53 V이다.

✕ (+)극에서 환원되는 이온은 ~~Fe^{2+}~~ Fe^{3+}이다.

➡ (+)극에서 환원되는 이온은 표준 환원 전위가 큰 Fe^{3+}이다.

✕ 전자는 ~~Pt~~ Zn 전극에서 ~~Zn~~ Pt 전극으로 이동한다.

➡ 전자는 산화 반응이 일어나는 Zn 전극에서 환원 반응이 일어나는 Pt 전극으로 이동한다.

07 (1) 전자가 A에서 B로 흐르므로 A가 (−)극(산화 전극), B가 (+)극(환원 전극)이다. 표준 전지 전위는 환원 전극의 표준 환원 전위에서 산화 전극의 표준 환원 전위를 뺀 값이다.

(2) 표준 환원 전위가 큰 쪽에서 환원 반응이 일어나고, 작은 쪽에서 산화 반응이 일어난다.

채점 기준	배점
표준 환원 전위의 크기 비교를 금속의 반응성을 언급하여 옳게 서술한 경우	100 %
표준 환원 전위의 크기만 옳게 비교한 경우	30 %

08 (1) 표준 환원 전위가 큰 쪽이 (+)극(환원 전극)이다.

(2) 표준 전지 전위는 환원 전극의 표준 환원 전위에서 산화 전극의 표준 환원 전위를 뺀 값이다.

채점 기준	배점
표준 환원 전위의 차이가 큰 두 금속을 산화 전극과 환원 전극을 언급하여 옳게 서술한 경우	100 %
표준 환원 전위의 차이가 큰 두 금속만 옳게 비교한 경우	40 %

03 전기 분해의 원리

탐구POOL 313쪽

01 수산화 이온(OH^-) **02** 증가

01 NaCl 수용액의 (−)극에서 물의 환원 반응에 의해 OH^-이 생성되어 액성이 염기성이 되므로 BTB 용액의 색이 파란색으로 변한다.

02 $CuSO_4$ 수용액의 경우 (−)극에서 구리가 석출되므로 탄소 막대의 질량이 증가한다. 반면 NaCl 수용액의 경우 (−)극에서 물의 환원 반응에 의해 수소 기체가 발생하므로 질량 변화가 없다.

콕콕! 개념 확인하기 314쪽

✔ 잠깐 확인!

1. 전기 분해 **2** 용융액 **3** 물, 산화 **4** 전기 도금 **5** 제련 **6** 수소 연료 전지

01 (1) × (2) × (3) ○ (4) × **02** (1) ㉢ (2) ㉠ (3) ㉡ **03** (1) × (2) ○ (3) × **04** ㉠ 수소 이온, ㉡ 전자, ㉢ 산소, ㉣ 물

01 (2) 전해질 용융액을 전기 분해하면 (+)극에서는 전해질의 음이온이 전자를 잃고 산화된다.

(4) 전해질 수용액을 전기 분해하면 (−)극에서는 물 분자와 금속 양이온 중 환원되기 쉬운 화학종이 전자를 얻어 환원된다.

03 (1) 전기 도금 시 (+)극에는 물체의 표면에 입히려는 금속을, (−)극에는 도금할 물체를 연결한다.

(3) 전기 도금 시 반응이 일어나는 동안 금속 양이온의 수가 일정하지만, 금속의 제련 과정에서는 전해질을 구성하는 금속 양이온의 종류와 수가 달라진다.

04 수소 연료 전지에서는 수소 기체가 전자를 내놓고 수소 이온이 되어 물에 녹아 들어가고, 산소 기체는 전극으로부터 전자를 받아 주변의 수소 이온과 결합하여 물 분자가 생성된다.

탄탄! 내신 다지기 315쪽~317쪽

01 ⑤ **02** ③ **03** ① **04** ② **05** ⑤ **06** ① **07** ② **08** ③ **9** ⑤ **10** ③ **11** ③ **12** ① **13** ③ **14** ㉠ 이산화 탄소, ㉡ 전기 분해, ㉢ 광합성

01 | 선택지 분석 |

① (−)극은 환원 전극이다.

➡ 전해질 용융액에는 전해질을 구성하는 양이온과 음이온만 존재하므로 (−)극에서 양이온은 전자를 받아 환원된다.

② (+)극에서는 전해질의 음이온이 산화된다.

➡ 전해질 용융액을 전기 분해하면 (+)극에서 전해질을 구성하는 음이온이 전자를 잃고 산화된다.

③ (−)극에서는 전해질의 양이온이 전자를 얻는다.

➡ 전해질 용융액을 전기 분해하면 (−)극에서 전해질을 구성하는 양이온이 전자를 얻어 환원된다.

④ $CuCl_2$ 용융액을 전기 분해하면 (−)극에서 구리가 석출된다.

➡ $CuCl_2$ 용융액을 전기 분해하면 (−)극에서 구리 이온이 전자를 얻고 환원되어 구리가 석출된다.

⑤ 반응이 진행됨에 따라 전해질 용융액의 농도가 점점 ~~증가~~한다.
감소

➡ 전해질 용융액을 전기 분해하면 반응이 진행됨에 따라 전해질의 양이온과 음이온은 각각 환원과 산화되어 용융액의 농도는 점점 감소한다.

02 | 선택지 분석 |

ㄱ. (+)극에서 염소 기체가 발생한다.

➡ $CuCl_2$ 용융액은 (+)극에서 염화 이온이 전자를 잃으면서 산화되어 염소 기체가 발생한다.

ㄴ. (−)극에서 ~~수소 기체가 발생한다~~.
구리가 석출된다

➡ $CuCl_2$ 용융액은 (−)극에서 구리 이온이 전자를 얻으면서 환원되어 구리가 석출된다.

ㄷ. 전기 분해가 진행되는 동안 용융액의 총 이온 수는 감소한다.

➡ 전기 분해가 진행되는 동안 용융액 속 구리 이온과 염화 이온 수는 모두 감소한다.

03 전해질을 전기 분해할 때 (−)극에서 전해질의 양이온 대신 물이 환원되면 수산화 이온(OH^-)이 생성되어 pH가 커진다. 전해질의 양이온 대신 물이 환원되는 이온은 K^+, Na^+, Mg^{2+} 등이다.

04 염화 나트륨 수용액을 전기 분해하면 (+)극에서는 염화 이온이 전자를 잃고 산화되면서 염소 기체가 발생한다. (−)극에서는 나트륨 이온보다 환원되기 쉬운 물이 전자를 얻어 환원되면서 수소 기체가 발생하고 OH^-이 생성되어 pH가 커진다.

05 | 선택지 분석 |

ㄱ. (+)극에서는 염화 이온이 전자를 잃는다.

➡ 염화 구리(Ⅱ) 수용액을 전기 분해하면 (+)극에서는 염화 이온이 전자를 잃으며 산화되어 염소 기체가 발생한다.

ㄴ. (−)극의 질량은 증가한다.

➡ 염화 구리(Ⅱ) 수용액을 전기 분해하면 (−)극에서는 구리 이온이 전자를 얻으며 구리가 석출되어 질량이 증가한다.

ㄷ. $CuCl_2$ 수용액의 농도가 감소한다.

➡ 염화 이온과 구리 이온이 각각 산화 환원 반응을 하므로 염화 구리(Ⅱ) 수용액의 농도는 감소한다.

06 | 선택지 분석 |

ㄱ. X_2는 H_2이다.

➡ NaCl 수용액을 전기 분해하면 (−)극에서는 물의 환원 반응이 일어나면서 수소 기체가 발생한다.

ㄴ. 전자는 ~~(−)극에서 (+)극~~으로 흐른다.
(+)극에서 (−)극

➡ 전기 분해 과정에서 전자는 산화 전극인 (+)극에서 환원 전극인 (−)극으로 흐른다.

ㄷ. 산화 전극에서는 ~~물~~이 전자를 잃는다.
염화 이온

➡ NaCl 수용액을 전기 분해하면 산화 전극인 (+)극에서는 염화 이온의 산화 반응이 일어나면서 염소 기체가 발생한다.

07 | 선택지 분석 |

ㄱ. 수소 기체가 발생하는 전극은 ~~산화 전극~~이다.
환원 전극

➡ (+)극에서는 물의 산화 반응이 일어나 산소 기체가 발생하고, (−)극에서는 물의 환원 반응이 일어나 수소 기체가 발생한다.

(+)극: $2H_2O(l) \longrightarrow O_2(g)+4H^+(aq)+4e^-$

(−)극: $4H_2O(l)+4e^- \longrightarrow 2H_2(g)+4OH^-(aq)$

이때, 수소 기체가 발생하는 전극은 (−)극으로 환원 전극이다.

ㄴ. 수소 기체와 산소 기체는 2 : 1의 부피비로 생성된다.

➡ 물의 전기 분해 과정을 거쳐 이동하는 전자의 몰수는 같으므로 수소와 산소 기체의 부피비는 2 : 1이다.

ㄷ. 황산 나트륨 수용액 대신 황산 구리(Ⅱ) 수용액으로 실험~~해도 같은 결과가 얻어진다~~.
하면 실험 결과가 달라진다

➡ 황산 나트륨 수용액 대신 황산 구리(Ⅱ) 수용액으로 실험하면 (−)극에서 수소 기체가 발생하지 않고 구리가 석출된다.

08 | 선택지 분석 |

ㄱ. 구리 열쇠는 (−)극에 연결한다.

➡ 도금할 물체는 (−)극에 연결하여 환원 반응이 일어나도록 한다.

ㄴ. 은판에서는 산화 반응이 일어난다.

➡ 물체 표면에 입힐 금속은 (+)극에 연결하여 산화 반응이 일어나도록 한다.

ㄷ. 전해질 수용액에는 ~~구리 이온~~이 들어 있다.
은 이온

➡ 전해질 수용액에는 표면에 입힐 금속의 양이온인 은 이온이 들어 있다.

09 | 자료 분석 |

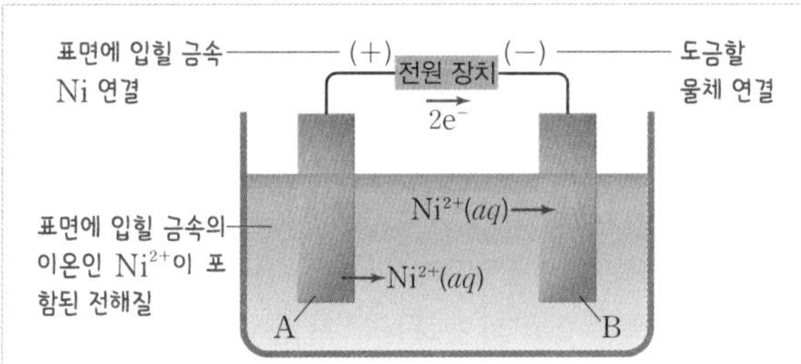

- (+)극(산화 전극): Ni이 Ni^{2+}으로 산화되어 녹아 들어간다.
- (−)극(환원 전극): Ni^{2+}이 Ni로 환원되어 도금할 물체의 표면에 도금된다.

| 선택지 분석 |

ㄱ. A는 Ni이다.
➡ (+)극에는 물체에 입힐 금속을 연결해야 하므로 A는 Ni이다.

ㄴ. B는 도금할 물체에 해당한다.
➡ (−)극인 B에서는 Ni^{2+}이 전자를 얻고 환원되어야 하므로 도금할 물체를 연결한다.

ㄷ. (+)극에서는 산화 반응이, (−)극에서는 환원 반응이 일어난다.
➡ (+)극에서는 Ni이 전자를 잃는 산화 반응이, (−)극에서는 Ni^{2+}이 전자를 얻는 환원 반응이 일어난다.

10 | 선택지 분석 |

ㄱ. 구리보다 반응성이 작은 금속은 찌꺼기로 얻어진다.
➡ 구리보다 반응성이 작은 금속은 (+)극에서 찌꺼기로 얻어진다.

ㄴ. 구리보다 반응성이 큰 불순물 금속은 구리보다 먼저 산화된다.
➡ 구리보다 반응성이 큰 불순물 금속은 구리보다 먼저 전자를 잃고 산화된다.

✕ (−)극에서는 구리보다 반응성이 작은 금속 이온이 환원된다.
➡ 구리보다 반응성이 작은 금속은 이온으로 산화되지 않고 (+)극에서 찌꺼기로 얻어지며, 금속 이온으로 존재하지 않는다.

11 | 선택지 분석 |

ㄱ. 전극 A에서의 화학 반응은

$$2H_2(g) \longrightarrow 4H^+(aq)+4e^-\text{이다.}$$

➡ 전극 A는 (−)극인 연료 전극으로 수소가 전자를 잃는 산화 반응이 일어난다.

ㄴ. 전극 B는 (+)극이다.
➡ 전극 B는 (+)극인 공기 전극으로 산소가 수소 이온과 전자를 얻는 환원 반응이 일어난다.

✕ 전해질을 통해 수소 이온이 ~~(−)극~~ (+)극으로 이동한다.

12 | 선택지 분석 |

ㄱ. (+)극에서는 환원 반응이 일어난다.
➡ 수소 연료 전지의 (+)극에서는 산소가 수소 이온과 전자를 얻는 환원 반응이 일어난다.

✕ 전자는 ~~(+)극에서 (−)극~~ (−)극에서 (+)극으로 이동한다.
➡ 전자는 산화 전극인 (−)극에서 환원 전극인 (+)극으로 이동한다.

✕ 반응이 진행됨에 따라 수용액의 pH는 ~~증가한다~~ 일정하다.
➡ 반응이 진행되면서 (−)극에서 생성된 수소 이온이 (+)극에서 반응하므로 수용액의 pH는 일정하다.

13 | 선택지 분석 |

① 여러 번 충전~~하여 사용할 수 있다~~ 할 필요가 없다.
➡ 충전할 필요 없이 수소 연료가 공급되는 한 전기를 계속 생산할 수 있다.

② 화석 연료에 비해 에너지 효율이 ~~낮다~~ 높다.

③ 폭발 위험성이 있어 안전성 확보가 필요하다.
➡ 수소 자체의 폭발 위험성이 있어 안전하게 저장할 수 있는 저장 기술의 개발이 필요하다.

④ ~~전기 에너지를 화학 에너지로~~ 화학 에너지를 전기 에너지로 변환하는 화학 전지이다.

⑤ 최종 생성물이 ~~수소~~ 물이므로 환경오염 물질을 배출하지 않는다.

14

식물의 광합성을 모방한 물의 광분해를 통해 수소를 얻는 방법은 환경오염 없이 미래의 에너지 문제를 해결할 수 있다.

도전! 실력 올리기

318쪽~319쪽

01 ② **02** ② **03** ③ **04** ① **05** ⑤ **06** ③

07 | **모범 답안** | (가) M, (나) H_2, (가)는 용융액이므로 M^+이 전자를 얻어 환원되지만, (나)는 수용액이므로 H_2O과 M^+ 중 표준 환원 전위가 더 큰 H_2O이 환원되어 H_2 기체가 발생한다.

08 (1) 은(Ag) (2) | **모범 답안** | 반응이 진행됨에 따라 (+)극에서 Fe이 이온으로 산화될 때 (−)극에서는 Cu^{2+}이 환원되므로 Cu^{2+}의 수는 반응 초기보다 감소한다.

01 | 선택지 분석 |

✕ (가)에서는 ~~H_2가 발생한다~~ 금속 A가 석출된다.
➡ ACl_2 수용액을 전기 분해했을 때 (−)극의 pH 변화가 일정하므로 (가)에서는 금속 A가 석출된다.

✕ (나)에서는 ~~B가 석출된다~~ O_2가 발생한다.
➡ BSO_4 수용액을 전기 분해했을 때 (+)극의 pH 변화가 감소하므로 물의 산화 반응에 의해 H^+이 생성됨을 알 수 있다. 따라서 (나)에서는 O_2가 발생한다.

ㄷ. (다)에서는 pH가 증가한다.
➡ BSO_4 수용액을 전기 분해했을 때 (−)극에서 H_2가 발생하므로 물의 환원 반응에 의해 OH^-이 생성됨을 알 수 있다. 따라서 (다)에서는 pH가 증가한다.

02 | 선택지 분석 |

✕ (+)극에서 생성되는 물질

➡ (가)의 (+)극에서는 H_2O의 산화 반응에 의해 O_2 기체가 발생하고, (나)의 (+)극에서는 Cl^-의 산화 반응에 의해 Cl_2 기체가 발생한다.

ㄴ (−)극에서 생성되는 물질

➡ (가)와 (나)의 (−)극에서는 Cu^{2+}의 환원 반응에 의해 모두 Cu가 석출된다.

✕ (−)극에서 생성되는 양이온의 종류

➡ (가)와 (나)의 (−)극에서는 Cu^{2+}이 환원되므로 양이온이 생성되지 않는다.

03 | 선택지 분석 |

ㄱ (가)의 (+)극 주변 용액의 pH는 감소한다.

➡ (가)의 (+)극에서는 물의 산화 반응에 의해 수소 이온이 생성되므로 (+)극 주변 용액의 pH는 감소한다.

ㄴ (나)의 (−)극에서 생성되는 물질의 양은 1몰이다.

➡ (나)의 (+)극에서 염소 기체 1몰이 생성될 때, (−)극에서 구리 금속 1몰이 생성된다.

✕ (가)와 (나)의 (+)극에서 생성되는 기체의 종류는 ~~같다~~. 다르다

➡ (가)의 (+)극에서는 산소 기체가, (나)의 (+)극에서는 염소 기체가 발생한다.

04 | 선택지 분석 |

ㄱ 전극 A에서는 O_2 기체가 발생한다.

➡ (가)에서 XSO_4 수용액을 전기 분해하면 A인 (+)극에서는 H_2O의 산화 반응이 일어나 O_2 기체가 발생하고, B인 (−)극에서는 X가 석출된다.

✕ 전극 C에서는 ~~Y가 석출된다~~. Cl_2 기체가 발생한다

➡ (나)에서 YCl 수용액을 전기 분해하면 C인 (+)극에서는 Cl^-의 산화 반응이 일어나 Cl_2 기체가 발생하고, D인 (−)극에서는 H_2O의 환원 반응이 일어나 H_2 기체가 발생한다.

✕ 금속의 반응성은 X가 Y보다 ~~크다~~. 작다

➡ (가)의 B에서 X 이온이 환원되어 금속 X가 석출되므로 반응성은 X<H_2O이고, (나)의 D에서 H_2O이 환원되어 H_2 기체가 발생하므로 반응성은 H_2O<Y이다. 즉, 금속의 반응성은 Y가 X보다 크다.

05 | 자료 분석 |

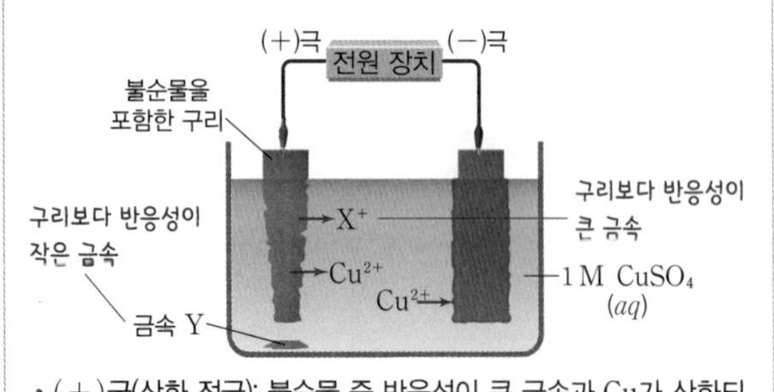

• (+)극(산화 전극): 불순물 중 반응성이 큰 금속과 Cu가 산화되어 녹아 들어간다.
• (−)극(환원 전극): Cu^{2+}이 Cu로 환원되어 석출된다.

| 선택지 분석 |

ㄱ 금속의 반응성은 X가 Cu보다 크다.

➡ X는 (+)극에서 이온으로 산화되지만 (−)극에서 환원되지 않고 Cu가 환원되므로 금속의 반응성은 X가 Cu보다 크다.

ㄴ 금속 Y 이온이 담긴 수용액에 X를 넣으면 Y 이온이 환원된다.

➡ 금속 Y는 양극 찌꺼기로 얻어지므로 Cu보다 반응성이 작음을 알 수 있다. 따라서 금속 Y 이온이 담긴 수용액에 X를 넣으면 X는 전자를 잃으며 산화되고, Y 이온은 환원된다.

ㄷ 수용액 속 Cu^{2+}의 농도는 반응 전에 비해 감소한다.

➡ X가 이온이 될 때 Cu^{2+}은 환원되므로 반응 전에 비해 수용액 속 Cu^{2+}의 농도는 감소한다.

06 | 선택지 분석 |

ㄱ A와 B는 전해질 수용액에서 2 : 1로 반응한다.

➡ A는 수소 기체이고, B는 산소 기체로, 이들은 2 : 1로 반응한다.

ㄴ B는 전해질을 통해 이동해 온 이온과 전자와 반응하여 C를 생성한다.

➡ 산소 기체는 전해질을 통해 이동해 온 수소 이온과 전자와 (+)극에서 반응하여 물인 C를 생성한다.

✕ 생성물 C로 인해 지구 온난화의 환경 문제를 일으킨다.

➡ 수소 연료 전지는 최종 생성물이 물이므로 환경오염 물질을 배출하지 않는다.

07 (나)는 수용액이므로 M^+과 H_2O 중 표준 환원 전위가 큰 것이 (−)극에서 환원된다.

채점 기준	배점
(가)와 (나)의 생성물이 옳고, 그 까닭을 (가)와 (나)에서 모두 정확하게 서술한 경우	100 %
(가)와 (나)의 생성물이 옳고, 그 까닭을 (가) 또는 (나)만 정확하게 서술한 경우	50 %
(가)와 (나)의 생성물만 옳은 경우	30 %

08 (1) Cu보다 표준 환원 전위가 큰 금속은 찌꺼기로 바닥에 쌓인다.

(2) Cu보다 반응성이 큰 Fe은 (+)극에서 구리보다 먼저 이온화되지만 (−)극에서는 Cu^{2+}이 환원된다.

채점 기준	배점
Fe의 산화 반응 시 Cu^{2+}의 환원 반응을 언급하여 옳게 서술한 경우	100 %
Cu^{2+} 수 감소만 서술한 경우	40 %

실전! 수능 도전하기

321쪽~323쪽

01 ④ **02** ② **03** ③ **04** ① **05** ① **06** ② **07** ② **08** ③ **09** ③ **10** ③ **11** ③ **12** ⑤

01 | 선택지 분석 |

✕ (가)와 (나)에서 반응 후 용액 속 $\frac{\text{양이온 수}}{\text{음이온 수}}$는 ~~증가~~한다. 감소

➡ (가)에서 묽은 염산에 금속 A를 넣으면 A가 산화되면서 양이

온이 된다. +1가의 수소 이온 2개가 전자를 얻어 환원될 때, +2가의 A 이온 1개가 전자를 잃어 산화된다. 한편 (나)에서 질산 은 수용액에 금속 A를 넣으면 A가 산화되면서 양이온이 된다. +1가의 은 이온 2개가 전자를 얻어 환원될 때, +2가의 A 이온 1개가 전자를 잃어 산화된다. 따라서 (가)와 (나)에서 반응 후 용액 속 $\frac{\text{양이온 수}}{\text{음이온 수}}$는 감소한다.

ㄴ 이온의 전하는 B가 A보다 크다.

➡ (다)에서 금속 B를 A 이온 수용액에 넣었을 때 양이온 수가 감소하고 A 이온의 전하는 +2이므로 B 이온의 전하는 +3임을 알 수 있다. 즉, 화학 반응식은 $2B+3A^{2+} \longrightarrow 2B^{3+}+3A$이다.

ㄷ (가)에서 금속 A 대신 B를 넣으면 같은 종류의 기체가 발생한다.

➡ (다)에서 금속의 반응성은 B가 A보다 크므로 (가)에서 금속 A 대신 B를 넣어도 묽은 염산과 반응하여 수소 기체를 발생한다.

02 | 선택지 분석 |

✕ 전자는 ~~Ag에서 Fe로~~ 이동한다. (Fe에서 Ag으로)

➡ Fe은 전자를 잃고, Ag^+은 전자를 얻는다. 따라서 전자는 철에서 Ag으로 이동한다.

✕ 수용액 속 양이온의 수는 ~~증가~~한다. (감소)

➡ 화학 반응식은 $Fe+2Ag^+ \longrightarrow Fe^{2+}+2Ag$이므로 반응에 의해 양이온 수는 감소한다.

ㄷ 쇠못의 질량은 반응 전에 비해 반응 후 증가한다.

➡ 원자량은 Fe보다 Ag이 크고, 반응 후 Fe^{2+} 1개가 생성될 때, Ag^+ 2개가 환원되어 석출되므로 쇠못의 질량은 반응 전에 비해 반응 후 증가한다.

03 | 자료 분석 |

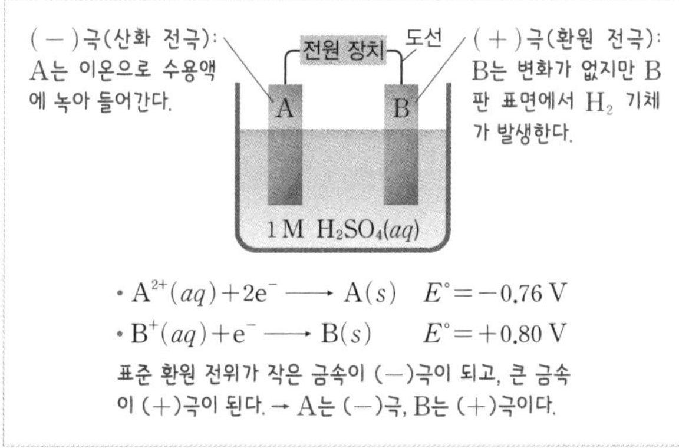
(−)극(산화 전극): A는 이온으로 수용액에 녹아 들어간다.
전원 장치
도선
(+)극(환원 전극): B는 변화가 없지만 B 판 표면에서 H_2 기체가 발생한다.
A
B
1 M $H_2SO_4(aq)$

• $A^{2+}(aq)+2e^- \longrightarrow A(s)$ $E°=-0.76$ V

• $B^+(aq)+e^- \longrightarrow B(s)$ $E°=+0.80$ V

표준 환원 전위가 작은 금속이 (−)극이 되고, 큰 금속이 (+)극이 된다. → A는 (−)극, B는 (+)극이다.

| 선택지 분석 |

ㄱ A는 산화 전극이다.

➡ 금속의 표준 환원 전위는 B가 A보다 크므로 A는 산화 전극이다.

✕ 표준 전지 전위($E°_{전지}$)는 ~~+1.56 V~~이다. (+0.76 V)

➡ 산화 전극에서는 A가 산화되고, 환원 전극에서는 수소 이온이 환원되므로 표준 전지 전위($E°_{전지}$)는 +0.76 V이다.

ㄷ 전지에서 반응이 진행됨에 따라 pH는 증가한다.

➡ 전지에서 반응이 진행됨에 따라 수소 이온이 환원되어 농도가 감소하므로 용액의 pH는 증가한다.

04 | 선택지 분석 |

ㄱ X가 A인 전지의 반응이 진행되면 $[A^+]$는 감소한다.

➡ X가 A인 경우 구리가 산화 전극이 되고, A가 환원 전극이 되므로 A 이온이 환원되어 A 이온의 농도는 감소한다.

✕ X가 B인 전지의 반응이 진행되면 전자는 ~~Cu(s)에서 B(s)로~~ 이동한다. (B(s)에서 Cu(s)로)

➡ X가 B인 경우 Cu가 환원 전극이 되고, B가 산화 전극이 되므로 전자는 도선을 통해 B에서 Cu로 이동한다.

✕ 전지의 표준 전지 전위($E°_{전지}$)는 X가 A일 때가 B일 때 보다 ~~크다~~. (작다)

➡ 전지의 표준 전지 전위는 두 금속의 표준 환원 전위의 차이가 클수록 크게 나타난다. X가 A일 경우 $E°_{전지}$는 +0.46 V이고, B일 경우 +1.10 V이다.

05 | 선택지 분석 |

ㄱ (−)극에서 Fe의 질량은 감소한다.

➡ 산화 전극인 (−)극에서는 금속 Fe이 이온으로 녹아 들어가므로 질량은 감소한다.

✕ (+)극에서 환원되는 이온은 ~~H^+~~이다. (Fe^{3+})

➡ $Fe^{3+}(aq)+e^- \longrightarrow Fe^{2+}(aq)$의 표준 환원 전위가 +0.77 V이므로 (+)극에서의 환원 반응은 Fe^{3+}이 전자를 얻어 Fe^{2+}으로 되는 반응이 일어난다.

✕ 전지의 표준 전지 전위($E°_{전지}$)는 ~~+1.98 V~~이다. (+1.22 V)

➡ 이 전지에서 표준 전지 전위는 +0.77−(−0.45)=+1.22 V이다.

06 | 선택지 분석 |

✕ $A(s)+B^{2+}(aq) \longrightarrow A^{2+}(aq)+B(s)$ 반응은 자발적으로 ~~일어난다~~. (일어나지 않는다)

➡ B를 표준 수소 전극에 연결했을 때 산화되는 표준 전지 전위는 +0.76 V이므로 $B^{2+}(aq)+2e^- \longrightarrow B(s)$의 반쪽 전지에 대한 표준 환원 전위는 −0.76 V이다. 따라서 금속의 반응성은 B가 A보다 크므로 이 반응은 자발적으로 일어나지 않는다.

ㄴ (가)에서 A(s)는 산화된다.

➡ (가)에서 전자는 A에서 C로 이동하므로 A는 산화 전극에 해당한다.

✕ $B(s)+2C^+(aq) \longrightarrow B^{2+}(aq)+2C(s)$ 반응의 $E°_{전지}$는 +1.10 V보다 ~~작다~~. (크다)

➡ (가)에서 금속의 반응성은 A가 C보다 큼을 알 수 있고, B의 표준 환원 전위가 A보다 작으므로 표준 환원 전위는 B<A<C 순이다. 한편, 25 ℃에서 $B(s)+A^{2+}(aq) \longrightarrow B^{2+}(aq)+A(s)$ 반응의 $E°_{전지}$는 +1.10 V이고, 표준 환원 전위의 차이가 클수록 $E°_{전지}$가 크므로 $B(s)+2C^+(aq) \longrightarrow B^{2+}(aq)+2C(s)$ 반응의 $E°_{전지}$는 +1.10 V보다 크다.

07 | 선택지 분석 |

✕ Zn은 산화되고 ~~Fe^{2+}~~은 환원된다. (Fe^{3+})

➡ (−)극에서 $E°$가 가장 작은 Zn이 산화되고, (+)극에서 $E°$가 가장 큰 Fe^{3+}이 환원된다.

✕ 전자는 ~~염다리~~를 통해 이동한다. (도선)

➡ 전자는 산화 전극에서 환원 전극으로 도선을 통해 이동한다.

ㄷ. (+)극에서의 반쪽 반응은 $Fe^{3+}(aq)+e^- \longrightarrow Fe^{2+}(aq)$이다.

➡ 환원 전극인 (+)극은 $E°$가 큰 반응이 일어나므로 (+)극에서의 반쪽 반응은 $Fe^{3+}(aq)+e^- \longrightarrow Fe^{2+}(aq)$이다.

08 | 선택지 분석 |

ㄱ. (−)극에서는 수소 기체가 발생한다.

➡ 염화 나트륨 수용액을 전기 분해하면 (−)극에서는 물의 환원 반응이 일어나 수소 기체가 발생한다.

✕ (+)극에서는 ~~물이 환원된다~~. 염화 이온이 산화된다

➡ (+)극에서는 염화 이온이 전자를 잃으면서 산화되어 염소 기체가 발생한다.

ㄷ. (−)극과 (+)극에서 발생하는 기체의 몰수는 같다.

➡ (−)극에서는 $2H_2O(l)+2e^- \longrightarrow H_2(g)+2OH^-(aq)$의 반응이 일어나고, (+)극에서는 $2Cl^-(aq) \longrightarrow Cl_2(g)+2e^-$의 반응이 일어나므로 수소 기체와 염소 기체가 발생하는 몰수는 같다.

09 | 선택지 분석 |

ㄱ. 발생한 기체의 몰수는 Cl_2가 O_2의 2배이다.

➡ 두 수용액에서 흘려준 전하량은 같으므로 전자의 계수를 맞춰 주면 발생한 기체의 몰수는 Cl_2가 O_2의 2배이다.

ㄴ. (가)에서 수용액의 pH가 감소하였다.

➡ (가)에서 물의 산화 반응에 의해 수소 이온이 생성되므로 수용액의 pH는 감소한다.

✕ (가)와 (나)에서 이동한 전자의 몰수는 ~~0.5몰~~이다. 1몰

➡ (가)와 (나)에서 구리가 각각 0.5몰이 생성되고 구리와 전자의 계수비는 1 : 2이므로 이동한 전자의 몰수는 1몰이다.

10 | 자료 분석 |

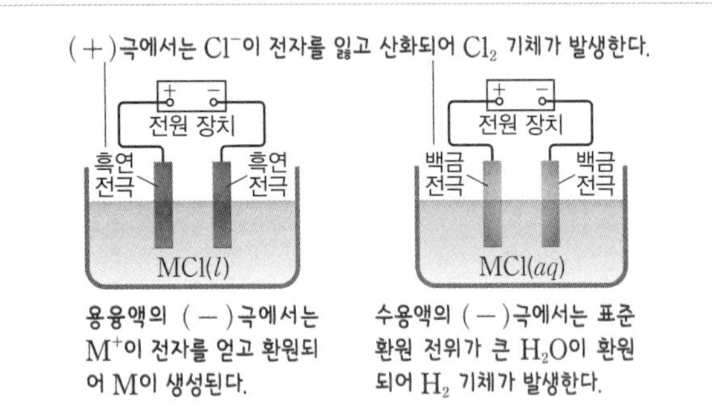
(+)극에서는 Cl^-이 전자를 잃고 산화되어 Cl_2 기체가 발생한다.
전원 장치
흑연 전극
흑연 전극
MCl(l)
전원 장치
백금 전극
백금 전극
MCl(aq)
용융액의 (−)극에서는 M^+이 전자를 얻고 환원되어 M이 생성된다.
수용액의 (−)극에서는 표준 환원 전위가 큰 H_2O이 환원되어 H_2 기체가 발생한다.

| 선택지 분석 |

ㄱ. (+)극에서 생성되는 기체는 Cl_2이다.

➡ (가)와 (나)의 (+)극에서 생성되는 기체는 모두 Cl_2이다.

ㄴ. H_2O이 M^+보다 환원되기 쉽다.

➡ 용융액인 (가)의 (−)극에서는 금속 M이 석출되는 반면, 수용액인 (나)의 (−)극에서는 다른 물질이 생성되므로 (나)에서 M^+은 H_2O보다 환원되기 어려움을 알 수 있다. 따라서 H_2O이 환원되어 H_2 기체를 발생한다.

✕ (+)극에서 1몰의 기체가 생성될 때 (−)극에서 생성되는 물질의 몰수는 ~~(나)가 (가)의~~ 2배이다. (가)가 (나)의

➡ (가)의 반응식은 $2M^+(l)+2e^- \longrightarrow 2M(s)$, (나)의 반응식은 $2H_2O(l)+2e^- \longrightarrow H_2(g)+2OH^-(aq)$이므로 생성되는 물질의 몰수는 (가)가 (나)의 2배이다.

11 | 선택지 분석 |

ㄱ. $x<+0.34$이다.

➡ 금속 X는 (+)극에서 전자를 잃고 산화되어 이온으로 빠져나오므로 Cu보다 반응성이 큼을 알 수 있다. 따라서 x는 구리의 표준 환원 전위인 +0.34 V보다 작다.

ㄴ. Cu 조각을 Y 이온이 녹아 있는 수용액에 넣으면 금속 Y가 석출된다.

➡ 금속 Y는 양극 찌꺼기이므로 금속의 반응성은 X>Cu>Y임을 알 수 있다. 따라서 Cu 조각을 Y 이온이 녹아 있는 용액에 넣으면 Cu는 전자를 잃으면서 산화되고, Y 이온은 전자를 얻어 금속으로 석출된다.

✕ 금속 Y를 X 이온이 녹아 있는 수용액에 넣으면 ~~금속 X가 석출된다~~. 반응이 일어나지 않는다

➡ 금속의 반응성이 X가 Y보다 크므로 금속 Y를 X 이온이 녹아 있는 수용액에 넣으면 반응이 일어나지 않는다.

12 | 선택지 분석 |

ㄱ. 전자는 (가)에서 (나)로 이동한다.

➡ 전극 (가)가 산화 전극이고, (나)가 환원 전극이므로 전자는 (가)에서 (나)로 이동한다.

ㄴ. 이 전지의 표준 전지 전위($E°_{전지}$)는 +1.23 V이다.

➡ 이 전지의 $E°_{전지}$는 환원 전극의 표준 환원 전위에서 산화 전극의 표준 환원 전위를 뺀 값에 해당하므로 +1.23 V(=+0.40−(−0.83))이다.

ㄷ. 25 ℃, 1기압에서 이 전지의 화학 반응식은 $2H_2(g)+O_2(g) \longrightarrow 2H_2O(l)$이다.

➡ 이 전지의 화학 반응은 수소 기체와 산소 기체가 반응하여 물 분자를 형성하는 반응이다.

한번에 끝내는 대단원 문제 326쪽~328쪽

01 ② **02** ① **03** ② **04** ⑤ **05** ② **06** ② **07** ③ **08** ③

09 (1) B>A>C (2) | **모범 답안** | C보다 표준 환원 전위가 작아서 산화 반응을 하는 금속을 연결하면 C 전극에서 C 이온이 환원 반응하여 금속으로 석출된다.

10 (1) (+)극 : (−)극=1 : 2 (2) | **모범 답안** | A, A 이온과 물의 표준 환원 전위 중 A 이온의 표준 환원 전위가 크므로 A가 물보다 환원되기 쉽기 때문이다.

11 (1) A, B (2) | **모범 답안** | 물의 산화 반응인 $2H_2O(l) \longrightarrow O_2(g)+4H^+(aq)+4e^-$ 반응이 일어나 수소 이온이 생성되어 pH가 감소한다.

12 (1) A: (−)극, B: (+)극 (2) | **모범 답안** | $E°_1<E°_2$, 전극 A에서는 메탄올의 산화 반응이 일어나고, 전극 B에서는 산소의 환원 반응이 일어나므로 환원 반응이 일어나는 산소의 표준 환원 전위가 더 커야 한다.

01 | 자료 분석 |

수용액 \ 금속	A	B	C	D
묽은 염산		수소 발생 → 반응성: B>H	수소 발생 → 반응성: C>H	변화 없음 → 반응성: H>D
A 이온		A 석출 → 반응성: B>A		(가) A와 D의 반응성 비교
B 이온			(나) B와 C의 반응성 비교	(다) 변화 없음
C 이온	(라) A와 C의 반응성 비교			

| 선택지 분석 |

✕ (다)에서는 ~~금속 B가 석출된다~~ 반응이 일어나지 않는다.

➡ D는 묽은 염산에 넣어도 반응하지 않고, B는 묽은 염산에 넣으면 수소 기체가 발생하므로 반응성은 B>H>D이다. 따라서 (다)에서는 반응이 일어나지 않는다.

ㄴ 금속 C를 D 이온이 녹아 있는 수용액에 넣으면 금속이 석출된다.

➡ C를 묽은 염산에 넣으면 수소 기체가 발생하고, D는 묽은 염산에 넣어도 반응하지 않으므로 금속의 반응성은 C가 D보다 큼을 알 수 있다. 따라서 금속 C를 D 이온이 녹아 있는 수용액에 넣으면 C는 전자를 잃으면서 산화되고, D 이온은 전자를 얻어 환원된다.

✕ 실험 ~~(나), (라)의 결과만을~~ (가), (나), (라)를 통해 금속 A~D의 반응성 순서를 알 수 있다.

➡ 금속의 반응성은 B>H, C>H, H>D, B>A이므로 금속 A~D의 반응성 순서를 알기 위해서는 실험 (가)를 통해 A와 D를, 실험 (나)를 통해 B와 C를, 실험 (라)를 통해 A와 C를 비교해야 한다.

02 | 선택지 분석 |

ㄱ 양이온의 전하는 Y 이온이 가장 크다.

➡ X 이온 3개와 반응하여 생성되는 Y 이온은 1개이므로 Y 이온의 전하는 +3임을 알 수 있다. 한편, X 이온 4개와 반응하여 생성된 Z 이온의 수는 2개이므로 Z 이온의 전하는 +2임을 알 수 있다. 따라서 양이온의 전하는 Y 이온이 가장 크다.

✕ (나)에 금속 Y를 넣어도 Y 이온이 생성~~되지 않는다~~ 된다.

➡ (나)에는 Z 이온이 존재하고, 금속의 반응성은 Y가 Z보다 크므로 Y는 산화되어 Y 이온이 되고, Z 이온은 환원되어 금속으로 석출된다.

✕ Z 이온이 있는 수용액에 X를 넣으면 ~~금속 Z가 석출된다~~ 반응이 일어나지 않는다.

➡ (가)에 금속 Z를 넣어도 Y 이온이 반응하지 않으므로 금속의 반응성 순서는 Y>Z>X임을 알 수 있다. 따라서 Z 이온이 있는 수용액에 X를 넣어도 반응이 일어나지 않는다.

03 | 선택지 분석 |

✕ 아연은 ~~환원~~ 산화 전극이다.

➡ 아연의 표준 환원 전위가 은보다 작으므로 아연은 산화 전극이다.

ㄴ 전지의 표준 전지 전위($E^\circ_{전지}$)는 +1.60 V이다.

➡ 산화 은 전지의 $E^\circ_{전지}$는 환원 전극의 표준 환원 전위에서 산화 전극의 표준 환원 전위를 뺀 값이므로 +0.35 V−(−1.25 V) =+1.60 V이다.

✕ 반응이 진행됨에 따라 수산화 이온(OH^-)의 농도는 ~~증가한다~~ 일정하다.

➡ 반응이 진행되어도 수산화 이온(OH^-)의 농도는 일정하다.

04 | 선택지 분석 |

ㄱ Pb−Cu 금속으로 전압을 측정할 때 산화 전극은 Pb이다.

➡ Pb−Cu 금속으로 전압을 측정할 때 표준 환원 전위가 작은 Pb에서 전자를 잃는 산화 반응이 일어난다.

ㄴ Zn−Cu 금속으로 전압을 측정할 때 표준 전지 전위는 +1.10 V이다.

➡ Zn−Cu 금속으로 전압을 측정할 때 표준 전지 전위는 환원 전극의 표준 환원 전위에서 산화 전극의 표준 환원 전위를 뺀 값에 해당하므로 +0.34 V−(−0.76 V)=+1.10 V이다.

ㄷ 두 금속 사이의 전압을 측정할 때 가장 큰 전압을 나타내는 금속은 Zn−Ag이다.

➡ 두 금속 사이의 전압을 측정할 때 가장 큰 전압을 나타내는 금속은 표준 환원 전위의 차이가 가장 큰 Zn−Ag이다.

05 | 선택지 분석 |

✕ 전류가 흐르면 ~~$[A^{3+}]$~~ $[A^{2+}]$는 증가한다.

➡ 전류가 흐르면 A가 산화되어 A^{2+}이 생성되므로 수용액에서 $[A^{2+}]$가 증가한다.

✕ A는 ~~(+)극~~ (−)극이고, B는 ~~(−)극~~ (+)극이다.

➡ A는 산화 반응이 일어나는 (−)극이고, B는 환원 반응이 일어나는 (+)극이다.

ㄷ 표준 전지 전위($E^\circ_{전지}$)는 +1.25 V이다.

➡ 표준 전지 전위는 환원 전극의 표준 환원 전위에서 산화 전극의 표준 환원 전위를 뺀 값이므로 +0.34 V−(−0.91 V) =+1.25 V이다.

06 | 선택지 분석 |

✕ 발생하는 기체의 양은 ~~(가)가 (다)의~~ (다)가 (가)의 2배이다.

➡ (가)에서는 물의 산화 반응인 $2H_2O(l) \longrightarrow O_2(g)+4H^+(aq)+4e^-$에 의해 산소 기체가 발생하고, (다)에서는 염화 이온의 산화 반응인 $2Cl^-(aq) \longrightarrow Cl_2(g)+2e^-$에 의해 염소 기체가 발생한다. 이때 흘려준 전하량이 일정하므로 전자의 계수를 맞춰 비교하면 발생한 기체의 양은 (다)가 (가)의 2배이다.

✕ (가) 주변에 페놀프탈레인 용액을 떨어뜨리면 붉은색으로 ~~변한다~~ 변하지 않는다.

➡ (가)에서는 물의 산화 반응에 의해 수소 이온이 생성되므로 (가) 주변에 페놀프탈레인 용액을 떨어뜨리면 붉은색으로 변하지 않는다.

ㄷ 각 금속 이온의 환원 반응에 대한 표준 환원 전위($E°$)는 A가 B보다 크다.

➡ (나)에서는 금속 고체가 석출되고, (라)에서는 물의 환원 반응이 일어나 금속이 석출되지 않으므로 각 금속 이온의 환원 반응에 대한 표준 환원 전위는 A가 B보다 크다.

07 | 선택지 분석 |

ㄱ A에는 수소 기체가 포집된다.

➡ A와 B에 포집된 기체의 부피비가 2 : 1이므로 A에는 수소 기체가 포집된다.

✕ 물질 (가)로는 염화 나트륨(NaCl)을 사용할 수 ~~있다~~. 없다

➡ 물질 (가)에 염화 나트륨을 사용하면 (+)극에서 산소 기체 대신 염소 기체가 발생한다.

ㄷ (−)극 주위에 페놀프탈레인 용액을 떨어뜨리면 붉게 변한다.

➡ (−)극에서는 물이 환원되어 $4H_2O(l)+4e^- \longrightarrow 2H_2(g)+4OH^-(aq)$ 반응에 의해 수산화 이온이 생성되므로 페놀프탈레인 용액을 떨어뜨리면 붉게 변한다.

08 | 자료 분석 |

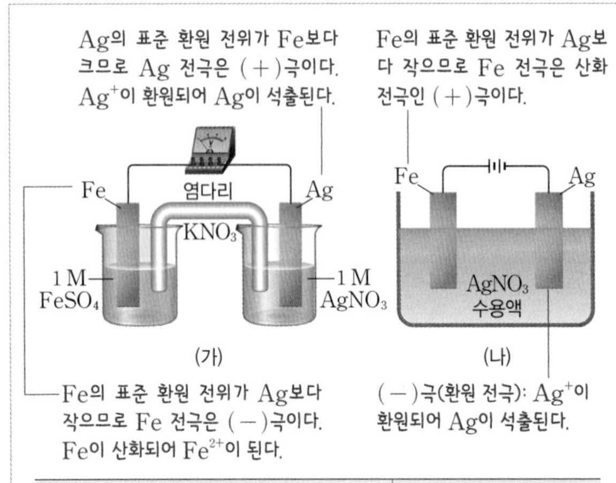

Ag의 표준 환원 전위가 Fe보다 크므로 Ag 전극은 (+)극이다. Ag+이 환원되어 Ag이 석출된다.
Fe의 표준 환원 전위가 Ag보다 작으므로 Fe 전극은 산화 전극인 (+)극이다.
Fe
염다리
Ag
KNO3
1 M FeSO4
1 M AgNO3
Fe
Ag
AgNO3 수용액
(가)
(나)
Fe의 표준 환원 전위가 Ag보다 작으므로 Fe 전극은 (−)극이다. Fe이 산화되어 Fe2+이 된다.
(−)극(환원 전극): Ag+이 환원되어 Ag이 석출된다.

반쪽 반응	표준 환원 전위(V)
$Fe^{2+}+2e^- \longrightarrow Fe$	−0.45
$Ag+ +e^- \longrightarrow Ag$	+0.80

| 선택지 분석 |

ㄱ (가)의 표준 전지 전위는 +1.25 V이다.

➡ 표준 전지 전위는 환원 전극의 표준 환원 전위에서 산화 전극의 표준 환원 전위를 뺀 값이므로 +0.80 V−(−0.45 V) =+1.25 V이다.

ㄴ (가)와 (나)의 Ag판에서는 Ag이 석출된다.

➡ (가)와 (나)의 Ag판에서는 Ag^+이 환원되어 석출된다.

✕ (가)와 (나)의 Fe판은 모두 ~~(−)극~~이다. 산화 전극

➡ (가)와 (나)의 Fe판은 모두 산화 전극이지만, (가)는 화학 전지이므로 산화 전극이 (−)극이고, (나)는 전기 분해이므로 산화 전극이 (+)극이다.

09 (1) (가)에서는 B의 질량이, (나)에서는 A의 질량이 증가하였으므로 금속의 반응성은 A>B, C>A임을 알 수 있다.

(2) C의 질량이 증가하려면 C 전극에서 환원 반응이 일어나 금속 C가 석출되어야 한다.

채점 기준	배점
조건과 산화 환원 반응을 모두 옳게 서술한 경우	100 %
조건과 산화 환원 반응 중 하나만 옳게 서술한 경우	50 %

10 (1) (+)극에서는 물의 산화 반응이 일어나고, (−)극에서는 A 이온의 환원 반응이 일어난다. 흘려준 전하량이 같으므로 (+)극과 (−)극의 반응에서 전자의 계수를 맞춰 주면 생성되는 O_2와 A의 몰수비는 1 : 2이다.

(2) (−)극에서는 환원 반응이 일어난다. A 이온과 물 중 A 이온의 표준 환원 전위가 더 크므로 A 이온이 환원된다.

채점 기준	배점
표준 환원 전위를 비교하여 A가 생성됨을 서술한 경우	100 %
표준 환원 전위를 언급하지 않고 A가 생성되는 것만을 쓴 경우	40 %

11 (1) (−)극에서는 A^+, B^{2+}, H_2O의 표준 환원 전위에 따라 생성되는 물질이 달라진다. 표준 환원 전위가 가장 큰 A^+이 먼저 환원되고, 그 다음으로 B^{2+}이 환원된다.

(2) 전해질의 음이온이 NO_3^-과 SO_4^{2-}이므로 (+)극에서는 물이 대신 산화된다.

채점 기준	배점
화학 반응식을 언급하여 pH 변화를 옳게 서술한 경우	100 %
화학 반응식은 언급하지 않고 수소 이온만을 언급하여 pH 변화를 옳게 서술한 경우	60 %
화학 반응식, 수소 이온을 언급하지 않고 pH 변화를 옳게 서술한 경우	30 %

12 (1) 전극 A에서는 메탄올과 물이 전자를 잃는 산화 반응이 일어나고, 전극 B에서는 산소가 전자를 얻는 환원 반응이 일어난다.

(2) 2가지 반쪽 반응 중 표준 환원 전위가 큰 물질이 환원되고, 작은 물질이 산화된다.

채점 기준	배점
표준 환원 전위의 크기를 비교하고, 그 까닭을 옳게 서술한 경우	100 %
표준 환원 전위의 크기만 옳게 비교한 경우	30 %

개념 학습과 정리가 한번에 끝나는 기본서
개념풀
화학 Ⅱ

지학사 서포터즈 모집안내

모집 분야

개념 학습과 정리가 한번에 끝나는 기본서	수학을 쉽게 만들어 주는 자
개념풀	**풍산자**

- **대상** 고등학생(1~2학년)
- **모집 시기** 매년 3월, 12월

- **대상** 중·고등학생(1~3학년)
- **모집 시기** 매년 2월, 8월

활동 내용

❶ 교재 리뷰 작성

❷ 홍보 미션 수행

혜택

❶ 해당 시리즈 교재 중 1권 증정

❷ 미션 수행자에게 푸짐한 선물 증정

상기 모집 내용 및 일정은 사정에 따라 변동될 수 있습니다. 자세한 사항은 지학사 홈페이지 (www.jihak.co.kr)를 통해 공지됩니다.

발 행 인 권준구
발 행 처 (주)지학사 (등록번호 : 1957.3.18 제 13-11호) 04056 서울시 마포구 신촌로6길 5
발 행 일 2019년 12월 20일 [초판 1쇄] 2021년 10월 15일 [2판 1쇄]
구입 문의 TEL 02-330-5300 | FAX 02-325-8010 구입 후에는 철회되지 않으며, 잘못된 제품은 구입처에서 교환해 드립니다.
내용 문의 www.jihak.co.kr 전화번호는 홈페이지 〈고객센터 → 담당자 안내〉에 있습니다.

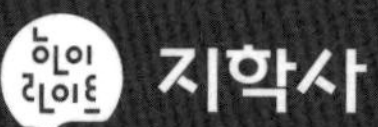

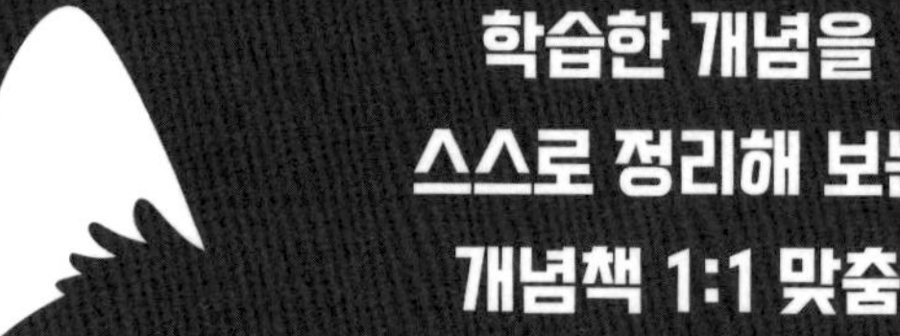

학습한 개념을
스스로 정리해 보는
개념책 1:1 맞춤

개념풀

화학 Ⅱ

의 노트

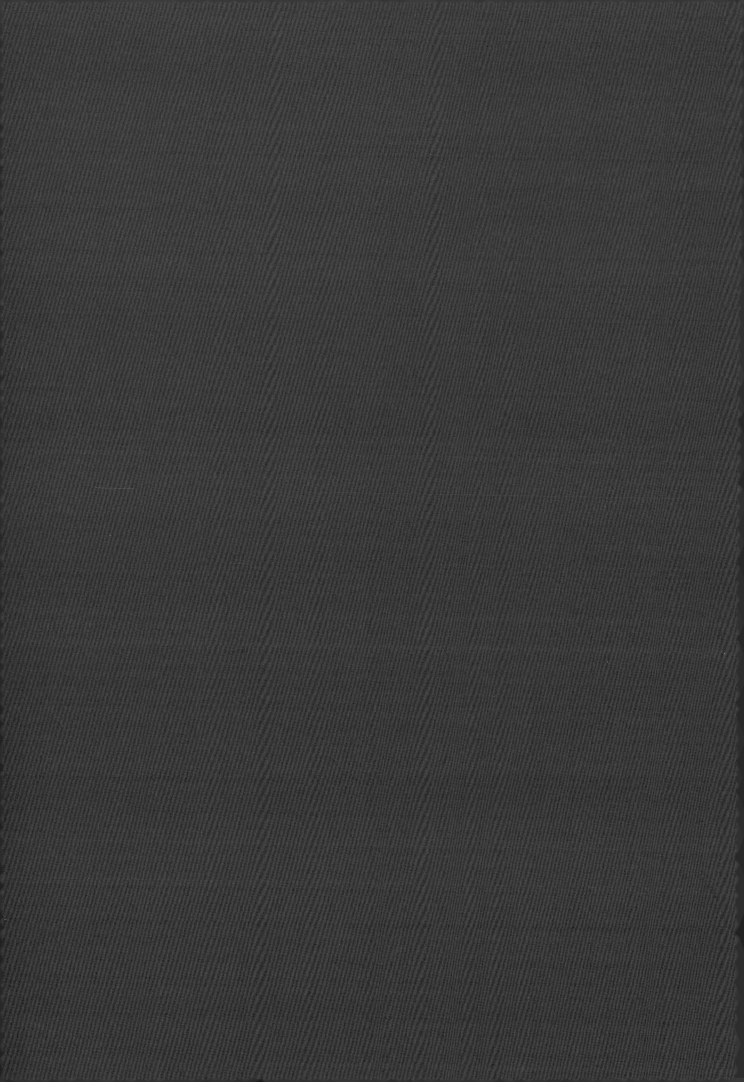

개념과 정리가 한번에 끝나는 기본서

개념풀

화학 Ⅱ

개념책 1:1 맞춤

정리노트

contents

학습한 개념을 단권화 할 수 있는

개념풀 정리노트 사용법

정리노트를 작성하기 전 중단원의 흐름을 살펴보면서 워밍업을 해 보세요.

❶ 노트 정리 전에 공부할 마음을 다잡아 보아요.

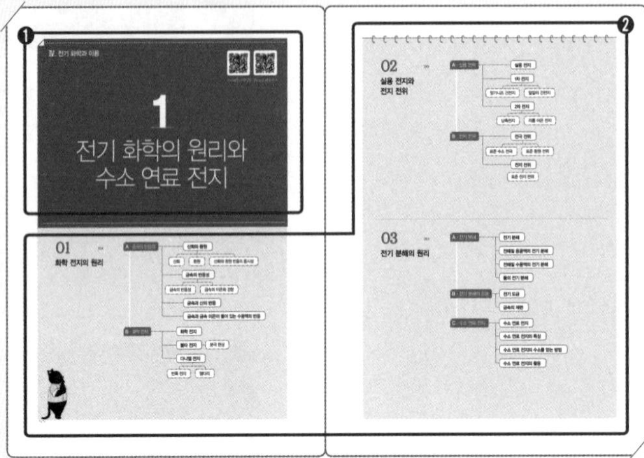

❷ 중단원의 흐름을 한번에 훑어 보세요. 공부했던 내용들의 흐름이 기억날 거예요.

기억이 잘 안난다구요? 기억이 나지 않아도 걱정 마세요. 이제부터 시작이니까요.

소단원별 중요 내용의 구조를 보고, 개념을 정리하세요.

❶ 선배들이 개념책을 보고 소단원 전체의 소제목과 내용 구조를 정리했어요.

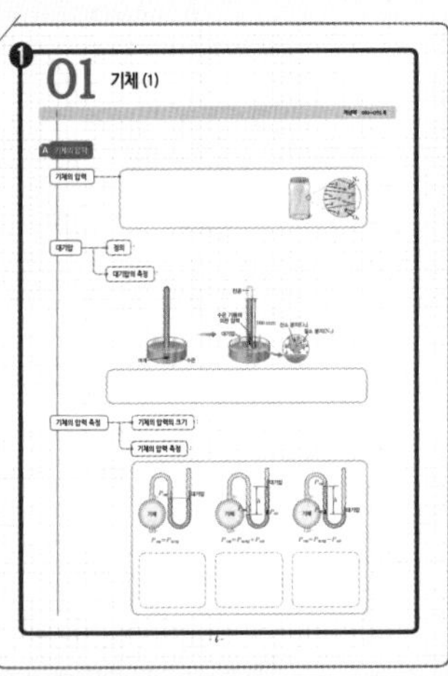

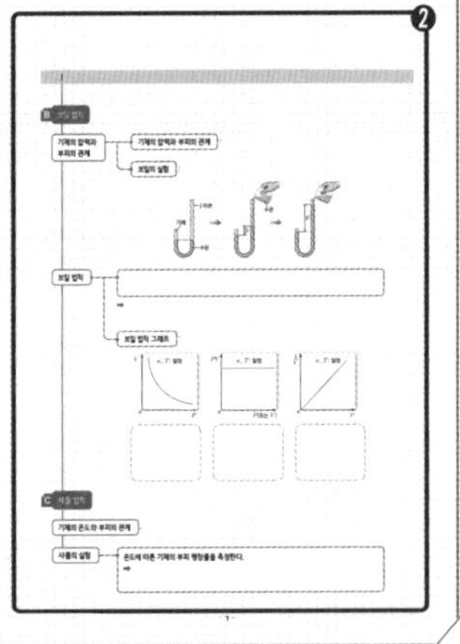

❷ 어디서부터 어떻게 정리해야 할지 모른다구요? 개념책을 펴 보세요. 흐름이 같지요? 개념책의 내용을 나만의 스타일로 정리해 보세요.

무엇이 중요하고 무엇을 꼭 정리해 놓고 공부해야 하는지 알 수 있어요.

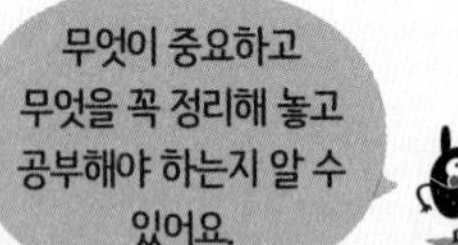

대단원별 중요 그림 다시 보기와 마인드맵으로 단원 내용을 확실하게 정리하세요.

❶ 대단원별 중요한 그림에 자신만의 설명을 적어 보세요. 단원의 핵심 자료를 확실하게 정리할 수 있어요.

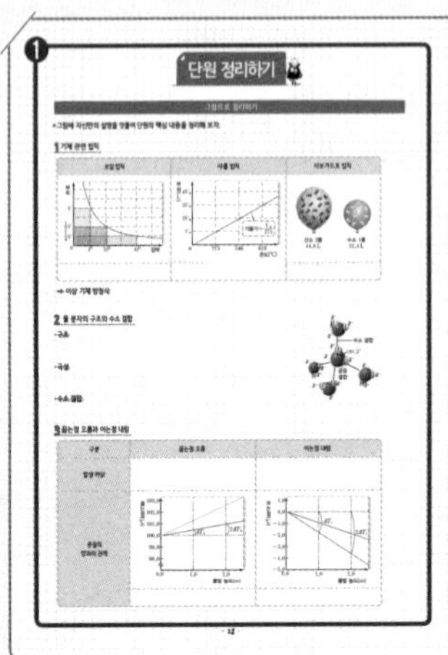

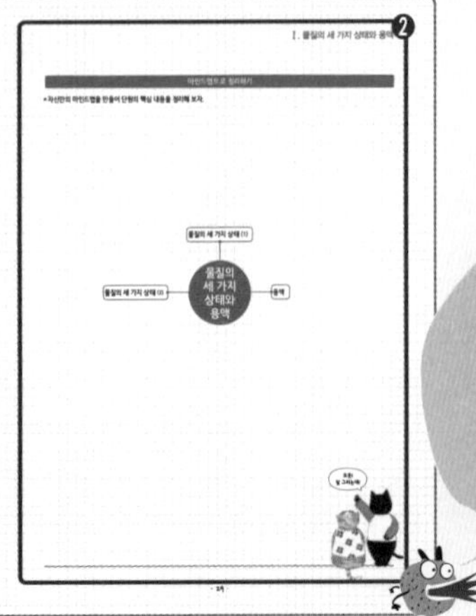

❷ 자신만의 마인드맵을 만들어 보아요. 단원의 핵심 내용이 머릿속에 쏙!

정리노트 사용하는 2가지 방법

1. 개념책이나 교과서를 펴놓고 중요 개념을 보면서 써 보기!
2. 외웠던 것을 스스로 확인하는 차원에서 정리해 보기!

수능 1등급 받은
선배들의 정리노트 이야기

정리노트를 작성하기가 막막해?
정리노트를 다시 쓰고 싶다고?
지학사 홈페이지(www.jihak.co.kr)에 들어오면,
빈노트와 선배들의 정리노트를 다운받을 수 있어!

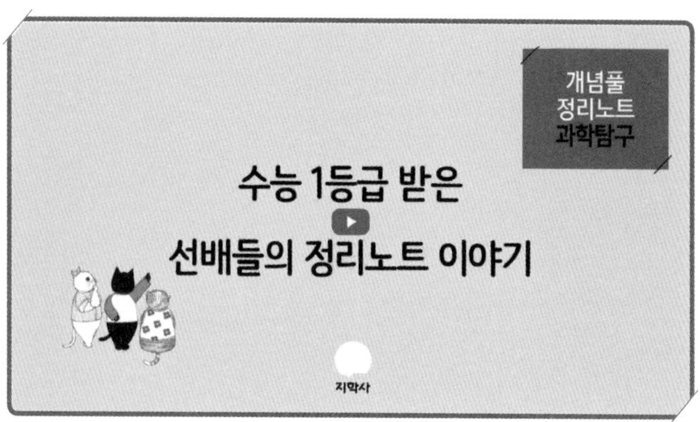

선배들이 직접 들려주는 정리노트 노하우!

"노트 정리를 하며 공부하려고 하면 무엇부터 써야하는지 막막하잖아. 노트 정리법을 직접 알려주려고 동영상을 만들었어. 어떤 노하우가 있는지 궁금하지 않아?"

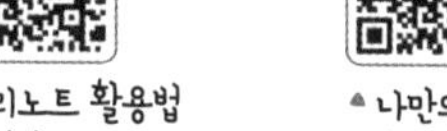

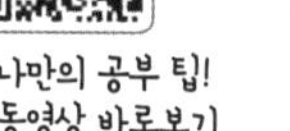

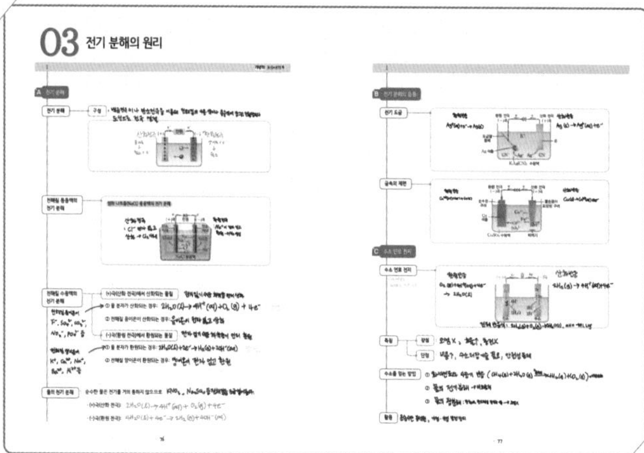

이상현 서울대 재학생

"개념풀 정리노트는 각 단원의 핵심적인 내용들을 한 눈에 알아볼 수 있게 되어 있어서 시험 직전에 활용하기 아주 좋아. 중요한 그림들도 같이 나와 있어서 편리하게 공부할 수 있지!"

◀ 이상현 학생의 노트 바로가기

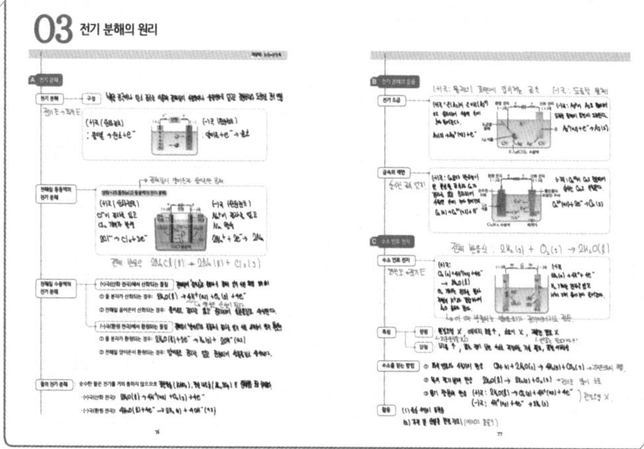

김준형 서울대 재학생

"개념풀 정리노트는 단원의 흐름을 잡을 수 있는 것은 물론이고 중요 개념 위주로 자신의 암기 수준을 진단할 수 있어. 개념어를 보고 부족한 부분에 대해 하나하나 공부해 나간다면 시험 완벽 대비!"

◀ 김준형 학생의 노트 바로가기

» 선배들이 작성한 정리노트 바로가기

1
물질의 세 가지 상태 (1)

01 기체 (1)

»»

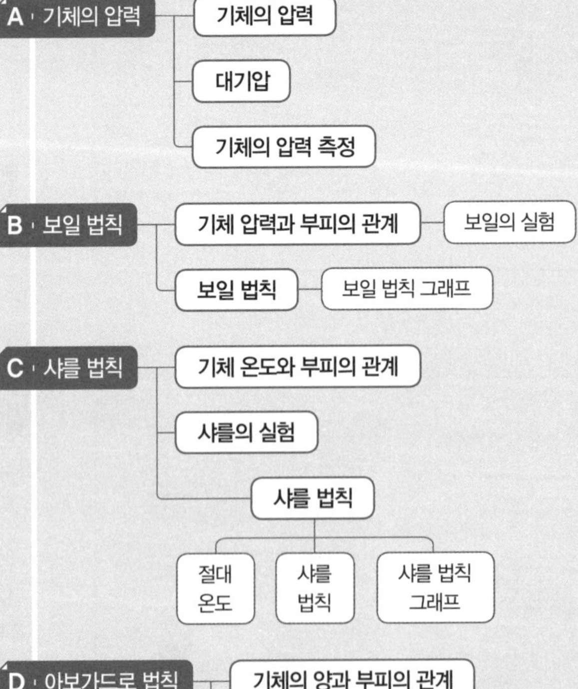

02

기체 (2)

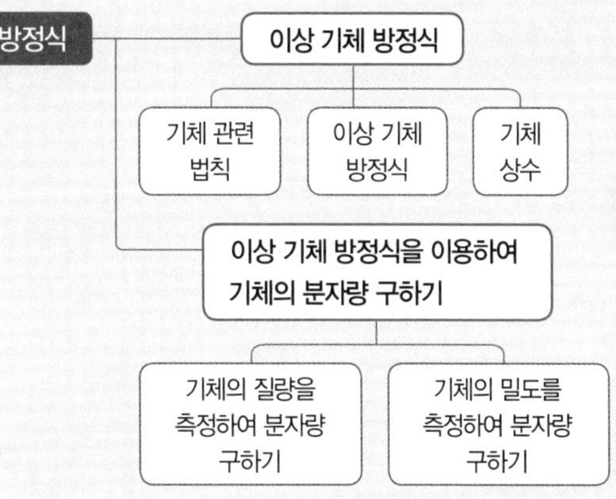

A 이상 기체 방정식
이상 기체 방정식
기체 관련 법칙
이상 기체 방정식
기체 상수
이상 기체 방정식을 이용하여 기체의 분자량 구하기
기체의 질량을 측정하여 분자량 구하기
기체의 밀도를 측정하여 분자량 구하기

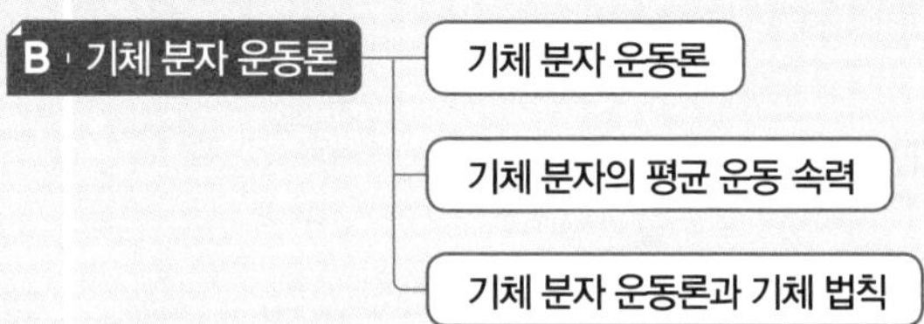

B 기체 분자 운동론
기체 분자 운동론
기체 분자의 평균 운동 속력
기체 분자 운동론과 기체 법칙

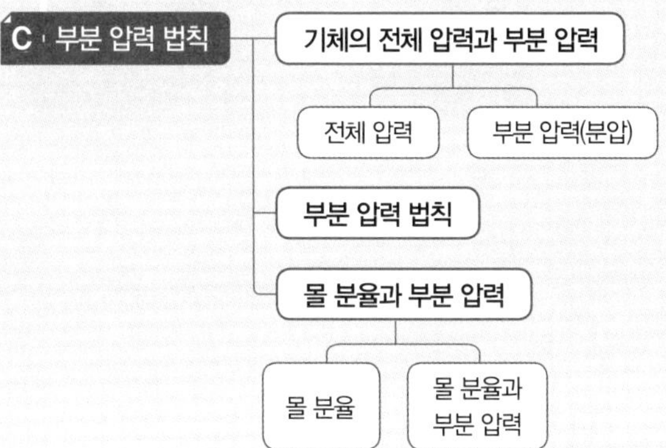

C 부분 압력 법칙
기체의 전체 압력과 부분 압력
전체 압력
부분 압력(분압)
부분 압력 법칙
몰 분율과 부분 압력
몰 분율
몰 분율과 부분 압력

01 기체 (1)

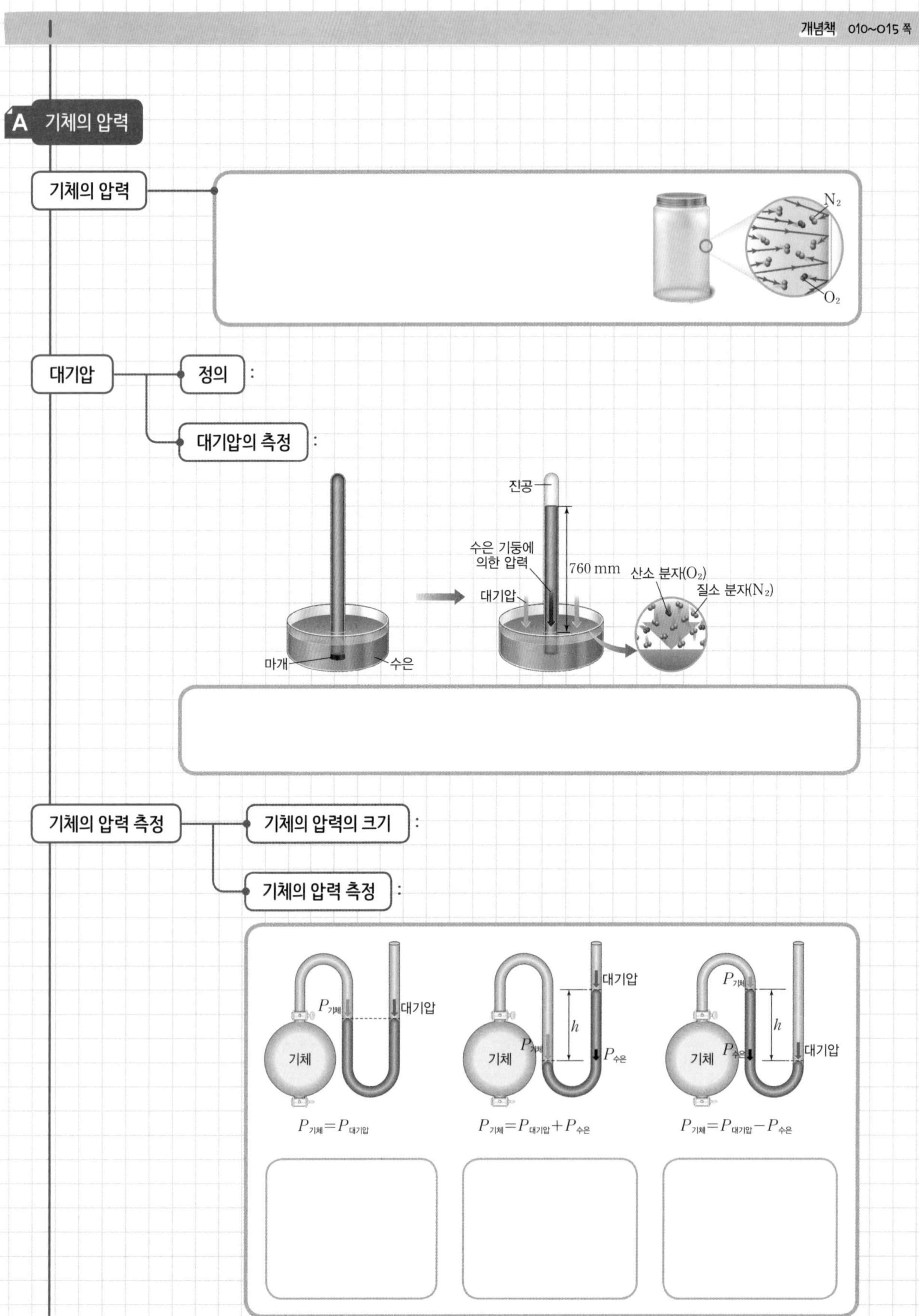

개념책 010~015 쪽
A 기체의 압력
기체의 압력
N_2
O_2
대기압
정의 :
대기압의 측정 :
진공
수은 기둥에
의한 압력
760 mm
대기압
산소 분자(O_2)
질소 분자(N_2)
마개
수은
기체의 압력 측정
기체의 압력의 크기 :
기체의 압력 측정 :
$P_{기체}$
대기압
기체
h
$P_{수은}$
$P_{기체}=P_{대기압}$
$P_{기체}=P_{대기압}+P_{수은}$
$P_{기체}=P_{대기압}-P_{수은}$

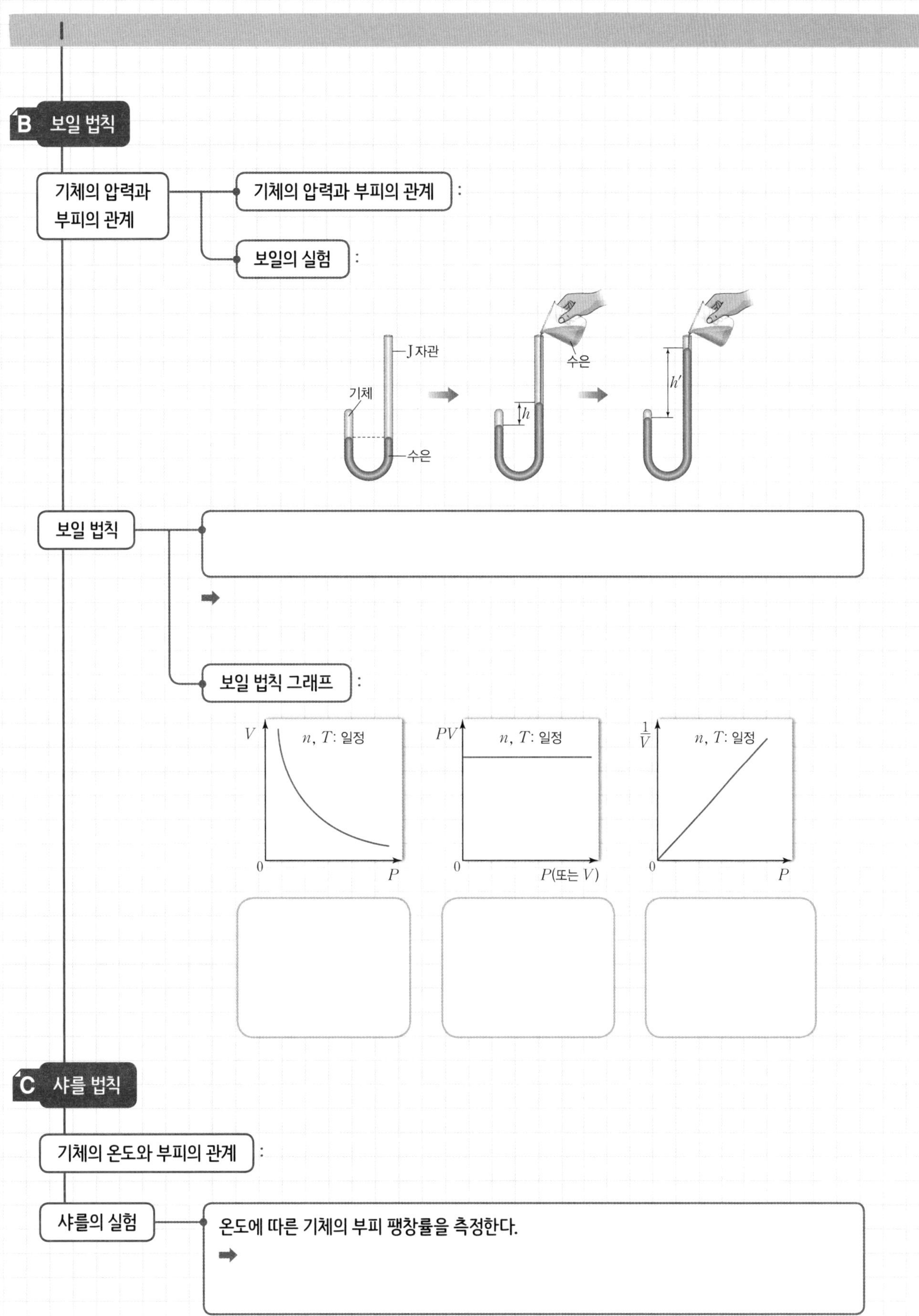
B 보일 법칙
기체의 압력과 부피의 관계
기체의 압력과 부피의 관계 :
보일의 실험 :
J자관
기체
수은
h
수은
h'
보일 법칙
➡
보일 법칙 그래프 :
V
n, T: 일정
0
P
PV
n, T: 일정
0
P(또는 V)
1/V
n, T: 일정
0
P
C 샤를 법칙
기체의 온도와 부피의 관계 :
샤를의 실험
온도에 따른 기체의 부피 팽창률을 측정한다.
➡

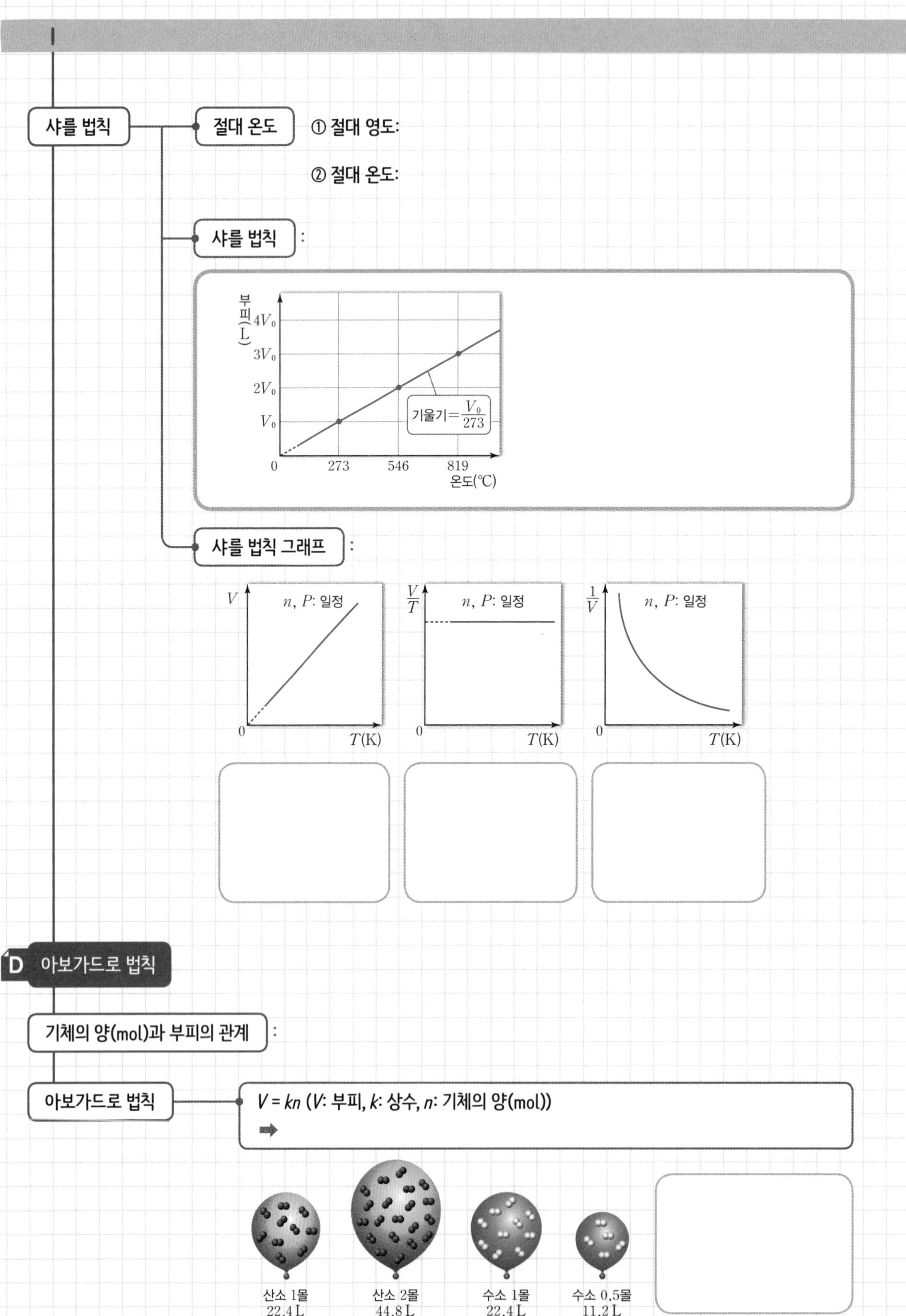
샤를 법칙
절대 온도
① 절대 영도:
② 절대 온도:
샤를 법칙 :
부피(L)
4V_0
3V_0
2V_0
V_0
기울기=$\frac{V_0}{273}$
0
273
546
819
온도(℃)
샤를 법칙 그래프 :
V
n, P: 일정
T(K)
$\frac{V}{T}$
$\frac{1}{V}$
D 아보가드로 법칙
기체의 양(mol)과 부피의 관계 :
아보가드로 법칙
$V = kn$ (V: 부피, k: 상수, n: 기체의 양(mol))
➡
산소 1몰
22.4 L
산소 2몰
44.8 L
수소 1몰
22.4 L
수소 0.5몰
11.2 L

02 기체 (2)

개념책: 022~027쪽

A 이상 기체 방정식

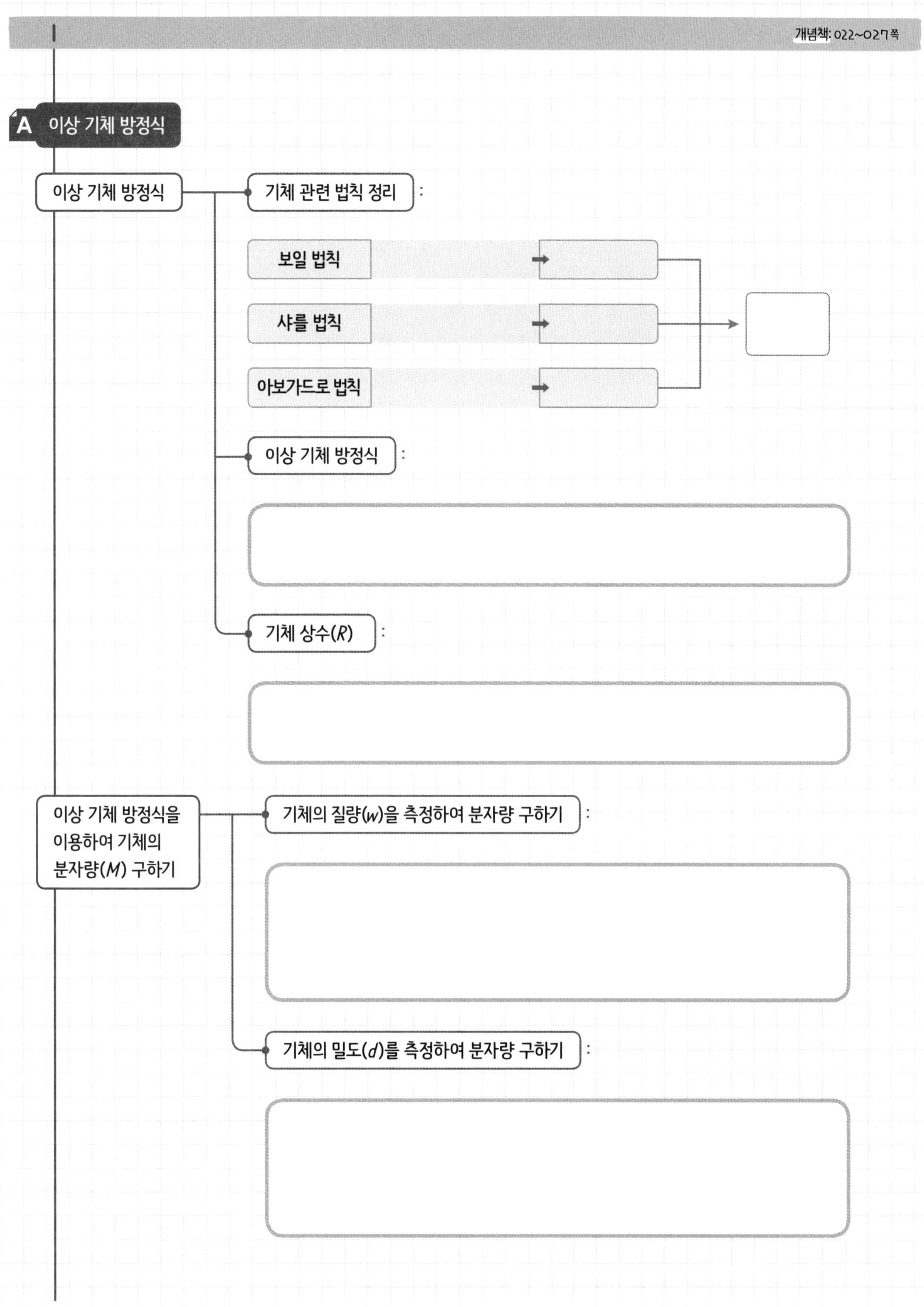

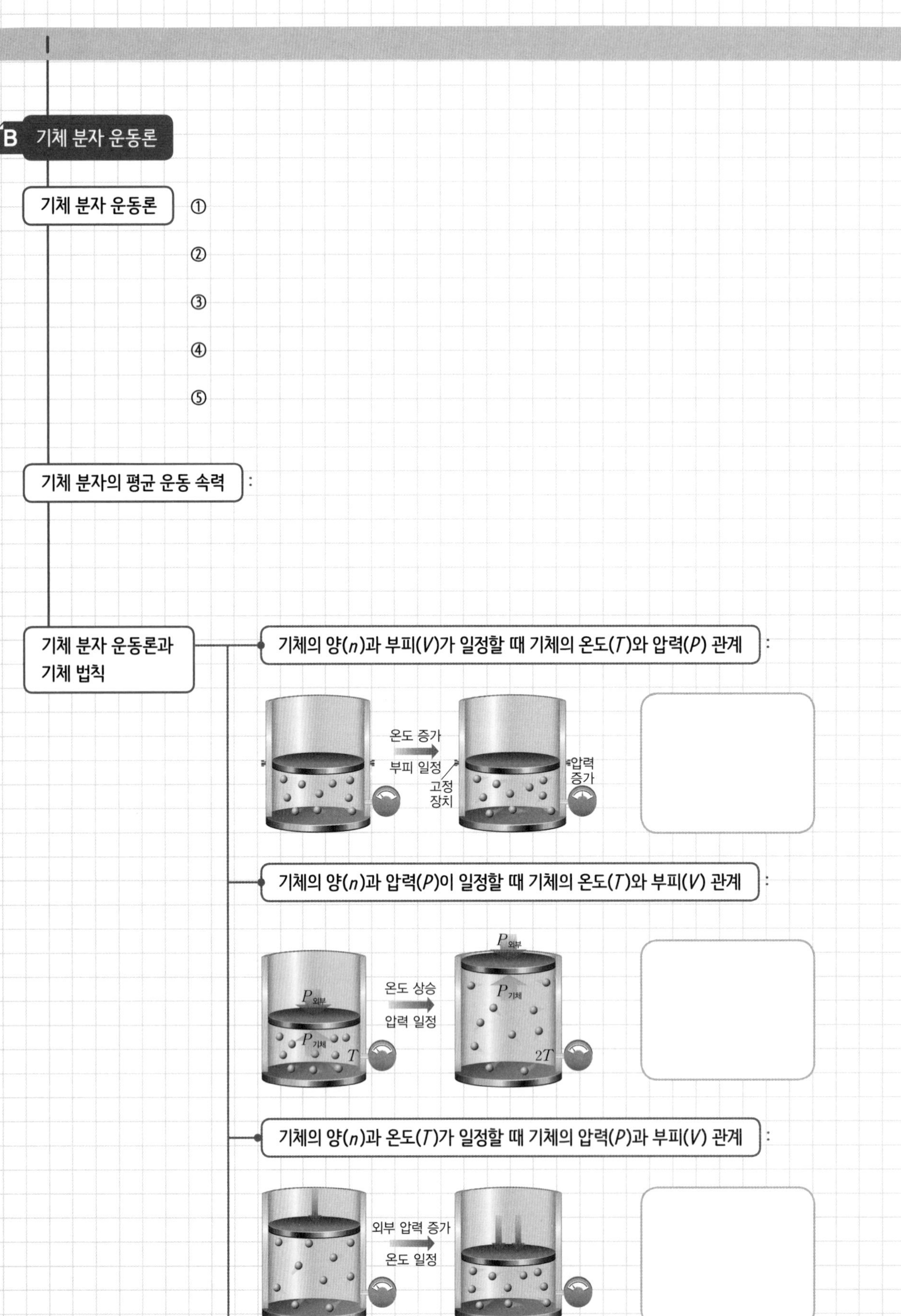
B 기체 분자 운동론
기체 분자 운동론
①
②
③
④
⑤
기체 분자의 평균 운동 속력 :
기체 분자 운동론과 기체 법칙
기체의 양(n)과 부피(V)가 일정할 때 기체의 온도(T)와 압력(P) 관계 :
온도 증가
부피 일정
고정 장치
압력 증가
기체의 양(n)과 압력(P)이 일정할 때 기체의 온도(T)와 부피(V) 관계 :
온도 상승
압력 일정
P외부
P기체
T
2T
기체의 양(n)과 온도(T)가 일정할 때 기체의 압력(P)과 부피(V) 관계 :
외부 압력 증가
온도 일정

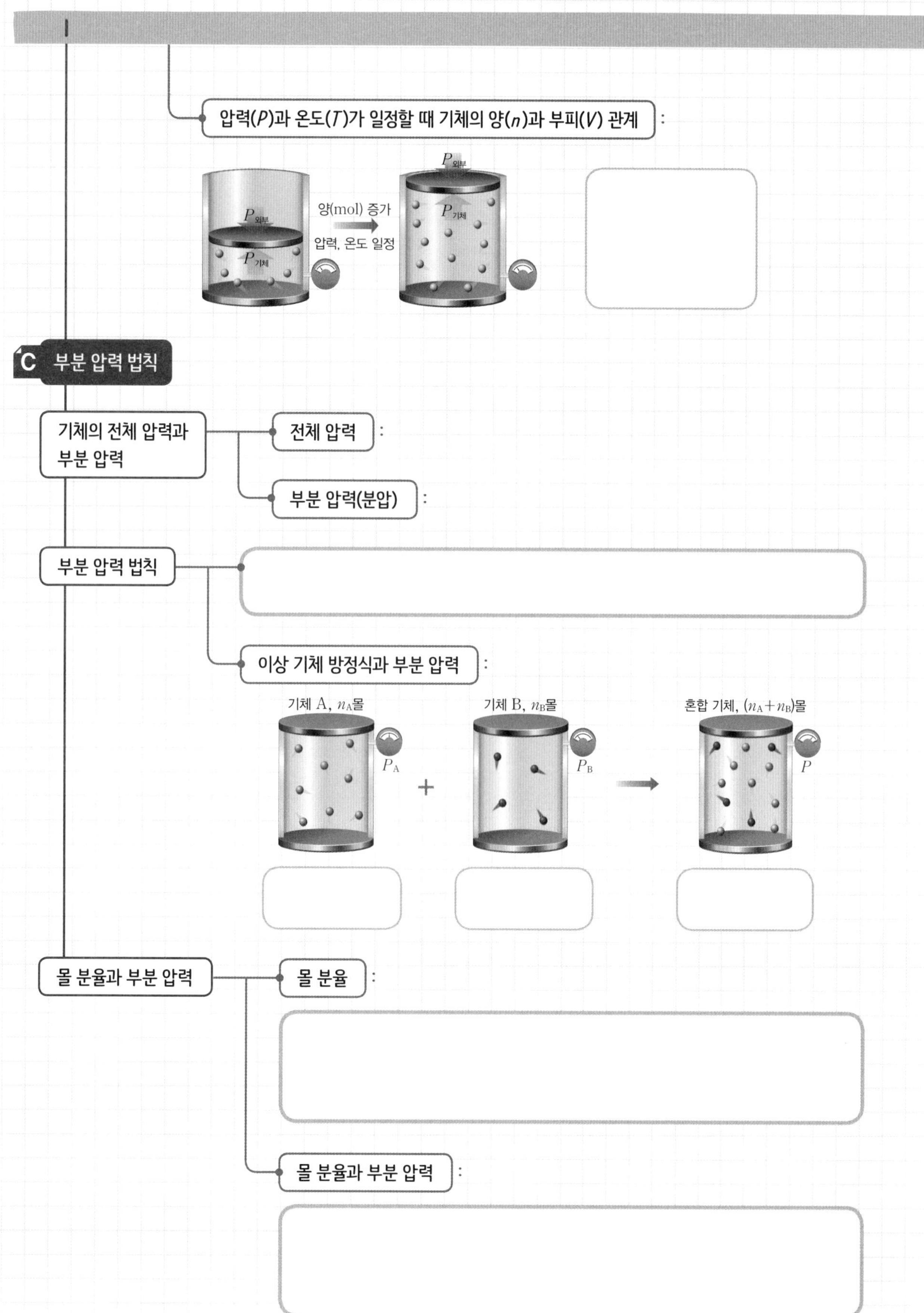
압력(P)과 온도(T)가 일정할 때 기체의 양(n)과 부피(V) 관계 :
P외부
P기체
양(mol) 증가
압력, 온도 일정
C 부분 압력 법칙
기체의 전체 압력과 부분 압력
전체 압력 :
부분 압력(분압) :
부분 압력 법칙
이상 기체 방정식과 부분 압력 :
기체 A, nA몰
기체 B, nB몰
혼합 기체, (nA+nB)몰
PA
PB
P
몰 분율과 부분 압력
몰 분율 :
몰 분율과 부분 압력 :

2 물질의 세 가지 상태 (2)

01 분자 간 상호 작용

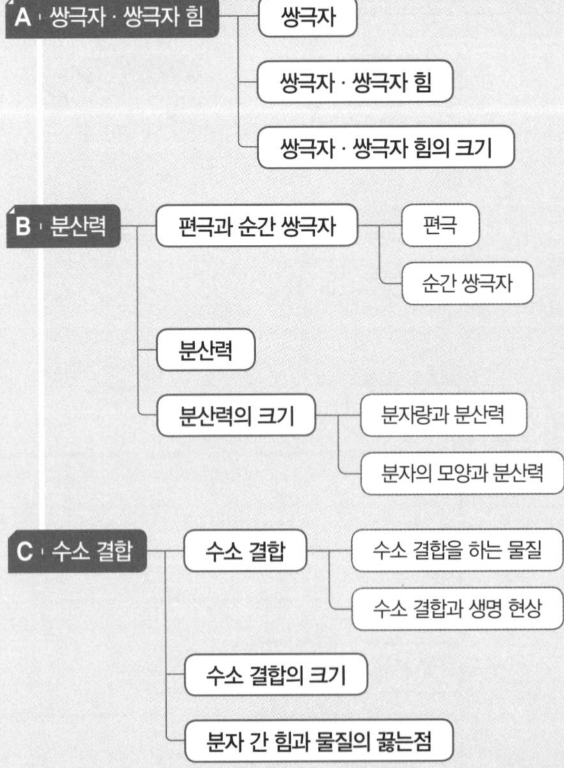

02 액체

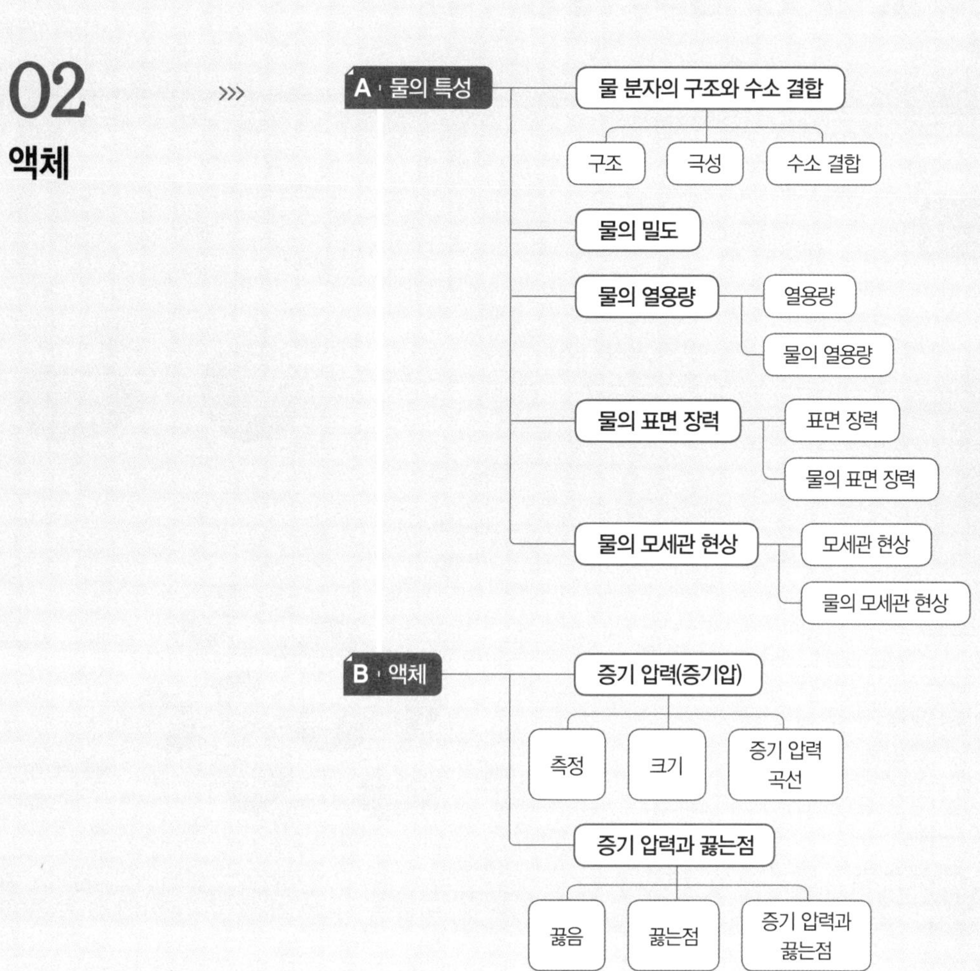

A 물의 특성
물 분자의 구조와 수소 결합
구조
극성
수소 결합
물의 밀도
물의 열용량
열용량
물의 열용량
물의 표면 장력
표면 장력
물의 표면 장력
물의 모세관 현상
모세관 현상
물의 모세관 현상
B 액체
증기 압력(증기압)
측정
크기
증기 압력 곡선
증기 압력과 끓는점
끓음
끓는점
증기 압력과 끓는점

03 고체

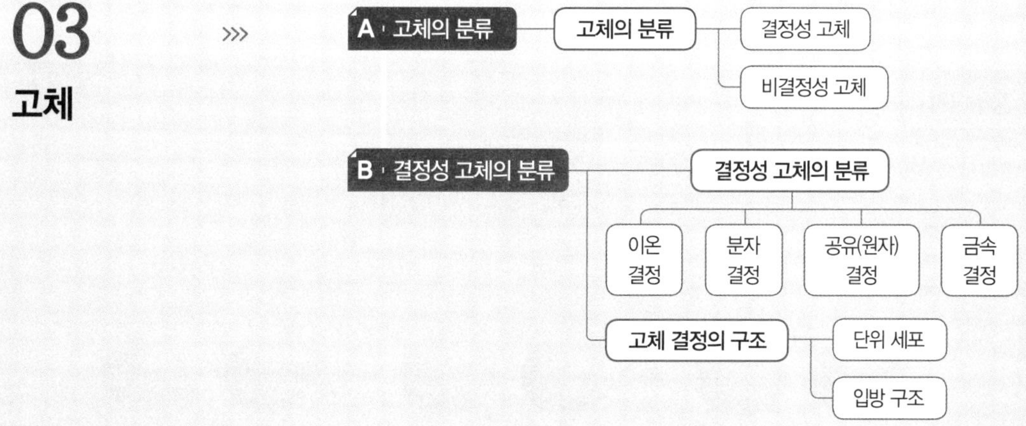

A 고체의 분류
고체의 분류
결정성 고체
비결정성 고체
B 결정성 고체의 분류
결정성 고체의 분류
이온 결정
분자 결정
공유(원자) 결정
금속 결정
고체 결정의 구조
단위 세포
입방 구조

01 분자 간 상호 작용

개념책 040~043 쪽

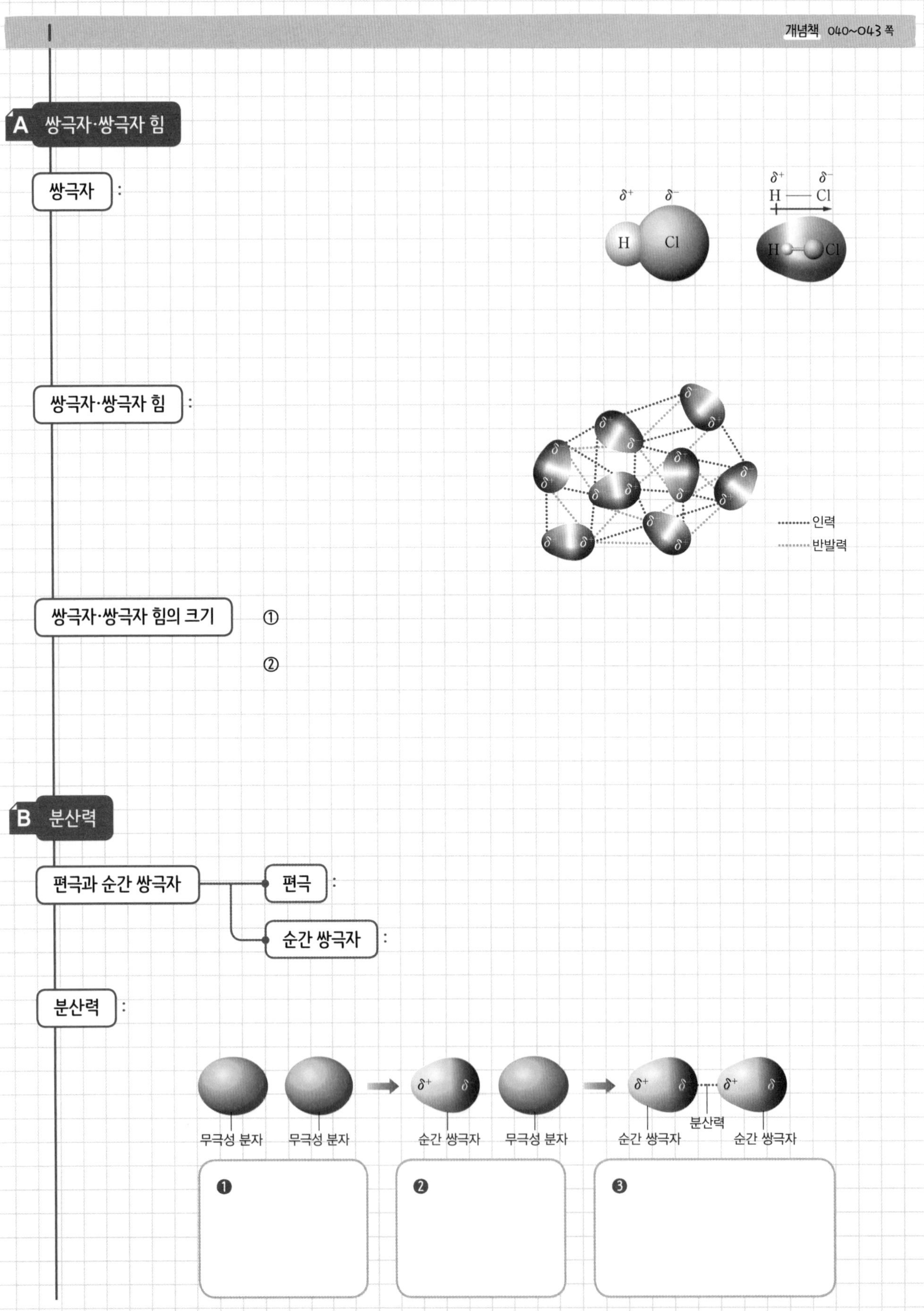

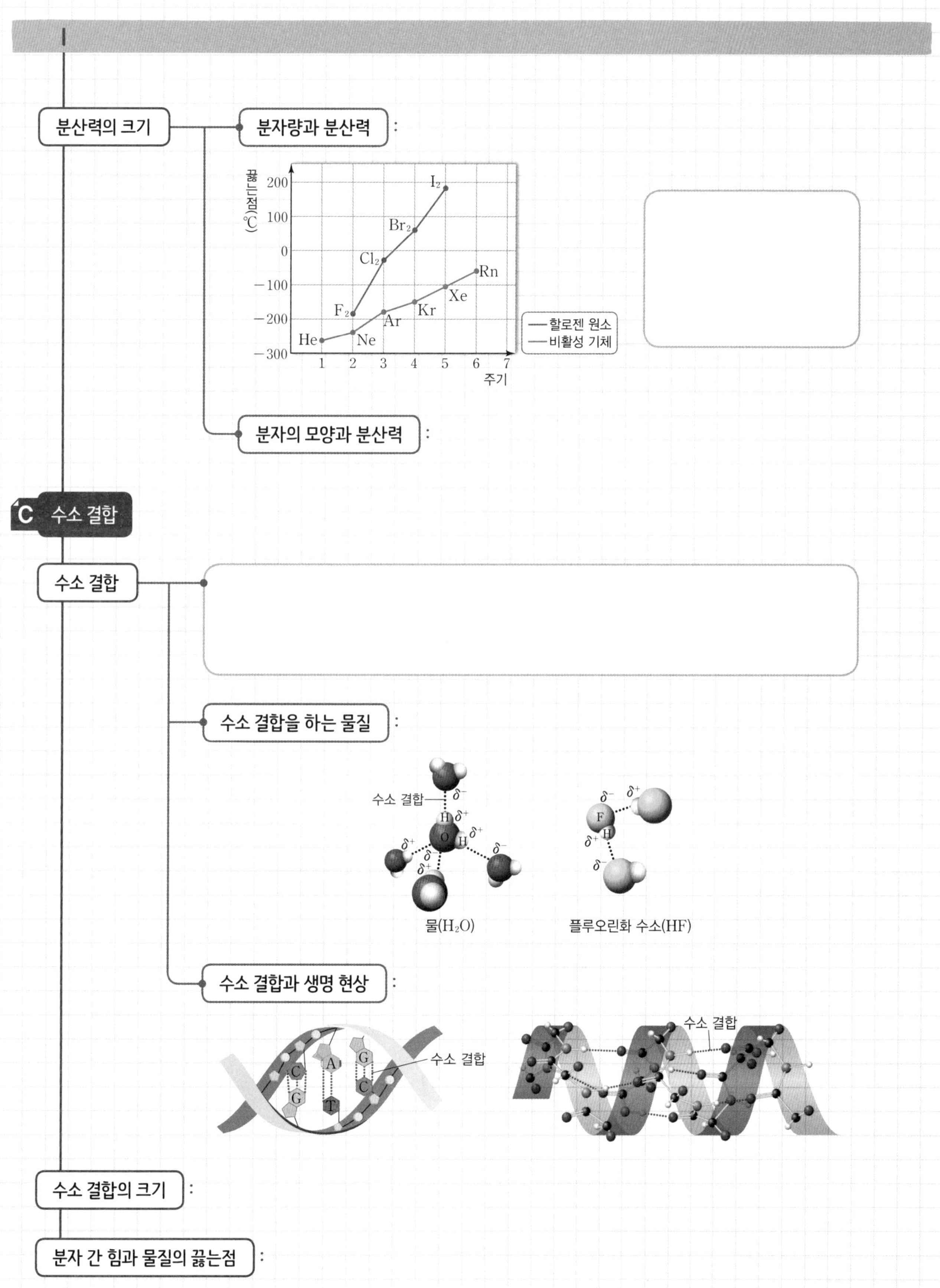
분산력의 크기
분자량과 분산력 :
끓는점(℃)
200
100
0
−100
−200
−300
He
Ne
Ar
Kr
Xe
Rn
F_2
Cl_2
Br_2
I_2
1 2 3 4 5 6 7
주기
할로젠 원소
비활성 기체
분자의 모양과 분산력 :
C 수소 결합
수소 결합
수소 결합을 하는 물질 :
수소 결합
δ−
δ+
H
O
F
물(H_2O)
플루오린화 수소(HF)
수소 결합과 생명 현상 :
수소 결합
C
G
A
T
수소 결합
수소 결합의 크기 :
분자 간 힘과 물질의 끓는점 :

02 액체

개념책: 050~054 쪽

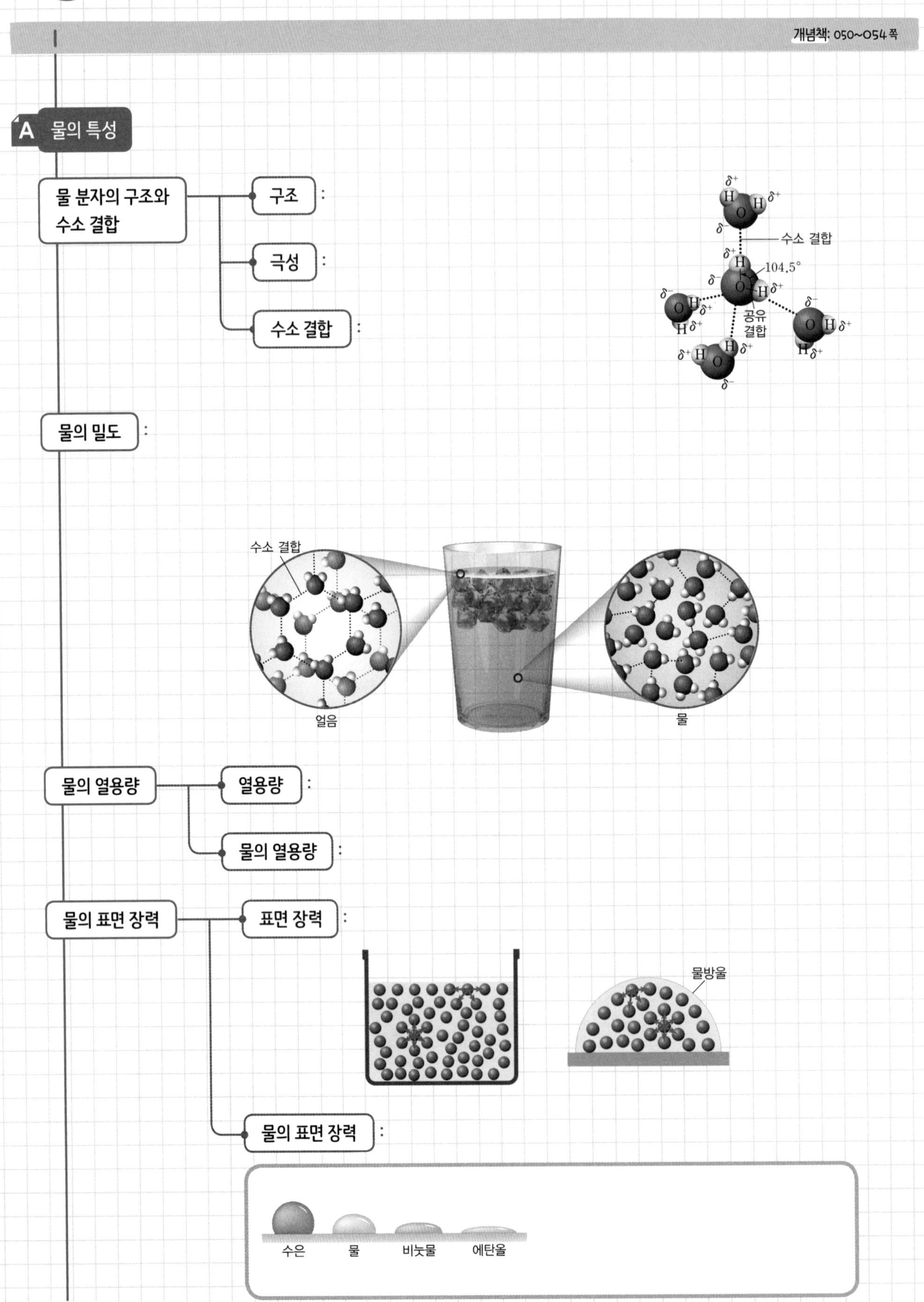

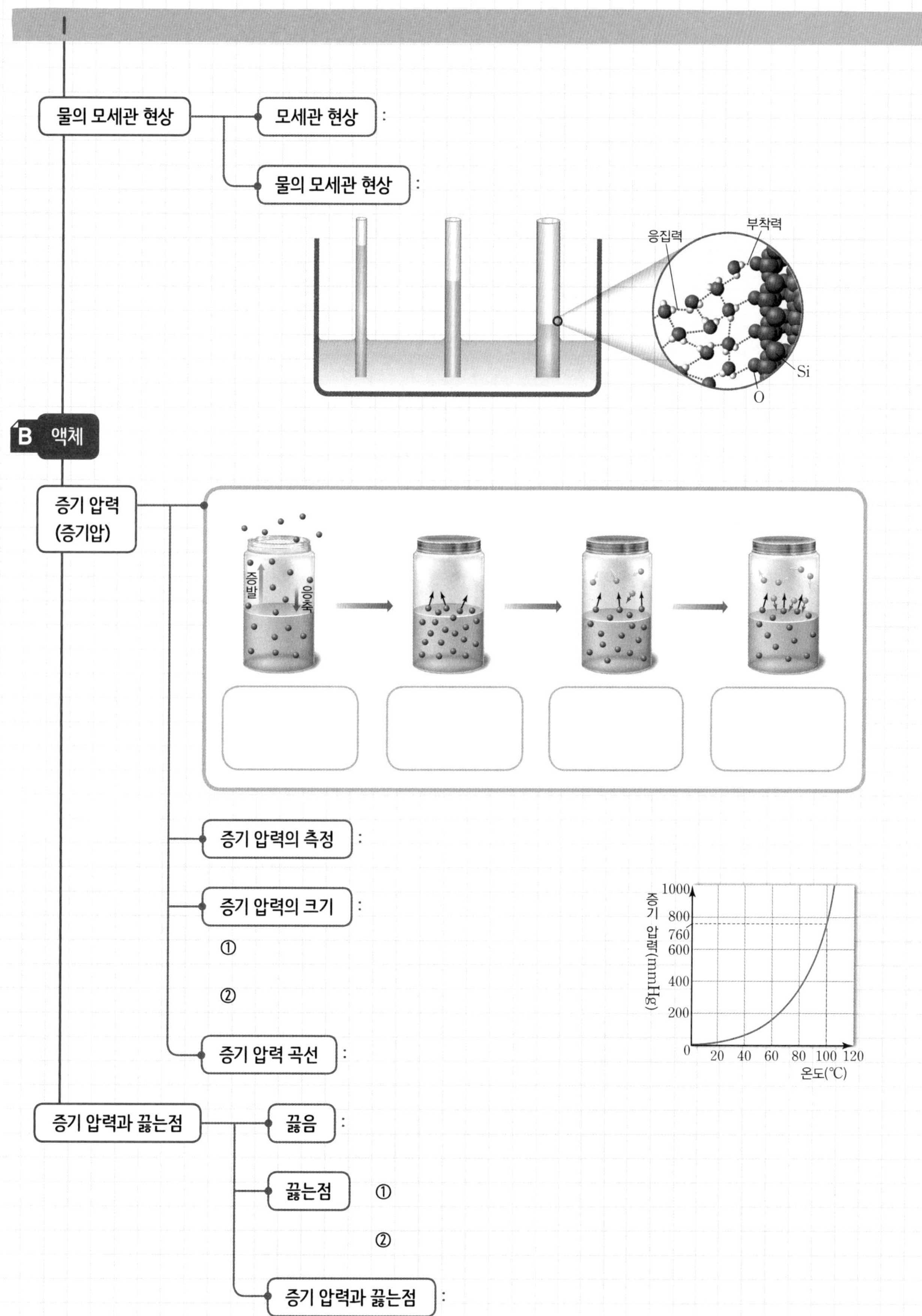

물의 모세관 현상
모세관 현상 :
물의 모세관 현상 :
응집력
부착력
Si
O
B 액체
증기 압력
(증기압)
증발
응축
증기 압력의 측정 :
증기 압력의 크기 :
①
②
증기 압력 곡선 :
1000
800
760
600
400
200
0
20 40 60 80 100 120
증기 압력(mmHg)
온도(℃)
증기 압력과 끓는점
끓음 :
끓는점
①
②
증기 압력과 끓는점 :

03 고체

개념책: 060~062 쪽

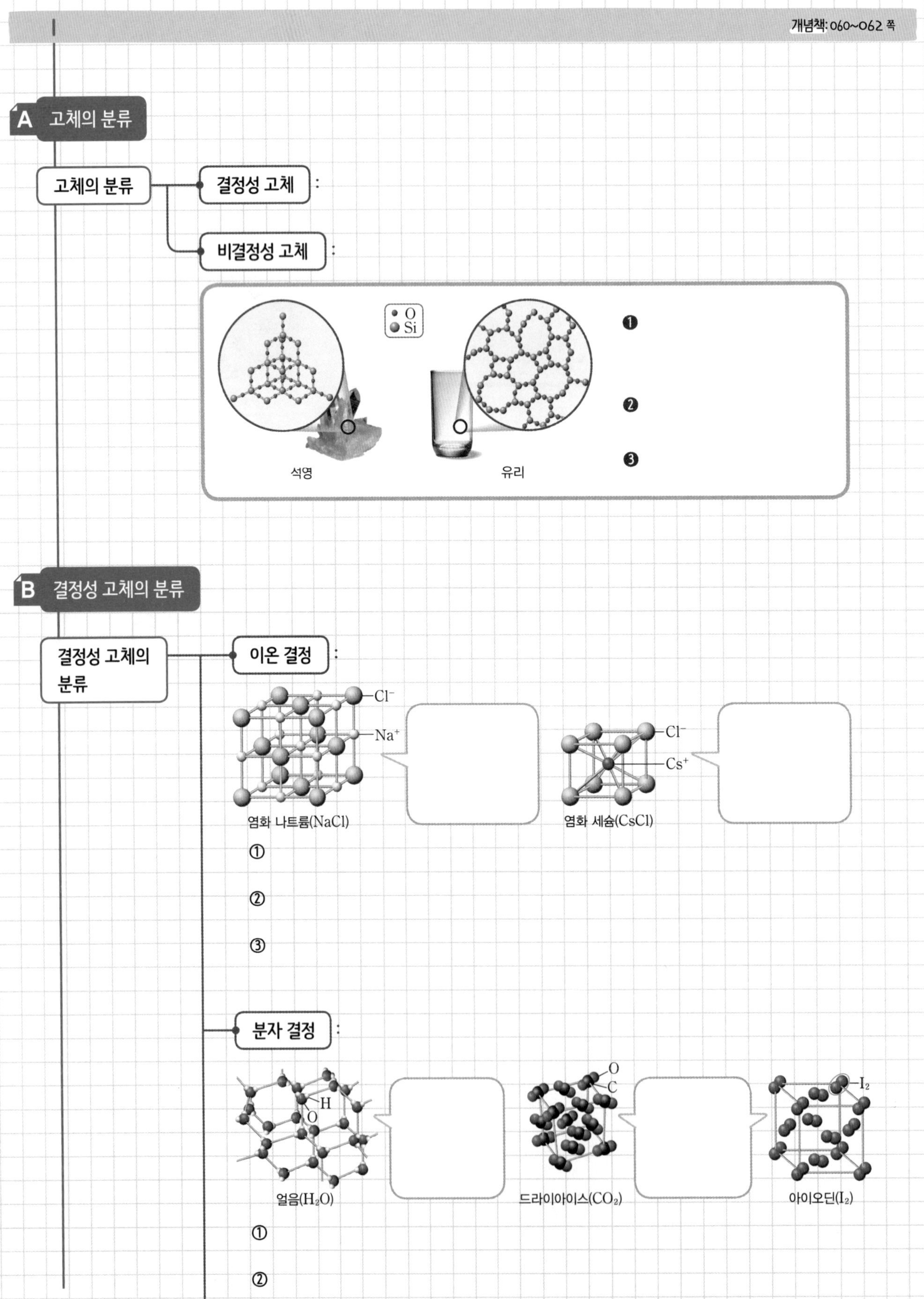

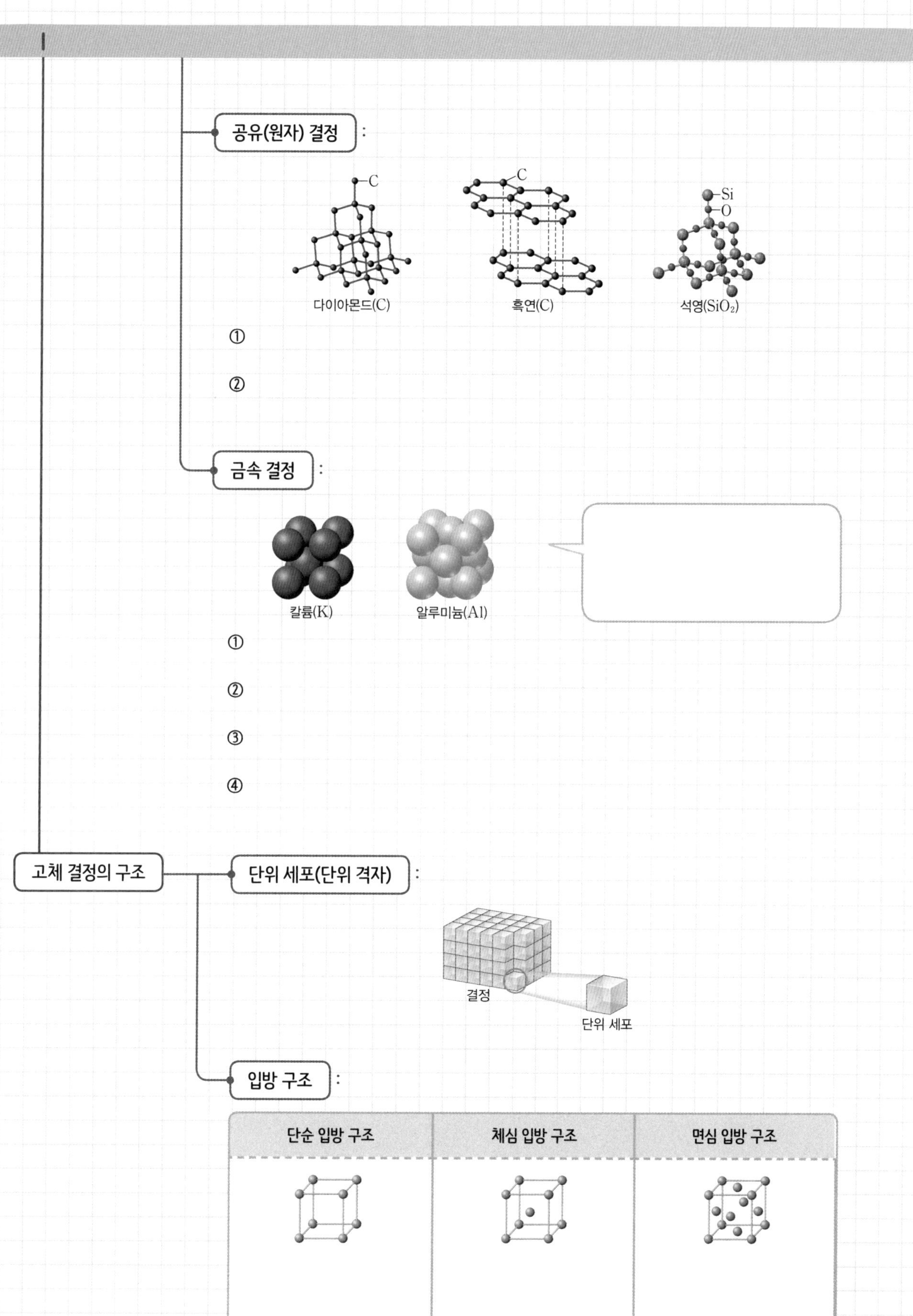

공유(원자) 결정 :
C
다이아몬드(C)
C
흑연(C)
Si
O
석영(SiO_2)
①
②
금속 결정 :
칼륨(K)
알루미늄(Al)
①
②
③
④
고체 결정의 구조
단위 세포(단위 격자) :
결정
단위 세포
입방 구조 :
단순 입방 구조
체심 입방 구조
면심 입방 구조

Ⅰ. 물질의 세 가지 상태와 용액

3 용액

01 용액의 농도

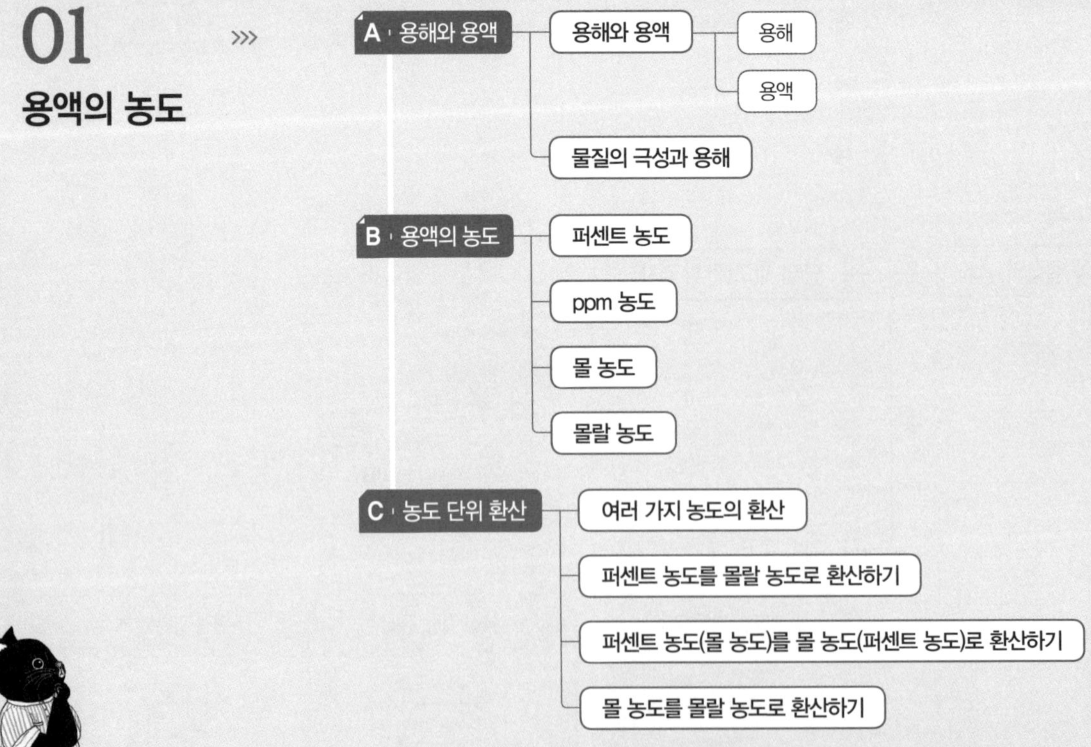

02 묽은 용액의 성질 (1)

A 증기 압력 내림
증기 압력 내림
증기 압력 내림
증기 압력 내림이 나타나는 까닭
증기 압력 내림과 용액의 농도
라울 법칙
라울 법칙
라울 법칙과 증기 압력 내림
B 끓는점 오름과 어는점 내림
끓는점 오름
용액의 끓는점 오름이 나타나는 까닭
용액의 끓는점 오름과 용질의 양
몰랄 오름 상수
어는점 내림
용액의 어는점 내림이 나타나는 까닭
용액의 어는점 내림과 용질의 양
몰랄 내림 상수
끓는점 오름과 어는점 내림을 이용한 용질의 분자량 구하기
일상생활에서 끓는점 오름과 어는점 내림

03 묽은 용액의 성질 (2)

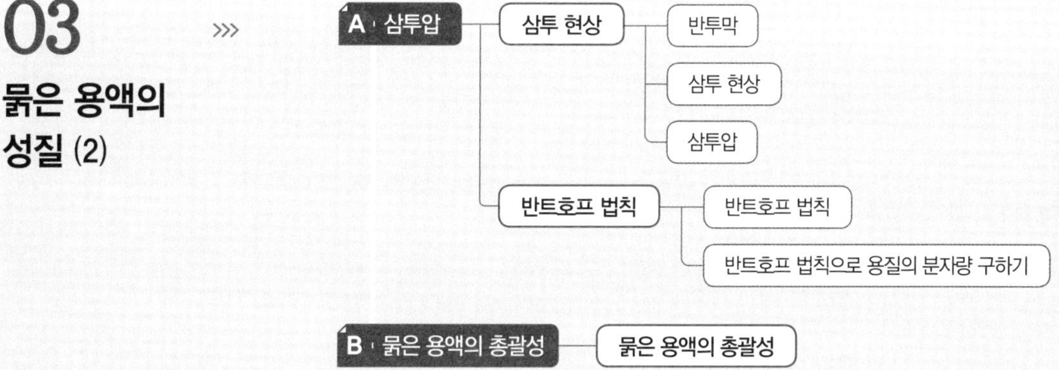

A 삼투압
삼투 현상
반투막
삼투 현상
삼투압
반트호프 법칙
반트호프 법칙
반트호프 법칙으로 용질의 분자량 구하기
B 묽은 용액의 총괄성
묽은 용액의 총괄성

01 용액의 농도

개념책 072~077쪽

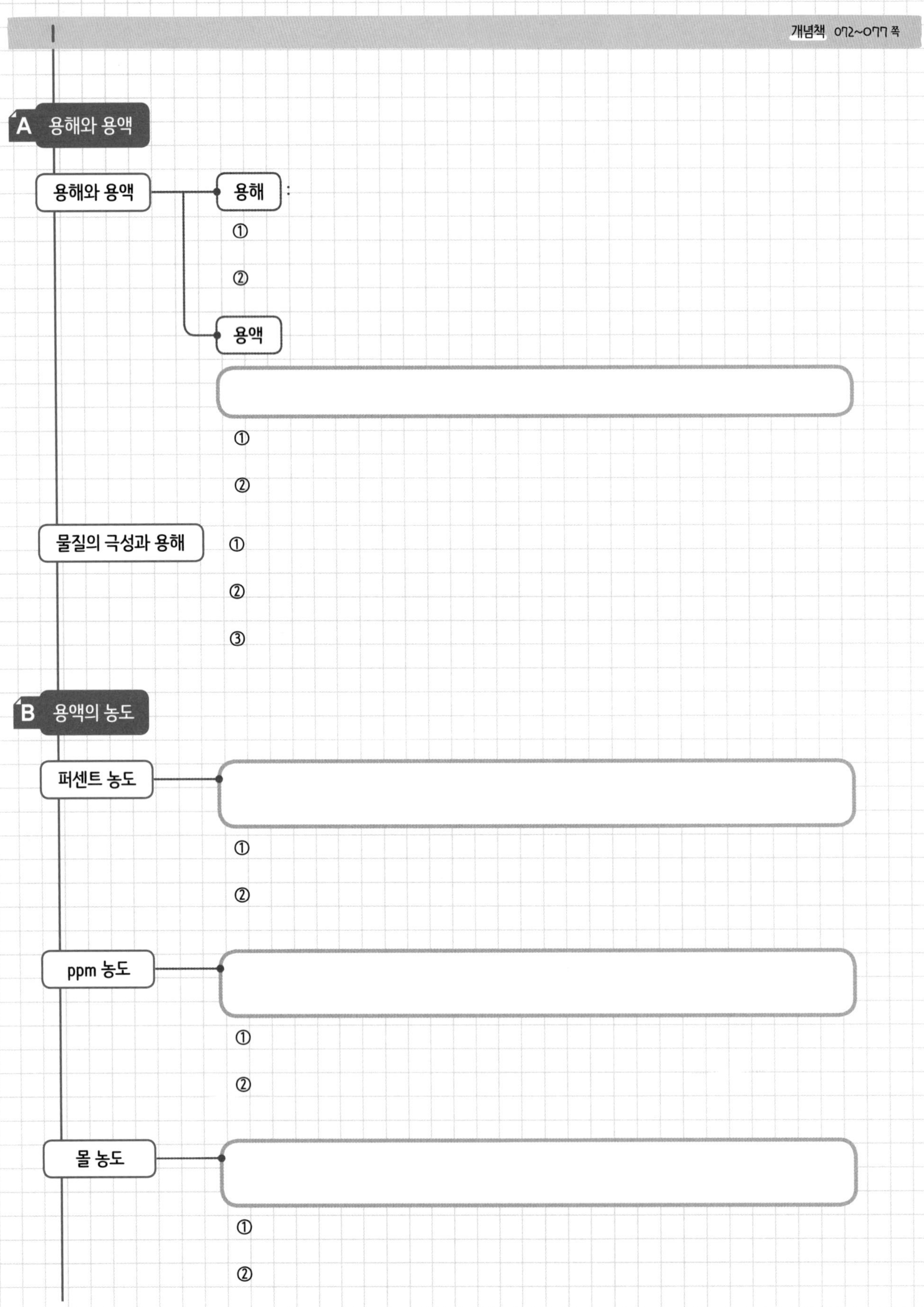

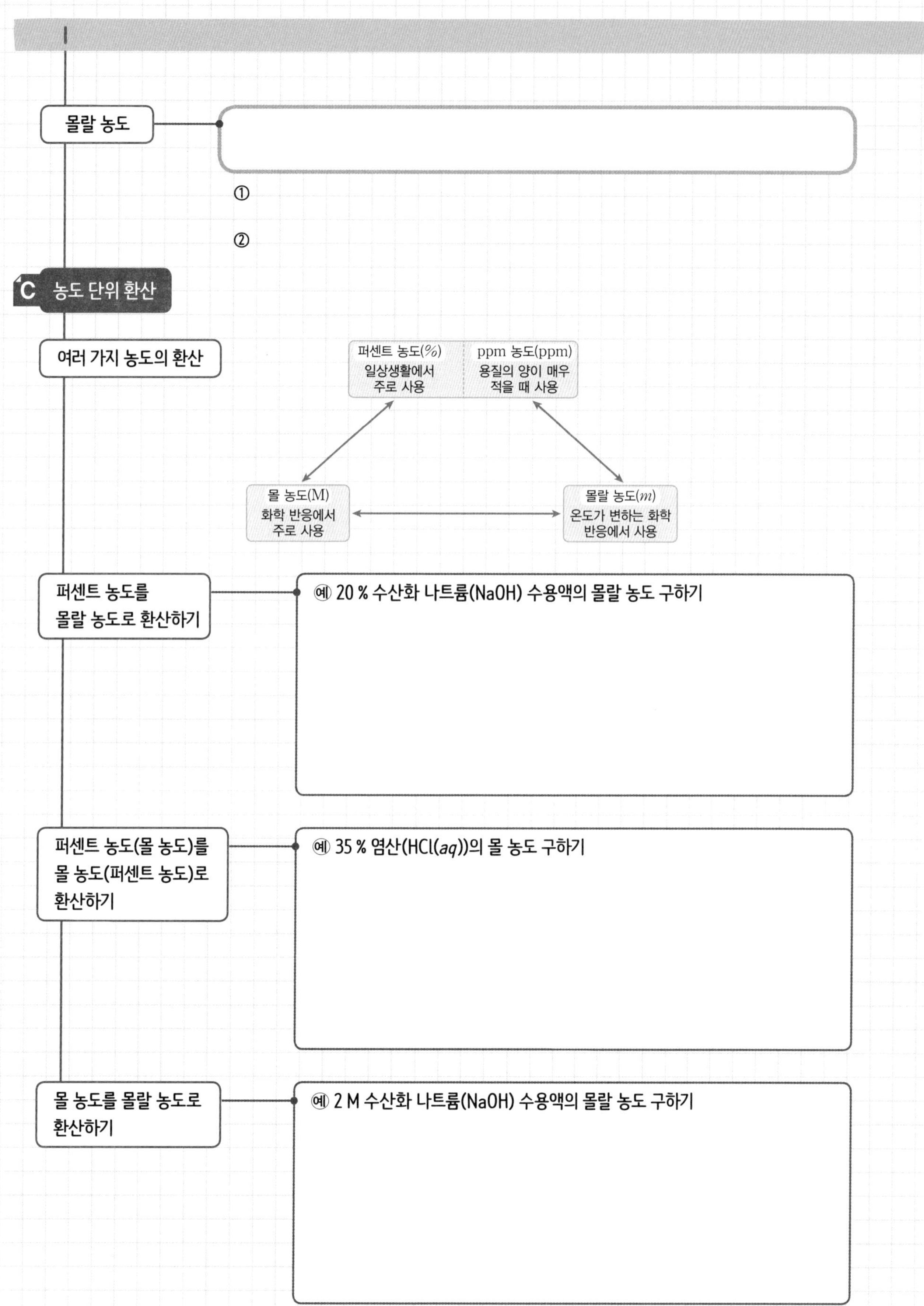

몰랄 농도
①
②
C 농도 단위 환산
여러 가지 농도의 환산
퍼센트 농도(%)
일상생활에서 주로 사용
ppm 농도(ppm)
용질의 양이 매우 적을 때 사용
몰 농도(M)
화학 반응에서 주로 사용
몰랄 농도(m)
온도가 변하는 화학 반응에서 사용
퍼센트 농도를 몰랄 농도로 환산하기
예 20 % 수산화 나트륨(NaOH) 수용액의 몰랄 농도 구하기
퍼센트 농도(몰 농도)를 몰 농도(퍼센트 농도)로 환산하기
예 35 % 염산(HCl(aq))의 몰 농도 구하기
몰 농도를 몰랄 농도로 환산하기
예 2 M 수산화 나트륨(NaOH) 수용액의 몰랄 농도 구하기

02 묽은 용액의 성질 (1)

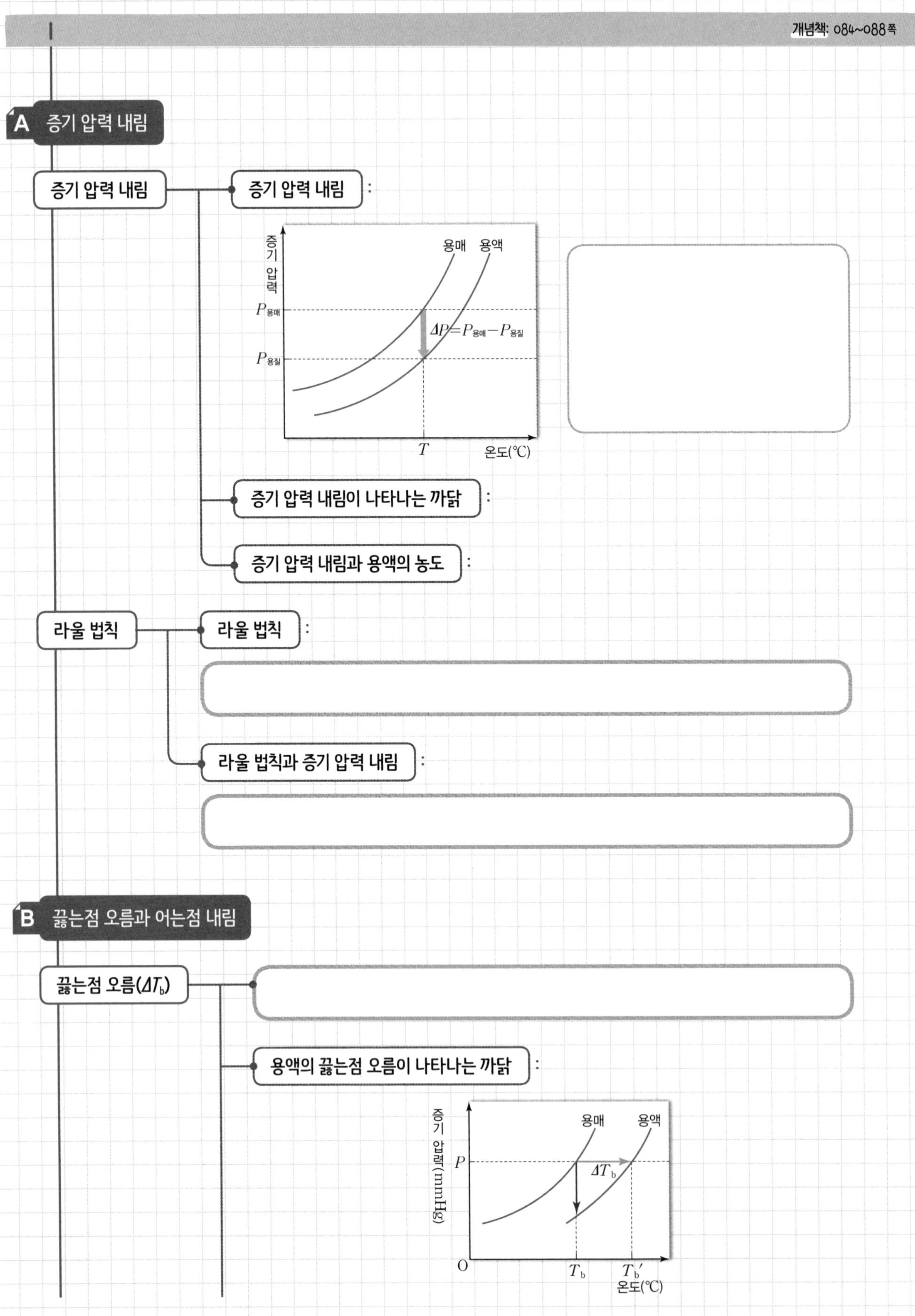
개념책: 084~088쪽
A 증기 압력 내림
증기 압력 내림
증기 압력 내림 :
증기 압력
용매 용액
$P_{용매}$
$P_{용질}$
$\Delta P = P_{용매} - P_{용질}$
T
온도(℃)
증기 압력 내림이 나타나는 까닭 :
증기 압력 내림과 용액의 농도 :
라울 법칙
라울 법칙 :
라울 법칙과 증기 압력 내림 :
B 끓는점 오름과 어는점 내림
끓는점 오름(ΔT_b)
용액의 끓는점 오름이 나타나는 까닭 :
증기 압력(mmHg)
용매 용액
P
ΔT_b
O
T_b
T_b'
온도(℃)

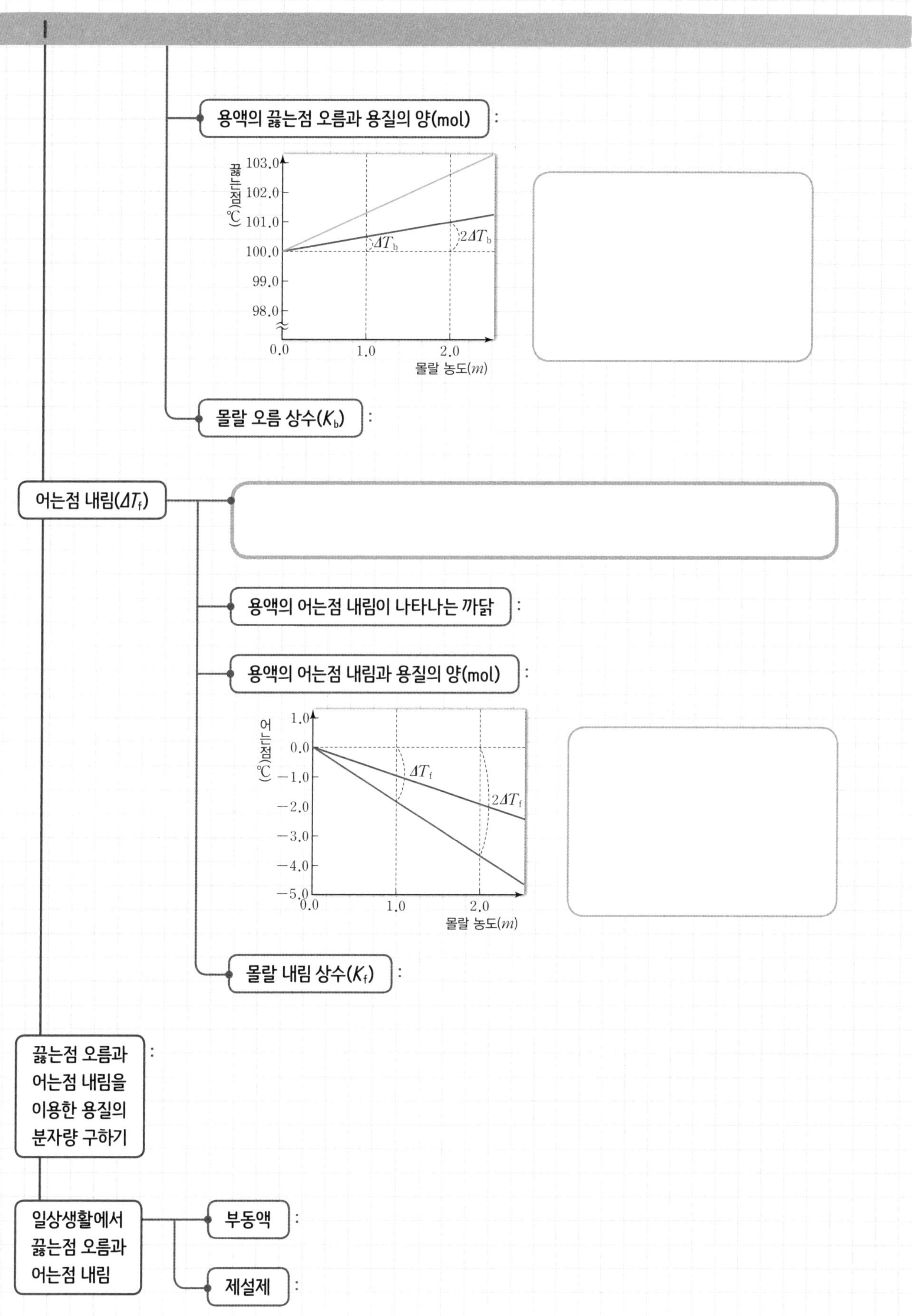

용액의 끓는점 오름과 용질의 양(mol) :
끓는점(℃)
103.0
102.0
101.0
100.0
99.0
98.0
0.0
1.0
2.0
몰랄 농도(m)
ΔTb
2ΔTb
몰랄 오름 상수(Kb) :
어는점 내림(ΔTf)
용액의 어는점 내림이 나타나는 까닭 :
용액의 어는점 내림과 용질의 양(mol) :
어는점(℃)
1.0
0.0
−1.0
−2.0
−3.0
−4.0
−5.0
0.0
1.0
2.0
몰랄 농도(m)
ΔTf
2ΔTf
몰랄 내림 상수(Kf) :
끓는점 오름과 어는점 내림을 이용한 용질의 분자량 구하기 :
일상생활에서 끓는점 오름과 어는점 내림
부동액 :
제설제 :

03 묽은 용액의 성질 (2)

개념책: 094~096쪽

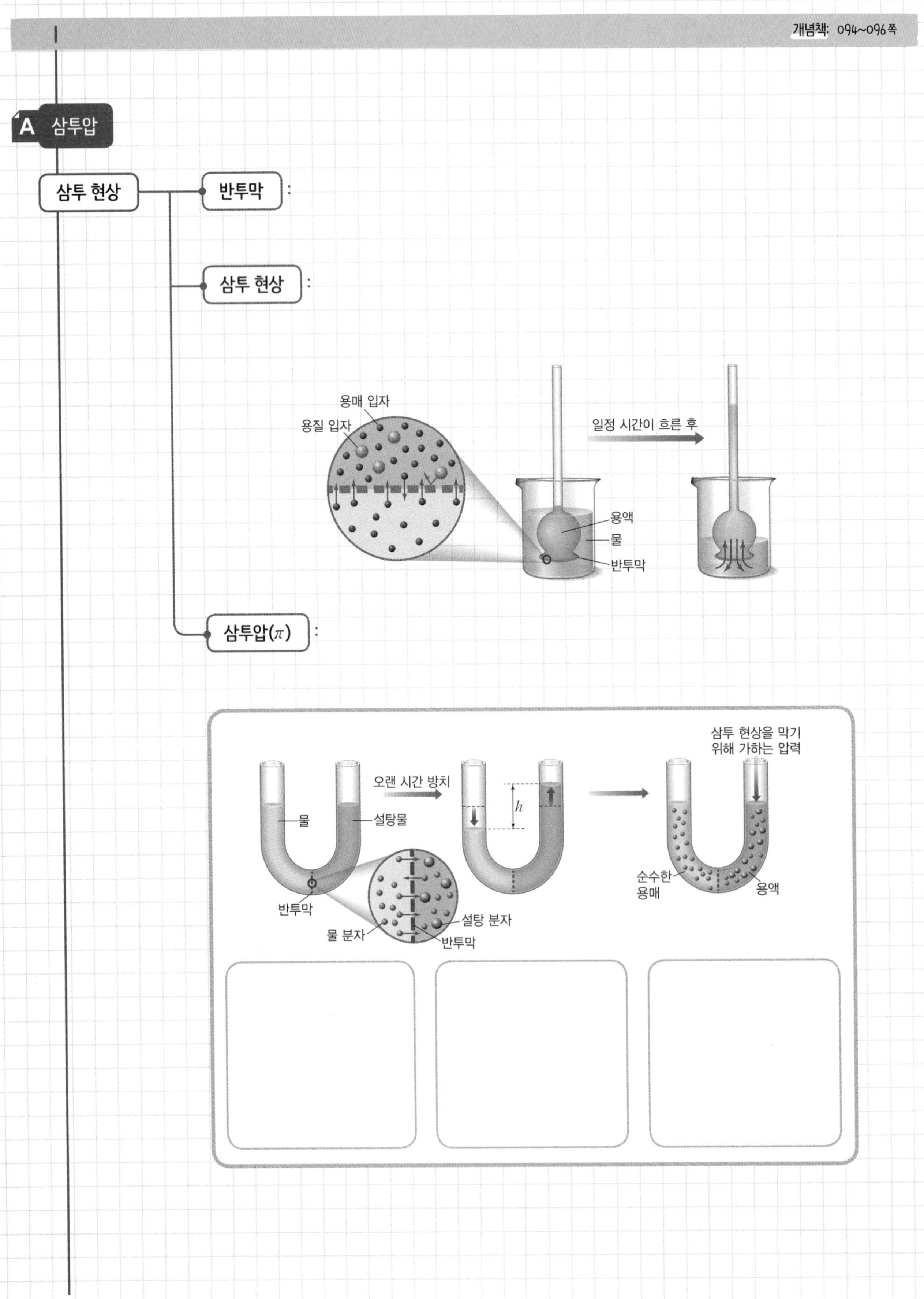

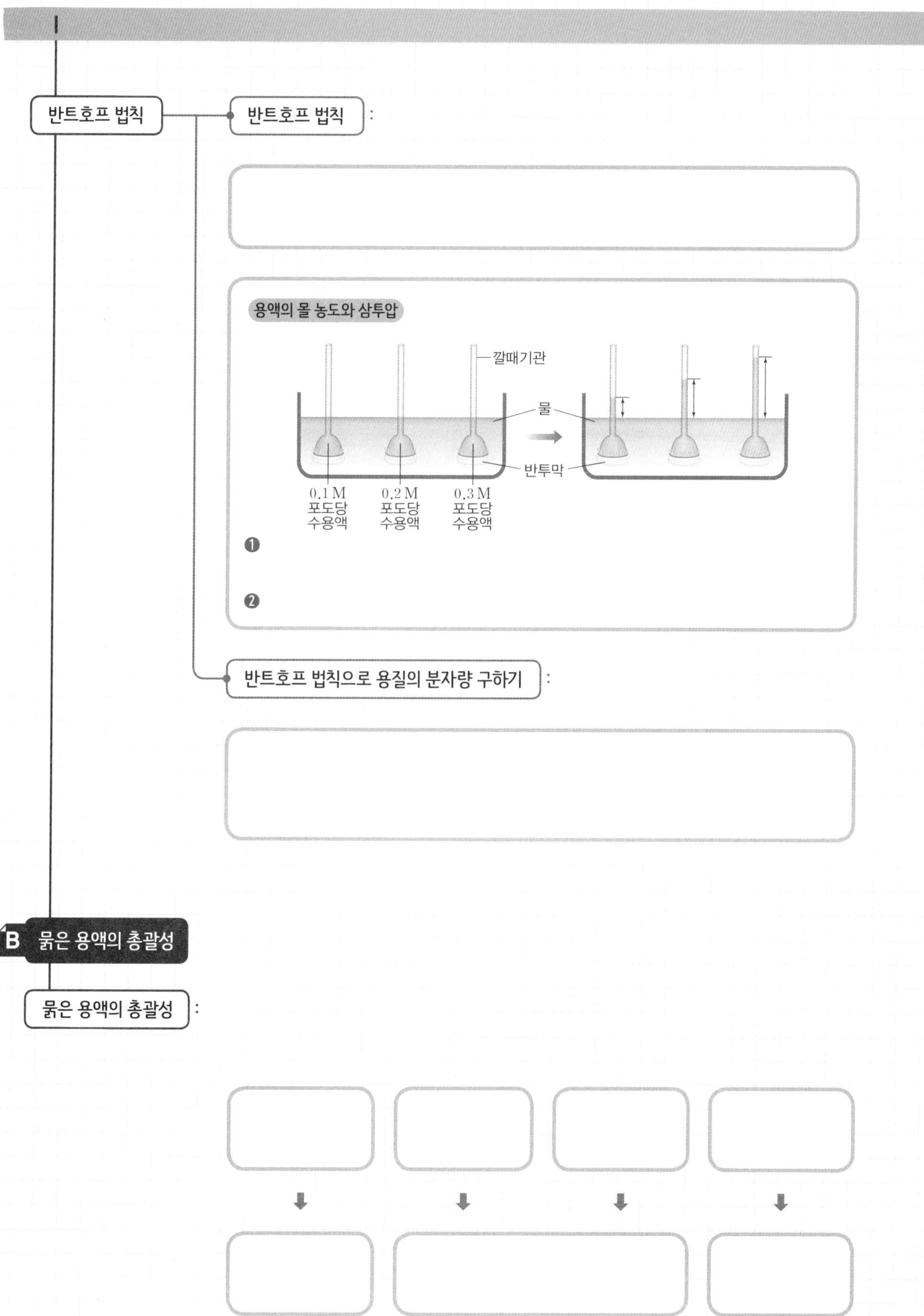
반트호프 법칙
반트호프 법칙 :
용액의 몰 농도와 삼투압
깔때기관
물
반투막
0.1 M 포도당 수용액
0.2 M 포도당 수용액
0.3 M 포도당 수용액
❶
❷
반트호프 법칙으로 용질의 분자량 구하기 :
B 묽은 용액의 총괄성
묽은 용액의 총괄성 :

단원 정리하기

그림으로 정리하기

그림에 자신만의 설명을 덧붙여 단원의 핵심 내용을 정리해 보자.

1 기체 관련 법칙

보일 법칙	샤를 법칙	아보가드로 법칙
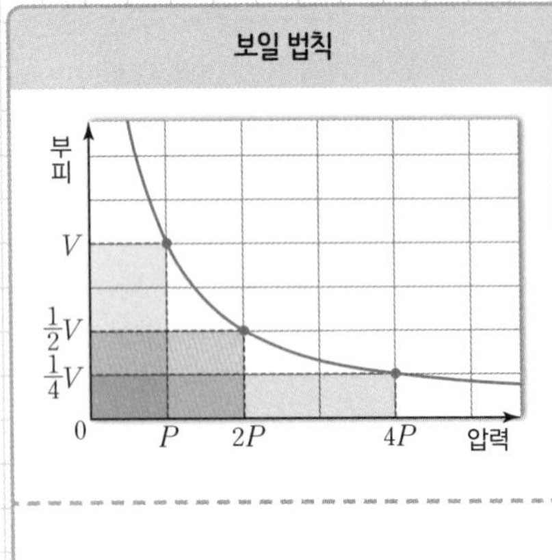	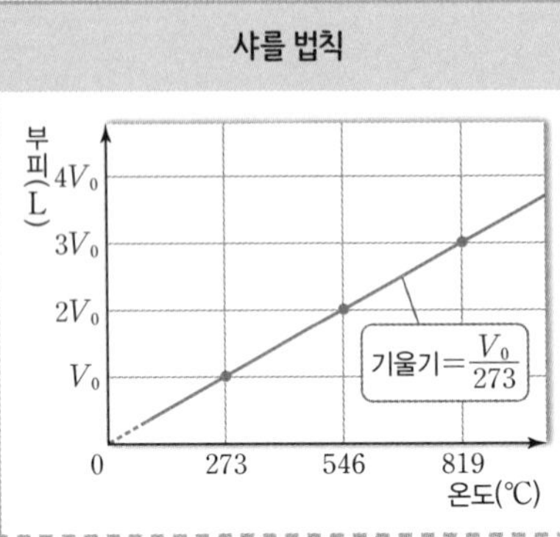	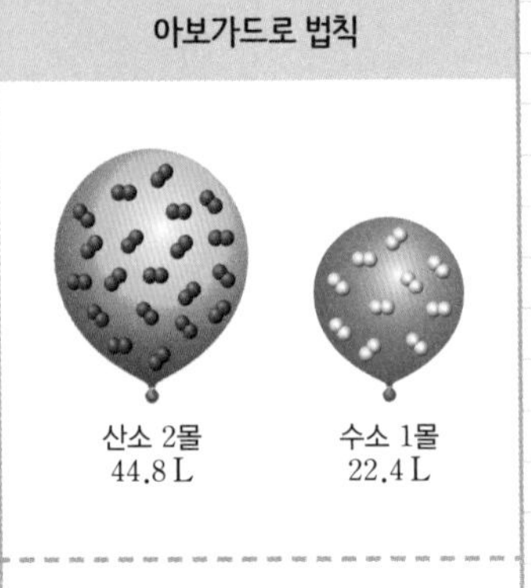

➡ 이상 기체 방정식:

2 물 분자의 구조와 수소 결합

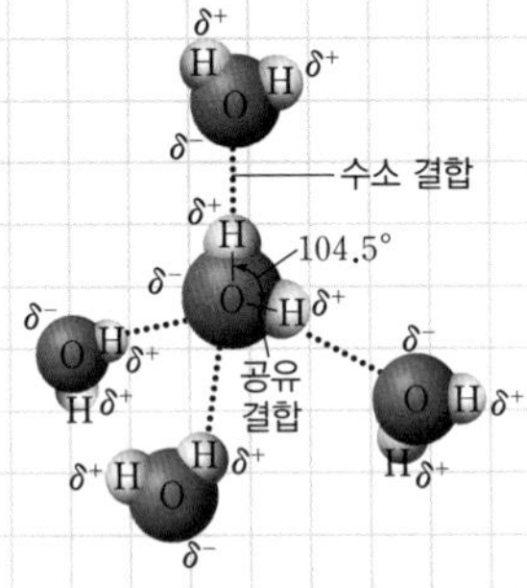

- 구조

- 극성

- 수소 결합

3 끓는점 오름과 어는점 내림

구분	끓는점 오름	어는점 내림
발생 까닭		
용질의 양과의 관계		

마인드맵으로 정리하기

- 자신만의 마인드맵을 만들어 단원의 핵심 내용을 정리해 보자.

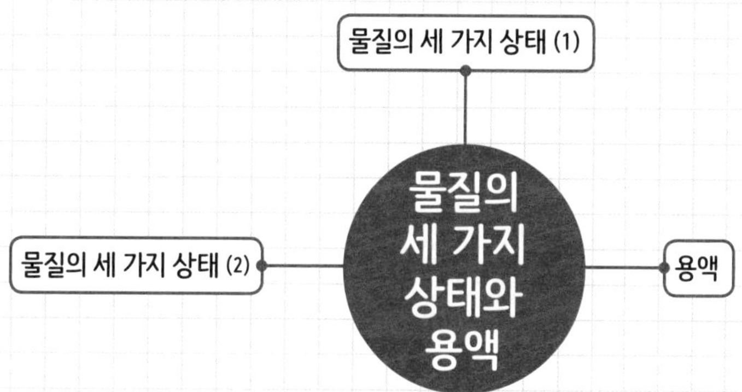

» 선배들이 작성한 정리노트 바로가기

1

반응엔탈피

01 >>>

반응엔탈피와 열화학 반응식

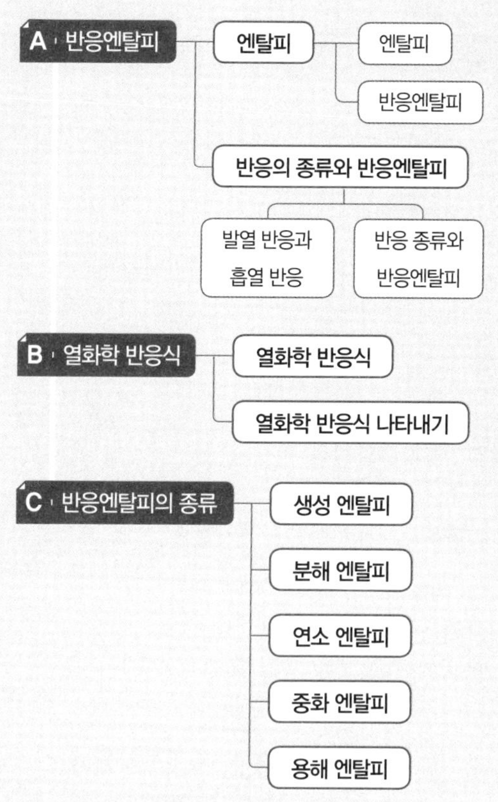

02 >>>

헤스 법칙

- A 결합 에너지와 반응엔탈피
  - 화학 반응과 결합 에너지
  - 결합 에너지와 반응엔탈피
  - $HCl(g)$의 생성 엔탈피 구하기
- B 헤스 법칙
  - 총열량 불변의 법칙
  - 헤스 법칙의 이용

01 반응엔탈피와 열화학 반응식

개념책 114~118 쪽

A 반응엔탈피

엔탈피
- **정의** :
- **반응엔탈피** :

반응의 종류와 반응엔탈피
- **발열 반응과 흡열 반응** :

구분	발열 반응	흡열 반응
정의		
엔탈피 변화	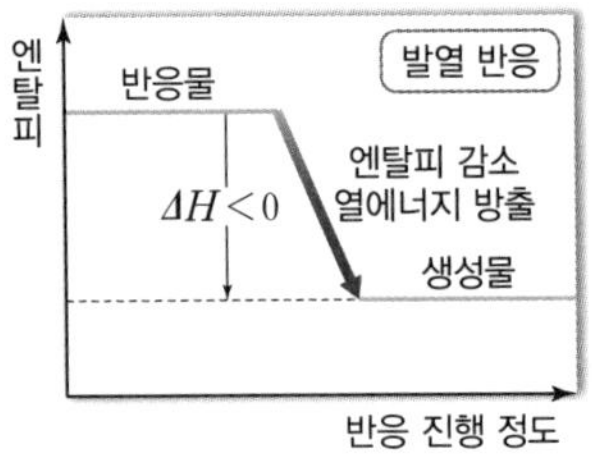	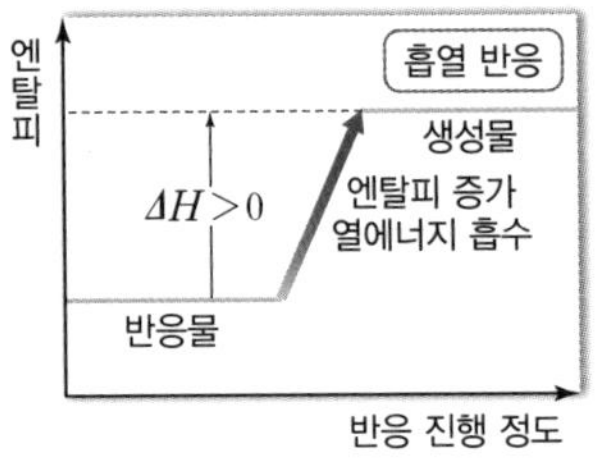
물질의 엔탈피		
주위의 온도		
반응의 예		

- **반응의 종류와 반응엔탈피** :

① 발열 반응:

② 흡열 반응:

B 열화학 반응식

열화학 반응식
- **정의** :

① 발열 반응:

② 흡열 반응:

열화학 반응식 나타내기 :

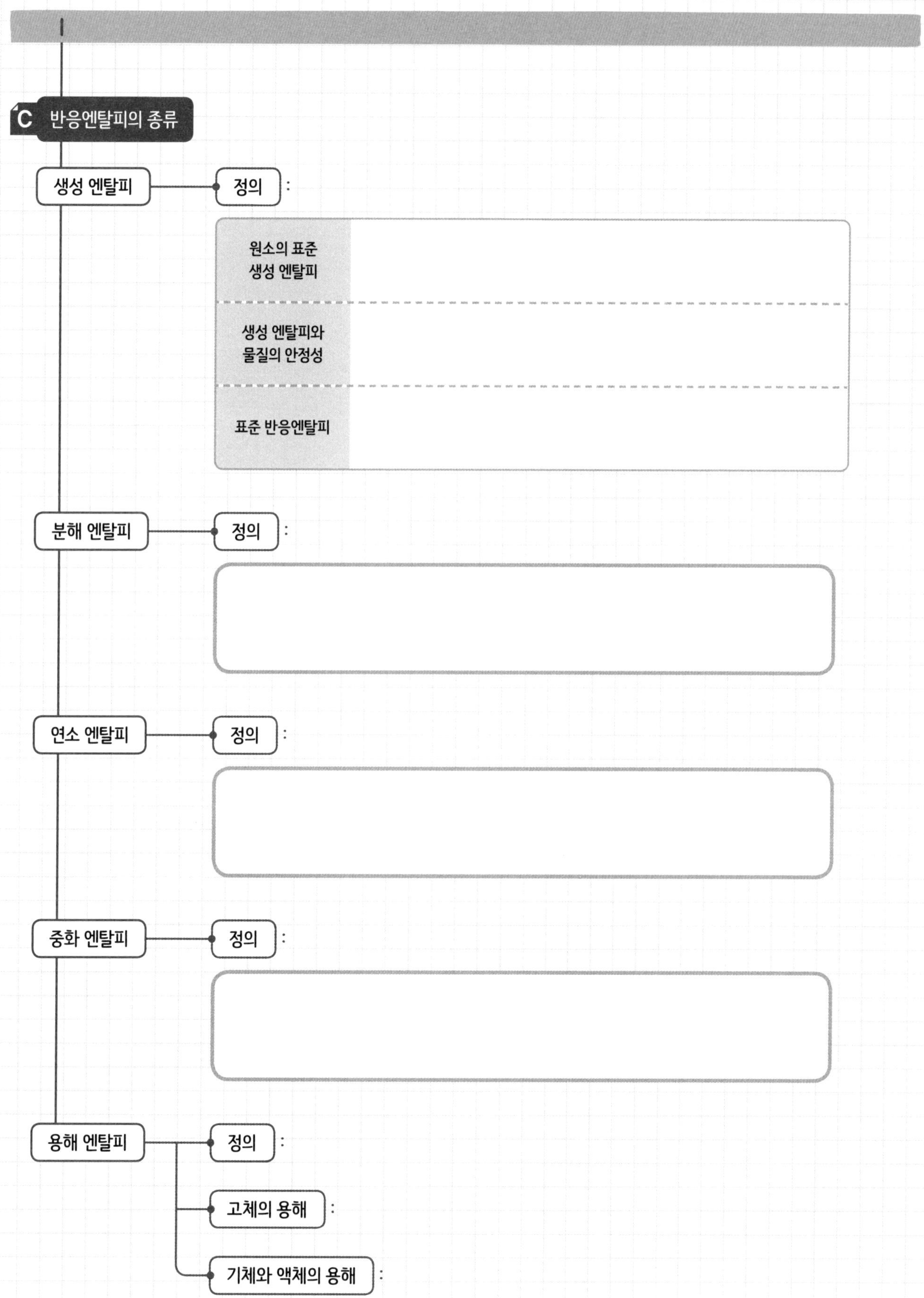
C 반응엔탈피의 종류
생성 엔탈피
정의 :
원소의 표준 생성 엔탈피
생성 엔탈피와 물질의 안정성
표준 반응엔탈피
분해 엔탈피
정의 :
연소 엔탈피
정의 :
중화 엔탈피
정의 :
용해 엔탈피
정의 :
고체의 용해 :
기체와 액체의 용해 :

02 헤스 법칙

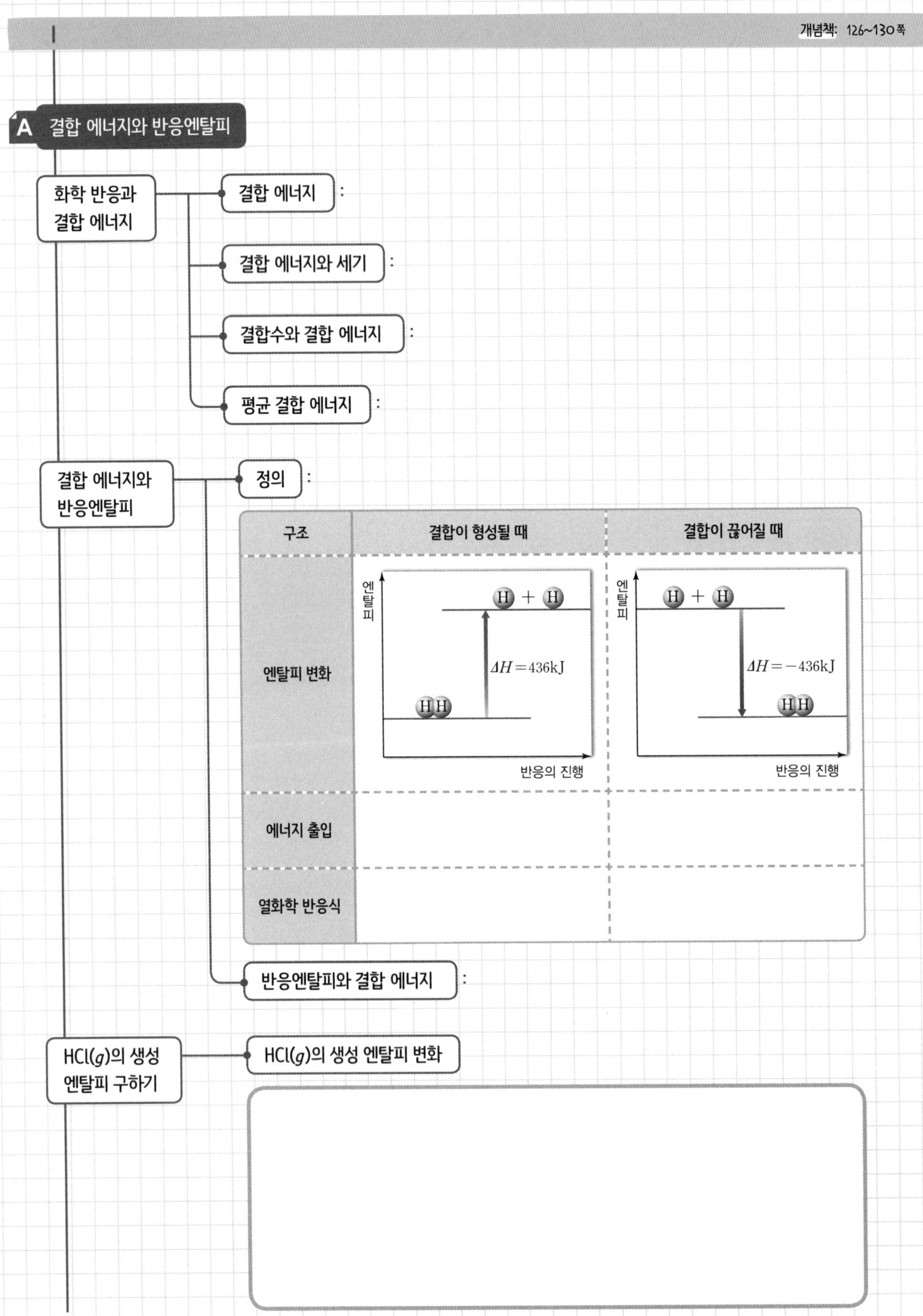
개념책: 126~130쪽
A 결합 에너지와 반응엔탈피
화학 반응과 결합 에너지
결합 에너지 :
결합 에너지와 세기 :
결합수와 결합 에너지 :
평균 결합 에너지 :
결합 에너지와 반응엔탈피
정의 :
구조
결합이 형성될 때
결합이 끊어질 때
엔탈피 변화
엔탈피
H + H
ΔH=436kJ
HH
반응의 진행
ΔH=−436kJ
에너지 출입
열화학 반응식
반응엔탈피와 결합 에너지 :
HCl(g)의 생성 엔탈피 구하기
HCl(g)의 생성 엔탈피 변화

B 헤스 법칙

총열량 불변의 법칙 — 정의 :

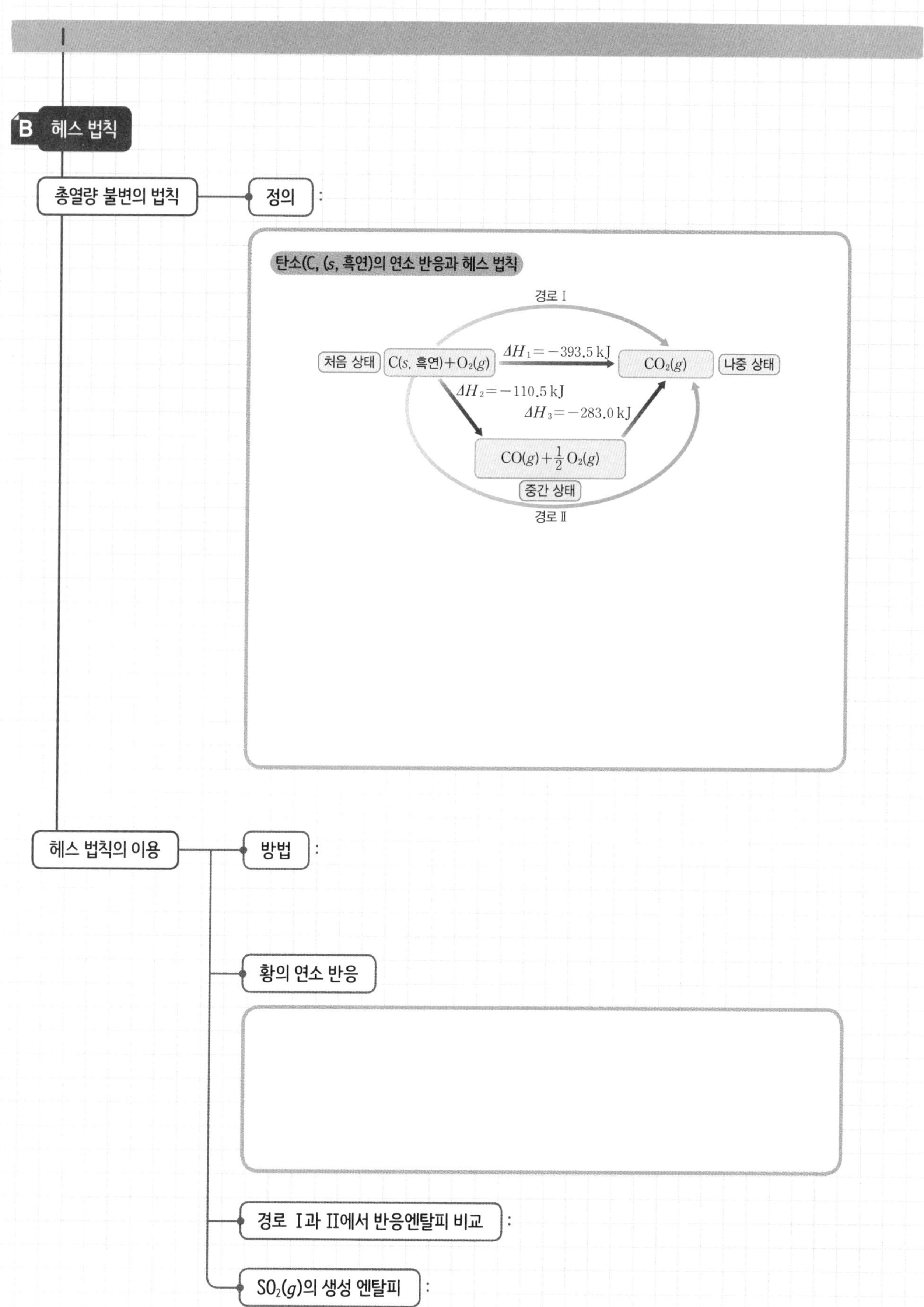

2 화학 평형과 평형 이동

01 화학 평형

>>>

A 화학 평형
- 정반응과 역반응
- 가역 반응과 비가역 반응
- 화학 평형

B 평형 상수
- 화학 평형 법칙
- 평형 상수
- 평형 상수 구하기
- 평형 상수의 의미

C 화학 반응의 진행 방향 예측
- 반응 지수 Q
- 반응 진행 방향 예측

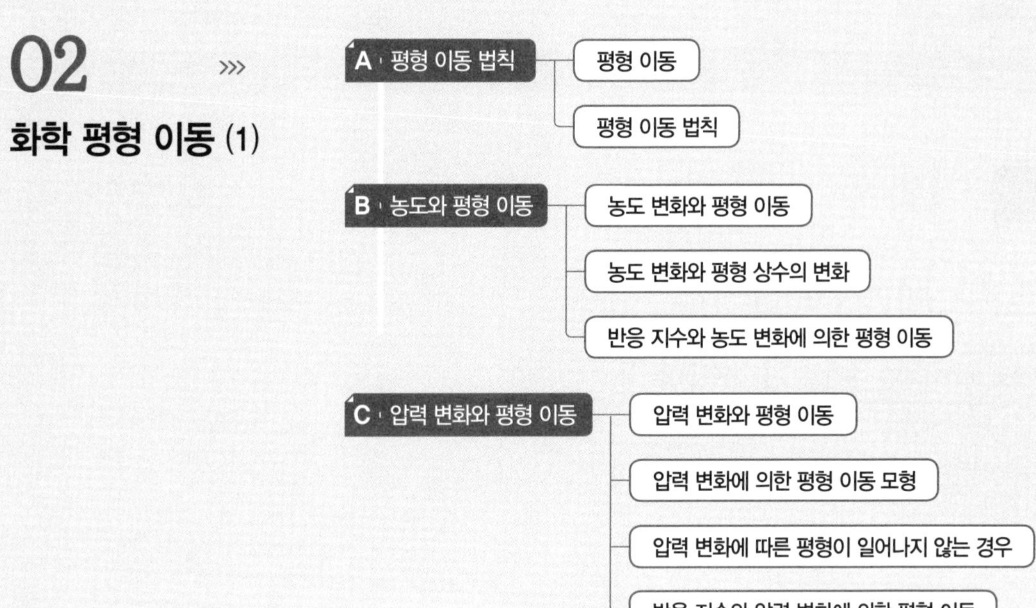

02
화학 평형 이동 (1)
A 평형 이동 법칙
평형 이동
평형 이동 법칙
B 농도와 평형 이동
농도 변화와 평형 이동
농도 변화와 평형 상수의 변화
반응 지수와 농도 변화에 의한 평형 이동
C 압력 변화와 평형 이동
압력 변화와 평형 이동
압력 변화에 의한 평형 이동 모형
압력 변화에 따른 평형이 일어나지 않는 경우
반응 지수와 압력 변화에 의한 평형 이동

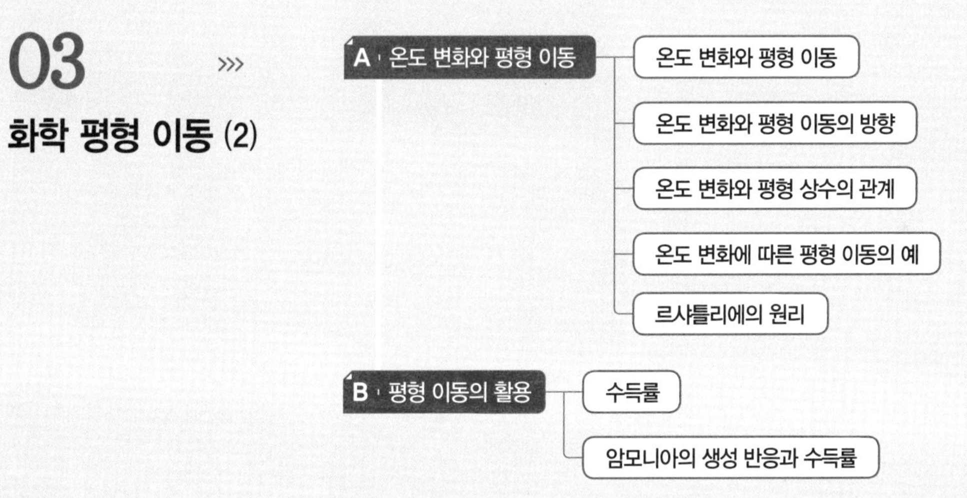

03
화학 평형 이동 (2)
A 온도 변화와 평형 이동
온도 변화와 평형 이동
온도 변화와 평형 이동의 방향
온도 변화와 평형 상수의 관계
온도 변화에 따른 평형 이동의 예
르샤틀리에의 원리
B 평형 이동의 활용
수득률
암모니아의 생성 반응과 수득률

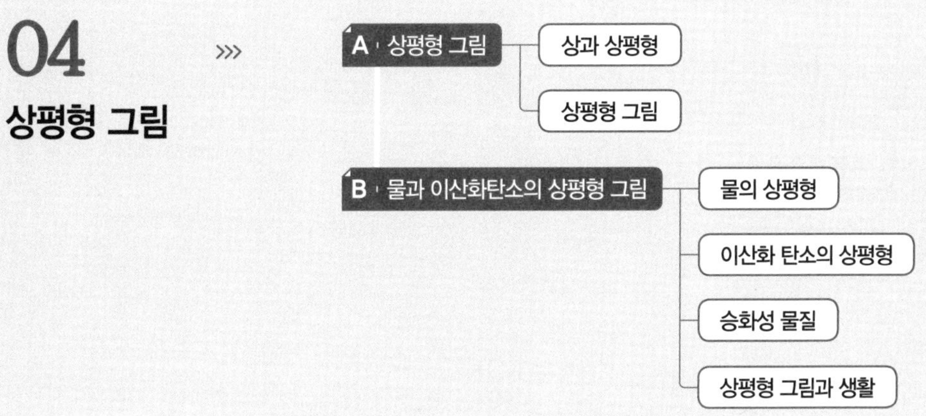

04
상평형 그림
A 상평형 그림
상과 상평형
상평형 그림
B 물과 이산화탄소의 상평형 그림
물의 상평형
이산화 탄소의 상평형
승화성 물질
상평형 그림과 생활

01 화학 평형

개념책 144~149 쪽

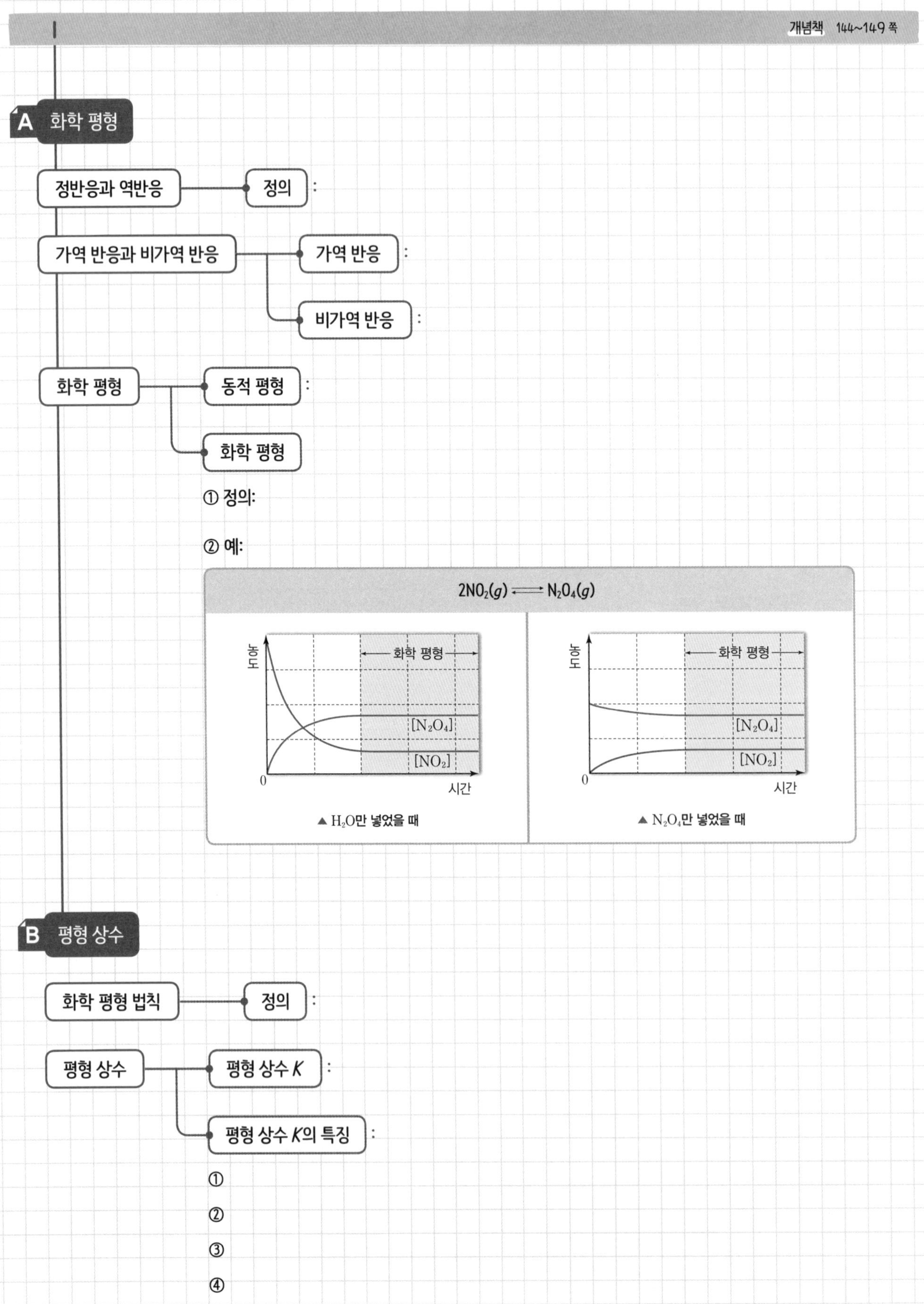

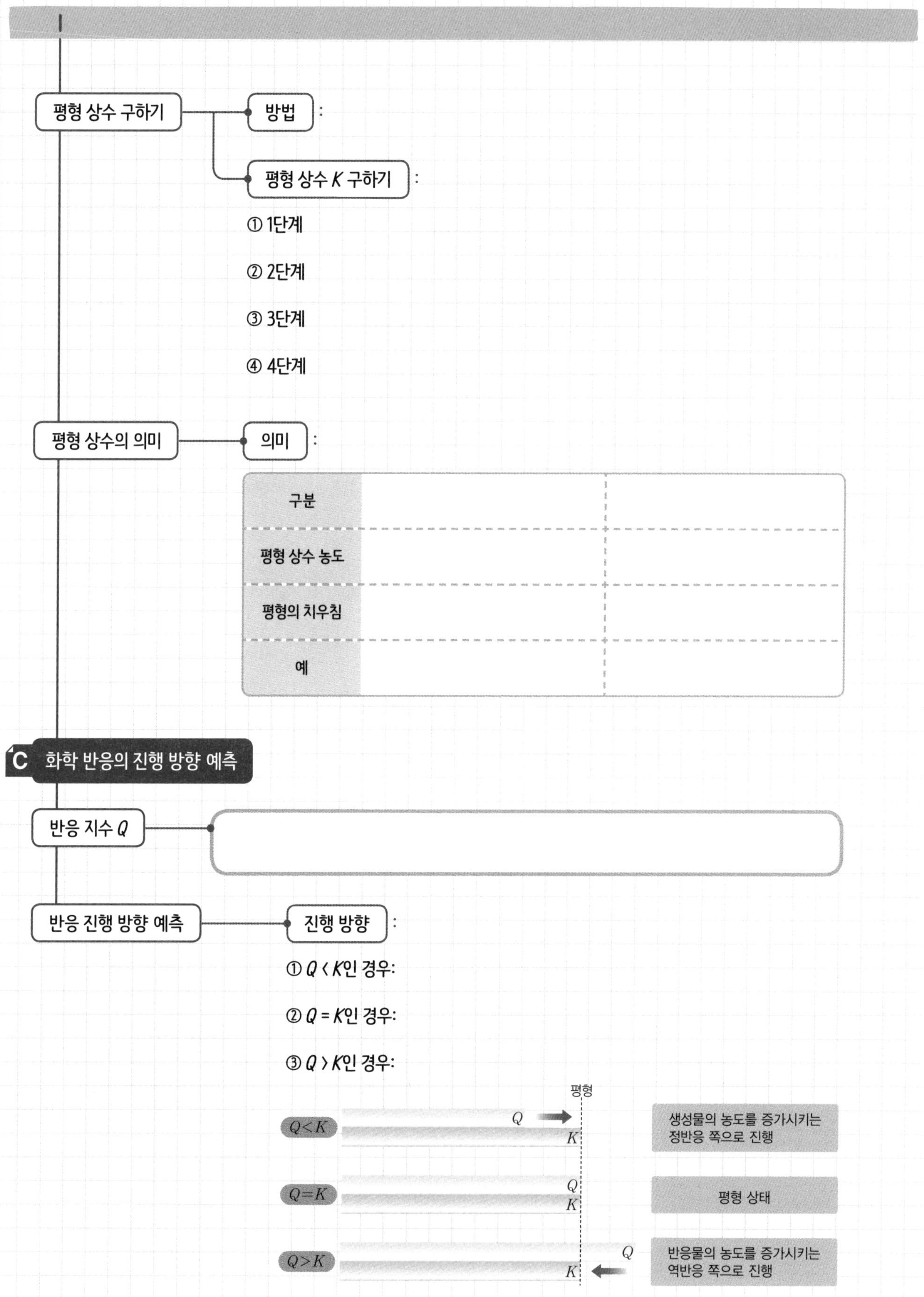

구분		
평형 상수 농도		
평형의 치우침		
예		

C 화학 반응의 진행 방향 예측

02 화학 평형 이동 (1)

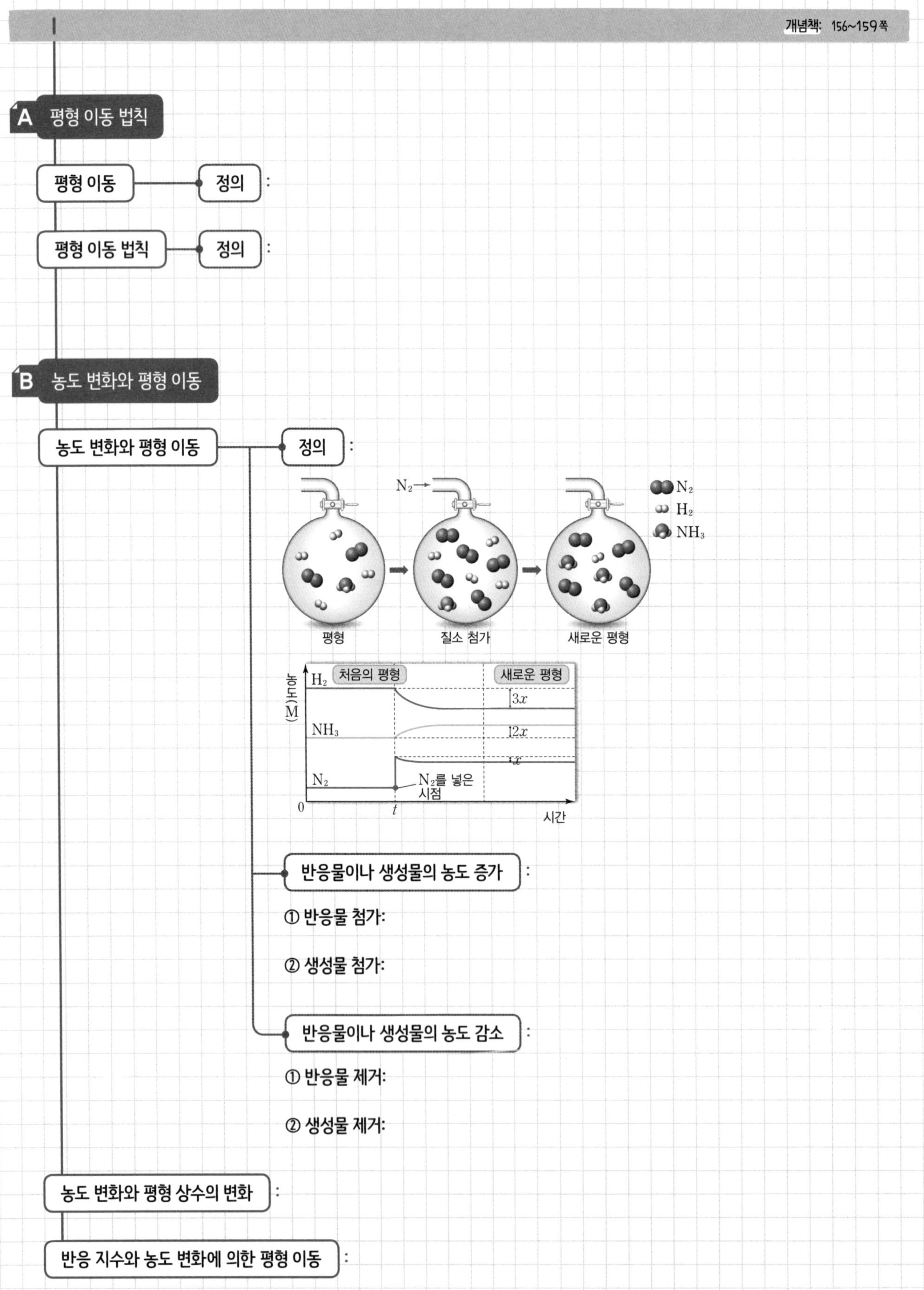
개념책: 156~159 쪽
A 평형 이동 법칙
평형 이동
정의 :
평형 이동 법칙
정의 :
B 농도 변화와 평형 이동
농도 변화와 평형 이동
정의 :
N_2
H_2
NH_3
평형
질소 첨가
새로운 평형
처음의 평형
새로운 평형
농도(M)
$3x$
$2x$
x
N_2를 넣은 시점
0
t
시간
반응물이나 생성물의 농도 증가 :
① 반응물 첨가:
② 생성물 첨가:
반응물이나 생성물의 농도 감소 :
① 반응물 제거:
② 생성물 제거:
농도 변화와 평형 상수의 변화 :
반응 지수와 농도 변화에 의한 평형 이동 :

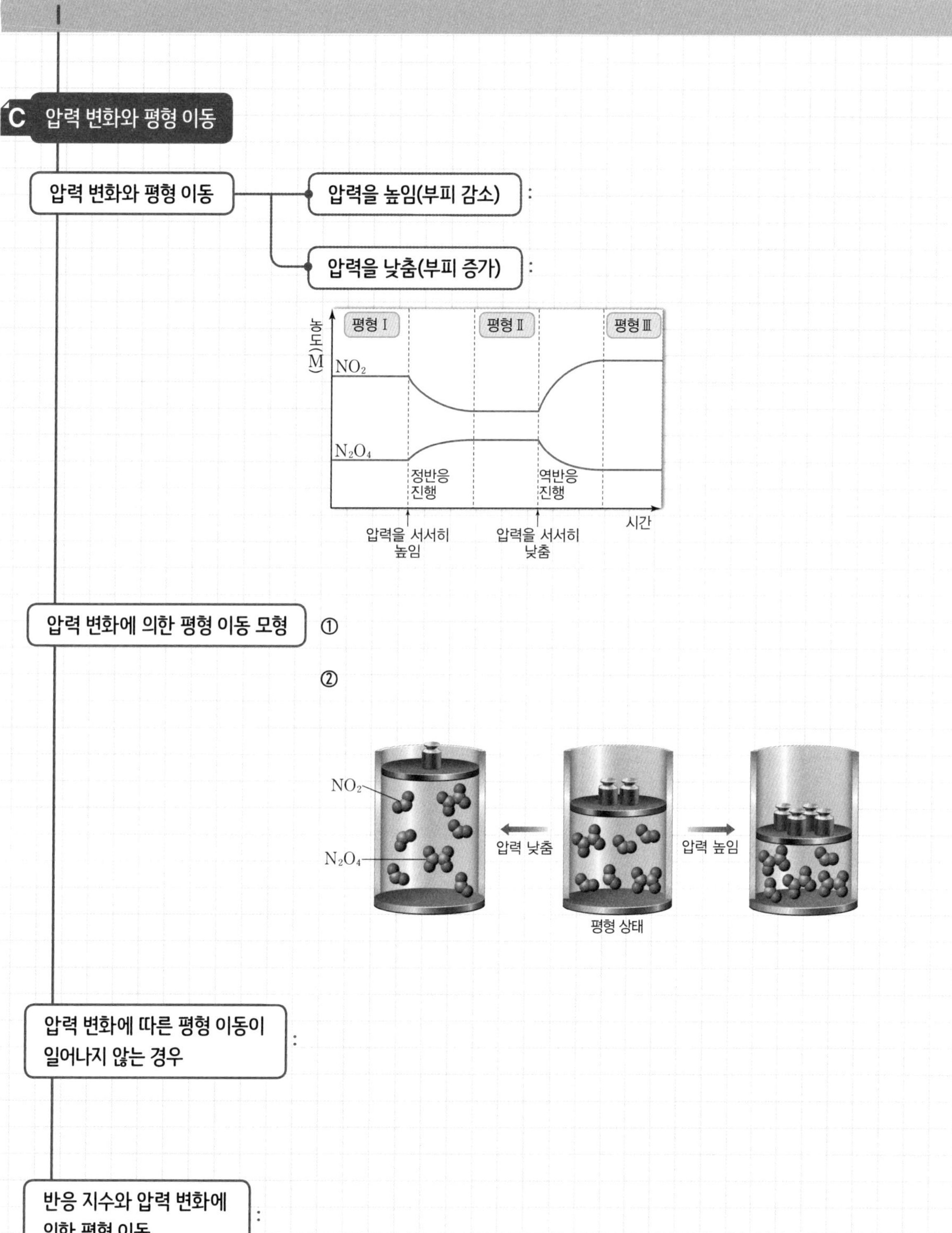
C 압력 변화와 평형 이동
압력 변화와 평형 이동
압력을 높임(부피 감소) :
압력을 낮춤(부피 증가) :
농도(M)
평형 I
평형 II
평형 III
NO_2
N_2O_4
정반응 진행
역반응 진행
시간
압력을 서서히 높임
압력을 서서히 낮춤
압력 변화에 의한 평형 이동 모형
①
②
NO_2
N_2O_4
압력 낮춤
압력 높임
평형 상태
압력 변화에 따른 평형 이동이 일어나지 않는 경우 :
반응 지수와 압력 변화에 의한 평형 이동 :

03 화학 평형 이동 (2)

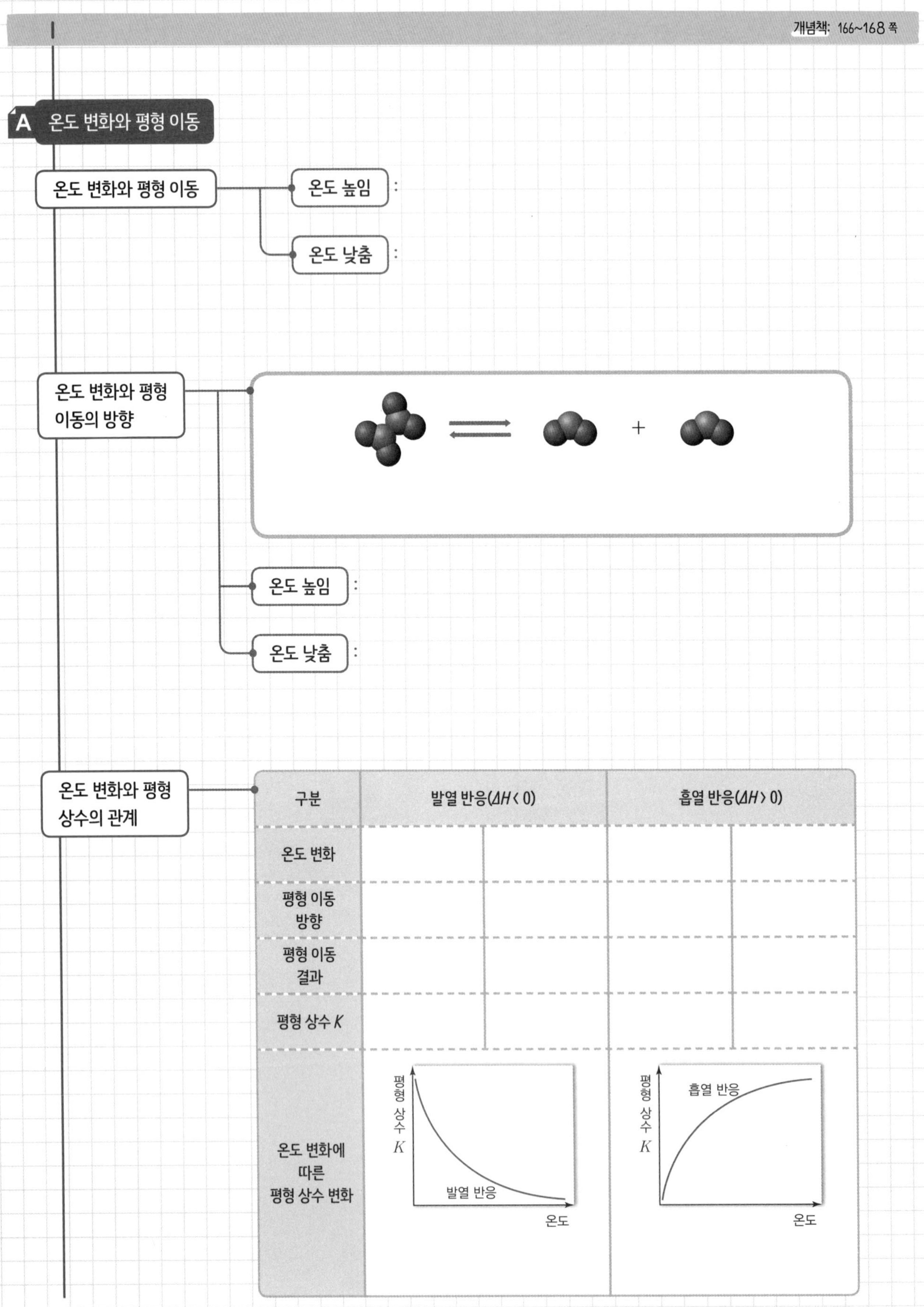

구분	발열 반응(ΔH < 0)		흡열 반응(ΔH > 0)	
온도 변화				
평형 이동 방향				
평형 이동 결과				
평형 상수 K				
온도 변화에 따른 평형 상수 변화				

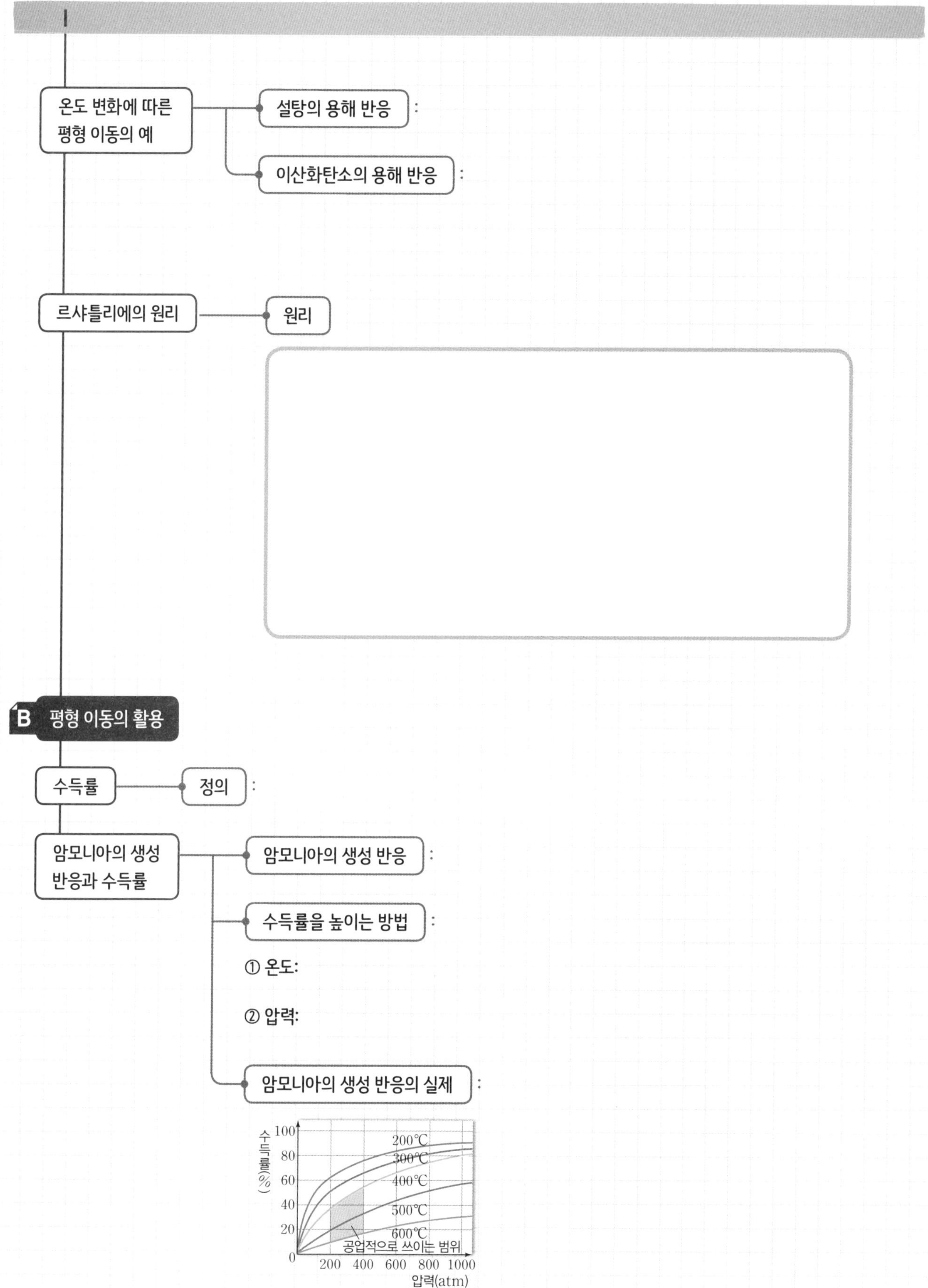
온도 변화에 따른 평형 이동의 예
설탕의 용해 반응 :
이산화탄소의 용해 반응 :
르샤틀리에의 원리
원리
B 평형 이동의 활용
수득률
정의 :
암모니아의 생성 반응과 수득률
암모니아의 생성 반응 :
수득률을 높이는 방법 :
① 온도:
② 압력:
암모니아의 생성 반응의 실제 :
수득률(%)
100
80
60
40
20
0
200 400 600 800 1000
압력(atm)
200℃
300℃
400℃
500℃
600℃
공업적으로 쓰이는 범위

04 상평형 그림

개념책: 176~178 쪽

A 상평형 그림

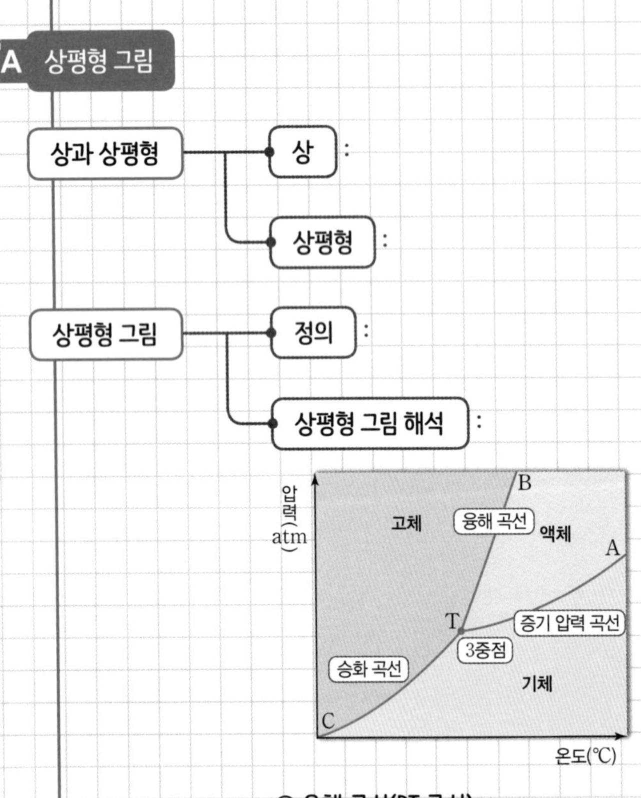

상과 상평형 — 상 :

상평형 :

상평형 그림 — 정의 :

상평형 그림 해석 :

① 융해 곡선(BT 곡선):

② 증기 압력 곡선(AT 곡선):

③ 승화 곡선(TC 곡선):

④ 3중점(T):

B 물과 이산화 탄소의 상평형 그림

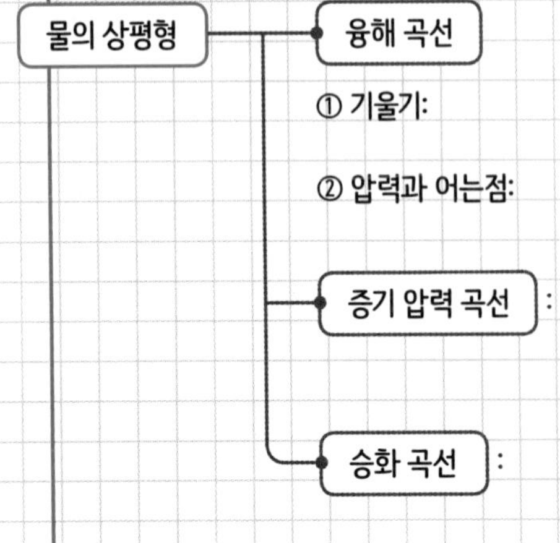

물의 상평형 — 융해 곡선

① 기울기:

② 압력과 어는점:

증기 압력 곡선 :

승화 곡선 :

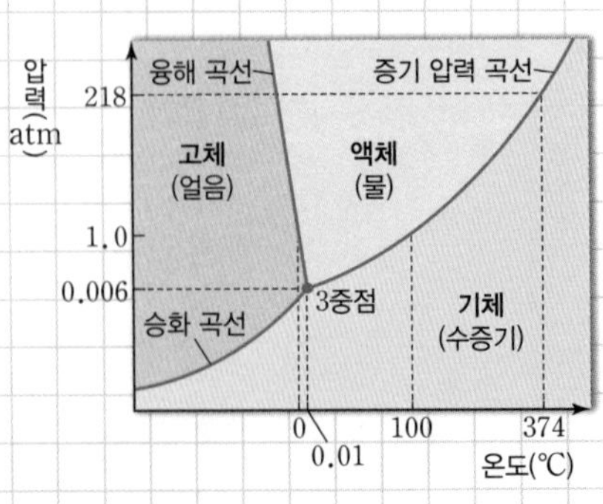

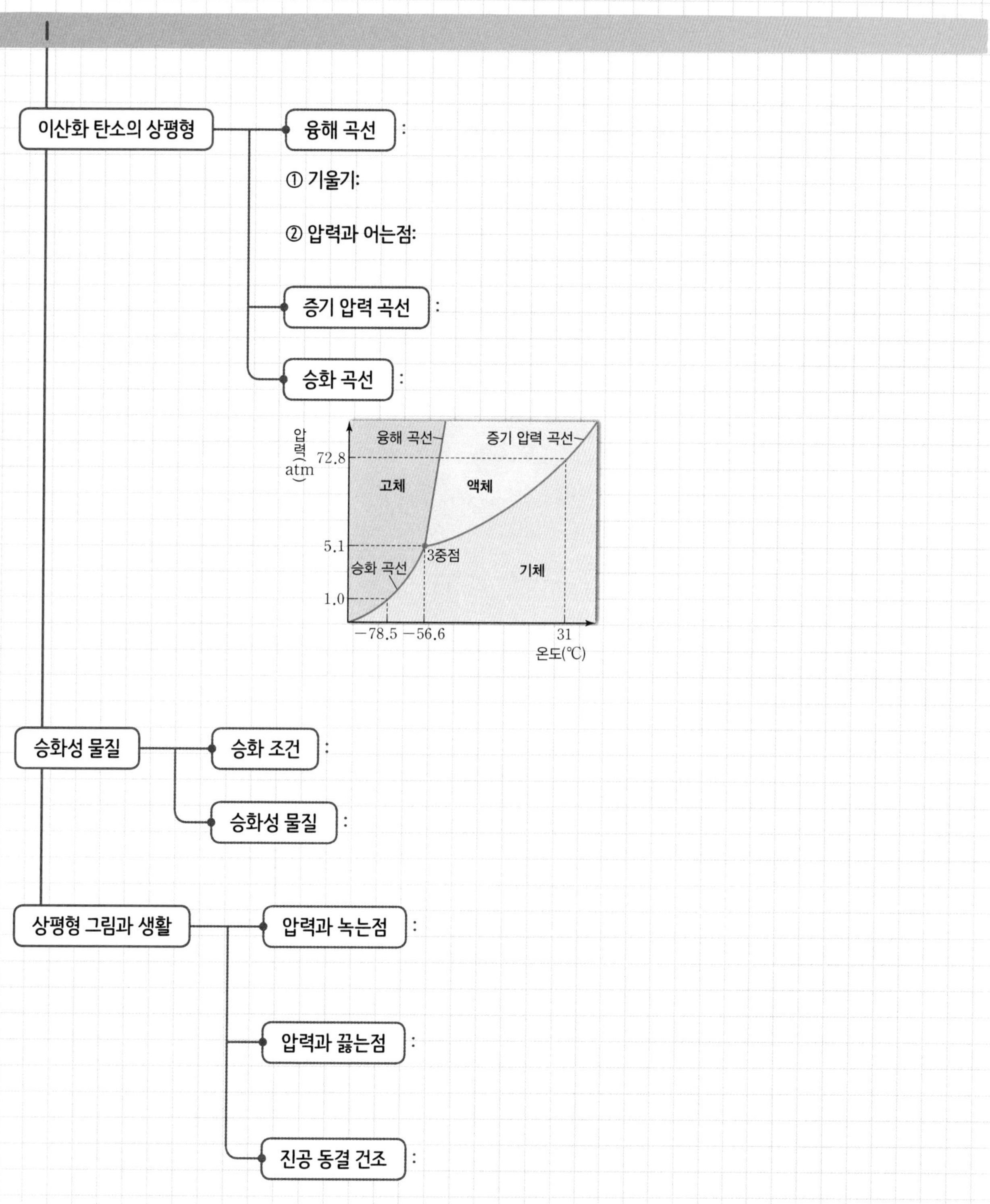
이산화 탄소의 상평형
융해 곡선 :
① 기울기:
② 압력과 어는점:
증기 압력 곡선 :
승화 곡선 :
압력(atm)
72.8
5.1
1.0
융해 곡선
증기 압력 곡선
고체
액체
3중점
승화 곡선
기체
−78.5
−56.6
31
온도(℃)
승화성 물질
승화 조건 :
승화성 물질 :
상평형 그림과 생활
압력과 녹는점 :
압력과 끓는점 :
진공 동결 건조 :

3

산 염기 평형

01 >>>

산 염기의 세기

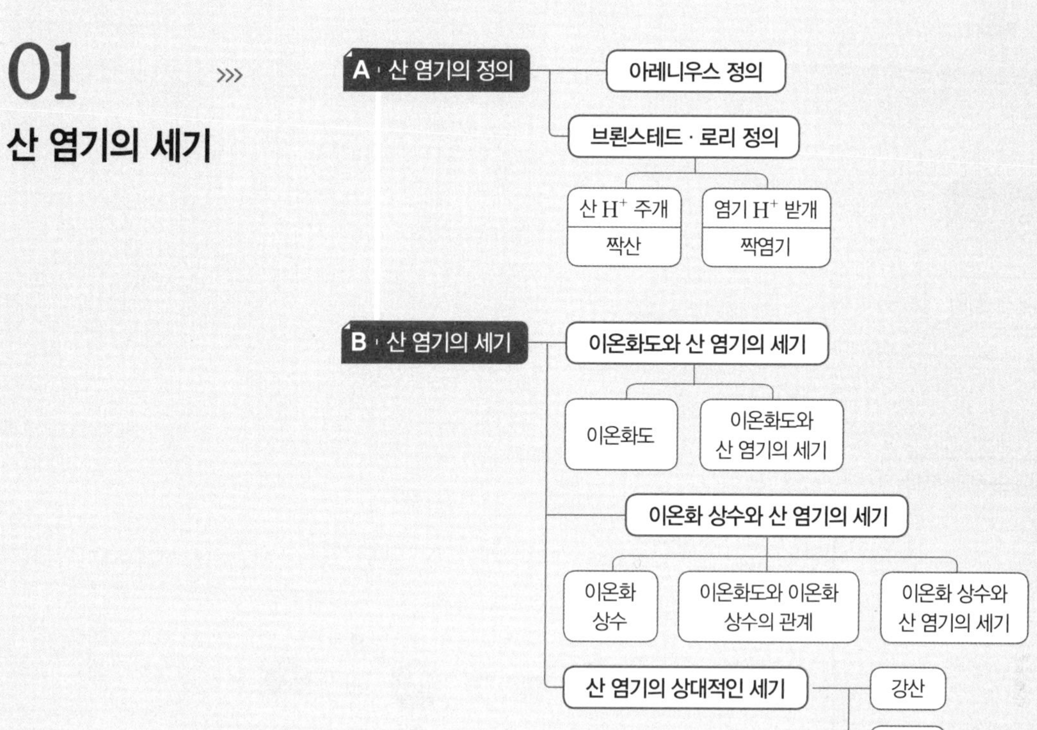

02 >>>

염의 가수 분해와 완충 용액

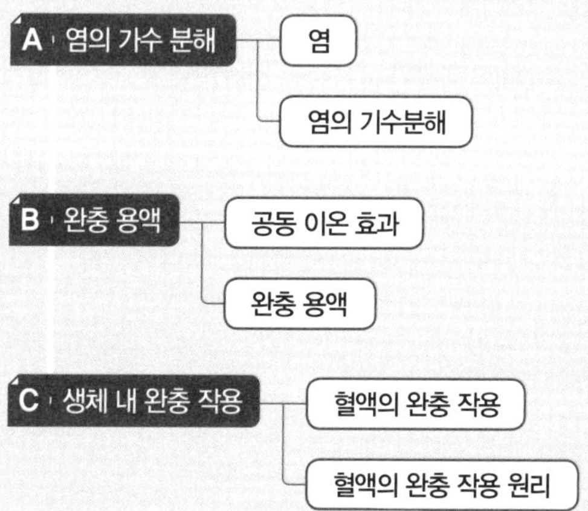

01 산 염기의 세기

개념책 190~193 쪽

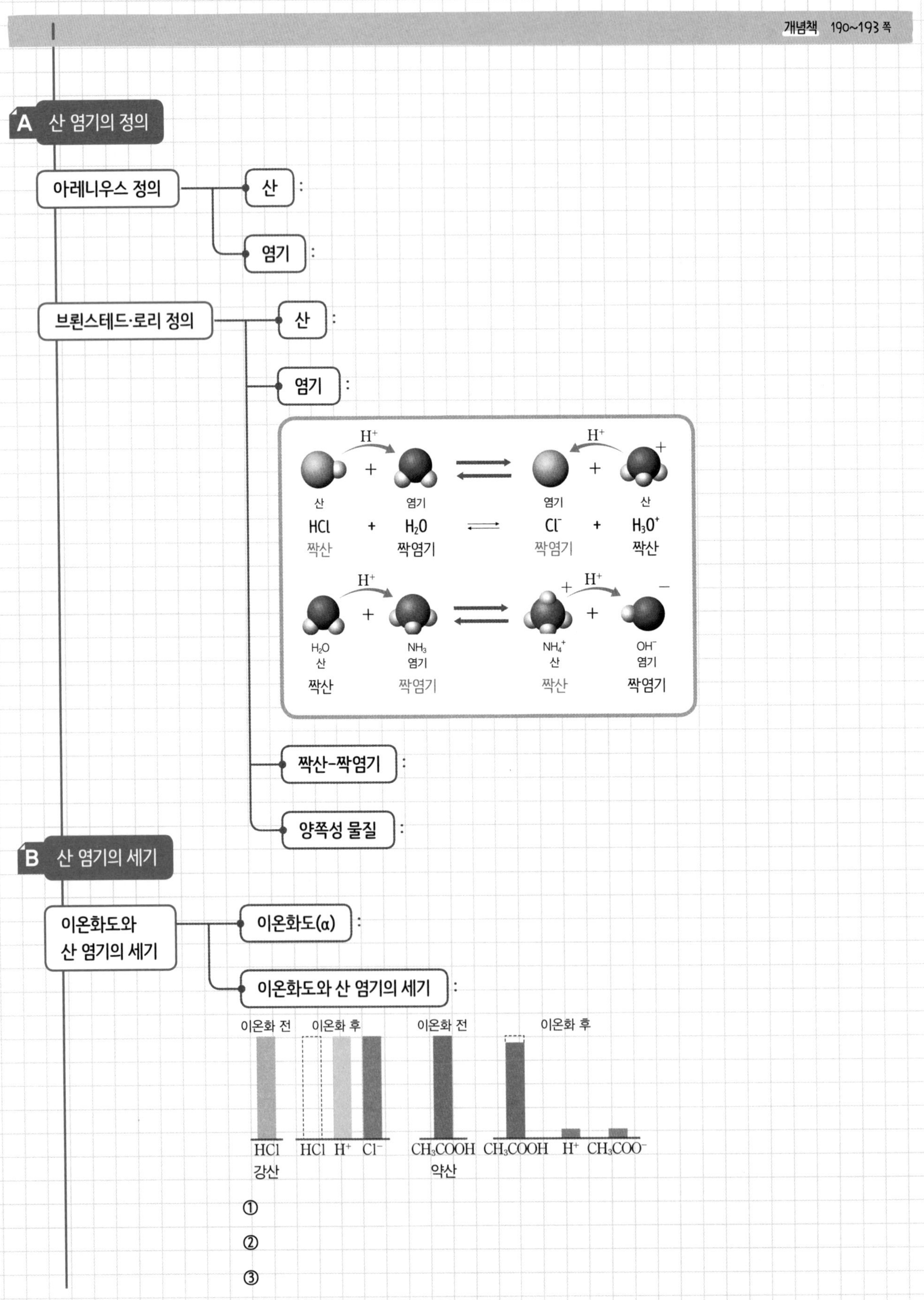
A 산 염기의 정의
아레니우스 정의
산 :
염기 :
브뢴스테드·로리 정의
산 :
염기 :
H+
산
염기
HCl + H2O ⇌ Cl- + H3O+
짝산
짝염기
짝염기
짝산
H2O
산
NH3
염기
NH4+
산
OH-
염기
짝산
짝염기
짝산
짝염기
짝산-짝염기 :
양쪽성 물질 :
B 산 염기의 세기
이온화도와 산 염기의 세기
이온화도(α) :
이온화도와 산 염기의 세기 :
이온화 전
이온화 후
HCl
강산
HCl H+ Cl-
CH3COOH
약산
CH3COOH H+ CH3COO-
①
②
③

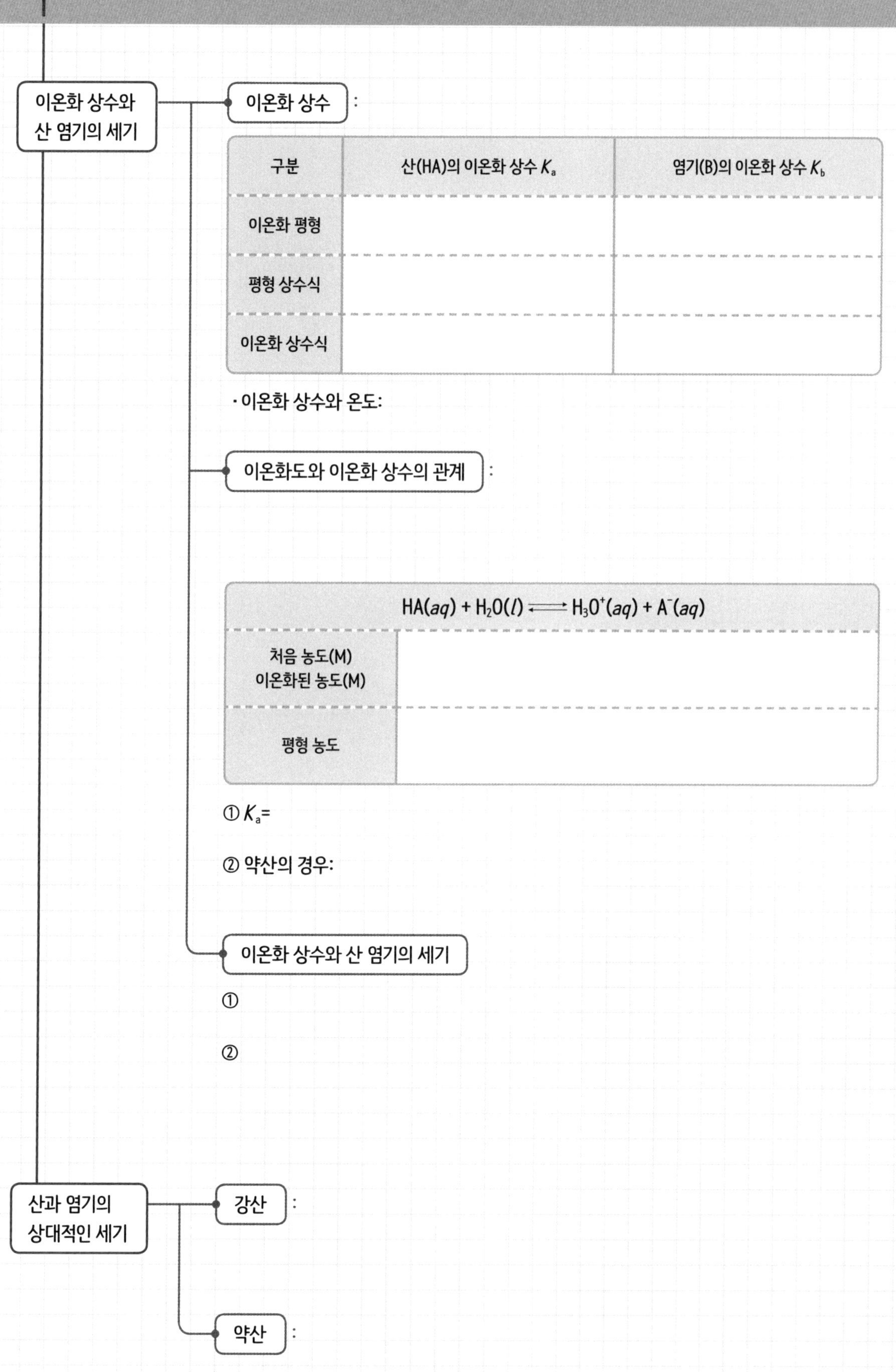

이온화 상수와 산 염기의 세기

이온화 상수 :

구분	산(HA)의 이온화 상수 K_a	염기(B)의 이온화 상수 K_b
이온화 평형		
평형 상수식		
이온화 상수식		

· 이온화 상수와 온도:

이온화도와 이온화 상수의 관계 :

$HA(aq) + H_2O(l) \rightleftharpoons H_3O^+(aq) + A^-(aq)$	
처음 농도(M) 이온화된 농도(M)	
평형 농도	

① K_a=

② 약산의 경우:

이온화 상수와 산 염기의 세기

①

②

산과 염기의 상대적인 세기

강산 :

약산 :

02 염의 가수 분해와 완충 용액

개념책: 201~203쪽

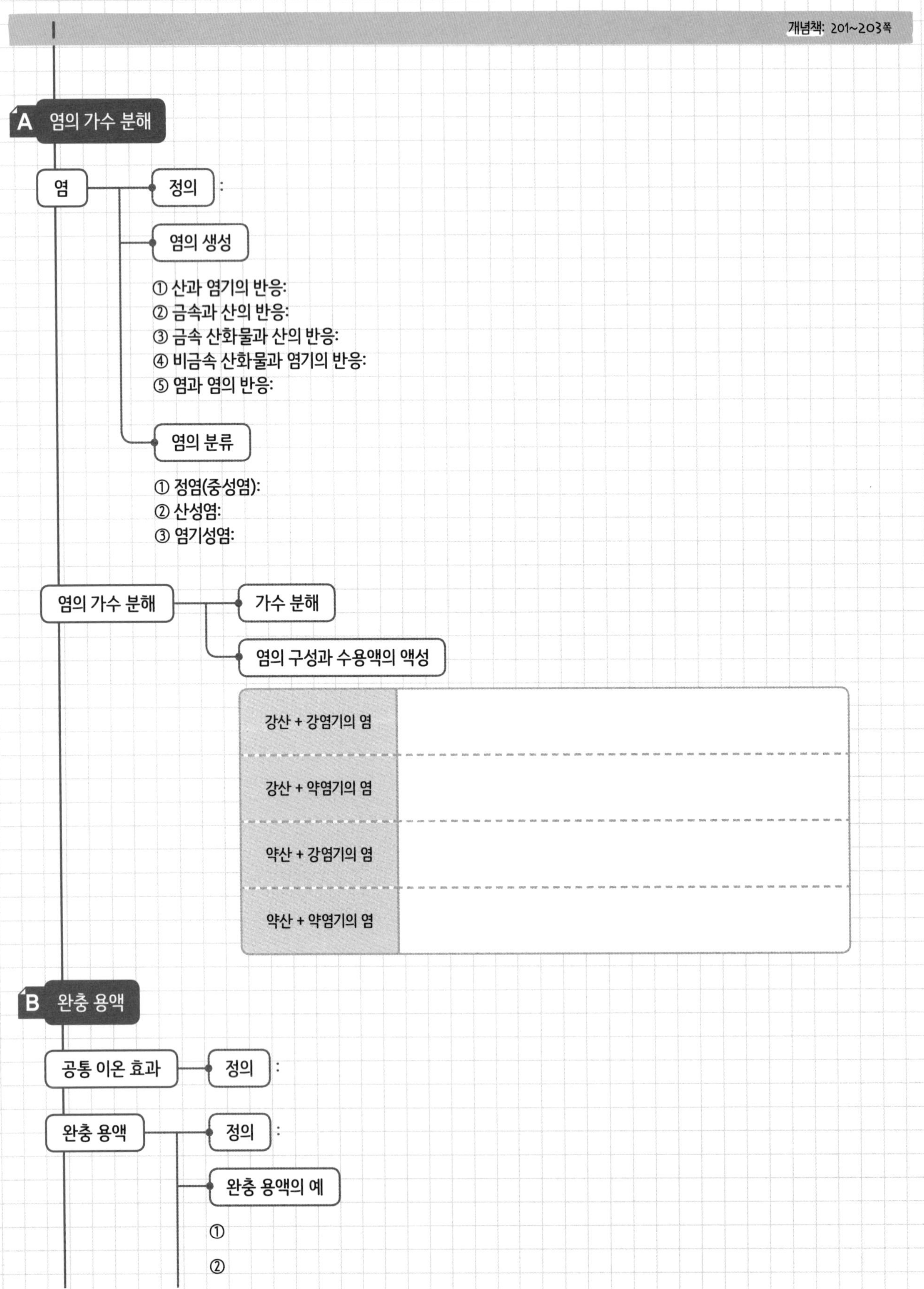

A 염의 가수 분해

염 — 정의 :

염의 생성

① 산과 염기의 반응:
② 금속과 산의 반응:
③ 금속 산화물과 산의 반응:
④ 비금속 산화물과 염기의 반응:
⑤ 염과 염의 반응:

염의 분류

① 정염(중성염):
② 산성염:
③ 염기성염:

염의 가수 분해 — 가수 분해

염의 구성과 수용액의 액성

강산 + 강염기의 염	
강산 + 약염기의 염	
약산 + 강염기의 염	
약산 + 약염기의 염	

B 완충 용액

공통 이온 효과 — 정의 :

완충 용액 — 정의 :

완충 용액의 예

①

②

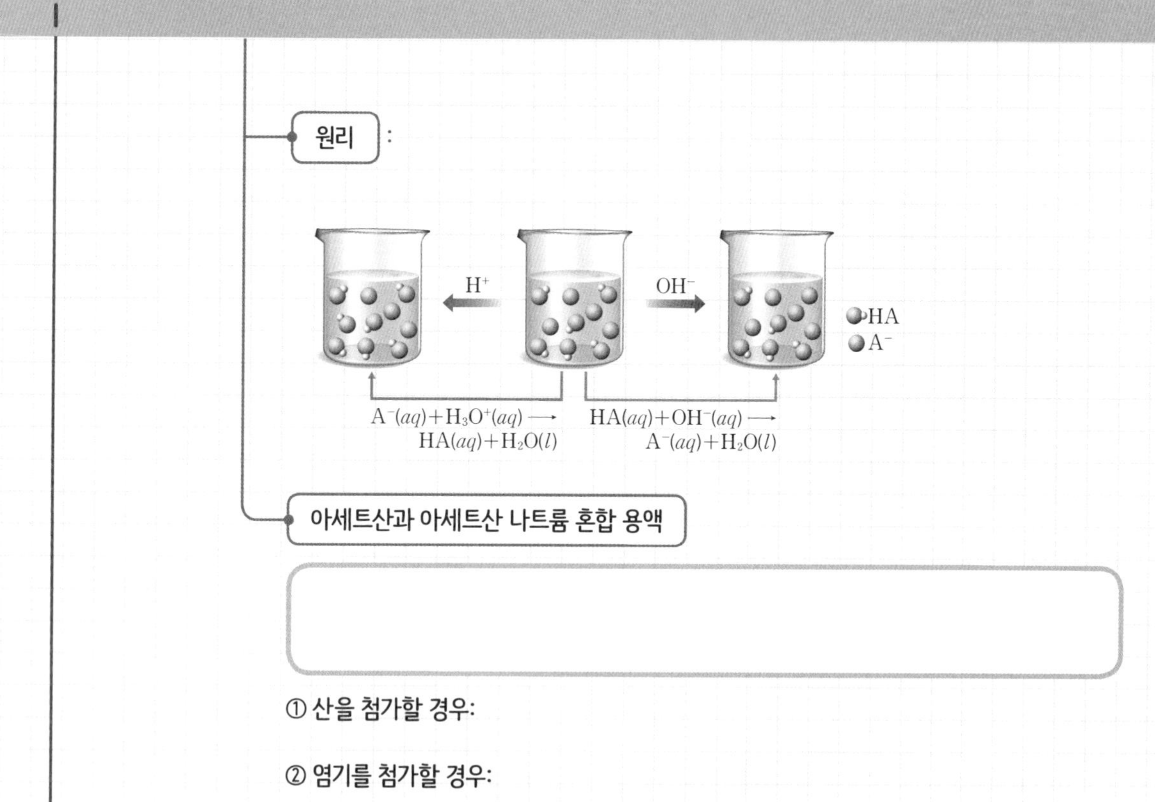

① 산을 첨가할 경우:

② 염기를 첨가할 경우:

C 생체 내 완충 작용

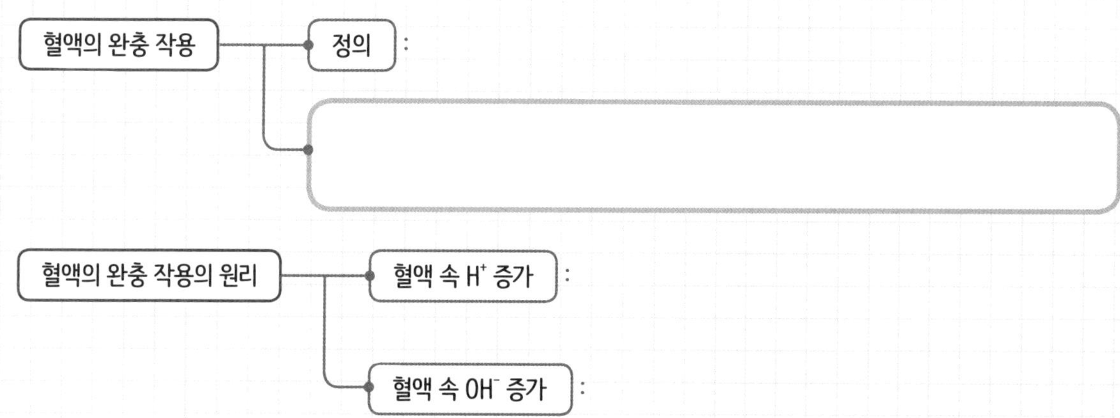

단원 정리하기

그림으로 정리하기

그림에 자신만의 설명을 덧붙여 단원의 핵심 내용을 정리해 보자.

1 반응엔탈피

• 발열 반응

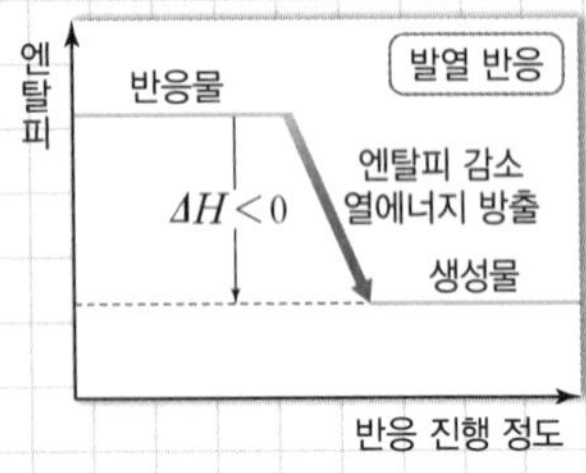

• 흡열 반응

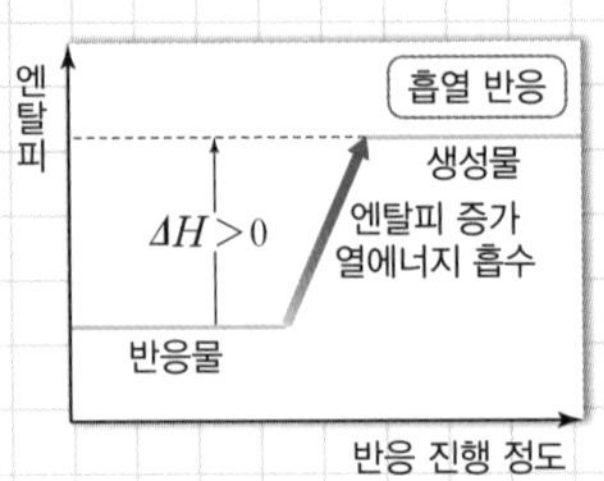

2 화학 평형과 평형 이동

• 농도와 평형 이동

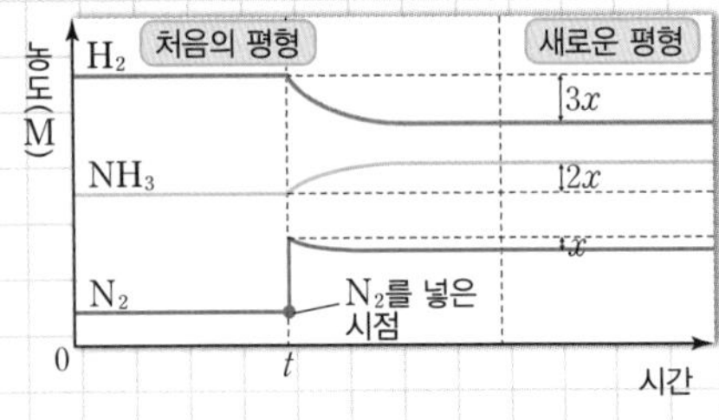

• 압력과 평형 이동

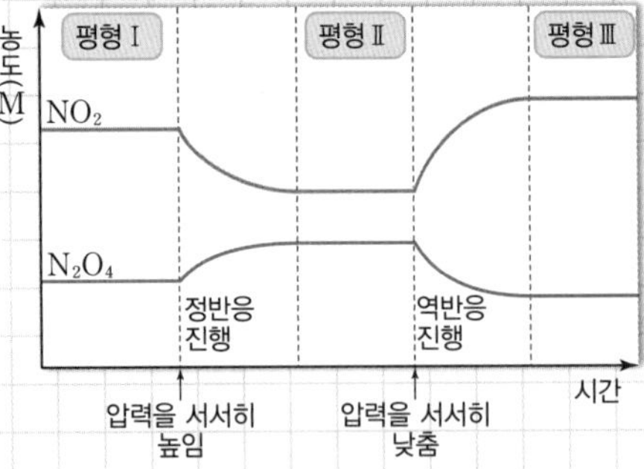

• 물의 상평형 그림

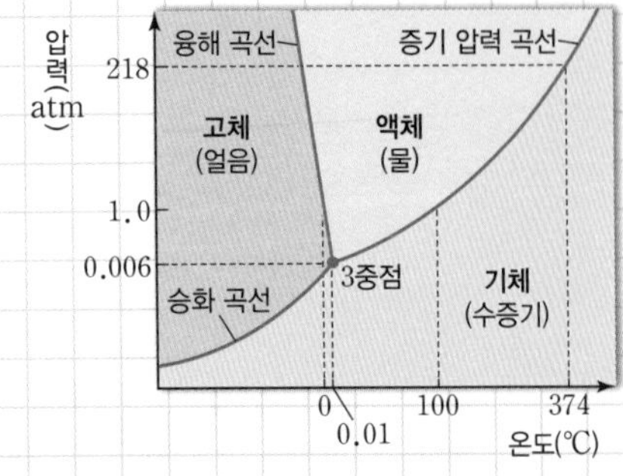

• 이산화 탄소의 상평형 그림

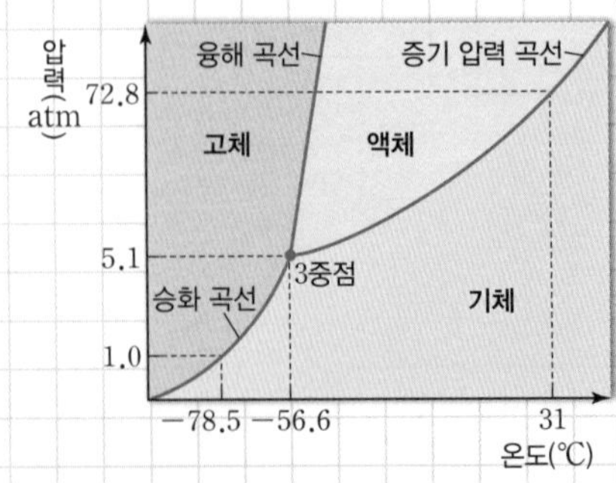

마인드맵으로 정리하기

◎ 자신만의 마인드맵을 만들어 단원의 핵심 내용을 정리해 보자.

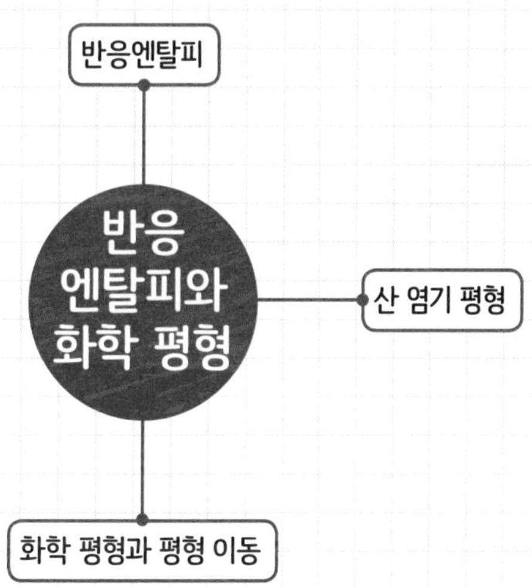

Ⅲ. 반응 속도와 촉매

» 선배들이 작성한 정리노트 바로가기

1 반응 속도

01 반응 속도

>>>

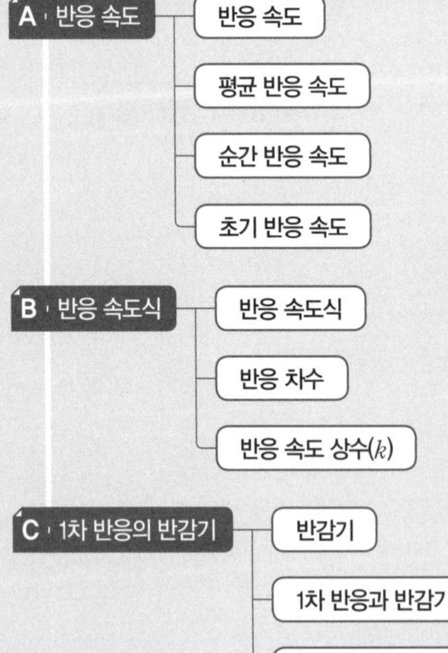

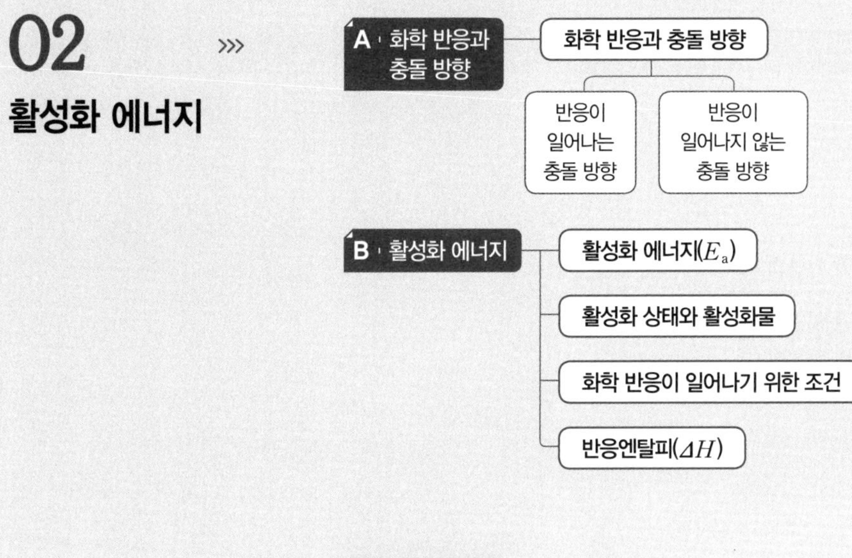

C 유효 충돌과 비유효 충돌

- 유효 충돌
- 비유효 충돌

03 농도, 온도에 따른 반응 속도

A 농도와 반응 속도

- 농도와 반응 속도
- 기체의 압력과 반응 속도
- 표면적과 반응 속도

B 온도와 반응 속도

- 온도와 분자 운동 에너지
- 온도와 반응 속도

01 반응 속도

개념책 222~226 쪽

A 반응 속도

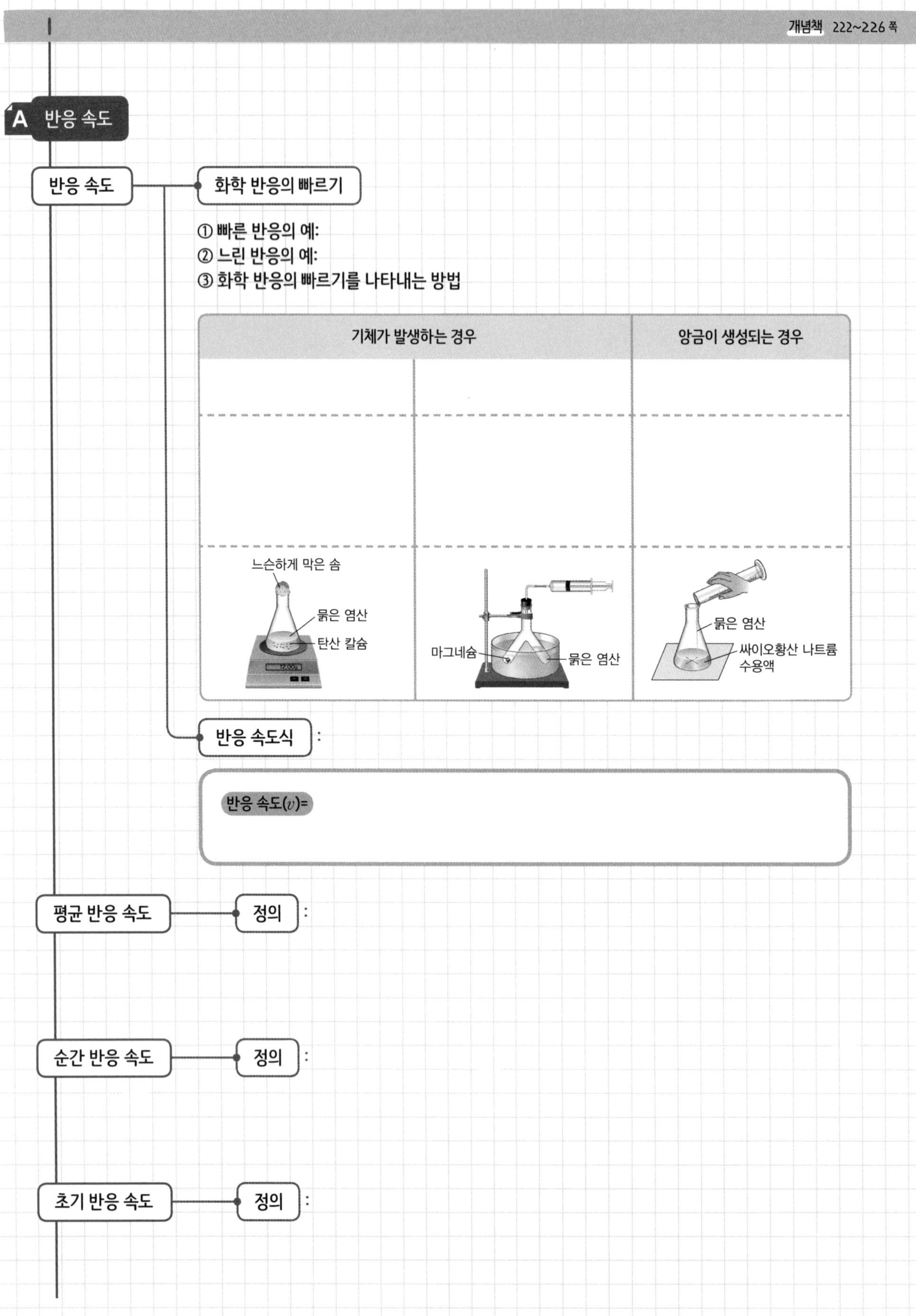

반응 속도
화학 반응의 빠르기
① 빠른 반응의 예:
② 느린 반응의 예:
③ 화학 반응의 빠르기를 나타내는 방법
기체가 발생하는 경우
앙금이 생성되는 경우
느슨하게 막은 솜
묽은 염산
탄산 칼슘
마그네슘
묽은 염산
묽은 염산
싸이오황산 나트륨 수용액
반응 속도식 :
반응 속도(v)=
평균 반응 속도
정의 :
순간 반응 속도
정의 :
초기 반응 속도
정의 :

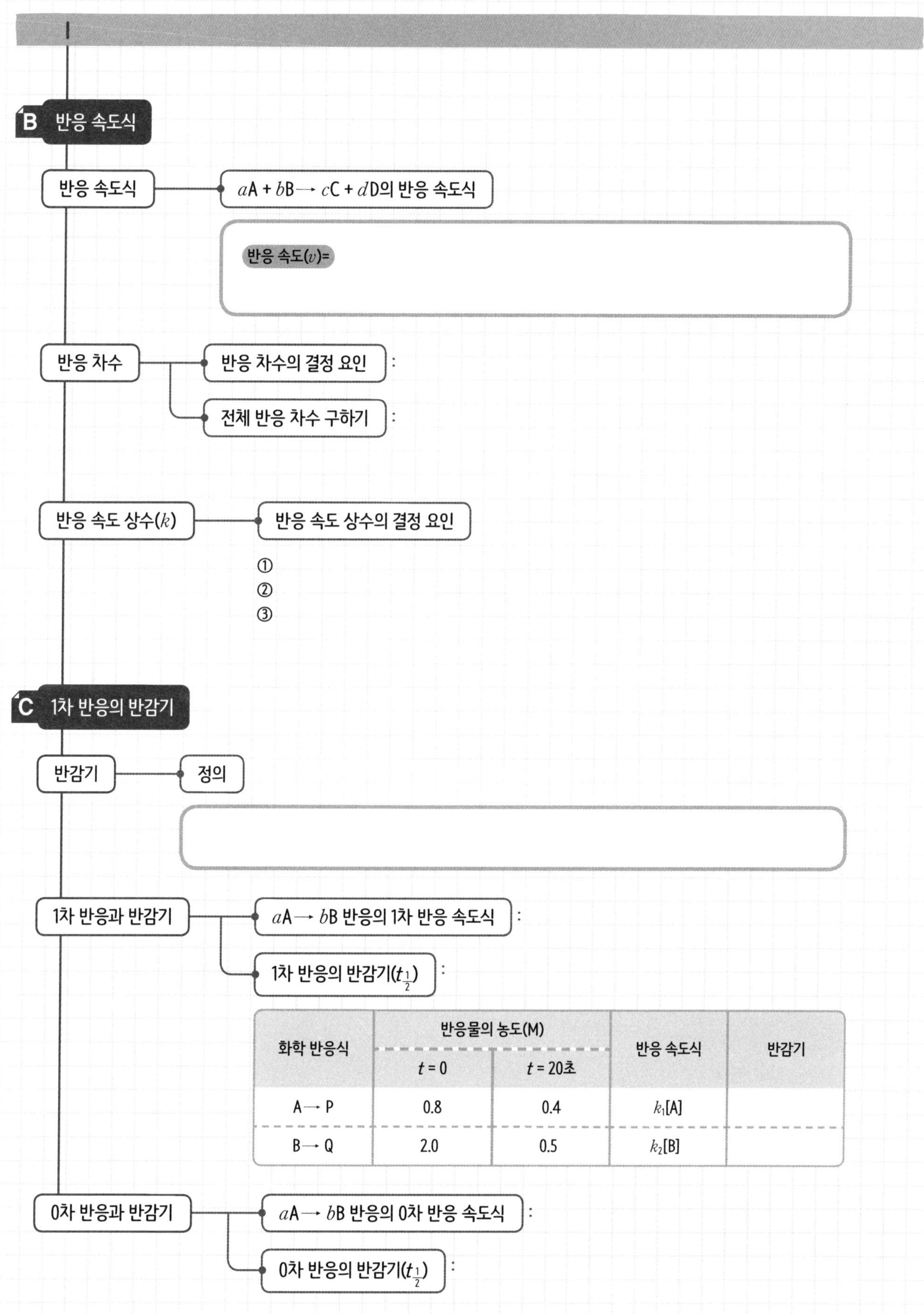

B 반응 속도식

반응 속도식 — aA + bB ⟶ cC + dD의 반응 속도식

반응 속도(v)=

반응 차수 — 반응 차수의 결정 요인 :

전체 반응 차수 구하기 :

반응 속도 상수(k) — 반응 속도 상수의 결정 요인

①

②

③

C 1차 반응의 반감기

반감기 — 정의

1차 반응과 반감기 — aA ⟶ bB 반응의 1차 반응 속도식 :

1차 반응의 반감기($t_{\frac{1}{2}}$) :

화학 반응식	반응물의 농도(M)		반응 속도식	반감기
	t = 0	t = 20초		
A ⟶ P	0.8	0.4	k_1[A]	
B ⟶ Q	2.0	0.5	k_2[B]	

0차 반응과 반감기 — aA ⟶ bB 반응의 0차 반응 속도식 :

0차 반응의 반감기($t_{\frac{1}{2}}$) :

02 활성화 에너지

개념책: 232~236쪽

A 화학 반응과 충돌 방향

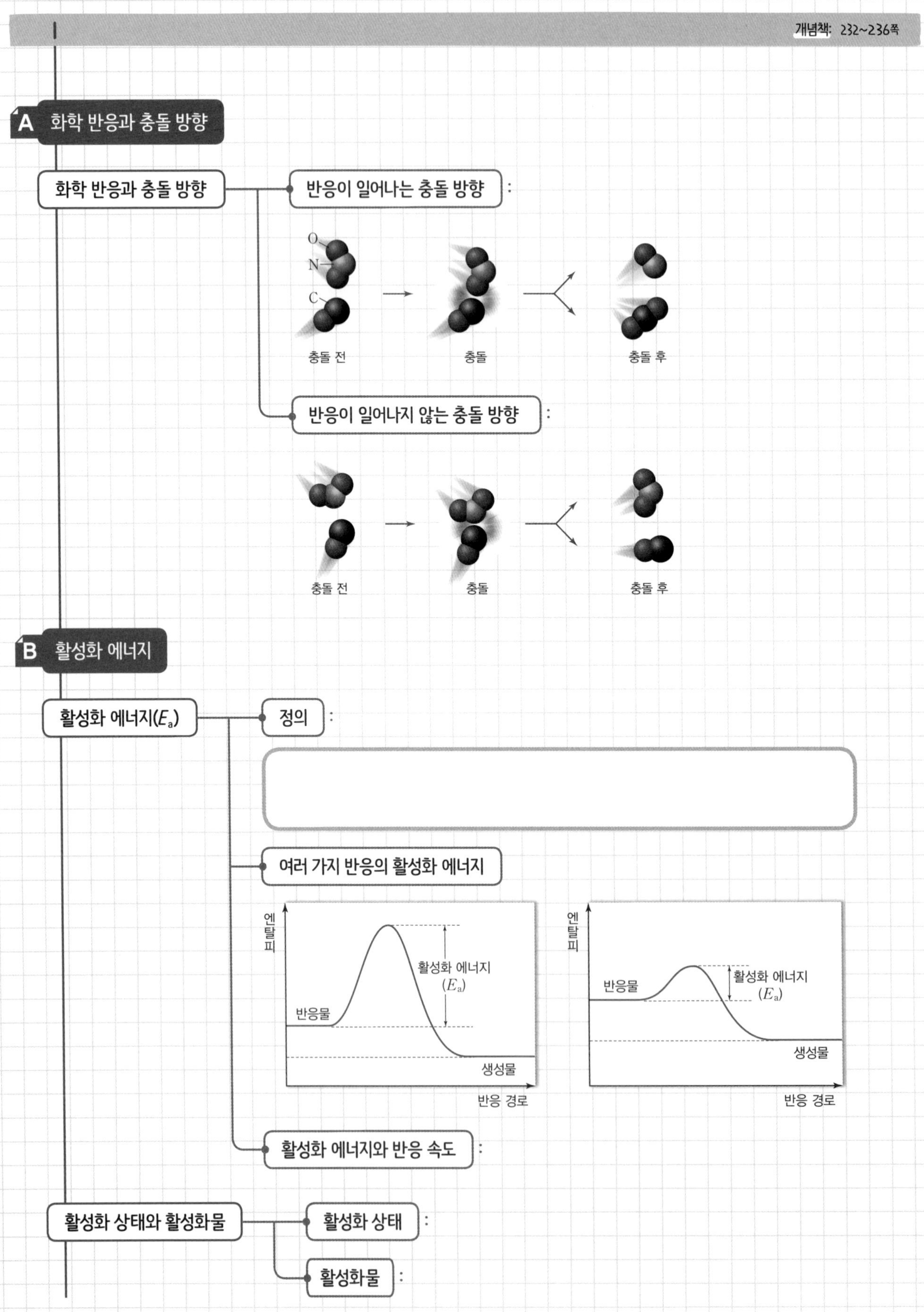

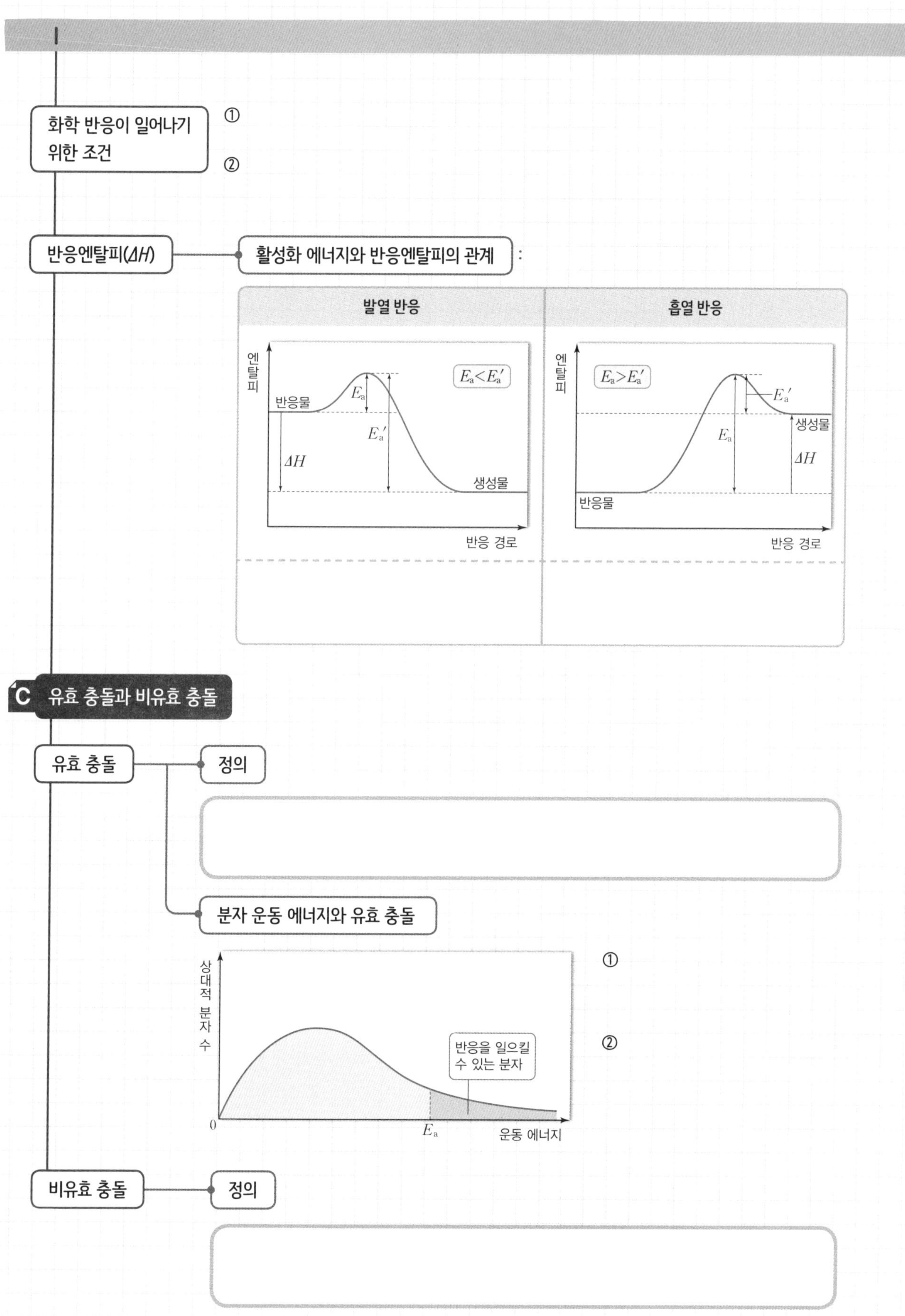
화학 반응이 일어나기 위한 조건
①
②
반응엔탈피(ΔH)
활성화 에너지와 반응엔탈피의 관계 :
발열 반응
흡열 반응
엔탈피
반응물
생성물
ΔH
반응 경로
C 유효 충돌과 비유효 충돌
유효 충돌
정의
분자 운동 에너지와 유효 충돌
상대적 분자 수
반응을 일으킬 수 있는 분자
0
운동 에너지
①
②
비유효 충돌
정의

03 농도, 온도에 따른 반응 속도

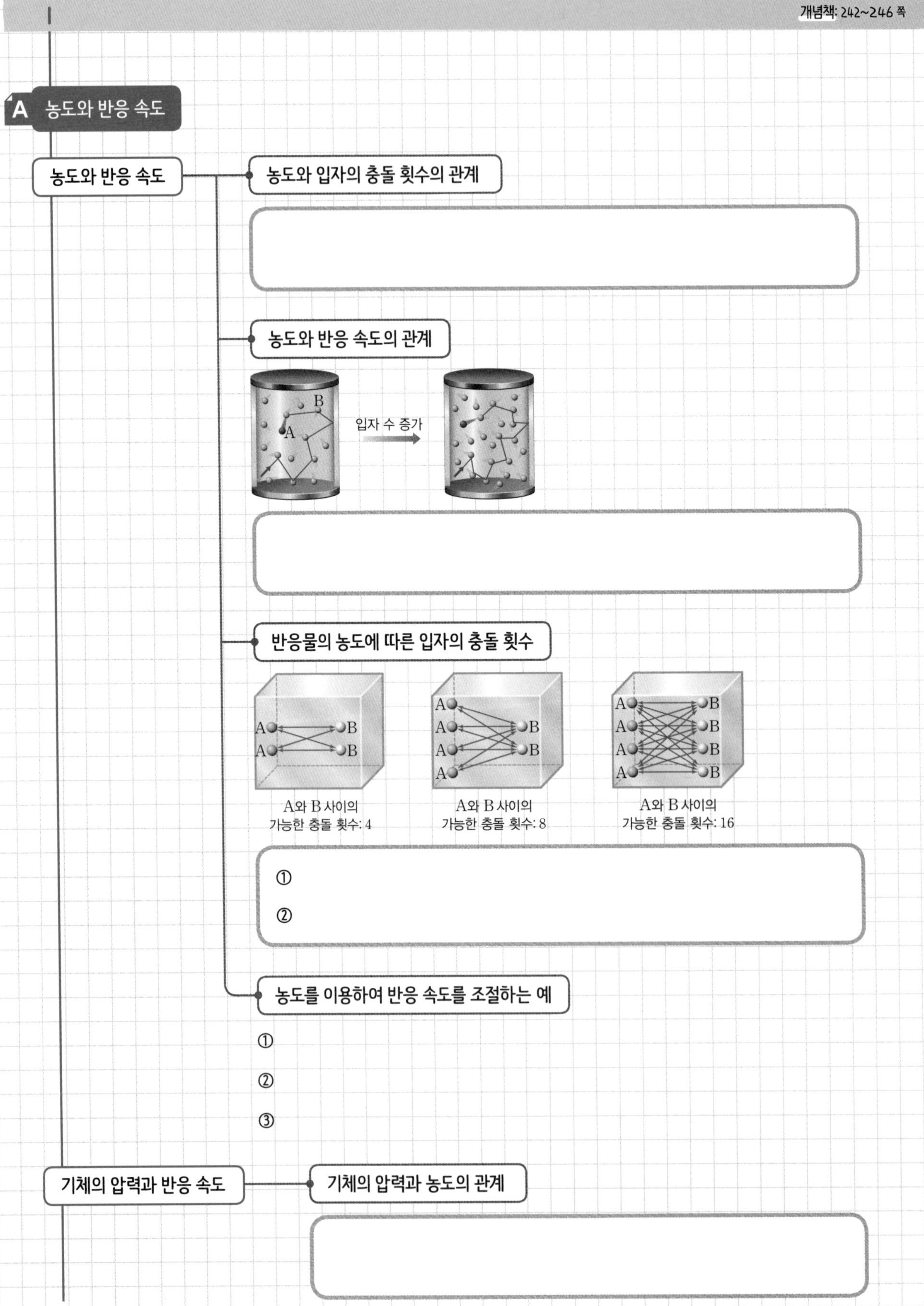

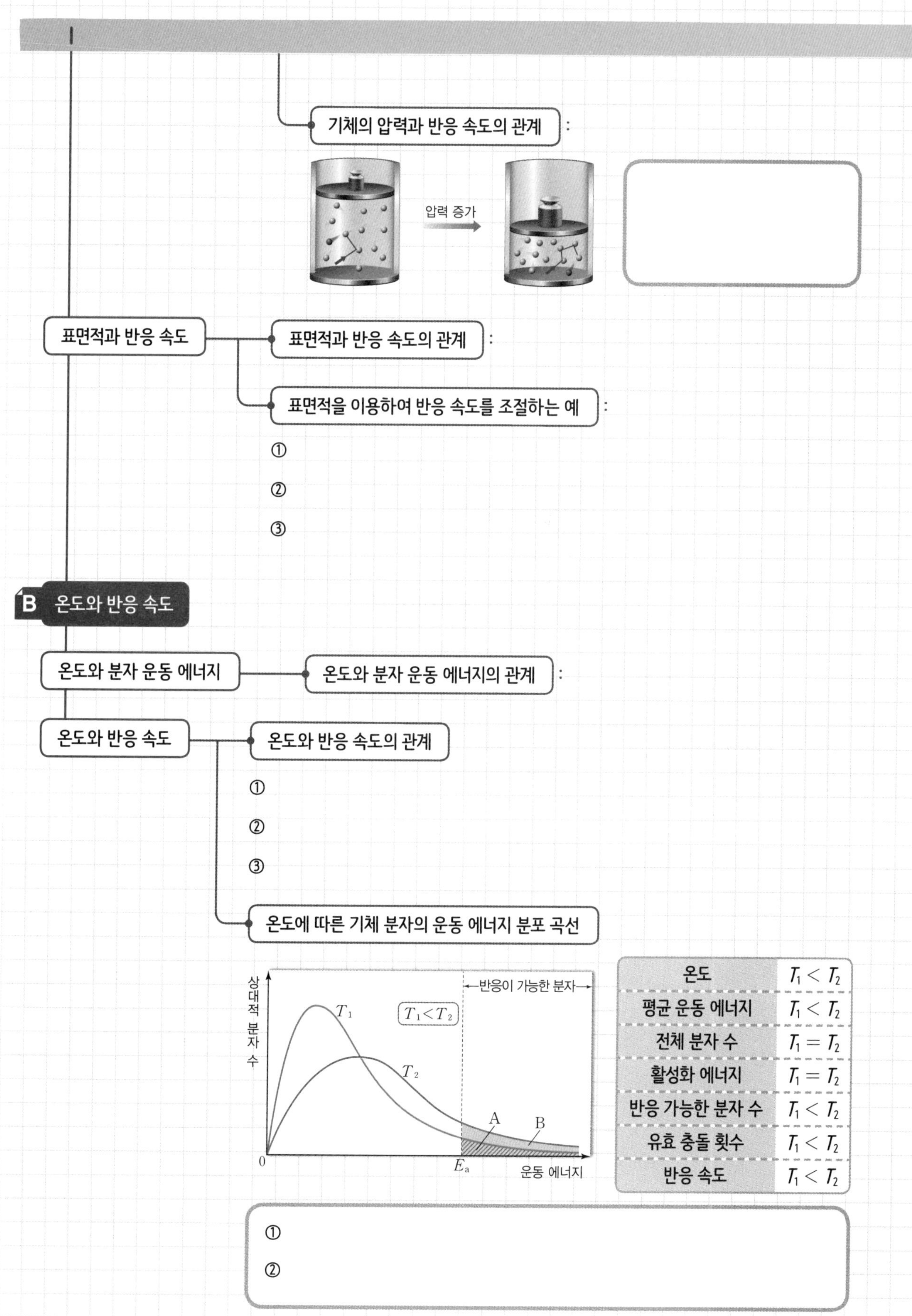

온도	$T_1 < T_2$
평균 운동 에너지	$T_1 < T_2$
전체 분자 수	$T_1 = T_2$
활성화 에너지	$T_1 = T_2$
반응 가능한 분자 수	$T_1 < T_2$
유효 충돌 횟수	$T_1 < T_2$
반응 속도	$T_1 < T_2$

2

촉매와 우리 생활

01 촉매와 반응 속도

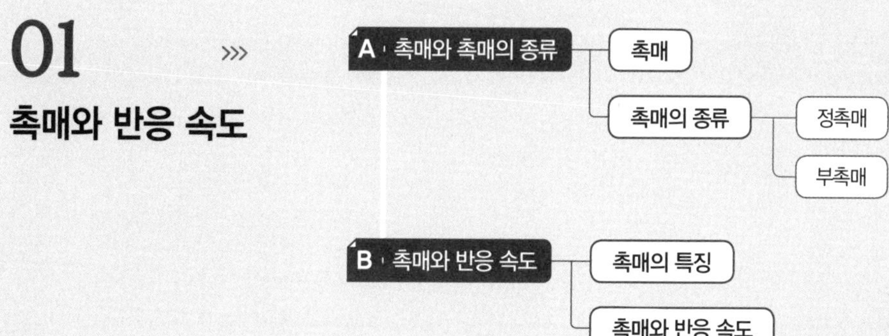

02 생활 속의 촉매

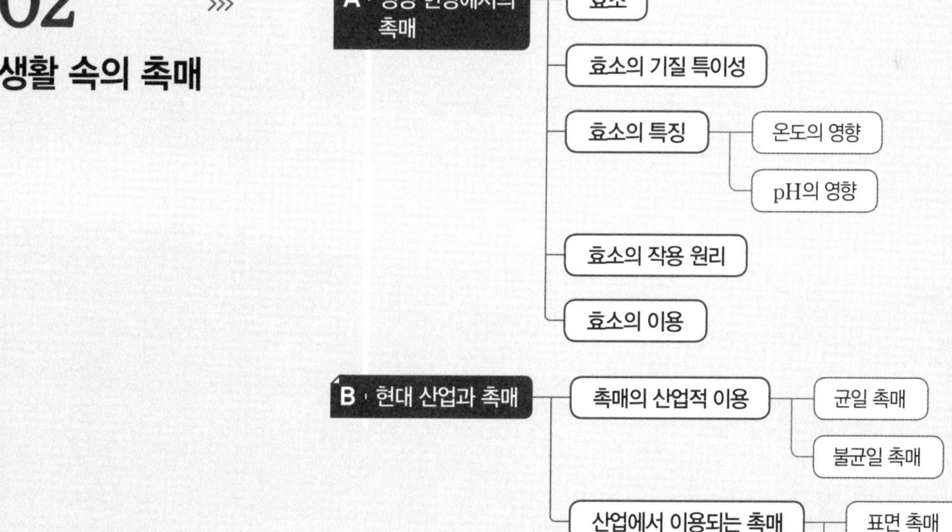

01 촉매와 반응 속도

개념책 258~260 쪽

A 촉매와 촉매의 종류

촉매
- 정의
- 표시 방법

촉매의 종류 :

B 촉매와 반응 속도

촉매의 특징

①

②

③

④

⑤

촉매와 반응 속도
- 촉매와 반응 속도의 관계 :
- 촉매의 기능 :

촉매에 따른 반응 경로의 변화

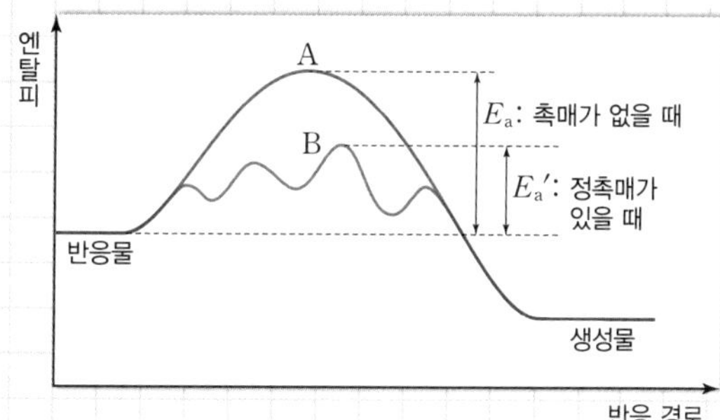

정촉매를 사용할 때 반응 속도의 변화 :

정촉매의 활성화 에너지

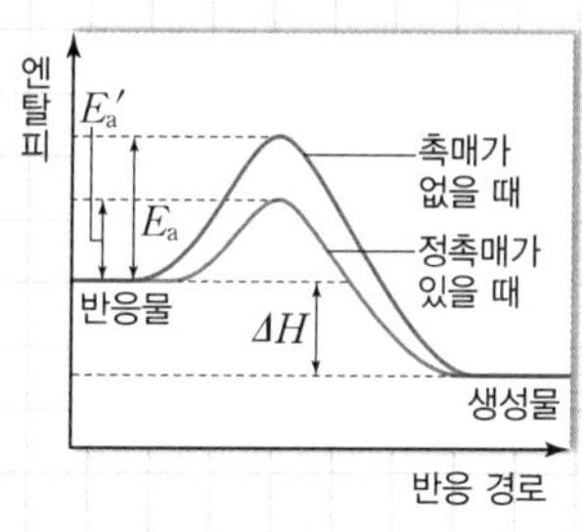

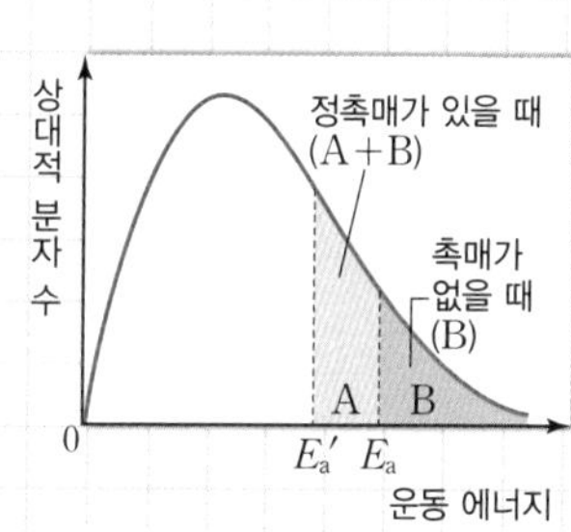

E_a: 촉매가 없을 때의 활성화 에너지

E_a': 정촉매 사용할 때의 활성화 에너지

①

②

부촉매를 사용할 때 반응 속도의 변화 :

부촉매의 활성화 에너지

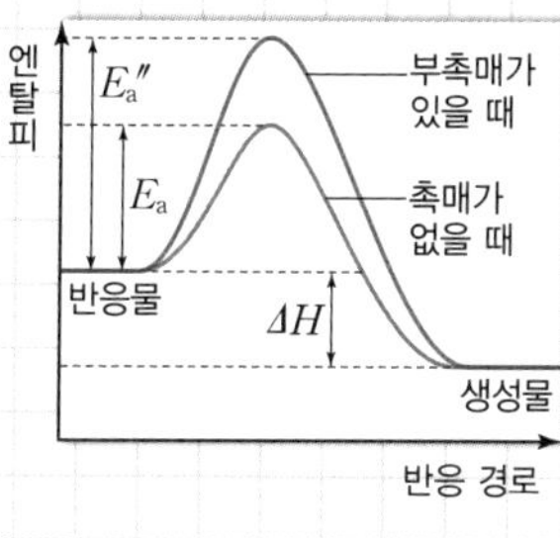

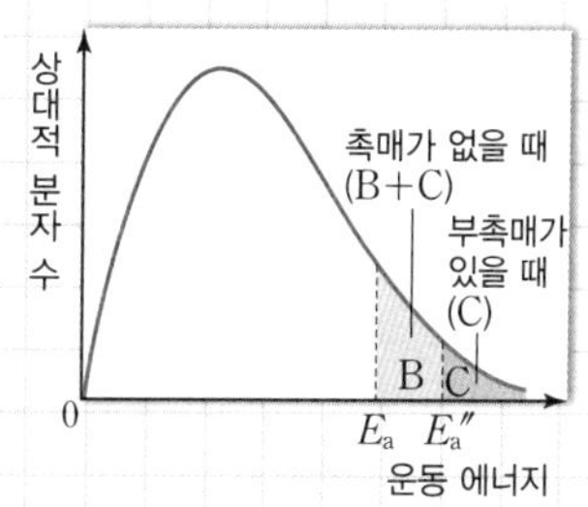

E_a: 촉매가 없을 때의 활성화 에너지

E_a'': 부촉매 사용할 때의 활성화 에너지

①

②

02 생활 속의 촉매

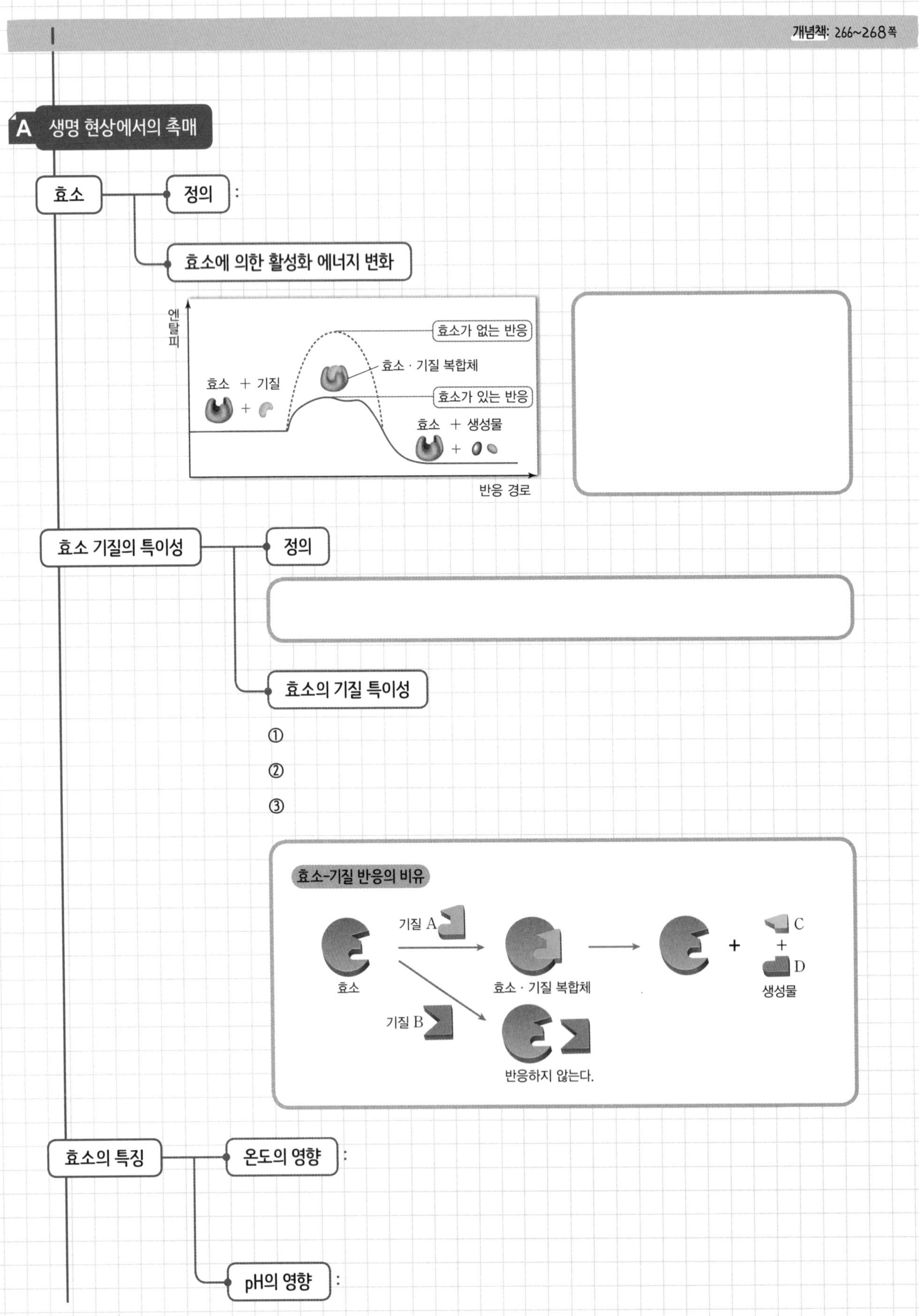

개념책: 266~268쪽
A 생명 현상에서의 촉매
효소
정의 :
효소에 의한 활성화 에너지 변화
엔탈피
효소가 없는 반응
효소 · 기질 복합체
효소 + 기질
효소가 있는 반응
효소 + 생성물
반응 경로
효소 기질의 특이성
정의
효소의 기질 특이성
①
②
③
효소-기질 반응의 비유
기질 A
효소
효소 · 기질 복합체
C
D
생성물
기질 B
반응하지 않는다.
효소의 특징
온도의 영향 :
pH의 영향 :

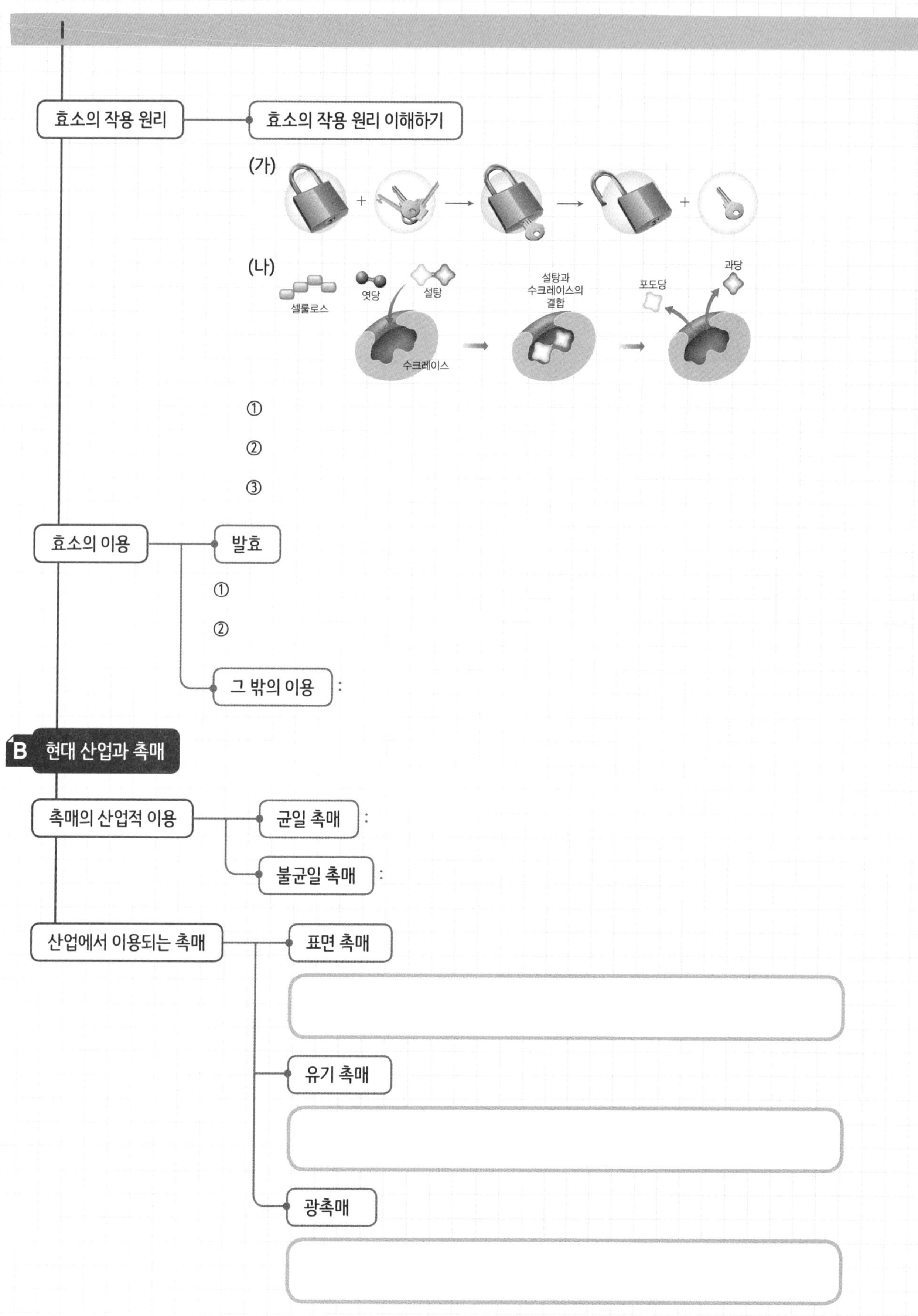
효소의 작용 원리
효소의 작용 원리 이해하기
(가)
(나)
셀룰로스
엿당
설탕
설탕과
수크레이스의
결합
포도당
과당
수크레이스
①
②
③
효소의 이용
발효
①
②
그 밖의 이용
:
B 현대 산업과 촉매
촉매의 산업적 이용
균일 촉매
:
불균일 촉매
:
산업에서 이용되는 촉매
표면 촉매
유기 촉매
광촉매

단원 정리하기

그림으로 정리하기

그림에 자신만의 설명을 덧붙여 단원의 핵심 내용을 정리해 보자.

1 반응 속도 구하기

• $H_2(g) + I_2(g) \longrightarrow 2HI(g)$ 반응에서의 농도 변화

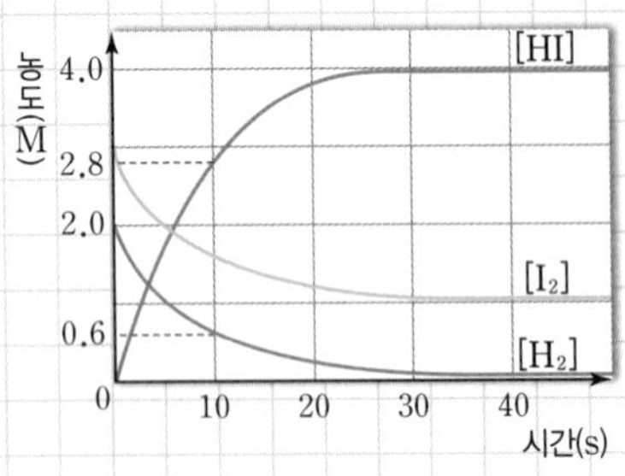

2 1차 반응과 반감기

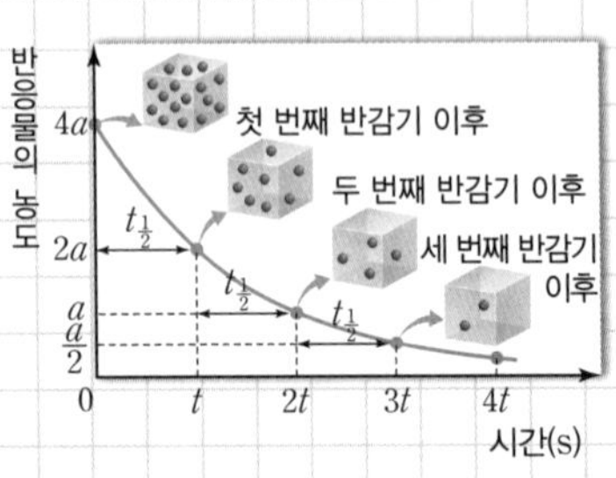

3 발열 반응

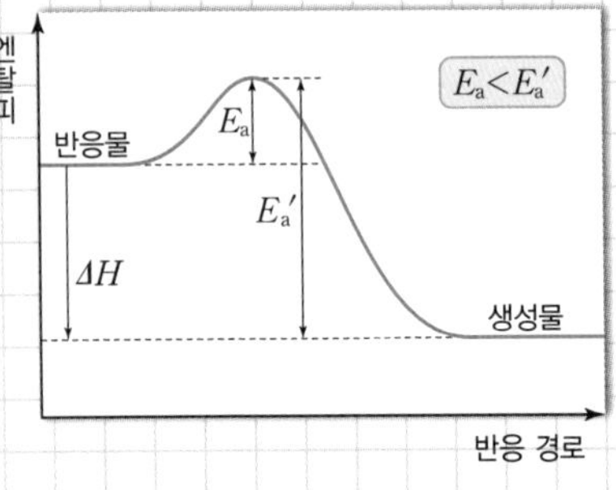

4 흡열 반응

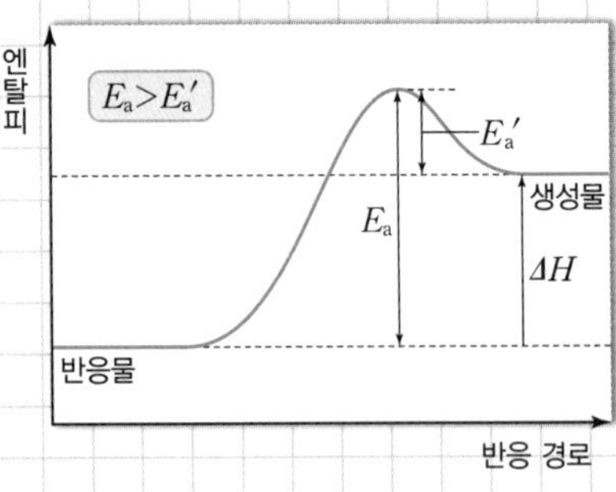

5 정촉매와 활성화 에너지

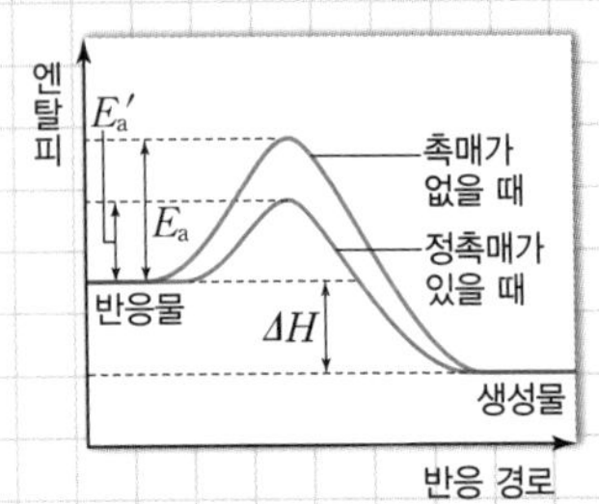

6 효소에 의한 활성화 에너지 변화

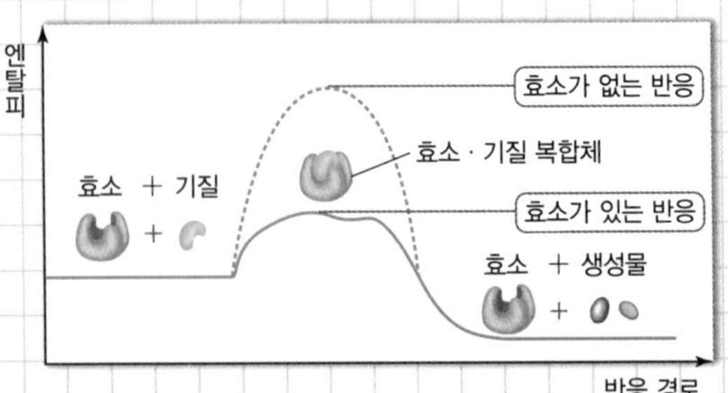

마인드맵으로 정리하기

◎ 자신만의 마인드맵을 만들어 단원의 핵심 내용을 정리해 보자.

» 선배들이 작성한 정리노트 바로가기

1 전기 화학의 원리와 수소 연료 전지

01 화학 전지의 원리

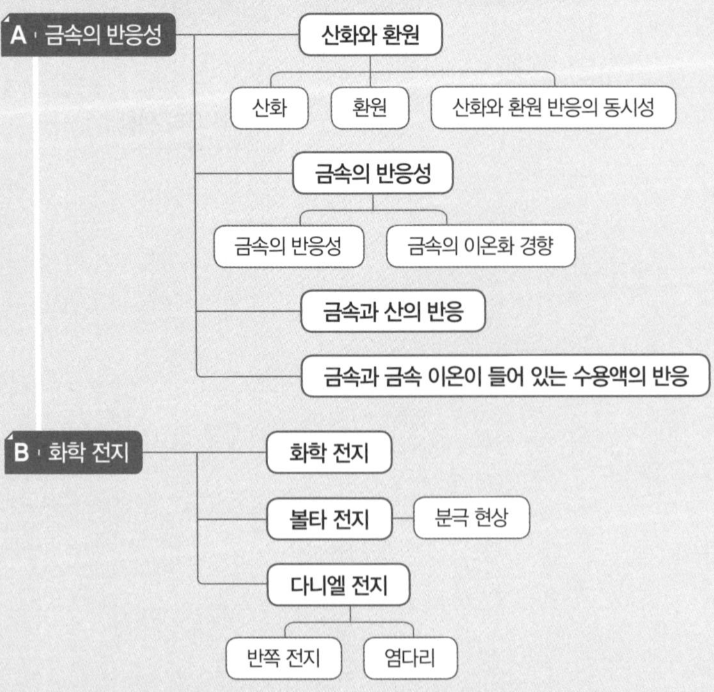

02 실용 전지와 전지 전위

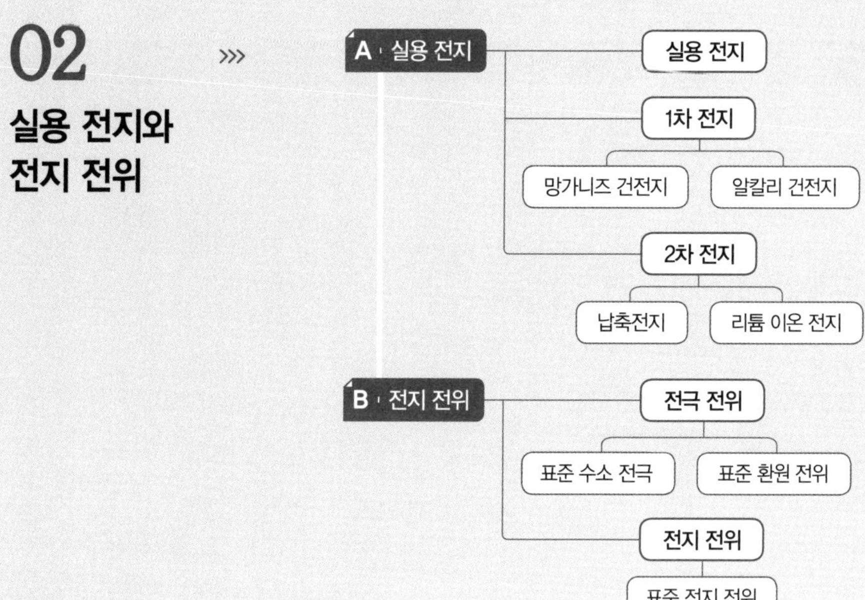

03 전기 분해의 원리

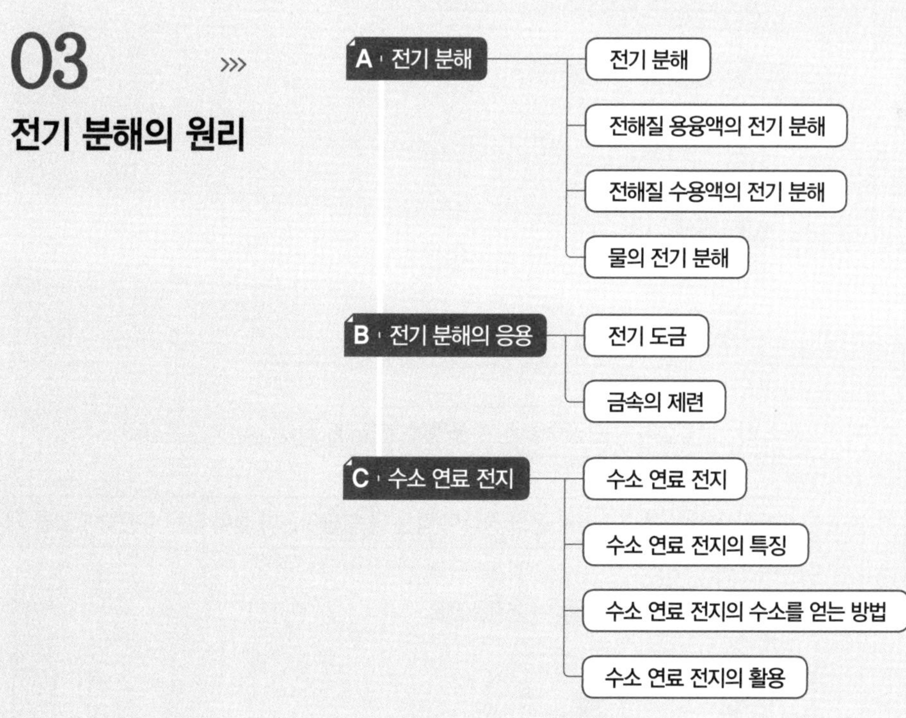

01 화학 전지의 원리

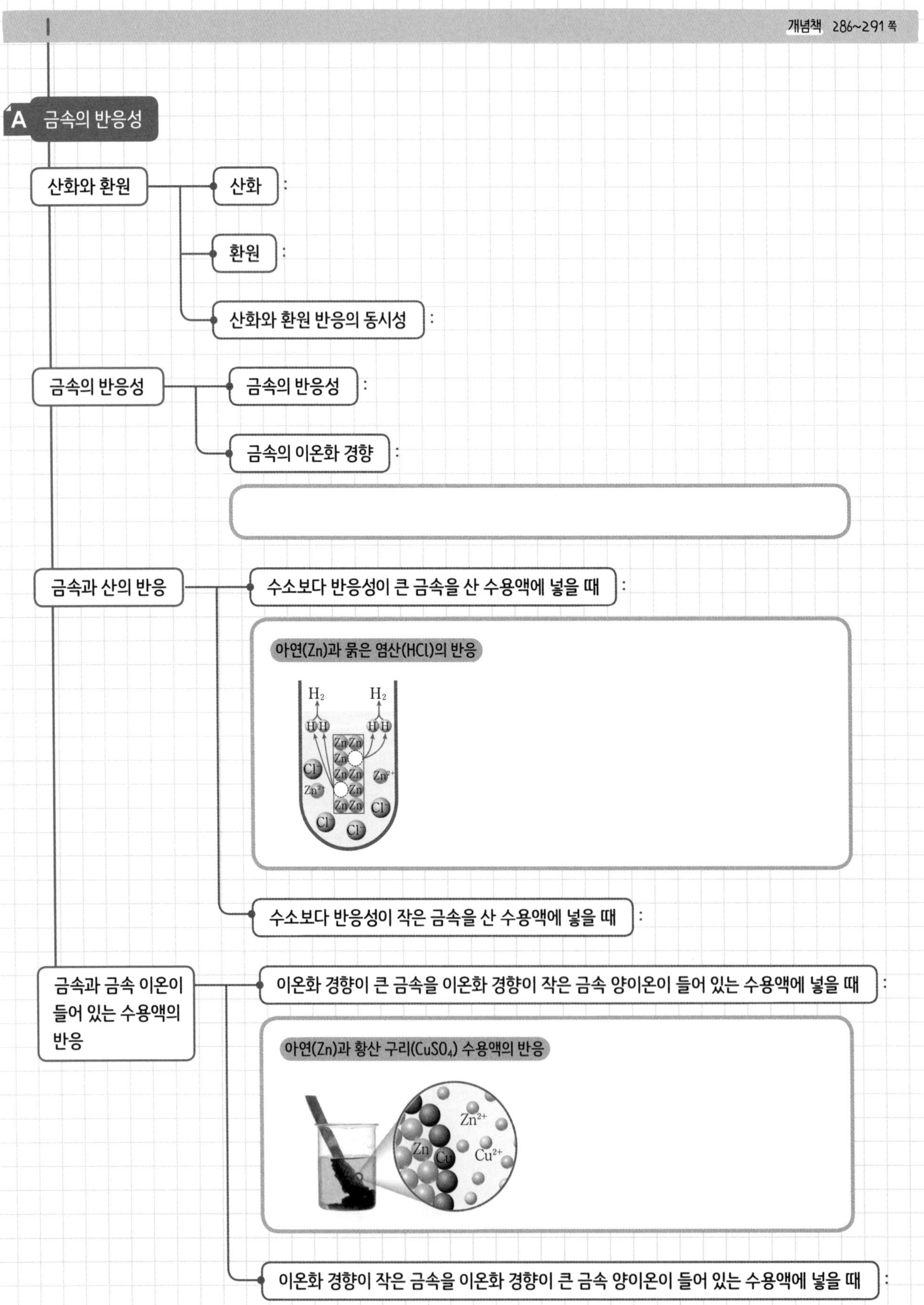
개념책 286~291 쪽
A 금속의 반응성
산화와 환원
산화 :
환원 :
산화와 환원 반응의 동시성 :
금속의 반응성
금속의 반응성 :
금속의 이온화 경향 :
금속과 산의 반응
수소보다 반응성이 큰 금속을 산 수용액에 넣을 때 :
아연(Zn)과 묽은 염산(HCl)의 반응
H_2
H_2
H H
H H
Zn Zn
Zn
Zn Zn
Zn
Zn Zn
Cl^-
Zn^{2+}
Zn^{2+}
Cl^-
Cl^-
Cl^-
수소보다 반응성이 작은 금속을 산 수용액에 넣을 때 :
금속과 금속 이온이 들어 있는 수용액의 반응
이온화 경향이 큰 금속을 이온화 경향이 작은 금속 양이온이 들어 있는 수용액에 넣을 때 :
아연(Zn)과 황산 구리($CuSO_4$) 수용액의 반응
Zn^{2+}
Zn
Cu
Cu^{2+}
이온화 경향이 작은 금속을 이온화 경향이 큰 금속 양이온이 들어 있는 수용액에 넣을 때 :

B 화학 전지

화학 전지

구성 :

구분	(-)극(산화 전극)	(+)극(환원 전극)
금속		
반응		
전자의 이동		
전류의 흐름		

볼타 전지

(-)극(산화 전극)

(+)극(환원 전극)

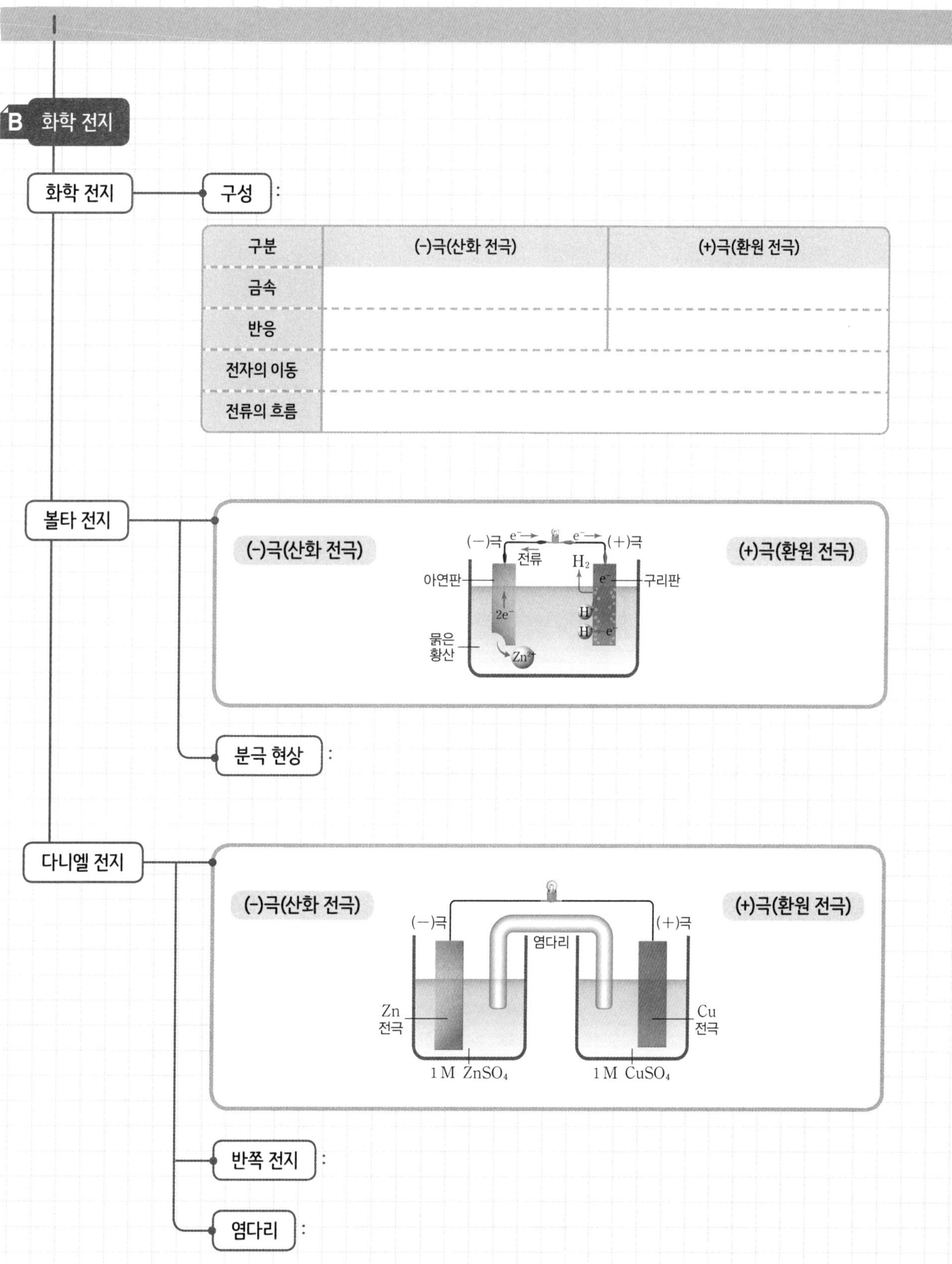

분극 현상 :

다니엘 전지

(-)극(산화 전극)

(+)극(환원 전극)

반쪽 전지 :

염다리 :

02 실용 전지와 전지 전위

개념책: 298~302 쪽

A 실용 전지

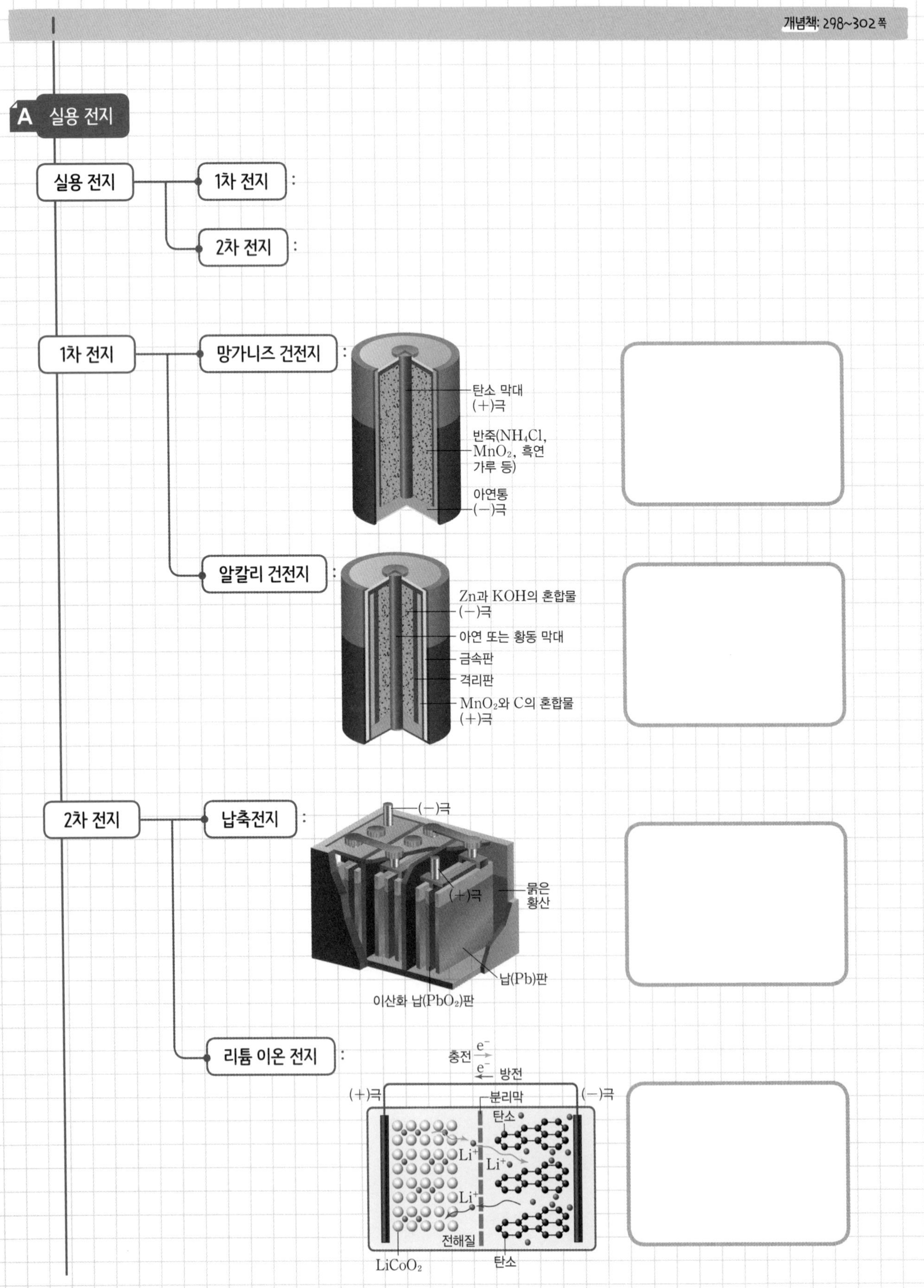

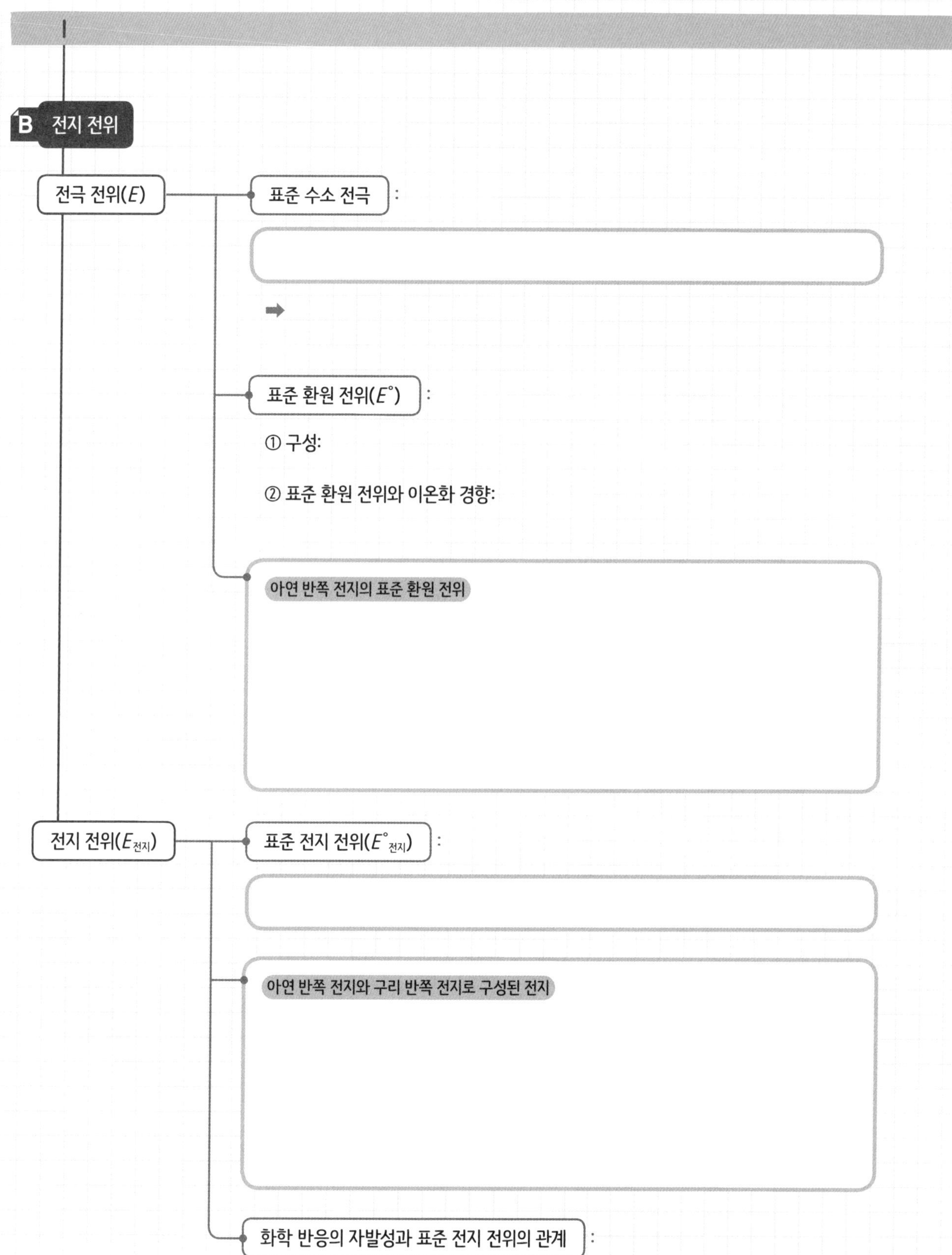
B 전지 전위
전극 전위(E)
표준 수소 전극 :
➡
표준 환원 전위(E°) :
① 구성:
② 표준 환원 전위와 이온화 경향:
아연 반쪽 전지의 표준 환원 전위
전지 전위($E_{전지}$)
표준 전지 전위($E^\circ_{전지}$) :
아연 반쪽 전지와 구리 반쪽 전지로 구성된 전지
화학 반응의 자발성과 표준 전지 전위의 관계 :

03 전기 분해의 원리

개념책: 308~313 쪽

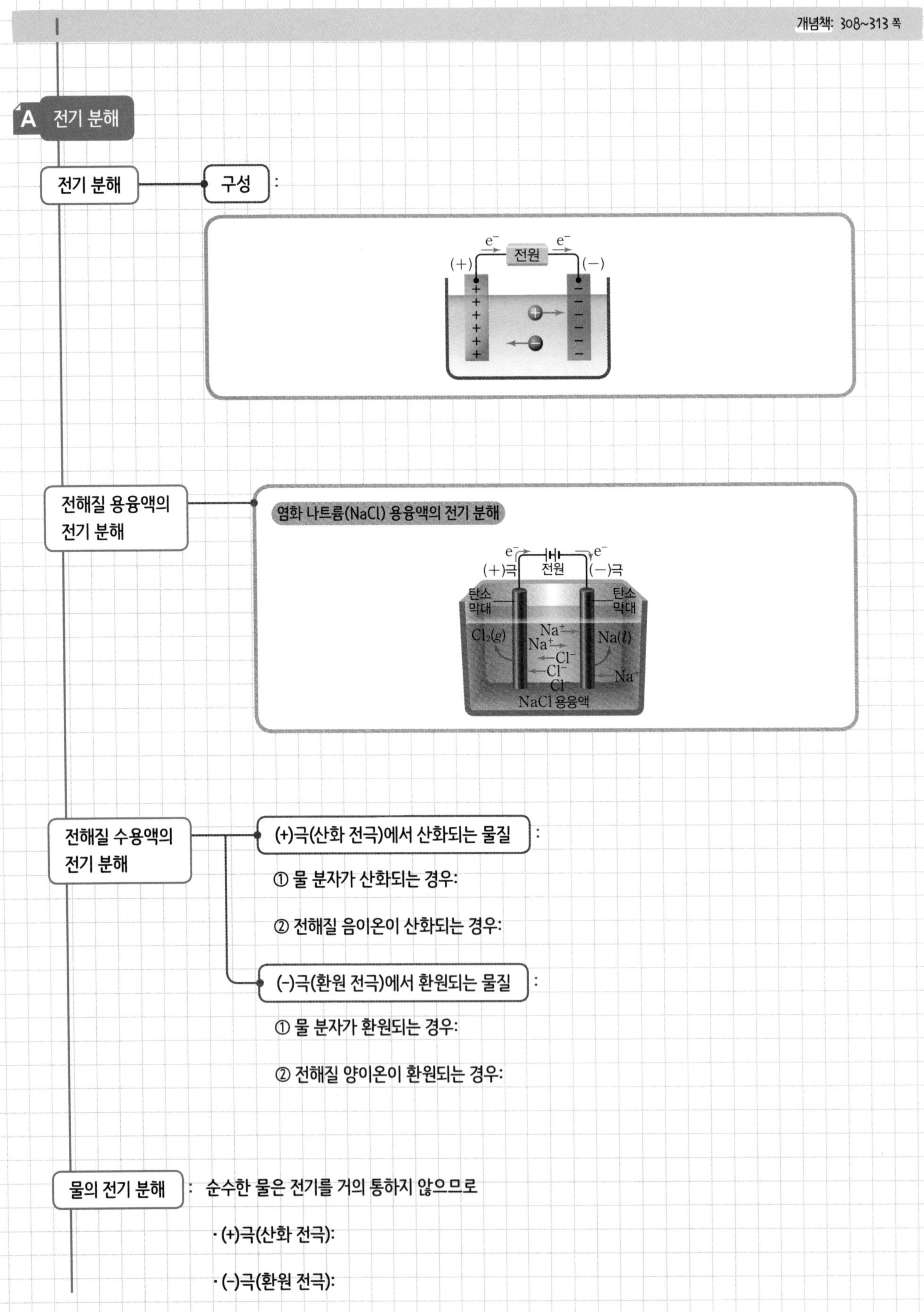

A 전기 분해

전기 분해 — 구성 :

전해질 용융액의 전기 분해 — 염화 나트륨(NaCl) 용융액의 전기 분해

전해질 수용액의 전기 분해

(+)극(산화 전극)에서 산화되는 물질 :

① 물 분자가 산화되는 경우:

② 전해질 음이온이 산화되는 경우:

(-)극(환원 전극)에서 환원되는 물질 :

① 물 분자가 환원되는 경우:

② 전해질 양이온이 환원되는 경우:

물의 전기 분해 : 순수한 물은 전기를 거의 통하지 않으므로

· (+)극(산화 전극):

· (-)극(환원 전극):

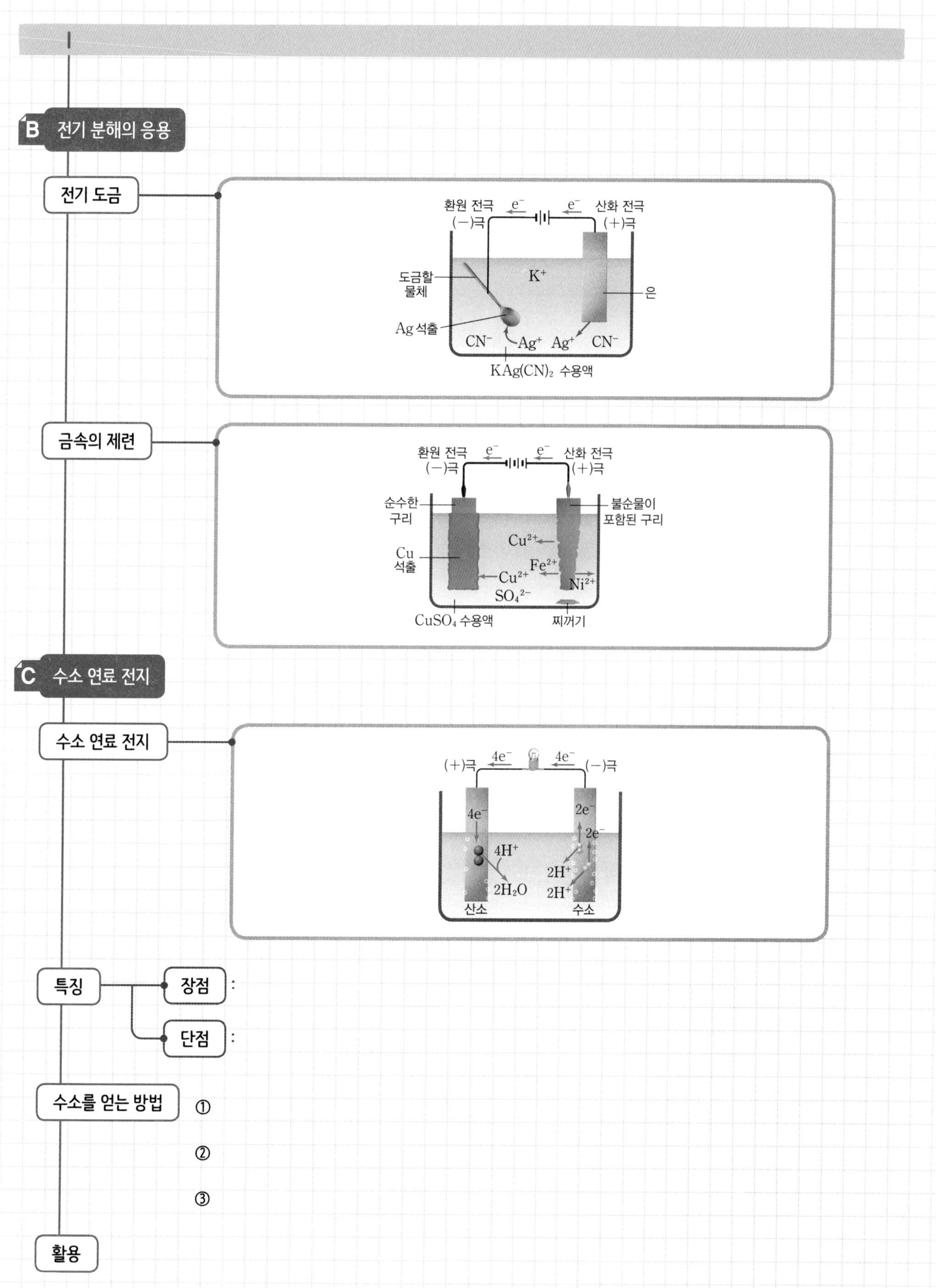
B 전기 분해의 응용
전기 도금
환원 전극
(−)극
e⁻
e⁻
산화 전극
(+)극
도금할 물체
K⁺
은
Ag 석출
CN⁻
Ag⁺
Ag⁺
CN⁻
KAg(CN)₂ 수용액
금속의 제련
환원 전극
(−)극
산화 전극
(+)극
순수한 구리
불순물이 포함된 구리
Cu 석출
Cu²⁺
Fe²⁺
Cu²⁺
Ni²⁺
SO₄²⁻
CuSO₄ 수용액
찌꺼기
C 수소 연료 전지
수소 연료 전지
(+)극
4e⁻
4e⁻
(−)극
4e⁻
2e⁻
2e⁻
4H⁺
2H⁺
2H₂O
2H⁺
산소
수소
특징
장점 :
단점 :
수소를 얻는 방법
①
②
③
활용

단원 정리하기

그림으로 정리하기

◎ 그림에 자신만의 설명을 덧붙여 단원의 핵심 내용을 정리해 보자.

1 화학 전지

구분		볼타 전지	다니엘 전지
모형		(−)극 e^- e^- (+)극 전류 H_2 아연판 구리판 $2e^-$ e^- H^+ H^+ e^- 묽은 황산 Zn^{2+}	(−)극 (+)극 염다리 Zn 전극 Cu 전극 1 M $ZnSO_4$ 1 M $CuSO_4$
(-)극	산화 전극		
(+)극	환원 전극		

2 전기 분해의 응용

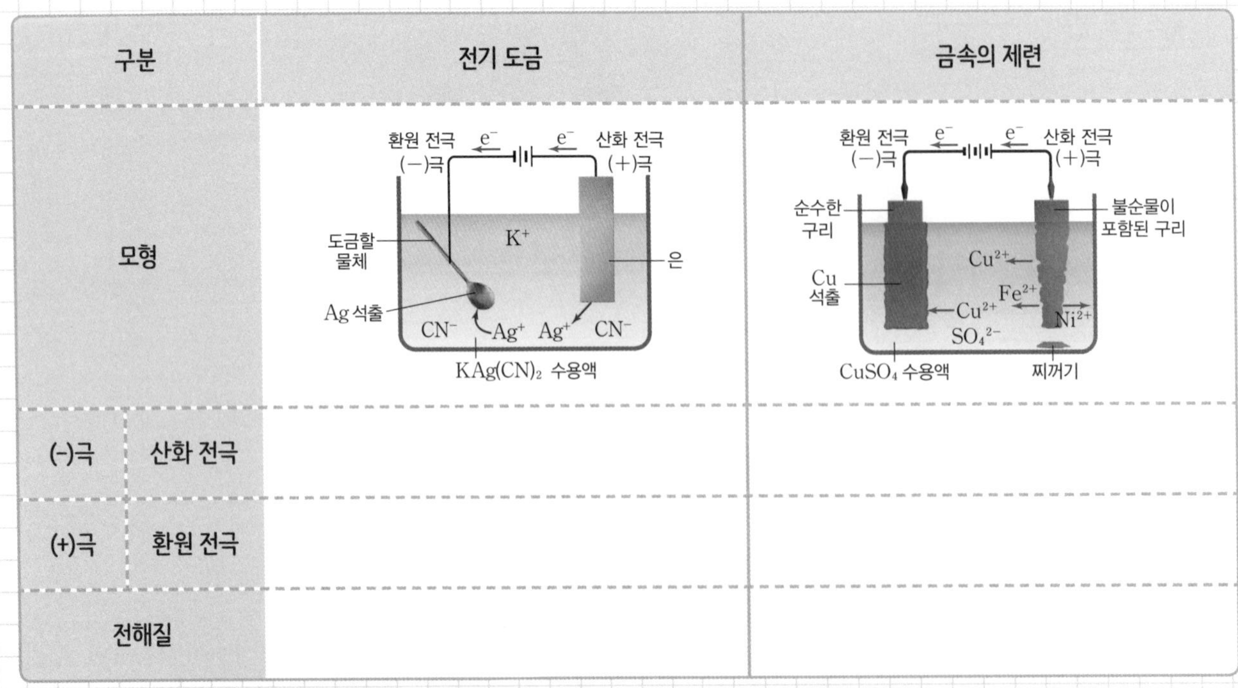

구분		전기 도금	금속의 제련
모형		환원 전극 (−)극 e^- e^- 산화 전극 (+)극 도금할 물체 K^+ 은 Ag 석출 CN^- Ag^+ Ag^+ CN^- $KAg(CN)_2$ 수용액	환원 전극 (−)극 e^- e^- 산화 전극 (+)극 순수한 구리 불순물이 포함된 구리 Cu 석출 Cu^{2+} Fe^{2+} Cu^{2+} Ni^{2+} SO_4^{2-} $CuSO_4$ 수용액 찌꺼기
(-)극	산화 전극		
(+)극	환원 전극		
전해질			

마인드맵으로 정리하기

◎ 자신만의 마인드맵을 만들어 단원의 핵심 내용을 정리해 보자.

집중력을 높이는 퍼즐 Game

• 가로와 세로에 각각 한 그림을 한 번씩만 씁니다.

• 빈칸에 들어갈 그림을 그려 보세요.

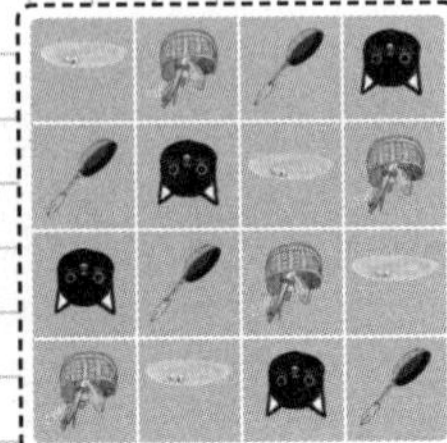

나만의 레시피

개념 학습과 정리가 한번에 끝나는 기본서
개념풀
화학 Ⅱ

개념풀

BOOK MARK

절취선을 따라 오려 보세요.
공부할 때 유용한
개념풀 감성 책갈피가
만들어져요.

드디어~
생선 잡는 법을 알았어.

스스로 써 보며 정리하는 공부가
진짜 공부인 걸
개념풀이 알려 준 것처럼 말야.

난 이제 생선을 잡아서
나만의 비법으로
최고의 요리를 만들거야.

자, 너희도
따라해 볼래?

재료를 다 구했으니
요리를 해야겠다.

요리 중
비법

개념풀에게
고마움을 전하고
싶습니다.
비결이 뭡니까?!

축하해~

지학사는 좋은 책을 만들기 위해 최선을 다합니다

완벽한 교재를 위한 노력

- 도서 오류 신고는 「홈페이지 〉 참고서 〉 해당 참고서 페이지 〉 오류 신고」에서 하실 수 있습니다.
- 발간 이후에 발견되는 오류는 「홈페이지 〉 참고서 〉 참고서 자료실 〉 정오표」에서 알려드립니다.

고객 만족 서비스

- 홈페이지에 문의하신 사항에 대한 답변이 등록되면 수신 동의가 되어 있는 경우 문자 메시지가 발송됩니다.

개념 학습과 정리가 한번에 끝나는 기본서

개념풀

화학 II

정가 21,000원

53430

ISBN 978-89-05-05301-7

지은이 조향숙, 이희나, 서오일, 노동규
개발 책임 김나영 | **편집** 배미연, 김나리 | **마케팅** 김남우, 남성희, 우지영, 최은경
디자인 책임 김의수 | **표지 디자인** 김소민, 엄혜임 | **본문 디자인** 김소민, 엄혜임 | **컷** 김상준, 이도훈
조제판 벽호미디어 | **인쇄 제본** 벽호

발행인 권준구 | **발행처** (주)지학사 (등록번호 : 1957.3.18 제 13-11호) 04056 서울시 마포구 신촌로6길 5
발행일 2019년 12월 20일 [초판 1쇄] 2021년 10월 15일 [2판 1쇄]
구입 문의 TEL 02-330-5300 | FAX 02-325-8010 구입 후에는 철회되지 않으며, 잘못된 제품은 구입처에서 교환해 드립니다.
내용 문의 www.jihak.co.kr 전화번호는 홈페이지 〈고객센터 → 담당자 안내〉에 있습니다.